CONTRE-JOUR

Fiction & Cie

Thomas Pynchon

CONTRE-JOUR

roman

traduit de l'anglais (États-Unis) par Claro

OUVRAGE TRADUIT AVEC LE CONCOURS
DU CENTRE NATIONAL DU LIVRE

Seuil
27, rue Jacob, Paris VIᵉ

COLLECTION
« *Fiction & Cie* »
fondée par Denis Roche
dirigée par Bernard Comment

Éditeur original : Viking, Penguin Group (USA) Inc., New York, 2006
Titre original : *Against the Day*
© Thomas Pynchon, 2006
ISBN (10) original : 1-59420-120-X

ISBN 978-2-02-095004-6

www.editionsduseuil.fr

Il fait toujours nuit, sinon on n'aurait pas besoin de lumière.

THELONIOUS MONK

UN

La lumière des cimes

«Maintenant, larguez les amarres!»

«Allons, de l'entrain… en douceur… parfait! Paré à l'appareillage!»

«Ville des vents, nous voici!»

«Hourra! On monte!»

C'est parmi ces exclamations enjouées que le dirigeable à hydrogène le *Désagrément*, sa nacelle ornée d'une banderole patriotique, son équipage constitué de cinq jeunes hommes appartenant au célèbre club aéronautique des Casse-Cou, s'éleva brusquement ce matin-là et prit bientôt le vent du sud.

Quand le vaisseau atteignit son altitude de croisière, et que les silhouettes restées au sol eurent diminué au point de devenir quasi microscopiques, le commandant Randolph St. Cosmo annonça: «Chacun à son poste de manœuvre», et les aérostiers, tirés à quatre épingles dans leur uniforme d'été, blazer rayé rouge et blanc, pantalon bleu ciel, s'exécutèrent fougueusement.

Ils comptaient arriver le jour même à Chicago, où s'était ouverte il y a peu l'Exposition universelle dédiée à Colomb. Depuis qu'ils avaient reçu leurs ordres, les commérages parmi l'équipage excité et intrigué avaient porté presque exclusivement sur la légendaire «Ville blanche», sa grande roue, ses lacs scintillants, ses gigantesques temples du commerce et de l'industrie en albâtre, et les mille autres merveilles, de nature à la fois scientifique et artistique, qui les attendaient là-bas.

«Bigre!» s'écria Darby Suckling, qui, penché au-dessus du bastingage, voyait le bastion national se fondre dans un tourbillon vert et nébuleux, tandis que ses boucles filasse ondulaient dans le vent telle une bannière. (Darby, ainsi que s'en souviendront mes fidèles lecteurs, était le «cadet» de l'équipage, il servait à la fois de factotum et de mascotte, et chantait également les passages les plus aigus dès que ces jeunes navigateurs cédaient à l'appel impérieux de la chansonnette.) «Je bous d'impatience!» s'exclama-t-il.

«Ce qui vient de vous valoir cinq autres blâmes!» le gronda une voix sévère non loin de son oreille, tandis qu'il était brusquement empoigné par-derrière et hissé au-dessus de la main courante. « Ou irons-nous jusqu'à dix ? Combien de fois », continua Lindsay Noseworth, le Commandant en second, dont l'intolérance à l'égard des laisser-aller de toutes sortes était légendaire, « avez-vous été mis en garde, Suckling, contre les écarts de langage ? » Avec une agilité issue d'une longue pratique, il retourna Darby tête en bas, suspendit le poids plume par les chevilles au-dessus du vide – à six cents mètres au moins de la *terra firma* – et entreprit de le chapitrer sur les nombreux périls d'une expression relâchée, susceptible en particulier de mener au blasphème, voire pire. Mais attendu que tout ce temps Darby hurla de peur, on ne saurait dire avec certitude lesquels de ces conseils avisés firent véritablement mouche.

« Allons, ça suffit, Lindsay », décréta Randolph St. Cosmo. « Le gosse a du travail, et si vous l'effrayez ainsi, il est clair qu'il ne servira pas à grand-chose. »

« C'est bon, demi-portion, du calme », grommela Lindsay, en remettant à contrecœur sur pied un Darby terrorisé. En sa qualité de capitaine d'armes, responsable de la discipline à bord du vaisseau, il faisait son devoir avec une intransigeance pouvant passer, aux yeux d'un observateur impartial, pour une forme de monomanie. Mais étant donné la facilité avec laquelle cet équipage enjoué savait trouver des occasions de chahuter – se soldant souvent par ce genre d'« échappées belles » qui font se figer d'effroi les aéronautes –, Randolph laissait en général son second pécher par excès de zèle.

Un fracas soutenu leur parvint de l'autre bout de la nacelle, suivi de jurons étouffés qui firent naturellement grimacer Randolph, lequel porta une main à son ventre. « J'ai juste trébuché sur un panier-repas », lança l'apprenti factotum Miles Blundell, « celui où c'est qu'y a toute la vaisselle, enfin c'est ce qu'on dirait… J'ai bien peur de pas l'avoir vu, Professeur. »

« Son omniprésence », jugea Randolph d'une voix plaintive, « l'aura sans doute rendu provisoirement invisible à vos yeux. » Son reproche, bien que mâtiné de raillerie, était néanmoins fondé, car Miles, pourtant doté des meilleures intentions et de loin le plus affable du petit groupe, souffrait parfois de troubles d'ordre moteur, aboutissant souvent à d'amusants résultats, mais compromettant tout aussi fréquemment la sécurité de l'équipage. Miles ramassa les débris du service en porcelaine, suscitant l'hilarité d'un certain Chick Counterfly, le tout nouveau membre de l'équipage, qui l'observait, adossé à un hauban.

«Ha ha», s'écria le jeune Counterfly, «dis donc, t'es vraiment le gars le plus empoté que j'aie jamais vu! Ha, ha, ha!» Une réplique cinglante affleura aux lèvres de Miles, mais il la réprima, se souvenant que, l'insulte et la provocation étant indissociables du milieu d'où était issu le nouveau venu, c'était son passé malsain qu'il fallait blâmer pour ces tournures de langage.

«Et si tu me passais quelques-uns de ces luxueux couverts, Blundell», continua le jeune Counterfly. «Quand on sera à Chicago, on se trouvera un margoulin qui nous les —»

«Puis-je vous rappeler», répondit poliment Miles, «que tous les couverts portant l'insigne des Casse-Cou sont la propriété de l'Organisation et doivent demeurer à bord où ils ne seront utilisés que lors des repas pris ensemble.»

«C'est pire que le cathé, ici», marmonna le jeune trublion.

Largement indifférent aux allées et venues sur le pont, allongé à un bout de la nacelle, sa queue battant de temps à autre les planches de manière expressive, le nez entre les pages d'un volume de Mr Henry James, un chien de race indéterminée semblait captivé par le roman qu'il avait sous les yeux. Depuis que les Casse-Cou, au cours d'une mission confidentielle dans la Capitale de Notre Nation (cf. *Les Casse-Cou et l'Idiot malfaisant*), avaient arraché Pugnax, alors encore un chiot, à une rixe féroce à laquelle se livraient, à l'ombre du monument dédié à Washington, des meutes rivales de chiens errants du District, ledit Pugnax avait pris l'habitude d'examiner tout ouvrage imprimé se trouvant à bord du *Désagrément*, des traités d'aéronautique jusqu'aux écrits les plus futiles, tels que les «romans populaires» – bien que sa préférence parût aller davantage aux récits sentimentaux mettant en scène sa propre espèce qu'à ceux consacrés aux excès du comportement humain, qu'il trouvait un tantinet choquants. Il avait appris, avec cette bonne volonté caractéristique des chiens, à tourner les pages très délicatement, en se servant de sa truffe ou de ses pattes, et quiconque le voyait ainsi concentré ne pouvait s'empêcher de remarquer les expressions changeantes de son visage, en particulier les sourcils inhabituellement mobiles, lesquels contribuaient à une impression générale d'intérêt, de compassion et – il était difficile d'en conclure autrement – de compréhension.

En vieil habitué de l'aérostat, Pugnax avait également appris, comme le reste de l'équipage, à répondre aux «appels de la nature» en s'exécutant dans la partie sous le vent de la nacelle, causant quelque étonnement parmi les populations terrestres, mais la chose n'était ni assez fréquente ni assez notoire pour que quiconque aille signaler et encore moins rassembler des témoignages concernant ces agressions scatologiques venues du ciel. Celles-ci étaient plutôt intégrées au folklore, au monde des superstitions, voire, si l'on ne craint pas d'étendre la définition, au domaine religieux.

Darby Suckling, s'étant remis de sa récente excursion dans l'atmosphère, aborda le studieux canidé. «Dis donc, Pugnax – qu'est-ce que tu lis là, mon vieux?»

«Rr Rff-rff Rr-rr-*rff*-irrf-rrf», répondit Pugnax sans lever les yeux, sur quoi Darby, s'étant accoutumé comme les autres membres de l'équipage à la voix de Pugnax – plus compréhensible, franchement, que certains des accents américains régionaux qu'entendaient les garçons au cours de leurs voyages –, interpréta comme suit: «*La Princesse Casamassima.*»

«Ah. Une... mièvrerie italienne, je parie.»

«Cela traite», l'informa promptement Lindsay Noseworth, toujours sur le qui-vive, et ayant surpris l'échange, «de l'inexorable montée de l'Anarchisme mondial, qu'on trouvera particulièrement répandu, d'ailleurs, à l'endroit même où nous nous rendons – un sinistre fléau que, je l'espère, nous n'aurons pas à subir plus que ce n'est actuellement le cas pour Pugnax dans les pages inoffensives de ce livre.» En mettant sur le mot «livre» une insistance dont le mépris ne saurait être égalé que par les commandants en second.

Pugnax renifla brièvement en direction de Lindsay, s'efforçant de détecter ce mélange de «notes» olfactives qu'il s'était habitué à trouver chez d'autres humains. Mais, comme à chaque fois, cette odeur lui échappa. Il y avait sans doute une explication, même s'il n'était pas certain de devoir en trouver une. Les explications, autant qu'il pouvait en juger, n'étaient apparemment point des choses que les chiens recherchaient ni même auxquelles ils avaient droit. Surtout les chiens qui passaient autant de temps que Pugnax dans les airs, bien au-dessus de l'inépuisable réseau d'odeurs qu'on trouvait à la surface terrestre.

Le vent, qui jusqu'ici avait soufflé régulièrement sur leur quart tribord, commença à virer. Comme leurs ordres étaient de se rendre à Chicago sans délai, Randolph, après avoir étudié une carte aéronautique du territoire qu'ils survolaient, lança: «Allez, Suckling – hissez l'anémomètre – Blundell et Counterfly, restez près de l'Hélice», désignant par ce terme un instrument de propulsion aérienne, dont se souviennent sans doute mes jeunes lecteurs les plus scientifiques dans les précédentes aventures des garçons (*Les Casse-Cou au Krakatoa, Les Casse-Cou et la Quête de l'Atlantide*), destiné à augmenter la vitesse de croisière du *Désagrément*, inventé par leur ami de longue date le Pr Heino

Vanderjuice de New Haven, et mû par un ingénieux moteur à turbine dont on alimentait la chaudière en brûlant l'excédent de gaz hydrogène récupéré dans l'enveloppe au moyen d'un dispositif de valves spéciales – bien que l'invention ait été décriée, comme on pouvait s'y attendre, par les nombreux rivaux du Dr Vanderjuice, ravalée au rang de machine à mouvement perpétuel, en cela une violation manifeste des lois de la thermodynamique.

Ce fut devant ces instruments de bord que Miles, avec son sens limité de la coordination, et Chick, avec un manque d'empressement tout aussi perceptible, prirent alors position, tandis que Darby Suckling escaladait les enfléchures et les haubans de la gigantesque enveloppe ellipsoïdale dont dépendait la nacelle, et ce jusqu'au sommet, là où le flux aérien était ininterrompu, afin de déterminer, sur un anémomètre de Robinson, la vitesse exacte du vent, ainsi que l'allure à laquelle progressait le vaisseau, puis de transmettre ces informations au pont au moyen d'un message écrit placé dans une balle de tennis retenue par un filin. On se rappellera que cette façon de véhiculer l'information avait été adoptée par l'équipage durant leur bref quoique peu concluant séjour «au sud de la frontière», où ils avaient pu l'observer parmi la racaille qui dissipe son existence en paris lors de parties de *pelota*. (Pour les lecteurs qui feraient ici la connaissance de nos jeunes aventuriers, il convient de souligner sans plus tarder qu'ils n'auraient jamais pénétré – peut-être à l'exception de Chick Counterfly, dont on ne connaissait pour l'heure encore pas grand-chose – l'atmosphère pernicieuse du *frontón*, ainsi qu'on désigne en bas ces bouges, si la chose n'avait pas été aussi cruciale aux activités d'espionnage que les Casse-Cou s'étaient engagés à mener alors pour le ministère de l'Intérieur du président Porfirio Díaz. Pour plus de détails sur leurs exploits, cf. *Les Casse-Cou au Vieux-Mexique.*)

Bien que tous eussent conscience du grave danger encouru, l'enthousiasme de Darby pour leur mission présente créait, comme à chaque fois, un nimbe magique autour de sa silhouette d'elfe, semblant le protéger de tout, mais point des sarcasmes de Chick Counterfly, lequel lança alors à la mascotte ascendante: «Hé! Suckling! Seul un *abruti* risquerait sa vie pour voir à quelle vitesse souffle le vent!»

Entendant cela, Lindsay Noseworth fronça des sourcils perplexes. Même en tenant compte du passé navrant de Chick – une mère disparue, disait-on, quand il était encore bébé, un père peu recommandable quelque part dans la Vieille Confédération –, le penchant de Counterfly pour l'insulte gratuite avait commencé à compromettre son intégration parmi les Casse-Cou, voire à nuire au moral des troupes.

Deux semaines plus tôt, non loin d'une rivière aux eaux noires du Sud profond, tandis que les Casse-Cou s'efforçaient de résoudre une «affaire» pénible et datant de la Rébellion, vieille de trente ans – une affaire qu'on ne saurait encore confier à la page –, Chick avait fait un soir irruption dans leur campement en proie à une frayeur extrême, poursuivi par une bande de scélérats en robe blanche et à sinistre capuchon pointu, en qui les garçons reconnurent immédiatement le redouté «Ku Klux Klan».

Son histoire, ainsi qu'ils purent la reconstituer malgré les brusques changements de registre typiques d'une voix adolescente exacerbée par des circonstances périlleuses, était la suivante. Richard, le père de Chick – communément appelé «Dick» et originaire du Nord –, avait sévi plusieurs années dans la Vieille Confédération et s'était lancé dans nombre d'entreprises commerciales, dont aucune, malheureusement, n'avait été couronnée de succès, et dont plus d'une, en fait, l'avait conduit, comme on dit, à «ça» du pénitencier. Finalement, avec l'arrivée imminente d'un groupe racialiste qui avait eu vent de son projet de vendre l'État du Mississippi à un mystérieux consortium chinois basé à Tijuana, «Dick» Counterfly avait prestement déguerpi en pleine nuit, ne laissant à son fils que quelques pièces et ce tendre avertissement: *Faut que je décanille, petit – écris-moi si tu trouves du boulot*. Depuis lors, Chick avait tiré le diable par la queue, jusqu'à ce que, dans la ville de Thick Bush, non loin du campement des Casse-Cou, quelqu'un, reconnaissant en lui le fils d'un célèbre aventurier recherché, propose d'appliquer immédiatement à sa personne un mélange de goudron et de plumes.

«Quand bien même nous aimerions vous apporter notre protection», avait déclaré Lindsay au jeune garçon paniqué, «il se trouve qu'ici, sur la terre ferme, nous sommes contraints par notre Charte, qui nous interdit de jamais intervenir dans les coutumes légales de la localité où nous avons pu atterrir.»

«Vous êtes pas du coin», avait répondu Chick un peu sèchement. «Quand ils poursuivent un gars, il est plus question de légalité – ici on dit: Ventre à terre, Yankee, ça va barder.»

«Dans une langue policée», l'avait aussitôt repris Lindsay, «il n'est plus" est préférable à "il est plus".»

«Noseworth, pour l'amour du Ciel!» s'était écrié Randolph St. Cosmo qui avait observé avec inquiétude les silhouettes en robe et capuchon à l'orée du campement, dont les torches éclairaient chacun des plis de leur drap grossier avec une précision quasi théâtrale, jetant des ombres étranges parmi les gommiers, les cyprès et les noyers. « Débattre n'est plus de mise – nous devons accorder l'asile à cet individu et, s'il le souhaite, l'intégrer provisoirement à notre Unité. Il est clair qu'il n'a plus le moindre avenir ici-bas. »

La vigilance avait remplacé le sommeil cette nuit-là, de peur que des étincelles échappées des torches du gang s'approchent de l'appareil générateur d'hydrogène, avec les effets dévastateurs qu'on devine. Mais, finalement, les chevaliers à la triste mine, éprouvant peut-être une peur superstitieuse à l'égard de cette machinerie, s'en étaient retournés qui dans leurs maisons, qui dans leurs repaires. Et Chick Counterfly, pour le meilleur ou pour le pire, était resté…

L'Hélice leur permit bientôt d'atteindre une vitesse qui, ajoutée à celle du vent soufflant directement par l'arrière, les rendit quasi invisibles au sol. « On fait nettement plus d'un mile par minute », lança Chick Counterfly depuis le panneau de contrôle, sur un ton où l'admiration le disputait à la peur.

« Nous pourrions atteindre Chicago avant la tombée de la nuit », reconnut Randolph St. Cosmo. « Ça peut aller, Counterfly ? »

« Au poil ! » s'exclama Chick.

Comme la plupart des « bleus » dans l'Organisation, Chick s'était aperçu qu'il souffrait moins de la vélocité que de l'altitude, ainsi que des changements de pression atmosphérique et de température concomitants. Lors de ses premières incursions dans l'air, il vaqua à ses tâches sans se plaindre mais on le retrouva un jour en train de fouiller sans autorisation dans un casier contenant divers articles d'équipement arctique. Quand Lindsay Noseworth l'interrogea, le jeunot ne put pour sa défense que bafouiller : « F-f-froid ! »

« N'allez pas vous imaginer », l'informa Lindsay, « qu'en venant à bord du *Désagrément*, vous avez trouvé refuge dans un royaume du contrefactuel. Il n'y a peut-être ici ni mangroves ni lynchages, mais nous devons néanmoins vivre avec les contraintes du monde donné, la moindre n'étant pas la baisse de température liée à l'altitude. Un jour, votre sensibilité à cet égard devrait s'atténuer, aussi, dans l'intervalle » – il lui lança un épais manteau en peau de bique japonaise avec, au revers et en lettres jaune vif, la mention : PROPRIÉTÉ DES C.C. –, « considérez ceci comme un simple habit de transition, en attendant que vous vous accommodiez à ces altitudes et que, avec de la chance, vous reteniez les leçons d'un séjour imprévu en ces lieux. »

« Pour dire les choses succinctement », lui confia plus tard Randolph, « s'élever c'est comme se diriger au nord. »

Il resta là, à cligner des yeux, comme s'il attendait un commentaire.

«Mais», se permit alors Chick, «si on garde assez longtemps le cap au nord, on finit par survoler le Pôle, et alors on se dirige à nouveau vers le sud.»

«Certes.»

Le Commandant haussa les épaules, embarrassé.

«Donc... si on montait suffisamment, on finirait par *redescendre*?»

«Chut!» le mit en garde Randolph St. Cosmo.

«On approcherait de la surface d'une *autre planète*, qui sait?» insista Chick.

«Pas exactement. Non. Une autre "surface", certes, mais terrestre. Souvent, à notre regret, bien trop terrestre. En outre, je répugne à —»

«Ce sont là les mystères de la profession», supposa Chick.

«Vous verrez. Avec le temps, bien sûr.»

Quand ils survolèrent les Abattoirs, l'odeur les surprit, l'odeur et le tumulte de la chair à qui est révélé son caractère mortel – tel l'obscur précipité d'une fiction diurne qu'ils étaient, selon toute apparence, venus promouvoir ici. Quelque part en bas se trouvait la Ville blanche vantée par les brochures de l'Exposition universelle, parmi les hautes cheminées vomissant sans relâche une fumée grasse et noire, les effluves de l'inlassable boucherie, dans laquelle les bâtiments de la vaste ville situés sous le vent se retiraient, tels des enfants dans un somme aux vertus fort peu réparatrices. Dans les Abattoirs, les ouvriers qui avaient fini leur journée de travail, en très grande majorité de confession romaine, capables de s'arracher à la terre et au sang pendant quelques précieuses secondes, levèrent des yeux étonnés vers l'aéronef, imaginant un détachement d'anges pas forcément secourables.

Sous les Casse-Cou métamorphosés en badauds tournoyait le maillage cartésien des rues et des allées, rehaussé de sépia, et ce sur des kilomètres à la ronde. « La grande cité bovine du monde », murmura un Lindsay ébahi. Et le fait est que les têtes de bétail étaient nettement plus nombreuses que les couvre-chefs. Depuis cette altitude, c'était comme si les Casse-Cou, qui, au cours de leurs aventures passées, avaient souvent vu de vastes troupeaux errer selon des motifs nébuleux et toujours changeants sur les plaines occidentales, découvraient ici cette liberté confuse désormais rationalisée en un mouvement uniquement composé de lignes et d'angles droits, sujet à une réduction progressive des choix, jusqu'au dernier virage et à la grille fatale menant à l'abattage.

Juste avant que le soleil se couche, au sud de la ville, tandis que le *Désagrément* dodelinait dans les brises capricieuses au-dessus d'une immense prairie qui accueillait cette semaine la grande Assemblée internationale des aéronautes, laquelle se déroulait conjointement avec l'Exposition universelle, le « Professeur » St. Cosmo, distinguant enfin une parcelle de pré vacante parmi les nombreux aéronefs ayant déjà atterri, avait donné l'ordre : « Paré à descendre. » L'état d'inattention toute relative dans lequel il semblait se complaire fut bientôt interrompu par une remarque agacée de Lindsay : « Comme vous l'aurez assurément remarqué, l'incompétence de Blundell avec la soupape principale, devenue je le crains coutumière, a accru la vitesse de notre descente à un point remarquable, voire quasi alarmant. »

Et le fait est que Miles Blundell, bien intentionné mais tout sauf adroit, avait réussi on ne sait comment à se prendre le pied dans le câble relié à la soupape, et on pouvait le voir tirer en tous sens cette extrémité, son large et honnête visage empreint d'une expression d'épouvante, dans l'espoir que la soupape montée sur ressort finirait par se refermer – car elle avait déjà laissé s'échapper une quantité d'hydrogène considérable en une brusque bouffée, contraignant le vaisseau à piquer vers la rive du lac tel un jouet lâché par quelque galopin cosmique.

« Blundell, au nom du Ciel ! » s'exclama Randolph. « Mais vous allez tous nous tuer ! »

« Bah, c'est juste embrouillé, Professeur », déclara Miles, en tentant vainement de démêler les nœuds de chanvre, qui ne faisaient que se resserrer davantage à mesure qu'il persévérait dans ses efforts.

Lâchant un juron involontaire mais bénin, Lindsay s'était précipité au côté du jeune Blundell et avait ceinturé ses larges hanches, pour tenter de le soulever, espérant ainsi relâcher la tension du filin et du coup refermer la soupape. « Dites donc, Counterfly », aboya le second à l'intention de Chick, qui se gaussait, affalé contre un casier à outils, « et si vous vous bougiez un peu pour aller donner un coup de main à Blundell », ce maladroit, d'un naturel chatouilleux, s'étant mis entre-temps à hurler et gesticuler afin d'échapper à l'emprise de Lindsay. Chick Counterfly se leva indolemment et s'approcha non sans quelque prudence des deux hommes qui vacillaient, ne sachant trop quelle partie de Miles agripper, de peur d'accroître son agitation.

Tandis que le gaz vital continuait de s'écouler de la soupape avec un hurlement perçant et inquiétant, et que le dirigeable piquait toujours plus rapidement vers la terre, Randolph, devant l'inepte entêtement de ses hommes, comprit que la responsabilité du désastre imminent lui échouait encore, cette fois-ci pour avoir délégué ces tâches à des éléments incompétents...

Ses sombres réflexions furent interrompues par Darby, accouru pour le tirer par la manche de son blazer – « Professeur, Professeur ! Lindsay vient juste de faire une remarque diffamatoire sur la mère de Miles, et pourtant il me reproche sans cesse de parler "argot", vous trouvez ça juste, non mais franchement ? »

«Cette crasse insubordination, Suckling», déclara gravement Lindsay, «vous coûtera un jour ce que certains marins de bas étage appellent "le baiser de Liverpool", bien avant que vous n'ayez droit à un spécimen plus répandu, excepté peut-être en ces rares occasions où votre mère, sans doute dans un moment de distraction, a cru bon de vous accorder ce geste surprenant mais, je le crains (l'infortunée), déplacé, d'affection.»

«Vous voyez, vous voyez?» piailla Darby, «s'en prendre à la mère d'un gars...»

«Pas maintenant!» s'écria Randolph, qui repoussa abruptement l'importune et jeune mascotte, flanquant à Suckling une frousse du diable. «Counterfly, du lest, vite! Oubliez cet énergumène, et balancez nos sacs de sable, ou notre compte est bon!»

Chick haussa les épaules et lâcha Miles, puis se dirigea nonchalamment vers le plus proche plat-bord pour détacher quelques sacs, laissant Lindsay, qui n'eut pas le temps de compenser l'accroissement de sa charge, s'écrouler sur le pont dans un cri de panique, avec un Miles Blundell désormais quasi hystérique sur sa personne. Émettant une vibration sonore digne de la Trompette du Jugement dernier, la corde enroulée autour de son pied cessa soudain d'être reliée à la soupape principale, mais pas avant d'avoir étiré au-delà de sa limite élastique le ressort permettant de la refermer prudemment. La soupape demeura alors entrebâillée – la gueule même des Enfers!

«Suckling! Grimpez là-haut, et vite!»

Le cadet escalada prestement les cordages, tandis que Randolph, toujours aussi inquiet, traversait le pont en titubant, trébuchant au passage sur Lindsay Noseworth qui tentait de s'extirper de sous la masse frétillante de Miles Blundell et rejoignant brusquement ses camarades horizontaux. Il leva les yeux et aperçut Darby Suckling qui l'observait avec curiosité.

«Qu'est-ce que je suis censé faire là-haut, Professeur?» lança la naïve mascotte.

Alors que des larmes de frustration s'accumulaient dans les yeux de Randolph, Lindsay, percevant une apathie familière chez son chef dont les paroles étaient momentanément assourdies par le coude de Miles, se précipita ou, plus exactement, s'insinua dans la vacance du pouvoir. «Refermez manuellement la soupape», lança-t-il à Darby, ajoutant «espèce de benêt» d'une voix à peine audible. Darby, son uniforme palpitant sous l'effet du gaz qui s'échappait, s'exécuta promptement et vaillamment.

«Voulez que je sorte quelques parachutes, Noseworth?» demanda Chick d'une voix traînante.

« *Monsieur* Noseworth », le reprit Lindsay. « Non, Counterfly, je ne pense pas, le temps nous est compté – en outre, les complications liées au fait de harnacher Blundell avec l'équipement idoine mettraient à rude épreuve le génie topologique de Herr Riemann lui-même. » Mais la boutade, tout autant que son objet, échappa à Chick, qui, ayant réussi on ne sait comment à se remettre sur pied, se dirigea d'une démarche aussi chaloupée que nonchalante vers le bastingage et se pencha alors, vraisemblablement pour observer le paysage. Au-dessus de lui, Darby parvint à refermer la soupape avec un « Hourra ! » triomphal, et le grand dirigeable ramena du coup sa chute abrupte à une vélocité guère plus inquiétante que celle d'une feuille en automne.

« Ma foi, nous avons dû flanquer une sacrée frousse aux pékins d'en bas, Professeur », commenta Miles en regardant le sol. « C'est d'avoir balancé tout ce lest, je parierais. »

« Hein ? » fit Randolph qui commençait à recouvrer son air de flegmatique compétence. « Comment ça ? »

« Regardez-les courir comme des insensés », continua Miles. « Ah ça alors, l'un d'eux n'est même pas habillé, à ce qu'on dirait ! » Il sortit une puissante lunette d'un casier situé à portée de main et la braqua sur l'objet de sa curiosité.

« Allons, Blundell », ajouta Randolph en se relevant, « il y a suffisamment à faire en ce moment pour ne pas s'adonner à d'oisives vétilles… »

Il fut interrompu par un cri d'effroi de Miles.

« Professeur ! » s'écria le gamin, un œil incrédule rivé au cylindre poli. « La silhouette dévêtue que je viens de signaler – ce n'est pas celle d'un homme, non, mais plutôt d'une… d'une dame ! »

Il s'ensuivit une « bousculade enthousiaste » vers le bastingage, et une tentative collective pour arracher le télescope des mains de Miles, lequel s'y cramponna avec entêtement. Mais tous braquaient leurs regards ou plissaient frénétiquement les yeux, s'efforçant de distinguer la scène signalée.

Sur le tapis d'herbe en dessous, dans la lumière déclinante, parmi les formes étoilées et plus claires des lests éclatés, filant follement, comme à travers quelque firmament terrestre, courait un corpulent quidam en veste Norfolk et culottes de golf qui d'une main plaquait un canotier sur l'arrière de son crâne tout en tenant de l'autre un appareil photo, un trépied en équilibre sur son épaule. Derrière lui courait la personne du beau sexe que Blundell avait repérée, portant un paquet d'effets féminins, mais vêtue pour l'instant à peu de chose près d'un vague diadème floral, adorablement de guingois dans son épaisse chevelure blonde. Le couple semblait se diriger vers un fourré, et jetait de temps à autre des regards inquiets vers l'énorme enveloppe du *Désagrément* qui descendait, comme s'il s'agissait d'un œil gigantesque, peut-être celui de la Société elle-même, les observant sans relâche depuis les cieux, dans un esprit de censure constructive. Le temps que Lindsay arrache l'instrument optique des mains moites de Miles Blundell, et persuade le jeune homme contrarié de balancer les grappins et d'aider Darby à arrimer le vaste dirigeable à la «Terre Mère», le couple inconvenant avait disparu dans les feuillages, comme le ferait bientôt cette zone de la République dans l'obscurité croissante.

Se servant de ses deux mains, Darby dévala en parfait petit singe le câble de l'ancre, sauta au sol et, se glissant d'un pas alerte sous le *Désagrément*, se saisit adroitement des haussières que lui lançait Miles Blundell. Enfonçant l'une après l'autre, au moyen d'un maillet, les robustes chevilles en bois dans les épissures à œillet situées aux extrémités des torons, il eut vite fait d'amarrer le gigantesque véhicule qui, comme rendu magiquement docile par quelque minuscule dompteur, cessa de bouger au-dessus de lui.

L'échelle de corde se déroula en cliquetant sur le flanc du dirigeable, bientôt suivie de Miles qui descendit d'une démarche hésitante, chargé d'un énorme sac de linge sale. On distinguait encore à l'ouest une vague lueur pourpre, contre laquelle se détachait la silhouette de Blundell, ainsi que les têtes des autres garçons penchés au-dessus du rebord incurvé de la nacelle.

Très tôt, avant même que pointe le jour, une foule enjouée et variée d'aérophiles venus pique-niquer n'avait cessé d'affluer, et ce ballet incessant avait duré jusqu'à bien après le coucher du soleil, s'éternisant au cours de cette soirée d'été du Midwest dont ils ne percevaient guère la mélancolie, trop occupés qu'ils étaient pour la plupart, leurs ailes à la fois immobiles et palpitantes, des ailes pareilles à celles des chauves-souris, des mouettes et des albatros, des ailes faites avec de la peau de veau tannée et des bambous, des ailes décorées laborieusement de plumes en celluloïd, dans un vaste scintillement céleste ils arrivaient, avec à leur bord des aviateurs de tous acabits, depuis le sceptique de laboratoire jusqu'à l'ascensionniste en quête christique, souvent accompagnés d'aéro-chiens, qui avaient appris à se tenir tranquilles, à l'étroit dans les cabines de pilotage de leurs petits aéronefs, surveillant les tableaux de bord et aboyant s'ils remarquaient un détail qui avait échappé à l'attention du pilote — on pouvait néanmoins en distinguer d'autres sur les plats-bords et les passerelles hautes, leurs têtes tendues dans le courant atmosphérique, leurs traits empreints d'une expression de félicité absolue. Les aéronautes se saluaient de temps en temps en usant de porte-voix, et le soir retentit bientôt, telles les rues bordées d'arbres de la ville proche, de leurs plaisanteries aéronavales.

Les membres de l'équipage eurent très vite dressé la tente du mess, ramassé du bois et allumé un petit feu dans le poêle de la coquerie, comme il se devait sous le vent du *Désagrément* et de son générateur d'hydrogène. Miles s'affaira dans la minuscule cuisine et leur concocta bientôt un « rata » de poissons-chats, pêchés le matin même et conservés tout le jour sur de la glace, dont la fonte avait été retardée par la froidure de l'altitude. Autour d'eux, les autres groupes frères des airs vaquaient à leurs propres préparatifs culinaires, et les viandes rôties, les oignons frits et le pain en train de cuire dispensaient de délicieuses odeurs qui s'insinuaient partout dans le vaste campement.

Après le dîner et les Quartiers du Soir, les jeunes gens consacrèrent quelques instants au chant, comme d'autres, de confessions différentes, en auraient consacré à la prière. Depuis leurs frasques hawaïennes (*Les Casse-Cou et la Malédiction du Grand Kahuna*), Miles était devenu un fervent ukuléliste, et, ce soir-là, après avoir fermé à clé l'arrière-cuisine et restitué aux ponts du mess leur habituelle propreté, il sortit un des nombreux instruments à quatre cordes qu'il conservait dans son aéro-malle et, après avoir gratté une brève introduction, accompagna les adolescents qui chantaient.

> Y a des gars qui vivent dans des patelins
> Et d'autres qui vivent dans des métairies
> Et qui jamais ne s'éloignent très loin
> Des bras affectueux de leurs chéries —
> Ils savent toujours qui ils sont
> Et quel chemin suivra leur vie —
> Et puis y a les gars comme nous, qui disent
> Au revoir avant de dire bonjour,
> Car nous sommes les
> As des Altitudes
> Les Vagabonds du Vide…
> Quand d'autres tremblent de peur,
> C'est à peine si nos nerfs vibrent.
> Que les vents explosent l'échelle de Beaufort,
> Qu'il fasse nuit noire,
> Que cingle l'éclair
> Et gronde le tonnerre,

Nos cœurs sont pleins d'espoir!
Car...
Le Casse-Cou est une fière créature,
Et jamais il ne gémira ou ne criera,
Car son sang est aussi rouge et son esprit aussi pur
Que les rayures de son blazer d'apparat!

Ce soir-là, Chick et Darby, en leur qualité de membres bâbord de l'équipage, étaient de quart, tandis que Miles et Lindsay bénéficiaient d'une «permission au sol» dans Chicago. Excités chacun à sa façon à l'idée de visiter l'Exposition, les deux garçons se changèrent rapidement, même si Miles rencontra tellement de difficultés pour lacer ses jambières, nouer son foulard selon la symétrie requise et attacher correctement les quarante-quatre boutons de son faux plastron, un pour chaque État de l'Union, que Lindsay, après avoir appliqué quelques gouttes d'essence de macassar sur ses propres boucles et les avoir soigneusement peignées, fut contraint de venir en aide à son empoté de camarade.

Quand Miles fut en mesure d'affronter les regards de la populace de la «Ville des vents», les deux jeunes hommes se mirent élégamment au garde-à-vous, se présentant à intervalles rapprochés dans le cercle de lumière dispensé par le feu de bois, à fin d'inspection. Pugnax se joignit à eux, la queue immobile, l'œil impatient. Randolph émergea de sa tente en civil, aussi fringant que ses compagnons d'escale, car lui aussi se destinait à des tâches terrestres, son uniforme de vol des Casse-Cou ayant été remplacé par un élégant complet d'été à carreaux et une Ascot, l'ensemble surmonté d'un feutre seyant.

«Dites donc, Randolph», lança Darby, «on croirait que vous avez un rendez-vous galant!»

Ce ton badin n'étant toutefois pas exempt d'admiration virile, Randolph décida de ne pas riposter à l'insinuation par la pique qu'elle aurait méritée en d'autres circonstances, et préféra répondre: «Je ne m'étais pas rendu compte que les types de votre âge faisaient la moindre distinction entre les sexes», arrachant à Lindsay un gloussement approbateur, promptement réprimé par sa gravité morale.

«Aux marges», rappela Randolph à ses permissionnaires, «de tout rassemblement à l'échelle de cette Exposition, on peut s'attendre à ce que rôdent de vils éléments pernicieux, dont le seul dessein est de profiter de l'inattention. Je ne m'abaisserai pas à nommer le sinistre quartier où l'on a le plus de chances de courir pareils dangers. La vulgarité même de son aspect, surtout de nuit, parlera d'elle-même, et ira jusqu'à décourager les individus les plus téméraires de contempler trop longuement, sans parler d'examiner plus avant, les vaines délices qu'on y peut trouver. Avis aux petits malins… ou, plutôt… hrrumph, hummm, bref, passons… bonne perm, les gars, hein, et bonne chance. » Là-dessus, Randolph salua, tourna les talons et disparut sans bruit dans la vaste obscurité parfumée.

« Vous êtes de quart, Suckling », précisa Lindsay avant de partir. « Vous connaissez les peines infligées à celui qui s'endort – veillez à bien les rappeler à votre compagnon de quart Counterfly, lequel est sujet, ce me semble, à la paresse. Inspection du périmètre une fois par heure, ainsi que contrôle de la tension du gaz dans l'enveloppe, en tenant compte, ai-je à peine besoin d'ajouter, des basses températures nocturnes. » Il pivota et rejoignit Miles d'un bon pas, tandis que Pugnax, dont la queue avait retrouvé son animation coutumière, restait pour explorer les limites du campement, au cas où d'autres chiens et leurs maîtres chercheraient à s'y introduire sans autorisation.

Darby, resté seul à la lueur du feu de quart, s'était mis, avec sa vivacité habituelle, à réparer la soupape à hydrogène dont le dérèglement mécanique avait manqué leur être fatal un peu plus tôt. Ce souvenir désagréable, tout comme les dégâts sous les doigts agiles de Darby, serait bientôt de l'histoire ancienne… comme s'il s'agissait d'une chose dont l'adolescent avait eu seulement vent, dans un récit d'aventures pour la jeunesse… comme si cette page de leurs chroniques était tournée pour de bon, et que l'ordre de faire demi-tour avait été donné par un Commandant des jours terrestres, puissant mais invisible, auquel Darby, amène et servile, faisait de nouveau face…

Il venait juste d'achever la réparation de la valve quand, levant les yeux, il remarqua Chick Counterfly près du feu, qui préparait du café.

« Ça te dit ? » proposa Chick. « Ou ils te trouvent encore trop jeune pour ça ? »

Quelque chose dans son ton poussa Darby à n'y voir rien d'autre que le genre de badinerie auquel un garçon de son âge devait s'attendre sans trop se formaliser. « Merci », répondit-il, « une tasse ne serait pas de refus. »

Ils restèrent un moment devant le feu, aussi silencieux que deux vachers campant dans la prairie de l'Ouest. Finalement, à la surprise de Darby, Chick confia abruptement : « Mon vieux me manque sacrément. »

« Ça doit être très dur pour toi, Chick. Je ne crois pas me souvenir seulement du mien. »

Chick contempla les flammes avec tristesse. Après un moment : « En fait, je crois qu'il aurait tenu le coup. S'il l'avait pu. On était associés, tu sais. Il avait toujours un truc en cours. Et un sacré flair pour ce qui était de se faire de l'argent. C'était pas toujours du goût du Shérif, mais ça suffisait à faire bouillir la marmite. Tous ces déménagements en pleine nuit, ça me gênait pas, mais ces tribunaux de campagne, j'ai jamais pu m'y habituer. Le juge nous jetait un seul coup d'œil, il levait son marteau, et zou! avant même qu'il l'abatte on avait déjà franchi le seuil et on détalait dans la grand-rue. »

« Un bon exercice, je parie. »

« Ouais, mais apparemment le paternel voulait se ranger. J'me demandais si c'était à cause de moi. Tu sais, les ennuis en plus, tout ça. »

« Ce devait plutôt être à cause de ces histoires de Chinois dont tu as causé », dit Darby, « et non de ta faute. Tiens, ça te dit d'en fumer une ? » Et il alluma une espèce de cigarette qu'il tendit à Chick.

« Par ma grand-tante Pétunia! » s'exclama Chick, « c'est quoi cette odeur ? »

« Ça, c'est des cubèbes. Usage médical seulement. Le tabac est interdit à bord, comme tu le sais puisque tu as prêté le Serment des Casse-Cou. »

« Je l'ai prêté ? Je devais pas être dans mon assiette. Pas de tabac! Dis donc, c'est le fichu remède Keeley par ici. Comment vous faites pour tenir toute la journée ? »

Soudain, ce fut comme si un chenil entier se mettait à aboyer furieusement. « Pugnax », expliqua Darby, remarquant l'expression inquiète de Chick.

« Lui et quoi d'autre ? »

« Juste ce vieux Pugnax. Un de ses nombreux talents. Je crois qu'on devrait aller jeter un coup d'œil. »

Ils trouvèrent Pugnax sur le qui-vive, scrutant intensément l'obscurité environnante – et, selon toute apparence, prêt à lancer une massive contre-offensive sur ce qui s'avançait actuellement dans leur périmètre.

« Allons, tout doux », lança une voix invisible, « gentil le toutou! »

Pugnax ne bougea pas mais cessa d'aboyer, jugeant apparemment les visiteurs acceptables au niveau olfactif. Sous les yeux de Darby et de Chick, un énorme bifteck jaillit de l'obscurité et décrivit un arc en tournoyant lentement avant d'atterrir entre les pattes avant de Pugnax, où ce dernier l'examina un moment, un sourcil haussé et empreint, aurait-on dit, de dédain.

« Hé ohé, y a quelqu'un ? »

Deux jeunes hommes et une jeune fille apparurent dans la lumière du feu, munis de paniers-repas et vêtus d'uniformes de vol en brillantine et mohair indigo avec de fines rayures cramoisies, ainsi que de couvre-chefs exempts de la simplicité géométrique du fameux fez Shriner, car ils étaient nettement plus chargés et, même pour l'époque, sans doute pas du meilleur goût. Une pointe bien trop grande, par exemple, saillait du sommet, dans le style allemand, ainsi que plusieurs plumes d'un vert pâle.

« Salut, Darb ! ça va comme tu voles ? »

Darby reconnut alors les membres des Vagabonds du Bleu C.A., un club d'ascensionnistes originaires de l'Oregon, avec qui les Casse-Cou avaient souvent volé lors de manœuvres communes, et se fendit d'un sourire accueillant, destiné surtout à Miss Pénélope (« Penny ») Black, dont la délicate physionomie dissimulait un esprit intrépide et une volonté inébranlable, et pour qui il nourrissait un « béguin » du plus loin qu'il pût s'en souvenir.

« Bonsoir, Riley, Zip… Penny », ajouta-t-il timidement.

« Tu peux m'appeler "Capitaine". » Elle tendit une manche pour exhiber quatre galons d'or, dont les contours trahissaient un récent ouvrage. Les Vagabonds étaient réputés pour traiter les membres du sexe loquace sur un pied de stricte égalité avec les hommes, et leur accorder toutes les chances de promotion. « Ouaip », sourit Penny, « ils m'ont confié le *Tzigane* – je reviens à l'instant d'Eugene avec ce vieux rafiot, il est ancré juste derrière ce petit bosquet là-bas, pas de la première fraîcheur. »

« S-sensass ! Ton premier commandement ! C'est du tonnerre ! » Il s'aperçut qu'il se dandinait nerveusement, et sans savoir quoi faire de ses mains.

« Et si tu m'embrassais ? » dit-elle. « C'est, euh, la tradition. »

Malgré le concert de huées que cela provoqua chez les autres garçons, Darby estima que le frôlement fugace de sa joue constellée de taches de rousseur contre ses lèvres valait largement la contrariété. Une fois les présentations terminées, Chick et Darby sortirent des chaises pliantes, les Vagabonds déballèrent leurs délicieuses victuailles, et le petit groupe se mit à parler boutique, échangeant ragots et anecdotes aériennes.

« En survolant "l'Égypte", le sud de l'Illinois pour toi, Darb, on s'est payé un de ces coups de chien après un champ de blé près de Decatur, on a cru qu'on allait se vautrer sur la Lune – "scuse" – s'interrompant pour éternuer — « des morves de glace jusque sur nos boucles de ceinture, on devenait tout bleus à la lumière du fluide électrique, qui tourbillonnait autour de nos têtes — ahh-tchhhahhh ! »

« Oh, *Gesundheit*, Riley », dit Zip, « mais la dernière fois que tu m'as dit ça, c'étaient des voix étranges et cætera… »

« On a nous aussi capté un petit halo galvanique en arrivant ici », dit Chick, « mais bon, avec la vitesse et tout ça. »

«Allons donc, ça c'est rien», s'écria Riley, «à côté des tornades qu'il faut éviter toute la journée! Si vous voulez de la vraie électricité, les gars, venez-y donc un de ces quatre dans l'Oklahoma, vos oreilles en prendront en prime pour leur grade et vous serez pas près de réentendre vos voix étranges de par chez vous.»

«À propos de voix», dit Penny, «vous avez appris quelque chose concernant ces… "apparitions" qu'on ne cesse de signaler? Pas seulement les aéronautes mais même parfois les civils au sol?»

«Tu veux dire en plus de la routine», dit Darby, «les fata morgana, les aurores boréales, tout ça?»

«Pas pareil», dit Zip d'une voix feutrée et inquiète. «Il y a des lumières, mais il y a aussi du son. Surtout dans les hauteurs supérieures, là où c'est d'un bleu foncé en plein jour. Des voix qui retentissent en même temps. De toutes les directions à la fois. Comme une chorale d'écoliers, mais rien de mélodique, juste des…»

«Avertissements», dit Riley.

Darby haussa les épaules. «J'ignorais. Nous autres, du *Désagrément*, on est tout riquiqui dans l'Organisation, les derniers à être affranchis, personne ne nous dit jamais rien – ils nous collent des missions, nous on exécute, c'est tout.»

«Bon, on survolait le mont Etna l'autre printemps», dit Penny, «et vous vous souvenez sûrement des Garçons de 71, je suppose.»

Afin que Chick suive la conversation, Darby expliqua que ce groupe s'était constitué il y a plus de vingt ans, pendant le Siège de Paris, quand les ballons dirigeables étaient souvent la seule façon de communiquer avec la capitale. Cette pénible épreuve s'éternisant, certains aérostiers finirent par comprendre, depuis leur poste d'observation, sans cesse suspendus au-dessus d'un danger mortel, à quel point l'État moderne dépendait pour sa survie du maintien d'un *siège permanent* – par l'encerclement systématique des populations, la famine imposée aux corps et aux esprits, la dégradation impitoyable du savoir-vivre qui voyait bientôt le citoyen se retourner contre le citoyen, au point même de commettre des atrocités comme celles des célèbres *pétroleuses* de Paris. Quand le Siège s'acheva, ces aérostiers décidèrent de rester dans les airs, désormais affranchis des chimères politiques qui régnaient plus que jamais au sol, et promirent solennellement de ne se fier qu'à eux-mêmes, se comportant comme s'ils vivaient dans un incessant état de siège mondial.

«De nos jours», dit Penny, «ils sont prêts à aller partout où on a besoin d'eux, survolant les places fortes et les frontières nationales, forçant les blocus, nourrissant les affamés… alors bien sûr ils se font des ennemis où qu'ils aillent, on leur tire dessus depuis le sol, sans cesse. Mais là c'était différent. Il se trouvait qu'on était là-haut avec eux ce jour-là, et c'était vraiment très étrange. Personne n'a vu le moindre projectile, mais il y avait… une sorte de force… une énergie qu'on pouvait sentir, dirigée personnellement sur nous…»

«Y a quelqu'un là-haut», déclara Zip solennellement. «Un espace vide. Mais habité.»

«Ça te rend nerveux, Chick?» le taquina Darby.

«Nan. Je me demandais juste si quelqu'un voulait le dernier beignet aux pommes.»

Pendant ce temps, Miles et Lindsay se rendaient à l'Expo. La calèche dans laquelle ils étaient montés s'enfonçait dans les rues populeuses du sud de Chicago. Miles avait les yeux brillants de curiosité, mais Lindsay promenait autour de lui un regard pour le moins maussade.

«Vous avez l'air chagrin, Lindsay.»

«Moi? Non, pas du tout – hors une légitime inquiétude quand je songe à Counterfly resté seul pour veiller sur le vaisseau, sans personne pour l'avoir à l'œil, je suis gai comme un pinson.»

«Mais Darby est avec lui.»

«De grâce. Toute influence que Suckling pourrait exercer sur un individu aussi dépravé ne saurait être au mieux que négligeable.»

«Oh, allons», fit Miles, toujours charitable, «Counterfly semble un brave gars, et je vous parie qu'il saura vite se débrouiller au mieux.»

«En tant que capitaine d'armes», marmonna Lindsay, peut-être seulement pour lui-même, «ma vision personnelle de la nature humaine est nécessairement moins optimiste.»

Finalement, la voiture les déposa à un coin de rues situé, d'après le cocher, à seulement quelques minutes de marche de l'Expo – ou, comme il le dit en ricanant, «s'il commence à se faire tard, à quelques rapides foulées» – avant de s'éloigner dans un fracas de métal et de sabots crépitants. Les jeunes gens distinguaient au loin dans le ciel le halo électrique de l'Expo, mais par ici l'ombre enveloppait tout. Ils découvrirent assez vite une brèche dans la clôture, puis arrivèrent devant un portillon de fortune éclairé par une unique bougie quasi consumée, dont le gardien, une espèce de nain asiatique et revêche, bien que pressé de leur soutirer à chacun vingt-cinq *cents*, se fit prier quand le scrupuleux Lindsay exigea de lui un reçu en bonne et due forme. La minuscule sentinelle tendit alors la paume comme si elle attendait un pourboire, mais les jeunes gens l'ignorèrent. «Parasites!» leur lança-t-il, en guise de bienvenue aux festivités célébrant l'arrivée, quatre cents ans plus tôt, de Colomb sur nos rivages.

Leur parvint alors une musique inhabituellement syncopée, jouée par un orchestre réduit, et provenant d'un endroit situé plus avant mais encore trop sombre pour qu'on puisse le distinguer, une musique qu'ils entendirent mieux alors qu'ils arrivaient en vue d'une petite piste de danse à ciel ouvert, faiblement éclairée, où des couples dansaient, et aux abords de laquelle affluaient les visiteurs en une foule compacte, parmi des odeurs de bière, d'ail, de fumée de tabac, de parfum bon marché et, venue du *Wild West Show* de Buffalo Bill, un peu plus loin, celle du fumet caractéristique du bétail entassé.

Les observateurs de l'Expo avaient déjà noté que plus l'on évoluait d'une attraction à l'autre, et plus les expositions situées près du centre de la «Ville blanche» paraissaient européennes, civilisées et... oui, franchement, *blanches*, alors que plus on s'éloignait de cette métropole ivoirine, et plus les signes d'obscurité culturelle et de sauvagerie devenaient manifestes. Les deux jeunes gens avaient l'impression de s'aventurer dans un monde opaque et distinct, situé au-delà d'un seuil obscur, doté de sa propre vie économique, ses propres habitudes sociales, ses codes, conscient de n'avoir que fort peu à voir avec l'Exposition officielle... Comme si la pénombre régnant sur cette marge très probablement absente des cartes n'était pas simplement due à la rareté des lampadaires mais délibérément entretenue dans un dessein miséricordieux, tel un déguisement nécessaire aux visages ici présents, dont l'urgence était trop intense pour la pleine clarté du jour et ces naïfs visiteurs américains munis de Kodak et d'ombrelles qui auraient pu s'y aventurer. Ici, dans les ombres, les visages qui défilaient souriaient, grimaçaient ou dévisageaient Lindsay et Miles comme s'ils les connaissaient, comme si au cours des innombrables aventures vécues par les garçons dans des contrées exotiques s'était accumulé, à leur insu, un stock de contresens, d'offenses, de dettes, traduit ici sous forme d'étranges Limbes dans lesquels il leur fallait se frayer un chemin, en s'attendant à tout moment à «tomber» sur un ennemi d'autrefois, avant de regagner la sécurité des lumières qui brillaient au loin.

Des «videurs» armés, choisis dans les forces de police de Chicago, patrouillaient sans relâche les ombres. Une compagnie théâtrale zouloue rejouait le massacre des soldats britanniques à Isandhlwana. Des Pygmées chantaient des hymnes chrétiennes en dialecte pygmée, des ensembles de klezmorim emplissaient la nuit de lugubres solos de clarinette, des Indiens du Brésil se laissaient avaler par de gigantesques anacondas puis en ressortaient, non digérés et apparemment sans incommoder lesdits serpents. Des swamis hindous entraient en lévitation, des boxeurs chinois feintaient, frappaient et s'envoyaient valser de-ci de-là.

Au grand désarroi de Lindsay, les tentations étaient embusquées partout. Ici, les pavillons semblaient presque représenter non les nations du monde mais les Péchés capitaux. Les camelots, décidés à convaincre, agrippaient quasiment les jeunes promeneurs par les revers de leur veste.

«Des coutumes tabagiques on ne peut plus exotiques, et d'une grande valeur anthropologique!»

«Des expositions scientifiques, jeunes amis, les tout derniers progrès de la seringue hypodermique et ses nombreux usages!»

On trouvait ici des Waziris venus du Waziristan qui s'enseignaient entre eux diverses méthodes pour assaillir le chaland, en lequel ils voyaient dans ce pays une source principale de revenus... des Indiens Tarahumaras du nord du Mexique étaient accroupis, visiblement nus, dans des répliques en lattes et enduites de plâtre des grottes de leur Sierra Madre natale, feignant de manger des cactus hallucinogènes qui les jetaient dans des convulsions spectaculaires fort peu différentes de celles du *geek* commun, que connaissaient depuis longtemps les Américains amateurs de foires... Des bergers toungouzes désignaient un immense panneau portant l'inscription GRAND SPECTACLE DE RENNES et hélaient dans leur langue natale les badauds attroupés, tandis que deux jeunes femmes en costume fort suggestif – lesquelles, étant blondes et cætera, ne semblaient guère partager de caractéristiques raciales avec les Toungouzes – ondulaient lascivement près d'un renne mâle très patient, le caressant d'une façon scandaleusement intime, et accostant les passants avec des phrases aguichantes telles que «Entrez et apprenez des dizaines de façons de s'amuser en Sibérie!» et «Découvrez ce qui se passe vraiment pendant les longues nuits d'hiver!».

«Ça n'a pas l'air», Lindsay oscillant entre fascination et incrédulité, «très... authentique, je trouve.»

«Par ici, les amis, gratis la première fois, si c'est le rouge vous gagnez, si c'est le noir tant pis pour vous!» s'écria un Nègre enjoué coiffé d'un feutre rond qui se tenait derrière une table pliante, en posant et tirant des cartes à jouer.

«Un ignorant n'y verrait, ma foi, qu'une sorte de bonneteau», murmura Lindsay, réprimant poliment sa désapprobation.

«Non, chef, c'est une ancienne méthode africaine de divination, qui vous permet de modifier votre destin.»

L'aigrefin qui les avait interpellés entreprit alors de déplacer les cartes avec une rapidité déroutante. Il y avait parfois trop de cartes pour qu'on puisse les compter, à d'autres moments aucune n'était visible, ayant comme disparu dans une dimension autre que la troisième, bien qu'il ait pu s'agir d'un tour joué par le peu de lumière.

«O.K.! c'est peut-être votre soir de chance, dites-moi juste où est la rouge, allez.»

Trois cartes étaient posées devant eux, face retournée.

Après un moment de silence, ce fut Miles qui annonça d'une voix nette et ferme: «Les cartes que vous avez retournées sont toutes les trois noires – la "rouge" est le neuf de carreau, dite aussi "la Malédiction de l'Écosse", et elle se trouve ici», puis il souleva le chapeau de l'escroc et prit sur le sommet de son crâne la carte en question.

«Seigneur tout-puissant, la dernière fois que ça s'est produit j'ai fait un long séjour dans la prison du comté de Cook. Un grand bravo pour vos yeux experts, jeune homme, et sans rancune», tendant un billet de dix dollars.

«Oh, ce n'est...» hasarda Lindsay, mais Miles avait déjà empoché le billet et lançait d'un ton affable: «Bonsoir, monsieur», alors qu'ils s'éloignaient.

L'étonnement se lut sur les traits de Lindsay. «Ma foi... bien joué, Blundell. Comment avez-vous su où se trouvait cette carte?»

«Parfois», dit Miles avec, bizarrement, une note d'appréhension dans la voix, «d'étranges pressentiments m'assaillent, Lindsay... comme une lumière électrique soudain allumée – comme si je pouvais tout voir de façon très nette, la façon... la façon qu'ont les choses de s'assembler, de se connecter. Mais cela ne dure pas longtemps. Et très vite je m'emmêle à nouveau les pinceaux.»

Ils arrivèrent bientôt en vue des projecteurs dont les rayons balayaient les cieux depuis le toit de l'immense Bâtiment des manufactures et arts libéraux – une ville miniature, nichée au sein de la ville-dans-la-ville qu'était l'Exposition elle-même – et virent alors patrouiller, coiffés de casquettes, des Gardes de Colomb, vision rassurante, pour Lindsay du moins.

«Venez, Lindsay», fit Miles en agitant le billet qu'ils avaient acquis de façon si inattendue. «Profitons de cette manne et allons boire du soda et déguster aussi quelques Cracker Jack. Hé, vous savez quoi? Nous y sommes! Nous sommes à l'Expo!»

Pendant ce temps, Randolph St. Cosmo avait une affaire à régler. L'agence de détectives qu'il cherchait était située dans une rue sordide du quartier de New Levee, entre un cabaret et un fabricant de cigares explosifs. Le panneau annonçait WHITE CITY INVESTIGATIONS. Randolph abaissa un peu sur son front le rebord de son chapeau, scruta rapidement les ombres de la rue et se faufila dans le bâtiment. Une jeune dactylo-graphe qui réussissait à paraître à la fois guindée et effrontée leva les yeux de sa machine aux motifs fleuris.

«Tu devrais être couché, petit.»

«La porte était ouverte —»

«Ouais, mais ici c'est pas exactement un foyer d'accueil.»

«J'ai rendez-vous avec Mr Privett?»

«Nate!» hurla-t-elle, faisant sursauter Randolph. Son sourire était un rien espiègle. «Tu apportes un message de tes parents, petit?»

Dans le bureau de Nate, il y avait un coffre-fort à combinaison, une bibliothèque et un meuble classeur avec diverses bouteilles de whiskey, une causeuse dans un coin, deux fauteuils en rotin, un meuble de travail à rideau comportant près d'un millier de casiers, une fenêtre donnant sur le saloon allemand en face, des trophées et des témoignages d'estime sur les murs au lambris foncé, ainsi que des photos d'éminents clients, certains posant avec Nate lui-même, dont Doc Holliday devant l'Occi-dental Saloon à Tombstone, Doc et Nate pointant chacun sur la tête de l'autre un Colt .44 en arborant un air faussement menaçant. La photo portait la légende : *J'préfère les fusils, amitiés, Doc.*

«Depuis l'attentat de Haymarket», expliqua Nate, «nous croulons sous la demande et ça risque de s'intensifier encore plus, si le Gouverneur décide de gracier cette bande d'assassins anarchistes. Dieu sait ce que ça pourrait déclencher à Chicago, surtout à l'Expo. La sécurité antiterroriste va être plus que jamais essentielle ici. Et, ma foi, vous autres bénéficiez de la seule perspective à laquelle aspirent tous ceux qui comme nous appartiennent à la communauté des "observateurs" – à savoir, d'une vue plongeante. Nous ne pouvons pas vous payer aussi bien que Pinkerton, mais peut-être pourrions-nous envisager un versement échelonné, un petit pourcentage sur les bénéfices à long terme au lieu d'une somme en liquide tout de suite. Sans parler des pourboires ou autres revenus annexes qui pourraient vous échoir.»

«C'est à régler entre vous et notre Bureau national», supposa Ran-dolph. «Car ici, au niveau de l'Unité, notre compensation ne peut excéder les dépenses légitimes.»

«Dingue. Mais nous demanderons à nos avocats de rédiger un document qui contentera tout le monde, ça vous va?»

Il dévisageait à présent Randolph avec ce mélange de mépris et de pitié que les Casse-Cou ne manquaient pas de susciter tôt ou tard lors de leurs contacts avec la population terrestre. Randolph y était habitué, mais décida de procéder de façon professionnelle.

«En quoi consisterait exactement notre mission?»

«Z'avez de la place à bord pour un passager supplémentaire?»

«Nous avons embarqué jusqu'à une douzaine d'adultes bien nourris sans baisse notable de portance», répliqua Randolph, ne parvenant pas vraiment à empêcher son regard de s'attarder sur la bedaine de Mr Privett.

«Embarquez notre homme pour un ou deux courts trajets, et c'est tout», fit le limier-détective, désormais un peu fuyant. «Jusqu'à l'Expo, peut-être jusqu'aux Abattoirs, du gâteau.»

Alors qu'ils déambulaient parmi les aéronefs le lendemain matin, sous le chapiteau céleste où s'égaillaient lentement toutes sortes d'engins en pleine ascension, et qu'ils renouaient avec de nombreuses personnes en compagnie desquelles, pour le meilleur ou pour le pire, ils avaient vécu des aventures, les Casse-Cou furent abordés par un couple en lequel ils reconnurent vite le photographe et le modèle qu'ils avaient par mégarde bombardés de lest la veille au soir.

Le fringant photographe se présenta : « Merle Rideout. Et la beauté qui m'accompagne s'appelle... une minute, je vous prie — »

« Nigaud, va. » La jeune femme lui flanqua un gracieux coup de pied qui n'était pas, néanmoins, complètement dépourvu d'affection, et dit : « Je m'appelle Chevrolette McAdoo, et je suis sacrément ravie de faire votre connaissance, même si vous nous avez quasi assommés à coups de lest hier. »

Vêtue de pied en cap, elle semblait tout juste sortie d'un magazine féminin et, ce matin-là, son ensemble offrait le dernier chic de la mode estivale, le regain des manches gigot ayant provoqué l'apparition massive de chemisiers aux épaules transparentes « gros comme des ballons, dans toute la ville » – pour citer Chick Counterfly, fervent observateur de la silhouette féminine –, dans le cas de Miss McAdoo, saturé d'un magenta vif, et accompagné d'un long boa en plumes d'autruche de la même nuance. Quant à son chapeau, malicieusement de travers, orné de plumes d'aigrette qui se balançaient chaque fois qu'elle remuait la tête, il aurait séduit même le plus ardent défenseur de la gent aviaire.

« Très bel ensemble », opina Chick, admiratif.

« Et vous n'avez pas vu le numéro qu'elle fait au Pavillon des mers du Sud », déclara Merle Rideout galamment. « À côté d'elle, Little Egypt ressemble à une dame patronnesse. »

« Vous êtes une artiste, Miss McAdoo ? »

« Je danse la danse de Lava-Lava, la divinité volcanique », répondit-elle.

« J'admire beaucoup la musique de cette région », dit Miles, « en particulier l'ukulélé. »

« Il y a plusieurs ukulélistes dans mon orchestre », dit Miss McAdoo, « ténor, baryton et soprano. »

« Et il s'agit d'une authentique musique indigène ? »

« Je dirais plutôt un pot-pourri, qui reprend des motifs hawaïens et philippins, et s'achève par une adaptation d'un goût très sûr de la merveilleuse *Bacchanale* de Monsieur Saint-Saëns, telle qu'elle a été jouée récemment à l'Opéra de Paris. »

« Je ne suis bien sûr qu'un amateur », dit avec modestie Miles, pourtant depuis longtemps membre de la prestigieuse Académie internationale des ukulélistes, « et m'y perds un peu dans tout ça. Mais si je vous promettais de me remettre au solfège, pensez-vous qu'ils me laisseraient me joindre à eux ? »

« J'appuierai votre requête, comptez sur moi », dit Chevrolette.

Merle Rideout avait apporté un appareil photo et prenait des « clichés » des machines volantes, dans les airs et arrimées au sol, qui continuaient d'arriver et de décoller apparemment sans relâche.

« Quel raout, hein ? Ma foi, on dirait que tous les pilotes professeurs entre ici et Tombouctou se sont passé le mot. »

L'odeur alléchante des petits déjeuners imprégnait l'air. Des nouveaunés poussaient des cris plaintifs ou ravis. Le vent apportait des échos de trafic ferroviaire et de navigation lacustre. Sur le soleil encore bas à l'autre bout du lac, les ailes jetaient des ombres étirées, leurs bords constellés de rosée. Il y avait des engins à vapeur, électriques, des machines volantes de Maxim, des nefs alimentées par des bielles au coton-poudre et des moteurs à naphta, des vis de décollage électriques d'une étrange forme hyperboloïdale qui semblaient forer les couches supérieures, des aérostats ailés et fuselés et des miracles d'ornithurgie qui battaient des ailes. Au bout d'un moment, on ne savait plus où donner de la tête —

« Papa ! » Une séduisante fillette de quatre ou cinq ans aux cheveux d'un roux flamboyant se précipita vers eux ventre à terre. « Hé, Papa ! J'ai soif ! »

« Dally, ma petite fouine », dit Merle en l'accueillant, « j'ai bien peur qu'il n'y ait plus de liqueur de maïs, tu vas devoir à nouveau te contenter de jus de vache, vraiment désolé », tout en farfouillant dans une cantine pleine de glace.

L'enfant avait entre-temps aperçu les Casse-Cou dans leur uniforme d'été, et les observait, les yeux grands ouverts, s'efforçant de déterminer le degré de politesse requis.

« Vous avez empoisonné cet *ange sans défense* avec de l'alcool ? » s'écria Lindsay Noseworth. « Monsieur, je proteste ! »

Dally, intriguée, courut se planter devant lui, pencha la tête pour le regarder, comme si elle attendait la deuxième partie d'une blague alambiquée.

Lindsay cligna des yeux. «Impossible», murmura-t-il. «Les jeunes enfants me détestent.»

«Quelle charmante petite fille, monsieur», dit Randolph, plus avunculaire que jamais. «Vous êtes l'heureux grand-père, bien sûr.»

«Ah! T'entends ça, Poil de Carotte? Y croit que j'suis ton pépé. Merci, mon gars, mais c'est ma gamine, là, et j'en suis fier. Sa mère, hélas —» Il soupira en levant les yeux et en fixant le lointain.

«Nos sincères condoléances», Randolph hâtivement, «mais le Ciel, dans son inscrutabilité —»

«Au diable le Ciel», gloussa Merle Rideout. «Elle est là quelque part aux États-Unis avec le fascinant fantaisiste avec qui elle s'est enfuie, un certain Zombini le Mystérieux.»

«J'le connais, bon sang!» Chick Counterfly, en opinant vigoureusement de la tête. «Y fait disparaître sa souris dans une simple cheminée de poêle! "*Imbottigliata!*" C'est bien ça? Puis il fait tournoyer sa cape? J'l'ai vu faire à La Nouvelle-Orléans de mes propres mirettes! Un sacré tour, je vous le dis!»

«C'est bien l'oiseau», jubila Merle, «et la belle assistante que vous avez vue doit être ma Erlys, mais dis-moi, et si tu fermais un peu ton bec, Toto, avant qu'un truc s'y engouffre, hein?» – la mention désinvolte de l'adultère ayant produit sur les traits de Randolph une stupéfaction qu'on qualifiera malheureusement de caractéristique. Chick Counterfly, moins affecté, eut la présence d'esprit de glisser: «Eh bien, en tout cas, c'était une dame admirable.»

«Je retiens l'admiration – et j'vous invite à examiner ma petite Dahlia, qu'est le portrait craché de sa maman, que la peste m'emporte si c'est pas la vérité, alors si vous revenez dans dix, douze ans, faites un saut par chez nous, regardez-la bien, faites une offre, pas un prix trop petit ou trop insultant que je retiendrais pas. Ou si vous préférez attendre, prenez une option maintenant, je la fais à prix spécial, aujourd'hui et demain seulement, un dollar quatre-vingt-dix-huit et c'est embarqué, un sourire craquant et tout. Ouaip – tenez, regardez, c'est comme je vous le dis. Je vous donne un deuxième bonnet en sus, je suis du genre raisonnable, et le jour où elle souffle sa douzième bougie, je la mets dans le train, et elle vous rejoindra fissa.»

«S'agit d'être sacrément patient, non?» railla Chick Counterfly.

«Ma foi, je pourrais descendre jusqu'à quinze ans», reprit Merle, en adressant directement un clin d'œil à Lindsay Noseworth qui suffoquait d'indignation, « mais faudrait voir à me payer en or, et à venir la chercher à vos propres frais… Mais dites donc, ça vous dérangerait si je vous tirais à tous le portrait devant cette unité à hélice de Trouvé, là-bas ? »

Les garçons, que fascinaient bien entendu les inventions modernes telles que la photographie, obtempérèrent gaiement. Chevrolette réussit même à amadouer Lindsay en empruntant son « écumoire » qu'elle tint avec une timidité feinte devant leurs visages, comme pour dissimuler quelque furtif baiser, tandis que l'espiègle Darby Suckling, dont les « pitreries » enjouées auraient manqué dans un portrait de groupe, les menaçait tous deux avec une batte de base-ball et une expression comique censée exprimer sa conception naïve d'une jalousie enragée.

L'heure du déjeuner arriva, et avec elle les quartiers libres promis par Lindsay.

« Hourra ! » s'écria Chick Counterfly, « l'ami Suckling et moi, on va aller voir illico les attractions foraines, pour reluquer Little Egypt et cette exposition polynésienne, et si on a le temps, ma foi, quelques-unes de ces amazones d'Afrique aussi – hé, t'inquiète pas, mon gars, si t'as besoin que je t'explique un truc, demande-moi ! »

« Allons-y, les garçons », Chevrolette McAdoo en agitant une cigarette au bout d'un porte-cigarettes incrusté de diamants fantaisie, « vu que je dois retourner bosser, je peux vous montrer les coulisses des mers du Sud, aussi. »

« Fichtre alors », le nez de Darby commençant à couler.

« Suck*linggg* ? » hurla Lindsay, mais sans résultat.

Des groupes d'aéronautes aux habits bigarrés passèrent en coup de vent au milieu d'eux, à mesure qu'arrivaient et décollaient les vaisseaux. Le grand aérodrome improvisé abondait en distractions et rencontres fortuites…

Ils eurent d'ailleurs la surprise d'apercevoir, dans un véhicule majestueux et semi-rigide de conception italienne, leur ami et mentor de longue date le Pr Heino Vanderjuice de l'Université de Yale, les traits empreints d'une terreur mal dissimulée, qui s'efforça tant bien que mal pendant la descente du vaisseau de conserver sur son crâne un chapeau tuyau de poêle dont les bosses, entailles et écarts par rapport au cylindrique en disaient autant que son style démodé sur son passé mouvementé.

« Mille baudruches, c'est vraiment épatant de vous revoir, les gars ! » leur lança le Professeur. « La dernière fois que j'ai eu de vos nouvelles, vous aviez dû vous échouer à La Nouvelle-Orléans, après avoir embarqué sûrement plus d'estouffade à l'alligator que ne le permettait la portance de ce vieux *Désagrément*!»

«Oh, une heure ou deux d'inquiétude, peut-être», reconnut Randolph, avec une expression évocatrice de souvenirs gastriques. «Dites-nous, Professeur, comment avancent vos travaux? De quelles merveilles vient d'accoucher le Laboratoire Sloane?»

«Eh bien, il y a un étudiant du Pr Gibbs dont le travail vaut vraiment le détour, le jeune De Forest, un vrai sorcier électrique… ainsi qu'un visiteur japonais, Mr Kimura – mais dites-moi, où un pédagogue affamé et son élève peuvent-ils s'offrir par ici deux de ces fameux biftecks de Chicago? Mes garçons, je voudrais vous présenter Latchoz Anssoy, sans qui je serais encore dans l'Indianoplace extérieur, à attendre un inter-urbain qui n'arrive jamais.»

«Je vous ai ratés une fois là-bas, les garçons, pendant les troubles de Khartoum», leur apprit l'avenant aérostier, «en train de fuir la ville juste devant l'armée du Mahdi – je vous ai vus filer dans les airs, et j'aurais bien aimé être à bord, mais j'ai dû me résoudre à sauter dans le fleuve et attendre que les réjouissances se calment un peu.»

«Le fait est», rappela Lindsay, en historien de l'Unité, «que nous avions pris un vent contraire, et nous sommes retrouvés en pleine mêlée au Trans-Juba, au lieu d'atterrir à Alexandrie, où nous comptions sur quelques semaines de distraction éducative, sans parler d'une atmosphère plus salubre.»

«Ça alors», s'écria le Professeur, «mais qui je vois? Merle Rideout!»

«Toujours en train de fricoter», rayonna Merle.

«Inutile de faire les présentations, en ce cas», présuma Lindsay.

«Nan, on est de vieux complices, ça remonte à loin, dans le Connecticut, bien avant votre époque, les gars, je faisais alors des bricoles pour lui de temps en temps. Personne parmi vous qui pourrait nous prendre en photo?»

«Et comment!» se proposa Miles.

Ils allèrent déjeuner non loin dans un grill-room. Bien que les moments passés avec le Professeur fussent toujours agréables, quelque chose de différent, un trouble automnal dans le climat de cordiale festivité, produisit cette fois-ci des tiraillements psycho-gastriques que Randolph n'eut pas, fort de son expérience, l'imprudence d'ignorer.

Ayant déjà assisté à plusieurs précieux symposiums entre commandants aérostiers sur les techniques pour éviter de laisser transparaître sa contrariété, Randolph sentit que quelque chose turlupinait le Professeur. S'écartant étrangement du «style» habituel et convivial, ses commentaires se firent pendant le repas de plus en plus concis, à la limite du laconique, et à peine la tourte à la mode eut-elle fait son apparition qu'il demanda l'addition.

« Désolé, les gars », dit-il, l'air soucieux, en sortant et consultant de façon ostentatoire son antique montre de chef de gare, « je serais bien resté avec plaisir pour causer encore un peu, mais je dois m'occuper d'une petite affaire. »

Il se leva brusquement, tout comme Latchoz Anssoy, lequel haussa les épaules avec bienveillance et murmura à Randolph : « Je dois veiller sur lui », avant de suivre l'éminent savant de Yale, qui, une fois dehors, héla rapidement une calèche, en tendant un billet et exigeant la plus grande célérité. Et aussitôt les voilà partis, direction Palmer House, où l'employé à la réception les salua comme s'il touchait le bord d'un chapeau inexistant. « La suite de grand standing, Professeur, prenez cet ascenseur, il n'y a qu'un seul arrêt. Ils vous attendent. » S'il y avait une nuance de mépris amusé dans sa voix, le Pr Vanderjuice fut trop préoccupé pour la relever.

Latchoz Anssoy comprit rapidement que son ami était venu en ville pour conclure un marché avec des puissances qu'on pourrait décrire, sans trop exagérer, comme maléfiques. Dans la suite à l'étage, de lourdes tentures étaient tirées sur la ville en liesse, des lampes chichement réparties dans un perpétuel crépuscule de fumée de tabac, il n'y avait pas de fleurs coupées ni de plantes en pots, juste un silence ponctué par de rares échanges, principalement téléphoniques.

Il aurait été difficile d'imaginer qu'un nabab aussi célèbre que Scarsdale Vibe n'assiste pas à l'Exposition universelle. En plus de l'attrait évident de ses milliers d'opportunités commerciales, l'Expo de Chicago se trouvait offrir également un vaste flux et reflux d'anonymat, où l'on pouvait faire toutes sortes d'affaires sans être nécessairement observé. Un peu plus tôt dans la journée, Vibe était descendu de son train privé, le *Mastodonte*, sur un quai d'Union Station réservé à sa personne, après être parti la veille au soir de la gare de Grand Central à New York. Il était déguisé comme à l'accoutumée, escorté de gardes du corps et de secrétaires. Il portait un bâton en ébène dont la poignée était une sphère d'or et d'argent ciselée qui représentait un globe terrestre détaillé, et à l'intérieur du manche étaient dissimulés un ressort, un piston et un dispositif cylindrique permettant de comprimer une charge d'air afin de propulser un projectile de petit calibre sur quiconque osait l'offenser. Un véhicule motorisé et blindé l'attendait, et il fut translaté comme par un agent surnaturel jusqu'au majestueux établissement conçu par State,

Monroe et Wabash. Comme il s'avançait dans le hall, une femme plutôt âgée, vêtue de façon respectable mais non point somptueuse, l'aborda en s'écriant : « Si j'étais votre mère, je vous aurais étranglé dans le berceau. » Scarsdale Vibe opina lentement, brandit sa canne à air en ébène, l'arma et pressa la détente. La vieille femme pencha, vacilla et s'effondra tel un arbre.

« Dites au médecin de l'hôtel que la balle n'est que dans sa jambe », prévint obligeamment Scarsdale Vibe.

Personne n'avait proposé au Pr Vanderjuice de le débarrasser de son chapeau, aussi le tenait-il sur ses genoux, tel un jeune acteur hésitant tenant un « accessoire ».

« Ils s'occupent bien de vous au Bouvier ? » demanda le magnat.

« En fait, je suis descendu à l'Emballeur, au croisement de la Quarante-Septième et d'Ashland. Au beau milieu des Abattoirs et tout — »

« Dites-moi », fit un individu imposant d'allure criminelle qui venait de tailler une forme de locomotive dans un morceau de bois de chauffe avec un de ces couteaux connus dans toutes les prisons du pays sous le nom de *cure-dent de l'Arkansas*, « vous n'êtes pas d'obédience végétarienne, j'espère ? »

« Je vous présente Foley Walker », dit Scarsdale Vibe, « chez qui sa mère prétend trouver des vertus qui ne sont pas immédiatement visibles aux yeux des autres. »

« Je suppose que vous entendez tout ce chambard depuis votre hôtel », continua Foley. « J'parie qu'il y a même des clients à qui ça donne des insomnies, non ? Mais y en a aussi autant qui trouvent ça bizarrement apaisant. Pas très différent ici à Palmer House, si vous y réfléchissez. Le niveau sonore est grosso modo le même. »

« Le même genre d'activités aussi », marmonna Latchoz Anssoy.

Ils étaient assis autour d'une table en marbre dans une espèce de salon, avec cigares et whiskey. Les conversations s'étaient portées sur les richesses excédentaires.

« Je connais un type dans le New Jersey », dit Scarsdale Vibe, « qui collectionne les voies ferrées. Pas juste le matériel roulant, notez bien, mais les gares, les hangars, les rails, les dépôts, le personnel, tout le tremblement. »

« Coûteux hobby », fit le Professeur, étonné. « De tels individus existent ? »

« Vous n'avez pas idée de l'argent qui dort par ici. Ça peut pas se cantonner aux dons à l'Église de votre choix, aux demeures, aux yachts et aux cynodromes pavés d'or et tout ça, quand même. Non, à un certain moment, tout ça c'est fini, faut passer à autre chose... et pourtant on trouve toujours une énorme montagne de richesses intactes, qui monte de plus en plus haut chaque jour, alors bon sang, que voulez-vous qu'en fasse un homme d'affaires, hein?»

«Mince, z'avez qu'à me l'envoyer», intervint Latchoz Anssoy. «Ou même à quelqu'un qui en a vraiment besoin, c'est pas ça qui manque.»

«Ce n'est pas ainsi que ça marche», dit Scarsdale Vibe.

«Faut toujours que les ploutocrates se plaignent.»

«Persuadés qu'ils sont, et on peut les comprendre, qu'avoir besoin d'argent ne signifie pas le mériter.»

«Sauf qu'à notre époque, ce "besoin" naît directement des actions criminelles des riches, aussi on "mérite" la somme d'argent nécessaire pour les expier. C'est assez clair pour vous?»

«Vous êtes socialiste, monsieur.»

Foley s'interrompit dans ses sculptures et leva les yeux comme si son intérêt avait été soudain aiguillonné.

«Allons, Latchoz», le gourmanda le Professeur, «nous sommes ici pour parler électromagnétisme, pas politique.»

Vibe eut un petit rire apaisant.

«Le Professeur a peur que vous me fassiez fuir avec ce genre de discours radical. Mais je ne suis pas aussi sensible, je suis guidé, comme toujours, par la Deuxième Épître aux Corinthiens.»

Il regarda prudemment autour de lui, jaugeant le niveau de compétence biblique.

«Supporter les idiots est inévitable», dit Latchoz Anssoy, «mais ne me demandez pas d'aimer ça.»

Les gardes qui se prélassaient sur le seuil parurent soudain sur le qui-vive. Foley se leva et se dirigea vers la fenêtre d'un bon pas. Scarsdale plissa les yeux, ne sachant trop si cette attitude devait être considérée comme un affront fait à sa foi.

Latchoz récupéra son chapeau et se leva. «Entendu, vous me trouverez au bar.» Puis franchissant le seuil il ajouta: «Je prierai pour la sagesse.»

En bas, dans l'élégante brasserie, Latchoz tomba sur Merle Rideout et Chevrolette McAdoo, «de virée en ville» suite à un pari gagnant qu'avait fait Merle un peu plus tôt dans la journée.

Des couples avec boutonnières et chapeaux à plumes d'autruche déambulaient calmement parmi les palmiers nains ou posaient devant la Fontaine italienne comme s'ils envisageaient d'y plonger. Quelque part, un petit orchestre de cordes jouait un arrangement d'*Old Zip Coon*.

Latchoz Anssoy examina la surface de sa bière. «Il semble différent ces jours-ci. Z'avez remarqué quoi que ce soit?»

Merle acquiesça. «Il manque quelque chose. Avant, il s'enflammait à tout propos – on était en train de travailler sur un projet, soudain on n'avait plus de papier, il arrachait le col de sa chemise et s'en servait pour griffonner dessus.»

«Ces derniers temps, il garde ses idées pour lui-même, comme s'il avait fini par découvrir ce qu'elles valaient. Dieu sait si j'ai déjà vu ça se produire. Le grand défilé des inventions modernes, rien que des marches enlevées, le public qui pousse des ooh et des aah, mais quelque part dans l'ombre y a toujours un avocat ou un comptable, qui bat la mesure à deux temps telle une horloge et impose la cadence.»

«Quelqu'un a envie de danser?» proposa Chevrolette.

Dans sa suite de grand standing, Scarsdale était passé à la question du jour. «Au printemps dernier, le Dr Tesla a réussi à pousser son transformateur jusqu'à un million de volts. Pas besoin d'être prophète pour piger la suite. Il parle déjà en privé d'un machin qu'il appelle "le système global", et qui vise à produire d'énormes quantités de courant électrique que chacun pourra capter gratis, partout dans le monde, vu que ledit courant utilise la planète comme élément au sein d'un gigantesque circuit résonant. Il a la naïveté de penser qu'il peut faire financer la chose par Pierpont, ou moi, ou un ou deux autres. Il a échappé à sa puissante intelligence que personne ne se fait d'argent sur une invention de ce genre. Investir dans des recherches sur un système de courant gratuit reviendrait à le jeter par la fenêtre, et à violer – à trahir, bon sang – l'essence de tout ce que l'histoire moderne est censée être.»

Le Professeur était carrément au bord de la nausée. Chaque fois qu'on prononçait le nom de Tesla, telle était l'inévitable conséquence. Vomir. L'audace et l'ampleur des rêves de l'inventeur avaient toujours renvoyé un Heino Vanderjuice tout titubant dans son bureau du Labo Sloane, avec le sentiment non pas tant d'être un raté que quelqu'un ayant pris le mauvais tournant dans le Labyrinthe du Temps et n'arrivant plus à revenir au point de bifurcation.

«Si jamais on arrive à produire une chose pareille», disait Scarsdale Vibe, «ça signifiera la fin du monde, non pas seulement "tel que nous le connaissons", mais tel que tout un chacun le connaît. C'est une arme, Professeur, vous vous en rendez certainement compte – l'arme la plus terrible que l'humanité ait vue, conçue pour détruire non des armées ou du matériel, mais la nature même des échanges, la longue lutte de notre économie pour s'extraire de la foire d'empoigne anarchique et aboutir aux systèmes rationnels de contrôle dont nous goûtons présentement les bienfaits. »

« Mais », trop de fumée dans l'air, dans peu de temps il allait devoir se retirer, « je ne vois pas bien comment je pourrais vous aider. »

« Puis-je vous parler sans détour ? Inventez-nous un contre-transformateur. Un appareil qui détectera un des derricks de Tesla en activité, puis diffusera quelque chose d'équivalent et d'opposé qui annulera ses effets. »

« Hum. Il conviendrait pour cela de jeter un coup d'œil aux dessins et aux calculs du Dr Tesla. »

« Précisément pour ça que Pierpont est sur le coup. Ça, plus un arrangement avec Edison – mais voilà que je révèle encore nos secrets. Financer Tesla a permis à Morgan d'avoir accès à tous les secrets techniques de Tesla. Et il a des espions sur place, prêts jour et nuit à nous dépêcher des copies photographiées de tout ce que nous avons besoin de voir. »

« Bon, en théorie, je ne vois pas de grand obstacle. C'est une simple phase d'inversion, même s'il doit y avoir des phénomènes non linéaires d'une échelle que nous ne pouvons pas encore prévoir tant qu'on n'a pas construit un appareil opérationnel — »

« Gardez les détails pour plus tard. Bon – combien, selon vous, une chose de ce genre, hum », baissant la voix, « coûterait ? »

« Son coût ? Oh, je ne saurais – enfin, je ne devrais — »

« Allons, Professeur », tonna Foley Walker, qui tenait une carafe de whiskey comme s'il allait y boire directement, « c'est pas au million près, juste une grossière estimation ? »

« Hum... eh bien... pour commencer par un chiffre... ne serait-ce que dans l'intérêt de la symétrie... disons, ce que Morgan verse à Tesla ? »

« Autant dire des clopinettes », les yeux de Vibe animés d'une lueur de mépris qui signifiait, comme ses collègues le savaient, qu'il avait ce qu'il voulait. « Et moi ici qui croyais que vous autres savants passiez votre temps à déambuler dans vos lointaines pensées, or voilà, Professeur, que vous vous comportez en vulgaire maquignon. Je suppose que je devrais convoquer mes avocats avant de me retrouver suspendu dans la vitrine d'un volailler, sur le point de finir en fricassée. Foley, pouvez-vous passer un appel longue distance sur ce téléphone – contactez Somble, Strool & Fleshway, vous voulez bien ? J'imagine qu'ils pourraient nous faire part de leurs idées sur la meilleure façon de "casquer" pour un projet de cette ampleur. »

L'appel aboutit immédiatement, et Scarsdale, présentant des excuses, alla décrocher un appareil dans une autre pièce de la suite. Le Professeur se retrouva seul à scruter les profondeurs de son antique chapeau, comme s'il s'agissait d'une expression vestimentaire de son actuelle situation. Au cours des dernières semaines, il avait eu de plus en plus l'impression d'être à l'état de cylindre vide, occupé seulement de façon intermittente par des pensées intelligentes. Était-ce la bonne chose à faire ? Devrait-il même être là ? La criminalité était presque palpable dans la pièce. Latchoz s'en fichait certainement pas mal, et les Casse-Cou, tout à leur habituel détachement des biens de ce monde, l'avaient considéré avec une légère appréhension. La somme que les avocats new-yorkais allaient lui proposer vaudrait-elle jamais la perte de cette amitié ?

Les Casse-Cou n'auraient pu rêver «escale» plus appropriée que l'Exposition de Chicago, car cette grande festivité nationale possédait l'aura fictive parfaite pour l'infiltration et la manœuvre. Le monde austère et factuel ne franchissait pas les portes de la Ville blanche, maintenu à distance le temps d'un bref été, rendant la saison commémorative aux abords du lac Michigan à la fois réelle et onirique.

S'il se tramait des complots visant à faire exploser des bombes ou commettre d'autres actes de violence dans l'Expo, le *Désagrément* était idéal non seulement pour patrouiller les lieux d'une clôture à l'autre, mais également pour guetter d'éventuelles agressions maritimes envisagées depuis le lac. Les visiteurs verraient le dirigeable dans les airs sans pour autant le voir, car à l'Expo, où les miracles étaient monnaie courante, rien, cet été-là, n'était trop gros, trop rapide, trop fantasque d'allure pour impressionner qui que ce soit plus d'une minute et demie, avant l'apparition du prodige suivant. Le *Désagrément* ne dépareillerait pas et passerait pour une sensation de plus dont le seul objectif était de divertir.

Les garçons se livrèrent à une surveillance soutenue dès le lendemain. Le «limier» dépêché par White City Investigations arriva à l'aube, muni d'un équipement télescopique digne d'un petit observatoire. «L'ai cassé sur la Grand-Roue», dit-il, «mais je voyais pas comment compenser le mouvement. Ça devient vite flou et tout ça.»

Lew Basnight semblait un jeune homme tout à fait sociable, même s'il apparut très vite qu'il n'avait encore jamais entendu parler de la Confrérie des Casse-Cou.

«Mais n'importe quel ado connaît les Casse-Cou», déclara Lindsay Noseworth avec perplexité. «Qu'avez-vous donc bien pu lire dans votre jeunesse?»

Lew fit un effort louable pour se rafraîchir la mémoire. «Le Far West, les explorateurs africains, les péripéties habituelles. Mais vous autres, vous n'êtes pas des personnages de livre.» Il réfléchit un moment. «Si?»

«Pas plus que Wyatt Earp ou Nellie Bly», supposa Randolph. «Mais plus le nom d'un type revient dans les magazines, plus il est difficile de différencier la fiction du reportage.»

«Je crois que je lis surtout les pages sportives.»

«Parfait!» déclara Chick Counterfly, «au moins on n'aura pas besoin d'aborder la question anarchiste.»

Ça convenait parfaitement à Lew, qui n'était même pas sûr de savoir ce qu'étaient les anarchistes, même si le mot était à la mode. Il ne travaillait pas dans la surveillance par conviction politique. Il s'y était pour ainsi dire égaré, suite à un crime qu'il était censé avoir commis naguère. Quant aux détails de cet écart, eh bien, bonne chance. Lew avait oublié ce qu'il avait commis, ou n'avait pas commis, ou même quand. Ceux qui l'ignoraient également se comportaient encore avec perplexité, comme si Lew émettait des rayons d'iniquité. Ceux qui prétendaient savoir, et pas qu'un peu, ne cessaient de lui décocher des regards tristes qui, très vite – on était dans l'Illinois –, viraient à ce qu'on pouvait qualifier d'horreur morale.

Il fut dénoncé dans la presse locale. Les crieurs de journaux inventaient des gros titres épouvantables le concernant, qu'ils déclamaient matin et soir dans tous les lieux publics, en prenant soin de prononcer son nom de façon blessante. Les femmes aux coiffes intimidantes le dévisageaient avec dégoût.

Il reçut le surnom de Monstre du Nord et du Sud de l'État.

Il aurait bien aimé recouvrer la mémoire, mais ne parvenait qu'à produire cette étrange répulsion. Les experts qu'il consulta ne surent guère quoi lui dire. «Des vies précédentes», lui assurèrent certains. «Des vies à venir», dirent d'autres swamis sûrs d'eux. «Hallucination spontanée», diagnostiquèrent les plus savants d'entre eux. «Peut-être», suggéra un Oriental en souriant, «est-ce *vous* qui avez été halluciné.»

«Vous m'aidez beaucoup, merci», murmura Lew, puis il voulut partir mais s'aperçut que la porte refusait de s'ouvrir.

«Une formalité. Trop de traites ne sont pas honorées.»

«Voici du liquide. Je peux y aller?»

«Quand votre colère sera retombée, songez à ce que je vous ai dit.»

«Ça ne me sert à rien.»

Il s'enfuit parmi les gratte-ciel de Chicago après avoir laissé à son bureau un mot laissant entendre qu'il reviendrait vite. En vain. Un collègue proche le suivit, le confronta et le dénonça publiquement, faisant tomber son chapeau qu'il expédia d'un coup de pied en plein Clark Street, où le couvre-chef fut écrasé par un livreur de brasserie.

« Je ne mérite pas ça, Wensleydale. »

« Tu as détruit ton nom. » Et sans rien ajouter d'autre, l'homme tourna les talons, au beau milieu du trafic, puis s'éloigna, vite avalé dans la cohue estivale de bruit et de lumière.

Il y eut pire. Troth, la tendre et jeune épouse de Lew, en découvrant son message désinvolte, sauta dans l'interurbain et monta à Chicago, dans l'intention de le supplier de revenir, mais le temps qu'elle débarque à Union Station, la réflexion rythmée par les rails avait fait son œuvre.

« C'est fini, Lewis, tu m'as comprise, plus jamais sous le même toit. »

« Mais qu'est-ce que j'ai fait d'après eux ? Je te jure, Troth, je ne m'en souviens pas. »

« Si je te le disais, il me faudrait l'entendre une fois de plus et, crois-moi, ce serait une fois de trop. »

« Mais où c'est que je vais vivre ? »

Durant toute cette longue conversation ils avaient déambulé, s'égarant dans l'inconnu urbain, et étaient parvenus dans une partie reculée de la ville – en fait, un district dont ni l'un ni l'autre n'avaient, jusqu'à ce jour, soupçonné l'existence.

« Ça m'est égal. Retourne auprès d'une de tes autres épouses. »

« Seigneur ! Combien crois-tu qu'il y en ait ? »

« Reste ici à Chicago si tu veux, je m'en fiche pas mal. Le quartier où nous nous trouvons à présent pourrait te convenir parfaitement, mais *moi* je sais que je n'y remettrai jamais les pieds. »

Plongé dans une ignorance noire comme la nuit, il comprenait seulement qu'il l'avait terriblement blessée, et que ni sa compréhension ni sa contrition ne pourraient les sauver. Il ne put alors supporter la douleur qu'il lui causait – les larmes de Troth, comme ensorcelées, figeaient à peine jaillies, car elle refusait de les laisser couler tant qu'il n'aurait pas disparu de sa vue.

« Dans ce cas, je vais me chercher un endroit ici en ville, bonne idée, Troth, merci… » Mais elle avait hélé un cab et était montée dedans sans se retourner, pour s'éloigner rapidement.

Lew regarda autour de lui. Était-ce encore Chicago ? Il se mit en marche et la première chose qu'il remarqua fut à quel point peu de rues ici se conformaient au réseau quadrillé du reste de la ville – tout était de travers, d'étroites allées partaient en étoile depuis de petites places, les lignes des tramways décrivaient des virages en épingle à cheveux qui ramenaient abruptement les passagers à leur point de départ, augmentant les chances de collisions, pas le moindre nom de rue qui lui fût familier, pas même ceux des plus fréquentées… des langues étrangères, aurait-on dit. Une fois de plus, il éprouva une sorte d'*hébétude éveillée*, qui l'introduisait plus qu'elle ne le propulsait dans un décor urbain, *pareil* au monde qu'il avait quitté mais divergent par certains détails qui ne tardaient pas à se manifester.

De temps en temps, une rue donnait sur une petite place, ou se fondait à d'autres rues, où des baraques avaient été dressées par des marionnettistes, des numéros de danse et de musique, et des vendeurs d'un peu de tout – ouvrages divinatoires, pigeonneaux rôtis sur canapés, ocarinas et mirlitons, épis de maïs grillés, casquettes et canotiers, limonade et granité au citron, une nouveauté partout où qu'il regardât. Dans une courette sise à l'intérieur d'une cour d'immeuble, il tomba sur un groupe d'hommes et de femmes, pris dans un lent mouvement rituel, une danse champêtre, presque – même si Lew, qui s'arrêta pour regarder, n'aurait su dire de quelle contrée. On le regarda bientôt, comme si on le connaissait et savait tout de ses ennuis. Puis on l'invita à s'asseoir à une table sous un auvent, où aussitôt, autour d'une root beer et de chips, Lew se mit à «tout» avouer, autant dire fort peu : «Ce qu'il me faut trouver, c'est la façon d'expier ce que j'ai bien pu faire. Je ne peux pas continuer à vivre ainsi… »

«Nous pouvons vous instruire», dit un type, qui semblait le chef et se présenta sous le seul nom de Drave.

«Même si —»

«Le remords dénué d'objet mène à la délivrance.»

«Certes, mais je ne peux pas vous payer. Je n'ai même pas d'endroit où vivre.»

«Payer !» La tablée des adeptes se gondola en entendant cela. «Payer ! Bien sûr que tu peux payer ! Tout le monde peut !»

«Il te faudra rester non seulement jusqu'à ce que tu aies appris la procédure», l'informa-t-on, «mais jusqu'à ce que nous soyons sûrs de toi. Il y a un hôtel tout près d'ici, l'Estonie, où descendent souvent les pénitents qui viennent à nous. Dis que tu viens de notre part, ils te feront une belle remise.»

Lew se rendit à l'Hôtel Estonie, une haute et branlante bâtisse. Les employés de la réception et les chasseurs se comportèrent tous comme s'ils l'attendaient. Le formulaire qu'on lui donna à remplir était inhabituellement long, en particulier la section intitulée «Motifs du séjour prolongé», et les questions très personnelles, voire intimes, mais on le pressa d'être aussi précis que possible – effectivement, d'après une mention légale en gros caractères en tête du formulaire, à moins d'aveux complets il serait passible de *poursuites pénales*. Il s'efforça de répondre honnêtement, malgré des déconvenues avec le stylo qu'ils voulurent à tout prix qu'il utilise, lequel laissa des taches et des traînées partout sur le papier.

Quand sa demande, propulsée vers un bureau invisible à l'étage via un tube pneumatique, revint enfin dans un bruit sec avec le tampon «Approuvé», on annonça à Lew qu'un des chasseurs allait le conduire jusqu'à sa chambre. On ne pouvait espérer qu'il la trouve seul.

«Mais je n'ai rien apporté, pas de bagages, pas même de l'argent – d'ailleurs, à ce propos, combien ça va me coûter?»

«Des dispositions ont été prises, monsieur. Veuillez suivre Hershel à présent, et tâchez de vous rappeler le chemin, car il n'est pas près de vous l'indiquer deux fois de suite.»

Hershel était plutôt costaud pour son emploi, et ressemblait davantage à un pugiliste qu'à un jockey en uniforme. Les deux hommes tenaient à peine dans le minuscule ascenseur électrique, qui se révéla plus effrayant que le pire manège sur lequel Lew était jamais monté. L'arc bleu émis par les câbles qui pendaient mollement, dont l'isolation effilochée était recouverte d'une poussière grasse, remplissait la petite cabine d'une forte odeur d'ozone. Hershel avait sa propre conception de l'étiquette ascensionnelle, et il s'efforça de lancer la conversation sur la politique nationale, l'agitation ouvrière, et même la controverse religieuse, tous sujets requérant des heures d'ascension, et ce jusque dans des régions supérieures qu'aucun pionnier endurci n'avait encore bravées, ne serait-ce que pour les aborder. Ils furent plus d'une fois contraints de sortir pour s'engager dans des couloirs remplis d'ordures, grimper des échelles de fer, franchir de dangereuses passerelles invisibles depuis les rues, et de reprendre le diabolique véhicule à l'un de ses autres arrêts, voyageant à certains moments autrement que verticalement, jusqu'à ce qu'ils parviennent enfin à un étage quelque peu en encorbellement dans le vent, automnal ce jour-ci et persistant, qui soufflait du lac Michigan.

Quand la porte s'ouvrit en grand, Lew vit un lit, une chaise, une table, une absence éloquente d'autres meubles qui, en de différentes circonstances, l'aurait attristé, mais qui, ici, en cet instant, lui parut parfaite.

«Hershel, j'ignore quelle sorte de pourboire vous escomptez.»

Hershel lui tendit un billet. «Pourboire à rebours. Rapportez-moi une bouteille d'Old Gideon et de la glace. S'il y a de la monnaie, gardez-la. Apprenez la frugalité. Vous commencez à saisir les dispositions?»

«Le service?»

«Ça, et un peu de prestidigitation aussi. Vous disparaissez comme un elfe sans crier gare, tant qu'à faire de la façon la plus professionnelle, et quand vous réapparaissez, vous avez la gnôle, sans parler de la glace, d'accord. »

« Où serez-vous ? »

« Je suis un groom, Mr Basnight, pas un hôte. Il n'y a pas tant d'endroits que ça où peut se trouver un hôte, tandis qu'un groom peut se trouver à peu près n'importe où dans l'établissement. »

Dénicher du bourbon pour Hershel fut un jeu d'enfant, on en vendait ici sur tous les pas-de-porte que ce soit des merceries ou des cabinets dentaires, et tous les vendeurs refusèrent le billet de Hershel, se montrant bizarrement ravis que Lew ouvre un compte. Le temps qu'il remette la main sur le groom, la glace avait fondu. Ce fait fut signalé à Drave, qui, grandement amusé, quoique de façon malsaine, frappa plusieurs fois Lew avec un « bâton-souvenir ». Prenant la chose comme une acceptation, Lew continua d'accomplir les tâches qu'on lui assignait, certaines banales, d'autres d'une étrangeté hors pair, effectuées dans des langues qu'il ne comprenait pas toujours, jusqu'à ce qu'il commence à sentir quelque chose s'approcher, hors de la périphérie de sa conscience, tel un tram à l'autre bout de la ville, ainsi qu'une invitation fatale, voire dangereuse, à grimper à bord et à se laisser transporter dans des régions inconnues...

Pendant l'hiver, qui pourtant ressembla à n'importe quel hiver à Chicago, c'est-à-dire à une version glaciale de l'Enfer, Lew vécut le plus parcimonieusement possible, voyant son compte en banque converger vers zéro, hanté de jour comme de nuit par des visions inhabituellement saisissantes de Troth, toutes empreintes d'une tendresse qu'il n'avait jamais remarquée dans leur existence conjugale. Par la fenêtre, au loin, contredisant la prairie, un mirage au sud de Chicago s'élevait pour former une sorte d'acropole empourprée, ses lumières gauchies vers l'extrémité rouge du spectre comme en proie à quelque immolation nocturne, couvant comme si elles allaient à tout moment s'enflammer.

De temps en temps, sans prévenir, Drave montait pour surveiller les progrès de Lew.

« Tout d'abord », conseillait-il, « je ne peux parler pour Dieu, mais votre femme n'a pas l'intention de vous pardonner. Elle ne reviendra jamais. Si jamais vous pensiez que ce serait là votre récompense, z'avez intérêt à reconsidérer la chose. »

Lew ressentit alors une douleur à la plante des pieds, comme si ces derniers voulaient être entraînés jusqu'au centre même de la Terre.

« Et si peu m'importait le prix à payer pour qu'elle revienne ? »

«Pénitence? Vous ferez pénitence de toute façon. Vous n'êtes pas catholique, Mr Basnight?»

«Presbytérien.»

«De nombreuses personnes croient qu'il existe une corrélation mathématique entre le péché, la pénitence et la rédemption. Davantage de péchés, davantage de pénitence, et ainsi de suite. Nous avons toujours affirmé ici qu'un tel rapport n'existe pas. Toutes les variables sont indépendantes. On fait pénitence non parce qu'on a péché mais parce que c'est votre destin. On est racheté non en faisant pénitence mais parce que ça se produit. Ou ne se produit pas.

«Ça n'a rien de surnaturel. La plupart des gens ont une roue qui remonte un câble, ou des rails dans la rue, une espèce de guide ou de sillon, qui leur permet d'évoluer en direction de leur destin. Mais vous ne cessez de déboîter. D'éviter la pénitence et par conséquent la définition.»

«Je suis descendu en marche. Et vous, vous essayez de me remettre sur la voie qu'empruntent la plupart des gens, c'est cela?»

«"La plupart des gens"», sans hausser la voix, même si quelque chose en Lew sursauta comme si cela avait été le cas, «sont obéissants et stupides comme du bétail. *Delirium* signifie littéralement quitter le sillon qu'on a creusé. Voyez-y une espèce de délire productif.»

«Et je fais quoi de tout ça?»

«Ça ne vous intéresse pas?»

«Et vous?»

«Sais pas trop. Peut-être.»

Le printemps arriva, les vélocipédistes apparurent dans les rues et les parcs, avec des chaussettes à rayures criardes et des casquettes «Scorcher» à longue visière. Les vents venus du lac s'adoucirent. Les ombrelles et les regards obliques réapparurent. Troth avait disparu depuis longtemps, s'étant apparemment remariée à la minute où était tombé le décret, et le bruit courait qu'elle vivait dans Lake Shore Drive, quelque part dans la partie nord d'Oak Street. Avec un vice-président ou ce genre.

Par une douce et banale matinée de travail à Chicago, Lew était dans un transport en commun, l'esprit et les yeux absorbés par rien en particulier, quand il entra, trop brièvement, hélas, dans un état qu'il ne se rappelait pas avoir recherché, et qu'il en vint plus tard à considérer comme de la grâce. Malgré le pénible passif du transit urbain ici, la négligence collective et la haute probabilité d'accidents, blessures, morts, les matinées ouvrées se déroulaient selon le même strident scénario. Les hommes choyaient leur moustache de leurs doigts gantés de gris. Un parapluie fermé s'enfonçait dans un chapeau melon, des paroles étaient échangées. Des secrétaires avec de petits canotiers Leghorn et des chemisiers rayés dont les énormes épaulettes prenaient plus de place dans la voiture que des ailes d'ange rêvaient, en proie à des sentiments contraires, à ce qui les attendait aux étages supérieurs des «gratte-ciel» à armature d'acier flambant neuve. Les chevaux évoluaient dans leur propre temps et leur propre espace. Les passagers reniflaient, se grattaient, et lisaient le journal, parfois tous en même temps, tandis que d'autres s'imaginaient pouvoir revenir à une sorte de sommeil vertical. Lew perçut autour de lui une luminosité nouvelle, qu'il n'avait même jamais vue en rêve, difficilement attribuable au soleil altéré de fumées qui commençait à éclairer Chicago.

Il comprit que les choses étaient exactement ce qu'elles étaient. Cela lui parut au-delà de ses forces.

Il avait dû descendre du véhicule et entrer chez un marchand de cigares. C'était l'heure matinale où partout en ville dans les civettes des commis apportent des briques qui ont trempé toute la nuit dans des seaux d'eau, pour les disposer dans les vitrines d'exposition afin que les articles restent humidifiés. Un individu fringant et potelé était en train d'acheter des cigarillos domestiques. Il examina Lew un moment, sur le point de sursauter, avant de demander, en désignant d'un mouvement de tête les cigares exposés: «Cette boîte sur l'étagère du bas – combien reste-t-il dedans de colorado claro? Sans regarder, je veux dire.»

«Dix-sept», répondit Lew sans la moindre hésitation décelable par l'autre homme.

«Vous savez que tout le monde ne sait pas faire ça.»

«Faire quoi?»

«Remarquer les choses. Qu'est-ce qui vient juste de passer derrière la vitrine?»

«Petit cabriolet noir et luisant, à trois ressorts, ferrures en cuivre, hongre bai d'environ trois ans, passager corpulent à chapeau mou et blouse jaune, pourquoi?»

«Incroyable.»

«Pas vraiment. On me demande jamais, c'est tout.»

«Vous avez pris votre petit déjeuner?»

Dans la cafétéria voisine, les premiers clients étaient déjà partis. Tout le monde ici connaissait Lew, connaissait son visage, mais ce matin-là, vu sa transfiguration et le reste, ce fut comme s'il passait incognito.

Son compagnon se présenta. Il s'appelait Nate Privett, directeur du personnel de White City Investigations, une agence de détectives.

À proximité, et un peu plus loin, des explosions dont ne parlaient pas toujours les journaux du lendemain infligeaient de temps à autre de tranquilles déchirures dans la trame du jour, que Nate Privett prétendait entendre.

«Le Syndicat des métallos», dit-il en hochant la tête. «Au bout d'un certain nombre, on commence à les entendre.» Il versa du sirop sur une pile impressionnante de crêpes d'où suintait du beurre fondu. «Fini les briseurs, les escrocs, les assassins, les épouses en fuite, la faune des romans à quatre sous, vous pouvez oublier. Ici, à Chicago, en cette année de Notre Seigneur, y en a que pour les syndicats, ou, comme nous aimons les appeler, la racaille anarchiste.»

«J'y connais rien à tout ça.»

«Vous me paraissez qualifié.» Une expression narquoise passa rapidement sur les lèvres de Nate. «J'arrive pas à croire que vous n'avez pas été approché par la clique Pinkerton, ils versent des salaires presque trop beaux pour qu'un type hésite à les rejoindre.»

«Sais pas. Suis pas trop porté sur l'économie moderne, pour moi la vie ne saurait se résumer au salaire.»

«Oh? À quoi, alors?»

«Eh bien, laissez-moi quelques minutes que je réfléchisse.»

«Si vous croyez que travailler dans la surveillance c'est la misère morale, vous devriez passer nous voir.»

Lew hocha la tête et le prit au mot. Sans crier gare, il était embauché, et s'aperçut que chaque fois qu'il entrait dans une pièce à tous les coups quelqu'un disait, ostensiblement, à quelqu'un d'autre: «Mince alors, un type pourrait se faire tuer là-bas!» Le temps qu'il ait décodé cette plaisanterie, Lew s'aperçut qu'il était largement en mesure de ne pas se formaliser. Il y avait pire dans l'Agence pour ce qui était de la compétence au bureau et sur le terrain, mais il savait que ce qui le distinguait c'était une profonde compréhension de l'invisible.

À White City Investigations, l'invisibilité était une condition sacrée, des étages entiers de bureaux étant dévolus à son art et sa science – des ressources en déguisements supérieures à n'importe quelle loge de théâtre à l'ouest de l'Hudson, des rangées de commodes et de miroirs se perdant dans les ombres, des arpents de costumes, des forêts de porte-chapeaux composant un vrai musée de l'Histoire du chapeau, d'innombrables meubles de rangement bourrés de perruques, fausses barbes, mastic, poudre, khôl et rouge, teintures pour la peau et les cheveux, l'éclairage au gaz réglable sur chaque miroir afin de donner l'éclat d'une garden-party dans le cottage d'un millionnaire de Newport ou l'ambiance d'un saloon mal famé à minuit, et ce en tournant à peine la vis de la soupape. Lew aimait se promener dans ces lieux, essayer divers accoutrements, comme si c'était Halloween tous les jours, mais il comprit au bout d'un moment qu'il n'était pas obligé. Il avait appris à évoluer en marge du jour. Quelle que fût cette marge, elle avait sa propre histoire, vaste, incompréhensible, ses périls et ses extases, son potentiel d'idylle imprévue et de funérailles prématurées, mais quand il l'arpentait, il n'était apparemment pas facile pour quiconque à «Chicago» de savoir avec certitude où se trouvait Lew. Pas exactement de l'invisibilité. Une excursion.

Nate entra un jour dans le bureau de Lew avec un épais dossier orné d'une sorte d'armoiries royales, agrémentées d'un aigle à deux têtes.

«Pas moi», se défila Lew.

«L'archiduc d'Autriche est en ville, nous avons besoin de quelqu'un pour assurer sa sécurité.»

«Ce genre de bonhomme n'a pas de gardes du corps personnels?»

«Bien sûr que si, on les appelle des "Trabants" là-bas, mais demandez à un avocat de vous expliquer ce qu'est la responsabilité civile, Lew, moi je ne suis qu'un vieux détective, tout ce que je sais c'est qu'il y a deux mille saletés de Hongrois aux Abattoirs qui ont rappliqué ici le cœur plein de haine pour ce gus et sa famille, peut-être à juste titre, d'ailleurs. Si c'était simplement pour les saines expositions instructives de l'Expo et tout ça ma foi je ne serais pas trop inquiet, mais en ce qui concerne le jeune François-Ferdinand, il préfère nos quartiers chauds, si vous me suivez. Du coup, la moindre ruelle là-bas, toute ombre assez grande pour cacher un artiste du surin qui lui en veut, est une cordiale invitation à réécrire l'Histoire.»

«J'ai droit à des renforts sur ce coup-là, Nate?»

«Je peux vous laisser Quirkel.»

«On la refait!» feignit de crier Lew, plutôt affablement.

F.F., ainsi qu'il était désigné dans son dossier, effectuait un tour du monde dont le but officiellement déclaré était d'«étudier les populations étrangères». En quoi Chicago rentrait dans ce programme, voilà qui allait devenir plus clair. L'Archiduc avait fait une apparition au Pavillon autrichien, assisté au *Wild West Show* de Buffalo Bill avec une certaine dose d'impatience, et s'était attardé à l'expo sur les mines d'argent du Colorado, où, s'imaginant que tout campement possédait nécessairement son lot de parasites, il entraîna son entourage dans une quête mouvementée de dames de petite vertu qui aurait mis à rude épreuve les talents du plus chevronné des détectives, sans parler d'un novice comme Lew, sillonnant à toute vitesse et de long en large l'Expo puis se rabattant sur les attractions foraines, accostant les comédiens amateurs qui n'avaient jamais été à l'ouest de Joliet avec d'intraduisibles divagations en dialecte viennois et des gesticulations risquant d'être – et, ma foi, l'étant – mal interprétées. Des manutentionnaires en uniforme, tout en tripotant de façon alambiquée leurs moustaches, regardaient un peu partout sauf en direction du principicule dément. Lew se faufilait tel un serpent d'un artefact architectural à l'autre, et se retrouvait à chaque fois en fin de journée avec son complet tout blanchi à force de s'être frotté contre le « staff », un mélange de plâtre et de fibres de chanvre qu'on trouvait partout dans la Ville blanche en cette saison, censé imiter quelque immortelle pierre blanche.

« Ce que je recherche vraiment à Chicago », finit par avouer l'Archiduc, « c'est quelque chose de nouveau et d'intéressant à tuer. Chez nous on tue des sangliers, des ours, des cerfs, le tout-venant – tandis qu'ici, en Amérique, on me dit qu'il y a d'énormes *troupeaux de bisons, ja ?* »

« Pas dans la région de Chicago, Votre Altesse, je suis au regret de vous le dire », répondit Lew.

« Ah. Mais, en ce moment, ici dans votre fameux quartier des Abattoirs… on trouve beaucoup de… travailleurs hongrois, non ? »

« Eh bi… peut-être. Il faudra que je consulte les chiffres », Lew s'efforçant de ne pas croiser le regard de son client.

« En Autriche », expliquait l'Archiduc, « nous avons des forêts pleines de gibier, et des centaines de rabatteurs qui dirigent les animaux vers des chasseurs comme moi-même qui attendent pour les tirer. » Il regarda Lew avec une expression réjouie, comme s'il différait la chute d'une blague. Les oreilles de Lew se mirent à le démanger. « Les Hongrois occupent le niveau le plus bas de l'existence des brutes », déclara François-Ferdinand, « les porcs sauvages font preuve en comparaison de raffinement et de noblesse – croyez-vous que les Abattoirs de Chicago pourraient être loués à mes amis et moi le temps d'un week-end divertissant ? Nous dédommagerions bien sûr les propriétaires pour les pertes financières. »

« Votre Altesse royale, je vous promets de me renseigner, et l'on vous tiendra informée. »

Nate Privett trouva la chose carrément hilarante. « Et dire qu'il sera empereur un de ces jours, c'est quand même fort ! »

« Comme s'il n'y avait pas assez de Hongrois chez lui pour l'occuper ? » s'interrogeait Lew.

« Bon, on ne peut pas dire qu'il ne nous rendrait pas service. »

« Comment ça, patron ? »

« Avec plus d'anarchistes d'origine étrangère au sud de la Quarante-

Septième Rue qu'on ne pourrait en menacer d'un Mannlicher», dit en riant Nate, «ça en ferait quelques-uns de moins à surveiller, non?»

Se demandant qui pouvait bien être son homologue du côté autrichien, Lew enquêta et apprit une ou deux choses. Le jeune Max Khäutsch, récemment promu capitaine dans les Trabants, était ici pour sa première mission outre-mer, en qualité de chef de la «Sécurité spéciale K & K», après avoir fait ses preuves au pays comme assassin, et un assassin particulièrement efficace, apparemment. La procédure standard de la Maison d'Autriche aurait dû l'écarter une fois son utilité jugée dépassée, mais personne n'osait le faire. En dépit de son jeune âge, on disait qu'il donnait l'impression d'avoir accès à des ressources autres que les siennes, d'être à l'aise dans les ombres et absolument dénué de principes, doté d'un mépris constant pour toute distinction entre la vie et la mort. L'envoyer en Amérique paraissait approprié.

Lew le trouva sympathique… Les plans obliques de son visage indiquaient une origine située quelque part dans l'immensité slave de l'Europe encore fort peu arpentée par le touriste… Ils prirent l'habitude de boire un café tôt le matin au Pavillon autrichien, assorti d'un choix de viennoiseries.

«Ceci risque de vous intéresser tout particulièrement, Mr Basnight, vu la fameuse *Kuchenteigs-Verderbtheit* ou dépravation pâtissière du détective américain…»

«Ma foi, nous… nous essayons de ne pas en parler.»

«*So?* En Autriche, on en parle considérablement.»

Mais malgré les talents policiers du jeune Khäutsch, l'Archiduc ne cessait de lui fausser compagnie. «Peut-être suis-je trop intelligent pour m'occuper efficacement de ces stupides Habsbourg», se demanda Khäutsch. Un soir où il apparut que François-Ferdinand avait disparu de la carte de l'agglomération de Chicago, Khäutsch décrocha le téléphone, passa des coups de fil un peu partout, puis finit par contacter White City Investigations.

«Je vais me renseigner», dit Lew.

Après de longues recherches y compris dans des lieux évidents comme le Dollar d'Argent et l'Everleigh, Lew finit par dénicher l'Archiduc au Charençon, un bar nègre de South State au cœur du quartier des vaudevilles et divertissements noirs de l'époque, en train de brailler dans ce bouge qui promettait au moins un ou deux épisodes mouvementés. Piano de bastringue, bière jeune, quelques tables de billard, des filles dans les chambres à l'étage, de la fumée montant de cigares vendus un penny les deux.

«Sordide!» s'écria l'Archiduc. «J'adore!»

Lew appréciait lui aussi cette partie de la ville, à la différence de certains autres détectives de White City, que la présence des Nègres semblait rendre nerveux, lesquels étaient arrivés récemment du Sud en nombre toujours plus croissant. Quelque chose dans le quartier l'attirait, peut-être la nourriture – sûrement le seul endroit à Chicago où l'on pouvait trouver un phosphate à l'orange correct –, même si pour l'instant on ne pouvait qualifier l'atmosphère d'accueillante.

«Qu'est-ce que tu regardes comme ça, tu aimerais voler *eine... Wassermelone*, peut-être?»

«Ooooo», sifflèrent plusieurs types à portée de voix.

L'offensé, un individu massif et dangereux, n'arrivait pas à croire ce qu'il entendait. Sa bouche s'ouvrit lentement alors que le Prince autrichien continuait:

«Quelque chose concernant... ta... attends... *deine Mutti*, toi tu dirais plutôt ta... *ta mama*, elle joue troisième base pour les White Stockings de Chicago, *nicht wahr?*» Alors que les clients se dirigeaient d'un pas hésitant vers les sorties: «Une femme vraiment disgracieuse, en fait elle est si grosse que pour aller de ses nichons à son cul il faut prendre le métro! Elle a essayé un jour d'entrer dans l'Exposition, on lui a dit: Non, non, madame, ici c'est l'Expo, pas l'Hippo!»

«À quoi tu joues, crétin, tu risques ta peau à causer comme ça, tu viens d'où, d'Angleterre ou quoi, bordel?»

«Hum, Votre Altesse royale», murmura Lew, «j'aimerais vous entretenir brièvement —»

«Tout va bien! Je sais parler à ces individus! J'ai étudié leur culture! Écoutez – *'st los, Hund?* Boogie-boogie, *ja?*»

Lew, censé connaître les us de l'Est, s'interdisait le luxe de la panique, mais parfois, comme en ce moment, il en aurait bien pris une dose homéopathique, histoire de protéger son immunité. «Fou incurable», annonça-t-il, en agitant le pouce vers F.F., «échappé en son temps d'une des maisons de dingues les plus huppées d'Europe, reste plus grand-chose de la cervelle avec laquelle il est né, hormis éventuellement», baissant la voix, «combien d'argent avez-vous sur vous, Votre Altesse?»

«Ah, je comprends», murmura l'impérial coquin. Se tournant vers la salle: «Quand Franz Ferdinand boit», s'écria-t-il, «tout le monde boit!»

Ce qui permit de rétablir un certain degré de civilité dans la salle, voire de gaieté, les cravates trempèrent bientôt dans la mousse, le pianiste ressortit de sous le comptoir, et les clients se remirent à danser des pas de deux syncopés. Au bout d'un moment, quelqu'un entonna: *Pour moi tous les macs se ressemblent*, et la moitié de la salle se joignit à lui. Lew, toutefois, remarquant la façon dont l'Archiduc semblait se rapprocher furtivement mais indubitablement de la sortie, trouva judicieux de l'imiter. Comme de bien entendu, juste avant de se faufiler dehors, Der F.F., un sourire diabolique aux lèvres, hurla: «Et quand François-Ferdinand paie, tout le monde paie!», sur quoi il disparut, et il s'en fallut de peu que Lew s'en sorte les miches intactes.

Une fois dehors, ils trouvèrent Khäutsch devant un fiacre à deux chevaux prêt à un départ immédiat, le Mannlicher à canon double de l'Archiduc posé nonchalamment mais en évidence sur une épaule. Tandis qu'ils filaient en évitant véhicules tracteurs, voitures particulières, fourgons de police aux gongs résonants, et cætera, Khäutsch proposa d'un ton anodin: «Si jamais vous venez à Vienne, et avez besoin d'aide pour une raison quelconque, n'hésitez pas, je vous en prie.»

«Dès que j'apprends la valse, je viens.»

L'Archiduc, boudant tel un gamin qu'on a interrompu en pleine fredaine, ne fit aucun commentaire.

Lew était sur le point d'aller déguster tardivement un steak au Kinsley's quand Nate le convoqua au bureau et prit un nouveau dossier sur une étagère du haut.

«Ce sacré F.F. aura quitté la ville d'ici deux jours, Lew, mais dans l'intervalle voici quelque chose pour vous ce soir.»

«Je pensais rattraper un peu de sommeil.»

«Les anarchistes ne dorment jamais, fiston. Ils se réunissent en ce moment même à deux trois stations d'ici, et vous feriez bien d'aller jeter un coup d'œil. Voire d'apprendre quelque chose.»

Au début, Lew crut qu'il s'agissait d'une église – les échos, l'odeur – mais en fait, du moins le week-end, c'était un petit théâtre de variétés. Sur la scène trônait actuellement un pupitre flanqué d'une paire de lampes à gaz avec des manchons Welsbach, devant lequel se tenait un grand individu en salopette de travail, en qui il reconnut très vite le prêtre anarchiste itinérant, le Révérend Moss Gatlin. Le public – Lew ne s'attendait qu'à une poignée de mécontents – était venu si nombreux qu'il finit par déborder dans la rue. Des sans-emploi venus des banlieues, épuisés, sales, flatulents, mornes... Des collégiens en quête d'éventuelles occasions de faire la bringue... Des femmes en nombre surprenant, portant les marques de leur métier, des cicatrices causées par les lames des chaînes d'abattage, les yeux plissés à force de coudre au-delà des frontières du sommeil dans une pénombre atemporelle, des femmes à fichu, à filet au crochet, aux chapeaux extravagamment fleuris, sans chapeau du tout, des femmes qui avaient juste envie de lever le pied après trop d'heures passés à porter, transporter, arpenter les avenues sans travail, supporter les insultes du jour…

Il y avait un Italien avec un accordéon. La compagnie se mit à chanter des airs du *Recueil de chansons des travailleurs*, mais la plupart sans le recours au texte, des passages chantés en chœur dont la reprise récente par Hubert Parry de la *Jérusalem* de Blake, considérée non sans raison comme un grand hymne anticapitaliste déguisé en chœur, avec une légère modification au dernier vers – «Dans le vert et agréable pays *de nous*».

Et un autre qui disait :

> Féroces comme la tempête d'hiver
> Froids comme la neige envahissante
> Tournent les moulins de l'Avarice
> Chevauche l'ennemi à l'œil cruel…
> Où est la main compatissante,
> Où est le visage aimable,
> Où dans cet insouciant massacre
> Trouvons-nous l'endroit promis ?
> Peinant, méprisés et sans foyer,
> Méprisés sous la botte du banquier,
> Nous gelons devant leurs fenêtres couvertes de givre —
> Tandis qu'ils caressent leur butin acquis au prix du sang —
> L'amour n'a jamais épargné un pécheur,
> La haine n'a jamais guéri un saint,
> La nuit décisive approche,
> Alors qu'aucun cœur ne faiblisse,
> Apprends-nous à fuir le confort
> Apprends-nous à aimer le froid,
> La vie est pour le libre et l'intrépide —
> La mort est pour le vil et le vendu !

… passant du mode mineur dans lequel il était chanté depuis le début au mode majeur, et s'achevant en une tierce de Picardie qui, si elle ne brisa pas exactement le cœur de Lew, y laissa une fine fêlure qui avec le temps se révéla irréparable…

Car quelque chose ici le frappa qu'on ne pouvait que qualifier d'étrange. Que ce soit Nate Privett, n'importe qui d'autre à W.C.I., et cela va sans dire la plupart des clients de l'Agence, personne n'appréciait les syndicats, et surtout pas les anarchistes de tous acabits, si tant est qu'ils les différenciaient même. L'opinion générale qui prévalait dans le métier était que les ouvriers et les ouvrières étaient tous plus ou moins mauvais, assurément fourvoyés, et pas tout à fait américains, peut-être pas tout à fait humains. Mais on avait affaire ici à une salle pleine d'Américains, aucun doute là-dessus, même ceux nés à l'étranger, si on songeait d'où ils étaient venus et ce qu'ils avaient espéré trouver ici, Américains dans leurs prières en tout cas, et peut-être bien que quelques-uns ne s'étaient pas rasés depuis un moment, mais il était difficile de voir en quoi ils correspondaient, même de loin, à la description de Rouges barbus aux yeux fous manipulant des bombes, en fait après une bonne nuit de sommeil et un solide repas ou deux, même un détective chevronné aurait eu du mal à les différencier d'Américains réguliers. Et pourtant ils exprimaient ici les pensées les plus subversives, comme des gens ordinaires qui discuteraient des récoltes ou du match de la veille. Lew comprit que cette histoire ne s'achèverait pas quand il partirait tout à l'heure pour reprendre le métro et se consacrer à une autre mission.

Ce devait être à cause de cet archiduc autrichien. Veillez sur une Altesse, et tout le monde se mettra à échafauder des hypothèses. Les anarchistes et les chefs d'État passant ces temps-ci pour des ennemis naturels, Lew devint du fait de cette logique le privé idéal pour canarder les anarchistes, partout où ceux-ci surgissaient dans le stand de tir de l'histoire quotidienne. Des listes d'anarchistes commencèrent à atterrir sur son bureau avec une certaine régularité. Il se retrouva devant les grilles d'usine à inhaler la fumée de charbon, à arpenter les piquets de grève dans l'un des milliers de déguisements de W.C.I., apprenant suffisamment de langues slaves pour être plausible au fond des bouges où se réunissaient les mécontents aux abois, les anciens des Abattoirs aux doigts tranchés, les irréguliers de l'armée du chagrin, les vaticinateurs qui avaient vu l'Amérique telle qu'elle pourrait l'être dans des visions que les gardiens de l'Amérique ne pouvaient tolérer.

Bientôt, avec des dizaines de classeurs bourrés des renseignements qu'il rapportait, Lew s'installa dans son propre bureau, sur le seuil duquel se présentèrent assez vite des fonctionnaires du gouvernement et des membres de l'industrie, qui après s'être débarrassés de leurs couvre-chefs dans le bureau extérieur venaient respectueusement demander des conseils dont Nate Privett suivait de près la valeur marchande. Il s'ensuivit naturellement quelques récriminations dans le milieu, surtout chez Pinkerton, où, persuadé que l'Anarchisme américain était leur fonds de commerce personnel, on se demandait comment un nouveau venu tel que White City osait aspirer à davantage que des miettes. Le mécontentement se manifesta également au sein même de l'Agence, à mesure que l'Œil-Qui-Ne-Dort-Jamais commençait à recruter du personnel maison, et ce plus que Nate ne pouvait se permettre d'en perdre. Il fit irruption un jour dans le bureau de Lew, nimbé d'un halo de gaieté aussi bidon qu'une lotion capillaire vendue un nickel le flacon – «Bonne nouvelle, agent Basnight, vous venez de grimper un nouvel échelon dans votre carrière personnelle! Que pensez-vous de… "directeur régional"?»

Lew leva les yeux, impavide. «Et dans quelle "région" m'expédie-t-on, Nate?»

«Lew, petit plaisantin! Soyez sérieux!»

W.C.I. avait décidé d'ouvrir un bureau à Denver, expliqua Nate, et vu qu'il y avait là-bas plus d'anarchistes au mètre carré qu'on ne pouvait en compter, Lew était l'homme idéal pour superviser l'opération, non?

Comme s'il s'agissait d'une véritable question, Lew entreprit de donner les noms de collègues plausibles, qui tous avaient sur lui l'avantage de l'ancienneté, jusqu'à ce que les rides sur le front de Nate se fussent assez creusées.

«O.K., patron, j'ai pigé. Ça ne dépend pas de vous, c'est ce que vous allez me dire?»

«Lew, l'endroit grouille de mines d'or et d'argent. Là-bas, les pépites poussent sous le sabot. Avantages garantis, à votre convenance.»

Lew prit un panatela et l'alluma. Après deux, trois lentes bouffées : «Z'êtes jamais sorti du bureau quand il y a encore de la lumière dans le ciel et que les réverbères viennent juste d'être allumés le long des grandes avenues et du lac, les jeunes filles sont sorties des boutiques pour rentrer chez elles, les restaus s'animent en prévision de l'affluence nocturne, les baies vitrées étincellent, les calèches sont alignées devant les hôtels, et —»

«Non», Nate le regard impatient, «pas vraiment, je travaille trop tard pour ça.»

Lew fit un rond de fumée, suivi de quelques autres plus concentriques. «Et puis merde, Nate.»

Pour une raison ou une autre, Lew éprouvait quelque embarras à parler aux Casse-Cou de son transfert. Dans le bref intervalle passé en leur compagnie à bord du *Désagrément*, il en était presque venu à se sentir plus chez lui dans l'aéronef qu'à l'Agence.

La visibilité était aujourd'hui illimitée, le lac scintillant d'un million de points lumineux, les petits bateaux de plaisance électriques et les gondoles, les foules sur les places jouxtant les gigantesques bâtiments de l'Exposition, la blancheur de l'endroit quasi intolérable... Les échos atténués d'une musique stridente montaient de la foire, une grosse caisse palpitait tel le pouls d'une créature collective.

Le Pr Vanderjuice les accompagnait ce jour-là, après en avoir terminé avec ce qui l'avait retenu jusqu'alors à Chicago. Les réflexes de détective de Lew l'avertirent d'un élément profondément dilatoire chez ce chercheur bien de sa personne, dont il supposait que les garçons avaient également conscience, même si ce qu'ils comptaient en faire ne regardait qu'eux. La présence de Vanderjuice ne facilitait pas la tâche à Lew, mais il finit par lâcher la nouvelle: «Bon sang, comme tout ça va me manquer.»

«Encore quelques semaines et l'Expo fermera ses portes», dit Randolph.

«Je serai parti à cette date. On m'envoie dans l'Ouest, les amis, et ça m'a l'air définitif.»

Randolph eut un air compatissant. «Vous avez au moins la chance de savoir où on vous envoie. Nous, après les cérémonies de clôture, nous ignorons tout de notre avenir.»

«Il ne s'agit peut-être pas de l'Ouest auquel vous vous attendez», intervint le Pr Vanderjuice. «En juillet dernier, mon collègue Freddie Turner a quitté Harvard pour venir ici et donner une conférence devant un parterre d'anthropologues qui étaient tous en ville pour leur convention et bien sûr pour l'Expo. Il a expliqué que la frontière de l'Ouest que nous pensions tous connaître par les chansons et les récits ne figurait plus sur la carte: disparue, absorbée – *terminato*.»

«Vous allez comprendre ce qu'il veut dire», fit Randolph, qui prit la barre et fit virer le *Désagrément* vers l'intérieur des terres, cap nord-ouest, vers les Abattoirs.

«Oui, ici», continua le Professeur, en désignant de la tête les Enclos qu'ils survolaient alors, «c'est ici que s'achève la Piste, tout comme le cow-boy américain qui naguère y vivait et en vivait. Peu importe qu'il ait conservé l'intégrité de son nom, réussi à échapper à Dieu sait combien de scélérats, comment il s'est occupé de ses chevaux, quelles filles il a chastement embrassées, embobinées avec sa guitare, ou entraînées dans de furieuses bamboches, tout est retourné à la poussière de la route et n'a désormais plus d'importance, et vous ne trouverez plus ici-bas que l'humide convergence et le dénouement de son aride récit et de son ingrate vocation, le *Wild West Show* de Buffalo Bill mis cul par-dessus tête – des spectateurs invisibles et silencieux, n'ayant rien à commémorer, les seules armes se résumant aux pistolets à cheville Blitz et aux merlins Wackett servant à estourbir les bêtes, ainsi que les lames que tout le monde trimballe, bien sûr, les clowns de rodéo baragouinent dans un jargon incompréhensible non pour distraire l'animal mais plutôt pour augmenter et concentrer son attention sur l'unique tâche en vue, l'escortant jusqu'aux toutes dernières grilles, derrière lesquelles l'attendent les instruments d'abattage, la tuerie et le sang après la dernière glissière – et le cow-boy avec lui. Ici.» Il tendit à Lew une paire de jumelles. «Vous voyez ce petit char à bancs là-bas, qui tourne juste au coin de la Quarante-Septième?»

Comme l'aéronef descendait un peu plus, Lew vit le véhicule ouvert franchir les grilles de Halstead Street et s'arrêter pour déposer ses passagers, et il comprit alors, non sans perplexité, qu'il s'agissait d'un groupe de touristes, venus visiter les salles d'abattage et de débitage, une heure édifiante d'égorgements, décapitations, dépeçages, éventrations et démembrements – «Hé, Maman, viens voir un peu ces pauvres bestiasses!» Et de suivre les animaux dans leur sombre passage après leur arrivée en wagons, dans les odeurs de merde et de produits chimiques, de graisse rance et de chair décomposée, agonisant, puis morts, avec au fond un chœur beuglant de terreur animale et de cris dans des langues humaines que peu d'entre eux avaient jamais entendues, jusqu'à ce que le tapis roulant fasse défiler en une parade majestueuse les carcasses suspendues à des crochets filant vers les chambres froides. À la sortie, les visiteurs trouvaient une boutique de souvenirs, où ils pouvaient acheter des vues stéréoscopiques, des cartes postales et des conserves «Qualité Gourmet Supérieur», célèbres pour contenir des doigts et d'autres parties du corps des ouvriers imprudents.

«N'allez pas croire que je vais renoncer de sitôt aux steaks», dit Lew, «mais c'est vrai qu'il y a de quoi s'étonner devant la façon dont tous ces gens semblent déconnectés de la réalité.»

«Effectivement», reconnut le Professeur. «La frontière s'achève et la déconnexion commence. La cause et l'effet? Qu'est-ce que j'en sais, nom d'un petit bonhomme? J'ai passé mes folles années là où vous vous rendez, à Denver, Cripple Creek et Colorado Springs, alors qu'il y avait encore une frontière, on savait toujours où elle se trouvait et comment y aller, et ça ne se réglait pas toujours uniquement entre Indiens et étrangers ou Anglos et Mexicains, ou même entre Cavalerie et Indiens. Mais vous pouviez la sentir, oh oui, sans l'ombre d'un doute, tel un fossé, et vous saviez qu'en vous tenant là votre pisse s'écoulerait dans deux directions à la fois.»

Mais si la Frontière avait disparu aujourd'hui, cela signifiait-il que Lew allait être, lui aussi, bientôt déconnecté de lui-même? Exilé, dans un silence situé au-delà du silence en punition d'un crime lointain et ancien qui affleurait sans cesse à la mémoire, dans un état proche de l'hébétude, dans un demi-rêve pareil à un nœud de chirurgien habilement pratiqué dans le tissu du temps puis correctement serré, avant d'être remis entre les mains d'agents puissants qui ne lui voulaient pas du bien?

Les jeunes hommes offrirent à Lew une broche de membre honoraire de la Confrérie des Casse-Cou en or et émail à porter sous le revers, qui, une fois exhibée devant n'importe quelle section où que ce soit dans le monde, lui donnerait droit à tous les privilèges de visiteur tels que définis par la Charte des C.C. En retour, Lew leur donna un minuscule télescope d'espion déguisé en montre de gousset, contenant également une cartouche de calibre .22 qu'on pouvait tirer en cas d'urgence. Les Casse-Cou le remercièrent très chaleureusement mais ce soir-là, après les Quartiers du Soir, ils débattirent longuement pour savoir si l'on pouvait introduire des armes à bord du *Désagrément*, sujet de maints débats houleux. Concernant le cadeau de Lew, la solution était assez simple – ne pas charger la lunette. Mais le problème général n'en demeurait pas moins. « Pour l'instant, nous sommes tous frères et amis », supposa Randolph, « mais historiquement tout arsenal est une source d'ennuis potentiels – un appât pour les mutins en herbe, à tout le moins. Il est là, attendant son heure, et occupe un espace qui pourrait être utilisé, particulièrement sur un dirigeable, à meilleur escient. » L'autre danger était bien plus délicat, et tout le monde – hormis sans doute Pugnax, dont les pensées étaient difficiles à percer – se surprit à parler par euphémismes. Car on connaissait des cas, dont on ne parlait qu'à voix basse, plus tangibles que de simples rumeurs ou des récits aérostiers, de missions si terribles de par leurs exigences morales que, de temps en temps, incapable de continuer, un infortuné Casse-Cou avait décidé de mettre fin à ses jours, la méthode choisie la plus courante étant « le plongeon nocturne » – se laisser simplement tomber par-dessus le plat-bord pendant un vol de nuit –, mais pour ceux qui ne voulaient pas s'en remettre à la simple altitude, toute arme embarquée dans l'aéronef présenterait un attrait irrésistible.

La bonne humeur, naguère considérée comme une condition vitale à bord du *Désagrément*, semblait de plus en plus, aux yeux des jeunes hommes, une commodité précaire, ces temps-ci. Ils semblaient retenus ici, comme sous l'effet d'un obscur ensorcellement. L'automne s'enracina dans les rues désertées, le train-train prit un tour inquiétant, parfois aussi invisible et furtif que des talons de botte usés disparaissant au coin d'arcades majestueuses où les garçons campaient, dans de vastes salles miteuses, parmi les odeurs de graisse animale et d'ammoniaque sur le sol, devant des buffets proposant trois sortes de sandwiches, agneau, jambon, ou bœuf, tous riches en gras et nerfs, en effluves rances, des femmes au front plissé appariant sèchement viande et pain, une cuiller secouée plaquant dessus la sauce aussi farineuse que du plâtre, les yeux baissés toute la sainte journée, échafaudant derrière elles devant le miroir une pyramide de bouteilles miniatures bon marché, connues ici sous l'appellation de «Mickey», et offrant trois choix de vins, rouge, blanc et muscat.

Quand ils ne titubaient pas aussi confusément que des ivrognes, les jeunes hommes se retrouvaient pour ingurgiter ces épouvantables sandwiches secs et moites, sifflant de la piquette et remarquant non sans un humour contrit avec quelle rapidité chacun semblait s'empâter à vue d'œil. «Hardi, les gars», protesta Randolph, «nous devons essayer de nous sortir de là!» Ils en vinrent alors à imaginer, conjointement et séparément, un sauveur s'immisçant parmi eux, allant de l'un à l'autre, soupesant, choisissant, une créature imaginaire venue rendre chacun à son innocence, l'aider à renoncer à son corps instable et à son découragement, né il y a fort longtemps – mais ce sauveur ne serait pas Lew Basnight, bien qu'il bénéficiât de l'admiration unanime de l'équipage. Il les avait quittés, comme tant d'autres au cours de leur existence, et ils subsistaient dans une rêverie fragmentée qui, ils le savaient, annonçait souvent un changement.

Et un beau matin, ô surprise, les garçons découvrirent, négligemment coincés entre les fibres d'un câble, sans le moindre lien bien entendu avec une décision qu'ils auraient pu envisager, des ordres transmis discrètement à la faveur de la nuit.

«Cap à l'est, c'est à peu près tout ce que ça dit», Randolph avec une calme consternation. «Est quart sud.»

Lindsay sortit les cartes. Les conjectures allèrent bon train ce jour-là. Naguère, il leur suffisait de connaître les vents, et la façon dont ils soufflaient selon les saisons de l'année, pour se faire une grossière idée de l'endroit où ils pouvaient bien se rendre. À présent que le *Désagrément* commençait à bénéficier de ses propres instances de pouvoir, d'autres critères mondiaux étaient à prendre en compte – lignes de force électromagnétiques, avis de tempêtes éthéréennes, mouvements de populations et de capitaux. Rien à voir avec le métier aérostatique tel que l'avaient appris les garçons.

Plus tard, après la fermeture, alors que l'automne s'enracinait dans la prairie corrompue, et que le sinistre Faucon, en plein ciel, répétait invisiblement son répertoire arctique – piqué abrupt, attaque sans pitié, ravissement des âmes –, les structures à l'abandon de l'Expo allaient abriter les vagabonds et les affamés qui avaient toujours été là, même au plus fort de cette saison miraculeuse qui venait juste de s'achever. Le Camp de Mine d'Argent du Colorado, à l'instar des autres stands, était désormais occupé par des migrants, des errants, des mères avec enfants en bas âge, des bonimenteurs embauchés le temps de l'Expo, et qui, une fois leur valeur marchande disparue, retournaient aux consolations de la boisson, des chiens et des chats qui préféraient la compagnie de leur propre espèce, certains se souvenant encore de Pugnax et de sa conversation, et des excursions qu'ils avaient faites ensemble. Tous se rapprochaient des feux édifiés avec les débris de l'Expo, naguère substance même de l'émerveillement, à mesure que la température baissait.

Peu de temps après qu'Erlys fut partie avec Zombini le Mystérieux, Merle Rideout rêva qu'il se trouvait dans un vaste musée, un composite de tous les musées possibles, plein de statues, toiles, faïences, amulettes, machines archaïques, oiseaux et animaux empaillés, instruments de musique obsolètes, avec des couloirs entiers de choses qu'il ne pourrait toutes voir. Il était accompagné d'un petit groupe de personnes qu'il ne connaissait pas, mais qu'il était censé connaître dans son rêve. Brusquement, devant une vitrine d'armes japonaises, un employé dans une tenue ordinaire et élimée, mal rasé, méfiant, dépourvu d'humour mais non point d'amertume, et qui était peut-être ou peut-être pas un gardien de musée, s'empara de lui en le soupçonnant d'avoir volé un petit objet d'art, et exigea qu'il vide ses poches, ainsi qu'un vieux portefeuille en cuir fatigué et bien garni, dont le «gardien» voulut voir également le contenu. Un rassemblement s'était formé, en plus du groupe connu-inconnu avec lequel il était arrivé ici, chacun le fixant en silence. Le portefeuille était en soi une sorte de musée, à échelle réduite – un musée de sa vie, bourré de vieilles souches de tickets, de reçus, de notes écrites par lui à sa propre intention, de noms et d'adresses de personnes appartenant à son passé dont il ne se souvenait qu'à moitié ou plus du tout. Au milieu de tous ces déchets biographiques apparut un *portrait miniature d'elle*. Il se réveilla, comprenant aussitôt que tout ce rêve ne visait qu'à lui rappeler, d'une façon diaboliquement contournée, Erlys Mills.

Son nom revenait souvent dans les discussions quotidiennes. Du jour où elle sut parler ou presque, Dally passa maître dans l'art des questions intéressantes.

«Bon, alors, qu'est-ce qui t'a attiré chez elle en premier?»

«Elle ne s'est pas enfuie en hurlant quand je lui ai dit ce que je ressentais.»

«Le coup de foudre, quelque chose comme ça?»

«Me suis dit que ça servait à rien de cacher mes sentiments. Encore une minute et demie, et elle aurait compris, de toute façon.»

« Et… »

« Qu'est-ce que je faisais pour commencer à Cleveland ? »

Et c'est ainsi que, d'ordinaire, Dally entendait parler de sa mère, par bribes. Un jour, Merle avait lu dans le *Hartford Courant* un article sur un couple de professeurs du Case Institute à Cleveland qui comptait faire une expérience pour découvrir si le mouvement de la Terre avait un effet, et si c'était le cas lequel, sur la vitesse de la lumière dans l'Éther luminifère. Il avait déjà entendu parler très vaguement de l'Éther, mais, étant davantage porté sur le côté pratique des choses, il n'en voyait guère l'intérêt. Existe, existe pas, quel rapport franchement avec le prix des navets. Et tout ce qui se produisait à la vitesse de la lumière devait par ailleurs obéir à bien trop d'inconnues – plus proches de la religion que de la science. Il en parla un jour avec son ami de Yale, le Pr Vanderjuice, lequel, émergeant juste d'une de ces déconvenues en laboratoire dont il était coutumier, dégageait comme toujours une odeur de sels ammoniacaux et de cheveux roussis.

« Une petite altercation avec la Machine de Töpler, pas de quoi s'inquiéter. »

« Je ferais mieux d'aller y jeter un coup d'œil. Doit être sûrement encore cet engrenage. »

Ils se promenèrent sous les ombres des ormes, en mangeant des sandwiches et des pommes qu'ils avaient apportés dans des sacs en papier, « un pique-nique péripatéticien », comme l'appelait le Professeur, adoptant séance tenante son style de conférencier.

« Vous avez tout à fait raison, bien sûr, l'Éther a toujours été une question religieuse. Certains n'y croient pas, d'autres si, les uns ne parviennent pas à convaincre les autres, c'est une simple histoire de foi. Lord Salisbury a dit que c'était juste un nom pour le verbe "onduler". Sir Oliver Lodge l'a défini comme "une substance continue remplissant tout espace, capable de faire vibrer la lumière… d'être séparée en électricité positive et négative", et la liste est longue, presque autant que le Credo. Cela dépend assurément de si l'on croit ou non au caractère ondulé de la lumière – si la lumière était composée de particules, elle pourrait simplement filer dans l'espace vide sans besoin du moindre Éther pour la transporter. Et le fait est qu'on trouve dans la personnalité de l'Éthériste une propension naturelle au continu plutôt qu'au discret. Sans parler d'une immense patience devant tous ces minuscules tourbillons dont a dû s'accommoder la théorie. »

« Pensez que ça vaut le coup de se rendre à Cleveland pour ça ? »

« Mr Rideout, nous errons actuellement dans une sorte de crépuscule vorticaliste, avec la seule lanterne des Équations de Champ de Maxwell pour nous y retrouver. Michelson a déjà fait cette expérience, à Berlin, mais jamais avec autant de précautions. Cette nouvelle découverte pourrait être la gigantesque lampe à arc dont nous avons besoin pour éclairer notre avancée dans le siècle à venir. Je ne connais pas l'homme personnellement, mais je vous ferai néanmoins une lettre de recommandation, ça ne mange pas de pain. »

Merle était né et avait grandi dans le nord-ouest du Connecticut, une région d'horlogers, d'armuriers et de rétameurs inspirés, aussi son excursion dans la Réserve occidentale n'était-elle qu'une version personnelle de la migration yankee. Cette bande de l'Ohio à l'ouest du Connecticut avait été considérée pendant des années, et ce bien avant l'Indépendance américaine, comme partie intégrante de la concession foncière originale du Connecticut. Et, malgré des jours et des nuits de chevauchée, Merle eut le sentiment étrange de ne pas avoir quitté le Connecticut – les mêmes maisons rustiques à pignons, les mêmes clochers blancs de l'église congrégationaliste, jusqu'aux mêmes clôtures en pierre. Encore du Connecticut, juste déplacé à l'ouest, c'est tout.

À son arrivée, Merle découvrit que la « Ville forestière » était obsédée par la capture du sympathique desperado Blinky Morgan, qu'on recherchait pour le prétendu meurtre d'un inspecteur de police, survenu alors qu'il essayait de sauver un membre de sa bande arrêté pour vol de fourrures. Les crieurs de journaux colportaient ses frasques, et les rumeurs filaient comme insectes en été. Les agents de police paradaient un peu partout, leurs chapeaux noirs et rigides luisant tels d'antiques casques de guerriers. Les nervis en uniforme bleu de Schmitt ramassaient et soumettaient à de longs et souvent inutiles interrogatoires tous ceux dont la tête ne leur revenait pas, autrement dit une bonne partie de la population, y compris Merle, qui fut appréhendé dans Rockville Street alors qu'il se rendait au Case Institute.

« T'as quoi dans ton camion, fiston ? »

« Pas grand-chose. Mais vous pouvez regarder. »

« Eh bien, voilà qui ne fait pas de mal, d'habitude on a droit à des blagues sur Blinky. »

Merle se lança dans une longue description alambiquée de l'expérience de Michelson-Morley, et de l'intérêt qu'il éprouvait pour ladite expérience, intérêt qui ne fut pas partagé par les policiers, lesquels devinrent distants, et bientôt agressifs.

« Encore un candidat pour Newburgh, on dirait. »

«Bon, voyons voir ça. Strabisme, langue qui pend, chapeau de Napoléon?»

Ils faisaient allusion à l'asile de fous du nord de l'Ohio, situé à quelques miles au sud-est de la ville, où l'on trouvait actuellement les plus agités des savants excentriques affluant ces temps-ci à Cleveland, des excités venus d'un peu partout dans la région et d'ailleurs, désireux de baigner dans l'éclat de la fameuse expérience de dérive éthéréenne en cours au Case Institute. Certains étaient des inventeurs de moteurs solaires capables de faire rouler une bicyclette toute la journée mais qui s'arrêtaient brusquement à la tombée de la nuit, vous expédiant dans le fossé si vous ne faisiez pas attention. D'autres prétendaient que la lumière possédait une conscience et une personnalité et qu'elle était ouverte à la discussion, révélant souvent ses plus profonds secrets à ceux qui l'abordaient correctement. On pouvait distinguer ces illuminés à Monumental Park, à l'aube, assis en groupes sur la rosée dans des positions inconfortables, leurs lèvres remuant de façon inaudible. Plusieurs d'entre eux se faisaient appeler les Luminariens, et leur régime était exclusivement constitué de lumière, ils installaient même des labos qu'ils concevaient comme des cuisines et se préparaient des repas selon des recettes lumineuses, lumière frite, fricassée de lumière, lumière à la mode, nécessitant divers filaments de lampes et couleurs de globes en verre, la lampe Edison étant toute nouvelle à cette époque mais aucunement le seul modèle à l'étude. Il y avait aussi des lumino-dépendants qui, au crépuscule, commençaient à transpirer et se gratter et s'enfermaient dans les toilettes avec des lanternes électriques portatives. Certains passaient la plupart de leur temps dans les bureaux télégraphiques à détailler les longs rouleaux de «bulletins météo» mystérieusement arrivés concernant le climat non dans l'atmosphère mais dans l'Éther luminifère. «Oui tout est là», dit Ed Addle, un des habitués de l'Oil Well Saloon, «la vitesse du vent-éther, la pression éthérique, il existe des instruments pour les mesurer, même une analogie à la température, qui dépend des tourbillons ultramicroscopiques et de la force avec laquelle ils interagissent...»

Merle revint avec une autre tournée de bières: «Et l'humidité?»

«Sujet à controverse», dit Ed. «Qu'est-ce qui, dans l'Éther, pourrait occuper la place de la vapeur d'eau dans l'air? Certains d'entre nous pensent que c'est le Vide. De minuscules gouttelettes de rien du tout, mélangées avec le médium éthérique dominant. Jusqu'à ce que soit atteint le point de saturation, bien sûr. Il se produit alors de la condensation, et des tempêtes au cours desquelles non la pluie mais du néant précipité balaie une zone donnée, des cyclones et des anticyclones, non seulement ici à l'écart de la surface planétaire mais au-delà, dans l'espace cosmique également. »

« Il y a un Bureau américain qui s'occupe de signaler tout ça ? » demanda Roswell Bounce, un photographe établi à son propre compte. « Un réseau de stations ? Des bateaux et des ballons ? »

Ed fut soudain sur ses gardes. « C'est juste ton discours de pisse-froid habituel, ou tu veux vraiment savoir ? »

« S'il existait un posemètre fiable », dit Roswell, « ça pourrait être intéressant de savoir comment la lumière est transmise, c'est tout. »

Il s'agissait d'une espèce de petite communauté éthériste, la seule Église que rejoindrait jamais Merle. Ils traînaient dans les saloons de Whiskey Hill et ils étaient tolérés quoique guère appréciés par la clientèle, les ouvriers des filatures ayant fort peu de patience pour les formes extrêmes de croyance, à moins qu'il s'agisse de l'anarchisme, bien sûr.

Merle passait désormais beaucoup de temps, et dépensait pas mal d'argent, avec deux sœurs du nom de Madge et Mia Culpepper, qui travaillaient à l'établissement de Hamilton Street tenu par Nelly Lowry, la bonne amie de Blinky Morgan. Il avait effectivement vu une ou deux fois l'élégant et tape-à-l'œil Blinky aller et venir, tout comme la police, très probablement, car l'endroit était sous étroite surveillance, mais le zèle policier étant négociable à cette époque, il existait des intervalles d'invisibilité pour quiconque avait les moyens de s'en procurer.

Merle occupait le plus souvent la position du singe du milieu, s'efforçant de calmer les têtes brûlées, de trouver du travail à ceux qui étaient sans le sou, entassant les gens dans son chariot quand les propriétaires devenaient méchants, tout en essayant de rester raisonnablement à l'écart des projets lucratifs qui, franchement, même s'ils grouillaient comme des champignons après la pluie, frôlaient trop souvent l'excentricité irréalisable, « ... la quantité de lumière dans l'univers est limitée, et diminue suffisamment vite pour que le stockage, la dérivation, le rationnement, sans parler de la pollution, deviennent des possibilités, comme les droits d'utilisation de l'eau, mais de façon différente, et on va certainement assister à une ruée internationale pour *coincer la lumière*. Nous avons le savoir-faire, les ingénieurs et les mécaniciens les plus inventifs du monde, tout ce qu'il nous faut c'est de progresser assez pour capter les courants dominants. »

« Des aéronefs ? »

« Mieux. L'anti-gravité psychique. »

Les Éthéristes à ce point possédés finissaient en général par séjourner quelque temps à Newburgh, d'où il devenait nécessaire de les faire s'enfuir, et Merle fut bientôt connu comme étant le type à contacter, une fois qu'il eut noué des relations avec certains membres du personnel de l'asile qu'une évasion à l'occasion ne gênait pas, vu la charge de travail.

«Enfin libre!»

«Ed, on va t'entendre, essaie de ne pas brailler comme ça —»

«Libre! Libre comme l'oiseau!»

«Chut! Tu veux bien te —»

Et là-dessus des gardiens en uniforme approchaient d'un pas qu'on pourrait qualifier de modéré.

Pour une raison ou une autre, Merle finit par croire que l'expérience de Michelson-Morley et la chasse à l'homme lancée contre Blinky Morgan étaient liées. Que si Blinky était jamais pris, on découvrirait également que l'Éther n'existait pas. Non pas que l'un serait cause de l'autre, exactement, mais que les deux étaient des expressions différentes du même principe.

«C'est du micmac de sauvage», objecta Roswell Bounce. «Feriez mieux d'aller dans la jungle et d'en causer avec les arbres, parce que dans cette ville ce genre de raisonnement ne marche pas, non, m'sieur, pas du tout.»

«Mais vous avez vu son portrait dans les journaux.»

Chaque œil de Blinky, à en croire les articles parus, voyait le monde différemment, le gauche ayant souffert un obscur traumatisme, soit à la suite d'une détonation prématurée lors d'une échauffourée, soit du fait d'un obusier de marine alors qu'il combattait dans la Rébellion. Blinky faisait circuler tout un tas d'histoires.

«Un interféromètre ambulant, pourrait-on dire», suggéra Ed Addle.

«Un biréfringent, tant qu'à faire.»

«Exactement. Une asymétrie par rapport à la lumière, en tout cas.»

Un jour, Merle avait saisi l'incroyable vérité de l'affaire, même s'il est vrai qu'il avait passé la plus grande partie de la soirée à aller d'un saloon de Whiskey Hall à l'autre, en buvant. Pourquoi ne l'avait-il pas compris plus tôt? C'était si évident! Le Pr Edward Morley et Charles «Blinky» Morgan étaient une seule et même personne! Séparés par deux ou trois lettres dans leur nom comme sous l'effet d'une double réfraction alphabétique, si l'on veut...

«Et ils ont tous deux des cheveux longs et hirsutes et de grosses moustaches rousses —»

«Non, c'est pas possible, Blinky est toujours bien sapé, tandis que la mise du Pr Morley, paraît-il, affiche une certaine propension au négligé...»

«Oui oui mais supposons, supposons que quand ils séparent ce rayon de lumière, une moitié est celle de Michelson et l'autre celle de son associé Morley, laquelle se révèle la moitié qui revient en phases parfaitement assorties – mais dans des circonstances légèrement différentes, avec des axiomes alternatifs, il pourrait y avoir une autre paire qui *ne s'assortit pas*, n'est-ce pas, en fait des millions de paires, et on pourrait alors parfois mettre la chose sur le compte de l'Éther, bien sûr, mais dans d'autres cas ça peut signifier aussi que la lumière *va ailleurs*, qu'elle fait un détour et c'est pourquoi elle réapparaît tardivement et déphasée, parce qu'elle est allée où se trouvait Blinky quand il était invisible, et —»

Fin juin, à peu près au même moment où Michelson et Morley procédaient à leurs dernières observations, Blinky Morgan fut arrêté à Alpena, dans le Michigan, une ville estivale bâtie sur le site d'un cimetière indien.

«Parce que Blinky a *émergé de l'invisibilité*, et au moment où il est rentré dans le monde contenant Michelson et Morley, l'expérience ne pouvait qu'aboutir à un résultat négatif, l'Éther était condamné...»

Car le bruit courait que Michelson et Morley n'avaient trouvé aucune différence dans la vitesse de la lumière entrant, sortant, ou obliquement par rapport à la Terre parcourant son orbite. Si l'Éther existait, en mouvement ou au repos, il n'avait aucun effet sur la lumière qu'il transportait. L'ambiance dans les saloons fréquentés par les Éthéristes devint lugubre. Comme s'il possédait la substance d'une invention ou d'une bataille, ce résultat négatif prit sa place dans l'histoire de Cleveland, un nouveau mystère de la lumière révélé.

«C'est comme ces cultes qui croient que le monde touchera à sa fin tel ou tel jour», expliqua Roswell, «ils se dépouillent de tous leurs biens terrestres et se rendent en groupes sur quelque sommet montagneux pour attendre, mais la fin du monde ne se produit pas. Le monde continue de tourner. Quelle déception! Tous doivent redescendre en masse de la montagne, la queue mentale entre les pattes, hormis un ou deux idiots qui sourient de façon incurable et y voient l'occasion de commencer une nouvelle vie, à zéro, sans fardeau, pour renaître, en fait.

«C'est le cas pour le résultat de Michelson-Morley. Nous y avons tous cru mordicus. Or il semblerait que l'Éther, qu'il bouge ou non, n'existe tout simplement pas. On fait quoi maintenant?»

«D'un point de vue contraire», dit O.D. Chandrasekhar, qui avait quitté Bombay pour venir à Cleveland et ne disait pas grand-chose, mais quand il parlait, personne n'y comprenait rien, «on peut facilement interpréter ce résultat nul comme *prouvant l'existence* de l'Éther. Il n'y a rien là-haut, et pourtant la lumière voyage. L'absence d'un médium porteur de lumière est le vide de ce que ma religion nomme *akasa*, et qui est le fondement ou la base de tout ce qui selon nous "existe".»

Tous marquèrent un instant de silence, comme pour méditer la chose.

«Ce qui m'inquiète», dit enfin Roswell, «c'est si jamais l'Éther se révèle être quelque chose comme Dieu. Si nous pouvons expliquer tout ce que nous voulons expliquer sans lui, alors pourquoi le conserver?»

«À moins», fit remarquer Ed, «que ce soit Dieu.»

La discussion finit par dégénérer en une bagarre générale, au cours de laquelle mobilier et verrerie ne s'en sortirent guère mieux que les projectiles humains, un comportement pour le moins rare chez les Éthéristes, mais ces derniers temps plus personne ne savait trop quoi faire.

Pour Merle, ce fut une sorte de dérive aléatoire, ce que Mia Culpepper, en férue d'astrologie, appelait «faire non-route», et qui perdura jusqu'à la mi-octobre, lorsqu'un incendie se déclara dans l'asile de Newburgh, où il se trouvait que Merle était présent cette nuit-là, profitant d'un bal entre détenus pour faire évader Roswell Bounce, qui avait insulté un policier en prenant sa photo alors même que ce dernier sortait d'un établissement controversé. L'asile était sens dessus dessous. Aliénés et gardiens couraient partout en hurlant. C'était le deuxième incendie important à Newburgh en quinze ans, et l'horreur du premier était encore tenace. Des badauds du voisinage s'étaient rassemblés pour assister au spectacle. Des étincelles et des braises volaient et retombaient. Des rafales de lumière rouge et brûlante balayaient l'endroit, et leur éclat se reflétait dans les yeux qui roulaient de désarroi, tandis que des ombres fusaient partout, changeant de taille et de forme. Merle et Roswell descendirent jusqu'au ruisseau pour se joindre à la chaîne de pompiers, des tuyaux furent déroulés depuis les pompes à incendie et, plus tard, quelques camions arrivèrent de Cleveland. Le temps que le feu soit maîtrisé, l'épuisement et la confusion étaient trop avancés pour que quiconque remarque la disparition de Merle et de Roswell.

De retour à Whiskey Hill, ils filèrent au saloon de Morty Vicker.

«Quelle nuit infernale», dit Roswell. «J'aurais pu être dans la chapelle en train de danser quand l'incendie s'est déclaré. Je vous dois une fière chandelle, ma foi.»

«Payez la prochaine tournée, et nous serons quittes.»

«Mieux que ça, mon apprenti s'est taillé quand les cognes ont débarqué. Ça vous dirait d'apprendre les secrets du métier de photographe?»

Roswell n'étant resté qu'un jour ou deux à l'asile, ils retrouvèrent son matériel intact, épargné par les pillards ou le proprio. Merle n'était point profane en la matière, il avait déjà vu des appareils photo, il avait même pris un ou deux clichés lui-même. La chose lui avait toujours semblé une belle entourloupe, faire poser le pékin, presser la poire, prendre l'argent. Comme tout un chacun, bien sûr, il s'était demandé ce qui se passait pendant la transition mystérieusement surveillée de plaque à épreuve, mais jamais au point de franchir le seuil interdit d'une chambre noire pour y jeter un coup d'œil. En tant que mécanicien, il respectait les chaînes logiques de causes et d'effets qu'on pouvait voir ou maîtriser, mais les réactions chimiques de ce genre puisaient leur source dans une zone échappant largement à tout contrôle, c'était quelque chose qu'on ne pouvait qu'observer et laisser se produire, ce qui était presque aussi intéressant que de regarder pousser du maïs.

«O.K., c'est parti.» Roswell alluma une ampoule spéciale de chambre noire couleur rubis. Prit une plaque sèche dans un étui portatif. «Tenez ça une minute.» Versa des doses liquides de deux ou trois flacons différents, tout en marmonnant des choses que Merle comprit à peine – «Pyrogallique, chreumeuleumeuleu citrique, bromure de potassium… ammoniaque…» Mélangeant le tout dans un vase à bec, il déposa la plaque dans une cuve à développement et versa dessus le mélange. «À présent, regardez.» Et Merle vit apparaître l'image. Surgir de nulle part. Sortir du pâle Invisible, pour choir dans ce monde par ailleurs explicable, plus nette que réelle. Il se trouvait que c'était l'asile de Newburgh, avec deux ou trois patients debout en arrière-plan, qui regardaient. Merle scruta la plaque, gêné. Quelque chose clochait dans les visages. Le blanc de leurs yeux était gris foncé. Le ciel derrière les faîtes irréguliers des toits était presque noir, des fenêtres qui auraient dû être claires étaient sombres. Comme si la lumière avait été ensorcelée et changée en son contraire…

«C'est quoi? On dirait des spectres, des revenants.»

«C'est un négatif. Quand nous l'imprimerons, tout retournera à la normale. Mais d'abord nous devons le fixer. Passez-moi ce flacon d'hypo là-bas.»

La nuit se poursuivit ainsi, essentiellement à baigner les choses dans diverses solutions puis à attendre qu'elles sèchent. Quand le soleil se leva sur Shaker Heights, Roswell Bounce avait mis Merle en présence de la photographie.

«Photographie, je te présente Merle, Merle —»

« C'est bon, c'est bon. Et vous jurez que c'est fait avec de l'argent ? »

« Le même qu'il y a dans ma poche. »

« Pas ces derniers temps. »

Hum.

« Refaites-le. »

Il savait qu'il parlait comme un gogo dans une foire mais c'était plus fort que lui. Même si ce n'était qu'un tour de prestidigitation, il voulait l'apprendre.

« Juste ce que les gens ont remarqué depuis le premier coup de soleil », dit Roswell en haussant les épaules. « La lumière change les choses en couleur. Les experts appellent ça "photochimie". »

L'illumination qu'avait connue Merle au cours de la nuit perdura sous la forme d'une inexorable lueur qui l'empêcha vite de dormir. Il gara son chariot quelque part dans Murray Hill et entreprit d'étudier les arcanes du portrait photographique tels qu'ils étaient alors compris, compilant des informations glanées sans vergogne partout où il pouvait, auprès de Roswell Bounce comme dans la Bibliothèque de Cleveland, laquelle, ainsi que Merle le découvrit rapidement, avait fait un pas de géant dix ans plus tôt en rendant public son fonds, si bien que n'importe qui pouvait y passer la journée à lire ce qu'il avait besoin de savoir quel que fût le but qu'il avait en tête.

Après avoir étudié tous les composés argentiques possibles, Merle passa aux autres : sels d'or, platine, cuivre, nickel, uranium, molybdène et antimoine, puis délaissa les composés métalliques au profit des résines, insectes écrasés, teintures au goudron de houille, fumée de cigare, extraits de fleurs des champs, urine de diverses créatures y compris la sienne, réinjectant le peu d'argent qu'il gagnait avec ses portraits dans l'achat de filtres, objectifs, plaques de verre, agrandisseurs, et très vite son chariot devint un labo photo ambulant. Il prenait des images de tout ce qui passait à sa portée, sans se soucier de la netteté – rues grouillantes de villageois, collines nimbées où rien ne semblait bouger, vaches paissant et l'ignorant, écureuils fous qui n'hésitaient pas à venir juste devant l'objectif pour faire des grimaces, pique-niqueurs en goguette à Rocky River, pendules accrochées aux murs, poêles dans les cuisines, réverbères allumés et éteints, policiers lui courant après en agitant leur matraque, jeunes filles qui faisaient du lèche-vitrines bras dessus bras dessous à l'heure du déjeuner ou se promenaient après le travail pour profiter de la brise du lac, petites voitures électriques, toilettes à chasse, dynamos de tram à 1 200 volts et autres merveilles de l'époque moderne, le nouveau viaduc en construction, les loustics venus s'amuser le week-end au réservoir, et voilà que comme par magie l'hiver et le printemps étaient passés, il s'était lancé en solo, s'efforçant de gagner sa vie comme photographe ambulant, parfois prenant le chariot, parfois se déplaçant à pied, avec juste un appareil portatif et une douzaine de plaques, s'en tenant aux interurbains, de Sandusky à Ashtabula, de Brooklyn jusqu'à Cuyahoga Falls et Akron, jouant souvent aux cartes dans le train, et réalisant ainsi de modestes profits à chaque déplacement.

Il était à Columbus en août quand les journaux s'épanchèrent sur l'imminente exécution de Blinky Morgan à la prison d'État et les ultimes et divers efforts pour l'empêcher. Un somnambulisme torride s'était emparé de la ville. Il était impossible d'obtenir un repas décent, ou même une collation, où que ce soit, les crêpes brûlées et les steaks vulcanisés étant ce qu'on trouvait de plus appétissant. Il devint vite également évident – épouvantablement évident – que personne en ville ne savait faire du café, comme s'il existait une sorte de consensus débilitant, voire une ordonnance citadine, préconisant la somnolence. Les garde-corps étaient envahis par des gens venus voir couler la poussive Scioto. Les saloons étaient pleins de buveurs silencieux, qui buvaient très lentement jusqu'à l'effondrement, en général vers huit heures du soir, ce qui semblait être le moment de la fermeture en ville. Jour et nuit, des milliers de pétitionnaires se pressaient devant les grilles du Capitole, pour obtenir le droit d'assister à la pendaison. Des stands de souvenirs florissaient grâce à la vente de jeux de cartes et de société, de montres de gousset et de coupe-cigares à l'effigie de Blinky, de mèches et de charmes, de porcelaines commémoratives et de papier peint Blinky, de jouets Blinky, de poupées Blinky qui toutes étaient pendues par le cou à des potences miniatures, et du très demandé flip-book Blinky, présentant des scènes en couleurs des meurtres sanglants de Ravenna, qui, si l'on faisait rapidement défiler ses pages avec le pouce, semblaient bel et bien s'animer. Pendant un temps, fasciné, Merle fit la tournée des camelots et bonimenteurs, installant son appareil et prenant plaque sur plaque de ces souvenirs consacrés à Blinky Morgan, fabriqués en série, jusqu'à ce que quelqu'un lui demande pourquoi il ne faisait pas les démarches nécessaires pour avoir le droit de photographier l'exécution. «Eh bien, ma foi», comme s'il se ressaisissait, «je ne sais pas.» Il connaissait des types au *Plain Dealer* qu'il aurait pu contacter par télégramme, pour tenter d'obtenir une faveur, oui, peut-être... S'inquiétant de ce qui lui parut alors un relâchement morbide, il exposa toutes les plaques qu'il avait prises et les abandonna dans un terrain vague en plein jour, afin qu'elles retournent à l'immaculé et à l'innocence.

Comme si la lumière céleste avait rendu un service similaire à son cerveau, Merle comprit qu'il lui faudrait éviter à tout jamais, si possible, de remettre les pieds dans cet endroit. « Si les États-Unis étaient une personne », aima-t-il à répéter par la suite, « et qu'elle *s'asseyait*, Columbus serait instantanément plongé dans l'obscurité. »

Merle n'eut jamais l'occasion d'utiliser la lettre de recommandation que le Pr Vanderjuice lui avait rédigée pour Michelson. Le temps qu'il se remette sur ce qu'il aurait appelé la bonne voie, l'expérience sur le vent d'éther était déjà consignée dans tous les journaux scientifiques et Michelson était parti enseigner à l'Université de Clark, désormais trop célèbre pour instruire les techniciens itinérants.

De but en blanc, comme si une période de folie adolescente venait d'expirer, il parut temps d'aller de l'avant – Madge et Mia s'étaient toutes deux trouvé de riches galants, la police avait reporté son attention sur l'anarchisme dans le Syndicat des travailleurs du tramway, les blinkites avaient quitté la ville, la plupart pour se rendre dans le comté de Lorain, où le bruit courait que Blinky et sa bande avaient enterré un énorme trésor, les Éthéristes et autres lumino-dépendants s'étaient dispersés pour revenir à la folie ordinaire qui les avait conduits ici – y compris Roswell Bounce, qui avait été assigné à comparaître à Pittsburgh pour une histoire de brevet. Et ce fut exactement lors de ce répit bienvenu dans la confusion quotidienne que Merle rencontra Erlys Mills Snidell, et se retrouva inopinément au bout d'une route inconnue, comme s'il était tombé en pleine nuit sur un croisement ne figurant sur aucune carte.

« La question de l'Éther était encore peut-être sujette à discussion », dit-il à Dally, des années plus tard, « mais il n'y eut jamais aucun doute sur cette Erlys. »

« En ce cas... »

« Pourquoi est-elle partie ? Ça, ma petite aubergine, comment pourrais-je le savoir ? Suis rentré un jour, et elle avait disparu, c'est tout. T'étais sur le lit en train de profiter béatement du premier sommeil sans colique de ta jeune existence... »

« Un instant. C'est à elle que je devais mes coliques ? »

« J'ai pas dit ça. Est-ce que j'ai dit ça ? Juste une coïncidence, j'en suis sûr. Ta maman est restée aussi longtemps qu'elle l'a pu, Dally, courageux de sa part, d'ailleurs, vu la vie qu'on essayait de mener, les shérifs adjoints avec leurs ordonnances du tribunal avant même le petit déjeuner, les avocats en propriété industrielle, la milice avec leurs fusils et, le pire de tout, les dames patronnesses de la ville, par nuées entières, un vrai fléau, qui défilaient avec des torches en agitant des panneaux, "Bête Impudique", et ainsi de suite – elle pouvait tenir bon quand c'étaient juste des hommes qui en avaient après moi, mais ces matrones indignées, ma foi, elle avait du mal à les supporter, les femmes sont méfiantes entre elles quand ça s'envenime. Oh je te demande pardon, t'es sur le point d'en devenir une toi-même, pas vrai, alors désolé hein —»

«Minute papillon, reviens un peu en arrière, explique-moi ce que ce Zombini vient faire là déjà.»

«Oh, lui. J'aimerais pouvoir dire qu'il fut le vil intrus venu mettre le grappin sur elle, un moment d'égarement et tout, mais je suppose que tu es assez grande pour entendre la vérité, enfin bien sûr si je la connaissais, ce qui reviendrait à parler pour ta maman de ses sentiments profonds et tout, ce qui serait non seulement injuste envers elle mais également impossible pour moi...»

«Entendu, Papa. Inutile de faire des mystères. Je lui poserai moi-même la question un de ces jours.»

«Ce que je —»

«Ça va. Je t'assure. Un autre jour.»

Elle parvint à reconstituer par bribes une partie de l'histoire. À l'époque, Luca Zombini faisait une modeste carrière dans la magie, écumant les théâtres de variétés du Midwest. Un jour, à East Fullmoon, dans l'Iowa, son assistante Roxana décampa avec un joueur de saxo ténor de l'orchestre de l'Opéra de la ville, et lui trouver une remplaçante dans ce trou perdu parut assez improbable. Puis, comme si ça ne suffisait pas, un des gadgets magnétiques de Luca était tombé en panne. Ne sachant plus que faire, s'en remettant au hasard, il aperçut le chariot de Merle garé aux limites de la ville. Erlys leva les yeux de la chaussette qu'elle reprisait et le vit perché sur le seuil, son chapeau à la main.

«Je doute que vous ayez un cordon électrique en trop?»

Merle s'était déjà rendu à l'Opéra et il le reconnut.

«Jetez un coup d'œil, prenez ce dont vous avez besoin – c'est pour quoi?»

«Le Mystérieux Effet Hong Kong. Je vous l'expliquerai si ça vous dit.»

«Ça serait dommage. On allait manger, si vous voulez vous joindre à nous.»

«Ça sent le minestrone.»

«J'crois qu'ils l'appelaient comme ça à Cleveland, quand ils m'ont appris à le faire. On fait tout frire d'abord, en gros.»

«Murray Hill? Hé, j'ai des cousins là-bas.»

Les deux hommes avaient conscience du silence que gardait Erlys, même si chacun l'interprétait différemment. Il ne vint jamais à l'idée de Merle que Zombini le Mystérieux pouvait en être la cause, d'autant plus qu'il ne présentait aucun des louches attributs italiens classiques, frisettes, œil sombre lançant des éclairs, courtoisie onctueuse – rien de tout ça, juste un bonhomme plutôt ordinaire qui sembla n'avoir même pas remarqué Erlys jusqu'à ce que la question de l'assistante envolée soit mentionnée, et qu'il se tourne alors abruptement vers elle, frémissant comme une marmite de soupe à l'autre bout de la table – «Mille excuses, signora, cela peut paraître une étrange question, mais... vous n'avez jamais ressenti une soudaine envie de disparaître, même dans une pièce pleine de gens, de n'être juste» –, agitant les mains pour suggérer de la fumée qui disparaît, «plus là?»

«Moi? Tout le temps, pourquoi?»

«Êtes-vous capable de rester complètement immobile pendant qu'on vous lance des couteaux dessus?»

«Je suis réputée pour avoir enduré pire que ça», jetant alors un regard en direction de Merle.

Au même moment Dally se réveilla, comme si elle les avait écoutés et avait choisi précisément ce moment.

«Je vais m'occuper d'elle.» Merle se retirant, la voix indistincte, douloureusement conscient de la beauté qui s'était emparée de la jeune femme, ce qui arrivait de temps à autre, toujours sans prévenir, telle une ombre galvanique, son visage, en particulier, tandis que son long corps, loin de s'illuminer, se parant d'une sombre et vibrante densité, une dimension qu'il convenait d'observer directement, avec soin, alors que c'était souvent la dernière chose à laquelle vous étiez préparé. Il ne savait pas ce qui se passait. Il le savait très bien.

Roxana, probablement sur l'insistance du saxophoniste, avait emporté avec elle son costume, aussi Erlys dut-elle s'en confectionner un pour le spectacle, empruntant des collants à l'une des danseuses et une robe courte à paillettes à l'une des acrobates. Quand elle apparut sous les feux de la rampe, Merle sentit le désir et le désarroi faire le vide en lui du cou à l'entrejambe. Ce n'était peut-être qu'un effet du rouge à lèvres, mais il crut percevoir un sourire, presque cruel, qu'il n'avait pas trop remarqué avant, assurément hautain, mais très révélateur désormais, ça ne faisait pas un pli, d'aspirations distinctes. De ses yeux, ses paupières et ses cils foncés minutieusement à la suie et au petrolatum, il ne put rien déduire. Le lendemain, sans déclarations mystiques ni disposition particulière, Erlys et le magicien avaient disparu, et il retrouva Dally avec une note épinglée à sa couverture : *Je reviendrai pour elle quand je pourrai.* Pas «Bonne chance» ou «Très tendrement, Erlys», rien de tel.

Merle attendit à East Fullmoon aussi longtemps qu'il put, attendit une lettre, un télégramme, un coursier, un pigeon voyageur décrivant des cercles dans les cieux hivernaux, et dans l'intervalle découvrit à quel point tout était si simple, s'occuper du bébé ici, tant qu'il ne songeait pas à l'avenir ni aux éventuelles ambitions qu'il avait cru nourrir – en l'absence d'Erlys, il pouvait de toute façon faire une croix sur ce genre de choses – et qu'aussi longtemps qu'il continuerait de respirer calmement, sans quitter les limites de la tâche en cours, la vie avec la jeune Dahlia lui offrirait fort peu d'occasions de se plaindre.

Quand l'Exposition universelle eut fermé ses portes et qu'ils eurent quitté Chicago pour reprendre la route, Dally et Merle commencèrent à apercevoir des réfugiés des expositions «nationales», toute cette diversité humaine étrangère au Midwest, certains en groupes, d'autres en solitaire. À chaque fois, Merle se précipitait sur son appareil photo pour essayer de prendre un cliché, mais le temps qu'il l'installe ils étaient en général partis. Sous la neige tombante, Dally crut voir des attelages de chiens et des Eskimos qui s'enfonçaient en silence toujours plus vers le nord. Elle attira l'attention de Merle sur des Pygmées qui les épiaient derrière les troncs des forêts de bouleaux. Dans les saloons-guinguettes, des tatoueurs des Îles du Sud dont les visages paraissaient obscurément familiers à la fillette inscrivaient sur les biceps des gens du fleuve des images hiératiques qui un jour au moment le plus inattendu les aideraient lors d'envoûtements bénins mais cruciaux. Dally supposait que ces vagabonds, eux aussi, avaient tous été bannis sans raison valable de la Ville blanche, faisant de son papa et elle des Eskimos d'un autre genre, c'est tout, et le pays qu'ils traversaient ne serait jamais mieux qu'un lieu d'exil. Les villes se succédaient sans relâche, St. Louis, Wichita, Denver, et chaque fois elle se surprenait à espérer que quelque part, dans un quartier situé au bout d'une ligne électrique, l'attendait la véritable Ville blanche, baignant dans une lumière spectrale la nuit et scintillant le jour dans la claire humidité de son réseau de canaux, les vedettes électriques se déplaçant silencieusement dans les voies d'eau avec des dames à ombrelle, des messieurs à canotier et des petits enfants avec des bouts de pop-corn collés dans les cheveux.

Les années s'accumulant, cette vision finit par ressembler davantage au souvenir d'une existence précédente, déformée, déguisée, avec des parties manquantes, cette capitale du rêve où elle avait autrefois vécu, appartenant même peut-être à sa légitime noblesse. Au début, elle supplia Merle, avec force larmes comme elle savait le faire, « S'il te plaît on y retourne, s'il te plaît », mais il ne sut jamais vraiment comment lui dire que le champ de foire avait dû brûler pour l'essentiel, ses installations démantelées, remisées dans des décharges, revendues, décomposées, ses mâts et tréteaux livrés aux éléments, aux fléaux d'origine humaine qui s'étaient abattus sur Chicago et le pays. Au bout d'un moment, ses larmes ne reflétèrent plus que la lumière mais ne coulèrent pas, elle s'abîma dans des silences, puis ceux-ci, à leur tour, perdirent peu à peu de leur amertume.

Des cultures défilaient en tournant tels des rayons géants alors qu'ils parcouraient les routes. Les cieux étaient interrompus par des nuages orageux gris foncé qui se déplaçaient comme de la pierre en fusion, mouvante et liquide, et la lumière qui parvenait à les percer se perdait dans les champs obscurs pour se recomposer le long de la route blême, si bien qu'on ne voyait souvent que la route, et l'horizon vers lequel elle filait. Dally se sentait parfois comme éclaboussée par toute cette exubérance verdoyante, trop de choses à voir, chacune réclamant sa place. Feuilles en dents de scie, en forme de piques, longues et minces, aux extrémités émoussées, duveteuses et veinées, grasses et poussiéreuses en fin de journée – fleurs en cloches et en grappes, violettes et blanches ou jaune beurre, fougères en étoiles dans les coins sombres et humides, des millions de voilages verts tendus devant les secrets nuptiaux nichés dans la mousse et sous les taillis, tout cela passait près des roues grinçantes et cahotantes dans les ornières pierreuses, étincelles visibles seulement dans le peu d'ombre qui les caressait, une pagaille de formes minuscules en bord de route qui semblaient se bousculer pour composer des rangs volontairement ordonnés, des herbes dont les amateurs de ginseng connaissaient les noms et les prix sur le marché et dont les femmes silencieuses là-haut sur les contreforts, ces homologues qu'ils ne rencontraient jamais la plupart du temps, savaient les propriétés magiques. Ils éprouvaient des destinées différentes, mais chacun était l'envers secret de l'autre, et l'éventuelle fascination qui les unissait était éclairée, sans l'ombre d'un doute, par la grâce.

Merle avait consacré quelque temps à ce travail ingrat, se disputant avec des négociants en herbes sur les quais des entrepôts, il apprit une ou deux applications mais ne se découvrit jamais le don que possédaient les véritables herboristes, le pied sûr, le nez infaillible.

« Là. Tu sens ça ? »

Un parfum à l'orée du souvenir, spectral comme si une présence venue d'une vie antérieure venait juste de passer… Erlys.

«Du muguet. Ce genre.»

«C'est du ginseng. Ça vaut une fortune, du coup on va pouvoir manger à notre faim pendant un temps. Regarde. Des petites baies rouges, là.»

«Pourquoi est-ce qu'on murmure?» Levant les yeux de dessous le rebord de son bonnet à fleurs.

«Les Chinois croient que la racine est une petite personne, capable de t'entendre arriver et tout ça.»

«On est chinois?»

Il haussa les épaules comme s'il n'était pas sûr. «Ça veut pas dire que c'est pas la vérité.»

«Et même si ça rapporte, je suppose qu'on va pas se servir de l'argent pour retrouver Maman, hein?»

Aurait dû le voir venir.

«Non.»

«Quand, alors?»

«Ton tour viendra, vaillant petit soldat. Plus tôt que tu ne le crois.»

«Promis?»

«C'est pas à moi de promettre. C'est juste comme ça que ça marche.»

«Bon, eh bien cache ta joie.»

Le matin, ils s'enfonçaient dans les champs qui se déroulaient jusqu'à l'horizon, la Mer intérieure américaine, où les poules formaient des bancs comme des harengs, où les cochons et les génisses fourrageaient et broutaient comme des mérous et des morues, les requins, eux, ayant tendance à manœuvrer hors de Chicago ou de Kansas City – fermes et villages surgissaient en chemin telles des îles, avec leurs lots de jeunes femmes, ne put s'empêcher de remarquer Merle, les promesses tenues jusqu'à la déraison des filles des îles, qu'on voyait à bord des tramways électriques reliant entre elles toutes les villes confortables, ou distribuant sereinement des cartes dans les saloons au bord de l'eau, trimant dans des cafétérias en sous-sol des rues de brique rouge, scrutant derrière les portes-moustiquaires de Cedar Rapids, des filles accoudées aux barrières avec derrière elles de longs champs baignant dans une lumière dorée, des Liza et des Chastina, des filles des plaines et des saisons riches en fleurs n'ayant peut-être jamais vraiment existé, qui cuisinaient pour les batteurs jusque tard dans la nuit et même parfois toute la nuit pendant les moissons, regardaient les trams aller et venir, rêvaient de jeunes officiers de cavalerie faisant soudain une apparition, sirotaient les toniques cérébraux du coin, s'occupaient des bassines fumantes pleines d'épis de maïs aux croisements de rues avec des yeux pétillants toujours aux aguets, en train de battre un tapis dans une cour d'Ottumwa, des jeunes filles qui attendaient dans les soirs grouillants de moustiques du sud de l'Illinois, attendaient près du piquet de clôture où nichaient les oiseaux bleus qu'un frère volage rentre enfin au foyer, et regardaient par une fenêtre d'Albert Lea tandis que les trains passaient, ululant en chœur.

Dans les villes, les roues cerclées de fer résonnaient sur les pavés, et Dally se souviendrait un jour de la façon dont les chevaux tournaient la tête pour lui adresser un clin d'œil. Dans les jardins, des grimpereaux bruns allaient et venaient sur les troncs des arbres en sifflant. Sous les ponts, les étais tintaient quand les bateaux sifflaient. Parfois le père et la fille s'attardaient un certain temps, parfois ils repartaient avant même que le soleil ait décrit une minute d'arc, après avoir nimbé les rails des trams et les garde-corps des ponts noirs de suie, les horloges en haut des façades d'immeuble, les seules choses qu'ils avaient besoin de savoir – mais au bout d'un moment les grandes villes lui convinrent, Dally était même prête à leur pardonner de n'être pas Chicago, appréciant les magasins du centre qui sentaient l'étoffe vendue au mètre et le savon au crésol, les sols de linoléum noir, elle descendait leurs marches de grès pour aller se faire couper les cheveux dans les salons de coiffure odorants des sous-sols des hôtels, très lumineux face aux jours orageux, aux effluves de cigares tous distincts, de l'hamamélis brassé et distillé dans les salles du fond, aux fauteuils en cuir à vieux repose-pieds ouvragés et façonnés dans des entrelacs de boutons de rose et d'oiseaux bleus datant du siècle finissant, comme posant parmi les hélix épineux des plantes grimpantes... En un rien de temps, la coupe était finie, une balayette voyageait sur son dos, des nuages de poudre parfumée dans l'air. Une paume tendue pour le pourboire.

Quand Merle la regardait dormir, il sentait une chaleur féminine le surprendre autour des yeux. Ses cheveux couleur feu en un fouillis négligé et enfantin. Elle errait quelque part dans ces champs dangereusement obscurs, y trouvant même peut-être quelque version de son père, d'Erlys, dont il ne saurait jamais rien, parmi les vérités douloureuses, se perdant, revenant, volant, voyageant dans des endroits trop détaillés pour n'être pas réels, rencontrant l'ennemi, mourant, et renaissant sans cesse... Il aspirait alors à la rejoindre, du moins à veiller sur elle, si possible à la préserver du pire...

Le monde extérieur les attendait à chaque point du jour, vert et humide ou dépouillé et gelé, une carte foisonnante de sommets, de grand-routes et de chemins allant de la ferme au marché, attendait que leurs yeux bouffis s'ouvrent et jouissent d'une vision surplombante, comme s'ils s'étaient élevés dans les aubes orangées et planaient, scrutant tels des faucons aguerris l'ouvrage à venir, le plus souvent une séance photographique à un coin de rue dans une autre petite ville de la prairie afin de se garantir encore un ou deux repas. Au fil des ans, la pellicule se déroula plus rapidement, les temps d'exposition raccourcirent, les appareils se firent plus légers. La firme Premo sortit une pellicule en celluloïd permettant de prendre douze clichés à la fois, remisant loin derrière les plaques de verre, et Kodak commença à commercialiser son «Brownie», un petit appareil photo cubique qui ne pesait presque rien. Merle pouvait l'emporter partout tant que rien ne bougeait dans le cadre, mais entre-temps – les vieux modèles pliants ayant avoisiné les trois livres plus les plaques de verre – il avait appris à respirer, aussi calme qu'un tireur d'élite, et ça se voyait sur les images, désormais stables, profondes, parfois, Dally et Merle le reconnaissaient, plus réelles, même si elles ne s'aventuraient guère loin dans cette dimension.

Le métier de poseur de sonnettes était en plein essor – dans tout le Midwest, on réclamait soudain toutes sortes de sonnettes électriques, pour les portes, les réceptions d'hôtel, les ascenseurs, les alarmes d'incendie et les systèmes antivol –, on les vendait et les installait en un rien de temps, on repartait par l'entrée principale en comptant ses sous tandis que la cliente restait là, le doigt sur la sonnette, comme si elle ne se lassait pas du bruit. Il y avait toujours des bardeaux à poser, des palissades à réparer, des câbles à fixer dans les villes assez grandes pour bénéficier de tramways, et plein de machines à régler dans les centrales électriques et les dépôts... Un été, Merle travailla en tant que représentant en paratonnerres, emploi qu'il quitta après s'être aperçu qu'il était incapable de déformer aussi scandaleusement que ses collègues la nature de l'électricité.

«Tous les types de foudre, les amis – fourche, chaîne, chaleur et plaque, n'importe laquelle –, nous la renvoyons dans le sol où est sa place.»

«Foudre en boule», dit quelqu'un après un silence. «Voilà ce qui nous fait souci par ici. Vous avez quoi contre ça?»

Merle redevint aussitôt sérieux.

«Vous avez eu de la foudre en boule par ici?»

«Que ça, c'est notre spécialité, on est la capitale de la foudre en boule des États-Unis.»

« Je croyais que c'était East Moline. »

« Vous comptez rester ici longtemps ? »

Avant la fin de la semaine, Merle effectua sa première, et en fait unique, intervention sur la foudre en boule. Celle-ci hantait l'étage supérieur d'une ferme, en tout cas avec l'insistance d'un revenant. Il apporta tout l'équipement auquel il put songer, des tiges de mise à la terre en cuivre, des câbles, une cage isolée qu'il monta sur place et relia à une batterie au sel ammoniac afin de piéger la créature.

Elle se déplaçait dans les pièces, traversait le couloir, et il l'observait attentivement et patiemment. Il ne fit aucun geste menaçant. Elle lui rappelait quelque animal nocturne encore plus méfiant en présence d'êtres humains. Peu à peu elle se rapprocha, puis finit par se poster sous son nez, en tournant lentement, et ils restèrent ainsi un moment, dans la petite maison en bois, proches, comme s'ils apprenaient à se faire confiance. Derrière les rideaux, l'herbe haute sifflait comme si de rien n'était. Les poules picoraient dans la cour en échangeant des impressions. Merle crut ressentir une légère chaleur, et le fait est que ses cheveux se dressaient sur sa tête. Il hésitait à entamer la conversation, car il ne semblait guère probable que cette foudre en boule pût parler, en tout cas pas comme le fait un humain. Il tenta finalement sa chance et dit : « Écoute, je n'ai pas l'intention de te faire du mal, et j'espère que tu me rendras la faveur. »

À sa surprise, la foudre en boule répondit, mais pas tout à fait à voix haute : « Ça me paraît réglo. Je m'appelle Skip, et toi ? »

« Bien le bonjour, Skip, je m'appelle Merle », dit Merle.

« Ne m'envoie pas dans le sol, c'est pas drôle là-dedans. »

« Entendu. »

« Et oublie cette cage. »

« Ça marche. »

Lentement, ils devinrent copains. Dès lors, la foudre en boule, ou « Skip », ne fut jamais loin de Merle. Celui-ci comprit qu'il se devait désormais de respecter un code de comportement dont il ignorait quasiment tous les détails. Le moindre écart susceptible de blesser Skip ferait fuir le phénomène électrique, peut-être pour de bon, peut-être pas avant d'avoir fait cramer Merle dans son sillage, difficile à dire. Au début, Dally eut l'impression qu'il déjantait carrément et ne retomberait jamais dans les ornières.

« Les autres enfants ont des sœurs et des frères », fit-elle remarquer prudemment. « C'est quoi ça ? »

« Un peu pareil, mais… »

« Différent, oui, mais… »

« Si tu voulais lui laisser une chance… »

« "Lui" ? Oui, bien sûr, t'as toujours voulu un garçon. »

« Coup bas, Dahlia. Et tu n'as aucune idée de ce que j'ai toujours voulu. »

Elle dut reconnaître que Skip était un petit bonhomme serviable, il ranimait leurs feux de cuisine en un clin d'œil, allumait les cigares de Merle, grimpait dans la lanterne suspendue à l'arrière du chariot quand ils devaient voyager de nuit. Au bout d'un temps, certains soirs, quand elle lisait tard, Skip s'installait près d'elle, éclairant sa page, opinant doucement, comme s'il lisait avec elle.

Mais une nuit, au cours d'un violent orage quelque part au Kansas :

« Ils m'appellent », dit Skip. « Je dois y aller. »

« Ta famille », supposa Dally.

« Difficile à expliquer. »

« Je commençais à bien t'apprécier. Une chance pour que… »

« Que je revienne ? On se fond dans la masse, ça se passe ainsi, alors ça ne serait plus vraiment moi. »

« Autant t'embrasser de loin, hein ? »

Dans les mois qui suivirent, elle s'aperçut qu'elle pensait plus que jamais aux frères et aux sœurs, se demandant si Erlys et Zombini le Mystérieux avaient eu d'autres enfants, et combien, et à quel genre de famille ça devait ressembler. Il ne lui vint jamais à l'esprit de dissimuler ses pensées à son papa.

« Tiens », Merle prenant un bocal et jetant dedans deux pièces. « Maintenant, chaque fois que je me comporterai comme un idiot, j'ajouterai une pièce. Au bout d'un moment on aura de quoi t'envoyer là où elle se trouve. »

« Ça devrait pas prendre plus de deux jours. »

Lors d'un de leurs derniers jours dans la prairie, alors que le vent soufflait dans les sorghos penchés, son père dit : « Voilà ton or, Dahlia, le vrai de vrai. » Comme d'habitude, elle lui jeta un regard inquisiteur, sachant alors à peu près ce qu'était un alchimiste, et qu'aucun membre de cette évasive confrérie ne parlait jamais sans détour – leurs mots signifiaient toujours autre chose, parfois même parce que cette « autre chose » était bel et bien hors d'atteinte des mots, un peu comme les âmes défuntes sont hors d'atteinte du monde. Elle observa la force invisible à l'œuvre parmi les millions d'épis hauts comme des cavaliers, ondulant sur des kilomètres sous les soleils d'automne, plus grande qu'un souffle, que les berceuses des marées, les rythmes nécessaires d'une mer dissimulée aux regards inquisiteurs.

Ils franchirent bientôt la frontière du Colorado et s'enfoncèrent en pays minier, en direction de la chaîne montagneuse des Sangre de Cristo – et ils continuèrent vers l'ouest jusqu'à ce qu'ils arrivent un jour dans les monts San Juan. Dally franchit alors en marchant une sorte de seuil et quand Merle releva la tête et vit cette jeune femme transformée il sut que d'ici peu elle allait prendre le taureau par les cornes et rendre la vie compliquée aux clowns de rodéo qui se mettraient sur son passage.

Et comme si ça ne suffisait pas, Merle était entré un jour à Denver chez un vendeur de cigares et avait remarqué sur un présentoir de magazines un numéro du *Dishforth's Illustrated Weekly* vieux de plusieurs mois et publié dans l'est du pays, contenant un article sur le célèbre magicien Luca Zombini et sa belle épouse, naguère son assistante sur scène, leurs enfants et leur merveilleux foyer accueillant à New York. Il n'y avait guère d'argent dans les poches de Merle ce jour-là mais il en trouva assez pour acheter la revue, renonça au panatela cubain qu'il avait prévu de fumer et se contenta d'un cigarillo ordinaire à trois *cents*, l'alluma et sortit pour lire l'article. La plupart des photographies, reproduites au moyen de ce qui devait être un nouveau processus de gravure, dans un grain si fin qu'il avait beau plisser les yeux il ne distinguait aucune trace de tramé, montraient Erlys, entourée apparemment d'une dizaine de gamins. Il resta là un moment au coin d'une ruelle, un peu en retrait d'un vent plus vicelard que tous ceux dont il se souvenait depuis Chicago, plein de cristaux de glace et d'intentions hostiles, et s'imagina que ledit vent l'enjoignait de se réveiller. Il n'ignorait pas qu'on pouvait toujours améliorer un portrait dans une chambre noire, mais Erlys, qui avait toujours été belle, était carrément renversante à présent. Des années entières passées à lui reprocher le peu d'amour qu'elle avait eu pour lui se désagrégèrent et Merle comprit, mais un peu tard, qu'Erlys n'avait pas plus été «à lui» qu'à l'infortuné Bert Snidell, et que persister dans cette croyance c'était se porter candidat à l'académie du ridicule.

Sa pensée suivante fut : Vaut mieux pas que Dally voie cet article ; et aussitôt après : Ben voyons, Merle, bonne chance. Et quand il l'aperçut qui remontait la rue à sa recherche, ses cheveux dans le vent tel un étendard animé par la seule force à laquelle il ait jamais fait allégeance, il ajouta, à contrecœur : Et ça va être à moi de le lui dire.

Elle se montra très correcte en l'occurrence, ménageant prudemment les sentiments de son père, lut l'article en son entier, et bien qu'il ne le revît jamais il comprit qu'elle l'avait soigneusement rangé parmi ses affaires. Et dès lors, telle une charge s'accumulant dans un condensateur, ce n'était plus qu'une question de temps avant qu'elle file à New York dans un grand élan d'énergie irrépressible.

Dans le Colorado, ils trouvèrent une remise, abandonnée des années plus tôt après que l'exploitation eut fait faillite et que le bâtiment de ferme eut brûlé, ne laissant que cette excroissance, que Merle parvint à remplir jusqu'aux chevrons de son matériel de photographe ou, si vous préférez, d'alchimiste – divers conteneurs allant des conserves cabossées aux pots et bouteilles contenant des liquides ou des poudres de différentes couleurs, d'énormes cruches vernissées, de cinquante litres et plus, qu'on n'aurait pu soulever que vides même si on n'avait pas forcément envie de le faire, des tubes en verre soigneusement courbés, des bobines de cuivre qui roulaient partout, une petite forge dans un coin, un générateur électrique relié à une vieille bicyclette, des éléments de pile secs et humides, des électroaimants, des brûleurs, un four de recuit, un établi jonché de lentilles, des cuves à développement, des posemètres, des châssis-presses, une lampe éclair au magnésium, une machine à brunir rotative à gaz, et d'autres affaires dont Merle avait presque oublié l'existence. Du lierre à baies croissait dans les fissures, et les araignées tendaient sur le châssis de la fenêtre des toiles qui, le matin, moyennant la bonne lumière, étaient proprement stupéfiantes. La plupart des gens qui venaient ici croyaient qu'il dirigeait une distillerie, les hommes du Shérif aimaient débouler à des heures indues, et parfois, selon la façon dont se déroulait la journée, Merle leur sortait le gros baratin scientifique, qui les hypnotisait et les faisait partir, plus déçus que jamais. D'autres jours, les visiteurs étaient inversement polarisés, d'un point de vue légal, s'entend.

« Pas pu m'empêcher de sentir votre drôle de tambouille. Depuis l'autre versant de la crête, après le ruisseau, en fait. C'est bien de la nitro, non ? »

Merle avait suffisamment vu de cinglés dans l'arrière-pays pour ne pas quitter d'un œil le fusil sous la table.

« Presque. De la famille des nitro. Un lointain parent, le genre qu'on paie pour garder loin de la ville. »

« M'arrive d'en croiser dans ma partie, de temps en temps. »

« Et vous êtes… »

« Une sorte d'ingénieur des Mines. Pas aussi bien payé que ça, mais le même genre. Connaissez les mines de Little Hellkite près de Telluride ? »

Il était plutôt concis, ne portait aucune arme à feu que Merle pût voir, et finit par se présenter comme étant Webb Traverse.

Dally arriva toute renfrognée, une rencontre dans les taillis l'ayant mise de mauvaise humeur.

« Eh, Papa, je savais pas qu'on avait de la visite. Je vais chercher du thé et des biscuits. Ça me prendra pas long. »

« Dites donc » – Webb avec un regard prudent – « je me demandais justement, vous devez être plutôt occupé en ce moment — »

« C'est beaucoup dire, j'ai fini ma semaine. Restez un peu, je vois que vous êtes intéressé pour de bon. » Merle rayonnant tel un prêcheur itinérant devant un pêcheur prometteur.

Webb désigna du menton un pot de vif-argent sur la table. « J'en vois des tas de ce truc au laboratoire d'essais. » Prudemment, comme s'attendant à un mot de passe.

« Les anciens » – Merle s'enhardissant lui aussi – « croyaient que si on extrayait du mercure tout ce qui n'est pas essentiel, tout le bataclan métal-liquide, le brillant, l'aspect gras, le poids, toutes ces choses qui en font du "mercure", n'est-ce pas, on aboutissait à une forme pure et surnaturelle pour laquelle on n'a pas encore inventé de récipient, un truc à côté duquel cette chose semble aussi terne que de la roche verte. Le Mercure philosophique, c'est comme ça qu'ils l'appelaient, et on n'en trouvera nulle part parmi les métaux de métallurgie, les éléments de la table périodique, les catalogues d'industrie, même si plein de gens prétendent que c'est davantage une figure de discours, comme la célèbre Pierre philosophale – censée représenter en fait Dieu, ou le Secret du Bonheur, ou l'Union avec le Tout, et cætera. Du chinois. Mais en fait ces choses-là, elles ont toujours été là, de vraies choses matérielles, juste pas très faciles à trouver, même si les alchimistes s'obstinent, et c'est ce qu'on fait. »

« "Le grand œuvre", c'est ça que vous concoctez ici ? Dites, à propos de mercure, y a un composé assez intéressant que j'arrête pas de rencontrer, du fulminate je crois que ça s'appelle… »

« L'ingrédient de base de l'amorce DuPont, sans parler de notre fameuse cartouche de calibre .44. Il y a aussi le fulminate d'argent, pas tout à fait la même chose que "l'argent fulminant", qui explose si vous le touchez avec une plume. L'or fulminant, également, si vous avez des goûts de luxe. »

« Difficile à fabriquer ? »

« En gros, vous prenez de l'or et de l'ammoniaque, ou de l'argent et de l'acide nitrique, ou du minerai de mercure et de l'acide fulminique, qui n'est que du bon vieil acide prussique, l'ami des suicidés, le patriarche de la famille des cyanures avec un soupçon d'oxygène en sus, et tout aussi toxique à respirer que ses émanations. »

Webb secoua la tête, comme consterné par le monde et ses paradoxes, mais Merle avait surpris dans son œil une lueur de poulailler laissé sans surveillance. «Vous voulez dire que l'or, l'argent, ces merveilleux métaux brillants, fondements de toutes les économies mondiales, y a qu'à aller dans un laboratoire, les manipuler un peu, une goutte d'acide, hop!, et on obtient un explosif tellement puissant qu'il suffit d'éternuer au mauvais moment et alors, *adiós muchachos?*»

Merle, sentant clairement où tout cela menait, acquiesça. «C'est, si l'on veut, le côté *infernal* de l'histoire.»

«Du coup on se dit que, s'il existe une Pierre philosophale, pourquoi il y aurait pas aussi —»

«Attention», dit Merle.

Webb le dévisagea, presque amusé. «Quelque chose dont vous autres ne parlez pas?»

«Ne pouvons pas parler. Du moins, c'est la tradition.»

«Plus facile ainsi, je suppose.»

«Pour qui?»

Webb perçut peut-être de la méfiance dans son ton, mais il continua: «Au cas où un homme ait jamais été tenté de…»

«Hmmm. Qui dit que personne n'y succombe?»

«Pas moi qui saurais.» Un moment de réflexion, puis, comme incapable de ne pas poursuivre la pensée: «Mais si l'une est une façon de parler de Dieu, du salut du bien et tout ça, alors dans ce cas l'autre —»

«Absolument. Mais rendez-nous un service, dites "Anti-Pierre". Elle a un autre nom, mais on aurait des ennuis rien qu'en le prononçant. Bien sûr, il y a probablement autant d'âmes en peine qui la recherchent que de vrais alchimistes. Il suffit de penser à la puissance qu'on peut en tirer, et le bénéfice est aussitôt irrésistible.»

«Vous résistez, n'est-ce pas?»

«Si vous le dites.»

«Le prenez pas mal.» Webb laissa errer son regard dans la petite remise.

«C'est du provisoire», expliqua Merle, «y a des souris et nos agents cherchent un autre endroit.»

«Et si une chemise de nuit pour éléphant coûtait deux *cents*», intervint Dally, «on ne pourrait pas acheter de béguin pour une fourmi.»

«Vous vous y connaissez en vif-argent? Z'avez jamais travaillé comme amalgameur?»

«Ça m'arrive», dit prudemment Merle. «À Leadville, dans deux ou trois autres endroits, marrant tant que ça dure, pas sûr qu'on puisse en vivre.»

«À Little Hellkite ils cherchent un amalgameur, vu qu'avec l'altitude et les émanations qu'on respire, le dernier en date s'est mis en tête qu'il était le Président.»

«Oh. De…?»

«En fait, y a un gamin avec un harmonica qui le suit partout en jouant *Salut ô Chef*. Et qui joue faux. Se lance dans de longs discours que personne comprend, a déclaré la guerre à l'État du Colorado la semaine dernière. À besoin d'être remplacé et vite, mais personne ne veut recourir à la force, vu qu'il paraît que ces zozos ont des pouvoirs surhumains.»

«Et comment. Vous dites que c'est là-haut près de Telluride?»

«Une chouette petite ville, des églises, des écoles, un bel environnement pour la gamine.»

Dally renifla avec mépris. «Un enfer éclairé à l'électricité, oui, et l'école c'est pas vraiment ma chope de bière, m'sieur, si je voulais perdre mon temps je me chercherais plutôt un boulot de dynamiteur.»

«Ils peuvent vous en trouver un sans problème», dit Webb. «Mais pas besoin de prononcer mon nom à Little Hellkite, d'accord? Je suis pas vraiment le Mineur du Mois là-bas en ce moment.»

«Entendu», dit Merle, «tant que la partie alchimique n'est pas non plus mentionnée.»

Les deux hommes se regardèrent, chacun avec la certitude de savoir qui était l'autre. «Les ingénieurs des Mines n'aiment pas trop ça», feignit d'expliquer Merle, «d'antiques superstitions qui remontent à l'âge des ténèbres, rien qui ressemble de près à la métallurgie moderne.» Il s'interrompit, comme pour reprendre son souffle. «Mais si vous étudiez l'histoire, la chimie moderne ne fait que remplacer l'alchimie à peu près à la même époque où le capitalisme prend vraiment son essor. Étrange, non? Vous en pensez quoi?»

Webb acquiesça de bon gré. «Peut-être que le *capitalisme* a décidé qu'il n'avait plus besoin de la vieille magie.» La façon méprisante dont il avait prononcé le mot «capitalisme» n'était pas censée être involontaire. «Pourquoi s'embêter? Z'avaient leur propre magie, se débrouillaient très bien, tout baignait, au lieu de tourner le plomb en or, ils pouvaient prendre la sueur des pauvres et la changer en biffetons, et garder le plomb pour assurer l'ordre.»

«Et l'or et l'argent…»

«Une engeance dont ils ont pas assez conscience, peut-être. Entreposée ici même dans le coffre, attendant juste que —»

«N'en dites pas plus!»

Mais Webb repartit avec cette grande possibilité qui revenait dans sa tête tel un cœur qui bat – l'Anti-Pierre. L'Anti-Pierre. Une magie utile susceptible d'enchérir sur le très prisé principe mexicain de la chimie au service de la politique. Certes, la vie était déjà assez bizarre là-haut dans les montagnes, mais voilà qu'arrivait ce sorcier du vif-argent à la langue bien pendue qui annonçait que ça risquait, avec de la chance, de le devenir encore plus, et qu'approchait le jour de la richesse commune et de la promesse, quand les temples de Mammon voleraient tous en éclats – les pauvres en marche, plus nombreux que l'armée de Coxey, au milieu des décombres. Ou alors il se révélerait aussi cinglé que l'amalgameur actuel de Little Hellkite – qui ne resta pas « actuel » longtemps, car quand Webb se rendit à nouveau là-bas, il apprit que « le Président » avait été remplacé, et par devinez qui ? Par Merle Rideout.

Et c'est ainsi que Merle et Dally, après toutes sortes de petits boulots ici et là, finirent par s'installer dans le comté de San Miguel pendant quelques années – lesquelles furent, par ailleurs, les pires de l'histoire de ces infortunées montagnes. Il y a peu, Merle avait été visité par un étrange sentiment : « photographie » et « alchimie » n'étaient que deux façons d'arriver au même résultat – arracher la lumière à l'inertie des métaux précieux. Et peut-être leur long périple jusqu'ici n'était-il pas l'épilogue d'une vaine errance mais plutôt la conclusion d'un impératif secret, comme la force de gravité, émanant de tout l'argent qu'il avait manipulé en développant des images pendant des années – comme si l'argent était vivant, doté d'une âme et d'une voix, et que Merle avait travaillé pour lui autant que l'inverse.

Ce 4 Juillet semblait bien parti pour être caniculaire, les premières lueurs au-dessus des pics assaillant déjà les rares nuages brillants et galbés et guère annonciateurs de pluie, la nitro suintant déjà des bâtons de dynamite avant même que le soleil eût escaladé la corniche. Pour les gardiens de bestiaux et amateurs de rodéo, cette journée était le « Noël des cow-boys », mais pour Webb Traverse c'était davantage la fête nationale de la Dynamite, même si pas mal de catholiques prétendaient que cette fête tombait un 4 décembre, fête de sainte Barbara, patronne des artilleurs, armuriers et, tant qu'à faire, des dynamiteurs.

Ce jour-là, tous, vachers et barmen, ronds-de-cuir et blancs-becs, vieux barbons et jeunes écervelés, finissaient par sacrifier à la manie dynamiteuse ambiante. Ils prenaient de petits bouts de bâton, y attachaient une amorce et une mèche, les allumaient et se les lançaient, en jetaient dans les réservoirs et avaient de la friture pour la journée, créaient à force d'explosions des motifs pittoresques dans le paysage qui auraient presque disparu le lendemain, faisaient dévaler des barils de bière vides avec de la dynamite à l'intérieur sur les flancs de la montagne, et pariaient sur le moment où ils exploseraient – une journée idéale pour répandre la bonne parole anarchiste, laquelle se fondrait impeccablement dans ce festival explosif.

Webb se leva de son matelas en titubant après une autre nuit passée moins à dormir qu'à prendre conscience du temps par intermittence. On entendait déjà d'inaugurales détonations un peu partout dans la vallée. Ce serait une journée sans guère de surprises, et Webb avait déjà hâte de se rendre au saloon en soirée. Sa pouliche Zarzuela l'attendait devant la clôture, connaissant Webb depuis suffisamment longtemps pour se douter qu'il y avait de l'explosion dans l'air, ce qui ne la dérangeait pas, loin de là.

Webb remonta la vallée et franchit le col de Red Mountain. Les cigales bruissaient, tels des ricochets prolongés. Au bout d'un temps, il s'arrêta pour boire et rencontra un muletier avec le bord de son chapeau replié vers le bas, suivi de son chien et d'une caravane de petits ânes, qu'on appelait ici des «canaris des Rocheuses». Ces charmants animaux, chargés de boîtes contenant dynamite, capsules fulminantes et mèches, allaient ici et là en mangeant des fleurs sauvages, n'étant pas entravés. Webb manqua soudain de souffle et éprouva une sorte de vertige qui n'avait pas grand-chose à voir avec l'altitude. Bon sang, c'est qu'il la sentait, cette nitro. Aucun Chinois ne connaissait mieux son opium que Webb le produit chimique délicatement trimballé ici. Il laissa son cheval boire, mais, troublé par une puissante aspiration olfactive, il n'osa desserrer les lèvres et resta en selle, le visage impassible, aux aguets. Le muletier se contenta d'un salut de la tête, préférant économiser sa salive pour ses *burros*. Puis Webb repartit, et le chien aboya un moment, ni menaçant ni furieux, juste professionnel.

Veikko l'attendait comme prévu près d'un tas de déchets provenant de la vieille mine d'Eclipse Union. Webb, capable à cent mètres de distance d'estimer le degré de folie du Finlandais, remarqua un bidon de deux litres contenant sûrement cet alcool de pomme de terre distillé maison qui était si prisé, suspendu au pommeau de sa selle. Des flammes semblaient également jaillir de sa tête, mais Webb mit la chose sur le compte de la lumière. Il crut lire sur ses traits les signes d'une migraine dynamiteuse imminente, due à une inhalation excessive des vapeurs de nitro.

«T'es en retard, Frère Traverse.»

«J'préférerais être à un pique-nique, pour tout te dire», rétorqua Webb.

«Je suis vraiment de sale humeur.»

«Quel rapport avec moi?»

«Tu ne fais en général qu'empirer les choses.»

Ils avaient ce genre de conversations une à deux fois par semaine. Ça les aidait à se supporter, car chez eux l'agacement faisait office de lubrifiant social.

Veikko était un habitué des geôles de Coeur d'Alene, ayant pris part à la fameuse grève de Cripple Creek pour obtenir la journée de huit heures. Il avait été rapidement repéré par la justice, à tous ses niveaux, et en particulier par la milice d'État, qui aimait à le rosser pour estimer son degré d'endurance. Suite à une rafle d'envergure, il avait été embarqué avec une vingtaine de mineurs et conduit en wagon scellé vers le sud, de l'autre côté de la frontière invisible du Nouveau-Mexique. Des gardes étaient postés sur le toit avec leurs mitrailleuses, et les prisonniers en étaient réduits à pisser là où ils pouvaient, parfois, dans le noir, les uns sur les autres. En pleine nuit, au beau milieu des San Juan, le train s'arrêta, il y eut un branle-bas métallique sur le toit, la porte s'ouvrit en glissant. «Le voyage est fini, les gars», lança une voix hostile, et ils furent plus d'un à entendre la chose dans sa pire acception. Mais ils allaient juste devoir marcher, après que leurs bottes leur eurent été ôtées dans un nouvel acte de cruauté, et on leur demanda de rester en dehors du Colorado sauf s'ils avaient envie d'en repartir dans une boîte la prochaine fois. Heureusement, ils ne se trouvaient pas très loin d'une réserve apache, et les Indiens eurent la bonté d'accueillir un certain temps Veikko et quelques autres, partageant avec eux une quantité infinie de bière de cactus. Ils trouvèrent amusant que des Blancs se conduisent de façon aussi désagréable avec d'autres Blancs, les traitent presque comme s'ils étaient des Indiens, et certains d'entre eux pensaient d'ailleurs que le Colorado, du fait de sa forme, avait été conçu pour servir de réserve aux Blancs. Quelqu'un apporta un vieux manuel de géographie contenant une carte de l'État, sur laquelle figuraient les limites de leur réserve, où l'on voyait que le Colorado formait un rectangle, large de sept degrés de longitude et haut de quatre degrés de latitude – quatre lignes droites sur le papier délimitaient les frontières qu'on avait interdit à Veikko de franchir –, il ne semblait y avoir ni rivières ni crêtes où la milice pouvait s'embusquer pour lui tirer dessus à la minute où il reviendrait – et il en conclut que, si l'exil hors du Colorado était à ce point abstrait, alors, tant qu'il éviterait les routes, il pourrait y retourner n'importe quand et continuer sa croisade.

En gros, avec Veikko, on avait le choix entre deux sujets, les techniques de détonation ou son lointain pays à la situation précaire, Webb ne l'ayant jamais vu trinquer à autre chose, par exemple, qu'à la chute du Tsar de Russie et du cruel général Bobrikov. Mais il arrivait parfois à Veikko de philosopher. Il n'avait jamais noté de grande différence entre le régime du Tsar et le capitalisme américain. Lutter contre l'un, se disait-il, c'était lutter contre l'autre. Une conception, dirons-nous, internationale. «En arrivant aux États-Unis, le coup a été rude pour nous, vu qu'on nous bassinait avec cette "Terre de la Liberté".» Il avait cru échapper à quelque chose, pour seulement découvrir que la vie ici était tout aussi vicieuse et froide, la même richesse sans conscience, les mêmes pauvres dans la misère, l'armée et la police libres comme des loups de commettre des actes cruels au nom de leurs patrons, des patrons déjà prêts à faire n'importe quoi pour protéger ce qu'ils avaient volé. La principale différence qu'il releva fut que l'aristocratie russe, après des siècles passés à croire uniquement à son bon droit, était devenue affaiblie, neurasthénique. «Mais l'aristocratie américaine n'a même pas un siècle, elle est au mieux de sa forme, aguerrie par ses efforts pour s'enrichir, un vrai défi pour le coup. Un bon ennemi. »

«Tu crois qu'ils sont trop coriaces pour les travailleurs ? »

Là-dessus, les yeux de Veikko pâlissaient et s'illuminaient de l'intérieur, sa voix jaillissait d'une barbe abondante et peu entretenue qui suggérait, même dans ses jours les plus calmes, un fanatisme dément. «Nous sommes leur force, sans nous ils sont impuissants, nous sommes eux», et ainsi de suite. Webb avait découvert que si on se taisait et se contentait d'attendre, ces crises passaient, très vite le Finlandais retrouvait son moi habituel, plus impavide que jamais, et s'enfilait de la vodka.

Pour l'instant, toutefois, Webb vit que Veikko était en train de lire une carte postale racornie venant de Finlande, l'air troublé, une rougeur cernant lentement ses yeux.

«Regarde. Ce ne sont pas des vrais timbres», dit Veikko. «Ce sont des photos de timbres. Les Russes n'autorisent plus les Finlandais à avoir de timbres, nous devons utiliser les timbres russes. Ces tampons ? Ils sont faux également. Des photos de tampons. Celui-ci, daté du 14 août 1900, correspond au dernier jour où nous avons pu utiliser nos propres timbres pour le courrier à l'étranger. »

«Il s'agit donc d'une carte postale avec une photo de ce à quoi ressemblait une carte postale avant les Russes. C'est ce que veut dire "Minneskort" ? »

«Une carte mémoire. Un souvenir de souvenir.» C'était une carte envoyée par sa sœur qui vivait en Finlande. «Rien de spécial. Ils censurent tout. Rien qui puisse causer des ennuis à qui que ce soit. Des nouvelles de la famille. Ma famille de cinglés.» Il tendit le bidon de vodka à Webb.

«Je vais attendre. »

«Pas moi. »

Veikko, qui aimait assister aux explosions qu'il déclenchait, avait apporté avec lui une vieille magnéto dans une boîte en chêne et une grosse bobine de fil électrique, tandis que Webb, plus circonspect et préférant être le plus loin possible, avait un faible pour l'Ingersoll à deux dollars, dit aussi méthode à retardement. Leur cible était un pont de chemin de fer au-dessus d'un petit cañon, sur un éperon rocheux entre la ligne principale et Relámpagos, une ville minière située au nord-est de Silverton. Un jeu d'enfant, quatre chevalets en bois de différentes tailles supportant quelques fermes métalliques Fink. Webb et Veikko se disputèrent comme à l'accoutumée pour savoir s'il fallait faire exploser le bidule tout de suite ou attendre que le train arrive. «Tu connais les proprios», dit Veikko, «des saletés de feignasses incapables de monter en selle, ils prennent le train dès qu'ils vont quelque part. Si on fait sauter le train, on en aura peut-être un ou deux.»

«J'ai pas l'intention de rester ici toute la journée à attendre un train qui a peu de chances d'arriver, vu que c'est férié trois jours de suite.»

«*Aitisi nai poroja*», répondit Veikko, une blague devenue une scie et signifiant: «Ta mère baise des rennes.»

La partie délicate, trouvait Webb depuis pas mal de temps, résidait dans le choix des cibles, car le temps manquait pour en sélectionner une correctement, à cause des devoirs quotidiens et du dur labeur et, plus souvent qu'on ne l'aurait imaginé, du chagrin. Dieu sait si proprios et patrons de mine méritaient de partir en morceaux, mais ils avaient appris à redoubler de vigilance. S'en prendre à leurs biens, comme les usines ou les mines, n'était d'ailleurs pas une meilleure idée, car, vu l'avidité des entrepreneurs, on faisait souvent les trois-huit dans ces endroits-là, et il y avait de fortes chances pour que les victimes fussent des mineurs, y compris des enfants travaillant au boisage et à l'abattage – ceux-là mêmes qui meurent quand l'armée charge. Bien sûr, les proprios se foutaient pas mal de la vie des travailleurs, sauf pour les désigner comme Victimes Innocentes au nom desquelles des sbires en uniforme pouvaient alors donner la chasse aux Monstres-Coupables-De-Crimes-Pareils.

Mais le pire, et il y avait là de quoi franchement irriter un vrai dynamiteur, c'était que certaines de ces explosions, les plus mortelles en fait, étaient déclenchées non par des anarchistes mais par les propriétaires eux-mêmes. Un comble. Voilà que la nitro, médium de la vérité, était utilisée par ces sales criminels pour propager leurs mensonges. La première fois que Webb eut une preuve tangible de ces manœuvres, il se sentit comme un gosse sur le point de fondre en larmes. Découvrant à quel point le monde ignorait ce qui était bon pour lui.

Ce qui laissait fort peu de cibles hormis les voies ferrées. C'était aussi bien, vu la philosophie de Webb, car le rail avait toujours été l'ennemi, et ce depuis des générations. Fermiers, bouviers, Indiens chasseurs de bisons, Chinois poseurs de rails, passagers victimes de déraillement, qui que vous fussiez, un jour ou l'autre vous aviez maille à partir avec le chemin de fer. Il avait travaillé comme cantonnier suffisamment longtemps pour savoir au moins où placer les charges afin qu'elles soient le plus efficaces.

Ils assemblèrent les bâtons avec de la ficelle. Webb avait un faible pour la gélatine, qui vous permettait de modeler la charge et de mieux diriger l'explosion, mais ça n'avait d'intérêt que lorsqu'il faisait bon. Tout en guettant d'éventuels serpents, ils s'avancèrent dans les eaux basses, plaçant les charges dans l'ombre quand c'était possible et les recouvrant de pierres et de terre. Il n'y avait pas de bruit, pas de vent. Une buse à queue rousse semblait les observer, ce qui les plaçait dans la même catégorie que des mulots. Et mettait à son tour la buse dans la même catégorie qu'un gérant de mine... Webb secoua la tête avec agacement. Il ne se tenait guère en haute estime quand il agissait ainsi. Il convenait de procéder minutieusement, par étapes, et il avait vu trop de frangins et de frangines mordre la poussière ou finir dans la nuit insondable d'un puits de mine par manque de vigilance. En fait, s'il avait connu le prix à payer, le montant total, étalé sur toute une vie, il se demandait parfois s'il se serait jamais engagé.

La trajectoire qui avait conduit Webb à cette communion du labeur qui devait tant l'accaparer partait droit de Cripple Creek, d'où elle s'épanouissait alors telle une délicieuse fleur vénéneuse au milieu des crassiers, granges, arrière-salles et tripots. C'était une époque où, à Cripple et Victor, Leadville et Creede, les hommes prospectaient les filons indestructibles de leur propre nature secrète, apprenant les vrais noms du désir, lesquels, une fois prononcés, du moins se l'imaginaient-ils, allaient leur ouvrir une voie dans les montagnes menant à tout ce qui leur avait été refusé. Lors de rêves fragmentés et vite interrompus qui survenaient peu avant l'aube, Webb se tenait face à l'ouest devant un précipice, pris dans un vaste courant de promesse, proche du vent, ou parfois de la lumière, affranchi des espoirs déçus et de la fumée pestilentielle qui régnait à l'est – une fumée sacrificielle, peut-être, mais qui ne montait pas vers les nues, juste assez haut pour être inhalée, rendre malade et faucher d'innombrables vies, changer la couleur du ciel et refuser aux vagabonds nocturnes ces étoiles qu'ils avaient tutoyées dans leur jeunesse. Le jour et la peur l'attendaient au réveil. Le sentier menant à cette éminence et cette promesse lumineuse ne passait pas par Cripple, mais Cripple ferait l'affaire, les espoirs réduits en miettes – nuits consacrées au whiskey, filles d'esclaves, parties de faro truquées, putains destinées à l'abattage.

Un soir, au Shorty's Billiard Saloon, un joueur avait ouvert le jeu en donnant un coup de queue peut-être un peu trop énergique et manquant de précision dans le triangle de billes brillantes, qui se trouvaient faites dans une nouvelle variété brevetée de celluloïd. Une fois choquée, la première bille explosa, déclenchant une chaîne d'explosions similaires sur la table. Prenant à tort ces dernières pour des coups de feu, plusieurs clients sortirent leur pistolet et commencèrent, sans trop se donner la peine de réfléchir, à contribuer à leur façon au vacarme. «Joli carambolage», entendit-on quelqu'un déclarer avant que le volume sonore fût trop élevé. Webb, figé de terreur, se retint de plonger pour se mettre à couvert jusqu'à ce que tout fût fini, comprenant au bout d'un moment qu'il était resté debout dans une salle où volait le plomb sans être atteint une seule fois. Comment cela était-il possible? Il se retrouva à errer dans la rue, tête nue et confus, et finit par heurter le Révérend Moss Gatlin, qui dévalait une longue volée de marches en bois après un séjour dans la Retraite aérienne de Fleurette, et qui pour lors ne cherchait pas franchement d'âmes à édifier, ce qui n'empêcha pas Webb, dans un torrent de paroles, de raconter au Rév sa miraculeuse survie. «Mon frère, nous sommes des bandes et des billes sur la table de billard de l'existence terrestre», expliqua le Rév, «et Dieu et Ses anges sont les tricheurs qui nous maintiennent perpétuellement en mouvement.» Au lieu de rejeter ce discours pour le prêchi-prêcha sans gêne qu'il était sûrement, Webb, alors dans un état qu'on aurait pu qualifier de réceptivité exacerbée, resta planté là, comme miné, pendant encore un quart d'heure après le départ du Rév, ignoré par la pernicieuse cohue de Myers Street, et on put le voir le dimanche suivant dans l'arrière-salle d'un tripot où prêchait le Révérend Gatlin, en train d'écouter son sermon comme si beaucoup de choses, voire tout, en dépendaient, sermon qui s'appuyait sur un passage de saint Matthieu, 4,18 et 19: «Or Jésus, marchant le long de la mer de Galilée, vit deux frères, Simon, appelé Pierre, et André son frère, qui jetaient leurs filets dans la mer; car ils étaient pêcheurs.

«Et il leur dit: "Suivez-moi, et je vous ferai devenir pêcheurs d'hommes."»

«Et voilà que Jésus», développa Moss, «passe devant un lac américain, un réservoir perdu dans les montagnes – il y a là Billy et son frère Pete, qui jettent des bâtons de dynamite dans le lac, car ce sont des dynamiteurs – et récoltent tout ce qui flotte à la surface. Que pense Jésus de cela, et que leur dit-il? De quoi les fera-t-il pêcheurs?

«Car la dynamite est à la fois la malédiction du mineur, le signe extérieur et audible de son asservissement à l'extraction minière, et l'égalisateur du travailleur américain, son agent de délivrance, si seulement il osait s'en servir... Chaque fois qu'un bâton explose au service des propriétaires, une détonation convertible au terme d'une certaine chaîne comptable en dollars qu'aucun mineur n'a jamais vus, il devrait y avoir une entrée correspondante sur l'autre page du Grand Livre de

Dieu, convertible en cette liberté humaine que les propriétaires refusent d'accorder.

« Quelqu'un a dit un jour qu'il n'existait pas de bourgeois innocents. Un anarchiste français, certains penchent pour Émile Henry alors qu'il s'avançait vers la guillotine, d'autres avancent Vaillant quand il fut jugé après avoir lancé une bombe dans la Chambre des députés. Et en réponse à la question : comment peut-on faire exploser une bombe qui tuera des vies innocentes ? »

« Mèche longue », brailla obligeamment quelqu'un.

« Plus facile avec un minuteur ! »

« Considérez la chose », quand les remarques se furent un peu dissipées, « comme le Péché originel, mais avec des exceptions. Être nés là-dedans ne fait pas de vous automatiquement des innocents. Mais quand vous atteignez un stade de votre vie où vous comprenez qui baise qui – pardon, Seigneur –, qui se fait avoir et qui s'en sort, alors que vous êtes obligés de décider jusqu'à quand vous allez supporter ça. Si vous ne consacrez pas le moindre souffle de votre vie à détruire ceux qui massacrent les innocents aussi facilement que s'ils signaient un chèque, dans quelle mesure pouvez-vous vous estimer innocents ? C'est à négocier au jour le jour, à partir de ces termes absolus. »

Pour Webb, c'était presque de l'ordre de la renaissance, sauf qu'il n'avait jamais été particulièrement religieux, comme tous les membres de sa famille, un vieux clan originaire du sud de la Pennsylvanie, non loin de la ligne Mason-Dixon. La guerre de Sécession, qui dévora une bonne part de l'enfance de Webb, divisa également la famille, si bien que peu avant la fin des hostilités il se retrouva à l'arrière d'un chariot en partance pour l'Ouest, à la même époque où d'autres Traverse rebelles choisissaient de se rendre au Mexique. Mais bon – du pareil au même.

Au fin fond de l'Ohio, dans une ville à flanc de colline dont il oublia très vite le nom, vivait une jeune femme aux cheveux noirs de l'âge de Webb, Teresa, dont il n'oublierait jamais le nom. Ils se promenaient dans les ornières laissées par les chariots, les collines semblaient se carapater juste de l'autre côté de la cloture, le ciel était tout couvert, ce devait être entre deux averses, et le jeune Webb était fin prêt à épancher son cœur, lequel à l'instar du ciel était sur le point de révéler quelque chose qui le dépassait. Il faillit lui dire. Tous deux semblaient en avoir conscience, et plus tard, en repartant vers l'ouest, il emporta avec lui ce silence qui s'était étiré entre eux jusqu'à ce que l'occasion soit passée. Il aurait pu rester, se glisser discrètement hors d'un chariot, retourner auprès d'elle.

Elle aurait pu trouver le moyen de le rejoindre, aussi, mais c'était un rêve, vraiment, il ne savait pas, ne saurait jamais, ce qu'elle ressentait.

Il fallut encore peut-être neuf ou dix années d'errance vers l'ouest, sur la prairie ondulante, à travers les bromes des champs, les gélinottes fusant vers le ciel, les terribles silences quand les cieux devenaient tout noirs en pleine campagne, battre de vitesse les cyclones et les feux de prairie, escalader le versant ouest des Grandes Rocheuses en coupant à travers des prés de laitues sauvages et d'hélénies d'automne, franchir la grande ligne de crête déchirée, pour enfin voir le jour dans ces montagnes impies où Webb accéda à l'âge adulte et qu'il n'avait pas quittées depuis, dans les profondeurs desquelles il s'était aventuré en quête d'or et d'argent, sur les cimes desquelles il avait tenté, sans cesse, de respirer.

Ses parents étant morts entre-temps, il se retrouva avec juste le vieux Colt confédéré à douze coups de son oncle Fletcher, dont il prit soin d'entretenir le lustre, et qui lui valut des remarques du style : « Ce truc est plus gros que toi, Webbie », même s'il continua à s'entraîner chaque fois qu'il le put, et le jour vint enfin où il s'aperçut qu'il faisait mouche à tous les coups quand il visait les rangées de conserves de fayots.

À Leadville, l'année même où fut installé l'éclairage au gaz, il vit Mayva Dash danser sur le comptoir du Saloon de Pap Wyman, bottes montantes et collier de jais, tandis que transporteurs, débardeurs et journaliers à la barbe grasse braillaient à chaque pirouette et lever de jambe, allant même jusqu'à retirer leur cigare de leur bouche avant de le faire.

« Oui, mes enfants, ça peut paraître étrange, mais votre maman était une fille de saloon quand on s'est rencontrés. »

« Tu leur donnes une fausse idée », feignit-elle de protester. « J'ai toujours travaillé à mon propre compte. »

« Tu payais ce barman. »

« Comme toutes les autres. »

« De son point de vue, ça signifiait travailler pour lui. »

« Il t'a dit ça ? »

« Pas Adolphe. Mais l'autre, là, Ernst ? »

« Avec la moustache toute chétive, qui causait comme un étranger ? »

« Lui-même. »

« Il se sentait seul, c'est tout. Croyait qu'on allait toutes être ses concubines, ce qui était un arrangement courant, selon lui, là d'où c'est qu'il venait. »

La ville, encore toute jeune, noircissait déjà sous les scories, du haut de chaque ruelle jusque dans la campagne on voyait les terrils se dresser tels des monts toxiques. Pas le genre d'endroit où on s'attendrait à voir fleurir les idylles, mais avant même qu'ils comprennent ce qui leur arrivait, ils étaient mariés et vivaient en haut de la Cinquième Est dans le quartier finlandais, parmi les crassiers. Un soir après le travail, Webb entendit un épouvantable vacarme dans l'étroite allée connue sous le nom de St. Louis Avenue, et tomba sur Veikko Rautavaara, qui tenait fermement une cruche de vodka dans une main tout en se battant de l'autre contre quelques gardes de camp. Bien que d'un petit gabarit, Webb pouvait se montrer terrible dans ces cas-là, mais quand il se jeta dans la mêlée le plus gros du travail avait été fait, Veikko était en sang mais solidement campé sur ses pieds et les mercenaires gisaient à terre ou s'éloignaient en boitillant. Quand Webb le ramena chez lui, Mayva se permit un haussement de sourcil. «Ravie de voir que la vie d'homme marié ne te ramollit pas, chéri.»

Elle conservait son boulot chez Pap Wyman en attendant d'être sûre que Reef était en route. Les enfants étaient tous des bébés de la Ruée vers l'argent, qui commençaient à marcher et courir juste à temps pour l'Abrogation. «Je suis servi à la maison», aimait à dire Webb. «Des valets et des reines – à moins qu'on compte ta mère comme l'as de pique.»

«Symbole de mort», marmonnait-elle, «merci beaucoup.»

«Mais, ma chérie», reprit Webb en toute innocence, «je l'entendais comme un compliment!»

Ils connurent peut-être une année ou deux où ce ne fut pas trop désespéré. Webb les emmena tous à Denver et offrit à Mayva une superbe pipe en bruyère pour remplacer le vieil épi cabossé dont elle se servait pour fumer. Ils dégustèrent une crème glacée à une fontaine à soda. Ils allèrent à Colorado Springs, dormirent à l'Hôtel Antlers et prirent le chemin de fer à crémaillère qui montait jusqu'à Pike's Peak.

Même si pendant deux ans grâce à la voie ferrée Webb put voir un peu le soleil, il échouait toujours au fond d'un trou dans la montagne, excavant, étayant ce qu'il trouvait. Leadville, qui se prit pour le propre bénéficiaire de Dieu quand le vieux filon fut redécouvert en 92, fut franchement anéanti par l'Abrogation, tout comme Creede, rétamé juste après la grande nouba qui dura une semaine à l'occasion des funérailles de Bob Ford. Les villes ferroviaires, Durango, Grand Junction, Montrose, étaient plutôt barbantes en comparaison, et ce dont se souvenait surtout Webb c'était la lumière du soleil. Telluride était plutôt une destination pour noceurs dépravés, où l'éclairage électrique, la nuit, de par sa blancheur extrême et impitoyable, créait un quartier mal famé et lunaire avec d'interminables parties de poker, des séances érotiques dans des cabanes isolées, des fumeries d'opium chinoises que la plupart des Chinois de la ville avaient l'intelligence de ne pas fréquenter, des étrangers furieux qui la nuit hurlaient dans leurs langues en descendant à ski les pentes pour venir tout casser.

Après 1893, quand le pays tout entier, d'une façon ou d'une autre, eut surmonté au prix d'un fastidieux exercice moral l'abrogation du Silver Act, qui s'acheva quand le Gold Standard réaffirma son ancienne tyrannie, les choses se calmèrent un peu, et Webb et sa famille bougèrent beaucoup, s'installant quelque temps dans le comté de Huerfano pour extraire du charbon – à l'époque où Ed Farr était encore shérif, avant qu'il se fasse descendre par des détrousseurs de trains aux abords de Cimarron – et Webb rentrait le visage noirci et méconnaissable, si bien que les enfants s'écroulaient de rire ou s'enfuyaient en hurlant. Plus tard, à Montrose, ils vécurent tous dans une petite tente-remise sur un terrain derrière une pension de famille qui était elle-même guère plus qu'une bicoque, Lake aidait aux corvées, Reef et Frank portaient les sacs de pommes de terre du chariot, trimant parfois la nuit dans les arrière-cuisines ou, les mines d'or commençant tout juste à remonter la pente, descendant dans l'une d'elles à flanc de montagne, puis Reef, avant son départ définitif de la maison, travailla une courte période aux mêmes heures que son père, ramassant les scories et les chargeant dans les berlines qu'il poussait jusqu'au palan, recommençant sans cesse la manœuvre. Il en vint assez vite à haïr ce travail, et Webb, qui le comprenait, ne lui en tint jamais rigueur. Quand Webb et les garçons n'avaient pas les mêmes horaires, Mayva devait travailler vingt-quatre heures sur vingt-quatre, préparant des douzaines de chaussons bœuf-patates pour qu'ils eussent de quoi manger au fond du trou – elle avait appris avec les épouses cornouaillaises de Jackson à ajouter des tranches de pomme à la viande et aux patates. Plus encore quelque chose d'autre de chaud à leur donner à manger quand ils revenaient, plus affamés que des ours.

Le temps que Webb s'élève du poste d'extracteur à celui de louqueur puis de contremaître adjoint, les arcanes de la dynamite n'avaient plus aucun secret pour lui. C'est en tout cas ce qu'il pensait. Même pendant ses loisirs, il adorait jouer avec cette déplorable matière, ça rendait dingue Mayva, mais tout ce qu'elle pouvait dire était sans effet, il était toujours dans un pré d'herbes hautes ou dans une décharge, accroupi derrière un rocher avec cette lueur de renard dans l'œil, tremblant, attendant qu'une de ses charges explose. Quand il crut qu'ils étaient assez matures, il initia ses enfants tour à tour, chacun appréciant la chose différemment.

Difficile à dire à première vue qui avait des chances de devenir un bon dynamiteur. En fait, Webb n'était pas sûr de vouloir qu'aucun d'eux s'adonne à ce passe-temps.

Reef ne disait pas grand-chose, mais il y avait dans ses yeux un plissement qui, quand vous le remarquiez, vous incitait à la prudence. Frank, lui, se montrait plus curieux, comme peut l'être un gamin féru de technique, il testait à l'explosif tous les terrains dès qu'il pouvait convaincre Webb, juste pour voir s'il existait une règle générale de ce côté-là. Quand ce fut au tour du jeune Kit, ce dernier s'était déjà mis en tête, après avoir vu, au cours d'une fête foraine à Olathe, un saltim-banque jaillir d'une explosion sans la moindre égratignure, qu'on pouvait faire sauter n'importe qui sans occasionner de désagréments autres que comiques. Du coup, dès la première leçon, il décida de faire sauter tous les professeurs, contremaîtres, commerçants, en gros quiconque avait eu le malheur de l'offenser un jour, et il fallut redoubler de vigilance pour l'empêcher d'approcher les planques explosives de Webb. Lake, Dieu merci, ne fit pas la grimace, ne se boucha pas les oreilles, ni ne soupira d'ennui, rien de ce que les garçons s'étaient attendus à ce qu'elle fît. Elle se mit au procédé immédiatement, déclenchant d'entrée de jeu une belle secousse d'un sacré rayon, créant plusieurs tonnes de roche verte… en souriant peut-être d'un air rêveur, ainsi qu'elle en avait pris l'habitude.

La question de savoir quel camp il devait choisir – et non «avait» choisi – rongeait Webb depuis l'épisode du Shorty's Billiard Saloon à Cripple, et il n'était jamais parvenu à la résoudre, d'ailleurs. C'eût été facile s'il avait goûté ce luxe qu'est le temps, sans rien d'autre à faire que de poser les pieds sur une balustrade de porche, rouler une cigarette, contempler les collines, laisser les brises glisser sur lui, mais en l'état il n'avait pas une minute à lui qui n'appartînt à quelqu'un d'autre. Les débats sur les sujets importants – qui il convenait de continuer à harceler, qui il fallait laisser tranquille, combien il devait et à qui – devaient être menés tambour battant, avec des personnes qui, il l'espérait, n'allaient pas le laisser tomber.

«J'me demande même parfois si je ne serais pas mieux sans toutes ces obligations familiales», confia-t-il un jour au Révérend Moss, lequel, bien que n'ayant pas l'autorité pour absoudre les péchés de ses ouailles dynamiteurs, ne se lassait pas en revanche d'écouter les plaintes. «Juste travailler en solo», marmonna Webb, «avoir plus de manœuvre.»

«Pas forcément.» Et le Rév exposa sa théorie et sa pratique de la résis-tance au pouvoir. «Embrasse une existence clandestine et tu vas les avoir à tes basques. Ils détestent les solitaires. Ils les sentent. Le meilleur déguisement, c'est pas de déguisement du tout. Tu dois appartenir à ce monde quotidien – t'y fondre, t'y intégrer. Un type comme toi, avec une femme, des enfants – t'es le dernier qu'ils soupçonneront, tu as trop à perdre, personne ne pourrait être rebelle à ce point, pensent-ils, personne ne prendrait le risque de perdre autant. »

« Eh bien, ils auraient pas tort, car c'est le cas. »

Le Rév haussa les épaules. « Alors mieux vaut pour toi n'être rien de plus que ce que tu parais. »

« Mais je ne peux pas simplement — »

Le Révérend, qui n'allait jamais jusqu'à sourire, n'en fut pas loin. « Non, tu ne peux pas. » Il hocha la tête. « Et que Dieu te bénisse pour cela, frère de classe. »

« Et ça vous gênerait de me dire quand je suis censé dormir ? »

« Dormir ? Tu dors quand tu dors. C'est tout ce qui te préoccupe ? »

« C'est juste que j'aimerais pas pioncer quand on viendra me chercher – et j'aurais bien besoin d'un lieu sûr où dormir. »

« Un endroit secret. Encore ce mot – tu ne peux pas te permettre trop de secrets, si tu veux paraître normal. »

Mais le monde normal du Colorado, quelle garantie offrait-il, avec la mort à chaque carrefour, quand tout pouvait disparaître à l'improviste, avec la rapidité d'une avalanche ? Moss ne parlait pas non plus du Ciel, il se serait contenté d'un endroit où les hommes n'étaient pas obligés de s'entasser les uns sur les autres comme des chiens et de se battre pour des boulots qui vous détruisaient les poumons et rapportaient au mieux trois dollars et cinquante *cents* par jour – chacun devrait bénéficier d'un salaire décent et du droit de s'organiser, car seul l'homme était une mule acculée au bord du raidillon de la vie, prête à se faire écrabouiller ou balancer dans le vide.

Il se trouvait que le Révérend était lui aussi une victime de la Rébellion. « C'est dans cet état que nous avons retrouvé notre cher Sud perdu, pas franchement la rédemption à laquelle on pensait. En place de la vieille plantation, on trouvait désormais souvent une mine d'argent, et les esclaves nègres eh bien c'était nous. Les proprios ont découvert qu'ils pouvaient nous traiter pareillement, voire avec encore moins de pitié, ils nous ont ridiculisés et craints autant que nos parents craignaient et ridiculisaient les esclaves une génération plus tôt – la grosse différence, c'était que si on s'enfuyait, ils risquaient pas de nous courir après, oh que non, pas de lois sur les fugitifs pour eux, ils disaient juste : Tant mieux, bon débarras, il y en a d'autres dans leur région qui travailleront pour moins cher… »

«C'est rosse, Révérend.»

«Peut-être, mais nous avons eu ce que nous méritions.»

L'atmosphère au Colorado était devenue ces temps-ci si délétère que les proprios étaient prêts à croire n'importe quoi sur n'importe qui. Ils engagèrent ce qu'ils appelaient des «détectives» qui se mirent à tenir des dossiers sur les personnes suspectes. Cette pratique se banalisa vite. Pour une technique bureaucratique, elle n'avait franchement rien au début d'une étape décisive, et elle devint, si vite que c'en était étonnant, une simple routine, quasi invisible.

Webb fut bientôt fiché, même si on se demande bien quel danger il pouvait représenter à première vue. Un simple membre de la Fédération des Mineurs de l'Ouest – mais peut-être que ces fumiers d'anarchistes cachaient bien leur jeu. Peut-être conspirait-il *en secret*. Serments nocturnes, encre invisible. Ne serait ni le premier ni le seul. Et il semblait se déplacer beaucoup, un peu trop pour un type casé, non? Et puis il avait toujours de l'argent, pas beaucoup, mais plus qu'on pourrait s'y attendre chez quelqu'un qui perçoit un salaire de mineur... Un bon travailleur, pas le genre à se faire virer à tout bout de champ, non, c'était lui qui partait, il allait de campement en campement et finissait toujours, on ne sait comment, par causer des ennuis. Bon, pas toujours. Mais à partir de combien de fois la coïncidence cessait-elle d'en être une pour former un motif?

Ils se mirent donc à fouiner. Juste des détails. Consultèrent les chefs de chantier. Le convoquèrent au bureau en vue d'interrogatoire. Des humiliations régulières à propos de berlines insuffisamment chargées ou d'horaires pas respectés. Indésirable dans les saloons, ardoises brutalement interrompues. Affectations aux parois et aux tunnels les moins avenants, voire dangereux. Les gosses, en grandissant, virent Webb se faire virer de plus en plus souvent, ils étaient même parfois avec lui, surtout Frank, quand ça se produisait. Ce dernier lui ramassait son chapeau, l'aidait à se relever. Tant qu'il avait un public, Webb s'efforçait de tourner la chose en pantalonnade.

«Pourquoi ils font ça, Papa?»

«Oh... ça doit avoir des vertus éducatives. Vous avez tenu le compte comme je vous l'ai demandé, sur ceux qui s'y collent?»

«Les commerces, les saloons, les restaurants, surtout.»

«Des noms, des visages?» Et ils lui disaient ce qu'il pouvaient se rappeler. «Et vous avez remarqué qu'il y en a qui inventent des excuses fantaisistes, et d'autres qui disent juste "Dégage de là"?»

«Ouais mais —»

«Bien, cela mérite toute notre attention, les enfants. Divers degrés d'hypocrisie, hein. Comme d'apprendre à reconnaître les différentes sortes de plantes vénéneuses qui poussent ici, y en a qui déciment le bétail, d'autres capables de vous tuer, mais si vous les utilisez comme il faut, croyez-moi ou pas, elles vous guériront. Y a rien de végétal ou d'humain qui ait pas quelque utilité, c'est tout ce que je dis. Sauf les patrons de mine, peut-être, et leurs saletés de sbires.»

Il essayait de transmettre ce qu'ils devaient savoir selon lui, quand il avait une minute, même si le temps manquait toujours. «Tenez. La chose la plus précieuse que je possède.» Il sortit sa carte de syndicaliste de son portefeuille et la leur montra à tour de rôle. «Ces mots écrits ici» – montrant le slogan au verso de la carte – «disent tout ce qu'il y a à savoir, vous ne les entendrez pas à l'école, vous aurez droit à l'Adresse à Gettysburg, la Déclaration d'Indépendance, tout ça, mais si vous ne devez apprendre rien d'autre, alors apprenez ces mots par cœur, ce qu'il y a marqué là : "Le travail est source de toutes les richesses. Par conséquent les richesses appartiennent à ceux qui travaillent." Du parler vrai. Pas du boniment comme celui des rupins, parce qu'avec eux ce qu'il faut entendre c'est toujours le contraire de ce qu'ils disent. "Liberté" ? Alors ça veut dire qu'il est temps de surveiller ses arrières – dès qu'ils se mettent à vous parler de votre liberté, vous pouvez être sûrs que les grilles viennent de se refermer et que le contremaître va vous regarder d'une drôle de façon. "Réforme" ? Encore de nouveaux groins à la mangeoire. "Compassion" ? Ça veut dire que la population des crève-la-faim, des sans-abri et des morts va encore augmenter. Et ainsi de suite. Ma foi, on pourrait écrire tout un manuel de conversation rien qu'avec ce que les républicains ont à dire.»

Frank avait toujours pris Webb pour ce qu'il semblait être – un mineur honnête, sérieux, exploité à tous crins, qui n'obtenait qu'une faible partie de ce que rapportait son travail. Très tôt, il avait résolu de faire mieux que ça, de décrocher peut-être un jour un diplôme d'ingénieur, afin de mener un tant soit peu sa barque, en tout cas ne pas avoir à travailler comme un forcené. Il ne voyait rien de mal dans cette voie, et Webb n'avait pas vraiment le cœur à le contredire.

Reef, quant à lui, avait très vite percé à jour cette affable façade de père de famille honnête et travailleur, il avait vu la colère dissimulée derrière, qui ne lui était pas étrangère, et aurait voulu, alors que les insultes se multipliaient, aurait voulu désespérément, par la seule force de sa volonté, détruire rien qu'en les montrant du doigt ou en les dévisageant assez furieusement ces pantins des proprios afin qu'ils disparaissent dans une brillante explosion, si possible bruyante. Il finit par se convaincre que Webb possédait, à défaut du pouvoir de rendre instantanément la justice, du moins une vie secrète, au cours de laquelle, dès la tombée du jour, il endossait, par exemple, un chapeau et une cape magiques qui le rendaient invisible, puis s'en allait sur les chemins, sombre et concentré, afin d'accomplir l'œuvre du peuple, sinon celle de Dieu, ces deux forces s'exprimant par la même voix à en croire le Révérend Gatlin. Ou même quelque pouvoir surnaturel, comme celui de se multiplier pour être en plusieurs endroits à la fois... Mais Reef ne savait pas comment aborder le sujet avec Webb. Il l'avait supplié de le prendre comme apprenti et complice, prêt à s'acquitter de toutes les corvées nécessaires, mais Webb était inflexible – parfois, d'ailleurs, de façon très abrupte. « Ne supplie pas, tu m'entends ? Que pas un seul d'entre vous, jamais, bordel, ne me supplie, moi ou quiconque d'autre. » Un gros mot opportun pour marquer le coup faisant partie de la théorie de l'éducation selon Webb. Mais surtout, ce qui empêchait Reef de devenir le compagnon nocturne de son papa, c'était sa propre répugnance à recourir à une de ces grandioses colères qui sont uniquement l'apanage des pères, et qu'il trouvait parfois assez médiocres au niveau du jeu d'acteur, exagérées par commodité, mais, connaissant les véritables profondeurs de la fureur de Webb, il n'était pas encore de taille à les contrarier. Aussi se contentait-il des confidences qui échappaient de temps à autre à son géniteur.

« Il existe une liste rouge », annonça un jour Webb, « à Washington, D.C., avec les noms de tous ceux qu'ils estiment pernicieux, tenue par les Services secrets américains. »

« J'croyais que ces gars étaient là pour empêcher le Président de se faire descendre », dit Reef.

« Juridiquement, oui, et aussi pour s'occuper des faussaires. Mais aucune loi ne leur interdit de prêter leurs agents à ceux qui ont besoin de, disons, d'un type secret d'individus. Du coup, ces fédéraux sont un peu partout, et on les trouve en pagaille ici au Colorado. »

« Allons, Papa, on n'est pas en Russie quand même. »

« Soit, mais ouvre l'œil et le bon avant de t'approcher d'un précipice. »

C'était là davantage que de simples propos taquins. Webb était inquiet, et Reef se dit que c'était à l'idée de figurer sur cette liste. Quand Webb ne souriait pas, ce qui pouvait durer maintenant des jours, il paraissait plus vieux. Bien sûr, quand il souriait, les oreilles, le nez et le menton dressés, des rides d'ici à là, les sourcils gaiement furibards, il dégageait un charme roublard qui s'accompagnait de confidences, de conseils, de tournées payées sans hésitation. Mais il y avait toujours, s'aperçut Reef, cette part d'ombre qui restait inaccessible. L'autre Webb qui chevauchait de nuit, invisible. Il avait envie de dire : Mais ça ne te rend pas fou, Papa, t'as pas juste envie d'en tuer quelques-uns, et de continuer à tuer ? Comment font les gens pour les laisser s'en sortir avec ce qu'ils font ? Il se mit à traîner avec des dynamiteurs en herbe de son âge et d'autres un peu plus âgés, pour qui s'amuser consistait à rôder près des terrils, à siffler des cruches de whiskey et à se refiler des bâtons de dynamite allumés, en chronométrant la chose afin de n'être pas trop près quand ils explosaient.

Inquiète, Mayva signala la pratique à Webb, qui se contenta de hausser les épaules. « Ces marioles sont pas méchants, on en trouve dans tous les comtés, connus du Shérif. Reef en sait assez sur la dynamite pour se montrer prudent, je lui fais confiance. »

« Juste histoire de me rassurer, tu pourrais pas — »

« Bien sûr, je lui en causerai si c'est ce que tu veux. »

Il trouva Reef près d'un des sites d'avalanches d'Ouray, l'air d'attendre quelque chose. « On m'a dit qu'Otis, toi et les autres vous jouiez à la chandelle qui pète. Marrant, non ? »

« Pour l'instant. » Le sourire de Reef était si faux que même Webb s'en rendit compte.

« Et ça te fait pas peur, fiston ? »

« Non. Un peu. Pas assez, peut-être », avec un de ces éclats de rire déments d'adolescent face à ses propres bafouillis.

« Moi ça me fait peur. »

« Oh j'en doute pas. »

Il regarda son père, attendant la suite de la blague. Webb comprit que, même si Reef prenait un jour la chose au sérieux, lui-même ne réussirait jamais à considérer la dynamite aussi légèrement que le faisait son fils. Il dévisagea Reef avec une envie à peine dissimulée, sans parvenir tout à fait à identifier cette chose obscure, ce désir, ce besoin éperdu de créer un rayon d'anéantissement qui, s'il échouait à atteindre ceux qui le méritaient, risquait fort bien de le toucher, lui.

Webb n'avait rien d'un professeur, il ne pouvait que rabâcher à ses enfants les mêmes vieilles leçons, signaler les mêmes injustices criantes, espérer que ça porterait en partie ses fruits, continuer d'agir dans l'ombre, impassible, solitaire, et laisser sa colère créer une tête de pression jusqu'à ce qu'elle puisse être de quelque utilité. S'il fallait recourir à la dynamite, eh bien, qu'il en aille ainsi – et s'il fallait devenir un étranger aux yeux de ces enfants et passer pour une sorte d'insensé chaque fois qu'il revenait chez lui, et les perdre un jour, perdre leurs jeunes et clairs regards, leur amour et leur confiance, cette façon craquante qu'ils avaient de prononcer son nom, tout ce qui est susceptible de faire fondre le cœur d'un père, eh bien, les enfants grandissent, et cela ferait sûrement partie du prix à payer, avec le temps passé en prison, les gardes à vue, les passages à tabac, les grèves et tout le reste. L'ordre des choses. Webb allait devoir mettre de côté ses sentiments, pas seulement ceux à l'eau de rose mais également cette terrifiante boule de vide qui grandissait en lui quand il s'arrêtait pour réfléchir à tout ce que leur perte signifierait. Quand il avait le temps de réfléchir. De braves gosses, oui. La seule chose qu'il savait faire, lui, c'était s'emporter comme un beau diable, en vain, avec le risque qu'ils se sentent visés, sans compter sur Mayva pour le sortir de là, vu qu'elle était la cible de ses colères, la plupart du temps, difficile de leur faire croire le contraire. Non qu'ils l'eussent cru s'il avait essayé. Non, très vite ce fut, hélas, impossible.

«Prêt?»
Veikko haussa les épaules et referma les doigts autour de la poignée à piston de la magnéto.
«Réglons-lui son compte.»
Quatre détonations suivies de près, des déchirures dans la trame de l'air et du temps, impitoyables, qui vous secouaient les os. Respirer semblait incongru. Des nuages de poussière jaune pleins d'éclats de bois, sans aucun vent pour les disperser. Les rails et les chevalets s'affaissèrent dans l'arroyo en un geyser inversé.
Webb et Veikko portèrent leurs regards sur un champ de pieds-d'alouette et de pinceaux indiens, avec au-delà un petit cours d'eau qui dévalait la colline.
«Vu pire», admit Webb au bout d'un moment.
«C'était magnifique! Tu veux quoi, la fin du monde?»
«À chaque jour suffit sa peine», fit Webb avec un haussement d'épaules. «Bien sûr.»
Veikko leur servit de la vodka.
«Joyeux 4 Juillet, Webb.»

On parla encore pendant des années dans le Colorado de la nuit étonnante et chavirante qui précéda le 4 juillet 1899. La fête de l'Indépendance allait être riche en rodéos, fanfares et explosions – mais ses prémices nocturnes furent marquées par une foudre d'origine humaine, les chevaux devenus fous sur des miles de prairie, l'électricité s'engouffrant dans le métal de leurs fers, des fers qui une fois tombés et récupérés pour les jeux de foire filaient d'eux-mêmes s'entourer autour des pieux, ou se collaient sur tout ce qui était en fer ou en acier pas loin, enfin, quand ils n'accumulaient pas de souvenirs au cours de leur trajectoire – les armes jaillissaient des étuis et les couteaux de chasse de sous les jambes de pantalon, les clés des clientes d'hôtel et celles des coffres-forts, les bracelets des mineurs, les clous des clôtures, les épingles à cheveux, tous recherchaient la trace magnétique de cette lointaine visite. Les vétérans de la Rébellion qui avaient l'intention de défiler étaient incapables de trouver le sommeil, des éléments métalliques s'étant mis à bourdonner dans leurs veines. On retrouvait les enfants qui buvaient le lait des vaches du coin collés contre les poteaux télégraphiques en train d'écouter le va-et-vient sifflant dans les fils au-dessus de leur tête, ou allant travailler dans les bureaux des agents de change où, asymétriquement intimes avec le cours quotidien des prix, ils amassaient des fortunes à l'insu de tous.

Le jeune Kit Traverse avait participé à l'expérience de haut voltage à l'origine de l'incident, car il travaillait cet été-là à Colorado Springs pour le Dr Tesla. Kit se considérait désormais comme un Vectoriste, ayant épousé cette croyance mathématique non en empruntant une route abstraite mais, comme presque tout le monde, par le biais de l'électricité, et de son introduction de plus en plus frénétique, quand il était encore jeune, dans des vies jusqu'ici épargnées par elle.

À cette époque, il était électricien itinérant – «une sorte d'ouvrier *au courant*» –, il allait d'une vallée encaissée à une autre, veillant à ne plus jamais redescendre dans une mine, acceptant tout travail qui se présentait, du moment que ça avait à voir, même de loin, avec l'électricité. L'électricité faisait alors fureur dans le sud-ouest du Colorado, et presque tous les cours d'eau finissaient tôt ou tard par croiser une petite centrale électrique privée afin d'alimenter une mine, les machines d'une usine ou quelque éclairage urbain – en l'espèce, un groupe turbine-générateur situé sous une chute d'eau, comme on en trouvait à peu près partout où l'on posait le regard vu les altitudes dans la région. Kit était assez grand pour son âge, et les contremaîtres étaient prêts à croire l'âge qu'il inscrivait sur les formulaires, quand il y avait des formulaires à remplir.

Quelque chose, une sorte de dévotion ou de nécessité qui, chez des ouvriers moins compétents, trouvait à cette époque son expression dans la loyauté syndicale, poussa des étudiants ingénieurs, plus âgés et ayant quitté l'Est pour venir passer l'été ici, des types de Cornell, Yale, et cætera, à aider Kit, à lui prêter les livres dont il avait besoin, le *Traité sur l'électricité et le magnétisme* de Maxwell, paru en 1873, la récente *Théorie électromagnétique* (1893) de Heaviside, et cætera. Dès que Kit eut maîtrisé la notation, ce qui fut vite fait, il décolla littéralement.

Il aurait pu s'agir d'une religion, pour ce qu'il en savait – il y avait là le dieu du Courant, apportant la lumière, promettant la mort à l'observateur négligent, il y avait les Évangiles, les commandements et la liturgie, le tout dans ce langage vectoriel sacerdotal dont il devait compulser les textes à mesure qu'ils arrivaient, les compulsant alors qu'il aurait dû dormir, à la bougie de mineur ou la lampe à l'huile de charbon et assez souvent à l'incandescence même du mystère électrique qu'il étudiait, il fallait parvenir tant bien que mal à une compréhension, tirer le meilleur parti de ses journées de travail juste pour *voir* – directement, sans équations, comme l'avait fait Faraday, du moins selon la légende – ce qui se tramait à l'intérieur des circuits sur lesquels il était obligé de travailler. Ça semblait de bonne guerre. Bientôt, c'est lui qui se mit à expliquer des choses aux meilleurs élèves – pas tout, bien sûr, ils savaient tout – mais peut-être un détail ici et là, manipulant des symboles vectoriels représentant l'invisible – même si on pouvait les sentir assez facilement, non sans risque parfois –, maîtriser les phénomènes électriques n'étant finalement pas plus compliqué que d'autres tâches, comme de situer l'appareil de commande sous les chutes, mettre de niveau les turbines et les caler solidement, modifier les formes de leurs lames, apparier les robinets-vannes, les tuyaux d'aspiration et les appareils de commande, et cætera, ça se résumait ou presque à des bonnes suées, des muscles endoloris et des disputes avec les contremaîtres, il fallait arpenter un terrain souvent très pentu et trouver des prises, installer les tireforts, sans parler quand c'était nécessaire d'un peu de maçonnerie, charpenterie, rivetage et soudure – en dormant peu et en se faisant engueuler, rien de très sorcier –, jusqu'à ce qu'un soir, à l'ouest de Rico, une fenêtre s'ouvre quelque part pour lui sur l'Invisible, et une voix, ou quelque chose ressemblant à une voix, lui murmure : « L'eau descend, l'électricité coule – un courant devient l'autre, et de là se change en lumière. Ainsi l'altitude est-elle, continuellement, transformée en lumière. » Des paroles allant dans ce sens, bon d'accord, peut-être pas vraiment des paroles… Et il se retrouva en train de fixer le rougeoiement d'ordinaire aveuglant d'un filament de lampe, qu'il trouva au lieu de ça inexplicablement chatoyant, comme de la lumière passant par la fente d'une porte laissée entrebâillée, l'invitant dans une maison accueillante. Avec ledit courant dévalant la pente tout près de lui, rugissant et souverain. Il ne s'agissait pas d'un rêve, ni du genre d'illumination qu'avait connue, ainsi qu'il l'apprit plus tard, Hamilton sur le pont Brougham à Dublin en 1845 – mais ça représentait un saut d'un endroit à un autre, au-dessus et dans une béance éthérée certainement dangereuse. Qu'il vit. Les expressions vectorielles qu'on trouvait dans les livres, les intégrales de surface, les potentiels et tutti quanti lui firent désormais l'effet de répétitions maladroites de cette vérité qu'il détenait à présent en son for intérieur, certaine et inébranlable.

Le bruit courut un jour dans le petit milieu des électriciens que le célèbre Nikola Tesla allait se rendre à Colorado Springs afin d'y installer une station expérimentale. L'acolyte de Kit, Jack Gigg, ne tenait plus en place. Il déboulait sans cesse pour exhorter Kit. « Hé, Kit, t'es pas encore prêt, viens, Kit, on campera là-haut, ils vont avoir besoin de plein de vétérans dans notre genre. »

« Jack, on a dix-sept ans. »

« C'est bien ce que je dis. Pike's Peak sinon rien ! »

Kit se rappelait avoir visité Colorado Springs quand il était gamin. Des tramways et un bâtiment de six étages. De violents couchers de soleil rouges derrière Pike's Peak. Le funiculaire avec son toit de la même couleur. La station au sommet avec, la surmontant, la plate-forme d'observation qui avait tellement inquiété Frank qu'on l'avait chambré sans relâche par la suite.

Ils trouvèrent les quartiers de Tesla à un peu moins de deux kilomètres de la ville, non loin du siège de l'Union des imprimeurs. Ils furent accueillis par un individu peu avenant qui évoquait vaguement les geôles de Cañon City, et qui se présenta comme étant Foley Walker. Kit et Jack supposèrent qu'il était chargé de l'embauche. Ils découvrirent par la suite qu'il était le secrétaire particulier du célèbre financier Scarsdale Vibe, et qu'il était venu ici pour surveiller la façon dont était dépensé l'argent, surtout celui de Mr Vibe.

Le lendemain, en se rendant à la tente du mess, Kit fut accosté par Foley. «Vous devez être fou, à mon avis», dit cet adjoint de la Richesse, «pour partir de chez vous et faire autre chose que la fête, je me trompe?»

Le genre de trucs qu'on sortait aux filles, trouva Kit – il l'avait testé lui-même, toujours sans résultat.

«J'ai quitté la maison», marmonna-t-il, «comme vous dites, depuis déjà quelques années.»

«Ne le prenez pas mal», dit Foley. «Me demandais seulement si vous aviez entendu parler du Programme de bourses pour les lieutenants d'industrie de Mr Vibe.»

«Bien sûr. On ne parlait que de ça dans le dernier beuglant où j'ai mis les pieds.»

Foley lui expliqua patiemment que le Programme était toujours à la recherche de jeunes gens dotés de talents d'ingénieur potentiel qu'il financerait via l'Université.

«L'École des Mines, un truc de ce genre?» Kit intéressé malgré lui.

«Encore mieux», dit Foley. «Yale, ça vous dit quelque chose?»

«Genre, "Mr Merriwell, on a vraiment besoin de marquer cet essai"», fit Kit d'une voix crédible de bouseux de l'Est.

«Sérieusement.»

«Frais de scolarité? Gîte et couvert?»

«Tout compris.»

«Voiture? Livraison de champagne de jour comme de nuit? Un pull avec un grand *Y* dessus?»

«Je peux arranger ça», dit Foley.

«Balivernes. Seul le grand Scarsdale Vibe lui-même peut faire ça, monsieur.»

«Je suis lui-même.»

«Vous n'êtes pas "lui-même". Je lis les journaux et feuillette les revues, vous êtes même pas "lui".»

«Permettez que j'élucide.»

Une fois de plus, Foley fut contraint de raconter son histoire de suppléant de la guerre de Sécession, pensum qui devenait, au fil des ans, de plus en plus rasoir. Pendant la Rébellion, peu après la sanglante bataille d'Antietam, alors même qu'il entamait sa deuxième année d'études à New Haven, Scarsdale Vibe, ayant atteint l'âge requis, avait reçu son ordre d'incorporation. Suivant la pratique habituelle, son père lui avait acheté un suppléant pour servir à sa place, en se disant qu'un reçu en bonne et due forme exécuté pour trois cents dollars devrait suffire. Imaginez la surprise générale quand, une vingtaine d'années plus tard, Foley se pointa tôt un matin au siège de la Vibe Corporation, prétendant avoir été ce conscrit suppléant et produisant des documents pour le prouver. «Je suis un homme occupé», aurait pu dire Scarsdale, ou «Combien il veut, et est-ce qu'il acceptera un chèque?». Au lieu de ça, intrigué, il décida de le recevoir.

Foley était d'une allure très ordinaire et n'avait pas encore cet aspect menaçant que lui octroieraient les ans dans leur étrange miséricorde – seule se distinguait peut-être sa conception de la conversation sociale ou phatique.

«Me suis pris une balle des Rebelles à votre place, monsieur», fut la première chose qui franchit ses lèvres. «Ravi de vous rencontrer, bien sûr.»

«Une balle. Où ça?»

«Cold Harbor.»

«Oui, mais où?»

Foley se tapota le crâne au niveau de la tempe gauche. «En bout de course quand elle m'a atteint – m'a pas traversé, et personne n'a jamais su comment l'extraire. Ils discutaient autour de moi comme si j'existais pas, causaient du Cerveau et de Ses Mystères. Pour quelqu'un d'attentif, ç'aurait été comme d'aller à la faculté de médecine gratis. Le fait est que, guidé uniquement par mes souvenirs de ces conférences à mon chevet, j'ai pratiqué en mon temps quelques interventions sur le cerveau.»

«Elle y est donc encore?»

«Une balle Minié, à en juger d'après les plaies des autres à l'époque.»

«Ça vous indispose?»

Son sourire, de pure satisfaction, parut terrible même aux yeux de Scarsdale.

«Parlerais pas d'indisposition. Vous seriez étonné de ce que je peux voir.»

«Et... entendre?»

«Appelons ça des communications venues de loin, de très loin.»

«Touchez-vous une pension militaire en conséquence? Y a-t-il quoi que ce soit dont vous ayez besoin que vous n'obtenez pas?»

Foley vit les mains de Scarsdale s'apprêter à saisir un pistolet ou un carnet de chèques.

«Vous savez ce que disent les Indiens là-bas dans l'Ouest? Si vous sauvez une vie humaine, celle-ci devient à jamais votre responsabilité.»

«Ça ira. Je peux me débrouiller tout seul. J'ai tous les gardes du corps qu'il me faut.»

«Ce n'est pas exactement sur votre bien-être *physique* que j'ai pour mission de veiller.»

«Oh. Bien sûr, vous entendez des voix. Bon, et que vous disent-elles, Mr Walker?»

«Vous voulez dire récemment? Ça cause pas mal d'une compagnie de kérosène qui opère à Cleveland. En fait, il se passe pas une journée sans qu'il y ait du nouveau. Vous devez être plus au courant que moi. La "Standard Oil"? Censée "accroître son capital", pour ce que ça veut dire. Les voix disent que c'est le bon moment pour investir.»

«Tout va comme vous voulez, Mr Vibe?»

«Tout va bien, Bruno, tout va très bien, merci. Faisons plaisir à ce monsieur, voulez-vous. Achetons une centaine d'actions kérosène, si elles existent, et voyons ce qui se passe.»

«Les voix me disent qu'il en vaudrait mieux cinq cents.»

«Vous avez déjà pris votre petit déjeuner, Mr Walker? Bruno, ayez la gentillesse de bien vouloir le conduire à notre réfectoire.»

Le conseil de Foley Walker provoqua une accélération foudroyante dans la croissance de la légendaire fortune de Vibe. L'homme dévora une tranche de bacon et la production de la journée du poulailler de la Compagnie, installé sur le toit du Q.G., plus une miche de pain et dix gallons de café, à une tasse près, avant que Bruno, qui ne s'attendait pas à le revoir un jour, réussisse à le reconduire dans la rue tandis que Foley tirait sur un des excellents havanes que lui avait donnés Scarsdale. Une semaine plus tard, après des recherches frénétiques dans divers bas-tringues et fumeries d'opium, on le retrouva et on l'embaucha comme «consultant en investigations», et à partir de ce jour Scarsdale refusa de plus en plus de se lancer sans lui dans la moindre manœuvre de nature commerciale, incluant dans cette catégorie, au fil du temps, les résultats des matches de boxe, de base-ball, et surtout de courses de chevaux, un domaine dans lequel les conseils de Foley s'avéraient souvent payants.

Les Jumeaux Vibe, comme on les désigna bientôt, se rendaient souvent ensemble à Monmouth Park et à Sheepshead Bay ainsi que sur des chemins plus éloignés, vêtus d'ensembles sport assortis dans un certain tissu à carreaux canari et indigo, hurlant et agitant des poignées de tickets de paris – quand ils ne filaient pas à des vitesses excessives dans les avenues de Manhattan à bord d'un phaéton bordeaux dont les armatures en cuivre et en nickel étaient toujours lustrées et rutilantes, côte à côte dans leurs gabardines pâles, et donnant l'impression aux yeux du spectateur non averti d'être aussi inéluctables que n'importe quels Cavaliers de l'Apocalypse.

«Tout ça pour que vous compreniez bien», conclut Foley, «que je suis encore plus Scarsdale Vibe que Scarsdale Vibe lui-même.»

Kit, peu convaincu, n'en témoigna pas moins du respect.

«J'espère que vous comprenez mon problème. Je suis censé croire qu'on va me verser des fonds tous les mois, pile à l'heure, pendant trois ou quatre ans de suite? Si je gobais des trucs pareils, j'aurais plus qu'à dresser ma tente et me lancer dans la manipulation des serpents pour devenir alors *vraiment* célèbre.»

Le fameux inventeur passa alors rapidement tout près d'eux de gauche à droite.

«*Izvinite*, là, Dr Tesla!» s'écria Foley, «Ça vous dérange si j'utilise votre télégraphe?»

«Dans le bureau», rétorqua le Serbe chétif par-dessus son épaule, avant de filer affronter la prochaine difficulté retorse de la journée.

«*Hvala!* Suivez-moi, cow-boy, et préparez-vous à être épaté.»

Une fois dans la cabane de Tesla, Foley se mit aussitôt à contacter par télégraphe les bureaux de Vibe dans l'Est. Quelques instants plus tard, comme se rappelant l'existence de Kit: «Quelle somme raisonnable envisagez-vous dans cette affaire?»

«Pardon?»

«Est-ce que cinq cents dollars ça irait pour le moment?» Le doigt de Foley se mettant derechef à tapoter la touche, si rapidement que l'œil ne pouvait le suivre – puis un silence attentif tandis que l'autre bout répliquait *staccato*. «Très bien, c'est réglé. Le mandat sera là demain à la banque de Colorado Springs, personnellement libellé à votre nom. Z'aurez qu'à y aller pour signer.»

Kit resta impassible. «La nuit promet d'être longue.»

Plus longue que prévu. Vers les vingt heures, un bobinage secondaire de l'un des transmetteurs explosa, après avoir été attaqué à plusieurs reprises, quelque part le long des kilomètres de fil requis pour les basses fréquences des ondes utilisées, par un élan exaspéré. Vers minuit, deux tornades de prairie firent rage non loin, comme si elles cherchaient dans la tour de transmission haute de soixante mètres un compagnon de débauche électrique, et vers quatre heures du matin deux transporteurs excités venant de Leadville se prirent le bec et échangèrent des coups de feu qui, comme d'habitude, n'eurent pas de conséquences, du fait des champs magnétiques qui étaient ici si puissants et aléatoires que les canons de leurs pistolets ne cessaient de dévier de leur cible. Des salves criardes de lumière bleue, rouge et verte, assorties de coups de tonnerre d'origine humaine, occupèrent les cieux jusqu'à l'aube. Les gamins de l'École pour sourds et aveugles affirmèrent avoir vu et entendu des fréquences jusqu'ici inexpliquées dans la science médicale de l'époque.

Au matin, après un bol de café lavasse, Kit monta en selle et se rendit à la banque, où tout se passa comme l'avait promis Foley. Un caissier avec une sorte de visière verte en celluloïd qui lui barrait le front leva vers Kit un regard marqué d'un intérêt dont peu avaient fait preuve jusqu'ici. «Encore un des gars de Doc Tesla, hein?» Kit, qui n'avait pas dormi après ces trente-six heures de frénésie voltaïque et d'étranges comportements humain et animal, y perçut un message émanant possiblement d'ailleurs que de l'endroit d'où il venait vraiment. Au retour, alors qu'il passait dans East Platte Street en se repérant à la tour et à sa grosse sphère en cuivre sur laquelle se reflétait le soleil à l'autre bout de la prairie, Kit fut assailli par l'envie, ou du moins est-ce ainsi qu'il y repenserait plus tard – la clarté d'un désir –, d'appartenir à la troupe des aventuriers de l'Éther et de ses mystères, de devenir, *por vida*, un des gars de Doc Tesla. Ayant parcouru une bonne partie des deux kilomètres qui le séparaient de la station d'essais, il comprit, sans se l'expliquer, qu'il était disposé à accepter l'offre de Foley.

«Dès que j'ai fini mes études, je viens travailler pour Mr Vibe jusqu'à ce que la dette soit réglée, c'est bien ça?»

«Absolument – et si vous voulez bien signer ici, aussi, juste une dispense ordinaire… Mais oui, considérez la chose comme une conscription payée. Nous autres, vieux briscards de l'époque de la Rébellion, on a tendance à penser que le monde tourne ainsi, un élément de la société souhaite s'éviter un intermède désagréable – dans votre cas, devoir apprendre toutes ces choses en classe – et du coup il paie un autre élément pour le faire à sa place. Un arrangement élémentaire. Ceux d'en haut peuvent profiter ainsi de leur tranquillité, et nous en bas on touche aussitôt notre fric, avec dans certains cas une petite frayeur ou deux en prime.»

«Mais après la guerre, vous vous êtes dit, apparemment, que cet homme vous était redevable.»

«Ça m'est venu à force de voir que Mr Vibe et d'autres âmes rédimées de son âge étaient libres de se comporter comme bon leur semblait. Sans parler de la courbe de profit qui en résultait pour eux, alors qu'ils prenaient du bon temps, certains d'entre eux étant encore incapables à ce jour d'imaginer la moindre forme d'ennuis concrets. Nous qui avons encaissé plus que de raison, nous nous sommes dit qu'on avait le droit d'exiger réparation, les dégâts infligés au corps et à l'âme étant la partie débit de toute leur bonne fortune, en quelque sorte. »

«À condition d'être socialiste», supposa Kit.

«Bien sûr, et n'est-ce pas exactement le système de classes sociales pour vous? La jeunesse éternelle achetée avec la maladie et la mort des autres. Appelez ça comme vous voudrez. Si vous retournez dans l'Est, vous rencontrerez sans doute plus souvent cette école de pensée, alors si ça vous pose problème aujourd'hui, autant le dire tout net, on s'efforcera de prendre d'autres dispositions. »

«Non, non, ça me va. »

«C'est aussi ce que pense Mr Vibe. »

«Il ne me connaît pas. »

«Ça va changer. »

Plus tard, dans la cabane, Kit tomba sur Tesla, l'air soucieux devant une esquisse au crayon.

«Oh. Désolé. Je venais chercher —»

«Ce toroïde n'a pas la bonne forme», dit Tesla. «Venez voir un peu ça. »

Kit jeta un coup d'œil.

«Il existe peut-être une solution vectorielle. »

«Comment ça? »

«Nous savons à quoi nous voulons que ressemble le champ en chaque point, n'est-ce pas? Bon, peut-être qu'on peut produire une forme superficielle qui nous donnera ce champ. »

«Vous la voyez», dit Tesla d'un ton quasi interrogatif, en dévisageant Kit avec curiosité.

«Je vois quelque chose», dit Kit avec un haussement d'épaules.

«La même chose s'est également produite chez moi à votre âge», se souvint Tesla. «Quand j'arrivais enfin à me poser, les images survenaient. Mais c'est trouver le temps qui est difficile, pas vrai? »

«Oui, toujours quelque chose en cours… Des corvées, quelque chose. »

«S'acquitter», dit Tesla, «payer sa dette au jour le jour. »

«Je ne me plains pas des horaires ici, pas du tout, monsieur. »

«Pourquoi pas? Je me plains tout le temps. En gros, c'est ça qui nous manque. »

Quand Kit revint de Colorado Springs, tout excité par la nouvelle de l'offre de Foley, Webb ne voulut rien savoir.

«T'es fou? Je vais demander qu'on leur écrive, pour refuser. »

«C'est pas toi qu'ils ont approché. »

« C'est moi qu'ils recherchent. »

« Ils savent pas que t'es là », protesta Kit.

« Les mines ici leur appartiennent. Tu crois que je ne suis pas sur leur liste ? Je suis sur celles de tous les autres. Ils essaient d'acheter ma famille pour qu'elle dégage. Et si l'or ne suffit pas, tôt ou tard ils passeront au plomb. »

« Je ne pense pas que tu comprennes la situation. »

« Chacun est ignorant dans un domaine. Moi, c'est l'électricité. Toi, on dirait que c'est les riches. »

« Ils en ont les moyens. Et toi ? »

Tout s'écroulait. Webb sentait qu'il perdait l'avantage dans la discussion, perdait aussi son fils. Trop vite, il ajouta : « Et quelle est la contre-partie ? »

« J'irai travailler pour la Vibe Corp. après avoir décroché mon diplôme. Y a quelque chose de mal à ça ? »

Webb haussa les épaules. « Ils te possèdent. »

« Ça signifiera un boulot stable. Pas comme… »

« Pas comme ici. » Kit le regarda sans rien dire. C'était fini, supposa Webb. « Entendu, très bien. Tu es avec moi ou avec eux, les deux c'est pas possible. »

« C'est ça le choix ? »

« Tu n'iras pas, Kit. »

« Tiens donc ? » Ça avait jailli, juste ce ton de voix, avant que le garçon pût réfléchir, et il ne perçut pas dans toute son étendue la peine qui se répandait sur le visage de Webb, légèrement penché en arrière ces temps-ci du fait de la taille sans cesse croissante de Kit.

« Dans ce cas », Webb feignant de regarder de la paperasse de contre-maître, « t'as qu'à partir quand tu veux. Ça m'est égal. » Ils prendraient désormais le pli d'éviter que leurs regards se croisent, ce qui bien sûr ne se reproduisit plus jamais, pas ici sur ce rivage désolé dont l'arrière-pays est la mort.

« T'es un peu dur avec lui », trouva Mayva.

« Toi aussi ? Regarde-le ces derniers temps, May, putain c'est plus vraiment un gamin, non ? Tu peux pas continuer à le choyer jusqu'à ce qu'il soit plus qu'un bon à rien. »

« Mais c'est notre fils, Webb. »

« Fils, mon cul. Il est assez âgé et assez grand pour voir maintenant de quoi il retourne. Comment ça marche. »

Il fallut du temps, attendre le départ de Kit et que les émotions se soient un peu émoussées, pour que Webb se remémore alors l'époque où son propre père, Cooley, et lui s'étaient pris le chou, et de façon aussi tendue, aussi absurde, mais il ne se rappelait même plus à quel sujet, pas systématiquement. Et bien que Webb eût été plus jeune à la mort de Cooley, il n'avait jamais songé un seul instant, pas avant ce jour, que Cooley ait pu éprouver ce qu'il ressentait aujourd'hui. Il se demanda s'il en serait ainsi pour le restant de sa vie – il ne s'était jamais rabiboché avec son père, et voilà que la même chose, telle une foutue malédiction, se reproduisait à présent entre son fils et lui...

Mayva accompagna Kit à la gare, mais la séparation fut glaciale, et fort peu teintée d'espoir. Il faisait mine de ne pas comprendre pourquoi personne d'autre n'était venu, aucun des hommes. Elle portait son chapeau de messe – la «messe» ayant lieu la plupart du temps à ciel ouvert, le vieux velours bordeaux avait un peu souffert de la poussière des chemins et ses couleurs avaient pâli au soleil sur ses nombreuses corniches miniatures. Il n'y a pas si longtemps, il était encore trop petit pour le voir et se faire la réflexion. Elle ne cessait de ressortir de la gare pour s'assurer que l'horloge fonctionnait correctement, apprenant ce qu'elle pouvait de la position du train auprès de l'employée du télégraphe et de son assistante, et elle demanda à plusieurs reprises à Kit s'il trouvait qu'elle lui avait préparé assez à manger pour le voyage. Des chaussons à la viande, tout ça.

«Ce n'est pas un long trajet, Maman.»

«Non. Bien sûr que non. C'est juste moi qui, je ne sais pas...»

«Si ça se trouve, ça ne marchera pas. Ça me semble même une évidence, en fait.»

«Surveille avant tout ton écriture. À l'école tu écrivais toujours si joliment.»

«Je t'écrirai, Maman, régulièrement, afin que tu puisses t'en assurer.»

Une certaine agitation se fit dans les rangs de ceux qui étaient venus observer le train, comme s'ils avaient capté des signaux émanant du lointain invisible au cours de leur rêve éveillé et collectif, ou peut-être, comme l'affirmèrent quelques-uns, comme s'ils avaient vu le rail remuer, imperceptiblement, bien avant de voir la première fumée derrière la colline ou d'entendre siffler la vapeur au loin.

«Je ne te reverrai jamais.» Non. Elle ne dit pas ça. Mais elle aurait pu, si facilement. Un regard de lui. Un vague changement dans l'attitude indiquant que ce jeune homme circonspect était redevenu l'enfant qu'elle voulait, après tout, garder.

L'appel avait eu lieu une semaine plus tôt, au cours du quart que les Casse-Cou, même en cette période d'inaction, prenaient chaque nuit. Un jeune garçon dont le visage rappelait celui d'un ange dans une peinture ancienne, coiffé d'une ample casquette à la visière tournée sur le côté, apparut alors avec un appareil téléphonique dont le cordon courait au-delà du seuil jusque dans la pénombre. Il aurait pu s'agir d'un membre de l'équipage qui n'arrivait pas à dormir et voulait faire une farce. Au matin, devant un bol de porridge, du lard maigre et du café de la veille, les avis sur la question étaient partagés. Il n'existait pas de cartes de navigation pour les aider à trouver leur chemin. Leurs seules instructions étaient de faire cap au sud-ouest et d'attendre des corrections de route émanant d'un poste anonyme, situé à une distance indéterminée, qui les contacterait au moyen du nouvel appareil Tesla du dirigeable, lequel était demeuré silencieux depuis qu'on l'avait installé, bien qu'il fût sans cesse sous tension et parfaitement calibré.

Il fut difficile d'attribuer les voix qui leur parvinrent au cours des jours suivants à la moindre origine dans la sphère physique. Même Lindsay Noseworth, pourtant dénué d'imagination, prétendit éprouver un frisson soutenu et précis dans les épaules chaque fois que l'instrument émettait son rauque murmure.

Ils prirent bientôt les vents d'ouest qui les conduiraient avec une précision quasi géométrique jusqu'à Amsterdam et St. Paul, deux îles inhabitées et peu connues de l'océan Indien, récemment annexées par la France.

Ils survolèrent à une dizaine de mètres d'altitude une mer agitée et hostile peuplée d'îles de roche nue et noire, désertes, sans végétation. « Il fut un temps », raconta Miles Blundell, « à l'époque des premiers explorateurs, où chacune de ces îles, si petite fût-elle, avait un nom, tant leur quantité était incroyable et les navigateurs avides de la moindre escale… mais à présent ces noms sont oubliés, cette mer est retournée à l'anonymat, et chaque île qui s'y dresse n'est plus qu'un désert obscur. » Dépossédés de leurs noms, ces îlots avaient disparu l'un après l'autre des cartes nautiques, puis un jour également du monde éclairé, pour rejoindre l'Invisible.

Sur certains de ces rochers balayés par les vents, les Casse-Cou pouvaient observer un détachement d'hommes, retenus par des cordes de sûreté, en train d'escalader des surfaces ruisselantes tout juste assez grandes pour les accueillir, et qui se déplaçaient rapidement et franchement, bien qu'apparemment rien, même pas du guano, ne méritât qu'ils prissent de tels risques. Les navires ancrés tout près étaient de facture récente et leur armement ne pouvait être que celui de Puissances européennes. Leur présence dans ces eaux, à peine signalée dans les longs communiqués adressés au quartier général des Casse-Cou, était aussi mystérieuse et obscure que l'océan éclairé par l'orage.

La dernière île où ils purent trouver des denrées périssables, telles que du lait, était St. Masque, laquelle leur parut, quand ils débarquèrent, inhabitée. Puis, lentement, seuls ou par deux, des insulaires commencèrent à apparaître, et bientôt les Casse-Cou furent entourés d'une population considérable avec en prime une ville, comme si elle avait été toujours là et n'attendait que leur venue… une ville d'une certaine importance, anglophone, si propre que tout le monde marchait pieds nus, et ce en dépit des tournures arborées – costumes de ville, robes de soirée, et cætera – c'était le visiteur chaussé qu'on dévisageait. Un vaste chantier souterrain béait dans le centre-ville, et les citadins utilisaient des passerelles d'où ils scrutaient des fosses de béton remplies d'engins à vapeur, de bêtes de trait, et de décombres. Interrogés sur les travaux en cours, ils regardaient les visiteurs avec un air perplexe, comme s'ils n'étaient pas sûrs de les avoir bien entendus. «C'est notre chez-nous», dirent certains. «Vous n'avez pas ça chez vous?» Puis ils s'éloignaient avant qu'un des garçons ait pu répondre.

Dans un caboulot sur les quais, un de ces bouges où son instinct le menait immanquablement partout où il se rendait, Chick Counterfly rencontra une mystérieuse épave humaine qui prétendait être un survivant de la frégate *La Mégère* qui avait fait naufrage sur l'île Amsterdam presque trente ans plus tôt. «Un endroit épouvantable. Deux mois avant qu'on nous retrouve. Guère différent du service en mer… oh, l'absence de mouvement bien sûr, davantage de poissons à manger qu'on se l'imagine… On a continué à prendre le quart, à partager l'espace avec les mêmes gars qu'on avait déjà appris à supporter, ou à détester, ou les deux à la fois, ce qui, considéré du point de vue de la pure survie, s'est révélé une vraie bénédiction – imaginez un peu que cette vieille *Mège* ait été un navire plein d'inconnus, la moitié d'entre nous aurait assassiné l'autre moitié au bout d'une semaine et l'aurait peut-être même bouffée. Mais nous avons été quatre cents à nous en sortir.»

« Étrange », dit Chick. « C'est en gros la population de St. Masque, selon moi. »

Quelques heures à peine après avoir laissé derrière eux ces îlots débaptisés à la vie réaffirmée de la mer, ils atteignirent le volcan, sombre et délabré, qui était leur destination. Leur mission consistait à observer ce qui allait se passer en ce lieu antipodique à Colorado Springs où se produirait l'expérience du Dr Tesla. Les Services logistiques de la Confrérie des Casse-Cou leur avaient fourni, sans qu'ils ne demandent rien, et toujours à temps, une coûteuse batterie d'instruments électriques, livrés sans la moindre facturation par des ouvriers orientaux qui allaient et venaient en masse dans le campement, se succédant par équipes, souvent chargés de fardeaux ahurissants. Le coin fut bientôt jonché de palettes et de clous provenant des caisses ouvertes. Du chaume tombé peu à peu des chapeaux des coolies montait jusqu'aux chevilles. La vermine apportée par les navires, venue parfois d'aussi loin que la Californie, débarquait et élisait vite domicile sur les pentes du volcan, ne s'aventurant dans le campement que tard dans la nuit pour faire bombance.

Quand l'arrimage fut enfin terminé, les manœuvres itinérants retournèrent silencieusement en canot jusqu'au navire dépourvu de drapeau ancré à l'écart près du littoral, afin d'être acheminés vers un autre point de l'hémisphère. En Afrique du Sud, très probablement. Les Casse-Cou se retrouvèrent alors seuls au bas du volcan aux suintements méphitiques qui se dressait à près de mille pieds de hauteur, sur une plage si intensément ensoleillée qu'elle en semblait presque incolore, aussi aveuglante sans doute que le cœur d'un diamant, tandis que des vagues gigantesques se brisaient sur la grève l'une après l'autre, espacées et régulières telles les respirations d'une divinité locale. Au début, personne ne trouva rien à dire, bien qu'il eût été possible de s'entendre malgré le pilonnage de la houle.

Ces derniers temps, les repas avaient été politiquement instables, du fait d'interminables querelles portant sur le choix d'une nouvelle figure de proue pour le vaisseau. La figure précédente, qui représentait la tête du président McKinley, avait été sérieusement endommagée lors d'une collision involontaire avec un gratte-ciel de Chicago encore inexistant la veille, aux dires des Casse-Cou.

Chick Counterfly et Darby Suckling réclamaient une femme nue. « On la veut galbée et pas qu'un peu ! » insistait Darby à chacune de leurs fréquentes réunions *ad hoc* sur le sujet, arrachant à Lindsay Noseworth

un reproche désormais on ne peut plus réflexe : « Suckling, Suckling…
la liste de vos blâmes croît à un rythme vertigineusement démoralisant. »

« Et pas un seul d'entre eux qui passe au travers des mailles de cette
foutue politique navigante », protesta Darby, le visage tout rouge de
colère. Depuis que sa voix avait changé, sa charmante insolence, naguère
supportable, avait pris un tour plus réfléchi et, par conséquent, plus
alarmant. La mascotte encore enjouée il y a peu était passée, après une
brève période d'incertitude adolescente, de la naïveté politique à une
méfiance envers l'autorité qui frôlait le nihilisme. Ses compagnons de
bord, y compris ce joyeux drille de Chick Counterfly, réfléchissaient désormais longuement avant de sortir les plaisanteries les plus banales en
présence de Suckling, de peur de l'offenser.

Pour ce qui était de la figure de proue, Randolph St. Cosmo plébiscitait
l'Oiseau National, comme choix patriotique et inoffensif. Miles Blundell,
quant à lui, se fichait pas mal de ce que représentait la figure de proue,
tant qu'il s'agissait de quelque chose qui se mange – alors que Lindsay,
apparemment outré par la trivialité de ces choix, vantait comme à son
habitude la pure abstraction – « Un polyèdre platonicien, peut-être. »

« Je te parie », railla Darby, « que le bougre n'a jamais sorti son "zoziau"
que pour pisser ! »

« Je me couche ! » s'esclaffa Chick avec mépris.

Le débat sur la figure de proue, au début guère plus profond que
ne l'exigeaient des goûts en matière décorative, devint plus aigri et complexe, atteignant rapidement une intensité qui les étonna tous. On vit
« resurgir » d'anciennes blessures, on trouva des prétextes pour se bousculer et, assez fréquemment, pour se frapper. Un panneau en énormes
caractères Clarendon apparut dans la zone du mess :

**LES ACTES DE TRIPOTAGE FESSIER DANS LA FILE D'ATTENTE
NE SERONT PAS TOLÉRÉS !!!
LES INFRACTIONS SERONT SANCTIONNÉES
PAR DIX SEMAINES DE CORVÉE !!!
CHACUNE !!!
Sur ordre de l'Officier en chef.
P.-S. — Oui, on parle bien de SEMAINES !!!**

Ils continuaient néanmoins à traîner des pieds et à maugréer, prélevant des boulettes de mousse aux asperges, de gombo à la créole, ou
de purée de navets, chaque fois que le Capitaine ne regardait pas – non
pour les manger mais pour *se les lancer les uns sur les autres en douce*, dans

l'espoir d'une riposte. Miles Blundell, en tant qu'intendant du vaisseau, observait la scène avec une épouvante sincère. «Chaprelipopate droum-droum», lançait-il en guise d'encouragement, tandis que la nourriture volait. «Clacoutte clacoutte!»

Errant dans les couloirs du spectral, Miles avait commencé, de plus en plus, à inquiéter ses compagnons de bord. Les repas se changeaient trop souvent en profonds exercices d'incertitude, quasi fatals, selon l'endroit où Miles avait déniché ce jour-là ses ingrédients. Parfois ses plats relevaient de la plus exquise gastronomie, parfois ils étaient immangeables, du fait d'excursions mentales dont la polarité n'était jamais tout à fait prévisible d'une fois sur l'autre. Non que Miles entreprît délibérément de saboter la soupe ou de faire brûler les pains de viande – il était rare qu'il agisse aussi franchement, préférant davantage les omissions regrettables, ou les erreurs sur les quantités et le minutage. «S'il existe bien un procès irréversible, c'est la cuisine!» pérorait l'Officier en thermodynamique Chick Counterfly, désireux de se rendre utile, mais ne pouvant s'empêcher de céder à la panique. «On ne peut pas dé-rôtir une dinde, ni dé-monter une sauce ratée – le temps est intrinsèque à chaque recette, et en faire fi n'est pas sans danger.»

Tantôt Miles répondait: «Merci, Chick, le conseil est avisé… Mes amis… vous faites tous preuve d'une étonnante patience avec moi, et je ferai tout mon possible pour m'améliorer», et tantôt il se lamentait: «Du métaroucoule de zep blibfloss!» en faisant des gestes violents avec sa toque de chef, le visage illuminé par un sourire énigmatique.

Le seul convive de l'assemblée à n'avoir jamais essuyé de déceptions, toutefois, était Pugnax, dont Miles, quelles que fussent ses humeurs, avait toujours respecté le régime minutieux. En sus d'un spectre gustatif allant du champagne vintage au ragoût de tortue en passant par les asperges à la hollandaise, Pugnax tenait à ce que chaque plat soit présenté dans un service différent, de préférence en porcelaine tendre datant d'une certaine époque et d'origine authentifiée, conférant ainsi une nouvelle dimension à l'expression «chien de faïence».

Aux États-Unis, la fête nationale du 4 Juillet approchait, ce qui signifiait que ce soir-là, règlement oblige, des festivités devaient se dérouler à bord, ici aussi, que cela plaise ou non.

«Des lumières et du boucan, tout ça pour qu'on s'agite comme des babouins dressés», à en croire Darby.

«Toute personne un tant soit peu instruite», protesta Lindsay, «sait que les feux d'artifice du 4 Juillet sont les symboles patriotiques de moments remarquables d'explosion militaire dans l'histoire de notre nation, jugés nécessaires afin de préserver l'intégrité du sol américain contre les menaces que représente un peu partout un monde hostile et plongé dans les ténèbres.»

«Une explosion dépourvue d'objectif», déclara Miles Blundell, «c'est la politique sous sa forme la plus pure.»

«Si nous n'y prenons pas garde», estima l'Officier scientifique Counterfly, «la population va finir par nous confondre avec des anarcho-syndicalistes.»

«Il serait temps», rouspéta Darby. «Je dis qu'il faut lâcher ce soir une bordée en l'honneur de l'attentat de Haymarket, un tournant dans l'histoire américaine, et la seule façon dont les travailleurs réussiront à se débarrasser correctement du joug de ce misérable système économique – grâce aux merveilles de la chimie!»

«Suckling!» s'exclama un Lindsay Noseworth ébahi qui s'efforçait de garder son sang-froid. «Mais c'est de l'antiaméricanisme éhonté!»

«Eehyyhh, et ta mère elle travaille chez Pinkerton, tiens.»

«Non mais espèce de petite frappe communiste à la...»

«J'aimerais bien savoir à quel propos ils se disputent», se plaignit Randolph St. Cosmo, à personne en particulier. Peut-être, en ces lieux reculés, au vent.

Mais, ce soir-là, la pyrotechnie ne se borna pas aux simples explosions. Tandis que dans un vacarme assourdissant s'épanouissaient l'une après l'autre de violentes chandelles au-dessus du volcan délabré, Miles enjoignit ses camarades à méditer, avec une insistance qui ne lui ressemblait pas, sur l'ascension d'une fusée, en particulier sur l'extension invisible de la traînée visible, après que la charge de carburant s'était épuisée, mais avant que la mèche lente eût déclenché les feux d'artifice – ce moment implicite lors de la montée continue, dans le ciel sombre, un continuum linéaire de points invisibles mais présents, juste avant que les lueurs apparaissent par centaines —

«Assez, assez!» Darby s'agrippant comiquement les oreilles, «on dirait du chinois!»

«Ce sont les Chinois qui ont inventé les feux d'artifice», confirma Miles, «mais qu'est-ce que cela vous apprend sur les trajectoires de vos propres existences? Quelqu'un a-t-il une idée? Réfléchissez, vils palabreurs, réfléchissez!»

L'heure de la grande expérience à l'autre bout du monde approchait. Des odeurs pas uniquement culinaires s'amassaient sous le vent du volcan délabré, comme si une longue procédure chimique échouait sans cesse à produire un franc résultat. Les électrodes crépitaient et s'enflammaient, et les bobines de l'énorme transformateur vrombissaient laborieusement, avec des accents quasi humains, alimentées par les générateurs électriques dont la vapeur était fournie par les sources chaudes locales. Les antennes émettrices et réceptrices de l'équipement sans fil avaient été installées tout le long du cône de lave, et les communications avaient débuté, tandis que, presque à l'antipode du globe, des opérateurs de la Confrérie des Casse-Cou attendaient dans une cabane étanchéifiée, sise au sommet de Pike's Peak, bien que la nature de l'étrange lien fît l'objet de croyances diverses – le signal faisait-il le tour de la planète, ou la traversait-il, à moins qu'il ne s'agît pas de progression linéaire, et que tout ne se produisît au lieu de ça simultanément en chaque point du circuit?

Quand le *Désagrément* fut prêt une fois de plus à prendre le ciel, la querelle concernant la figure de proue avait été résolue à l'amiable – les Casse-Cou ayant opté pour une silhouette féminine drapée, sans doute plus maternelle qu'érotique. Tous se firent de plates excuses, à n'en plus finir, jusqu'à l'écœurement, il fallut alors présenter de nouvelles excuses pour tous ces salamalecs, et les journées de travail finirent par être saturées d'aéro-ergoteries. Plus tard, les Casse-Cou repenseraient à cet épisode comme d'autres se souviennent peut-être d'une période de fièvre, ou de folie adolescente. Ainsi que le leur rappela dûment Lindsay Noseworth, ce genre de complications survenait toujours pour une bonne raison – à savoir fournir d'édifiantes leçons.

«Du genre», railla Darby, «"soyez gentils"?»

«On a toujours estimé – même si ce "on" reste énigmatique – que nous étions au-dessus d'un tel comportement», affirma sombrement Lindsay. «Littéralement au-dessus. Ce type de chamaillerie sied peut-être au plancher des vaches, mais pas ici.»

«Oh, je ne sais pas, ça m'a plutôt amusé», dit Darby.

«Nous devons nonobstant tout entreprendre pour minimiser cette contamination par le séculaire», déclara Lindsay.

Chacun acquiesça à sa façon. «Nous l'avons échappé belle, les amis», dit Randolph St. Cosmo.

«Établissons quelques protocoles», ajouta Chick Counterfly, «afin d'éviter que la chose se reproduise.»

«Gloïmbrougnitz stefouap», opina vigoureusement Miles.

Faut-il s'étonner que, quand l'occasion se présenta effectivement, ce qui ne tarda pas, les garçons n'hésitèrent pas à transcender «le séculaire», quitte à trahir leur organisation, leur pays, voire l'humanité elle-même?

Les ordres arrivèrent avec l'absence habituelle de cérémonie ou même de simple courtoisie, par le truchement de la daube aux huîtres servie traditionnellement chaque jeudi en plat du jour par Miles Blundell, qui, ce matin-là, bien avant le lever du soleil, s'était rendu sur les marchés de fruits de mer dans les étroites allées grouillantes de la vieille ville de Surabaya, dans l'est de Java, où les Casse-Cou jouissaient d'une permission à terre de quelques jours. Là-bas, Miles avait été abordé par un homme d'origine japonaise et d'une force de persuasion inhabituelle, qui lui avait vendu, à ce qui semblait un prix étonnamment séduisant, deux seaux pleins de ce qu'il ne cessait de décrire comme des «Huîtres japonaises spéciales», ces derniers mots étant par ailleurs les seuls que le Casse-Cou se rappellerait l'avoir entendu prononcer en anglais. Miles n'y avait pas prêté davantage attention avant que le déjeuner fût interrompu par un cri déchirant émanant de Lindsay Noseworth, auquel succédèrent trente secondes de blasphèmes inhabituels. Sur le plateau devant lui, où il venait juste de l'expulser violemment, gisait une perle d'une taille et d'une iridescence fort peu banales, qui semblait bel et bien palpiter de l'intérieur, et en laquelle les garçons, qui s'étaient attroupés, reconnurent immédiatement un message de leurs Supérieurs hiérarchiques.

«Je doute que vous connaissiez le nom ou l'adresse de ce vendeur d'huîtres», dit Randolph St. Cosmo.

«C'est tout ce que j'ai.» Miles sortit une petite carte de visite recouverte de signes en japonais, langue que personne, malheureusement, n'avait jamais appris à lire.

«Super-utile», railla Darby Suckling. «Mais bon, pas la première fois qu'on nous fait le coup.»

Chick Counterfly était déjà parti chercher dans son armoire un étrange instrument d'optique composé de prismes, de lentilles, de lampes de Nernst et de vis de réglage, dans le réceptacle approprié duquel il déposa alors soigneusement la perle. Lindsay, qui ronchonnait en se tenant la mâchoire, en proie à quelque contrariété dentaire, alla baisser les stores de la salle à manger pour atténuer l'éclat tropical, et les garçons dirigèrent leurs regards sur un écran réfléchissant disposé sur une des cloisons, où bientôt, telle une image photographique émergeant de sa solution, apparut un message imprimé.

Au moyen d'un procédé technique on ne peut plus secret, mis au point au Japon à peu près à la même époque où le Dr Mikimoto produisait ses premières perles de culture, des parties de l'aragonite originelle

– qui composait les couches nacrées de la perle – avaient été, grâce à un « paramorphisme induit », pour reprendre la terminologie des ingénieux nippons, modifiées ponctuellement ici et là en un type différent de carbonate de calcium – à savoir des cristaux microscopiques d'une calcite à double réfraction connue sous le nom de spath d'Islande. La lumière ordinaire, en passant par ce minéral, était divisée en deux rayons distincts, qualifiés l'un d'« ordinaire » et l'autre d'« extraordinaire », propriété que les savants japonais avaient alors exploitée afin de créer un canal de communication optique supplémentaire partout où se manifestait, dans la structure en couches de la perle, un des milliers de minuscules cristaux astucieusement disposés. Illuminée d'une certaine manière, une fois la lumière réfractée de façon complexe sur une surface idoine, n'importe quelle perle ainsi modifiée pouvait être amenée à livrer un message.

Pour l'esprit oriental d'une intelligence diabolique, il ne s'était agi là que d'une étape banale visant à combiner le cryptage paramorphique avec le procédé de Mikimoto, après quoi toute huître se retrouvant sur les marchés du monde devenait soudain un véhicule potentiel d'informations secrètes. Si les perles ainsi modifiées étaient par la suite incorporées dans des bijoux, raisonnèrent les astucieux Nippons, alors les cous et les lobes d'oreille des riches femmes de l'Occident industriel fourniraient un médium encore plus impitoyable que les irascibles flots de mer auxquels étaient encore confiés de tendres messages et des appels de détresse scellés dans des bouteilles. En échange, serait-il possible d'être affranchi de l'infinie malice des perles, et au prix de quelles offrandes votives ?

Le message envoyé par la Hiérarchie ordonnait à l'équipage de décoller immédiatement et de se rendre via l'Intérieur tellurique jusqu'aux régions du pôle Nord, où il devrait intercepter le schooner *Étienne-Louis Malus* et s'efforcer de persuader son commandant, le Dr Alden Vormance, de renoncer à l'expédition qu'il menait alors, et ce en recourant à tous les moyens sauf la force – laquelle, bien que n'étant pas expressément interdite aux membres de la Confrérie, générait une importante présomption de Mauvais Goût, que tout Casse-Cou se devait, par tradition et engagement, d'éviter.

Certains des plus grands esprits dans l'histoire de la science, y compris Kepler, Halley et Euler, avaient émis des hypothèses quant à l'existence d'une prétendue « Terre creuse ». Un jour, espérait-on, la technique du « raccourci » intraplanétaire à laquelle allaient recourir les Casse-Cou deviendrait une routine, aussi utile à sa façon que l'avaient été à la navigation en surface le canal de Suez ou celui de Panamá. À l'époque dont nous parlons, toutefois, notre petit équipage avait encore des occasions de s'émerveiller, tandis que le *Désagrément* quittait le royaume solaire du sud de l'océan Indien, survolait le continent antarctique et s'aventurait dans une immense et blanche étendue uniquement interrompue par d'imposantes montagnes noires, en direction du vaste et ténébreux intérieur qui palpitait devant eux.

Mais quelque chose clochait. «La navigation n'est pas aussi facile cette fois-ci», estima Randolph, penché sur la table des cartes, soudain en proie à la perplexité. «Noseworth, vous vous rappelez comment c'était autrefois. Nous savions des heures à l'avance.» Les aéronautes avaient pris l'habitude de voir des vols d'oiseaux s'égailler en longues courbes hélicoïdales, comme pour éviter d'être attirés dans un vortex situé à l'intérieur de la planète et qu'eux seuls ressentaient, ainsi que d'assister au recul, à proximité du climat plus tempéré qui régnait dedans, des neiges éternelles, vite remplacées par la toundra, puis les prairies, les arbres, les plantations, voire enfin une habitation ou deux, juste au Pourtour, telles des villes frontières, qui autrefois avaient accueilli des marchés annuels, quand les habitants de l'intérieur sortaient pour échanger des poissons lumineux, des cristaux géants aux propriétés géomantiques, des filons non raffinés de divers métaux utiles, et des champignons inconnus des mycologues du monde de la surface, qui se rendaient autrefois régulièrement ici dans l'immense espoir de découvrir de nouvelles espèces dotées de nouvelles propriétés d'amélioration visionnaire.

Mais au cours de ce voyage-ci, la glace polaire persista jusqu'à proximité du grand portail, qui lui-même semblait avoir *considérablement rétréci*, environné désormais d'une étrange sorte de brume glacée, quasiment de la couleur du paysage en surface, et qui devint bientôt si dense que pendant un court instant l'équipage du *Désagrément* dut naviguer bel et bien à l'estime, guidé seulement par son odorat, parmi les effluves de combustion sulfureuse, de moissons de champignons et la transpiration résineuse des vastes forêts d'épicéas qui commençaient à émerger par à-coups de la brume.

Ses moteurs bourdonnant laborieusement, le vaisseau pénétra à l'intérieur de la planète. Les contours des antennes et des gréements furent vite rehaussés d'un éclat bleu pâle nettement moins distinct lors des précédentes traversées. «Même avec l'hiver austral», signala Chick Counterfly, qui venait de procéder à des relevés photométriques, «il fait beaucoup plus sombre là-dedans qu'auparavant, ce qui provient certainement d'un goulot réduit admettant moins de lumière de la surface.»

«Je me demande quelle en est la cause», fit Randolph, soucieux. «Peux pas vraiment dire que ça me plaise.»

«Attention immodérée venant des latitudes du milieu», proclama Miles, une sorte de pâmoison oraculaire dans la voix. «Quand l'intérieur se sent menacé, c'est un réflexe autoprotecteur, toutes les créatures vivantes le possèdent à un degré ou à un autre...»

«Tout en bas», dans le crépuscule intraplanétaire, ils pouvaient distinguer, sur la vaste concavité intérieure, s'étendant dans les lointains, les chaînes et réseaux phosphorescents d'habitations éparpillées sur de sombres régions d'étendue sauvage encore épargnées par l'agriculture, tandis que, aussi silencieusement que le permettaient les moteurs au nitro-lycopodium du vaisseau, les aéronautes s'enfonçaient.

«Pensez-vous qu'ils sachent que nous sommes ici?» murmura Lindsay, comme à son habitude au moment du "passage", en scrutant par la lunette nocturne.

«En l'absence pour l'instant du moindre signe de trafic aérien», dit Randolph en haussant les épaules, «cela semble de la pure casuistique.»

«Si jamais l'un d'eux possède un armement à longue portée», suggéra malicieusement Chick, «– des rayons destructeurs, peut-être, ou des lentilles permettant de concentrer l'énergie boréale sur notre enveloppe bien trop vulnérable –, il attendra sûrement que nous soyons à bonne distance.»

«Possible, alors nous devrions passer en état d'alerte maximale», proposa Lindsay Noseworth.

«Eenhhyhh, espèces de chochottes», railla Darby Suckling. «Continuez de bavasser, mesdames, et vous réussirez peut-être à nous entraîner dans un véritable désastre.»

«La machine de Tesla enregistre une certaine activité», prévint Miles d'une voix feutrée, en sa qualité de responsable de l'appareil sans fil du *Désagrément*.

«Comment le sais-tu, cervelle de mouche?»

«Écoutez.» Miles, souriant calmement devant ce qu'une oreille davantage ancrée au séculaire aurait aisément pris pour de la provocation, tendit la main et abaissa une série de commutateurs à couteau sur la console devant lui, et un amplificateur électrique entra nerveusement en activité.

Au début, le «bruit» parut n'être que l'ensemble des perturbations magnéto-atmosphériques que les Casse-Cou avaient depuis longtemps l'habitude de rencontrer, intensifié peut-être ici par l'espace immensément résonant dans lequel ils s'enfonçaient de plus en plus. Mais l'émission se fondit bientôt en timbres et rythmes humains – moins des paroles que de la musique, comme si les lieues crépusculaires défilant en dessous étaient reliées au moyen d'un chant.

Lindsay, en tant qu'Officier chargé des communications, approcha son oreille de la machine de Tesla, en plissant les yeux, mais finit par relever la tête et décréta : «Charabia.»

«Ils appellent à l'aide», déclara Miles, «et de façon très distincte et désespérée. Ils prétendent être attaqués par une horde de gnomes hostiles, et ils ont disposé des lampes de détresse rouges, en cercles concentriques.»

«Les voici!» lança Chick Counterfly, en désignant un point à tribord.

«En ce cas, il n'y a pas à tergiverser», déclara Randolph St. Cosmo. «Nous devons atterrir et intervenir.»

Ils s'approchèrent d'un champ de bataille grouillant de minuscules combattants portant des chapeaux pointus et munis de ce qui se révéla des arbalètes électriques, au moyen desquelles ils projetaient régulièrement des éclairs d'une intense lumière verdâtre, dévoilant par intermittence le paysage avec une morbidité semblable à celle d'une étoile agonisante.

«Nous ne pouvons pas attaquer ces individus», protesta Lindsay, «car ils sont plus petits que nous, et les Lois de l'Engagement stipulent clairement que — »

«En cas d'urgence, la décision est à l'entière discrétion du commandant», répondit Randolph.

Ils passèrent alors au-dessus des tourelles et des parapets métalliques d'une sorte de château, où brûlaient les lumières pourpres de la détresse. On pouvait discerner en bas des silhouettes qui levaient les yeux vers le *Désagrément*. Miles, qui les observait par sa lunette de nuit depuis le pont de navigation, était fasciné par la vision d'une femme debout sur un balcon haut. «Ça alors, quelle beauté!» s'exclama-t-il enfin.

Leur décision d'atterrir allait aussitôt les embringuer dans la politique byzantine de la région, et ils se retrouveraient à deux doigts d'enfreindre carrément les Directives relatives à la Non-Ingérence et à l'Écart de Taille, ce qui aurait pu leur valoir aisément un procès, voire l'annulation de titre de membre au sein de l'Organisation nationale. Pour un récit détaillé de leurs démêlés avec la Légion des Gnomes de plus en plus intriguée par leur présence, des intrigues éhontées d'un certain cartel minier international, de la cruauté sensuelle qui sévissait à la Cour royale de Chthonica, la Princesse de Plutonia, et de la fascination quasi irrésistible que la monarque souterraine finirait par exercer, à l'instar de

Circé, sur les esprits des membres du *Désagrément* (et sur Miles en particulier, comme nous l'avons vu), les lecteurs peuvent se reporter à l'ouvrage intitulé *Les Casse-Cou dans les entrailles de la Terre* – bizarrement, l'un des recueils les moins attachants de cette série, ainsi qu'en témoignent des lettres postées depuis des lieux aussi reculés que Tunbridge Wells, en Angleterre, toutes exprimant un mécontentement, souvent très intense, à l'égard de mon bref et inoffensif intermède intraterrestre.

Après leur fuite précipitée loin des hordes malveillantes d'indigènes trapus, au cours d'une autre nuit et d'un autre jour, ainsi qu'est calculé le temps à la surface, les Casse-Cou traversèrent l'intérieur de la Terre et resurgirent enfin par son portail boréal, qu'ils virent approcher sous la forme d'un minuscule cercle de brillance. Une fois de plus, tous remarquèrent la dimension réduite de l'issue planétaire. Après être sortis, il leur fallut manœuvrer tout en finesse pour localiser l'endroit exact, sur la circonférence lumineuse qui se dilatait rapidement, où ils pourraient sans perdre trop de temps ni d'énergie trouver le schooner *Étienne-Louis Malus*, qui emportait l'Expédition Vormance vers un destin que peu de ses membres auraient volontairement choisi.

DEUX

Spath d'Islande

En plus d'ouvrir l'œil depuis le poste de barre, Randolph St. Cosmo avait également placé des vigies à la proue et à la poupe avec les jumelles les plus puissantes du vaisseau. Ici, au nord du cercle polaire arctique, les instructions en vigueur pour tous les navires de la Confrérie des Casse-Cou étaient : «Tout trafic aérien inhabituel doit être présumé hostile en attendant la preuve du contraire.» Des accrochages avaient lieu chaque jour, non plus pour un territoire ou des marchandises mais pour des renseignements électromagnétiques, dans une course internationale visant à mesurer et à cartographier de la façon la plus exacte les coefficients de champ en chaque point de cette mystérieuse structure réticulaire mathématique dont on savait désormais qu'elle entourait la Terre. De même que l'Ère de la navigation à voile avait dépendu des reports sur carte des mers et littoraux de la planète et des vents de la rose des vents, de même allait dépendre de la mesure de ces toutes nouvelles variables l'histoire sur le point de se dérouler ici, parmi les récifs d'anomalie magnétique, les canaux de très faible impédance, les orages de rayons encore inconnus que dardait le soleil. On assista à une «Ruée vers le rayon» – la lumière et le magnétisme, ainsi que toutes les variétés de rayons extra-hertziens, attendaient preneurs, et toutes sortes de prospecteurs avaient débarqué en masse, parmi lesquels de nombreux escrocs pressés de réquisitionner les terres d'autrui par la force, une petite poignée d'individus en mesure de capter des rayons de toutes fréquences, la plupart ni compétents ni scrupuleux, juste embarqués dans cette fuite opportuniste et généralisée loin de la raison, en proie à la même fièvre que les chercheurs d'or et d'argent des premiers temps. C'est ici, à la lisière supérieure de l'atmosphère, qu'on trouvait la nouvelle frontière indomptée, et les pionniers arrivaient en aéronef au lieu de chariot, déclenchant des querelles terriennes vouées à durer des générations. L'aurore boréale qui les avait arrachés à leurs lits d'enfance dans les latitudes inférieures tant de nuits d'hiver, distillant chez leurs parents des craintes obscures, était désormais visible à n'importe quel moment, de l'intérieur, en altitude, de vastes pulsations de couleurs, des nappes, des volutes et des colonnades de lumière et de courant, le tout dans une incessante transfiguration.

Dans de petits coins reculés de la planète auxquels personne ne prêtait guère attention, entre des factions dont on ignorait presque tout, une guerre tacite et largement imperceptible faisait rage depuis des années. Tout le long des latitudes septentrionales, des transmetteurs clandestins avaient été déployés parmi des cimes de glace, dans des mines désaffectées, dans les arrière-cours secrètes des antiques forteresses de l'Âge de Fer, habitées ou non, isolées et surnaturelles au sein de l'immense aveuglement glaciaire. Sur des rochers escarpés qui perçaient les nues, composés autant de guano gelé que de roche, des éclaireurs du champ magnétique terrestre, en proie au désespoir et à l'insomnie, interrogeaient les horizons en quête des moindres signes d'une relève, signes qui avaient souvent des années de retard... Et en effet, pour certains, la nuit polaire durerait éternellement – ils quitteraient la Terre pour la splendeur insoupçonnée, l'aurore dans le ciel qui se déchaînait le long de spectres visibles et invisibles. Des âmes vouées aux lignes de force planétaires allaient de pôle en pôle et également jusque dans les légendaires régions intérieures...

Manœuvrant à bord de vaisseaux camouflés par ces fameuses «peintures tape-à-l'œil», grâce auxquelles des parties du bâtiment pouvaient bel et bien disparaître et réapparaître dans des nuages de scintillements chromatiques, les scientifiques-aéronautes accumulaient fiévreusement les données, toutes du plus grand intérêt pour les entrepreneurs réunis au sol, dans des centres de renseignements tels que l'Institut Géo-Légal d'Observation Opticomagnétique (I.G.L.O.O.), une officine radiale située dans le nord de l'Alaska, qui ces temps-ci ressemblait davantage à une Lloyd du spectre supérieur, tous guettant nerveusement l'annonce d'un désastre imminent.

«Des conditions dangereuses, ces derniers temps.»

«Mince, y a des jours où on donnerait tout pour une chouette petite attaque indienne.»

«Je vous le dis, ça ne peut pas durer comme ça.»

Quelques têtes se tournèrent, bien que cet échange acerbe n'eût rien d'inhabituel.

«Petit morveux, qu'est-ce que t'y connais, t'étais même pas là lors de la dernière éclipse!»

C'était une salle de réunion obscure, ses fenêtres étaient protégées par des rideaux de fer, éclairée de-ci de-là par des lampes à gaz ou électriques à abat-jour vert, sa pénombre ponctuée seulement du bref chatoiement des chaînes de montre sur les vestons foncés, les pointes de stylo, les pièces de monnaie, les ustensiles de cuisine, les verres et les bouteilles. Dehors, dans des rues envahies par la neige battue, des loups s'aventuraient loin de chez eux en hurlant avec éloquence.

«Oui… ces temps-ci y a beaucoup trop de jeunes de ton âge dans le métier. Des mesures irréfléchies, des conséquences nuisibles, aucune attention portée à l'histoire ou au sacrifice de ceux qui sont décédés avant, et ainsi de suite…»

«C'est pas nouveau, l'ancien.»

«Vous avez fricassé des gars à moi l'autre jour. Tu as quelque chose à dire là-dessus?»

«La zone était surveillée. Ils ont été largement mis en garde. Vous savez qu'on n'envoie pas de bateau les jours de test.»

«C'est tout le contraire, nigaud. On ne fait pas de test quand un bateau est de sortie, même si c'est juste un petit cotre inoffensif —»

«Inoffensif! Il était gréé de bas en haut comme une frégate, monsieur.»

«— et croisait tout innocemment ainsi que n'importe quel bateau de plaisance, jusqu'à ce que vous l'attaquiez, avec vos rayons infernaux.»

«Il a effectué un mouvement furtif. On s'en est tenus à la procédure.»

«Tiens — est-ce assez furtif pour toi?»

«Allons, mes garçons!»

De telles disputes étaient devenues si courantes que c'est à peine si Randolph s'étonna d'entendre résonner le gong du télégraphe, dont l'émetteur était relié à la queue de Pugnax.

«Vite, les jumelles… Allons bon, que diantre avons-nous donc ici?»

Le vaisseau qui approchait se distinguait par une enveloppe évoquant la forme bulboïde – ainsi que les dimensions – du dôme d'une église orthodoxe orientale, sa surface rouge et brillante arborant, en noir, les armoiries des Romanov, avec au-dessus, en caractères cyrilliques et dorés, la légende BOL'SHAIA IGRA – «Le Grand Jeu». Tous reconnurent aussitôt l'aéronef du mystérieux homologue russe de Randolph – et, bien trop souvent, sa Némésis –, le capitaine Igor Padzhitnov, dont les précédentes «apparitions» (cf. en particulier *Les Casse-Cou et les Pirates des glaces, Les Casse-Cou manquent percuter le Kremlin*) avaient laissé chez nos aérostiers des souvenirs animés mais inquiétants.

«Que peut bien mijoter ce vieux Padzhy?» murmura Randolph. «Ils se rapprochent sacrément vite.»

L'organisation parallèle de Saint-Pétersbourg, connue sous le nom de

Tovarishchi Slutchainyi, était réputée pour l'entreprise de discorde qu'elle aimait à promouvoir un peu partout, et dont les motivations demeuraient pour la plupart hermétiques aux Casse-Cou, la spécialité de Padzhitnov consistant à larguer des briques et des éléments de maçonnerie, toujours par groupes de quatre, désormais sa «signature», sur des cibles désignées par ses supérieurs. Les mortels débris étaient d'ordinaire prélevés sur les murs porteurs de leurs précédentes cibles.

«Nous avons d'excellentes raisons d'éviter ces individus», reconnut Lindsay avec aigreur. «Ils vont encore s'imaginer que nous empiétons sur leur "espace aérien". Eu égard à la dislocation nasale fort peu anodine qui s'est produite lors de ce contretemps polonais – même si nous n'y sommes assurément pour rien – nous ferions mieux néanmoins en cette occasion de mettre au point notre version de l'histoire *avant* qu'ils nous interceptent, ce qui, semble-t-il, risque de survenir à tout moment – hum, en fait —»

Brusquement, un violent choc secoua le *Désagrément* de bout en bout alors que le vaisseau russe l'accostait sans trop d'égards.

«Oh, saperlotte», marmonna Randolph.

«Ohé du ballon!» Le capitaine Padzhitnov avait les cheveux filasse, un corps d'athlète et paraissait fort enjoué – nettement plus que ne le requéraient les affaires aériennes courantes. «Mais c'est qu'on m'a encore devancé! Comment est-ce possible? Suis-je trop vieux pour ça?» Son sourire, qui n'aurait sans doute pas été déplacé à la surface de la terre, parmi, disons, un rassemblement d'insensés, ici, à des milliers de pieds dans les airs, loin de tout avant-poste de la Raison, semblait encore plus inquiétant que la batterie de fusils, apparemment des Mauser turcs dernier cri, et autres armes moins aisément identifiables, que son équipage dirigeait à présent sur le *Désagrément*.

«*Na sobrat' ya po nebo!*» les accueillit Randolph, aussi nonchalamment que possible.

«Où vous rendez-vous?» tonna le Commandant russe au moyen d'un énorme porte-voix en argent chinois.

«Dans le Sud, comme vous le voyez.»

«La Zone d'urgence vient juste d'être décrétée par les autorités», hurla Padzhitnov en désignant d'un mouvement du bras un vaste secteur de terres gelées en bas. «Peut-être devriez-vous virer.»

«Les autorités?» fit Lindsay, d'un ton pensif, comme s'il avait reconnu le nom d'une connaissance intime.

«L'I.G.L.O.O.», répondit le Commandant russe avec un haussement d'épaules. «Ça ne nous concerne pas, mais vous, si.»

«Quel genre d'urgence», s'enquit Randolph, «ont-ils évoqué?»

Les aéronautes moscovites se plièrent en deux, en proie à une sinistre hilarité.

«Dans la partie de la Russie où j'ai grandi», réussit enfin à dire le capitaine Padzhitnov, «tous les animaux, quelles que soient leur taille ou leur férocité, portaient des noms – ours, loups, tigres de Sibérie… Tous sauf un. Une seule créature que les autres animaux, y compris les humains, redoutaient, car si elle les attrapait elle les mangeait, sans nécessairement les tuer d'abord. Elle appréciait la souffrance. La souffrance était comme… du sel. Des épices. Cette créature, nous n'avions pas de nom pour elle. Nous n'en avons jamais eu. Est-ce que vous comprenez?»

«Seigneur», murmura Lindsay à son chef, «on posait juste une question.»

«Merci», répondit Randolph. «Nous allons continuer en redoublant de prudence. Pouvons-nous vous être d'une aide quelconque en matière d'approvisionnement? Y a-t-il quoi que ce soit dont vous commenceriez à manquer?»

«Du respect à l'égard de votre aveugle naïveté», sourit son homologue – ce n'était pas la première fois, car c'était devenu un échange rituel.

Le *Bol'shaia Igra* commença à s'éloigner doucement, son capitaine et ses officiers supérieurs demeurant au bastingage et s'entretenant tout en suivant des yeux le *Désagrément*. Quand les vaisseaux furent quasiment hors de portée d'oreille, le capitaine Padzhitnov les salua de la main et lança: «Bon voyage!» d'une voix ténue et plaintive dans l'immensité des cieux arctiques.

«Bon, à quoi rimait tout ça? S'ils essayaient de nous mettre en garde…»

«Aucune mention de l'Expédition Vormance, vous aurez remarqué.»

«Il s'agissait d'autre chose», dit Miles Blundell, le seul de l'équipage qui semblait avoir pris à cœur l'avertissement, et retourna alors préparer le déjeuner, tandis que les autres membres gagnaient leurs postes, et que Pugnax réinsérait son nez parmi les pages d'un roman-feuilleton de Monsieur Eugène Sue, qu'il lisait apparemment dans une édition française.

Aussi continuèrent-ils de s'enfoncer dans la Zone d'urgence, prêtant une oreille attentive à l'instrument Tesla et surveillant de très près les étendues incolores en dessous. Et pendant des heures, jusque bien après le souper, leur énigmatique rival le *Bol'shaia Igra* demeura dans le lointain mais obstinément à leur quart tribord, aussi rouge qu'un rubis maudit représentant un troisième œil sur le front d'une idole de l'incompréhensible.

Ayant manqué de peu d'intercepter le steamer de l'Expédition à Isafjörör, les garçons mirent de nouveau le cap au nord, mais à chaque fois le bateau leur échappait, tantôt en raison d'un vent contraire, tantôt à cause d'un rapport erroné transmis par le télégraphe ou d'un retard dû à un membre de l'équipage qui se révélait au mieux «spectral», l'homme «en plus» du mythe arctique. Une histoire familière à ces altitudes. Mais néanmoins perturbante, car il semblait, de temps en temps, y avoir un membre en plus à bord du *Désagrément,* bien qu'il n'en parût rien lors de l'appel du matin. Parfois, l'un des garçons s'apercevait, mais trop tard bien sûr, que le visage qu'il avait en face de lui n'était en aucune manière le véritable visage – ni même un qu'il reconnût.

Un jour, le *Désagrément* survola un petit campement dont les rues et les allées semblaient grouiller de figures de cire, tant les habitants étaient figés dans leur examen du gigantesque véhicule qui approchait au-dessus d'eux.

Randolph St. Cosmo décida d'accorder des permissions à terre.

«C'est une peuplade du Nord, n'oubliez pas», conseilla-t-il. «Ils ne risquent pas de nous prendre pour des dieux, pas comme ces pékins l'autre fois aux Indes orientales.»

«Si c'était pas le paradis!» s'écria Darby Suckling.

À peine l'aéronef eut-il fini d'accoster que les garçons débarquèrent en masse, pressés de dépenser leur paie n'importe comment.

«C'est de la turquoise?»

«Nous appelons ça de l'ivoire bleu. Des os préservés de véritables mammouths préhistoriques, rien à voir avec la bonzoline teintée qu'on trouve plus au sud.»

«Et ça?»

«C'est une copie miniature d'un inukshuk qui se dresse sur une corniche tout à l'intérieur des terres, des pierres empilées grossièrement en forme d'être humain, non pour menacer l'étranger mais pour le guider dans un pays où les bornes sont soit trop rares soit trop nombreuses pour qu'on puisse s'y fier.»

«Ça ressemble à mon lot quotidien.»

«Et cela explique sans doute pourquoi ces copies se vendent en telles quantités. Car n'importe quel jour, même dans les villes du Sud, peut basculer en un instant dans la désolation.»

Au cours des pénibles journées qui suivirent, les Casse-Cou posèrent de temps en temps leur regard sur l'énigmatique miniature que chacun avait achetée, représentant un lointain agencement de pierres qu'ils ne verraient probablement jamais, et ils s'efforçaient d'y apercevoir, même aussi indirectement, l'expression d'une vérité autre que séculaire.

L'*Étienne-Louis Malus* devait son nom à l'ingénieur et physicien de l'armée napoléonienne qui, à la fin de l'année 1808, regardant par un morceau de spath islandais le soleil couchant que réfléchissait une fenêtre du Palais du Luxembourg, découvrit la lumière polarisée. Le navire était en chêne et en métal, long de 376 pieds et 6 pouces, avec ponts de franc-bord et d'embarcation, deux mâts, deux mâts de charge, et une unique et haute cheminée noire. Les câbles de retenue de douzaines d'antennes émettrices et réceptrices étaient reliés à l'accastillage des ponts supérieurs. Sa proue était inclinée en arrière par rapport à la ligne de flottaison, presque à la verticale, comme s'il était paré à fendre les glaces.
Tandis qu'il faisait voile vers le nord et les rives lointaines de l'« Islande », vers les falaises de glace inhabitées, ceux qui n'étaient pas de quart ou en train de dormir allaient se poster à la poupe et regardaient les latitudes inférieures se dérober derrière eux, jouaient des airs à la mandoline et sur de petits accordéons en acajou, et chantaient :

> Fini les filles,
> À part les Islandaises,
> Fini les nuits
> À part les nuits glaciales…
> Car nous voguons
> Sans espoir de retour
> Dans des vents
> À vous glacer l'âme…

Les rumeurs allaient bon train – le Capitaine avait de nouveau perdu la tête, des pirates des glaces chassaient le *Malus* tels des baleiniers et si ce dernier était pris, son équipage connaîtrait un sort pire encore –, certains croyaient que l'Expédition avait pour but de découvrir une nouvelle source de spath d'Islande aussi pur que les légendaires cristaux de Helgustaöir, plus pur que tout ce qu'on extrayait ces temps-ci au Missouri ou à Guanajuato… Mais ce n'était là qu'une rumeur parmi d'autres. Il ne s'agissait peut-être pas, en fin de compte, de spath d'Islande.
Des parois de glace vertes, quasi invisibles au fond du crépuscule boréal, apparurent un jour autour d'eux. Le bateau approchait d'un cap vert, aux pures parois de glace vertes, le vert le plus proche de l'eau dégageant également un *parfum*, une odeur marine de pourriture avancée et de reproduction.

Depuis sa demeure ancestrale située sur une île juste de l'autre côté du promontoire, Constance Penhallow, devenue légendaire, mais sans briguer le moindre respect de la part de la population, observait l'arrivée du *Malus*. Quand c'était nécessaire, elle savait se dresser avec une noblesse extrême dans la lumière aveuglante, comme si elle se penchait au-dehors d'un cadre, inquiète, ses yeux réclamant non de l'aide mais la compréhension, les tendons de son cou rehaussés d'un blanc titane, une vue de dos de trois quarts, n'offrant de son visage qu'un croissant, l'ombre des cheveux brossés et du contour crânien, l'ombre cuivrée gracieusement tournée vers une étagère de livres que ne protégeait aucune paroi de verre susceptible de renvoyer l'image d'un visage, juste ce dos irrévocable. C'est ainsi que l'avait peinte son petit-fils Hunter, debout dans une robe ample et tombante aux milliers de motifs floraux verts et jaunes, comme vue à travers un écran de particules en suspens, des particules d'un autre pays observé en fin de journée, mises en mouvement par le vent ou par des chevaux passant dans une allée derrière le mur d'un jardin... en arrière-plan une maison en partie en bois, avec de nombreux pignons pentus, se perdant dans une imbrication sinueuse d'ardoises grises, comme luisantes de pluie... une étendue sauvage de toits, vierge, disparaissant dans le soleil couchant...

Des récits datant du premier millénaire survivaient ici, comme ceux de la première bande de hors-la-loi en fuite, peu disposés à être hantés par la promesse d'un retour du Christ, ne songeant qu'aux vengeurs armés de haches qui les traquaient, se dirigeant vers l'ouest, pleins d'une gaieté suicidaire, presque insouciants... ou ceux du cruel Harald, fils du roi Sigurd, qui fit voile vers le nord, poussé par un désir inexplicable, s'éloignant toujours plus à chaque coucher de soleil de tout confort, toute bonté, vers l'horrible précipice, à quelques coups de rames de Ginnungagap, l'abîme obscur, aperçu à travers les ténèbres septentrionales et signalé au fil des ans par les pêcheurs égarés, les maraudeurs, les fugitifs possédés par Dieu... Harald barra en force, les hommes retinrent leurs avirons, la fatale circonférence tourbillonnant près d'eux dans la brume, et Harald Hårdråde, ayant tourné juste à temps, comprit alors, en cet instant de clémence inattendue, avec dans son dos la fin du monde, davantage sans doute qu'il ne l'aurait souhaité, ce qu'étaient le désir, et le renoncement au désir pour la soumission aux devoirs envers l'Histoire et le sang. Quelque chose dans cette immensité vaporeuse l'avait convoqué, et il avait répondu à l'appel, en rêve, et au dernier instant il s'était réveillé, puis détourné. Car dans l'antique langue nordique, *Gap* ne signifie pas simplement cet abîme particulier, le chaos de glace dont ont surgi, grâce au géant Ymir, la Terre et tout ce qu'elle comporte, mais également une bouche humaine béante, cruelle, piaillante, hurlante, appelant, rappelant.

C'est le récit que fait Adam de Brême, dans son *Historia Hammaburgensis Ecclesiæ.*

Or l'Expédition actuelle, bien qu'elle n'eût pas pour consigne officielle d'aller jusqu'à Ginnungagap, devait néanmoins admettre sa présence tout là-bas dans la brume, dans l'obscurcissement possible d'un futur ciel d'eau sous le reflet d'un Intérieur mythique, l'occasion, en ce jour et à cette époque, d'aller au-delà de la surface du monde pour se faire happer par une autre dispensation toroïdale, topologiquement plus au point qu'un simple disque ou sphéroïde.

Déjà, du temps de Harald Hårdråde, le vide jadis terrifiant n'était à peine plus qu'un vestige, un résidu vaporeux de la création du monde, et le grand drame des contemporains d'Ymir-Audumla, non plus l'union de la glace de Niflheim et du feu de Muspellheim, mais les décombres d'une naissance désastreuse.

Les aïeux de Penhallow auraient fort bien pu se lancer dans une telle expédition, mais jusqu'à présent ils avaient tous trouvé des raisons de ne pas le faire. Il était vaguement question d'ancêtres conspirant, contre l'avenir, certainement contre ce voyage… Les Penhallow devaient leur fortune au spath d'Islande – ils possédaient de considérables dépôts dans tout l'Arctique, ayant été des nababs du cristal depuis que les premiers du nom avaient débarqué en Islande à la fin du dix-septième siècle à la faveur d'une Ruée vers la calcite, déclenchée par la célèbre arrivée du minerai biréfringent à Copenhague par l'entremise d'un marin qui en avait découvert près de la baie de Röerford.

Quand l'Expédition Vormance arriva, le petit-fils de Constance, Hunter Penhallow, se rendit tous les jours en bac sur l'île principale, pris d'une folie buissonnière, abandonnant palette et pinceaux, acceptant toutes les tâches de déchargement que pouvait lui confier cette faune de savants aux étranges accents des quatre-vingtièmes inférieurs. Ses parents, il y a trop longtemps pour qu'il en ait gardé le souvenir, s'étaient «retirés» au sud dans cette région de fables et bizarreries douteuses, et Constance – intuitivement, incapable de résister, sachant même, en oracle émérite, que dès qu'il le pourrait il suivrait leur exemple à défaut de leurs traces précises – était devenue son unique foyer. Bien sûr il partirait – n'importe quel devin vous l'aurait dit –, ça n'empêcherait pas Constance de l'aimer. Il embarquerait clandestinement à bord du *Malus*, prendrait la mer avec l'Expédition Vormance, comme Constance savait, et redoutait, qu'un jour, sur quelque bateau, il devait faire. Personne dans l'équipage ou parmi les savants n'essaya de l'en empêcher – la coutume ne voulait-elle pas, lors de ces expéditions, que les autochtones dignes de confiance se joignent à eux, souvent en simple qualité de mascottes? Quand enfin il contourna le Cap et se retrouva en haute mer, il lui fallut les suivre, d'abord vers le nord puis jusqu'aux latitudes inférieures, la malédiction de la grande lutte silencieuse sur laquelle se fondait l'histoire de cet endroit, depuis au moins la découverte de la première grotte bourrée de cristaux.

Bâti tout juste quelques années auparavant, en revêtement de bardeaux crème vif, avec un toit en tavillons gris d'une teinte légèrement plus claire que les affleurements et les murs de pierre qui l'entouraient, l'Hôtel Boréal, où l'Expédition avait installé son quartier général, possédait en angle une étrange sorte de tourelle ouverte, dont les fines colonnes blanches supportaient des balcons semi-circulaires aux premier et second étages, surmontés d'un toit conique, presque un clocher, terminé par un grand épi de faîtage qu'ornaient une girouette et quelques antennes sans fil. Derrière l'hôtel se dressait un flanc de montagne vert et pentu. La brume s'épanchait et glissait partout. Au bout de l'allée s'étendait le fjord, immense et soudain.

Hunter installa son chevalet de l'autre côté de la route et entreprit de peindre les lieux, malgré les microscopiques gouttelettes de brume salée qui s'incorporaient inévitablement sans toutefois s'y mêler au gris de Payne et au jaune de Naples, et dans les années à venir, alors que les petites toiles de cette période voyageaient dans le monde et prenaient de la valeur, on vit apparaître dessus des modelés, des ombres et des redéfinitions de l'espace, que Hunter n'avait pas vus sur le moment – il dut même attendre ses tardives phases «Venise» et «Londres» pour s'en apercevoir.

Toute la nuit, là-bas dans le vaste fjord, ils entendaient la glace, ils se réveillaient, ils se rendormaient, les voix de la glace pénétraient leurs rêves, leur dictaient ce qu'ils voyaient, ce que chaque rêveur, impuissant, devait contempler. Juste au nord se dressait un glacier d'une vaste étendue, le seul dans tout ce domaine glaciaire à n'avoir jamais été baptisé, comme par égard craintif pour son antique noblesse, sa poursuite apparemment consciente d'un projet...

«On ne peut pas se permettre de passer l'hiver ici, il nous faudra partir tant qu'on peut encore prendre la mer.»

«Je suis bien d'accord. Je ne suis même pas certain de pouvoir tenir encore une semaine ici. La nourriture —»

« Tu ne raffoles pas du Salmis Gundhil, je vois ça. »

« Y a pas une solution ? »

« Bon, c'est censé être réservé aux cas d'urgence, mais je crois qu'on peut dire que c'en est un. » Il ouvrit une valise noire et en scruta le contenu un moment. « Et voilà », tendant une antique bouteille soufflée à la bouche dont l'étiquette, soigneusement gravée et imprimée dans une gamme encore vive de couleurs tropicales, représentait un volcan en éruption, un perroquet au sourire dédaigneux et la légende : *¡ Cuidado Cabrón! Salsa Explosiva La Original*. « Une ou deux gouttes suffisent franchement pour relever ce Salmis Gundhil, pas que je veuille me montrer radin, comprends bien. Mon père m'a transmis cette sauce, comme l'avait fait son père avant lui, et le niveau n'a pas baissé même d'un quart de pouce depuis, alors tout ce que je dis c'est qu'y faut faire gaffe. »

Comme de bien entendu, ce conseil fut ignoré, et lors du repas suivant la bouteille circula de main en main et tout le monde se servit abondamment. La soirée qui en résulta se distingua par l'hystérie et la récrimination.

Le monde luxuriant du perroquet figurant sur l'étiquette, bien qu'apparemment aussi éloigné que possible de ce sévère paysage de glace, n'en était en fait séparé que par la plus fine des membranes. Pour passer de l'un à l'autre, il suffisait de concentrer son attention sans relâche sur l'image de l'oiseau, en s'avilissant pendant ce temps devant son mépris, et de répéter « *¡ Cuidado Cabrón!* » de préférence avec l'accent perroquet, jusqu'à ce que la phrase soit vidée de toute signification – même si dans la pratique, bien sûr, le nombre de répétitions avoisinait plusieurs millions, les auditeurs ayant vu entre-temps leurs ancêtres portés en terre. Acquérant ainsi la force d'un moulin à prières tibétain, l'exercice, pensait-on, servait également de sésame pour accéder au pays Tsangpo-Brahmaputra, un détail que les anciens de l'Expédition n'hésitaient pas à souligner.

À première vue en entrant dans la salle, on eût dit simplement des messieurs barbus en costume sombre et gilet assorti, mais ces savants offraient en réalité un éventail international de mobiles et d'excentricités. Le Dr Vormance était en congé sabbatique de l'Université de Candlebrow, où il dirigeait en temps normal le Département de minéralogie. L'éminent quaternioniste Dr V. Ganesh Rao de l'Université de Calcutta recherchait un passage vers l'Ultérieur, ainsi qu'il aimait à le formuler, ayant décidé de trouver la sagesse dans le silence et de laisser les mathématiques et l'histoire procéder à leur guise. Le desperado de l'arnaque Dodge Flannelette, quant à lui, était principalement ici pour les éventuels usages desdites découvertes, ayant été secrètement informé, par exemple, que le spath d'Islande était indispensable à la mise au point de moyens permettant d'envoyer des images animées à des milliers de kilomètres, voire partout dans le monde. Et le jeune Mr Fleetwood Vibe était ici à la requête de son père, le célèbre Scarsdale Vibe de Wall Street, qui par ailleurs finançait l'Expédition. Fleetwood avait entre autres pour mission d'observer et de noter les dépenses intempestives, afin que Vibe père puisse un jour exercer une vengeance justifiée.

«Mais ce qu'il convient surtout de prendre en compte», expliqua le magnat en promenant son regard sans jamais l'arrêter sur son fils, une attitude qui, comme l'avaient appris très tôt Fleetwood et ses frères, signifiait que Scarsdale ne leur faisait pas entièrement confiance et ne leur disait pas tout, loin de là, «c'est la valeur ferroviaire du terrain. Alors que nous parlons, Frère Harriman est en train de bourrer ses cales de scientifiques et d'organiser une sorte de banquet en Alaska. Avec la complicité du vieux Schiff, bien sûr. D'où on peut en déduire très certainement un projet de voie ferrée dans le Détroit de Behring, reliant l'Alaska à la Sibérie, puis se raccordant au Transsib, et de là Dieu sait où. En mettant de côté bien sûr les épouvantables conditions que rencontrerait n'importe quel train essayant de franchir le Détroit de Behring sur un pont ferroviaire.»

Cela avait toute l'apparence de confidences à caractère commercial mais ça signifiait en fait simplement que d'importantes informations étaient gardées secrètes, et que Fleetwood, s'il souhaitait d'autres d'éclaircissements, allait devoir se débrouiller tout seul.

«Alors comme ça... tu veux le battre de vitesse.»

«Les battre», le corrigea Scarsdale. «Un alpiniste *plus* un Juif. Pas étonnant que le monde perde la boule.»

Le Groupe de discussion transnoctial tenait ses réunions dans l'un des salons du sous-sol de l'hôtel, situé hors de portée d'oreille d'invités qui auraient pu vouloir, par exemple, dormir. Le thème de la soirée était «La nature des expéditions».

«Nous avons appris par le passé comment dompter les chevaux et les monter sur de longues distances, grâce aux navires de haute mer nous avons quitté les surfaces plates pour entrer dans un espace riemannien, nous avons traversé terres et océans, et colonisé ce que nous trouvions», déclara le Dr Vormance. «Nous en sommes à présent à quelques battements d'ailes de ce qui va nous permettre de coloniser le Ciel.

Quelque part là-haut, Dieu siège dans Sa Cité céleste. Jusqu'où devrons-nous aller pour Le trouver dans cette étendue inconnue dont il n'existe aucune carte ? Se retirera-t-Il à notre arrivée, sans cesse plus avant dans l'Infini ? Nous enverra-t-Il des Agents divins, pour nous aider, nous égarer, nous repousser ? Sèmerons-nous des colonies dans le Ciel, au fil de nos invasions, ou choisirons-nous d'être des nomades, levant le camp chaque matin, ne nous satisfaisant de rien moins que de Sion ? Et qu'en est-il de la colonisation de dimensions autres que la troisième ? Coloniser le Temps. Pourquoi pas ? »

«Parce que, monsieur», objecta le Dr Templeton Blope, de l'Université des Hébrides extérieures, «nous sommes limités à trois.»

«Billevesées quaternionistes !» s'écria son homologue Hastings Throyle. «Tout, du charnel au spirituel, a investi les trois dimensions données – et à quoi servirait, comme le demandait votre Pr Tate de célèbre mémoire, davantage que trois ?»

«Franchement désolé, une fois de plus. Le monde donné, au cas où vous ne l'auriez pas remarqué. La planète Terre.»

«Dont on pensait il n'y a pas si longtemps qu'elle était une surface plane.»

Et ainsi de suite. Une dispute récurrente. Le quaternionisme baignait encore à cette époque dans la lumière et la chaleur d'un joyeux midi. Il se pouvait que des systèmes rivaux fussent de temps à autre admis, en général du fait d'une propriété jugée importune, mais les membres du culte hamiltonien se sentaient immunisés contre toute éventuelle supplantation, tels des enfants s'imaginant qu'ils vivraient à jamais – même si ceux d'entre eux qui se trouvaient à bord du *Malus* ne savaient pas trop ce que voulait dire le Document de mission, soigneusement gardé, quand il décrivait le périple actuel comme étant accompli «à angles droits par rapport au cours du temps».

«Le temps se déplace sur un seul axe», rappela le Dr Blope, «du passé vers l'avenir – les seuls virages possibles étant ceux à cent quatre-vingts degrés. Pour les quaternions, une direction à quatre-vingt-dix degrés correspondrait à un axe supplémentaire dont l'unité est $\sqrt{-1}$. Tout virage à un autre angle exigerait pour son unité un nombre complexe.»

«Mais des applications dans lesquelles un axe linéaire devient curvilinéaire – les fonctions d'une variable complexe telle que $w = e^z$, où une ligne droite sur le plan z correspond à un cercle dans le plan w», dit le Dr Rao, «suggèrent bel et bien la possibilité d'un temps linéaire devenant circulaire, et accomplissant donc l'éternel retour aussi simplement ou, devrais-je dire, aussi complexement que ça.»

La fumée des cigares bon marché emplissait l'air, et les bouteilles d'aquavit danois d'importation à quinze *cents*, une fois vidées, furent remplacées par un produit distillé localement et servi dans des cruches en terre de volume plus conséquent. Dehors, dans l'obscurité, l'antique banquise grinçait, à croire qu'elle aussi avait son mot à dire.

Comme si l'heure elle-même avait révélé en avançant on ne sait quelle sombre fatalité, la discussion vint à porter sur la question de l'Éther luminifère, et une fois de plus les opinions échangées – reposant, comme les quaternions, largement sur la foi – ne furent guère exemptes d'une certaine véhémence.

«Bande de crétins!» lança le Dr Blope, qui appartenait à cette école anglaise, née dans le sillage de l'expérience de Michelson-Morley, persuadée qu'un élément secret dans la Nature s'efforçait d'empêcher toute mesure de la vélocité de la Terre dans l'Éther. Si ladite vélocité produisait, comme l'affirmait Fitzgerald, un rétrécissement dimensionnel dans la même direction, il était impossible alors de la mesurer, car l'instrument de mesure rétrécirait également. «Il est clair que Quelque Chose ne veut pas que nous sachions!»

«À peu près ce à quoi je m'attendais de la part des Angliches», contra pensivement le Dr Vormance. «La moitié des unités d'habitation de cette île ont été visiblement hantées à un moment ou à un autre. Leurs occupants voient des fantômes, ils voient des fées sous chaque champignon, comestible ou non. Ils croient à la projection astrale, la prescience, la réincarnation et autres preuves de l'immunité au Temps.»

«C'est de moi que vous parlez, n'est-ce pas?»

«Mais non, Blope, pas du tout.»

Tout le monde ricana avec condescendance, sauf bien sûr le Dr Blope.

«Ce qui ne peut être résolu à l'intérieur de la psyché», intervint l'aliéniste de l'Expédition, Otto Ghloix, «doit s'aventurer dans le monde extérieur et devenir physiquement, objectivement, "réel". Par exemple, celui qui ne peut composer avec le caractère il faut bien dire *sinistre et inconnaissable* de la Lumière projette un Éther, réel en tout point, si ce n'est qu'il est indétectable.»

«M'a tout l'air d'une propriété assez indispensable, vous ne trouvez pas? À mettre dans la même catégorie que Dieu, l'âme —»

«Des fées sous les champignons», répéta quelque part dans le groupe un perturbateur, que personne, bizarrement, ne parut pouvoir vraiment identifier.

Les Islandais, toutefois, avaient une longue tradition fantomale à côté de laquelle les Britanniques semblaient des parangons de rationalisme.

Un peu plus tôt, des membres de l'Expédition avaient visité la Grande Bibliothèque d'Islande dont les murs verts et transparents donnaient sur la mer ensoleillée. Il y avait là des ateliers, des mess, mais aussi des centres d'opération, empilés jusqu'au sommet de la grande falaise, au moins une douzaine de niveaux. Sur les rayonnages de la bibliothèque figurait *Le Livre du spath d'Islande*, décrit couramment comme «rappelant la *Ynglingasaga* mais avec des différences», et qui contenait des récits familiaux depuis la découverte et l'exploitation du minerai éponyme jusqu'à aujourd'hui, y compris un récit au jour le jour de l'Expédition actuellement en cours, traitant même *des jours qui ne s'étaient pas encore écoulés*.

«Divination! Impossible!»

«À moins qu'on admette que certains textes sont —»

«Hors du temps», suggéra l'un des bibliothécaires.

«Les Saintes Écritures, et cætera.»

«Dans une relation différente au temps, en tout cas. Et devant peut-être même être lus, modifiés, au moyen d'une lentille polie à partir de cette même calcite que vous autres êtes venus chercher ici à en croire la rumeur.»

«Une autre Quête d'un autre fichu Cristal magique. Balivernes, dis-je. J'aurais préféré savoir tout ça avant d'embarquer. Dites donc, vous ne seriez pas des pétranimistes, par hasard?»

La conscience minérale était même à cette époque une source de plaisanterie – s'ils avaient su ce qui les attendait dans ce domaine… les attendait pour s'en prendre à eux, leurs sourires se seraient figés et leurs ricanements changés en toussotements étranglés.

«Bien sûr», dit le bibliothécaire, «vous trouverez du spath d'Islande partout dans le monde, souvent dans le voisinage du zinc, ou de l'argent, dont une partie convient parfaitement aux instruments d'optique. Mais ici il est sous sa forme pure, et on ne le trouve en aucune autre compagnie que la sienne. C'est un élément authentique, et l'infrastructure de la réalité. Le doublement de la Création, chaque image nette et crédible… Et puisque vous êtes tous d'éminents mathématiciens, il ne peut guère avoir échappé à votre attention que sa curieuse apparition dans le monde s'est produite à peine quelques années après la découverte des Nombres imaginaires, qui ont également permis un doublement de la Création mathématique.

«Car ceci n'est pas que l'Islande géographique, c'est également une des nombreuses convergences entre les mondes, découverte de temps à autre derrière les apparences, tels ces passages souterrains sous la surface, qui serpentent entre les grottes de spath, aveuglément, parmi des cristaux qui n'ont jamais vu, et ne verront sans doute jamais, la lumière. Sous terre, là où vit le "Peuple caché", à l'intérieur de leurs habitats rocheux, dont les humains qui leur rendent visite peuvent se retrouver prisonniers sans jamais retrouver d'issue. Le spath d'Islande est ce qui cache le Peuple caché, permet à ce dernier de se déplacer dans le monde qui se croit "réel", et fournit à sa lumière cette torsion cruciale à quatre-vingt-dix degrés, afin qu'il puisse coexister avec notre monde mais sans être vu. Lui et d'autres aussi bien, des visiteurs venus d'ailleurs, et d'aspect non humain.

« Ces êtres cachés sont passés par ici, ont accompli un passage, entre deux mondes, depuis des générations. Nos ancêtres les connaissaient. Il y a mille ans, leurs intrusions sur nos rivages convergent enfin, tel un point de fuite, avec celles des premiers visiteurs nordiques.

« Ils arrivent ici dans un état d'esprit criminel, tout comme ces premiers Scandinaves, qui soit fuyaient un châtiment pour des crimes commis sur leur sol soit recherchaient de nouveaux littoraux à piller. Et qui dans notre excès de civilisation nous semblent aujourd'hui des barbares, ignorant la pitié. Mais comparés à ces autres intrus, ils sont la courtoisie même. »

Le soleil se leva, traînée menaçante dans le ciel, pas tout à fait informe, capable en fait de revêtir l'apparence d'un emblème immédiatement reconnaissable mais innommable, si familier que l'incapacité à le nommer passait de la simple frustration à un effroi réel, dont la complexité s'intensifiait presque à chaque instant... son nom synonyme de puissance ne devant jamais être prononcé à voix haute, ni même évoqué en silence. Ce n'était tout autour qu'embuscades de glace fourbe, présences latentes, hantant toute transaction, chacune pareille au cercle infinitésimal convergeant vers zéro auquel les mathématiciens trouvent de temps à autre un usage. Une issue silencieuse, inodore, gris argent, hors du monde supérieur... Le soleil était parfois visible, avec ou sans nuages, mais le ciel n'était pas tant bleu que d'un gris d'une densité neutre. Là-bas sur le promontoire poussait un feuillage à la texture lisse, d'un vert uniformément éclatant dans cette lumière, et, se brisant au pied du Cap, la mer, d'un vert marin, polaire, vitrifié.

Hunter avait passé la journée dehors avec son carnet à dessins et reproduit tout ce qu'il pouvait afin de l'emporter avec lui. C'était sa dernière soirée avec Constance avant d'embarquer.

« Je voulais qu'on fête ton départ », dit-elle, « mais il n'y a rien ici à manger. »

« Je peux faire un saut chez Narvik. »

« Il est tard. La glace est traîtresse passé minuit. »

« Il ne fait pas si noir, grand-mère. Ça ne me prendra pas longtemps. »

Il y avait d'ordinaire des passeurs sur le rivage, qui s'occupaient de faire la navette une fois que les bacs étaient à quai pour la nuit – ils pouvaient compter sur un trafic nocturne régulier, à défaut d'important, comme si là-bas sur la terre ferme se trouvait un repaire à l'obscur prestige, connu seulement de quelques initiés. Le petit bateau fuselé filait en grondant comme un chien de chasse frustré, et les pilotes s'interpellaient entre les glaces flottantes. Une certaine phosphorescence dans la glace éclairait suffisamment la nuit.

Mais ce soir-là la ville était d'humeur mélancolique. Il ne se passait pas grand-chose. Le départ imminent du *Malus* semblait avoir plongé tout un chacun dans le désœuvrement. Des lumières brûlaient partout, comme si d'invisibles réceptions avaient lieu. L'insomnie enveloppait la ville tel un drap collant de sueur. Des bandes de forbans surgissaient de temps en temps, mais leur crime se bornait à lancer des regards noirs. S'improvisant aubergistes, les habitants insomniaques accueillaient les nouveaux venus dans leurs propres salons, puis restaient là sans dire un mot, n'offrant que rarement de l'alcool du fait du prix exorbitant de ce dernier, qu'ils n'achetaient que la nuit et avec des billets de banque car le bruit des pièces se répercutait bien trop loin, sans jamais diminuer d'intensité, dans les vastes silences.

Le seul endroit où se restaurer à cette heure-ci était le Relais du Nord Le Vite-Fait de Narvik, bondé à toute heure, devant lequel on faisait en général la queue. Hunter prévoyait une longue attente. Non seulement la file était intolérablement lente – souvent elle restait un quart d'heure sans avancer – mais, quand elle s'ébranlait, elle ne grappillait qu'*une fraction de l'espace* qu'un seul corps occupait. Comme si certains clients n'étaient, bizarrement, que partiellement présents.

Parallèlement à cette file lambine, comme remontant le courant, un ingénieux convoi de plats fonctionnant à la vapeur passait sans interruption, rappelant à ceux qui attendaient le menu du jour, blancs de baleine braisés aux baies jaunes, œufs de labbe au plat ou à la coque, côtelettes de morse et parfaits à la neige, sans parler du très apprécié Salmis Gundhil, la spécialité de la semaine – de toutes les semaines en fait –, le convoi passant en grinçant derrière la vitrine, à quelques centimètres de la clientèle qui en avait l'eau à la bouche, sans être pourtant, eu égard aux pulsions débridées qui caractérisaient les habitants du coin, correctement protégé. L'attente était ponctuée de chapardages, mais également de doublements intempestifs, de jets de nourriture, d'insultes visant les mères, et d'excursions non préméditées au-delà de la jetée de chez Narvik.

Quant à Narvik lui-même, qui paraît-il ne dormait jamais, il continuait de s'activer dans tous les sens ainsi qu'il l'avait fait toute la nuit, accueillant les clients, allant chercher les commandes en cuisine, encaissant l'argent, s'efforçant en général avec un humour on ne peut plus arctique d'égayer ceux qui avaient encore longtemps à attendre. «Un Canadien se fait renverser par une ambulance. "Heureusement que vous étiez là!" qu'il leur fait. Un prospecteur d'or du Yukon encourage un Italien récemment arrivé: "Va à fond! Du culot!"; l'autre dit: "Hé, va-*fan*-cule toi et ta mère aussi." Vous savez ce qu'on dit à une Alaskienne? "Tu traînes, oh!" »

«Je vais prendre deux Salmis Gundhil», dit enfin Hunter, «un peu de salade de racines, aussi, avec ça, oh, et si vous pouviez me rajouter un peu de sauce Mystère?»

Il retourna sur l'île à la faveur d'une nuit désormais aussi froide et déserte que la promesse de l'hiver à venir, évitant les glaces menaçantes qui, comme animées d'une conscience malfaisante, cherchaient à engloutir l'imprudent tels des sables mouvants, sans prévenir.

Et dans le ballet incessant des glaces, les innombrables translations et rotations, fontes et gelées, il arrivait parfois que les formes et les tailles des masses dans cette «Venise de l'Arctique» fussent exactement les mêmes que celles de la Venise séculaire et de ses propres îles éparses. Toutes ces formes n'étaient pas de la terre ferme, bien sûr, certaines étaient de glace, mais, si on y voyait des espaces à connexions multiples, ça revenait au même, Murano, Burano, San Michele, le Grand Canal, chaque petite voie d'eau dans le moindre détail, et pendant ce court instant il était possible de passer d'une version à l'autre. Toute son enfance, Hunter Penhallow avait guetté ce moment fatidique, prié pour que ses sens subissent sa tonitruante agression, et se produise instantanément la translation à des kilomètres et des années d'ici, dans la Ville du Silence, la Reine de l'Adriatique. Il se «réveillerait», même s'il aurait davantage l'impression d'arriver, après un voyage inconscient, dans une chambre de l'Hôtel Bauer-Grünwald tandis qu'un ténor pousserait un cri déchirant accompagné par un concertina juste sous la fenêtre, le soleil se couchant derrière Mestre.

Mais la glace revenait toujours s'insinuer dans ses rêveries nocturnes. Les canaux gelés. La glace protectrice. Retrouver tous les soirs la glace, comme un foyer. Reposer, aussi horizontal que la glace, sous la surface, entrer dans le sommeil tant recherché, infracturable, hermétique…

S'enfoncer dans l'autre monde de l'enfance et des rêves, là où les ours polaires ne font plus de carnages mais plongent dans l'eau, nagent sous la glace et deviennent alors de grandes créatures marines blanches et amphibies, aussi gracieuses que des dauphins.

Quand sa grand-mère était petite, lui raconta-t-elle, un jour, à l'école, les sœurs annoncèrent qu'elles allaient étudier les créatures vivantes. «J'ai proposé la glace. Elles m'ont virée du cours. »

En milieu de matinée, Constance se rendit sur la corniche, se pencha par-dessus le rebord et vit que le minuscule bateau qui naguère mouillait ici, au pied des falaises déchiquetées, retenu seulement par la plus légère ancre à jet au lit du port, et qui semblait parfois trembler du désir de prendre la mer, était enfin parti, pour rejoindre des eaux plus émeraude, des vents aromatiques, des hamacs installés sur le pont. Depuis cette éminence, la mer s'étendait plus grise que jamais, le vent guère plus froid que d'habitude, la végétation réduite à sa plus austère expression, uniquement des nuances de blanc, de chamois et de gris, des herbes pâles, à deux doigts d'être vertes, ployant en chœur sous le vent, un million de tiges toutes penchées exactement au même angle, qu'aucun instrument scientifique ne mesurerait. Elle regarda autour d'elle, prenant son temps, gardant le sud pour la fin. Pas une volute de fumée, pas même l'ultime cri d'une sirène à vapeur étouffé par le vent, juste la lettre d'adieu qui l'attendait ce matin-là sur la table de travail, enfouie désormais tel un mouchoir froissé dans sa poche, et dans laquelle il lui ouvrait son cœur – mais qu'elle était incapable de rouvrir et de relire de peur qu'un sortilège irréversible l'ait, entre-temps, changée en feuille vierge.

Rien à voir avec la narcose du Nord. Demandez à tous ceux qui sont allés là. Ils ont débarqué. Ils ont discuté. Ils ont partagé leurs paniers de pique-nique. Pâté de fois gras en gelée, faisan aux truffes, pudding à la Nesselrode, un champagne cuvée 96 qu'ils gardaient frappé dans la glace du coin…

Ce sont les chants que nous avons remarqués en premier. Dans ce genre de situation, la première chose qu'il convient d'exclure est la folie collective, même si aucun membre de l'Expédition n'était d'accord quant à *ce qui était chanté*. Ce n'est qu'après avoir méticuleusement examiné aux jumelles l'endroit d'où provenait cette musique stridente et inhabituelle que certains d'entre nous repérèrent un point noir, suspendu dans le ciel gelé, assez bas, et qui grandissait lentement, alors même que l'inepte chorale, para-doxalement mais fort heureusement, semblait décroître, mais pas avant que la chanson se fût gravée dans tous les esprits. Datant d'environ 1897, elle commémorait la réapparition sur la côte sep-tentrionale de la Norvège de Fridtjof Nansen et Frederik Hjalmar Johansen, de retour d'un périple de trois ans dans le silence polaire, quelques semaines après le bateau sur lequel ils avaient embarqué, le vaillant *Fram*. Ne serait-ce que par souci d'objec-tivité scientifique, je me sens obligé de la reproduire ici :

Quelle folie soudaine :
Voilà qu'on célèbre partout
Nansen et Johansen,
Ces robustes et jeunes gars du Pô-ô-ô-le !

Venus de tous les cieux,
Les gens sautent sur
Ces Norvégiens audacieux
À tour de rô-ô-ô-le !

Trois ans plus tôt
Ils sont partis sur le *Fram*.
Maintenant qu'ils sont rentrés
Tout le monde se pâme!

Désormais ils ne tiennent
Plus en place et,
Pour Nansen et Johansen,
Ils dansent comme des drô-ô-ôles!

Nous fûmes stupéfiés par l'immensité du véhicule qui vint finalement se poster au-dessus de nous. Nous étions à peine assez nombreux pour nous emparer des filins qu'on nous lançait. Nous dûmes leur faire l'effet d'insectes interchangeables, s'agitant en tous sens.

«Nous ne sommes ni en danger», leur affirmâmes-nous à plusieurs reprises, «ni, d'ailleurs, en quête de la moindre assistance.»

«Vous courez un danger *mortel*», déclara leur Officier scientifique, le Dr Counterfly, une sorte de savant, barbu et emmitouflé comme toute sa clique, les yeux dissimulés par d'ingénieuses lunettes de protection, dont les verres étaient en fait deux prismes Nicol assortis qu'on pouvait faire tourner afin de contrôler avec précision la quantité de lumière reçue par chaque œil. «Peut-être en avez-vous été trop proches pour le voir… Quant à nous, nous n'avons quasiment vu que ça, depuis notre départ du quatre-vingtième parallèle. Une Zone d'urgence a été décrétée sur un rayon de cent cinquante kilomètres. Le sommet dans le vent où vous avez choisi d'installer votre poste de commande est bien trop régulier par sa forme pour être le *nunatak* que vous imaginez. Aucun d'entre vous n'a soupçonné une structure artificielle? En fait, il n'était pas situé ici par hasard, et vous n'auriez pas pu élire de site plus dangereux.»

«Ah!» s'enflamma le Dr Vormance, «et je suppose que vous pouvez voir à travers la glace jusqu'au fond.»

«De nos jours, comme vous le savez, monsieur, il y a rayons et rayons, et l'on peut compter aisément sur des longueurs d'onde autres que celles de la lumière pour voyager à travers même le plus obstiné des médiums.»

Nunatak, qui signifie littéralement en langue eskimo «pic isolé», se réfère à un pic montagneux assez grand pour s'élever au-dessus des étendues de glace et de neige qui par ailleurs recouvrent la terre. Chaque pic, censé posséder son propre ange gardien, est vivant, une arche abritant les lichens, mousses, fleurs, insectes ou même oiseaux qu'y peuvent apporter les vents de la région. Pendant l'Âge de Glace, nombre de nos propres montagnes aux États-Unis, aujourd'hui familières voire célèbres, étaient donc des *nunataks*, et se dressaient pareillement au-dessus de cette antique étendue glaciaire, entretenant le flambeau de l'espèce jusqu'au jour où la glace diminuerait et où la vie reprendrait ses droits.

Sur leur invitation, nous nous entassâmes dans la spacieuse cabine de contrôle du vaste aéronef, où chaque centimètre cube – voire hypercubique – était occupé par du matériel scientifique. Parmi les enveloppes de verre fantasques et enchevêtrements de fils d'or qui nous étaient aussi impénétrables que les panneaux de contrôle en acajou scrupuleusement lustré où se réfléchissait le ciel arctique, nous fûmes capables par endroits de reconnaître des éléments plus courants – ici des boîtes de résistance Manganin et des bobines de Tesla, là des cellules Leclanché et des aimants solénoïdaux, des câbles électriques gainés dans de la gutta-percha de haute qualité courant un peu partout.

À l'intérieur, le plafond était beaucoup plus haut qu'on aurait pu s'y attendre, et c'est à peine si l'on distinguait les cloisons dans la lumière atténuée par les trois lentilles de Fresnel suspendues, dont chaque manchon dégageait une couleur primaire différente, grâce aux flammes sensibles qui sifflaient à différentes fréquences. Des sonorités étranges, des harmonies et des dissonances à la fois percutantes, complexes, retentissantes et sibilantes, contrôlées depuis un endroit très extérieur à ceci, sortaient d'un grand porte-voix en cuivre, équipé de tubes et de valves en cuivre aussi ouvragés que ceux qu'on trouve dans une fanfare américaine et qui étaient reliés à un vaste panneau de contrôle présentant divers instruments de mesure, dont les aiguilles, dotées de minutieuses pointes de flèche dans le style Bréguet, tremblaient en s'élevant et s'abaissant le long d'arcs chiffrés en italique. Le rougeoiement des bobines électriques s'étendait au-delà des cylindres de verre qui les protégeaient, et la main qui s'en approchait semblait plongée dans de la poudre de craie bleue. Un télégraphone de Poulsen, enregistrant les données entrantes, faisait sans relâche la navette le long d'un fil métallique brillant, régulièrement remplacé.

« Des impulsions éthériques », était en train d'expliquer le Dr Counterfly. « Pour la stabilisation du vortex nous avons besoin d'une membrane suffisamment sensible pour réagir aux plus légers mouvements tourbillonnaires. Nous utilisons un film placentaire – une "coiffe", comme disent certains.»

«Ne prétend-on pas qu'un enfant né coiffé a des dons de double vue?» demanda le Dr Vormance.

«Exact. Et un vaisseau ayant une coiffe à son bord ne coulera jamais – ou, dans notre cas, ne tombera jamais.»

«Certains ont tenté de fabriquer une coiffe», ajouta sombrement un officier subalterne, Mr Suckling, «mais on évitera d'en parler.»

«Intéressant. Comment vous êtes-vous procuré la vôtre?»

«Une longue histoire, et fort complexe.»

Là-dessus, l'Officier scientifique Counterfly nous informa que le Générateur de rayon spécial s'était mis en activité, nous permettant de voir le *nunatak* sous un autre jour, pour ainsi dire. Il nous conduisit dans un compartiment adjacent, où des écrans transparents rougeoyaient à diverses intensités, et s'assit devant un panneau de contrôle.

«Bien, réglons un peu la puissance… Parfait. Vous le voyez? Jetez un œil sur le panneau réflecteur, là, juste sous le truc en quartz.»

Il nous fallut quelque temps pour interpréter ce que révélait l'étrange *camera lucida*. Ce ne fut au début qu'une confusion brouillée d'un étrange vert jaunâtre, dans laquelle des zones de lumière et d'ombre se déplaçaient en un trémoussement incessant, et semblaient, dans leur lente effervescence, se pénétrer les unes les autres tout en s'enveloppant. Bien qu'absorbés par ces ondulations hypnotiques, nous nous aperçûmes que le cadre visible se dirigeait toujours vers le bas, alors même que l'agitation glauque commençait, ici et là, à se muer en une suite d'inscriptions, qui fusaient vers le haut, trop rapidement pour qu'on pût les lire, même si on avait pu les déchiffrer.

«Nous pensons qu'il s'agit d'avertissements», fit remarquer le commandant de l'aéronef, le Pr St. Cosmo, «concernant peut-être le site d'une sépulture sacrée… une sorte de tombe…»

«Une allusion maladroite», gloussa le Dr Vormance, «aux récentes mésaventures de certains égyptologues assez imprudents pour avoir pénétré dans ces royaumes de repos éternel?»

«Plutôt du zèle justifié», répliqua le Dr Counterfly, «et un respect pour les probabilités.»

Il désigna l'image transmise par les prismes de l'instrument, qui avait régulièrement gagné en netteté, telle une aube fatidique que nul ne guetterait avec impatience. Nous nous aperçûmes assez vite que nous ne pouvions en détourner le regard. Bien qu'il fût encore difficile de distinguer les détails, la Forme paraissait reposer sur le flanc, une odalisque des neiges – mais adonnée à quels plaisirs? C'était là une question bien trop dangereuse pour qu'on la pose –, et nos avis divergèrent quant à la nature de ses traits «faciaux», certains les décrivant comme «mongoloïdes», d'autres comme «ophidiens». Ses yeux, la plupart du temps, si tant est que ce fussent des yeux, demeuraient ouverts, son regard encore vague – même si nous étions soudés par la peur partagée de la voir *prendre conscience de notre intérêt* et tourner tranquillement son horrible tête pour nous dévisager.

Bizarrement, la question de son caractère «vivant» ou «conscient» n'intervint jamais dans notre décision de la récupérer. À quelles profondeurs gisait-elle? voulûmes-nous savoir. Y avait-il de la neige tout du long jusqu'en bas, ou allions-nous rencontrer une quelconque roche? Des questions pratiques. Une approche musclée. Pas un seul rêveur parmi nous, pour être franc, encore moins un rêveur enclin aux cauchemars – la présence d'un seul, lors d'une expédition de ce genre, devrait être à l'avenir exigée par statut. Quelle que fût la chose que nous avions vue sur l'instrument de vision, nous l'avions déjà, dans une terreur muette, rejetée.

Des érudits, ayant récemment étudié les *Edda* dans leur forme originelle à la Bibliothèque d'Islande, oseraient plus tard – trop tard – une comparaison avec Buri, grand-père d'Odin et des premiers dieux, pris dans la glace de Niflheim pendant des temps immémoriaux, jusqu'à ce que la langue de la vache mythique Audumla le réveille. Lequel d'entre nous, tel un enfant étourdi dans une fête foraine, n'avait pas rendu une faveur analogue à notre Visiteur gelé? Quels dieux, quelles races, quels mondes étaient donc sur le point de naître?

Les alpinistes de l'Expédition décriraient l'opération comme n'étant guère plus ardue qu'une descente dans une crevasse. L'équipage du grand aéronef, après nous avoir mis en garde autant qu'il l'estimait possible, se tint alors à l'écart. Leur mission paraissait se borner à nous avertir – ils secouaient la tête d'un air contrit, nous observant depuis le plat-bord de leur nacelle, mais ils n'intervinrent ni ne levèrent le petit doigt pour nous aider. Et nous, intrépides innocents, nous descendîmes dans ces ombres, quittant abruptement le vent alors que les parois de neige inodores s'élevaient autour de nous, et nous longeâmes la pente bien trop régulière de ce que nous continuions bêtement d'appeler le *nunatak* à la rencontre de notre destin. Les Eskimos avaient paru pressés, parfois de façon peu naturelle, de nous voir nous mettre au travail. Mais chaque fois que nous tombions sur un groupe d'entre eux en train de discuter, ils se taisaient et ne reparlaient que lorsque nous avions cessé d'être à portée de voix. Bientôt, un par un, selon un horaire secret que nous ne pûmes déchiffrer, ils s'en allèrent, en marmonnant, filant sur la glace et disparaissant à tout jamais dans l'éclat jaunissant.

Nous éprouvâmes bientôt une euphorie sans réserve, accompagnée d'une résignation collective à la gloire et à la fortune. Nous échangions des sentiments convenus – «Même la météo est de notre côté.» «Une bonne chose que nous soyons tous sous contrat.» «Les Vibe s'empresseront de le vendre dès qu'ils le verront.» Nous progressions péniblement dans l'obscurité polaire, nos visages agressés par la terrible flambée orange de l'aurore. De temps en temps, les chiens devenaient fous – ils se raidissaient, le regard fixe et effrayé, prenaient la fuite et essayaient de se cacher ou de mordre tout ce qui s'approchait. Il y avait parfois des explications tangibles – ils avaient senti un ours polaire ou un morse à des kilomètres de là. Mais parfois on ne trouvait aucune explication. La cause, quelle qu'elle fût, en restait invisible.

Et, en une occasion, ils n'aboyèrent pas alors qu'ils l'auraient dû. Nous vîmes un jour approcher sur la plaine blanche une silhouette vêtue de peaux d'ours n'appartenant pas à cette région, et qui, chose étrange et inquiétante, *venait du nord.* Mr Dodge Flannelette s'était instinctivement saisi de son fusil, quand Mr Hastings Throyle, je crois que c'était lui, lança quelques mots en langue toungouse, ajoutant: «Ça alors! mais c'est ce vieux Magyakan. Je l'ai connu en Sibérie.»

«Il n'a pas pu venir de là-bas à pied», déclara le Dr Vormance d'un ton sceptique.

«Ma foi, il est plus probable qu'il soit arrivé par les airs, et non seulement il est venu ici pour nous voir mais aussi et simultanément, je n'en doute pas, pour rejoindre les siens sur les hauteurs du Ienisseï.»

«Vous commencez à m'inquiéter, Throyle.»

Ce dernier expliqua alors le mystérieux pouvoir chamanique connu sous le nom de bilocation, qui permet à ceux qui ont ce don d'être littéralement dans deux endroits ou plus, souvent très éloignés, au même moment.

«Il dit qu'il a un message pour nous.»

«Il a l'air d'avoir peur de quelque chose.»

«Hystérie arctique», fit le Dr Ghloix, l'Officier psycho-médical de l'Expédition. «Une sorte de mélancolie septentrionale, qui bien trop souvent présage un suicide.»

Magyakan refusa la nourriture qu'on lui proposait mais accepta une tasse de thé et un havane, s'assit, ferma à moitié les yeux et commença à parler, tandis que Throyle traduisait.

«Il se peut qu'ils ne nous veuillent aucun mal. Il se peut même que d'une certaine façon ils nous aiment. Mais ils n'ont pas plus le choix que vos chiens de traîneau, dans cette terrible étendue, à leurs yeux déserte, qu'ils ont décidé d'explorer, où les êtres humains sont la seule source de nourriture. Nous avons le droit de vivre et de travailler jusqu'à ce que nous tombions d'épuisement. Mais ils souffrent autant que nous. Leurs voix seront douces, ils infligeront la douleur seulement quand ce sera nécessaire, et quand ils sortiront leurs armes, des objets que nous n'avons jamais vus avant, nous resterons bouche bée, muets comme des chiens, nous ne les reconnaîtrons pas, peut-être penserons-nous qu'il s'agit de jouets destinés à nous amuser...»

Il se tut, fuma longtemps, puis s'endormit. Peu après minuit il se réveilla, se leva et s'en alla dans le désert arctique.

«C'était une sorte de prophétie, alors?» demanda le Dr Vormance.

«Pas tout à fait dans le sens où nous l'entendons d'ordinaire», répondit Throyle. «Pour nous, c'est juste la faculté de lire l'avenir, en fonction de notre conception linéaire du temps, une simple ligne droite qui vient du passé, traverse le présent et s'éloigne dans l'avenir. Le temps chrétien, diriez-vous. Mais les chamans voient la chose différemment. Leur notion du temps s'étend non dans une seule dimension mais dans plusieurs, qui toutes existent en un seul instant atemporel.»

Nous en vînmes à observer les chiens plus attentivement. On les trouvait souvent en compagnie d'un autre gros chien par ailleurs indéfinissable, qui était arrivé ici à bord de l'aéronef. Les chiens de traîneau formaient souvent un cercle discipliné autour de lui, comme s'il s'adressait à eux.

Ce qui les perturba particulièrement, ce fut de devoir tirer le traîneau improvisé dont nous nous servîmes pour transporter l'objet sur la glace jusqu'au vaisseau. On avait l'impression d'avoir affaire à un syndicat canin. Peut-être, sous l'égide de Pugnax, car tel était le nom du chien aéronaute, était-ce exactement le cas.

Rapporter jusqu'au bateau ce que nous avions récupéré se révéla n'être que la première de nos épreuves. Descendre l'objet dans la cale fut d'emblée un désastre. Les échecs se succédèrent – quand ce n'était pas une prise mal assurée, alors quelque haussière, peu importe sa taille, était certaine de céder – mais chaque fois, mystérieusement, quelque chose empêchait l'objet de tomber et de se briser éventuellement… comme s'il était, disons, *conçu pour survivre* à notre maladresse. Tout en essayant de le faire entrer dans le bateau, nous mesurions, et mesurions encore, et immanquablement les dimensions se révélaient différentes – pas d'un chouïa mais drastiquement. Il semblait n'y avoir aucun moyen de faire passer l'objet par aucune des écoutilles. Nous dûmes finalement recourir à nos chalumeaux. Tout ce temps, la chose nous regarda avec ce qui, plus tard, quand nous eûmes commencé à estimer l'étendue de ses émotions, aurait pu être qualifié de mépris. Du fait de ses «yeux» rapprochés comme ceux des humains et autres prédateurs dotés d'une vision binoculaire, son regard restait fixé systématiquement, personnellement, sur chacun d'entre nous, quels que fussent notre position et nos mouvements.

Au cours du retour vers le sud, nous aurions dû raviver certains souvenirs, nos montres-réveils qui s'emballaient, le murmure mélodique de l'ocarina d'un membre de l'équipage dans un couloir étayé par des poutres aux boulons d'acier, l'odeur du café au petit déjeuner, la présence gibbeuse de l'aéronef venu nous mettre en garde, et qui demeurait à quart tribord, telle une lune égarée, jusqu'à ce qu'enfin, désespérant sans doute de notre bon sens, il prenne congé en lâchant des feux de Bengale qui n'étaient peut-être pas totalement exempts d'ironie.

Lequel d'entre nous était désireux de se retourner, de regarder dans les yeux l'avenir, de se mutiner si nécessaire et de contraindre le Capitaine à virer de bord, pour rapporter la chose là où nous l'avions trouvée? Les vestiges de notre médiocre naïveté s'estompaient tel un glas en mer. Même si nous étions incapables de prédire dans le détail ce qui allait se passer, pas un seul d'entre nous, même parmi les plus dénués d'imagination, ne sentait pas que là, en bas, sous nos pieds, en dessous de la ligne de flottaison où la chose reposait patiemment en dégelant, se préparait quelque chose de terrible.

Enfin rentrés à bon port, nous ne fûmes guère inquiets en entendant pour la première fois ces profonds gémissements, du métal frottant le métal. Ici comme dans n'importe quel vaste port de mer, être invisible, pensions-nous, signifiait être en sécurité, invisible parmi les mouvements impersonnels du commerce, les allées et venues des cabriolets de Whitehall, les forêts de mâts et de cheminées, les jungles de gréements, les promontoires des cargaisons, la présence habituelle des armateurs, shipchandlers, courtiers d'assurances, responsables de port, débardeurs, et enfin une délégation du musée, venue récupérer ce que nous avions apporté, et qui nous ignora, voire ne nous vit même pas.

Peut-être que dans leur hâte à se débarrasser de nous ne comprirent-ils pas, comme nous l'avions compris, combien l'objet en question était *imparfaitement contenu*. Comme s'il s'agissait là de l'incarnation d'un «champ» récemment découvert et pour l'instant grossièrement calculé, révélateur de notre Péché originel – nos échecs répétés, là-bas dans le Nord, pour déterminer la distribution de son poids dans un espace ordinaire, lesquels auraient dû nous avertir assez clairement, en tout cas ceux d'entre nous désireux d'y consacrer un moment de réflexion, qu'une partie du tout avait dû nécessairement se soustraire à la réclusion. Le fait que cette partie, après s'être affranchie, n'avait été ni détectée ni mesurée signifiait simplement qu'aucune de ses parties n'avait jamais été contenue – et qu'ainsi nous l'avions, dans notre nébuleux aveuglement, rapportée ici *déjà libérée*.

Ceux qui affirment avoir entendu la chose parler à l'heure de son évasion sont désormais en sécurité dans l'asile de Matteawan, où ils bénéficient des traitements les plus modernes. «Rien d'articulé – mais des sifflements, un serpent, vindicatif, implacable», déliraient-ils. D'autres faisaient état de langues disparues, depuis longtemps éteintes, mais connues bien sûr de ceux qui les avaient entendues. «La lumière des hommes ne vous délivrera pas», avait-elle soi-disant déclaré, et «les flammes ont toujours été votre destin, mes enfants». *Ses* enfants ont-ils désormais le moindre intérêt à quitter les couloirs disposés en étoile où ils endurent, chacun derrière sa porte de chêne et de métal, le châtiment qu'ils méritent pour avoir été témoins de cette horrible scène?

Mon rôle dans cette fatale transmission étant, je m'en doutais, terminé, je voulus me rendre en train dans la capitale de la Nation, laissant les autres se disputer mérite et compensation. Comme, de toute façon, c'était auprès d'une entité washingtonienne que j'étais obligé de faire mon rapport, je crus qu'il me serait aisé d'achever le récit de notre voyage dans le Sud. Rêve ô combien vain! Une fois que la terreur eut commencé, se rendre à la gare se révéla en soi une odyssée.

Car les rues étaient en proie à une confusion insensée. Une troupe d'irréguliers avec des chapeaux rouges et des pantalons rappelant ceux des zouaves, leurs montures troublées et terrifiées, changeait de direction à tout moment, ce qui ne faisait qu'accroître leur panique et risquait de les amener à se tirer les uns sur les autres, voire à prendre pour cibles d'innocents civils. Les ombres des hauts immeubles fondaient en piqué dans la lumière rougie par l'incendie. Les dames, et dans de nombreux cas les messieurs, hurlaient sans discontinuer, et sans résultat apparent. Les vendeurs de rue, les seuls à manifester le moindre sang-froid, couraient dans tous les sens pour vendre des alcools fortifiants et des sels ammoniacaux, d'ingénieux casques respiratoires empêchant d'inhaler la fumée, des cartes illustrées censées indiquer des tunnels secrets, des sous-sols et autres abris de fortune, ainsi que des itinéraires sûrs pour quitter la ville. L'omnibus que j'avais pris semblait à peine bouger, les mâts au sommet de la gare s'attardaient contre le ciel, devenu un Paradis inaccessible. Les crieurs de journaux allaient et venaient précipitamment, en brandissant les dernières éditions hérissées de gros titres exclamatifs.

J'arrivai enfin à la gare, et me joignis à une foule de citoyens qui tous comptaient monter à bord des trains au départ. À l'entrée, notre masse incontrôlée fut on ne sait comment étirée en une file unique, et progressa alors avec une lenteur inquiétante pour arpenter le dédale de marbre intérieur, son ultime destination impossible à voir. Des contrôleurs en civil, des voyous en tenue de travail sale, veillaient à ce qu'aucun de nous n'enfreigne les règlements, qui paraissaient déjà trop nombreux. Dehors, on entendait des coups de feu par intermittence.

Les grandes horloges nous informaient, progressivement, du retard que nous ne cessions de prendre.

Aujourd'hui au Club des Explorateurs, le moins à la mode, pour m'abriter des pluies pestilentielles du District, tout le monde entassé dans les antichambres, en attendant que les Pygmées en livrée fassent résonner leurs gongs en bronze chinois pour annoncer la célèbre Collation gratis de midi. Si des personnes me virent trembler de temps en temps, elles durent mettre la chose sur le compte de l'habituelle fièvre des buissons.

«Bonjour, Général... madame...»

«Ça alors, ce vieux 'Wood! Les métèques ne vous ont donc pas encore tué? Je vous croyais en Afrique.»

«Moi aussi. Me demande bien ce que je fais ici.»

«Depuis la petite mésaventure du Dr Jim, c'est vraiment devenu Queer Street là-bas, n'est-ce pas? La guerre est imminente, ça n'étonnera personne.»

Il entreprit de citer les vers commémoratifs du poète lauréat anglais, avec sa rime très discutable entre «guelte» et «veldt».

J'ai déjà noté, chez les ouvriers du sud de l'Afrique en particulier, ce mélange de gêne et d'hallucination. Est-ce la situation politique de plus en plus tendue dans le Transvaal, et les énormes sommes d'argent qui changent de main lors du trafic d'or et de diamants? Devrais-je investir dans des actions Rand?

Pendant le déjeuner, je me suis retrouvé embringué dans un plaisant débat sur les maux civilisés dans les contrées lointaines.

«Peut-être les tropiques», dit quelqu'un, sans doute le Général, «mais jamais la région polaire, c'est trop blanc, trop mathématique là-bas.»

«Mais toujours dans notre partie on a affaire à des indigènes et puis, également, d'autres sortes d'indigènes, vous me suivez? Nous et les indigènes. Toute tribu, avec ses particularités, se fond dans la question générale – qui travaille au bénéfice de qui, ce genre de chose.»

«On ne peut pas parler de question. Les machines, les bâtiments, toutes les structures industrielles qu'on y a mises sur pied.

Ils voient ces choses-là, ils apprennent à s'en servir, ils finissent par comprendre combien nous sommes puissants. Et dangereux. À quel point *nous* sommes dangereux. La machinerie peut les broyer. Les trains peuvent leur passer dessus. Dans le Rand, certains puits descendent jusqu'à quatre mille pieds. »

« Dites, 'Wood, n'existe-t-il pas une histoire là-bas vous concernant, un coolie ou je ne sais quoi menacé avec un Borchardt ? »

« Il me regardait bizarrement », dis-je. Je n'ai jamais poussé mon récit au-delà.

« Comment ça, 'Wood ? "Bizarrement" ? Ça veut dire quoi ? »

« Eh bien, je ne lui ai pas vraiment demandé ce que ça signifiait. Il était chinois. »

La compagnie, nerveuse, mal à l'aise, une bonne moitié atteinte d'une fièvre quelconque, haussa les épaules et s'en alla débattre d'autres sujets.

« En 95, le plan de Nansen lors de son dernier voyage vers le nord consista en fin de compte, à mesure que la charge totale diminuait, à tuer les chiens de traîneau les uns après les autres afin de les nourrir. Au début, comme il le signale, les autres chiens refusèrent de manger de la viande de chien, mais ils en vinrent lentement à l'accepter.

« Imaginez que ça nous arrive, dans le monde civilisé. Si "une autre forme de vie" décidait d'utiliser les humains dans des buts similaires, qu'elle effectue une *mission similaire par son désespoir*, et que ses propres ressources diminuaient, alors nous autres pauvres bêtes humaines serions de même simplement abattues, une par une, et celles encore en vie seraient contraintes, si l'on veut, de manger la chair des premières. »

« Oh mon Dieu. » L'épouse du Général reposa ses couverts et fixa son assiette.

« Monsieur, c'est répugnant. »

« Pas littéralement, dans ce cas… mais nous utilisons notre prochain, souvent mortellement, avec la même retenue de sentiment, de conscience… chacun d'entre nous sachant très bien que ça sera un jour son tour. Nulle part où fuir sinon dans une immensité hostile et désertique. »

« Vous songez aux conditions mondiales actuelles sous le capitalisme et les Trusts. »

«Il semble n'y avoir guère de différences. Comment sinon en serions-nous arrivés là?»

«L'évolution. Le singe évolue en homme, bien, quelle est l'étape suivante – l'humain en quoi? Un *organisme composé*, la Corporation américaine, par exemple, dans laquelle même la Cour suprême a reconnu une personne légale – une nouvelle espèce vivante, capable de faire tout ce qu'un individu peut faire, mais en mieux, aussi futé ou puissant que ce soit cet individu.»

«Croyez-le si ça peut vous rassurer. Je crois, moi, à une intrusion venue d'ailleurs. Ils ont débarqué parmi nous sur un large front, nous ignorons "quand" ils sont arrivés, le Temps lui-même a été perturbé, un désaveu total et impitoyable du Temps tel que nous l'avions connu, à l'époque où il s'écoulait tranquillement dans une succession d'instants, avec une innocence qu'ils savaient circonvenir...»

Tous finirent par comprendre qu'ils étaient en train de parler des malheureux événements survenus dans le Nord, le cauchemar dont j'essaie encore de m'éveiller, la grande ville plongée dans le chagrin et la ruine.

Délaissant les étendues désolées de l'Arctique, les Casse-Cou continuèrent cap au sud, consommant autant de carburant qu'ils l'osaient, jetant par-dessus bord tout le lest qu'ils pouvaient, s'efforçant désespérément d'atteindre la ville avant le steamer *Étienne-Louis Malus*.

«Je me demande bien ce que vont devenir ces pauvres diables», dit Chick Counterfly d'un ton lugubre.

Le sombre et brun paysage du nord du Canada, perforé de milliers de lacs, défilait, une lieue en dessous.

«Superbe endroit pour s'acheter une baraque en bord de lac!» s'écria Miles.

Les savants de l'Expédition Vormance persistaient à croire que ce qu'ils rapportaient était une météorite, comme Peary et d'autres héros de la science avant eux. Les régions septentrionales étaient riches en impacts de météorites, et plus d'une réputation s'était faite moyennant la location d'un bateau, un congé sans solde et quelques semaines passées à croiser rêveusement sous l'aveuglante nue arctique. Juste avant la découverte, l'équipe de Vormance, qui étudiait le ciel, avait certes eu son content de signes. Mais qui aurait pu prédire que cet objet venu d'ailleurs serait doté non seulement d'une conscience mais également d'un dessein ancien, et d'un plan pour le mettre à exécution?

«Il nous a bernés afin d'être *classifié* comme météorite...»

«L'objet?»

«Le visiteur.»

«Toute votre Expédition s'est laissé hypnotiser par un rocher? C'est ce que vous nous demandez de croire?»

Le Bureau d'enquête tenait ses réunions dans les salles supérieures du musée de Muséologie, qui était consacré à l'histoire de la collection, la classification et l'exposition institutionnelles. La décision de rationner les stocks de whiskey n'avait fait que hâter une propension à la goujaterie, laquelle serait commentée par tous les journaux, quelles que fussent leurs dispositions à l'égard du pouvoir, dans les jours à venir. Depuis ces fenêtres de tourelle, on aurait pu discerner d'importantes portions de la ville, et ce jusqu'à l'horizon – des arbres calcinés fumaient encore tranquillement, des structures métalliques gisaient à terre ou penchaient dangereusement, les rues près des ponts et des cales des bacs étaient jonchées d'attelages, de chariots et de tramways dans lesquels la population avait tenté de fuir au début, désormais abandonnés, retournés, endommagés par la collision et l'incendie, encore attelés à des animaux morts depuis des mois qu'on n'avait toujours pas dégagés.

Devant cette catastrophe, les visages à favoris réunis autour de la longue table courbe, tous sincèrement outrés, appartenaient aux délégués d'un Maire guère plus malhonnête que les critères de l'époque ne l'autorisaient – des créatures corruptoïdes, capables si nécessaire de contrôler les votes à une échelle acceptable par ce Bureau des superviseurs du musée. À la différence des membres siégeant aux conseils d'institutions respectées, personne ici ne possédait de fortune ni d'illustres ancêtres – c'étaient de simples citadins, n'ayant pour la plupart jamais observé d'étoile fixe, et surtout pas tombante. D'éminents savants, qui avant les Événements auraient pris à la légère ces politicards, étaient à présent incapables de soutenir leur regard franc et, à l'occasion, inquisitorial. En ce jour, ils étaient devenus soudain les Archanges de la vengeance municipale, essentiellement parce que personne d'autre n'était disponible pour mener à bien cette tâche – le Maire et la grande majorité du Conseil municipal ayant fait partie des toutes premières victimes de la Forme incendiaire. Les grandes banques et les chambres de commerce étaient encore en plein chaos, la Garde nationale avait fui, abattue, en promettant de se reformer, dans le New Jersey. Les seules unités prêtes à affronter les conséquences de la catastrophe étaient les Ailes blanches, ces balayeurs des rues qui, avec un cran exemplaire, progressaient tant bien que mal dans l'inconcevable travail de nettoyage, munis de leur seul entrain et de leur sens de la discipline. Aujourd'hui, les uniques signes d'activité humaine sur ces terres post-urbaines en proie à la désolation, visibles depuis les fenêtres, se résumaient à un petit groupe de guerriers à casque colonial, accompagnés par un chariot poubelles et l'un des derniers chevaux encore en vie dans la métropole.

Ce bureau d'enquête tenait parfois des séances nocturnes, pénétrant par l'entrée de service, devant laquelle faibles et opprimés avaient appris à attendre aussi longtemps qu'il le fallait. Le soir, le musée offrait une vision de sombres et imposants contreforts, de portes secrètes entre les renfoncements, de nombreux jardins miniatures jouxtant des pubs qui demeuraient ouverts jusque tard dans la nuit, grâce à l'obligeance et la sagesse du commissariat – d'innombrables blocs de maçonnerie inclinés, d'un jaune fuligineux dans cette obscurité croissante, indistincte, comme hors registre.

«Les Eskimos croient que tout objet possède un maître invisible – en général hostile –, qui applique les lois anciennes, voire pré-humaines, et donc une Puissance dont on doit acheter la clémence, au moyen de diverses formes de corruption.» À la mention de cette vénérable pratique, on vit les oreilles mandatées se fuseler et s'incliner vers l'avant. «Aussi n'était-ce pas tant l'objet visible que nous cherchions et souhaitions livrer au musée que son élément souverain et invisible. À en croire les Eskimos, un membre de notre équipe, en omettant de faire les observances requises, s'est montré profondément irrespectueux, ce qui a poussé la Force à suivre son penchant naturel, et se venger de façon appropriée.»

«Appropriée? Vu l'immensité des dégâts matériels, sans parler des vies innocentes... appropriée à quoi, monsieur?»

«À la civilisation urbaine. Parce que nous avons arraché la créature à son territoire originel. Les sanctions habituelles – glaces traîtresses, tempêtes de neige, spectres malveillants – n'étaient plus disponibles. Du coup, les modalités du châtiment ont pris un caractère davantage adapté au nouvel environnement – incendies, déprédations, paniques, perturbation des services communs.»

La situation était devenue ce soir-là très contrariante. Cette ville, même dans ses meilleurs jours, s'était toujours distinguée par sa rumeur inquiète. Quiconque habitait ici en connaissance de cause pariait quotidiennement que ce qui devait arriver se produirait suffisamment lentement pour permettre au moins d'en discuter avec quelqu'un – persuadé qu'il «y aurait toujours le temps», comme aimaient à le formuler les citadins. Mais les incidents se bousculaient dans l'impitoyable crépuscule à un rythme bien trop soutenu pour qu'on puisse les suivre, encore moins les étudier, ou les analyser, en fait pour qu'on ne puisse rien faire d'autre que les fuir, en espérant sauver sa peau. Voilà à peu près où chacun en était dans ses réflexions – tous ceux qui se trouvaient en ville succombant, malencontreusement au même moment, à la peur panique. Au plus fort des années de prospérité et de corruption, ils avaient été prévenus, à plusieurs reprises, d'une telle éventualité. La ville de plus en plus verticale, la population voyant sa densité augmenter, tous otages, précisément, d'une telle intrusion... Qui en dehors de la ville aurait pu les imaginer en victimes prises par surprise – qui l'aurait pu, d'ailleurs, *intra-muros*? même s'ils furent nombreux, après les Événements, à adopter cette attitude émouvante pour en tirer profit.

Ils savaient peu de chose avec certitude. Un cargo avait emprunté une étroite et ancienne voie navigable qui s'enfonçait dans la ville, avec dans sa cale, retenue par des entraves plus rassurantes qu'efficaces, une Forme dotée de pouvoirs surnaturels, que nul n'avait jamais réussi, au cours de son existence encore secrète, à arrêter. Tout le monde en ville semblait savoir ce qu'était la créature – et ce depuis le début, telle une fable censée aller tellement de soi que nul ne s'attendait à ce qu'elle devienne réelle – et se douter du traitement impitoyable qu'elle ferait subir à la population si jamais elle venait à se manifester – même si, bizarrement, aucun des scientifiques qui l'avaient rapportée jusqu'ici, les vieux briscards polaires, et qui s'étaient trouvés à seulement quelques couloirs métalliques d'elle, pendant tout le trajet vers le sud, n'avait rien vu venir.

Connaissant parfaitement la date de son arrivée, s'étant portée d'elle-même à la température requise, elle entreprit alors, avec méthode et sans relâche, de réduire en cendres ses moyens de contention. Ceux qui avaient décidé de rester à bord du bateau le plus longtemps possible craquèrent les uns après les autres, en proie à une sorte d'épuisement moral, prirent leurs jambes à leur cou, se précipitèrent dans les escaliers, s'enfuirent par les écoutilles, se jetèrent par-dessus bord et s'enfoncèrent dans les artères de la ville. Mais maintenant que l'histoire normale touchait à sa fin, où donc auraient-ils pu trouver à temps un abri ? Aucune bande de voyous, aucune salle privilégiée nichée au plus profond des vastes ponts, aucun tunnel ferroviaire, aucune canalisation n'aurait pu protéger ne serait-ce qu'un seul de ces impurs réfugiés.

Le feu et le sang allaient s'abattre tel un fléau sur les foules complaisantes. Au plus fort de l'heure de pointe, le courant électrique vint à manquer partout dans la ville, et tandis que les conduites de gaz s'enflammaient et que les milliers de vents locaux, distincts à chaque croisement, confondaient les prédictions, des pavés ronds fusèrent vers le ciel, retombant plusieurs rues plus loin selon des motifs inédits mais élégants. Toutes les tentatives pour riposter ou même fuir la Forme seraient déjouées. Plus tard, les alarmes d'incendie resteraient sans réponse et les pompiers sur les lignes de front se retrouveraient vite privés de renforts, et d'espoir de renforts. Le bruit serait horrible, incessant, et même les champions de l'insouciance comprendraient alors qu'il n'y avait aucun refuge.

La mobilisation s'étendit à toute la ville tandis qu'on évoquait des négociations avec des visiteurs anonymes, les permissions des militaires étaient annulées, les représentations d'opéra écourtées de moitié – les arias, même les plus célèbres, complètement négligées – et ce afin de permettre au public de partir plus tôt, les gares bruissaient du mouvement des troupes, les parties de cartes et de dés dans les allées du quartier chaud étaient grossièrement interrompues, souvent à des moments critiques, la peur s'étendant brutalement parmi la faune des heures vespérales aux visages indistincts, aux fenêtres situées en hauteur où pourrait se glisser, pour la première fois de mémoire citadine, la chose…

On s'interrogea par la suite sur ce qu'il était advenu du Maire. S'était-il enfui? Était-il mort? Avait-il perdu la tête? Les théories proliférèrent en son absence. Son portrait apparut affiché sur toutes les palissades des terrains vagues, à l'arrière des trams, le célèbre poli de son crâne luisant d'une cruelle simplicité de squelette. «Restez chez vous», enjoignaient des communiqués placardés sur les murs calcinés portant sa signature. «Ce soir vous ne serez pas les bienvenus dans mes rues, que vous soyez trop nombreux ou pas assez.»

Tandis que la lumière du jour désertait la ville ce soir-là, les lampadaires échouèrent à jouer leur rôle de chandelles éclairantes. Il était difficile de distinguer quoi que ce soit clairement. Les contraintes sociales étaient soit défaillantes soit carrément inopérantes. Le hurlement qu'on avait entendu toute la nuit, et qui évoquait quelque murmure lointain pendant le jour, prit alors, en l'absence du vacarme de la circulation, des accents impérieux et désespérés – un chœur dolent sur le point de renoncer à son invisibilité pour devenir une chose avec laquelle il faudrait composer. Des silhouettes qui n'apparaissaient le soir qu'en nuances grises affichaient désormais des couleurs, non pas dans les tons à la mode, mais des rouges sang, des jaunes morgue, des verts poison.

Dans une métropole où l'Extérieur était souvent le début, la fin et l'histoire entière les reliant, la présence d'une source souterraine sous la cathédrale de la Préfiguration, alimentant ses trois fonts baptismaux, avait été considérée par tous jusqu'à cette venue inexplicable comme une protection suffisante, sinon miraculeuse. Mais voilà qu'au moyen de lampes à arc, au plus haut point de l'église, les autorités avaient commencé à projeter une image en trois dimensions et en couleurs, pas exactement du Christ mais avec la même barbe, la même tunique, la même capacité à émettre de la lumière – comme si, au cas où le pire surviendrait, ils pourraient nier toute allégeance chrétienne et du coup faciliter les éventuels revirements qui seraient peut-être nécessaires à l'heure de transiger avec l'envahisseur. Chaque soir au crépuscule, l'annonce lumineuse était projetée afin de tester sa tenue électrique, sa puissance d'émission, la justesse de ses couleurs, et cætera. Des lampes de secours étaient toujours prêtes, car tous craignaient une éventuelle défaillance du projecteur à un moment critique. «Personne ne s'aventurerait la nuit dans un quartier réputé pour ses vampires sans emporter avec lui une croix», comme l'avait déclaré l'archevêque, «n'est-ce pas? Non, eh bien il en va de même de Notre Protecteur», lequel n'était, prudemment, pas nommé.

Malgré leur récente intégration, les anciens faubourgs se verraient accorder quelques années supplémentaires de calme pastoral, ayant échappé, pour au moins un temps, au gribouillage absurde des bâtisseurs et promoteurs qui passait à cette époque pour du rêve. Mais quel avenir aurait-il pu y avoir pour «le territoire de l'autre côté du pont» sinon tôt ou tard une histoire et une culture faubouriennes à développer?

La ville devint donc l'expression concrète de la perte d'une innocence – non pas une innocence sexuelle ou politique, plutôt un rêve commun de ce qu'une ville pourrait être à son apogée – et ses habitants devinrent, et sont encore, une race aigrie et amnésique, blessée mais incapable de communier par le souvenir avec l'heure de la blessure, incapable de se représenter le visage de l'agresseur.

Après cette nuit et cette journée de colère inconditionnelle, on aurait pu s'attendre de la part de n'importe quelle ville à une totale renaissance, une purification par les flammes, la liquidation des cupidités, spéculations immobilières, politiques locales – au lieu de quoi on se retrouvait en présence de cette veuve éplorée, ce comité d'arbitrage endeuillé, qui allait mettre de côté, consigner amoureusement et conserver impitoyablement toutes les saletés de larmes qu'elle comptait verser, et les compenserait au fil des ans en devenant la pire des salopes, la plus cruelle des villes, et Dieu sait s'il y en avait d'autres qui ne se distinguaient pas par leur candeur.

Apparemment déterminé, aventureux, viril, le prodige urbain n'arrivait pas à surmonter ce terrible viol nocturne, quand «il» fut contraint de se soumettre, de s'abandonner, odieusement, en femme aveugle, à l'étreinte infernale de sa bien-aimée. Il passa les années suivantes à oublier et fabuler et tenter de recouvrer quelque respect de soi. Mais intérieurement, tout au fond, «il» demeurait le giton de l'Enfer, la lope à la disposition de tous les habitants, la garce habillée en homme.

Aussi, dans l'espoir de se voir épargner d'autres souffrances, comme témoignages de fidélité envers le Destructeur, dans l'esprit de cette hécatombe, la ville érigea plusieurs structures propitiatoires. Nombre d'entre elles furent délibérément incendiées, des efforts faits pour noircir les ruines stylisées de façon esthétique et intéressante. L'attention fut dirigée sur le centre-ville, conservé dans un plasma d'ignorance protectrice, s'étendant enfin à l'énorme rempart de silence à sa périphérie, en cette limite du monde connu au-delà de laquelle se déployait un royaume dont le reste de la ville ne pouvait pas parler, comme si elle avait abdiqué, à la faveur de ce marché plutonien, la langue même pour ce faire. C'était l'époque où l'on érigeait à tout-va des arches dans la ville, souvent triomphales, aussi décida-t-on de bâtir, à un certain endroit de transition dans le royaume interdit, un autre grand portail, portant l'inscription PAR MOI ON VA DANS LA CITÉ DOLENTE – DANTE, au-dessus de laquelle, à chaque anniversaire de cet épouvantable événement, s'élançant sur le ciel au-dessus du port, apparaissait un panorama nocturne – pas tout à fait une reconstitution commémorative, plutôt une batterie abstraite de lumières multicolores se déplaçant dans l'obscurité bleue, quasi océane, où le spectateur était libre de voir ce qu'il voulait.

Au cours de la nuit en question, Hunter Penhallow s'apprêtait à quitter la ville quand, sentant quelque chose dans son dos, il s'était retourné pour assister à la tragédie qui se déployait à l'horizon, contraint brutalement de se rappeler un cauchemar trop ancien pour ne le concerner que lui, ses yeux luisant d'images d'une netteté impitoyable, aux nuances embrasées, si vives que ses orbites et ses pommettes conservèrent une partie de l'excès incendiaire.

Il s'égara soudain dans une partie inconnue de la ville – le réseau des rues numérotées que Hunter pensait avoir compris était désormais dépourvu de sens. Le quadrillage avait été déformé afin d'exprimer d'autres exigences citadines, les rues n'étant plus numérotées à la suite, elles se croisaient désormais à des angles inattendus, s'étrécissaient en de longues allées monotones qui ne menaient nulle part, gravissaient ou descendaient des collines escarpées qu'on n'avait pas encore remarquées. Il pressa le pas, en supposant qu'il finirait bien à un moment ou à un autre par arriver à un croisement qu'il reconnaîtrait, mais tout était de moins en moins familier. À un moment, il dut entrer quelque part, car il se retrouva dans une sorte de cour intérieure, une carcasse pleine de décombres rouges et jaunâtres, haute d'au moins dix ou douze étages. Une sorte d'entrée monumentale, inexplicablement plus ancienne et plus étrangère que quoi que ce fût dans la ville connue. Les rues étaient devenues entre-temps plus intimes, tels des couloirs. Sans le vouloir, il traversa bientôt des salles désertes. À l'extrémité d'un couloir presque vide, il tomba sur une réunion en cours. Des gens étaient assis auprès d'un âtre, avec des tasses et des verres, des cendriers et des crachoirs, mais l'occasion était tout sauf mondaine. Les hommes comme les femmes avaient conservé leur manteau et leur chapeau. Hunter s'approcha d'un pas hésitant.

«Je pense que nous sommes tous convenus de quitter la ville.»

«Tout le monde a fait ses bagages? Les enfants sont prêts?»

Les gens commencèrent à se relever, s'apprêtant à partir. Quelqu'un remarqua Hunter. «Il y a de la place, si vous voulez venir.»

Comme il avait dû paraître stupéfait. Il suivit bêtement le groupe dans des escaliers en métal tortueux qui descendaient jusqu'à une plate-forme éclairée à l'électricité où d'autres personnes, en assez grand nombre par ailleurs, montaient dans un étrange transport en commun, fait d'un acier lisse recouvert d'une peinture d'une nuance sombre de gris industriel, doté de nombreux pots d'échappement extérieurs, les flancs parsemés de petits feux clignotants. Il monta, se trouva un siège. Le véhicule se mit en branle, roula au milieu d'usines, de générateurs électriques, d'énormes machineries dont le but était on ne peut plus obscur – on voyait des roues tourner, de la vapeur jaillissait de soupapes de sûreté, certaines usines semblaient figées dans une nuit mystérieuse – puis il pénétra dans un réseau de tunnels et, une fois bien engagé, commença à accélérer. Le bruit généré par son passage, mi-bourdonnement mi-bourrasque, s'accentua, se fit plus rassurant, comme désormais confiant en sa vitesse et sa destination. Il ne paraissait pas vouloir s'arrêter, juste prendre de la vitesse et continuer. De temps en temps, à travers les vitres, inexplicablement, les passagers distinguaient la ville au-dessus d'eux, mais sans pouvoir dire à quelle profondeur ils évoluaient. Soit la voie ferrée s'élevait par endroits pour refaire surface, soit la surface faisait de profondes, voire héroïques, incursions vers le bas pour les rejoindre. Plus le voyage durait, plus le paysage devenait «futuriste». Hunter se rendait à un refuge, même si le sens de ce mot était à présent incertain, dans ce monde terrassé.

Il fallut attendre le week-end qui verrait s'opposer les équipes sportives de Yale et de Harvard pour que Kit rencontre enfin son bienfaiteur par une journée nuageuse et sans vent de la fin novembre, dans un salon de l'Hôtel Taft. Ils furent présentés officiellement par Foley Walker, qui arriva vêtu d'un costume chic dans un tissu écossais rappelant une couverture pour cheval, de couleur orange et indigo vif, avec chapeau *assorti*, le magnat étant, quant à lui, davantage habillé comme un représentant en aliments pour animaux débarqué de son Sud profond, et sûrement plus à l'ouest aussi. Il portait des «besicles» fumées et un canotier dont le vaste rebord fleurait bon le déguisement, avec des fanions irlandais palpitants de la tête aux pieds.

«Vous ferez l'affaire», annonça-t-il d'emblée à Kit.

Me voilà soulagé, songea Kit.

Ce fut un tête-à-tête fort peu intime. Des anciens des deux équipes entraient et sortaient du hall, en gesticulant avec des chopes de bière écumantes, portant chapeaux, demi-guêtres, pardessus teints à divers degrés dans les nuances des écoles rivales. Toutes les cinq minutes un groom arrivait d'un bon pas en s'écriant : «Mr Rinehart! Un appel pour Mr Rinehart! Ho, Mr Rinehart!»

«Très prisé, ce Rinehart», fit remarquer Kit.

«Une plaisanterie de Harvard qui remonte à quelques années», expliqua Scarsdale Vibe, «et qui ne semble point tombée en désuétude. Ainsi répété, c'est assez lassant, mais entonné par une centaine de voix d'hommes un soir d'été, avec la grande cour de Harvard comme chambre d'écho? Ma foi... Sur le principe du moulin à prières tibétain, vous répétez le mot et au bout d'un temps quelque chose d'indéterminé mais de miraculeux finira par se produire. La quintessence de Harvard, pour tout vous dire.»

«On enseigne ici les quaternions plutôt que l'analyse vectorielle», crut utile de glisser Kit.

Juste avant le match, les passions s'échauffaient. De vénérables professeurs de linguistique qui n'avaient jamais manipulé de ballon de toute leur vie venaient de rappeler gravement à leurs étudiants que, via l'ancien sanscrit *krimi* et l'arabe tardif *qirmiz*, les deux noms désignant l'insecte dont on tirait autrefois la couleur, «carmin» reste apparenté à une «larve». De jeunes hommes avec des cache-cols à rayures tricotés par leurs chéries qui y avaient consciencieusement ajouté des rangées de poches de la taille de flasques couraient ici et là dans un bruit de cliquetis, prenant de l'avance sur les réjouissances éthyliques qui se dérouleraient à coup sûr sous les tentes.

«J'espérais que mon fils daignerait faire un saut, mais je crains qu'il n'en fasse rien. Retenu par une orgie, sans aucun doute. La tristesse qu'on éprouve à voir son *alma mater* déchoir dans le bourbier saturnien de l'iniquité est des plus fascinantes.»

«Je crois qu'il dispute un match *intra-muros* ce matin», dit Kit. «Il devrait vraiment jouer contre une équipe d'une autre université.»

«Oui, et quel dommage qu'il n'existe pas de football professionnel, car sa carrière serait assurée. Colfax est le dernier d'une portée qui, même si je les aime tous autant, s'efforce malgré moi de réinventer l'incompétence pour les générations à venir. C'est la vieille malédiction du capitaliste – les aptitudes qui comptent le plus, telles que l'esprit d'entreprise, ne peuvent être transmises.»

«Oh, mais sur le terrain, monsieur, il est aussi pugnace que pourrait le souhaiter n'importe quel capitaine d'industrie.»

«Laissez-moi vous raconter quelque chose. Colfax a travaillé pour moi dans les bureaux de Pearl Street, les vacances d'été, cinquante *cents* de l'heure, nettement plus que ce qu'il méritait. Je l'envoyais livrer des colis – "Tiens, apporte ça au conseiller Machin-Chose. Ne regarde pas dedans". Le jeune idiot, aussi littéral qu'obéissant, *n'a jamais regardé dedans*. Optimiste, mais de plus en plus déçu, je passais mon temps à l'envoyer en mission, sans relâche, rendant la chose plus évidente à chaque fois, allant même jusqu'à laisser des coins de billets dépasser du sachet, et cætera, mais la naïveté du petit était à toute épreuve. Finalement, Dieu me pardonne, j'ai fait intervenir la police, en espérant qu'un choc remettrait mon imbécile de fils sur le chemin de la Réalité. Il serait encore en train de croupir en prison aujourd'hui si je n'étais pas intervenu. Depuis, je me cherche un héritier hors le lignage immédiat. Vous me suivez?»

«Avec tout mon respect, monsieur, je crois avoir déjà lu ça une fois dans un roman populaire, attendez, qu'est-ce que je raconte, plus d'une fois, et vous savez comment ces trucs vous ramollissent la cervelle...»

«Moins, je l'espère, que le bocal de cornichons que j'ai engendré. La proposition que j'ai à vous faire est de tout premier ordre.»

«C'est bien ce que je craignais, monsieur.»

Kit se campa solidement sur ses jambes et soutint calmement le regard de plus en plus perplexe que lui jetait Scarsdale.

«Bénéficier d'un fonds en fidéicommis, hériter d'innombrables millions à ma mort, pas votre tasse de thé, jeune homme?»

«Mes excuses, mais n'ayant aucune idée de la façon dont vous avez gagné cet argent, je ne me vois guère le faire fructifier – et franchement j'ai pas trop envie de passer le restant de mes jours devant des tribunaux à repousser des vautours.»

«Oh? Vous avez un autre plan. Admirable, Mr Traverse. Racontez-moi, ça m'intéresse vraiment.»

Kit passa silencieusement en revue les sujets à ne pas aborder en présence de Scarsdale, en commençant par Tesla et son projet d'énergie universelle et gratuite pour tous, puis passa aux enchantements du vectorisme, à la bonté et au génie de Willard Gibbs... Ne restaient plus beaucoup de sujets de conversation. Et il y avait quelque chose... Le bonhomme n'avait cessé de le regarder bizarrement. Une expression qui ne rappelait en rien celle d'un père ni même d'un beau-père. Non, c'était – Kit faillit rougir en s'en apercevant –, c'était du désir. Il était désiré, pour des raisons que n'expliquait pas entièrement le peu qu'il avait vu de ce cloaque de luxure et d'oisiveté décadentes.

Bien qu'il eût été disposé en arrivant ici à ne pas condamner trop vite l'endroit, Kit ne s'était pas fait longtemps d'illusions sur ce qu'était bel et bien Yale. L'étude des livres, deux ou trois fidèles compagnons encore épargnés par la froide prudence exigée de ceux appelés à diriger le pays – ça suffisait largement, et ça compensait presque tout le reste. Kit fut bientôt dans tous ses états, le regard pétillant et plein d'entrain il accostait les grisettes de Chapel Street et tentait de les édifier sur le vectorisme – gibbsien, hamiltonien et autres – car ce système miraculeux lui semblait en mesure d'améliorer l'existence de quiconque était apte à l'écouter – même si les filles en question n'en étaient pas toujours certaines.

«Tu les fais fuir, Kit», dit Colfax qui, sur le point d'aller à un rendez-vous galant, examinait sa tenue dans le miroir de l'appartement qu'ils partageaient. «Ma cousine connaît des tas de filles qui seraient prêtes à faire immédiatement une petite partie de parcheesi avec toi, mais tu les intimides trop avec tes problèmes d'arithmétique.»

«Ce n'est pas de l'arithmétique.»

« Tu vois. Qu'est-ce que je disais ! Les filles ne font pas la différence et, surtout, elles s'en fichent. »

« Une fois de plus, Colfax, je m'en remets à ta sagesse en tout ce qui concerne les distractions. »

Aucun sarcasme dans ces dernières paroles, même implicite. À l'âge de dix-huit ans, Colfax Vibe était déjà devenu un « Corinthien » typique de son époque, un véritable expert – voire un champion – dans divers domaines : ski, polo, course d'endurance, tir au pistolet et au fusil, chasse, aéronautique – la liste était infinie, déprimante pour toute personne simplement pourvue de dons ordinaires. Quand il fit enfin sa première apparition sur un terrain de foot universitaire, lors des toutes dernières minutes d'un match entre Yale et Princeton, Colfax récupéra la balle très en retrait dans son camp et traversa tout le terrain, marquant un essai gagnant après avoir feinté les meilleurs défenseurs du camp adverse ainsi que les joueurs de son équipe qui plus d'une fois faillirent le plaquer, involontairement bien sûr. Walter Camp qualifia plus tard sa prouesse de « plus bel exemple de percée de fond dans l'histoire du football de Yale », et les Nègres qui vivaient à Princeton dormirent un peu mieux ce samedi-là, sachant qu'on leur avait épargné au moins pendant une semaine ces bandes de gosses de l'Université qui venaient brailler le long de Witherspoon Street et démanteler les porches de leurs maisons pour faire des feux de joie. « Bah, je sentais que je m'empâtais », expliqua par la suite Colfax. « J'avais juste besoin de me dégourdir les jambes. »

L'idée que se faisait Colfax des loisirs ayant tendance à converger vers des zones à haut risque, ce qui ne devrait pas surprendre, Kit et lui s'entendirent à merveille au cours de la première année de leur amitié, Kit saisissant n'importe quel bout du monde solide et extérieur et se laissant emporter dans une violente cascade de symboles, d'opérations et d'abstractions, tandis que Colfax chantait tous les jours des hymnes à l'effort rooseveltien, et trouvait dans l'attachement quasi religieux de Kit pour le vectorisme une gravité, voire une occasion de s'affranchir de ce qui tendait à n'être qu'une existence oisive et creuse, où la figure de l'échec avait de fortes chances de surgir à tout moment.

La propension à l'excentricité des rejetons Vibe faisait l'objet de fréquents commentaires. Cragmont, le frère de Colfax, était parti avec une trapéziste, qu'il avait ensuite ramenée à New York pour l'épouser. Le mariage fut célébré *sur des trapèzes*, le futur marié et son témoin, en queue-de-pie et gibus en soie retenu par un élastique, se balançant par les genoux tête en bas en parfaite synchronie dans l'éther périlleux pour aller à la rencontre de la promise et de son père, un concessionnaire de fête foraine, s'élançant de conserve depuis leur propre côté de l'arène, les demoiselles d'honneur visibles partout, tourbillonnant par le menton dans des volutes de paillettes, douze mètres au-dessus de la tête des invités, leurs plumes d'un vert acide et foncé balayant et dissipant la fumée de cigare qui montait de la foule. Cragmont Vibe n'avait que treize ans cet été-là quand il se maria et fonda ce qui serait, même pour l'époque, une énorme famille.

Fleetwood, le troisième frère, garçon d'honneur à la cérémonie, avait également quitté tôt la maison, s'arrangeant pour prendre part à une expédition en Afrique. Il évita les manigances politiques autant que la véritable quête scientifique, préférant entendre le titre d'«explorateur» au sens littéral, et ne faire rien d'autre qu'explorer. Fleetwood n'eut pas à se plaindre du fonds en fidéicommis qui lui permettait de régler ses factures de casques coloniaux, biscuits énergétiques, et cætera. Kit fit la connaissance de Fleetwood un jour de printemps, au manoir des Vibe sur Long Island.

«Dis donc, mais t'as jamais vu notre cottage», déclara Colfax un soir après les cours. «Tu fais quoi ce week-end? À moins que tu n'aies en vue une petite ouvrière ou une princesse de la pizza.»

«Est-ce que je prends ce ton-là pour parler de tes fréquentations aux Sept Sœurs?»

«Je n'ai rien contre les nouvelles expériences», protesta Fax. «Mais je suis sûr que tu apprécierais ma cousine Dittany.»

«Celle qui est à Smith.»

«À Mont Holyoke, en fait.»

«Je meurs d'impatience.»

Ils arrivèrent sous un ciel couvert et maussade. Même sous un éclairage plus guilleret, la demeure des Vibe serait rentrée dans la catégorie des endroits à éviter – bâtie sur quatre niveaux, carrée, dépourvue de décoration, sa façade de pierre noire paraissant bien plus ancienne que la date de sa construction. Malgré son aspect désolé, de troublants locataires occupaient encore l'endroit, sans doute une branche collatérale des Vibe… ce n'était pas très clair. Et puis il y avait ce premier étage. Seule la domesticité y était admise. Cet étage était «habité», d'une façon que nul ne souhaitait vraiment préciser, par d'anciens occupants.

«Quelqu'un y vit?»

«Quelqu'un y est.»

… de temps en temps, une porte se refermait brutalement sur la vision d'un escalier, on entendait un bruit de pas étouffé… puis un mouvement ambigu derrière un lointain chambranle… la menace qui planait de devoir se livrer à une fouille en règle de tout le niveau interdit, au crépuscule, une fouille si poussée qu'un contact avec les occupants introuvables, sous une certaine forme, à un certain moment imprévu, était inévitable… le tout impeccable et briqué, des ombres omniprésentes, des tentures aux fenêtres et des tapisseries d'une nuance vert foncé, bordeaux et indigo, des domestiques qui ne pipaient mot, qui refusaient ou ne pouvaient pas soutenir le regard… et qui, dans la pièce adjacente, l'instant d'après, attendaient…

«Très gentil à vous de m'avoir invité ici», gazouilla Kit au petit déjeuner. «J'ai dormi à poings fermés. Enfin, à part…»

Une pause dans la consciencieuse bâfrée. Un intérêt soudain de la tablée.

«Me demandais qui pouvait bien débarquer ainsi en pleine nuit dans la chambre.»

«Vous êtes sûr», dit Scarsdale, «que ce n'était pas juste le vent, ou les fondations qui se tassent.»

«Des gens déambulaient, comme s'ils cherchaient quelque chose.»

On échangea des regards, s'abstint d'en échanger, en décocha qui restèrent ignorés.

«Vous n'avez pas encore vu les écuries, Kit», proposa enfin la cousine Dittany. «Ça vous dirait de faire du cheval?»

Avant que Kit pût répondre, il se produisit comme un branle-bas sur le seuil de la salle à manger. Il jura plus tard avoir entendu des cuivres jouer une interminable fanfare. «Maman!» s'écria Colfax. «Tante Eddie!» s'exclama la cousine Dittany. Alors, faisant une rare apparition, Mrs Vibe, l'ancienne Edwarda Beef d'Indianapolis, entra prestement. Elle était mezzo-soprano et s'était mariée à un âge scandaleusement précoce, les naissances se succédant à un rythme soutenu, «un peu comme certains comédiens font leurs entrées dans les numéros de music-hall», estima-t-elle, et, à peu près à l'époque où Colfax tira son premier faisan, elle remplit un jour six malles de vêtements et, avec sa femme de chambre, Vaseline, emménagea à Greenwich Village dans une maison de ville à la façade chargée en terracotta importée de très loin, dont l'intérieur avait été conçu par Elsie de Wolfe, contiguë à celle du frère cadet de son mari, R. Wilshire Vibe, qui avait pendant quelques années vécu dans sa propre petite sphère de folie et de décadence, dilapidant sa part de la fortune familiale en danseuses de ballet, subventionnant les compagnies pour lesquelles elles dansaient, surtout celles qu'on pouvait convaincre de monter des productions de ces épouvantables «drames musicaux» qu'il ne cessait de composer, des imitations d'opérettes, ou, comme il préférait le dire, des *operetta* européennes traitant de sujets américains – *Roscoe Conkling, La Princesse des ravines, Méli-Mélo au Mexique*, et de nombreuses autres. La ville fut brièvement amusée par le déménagement d'Edwarda mais se reconcentra très vite sur des types de scandales davantage liés à l'argent qu'à la passion, sujet qui convenait mieux à des opéras chantés dans une langue qu'on ne comprenait pas. Scarsdale ayant pris entre-temps l'habitude d'effacer ses traces financières, et Edwarda aimant non seulement être corsetée et attifée pour paraître aux réceptions en tant que son épouse en titre mais également, à mesure que s'étendait sa gloire dans le monde théâtral, siéger dans des conseils d'essence culturelle et jouer les hôtesses dans toutes sortes de réunions mémorables, Scarsdale en vint à la considérer davantage comme un atout que comme une source possible de péril marital.

Le beau-frère d'Edwarda, R. Wilshire Vibe, ravi d'avoir celle-ci pour voisine – car «Eddie» était un beau brin de fille –, trouva vite amusant de la mettre en rapport avec les artistes, les musiciens, les acteurs, les écrivains et autres spécimens de la bohème qu'on rencontrait en quantité inépuisable dans son milieu. Grâce à ses talents dramatiques incontestés, elle réussit bientôt à convaincre l'imprésario que, puisqu'elle lui faisait une énorme faveur personnelle ne serait-ce qu'en acceptant d'être vue en compagnie de ces mécréants peu recommandables, elle ne souhaitait d'autre récompense que de… eh bien, peut-être pas jouer le premier rôle elle-même, pas au début en tout cas, mais au moins d'être prise à l'essai dans un rôle de seconde soubrette, par exemple la sémillante *bandida* Consuelo de *Méli-Mélo au Mexique*, alors en pleines répétitions – même si ce rôle exigeait des rapports considérables et généralement plus que répugnants avec un cochon savant, Tubby, auquel le plus souvent elle s'aperçut qu'elle se contentait de donner la réplique, jouant les «faire-valoir» comme disaient les acteurs, de sorte que c'était toujours l'inconvenant goret qui volait la vedette. À la fin des représentations, toutefois, Tubby et elle devinrent des «amis intimes», ainsi qu'elle le confia aux gazettes théâtrales, qui s'intéressaient alors de près à sa carrière.

Des rôles plus conséquents s'ensuivirent, avec bientôt des arias ou des «numéros» si étendus qu'il fallut des levers de rideau anticipés pour leur faire de la place. «D'un envoûtement incomparable!» proclamèrent les critiques, «transcendentalement mirobolant!» aussi, et bientôt elle fut baptisée au champagne «la Diva de chez Dolmenico». Les maisons de ville attenantes, où la licence et la gaudriole étaient monnaie courante, scintillaient dans un agréable et permanent brouillard de fumée émanant de sources récréatives, dont le chanvre et l'opium, ainsi que des embruns des bouteilles d'eau de Seltz déchargées parfois dans des pichets mais le plus souvent sur des compagnons, en ce qui semblait un jeu sempiternel. Des jeunes femmes vêtues souvent de simples plumes d'autruche teintes dans des tons d'un goût douteux dévalaient et remontaient ingénument les escaliers de marbre, poursuivies par des jeunes gens aux souliers de bal pointus en cuir véritable. On retrouvait chaque soir Edwarda au milieu de ces bacchanales, en train de boire du sillery à la bouteille et de lancer des « Ha, ha, ha ! » – souvent à personne en particulier.

Edwarda et Scarsdale se retrouvaient donc ensemble tous les jours tout en menant des existences presque entièrement asynchrones, chacun habitant sa propre ville décadente, tels des recouvrements partiels dans quelque nouveau procédé d'impression couleur, Scarsdale dans les tons gris, Edwarda en mauve. Parfois puce.

Kit s'était rendu aux écuries, où il fut bientôt rejoint par Dittany Vibe, dont les yeux pétillaient sous le rebord d'un chapeau quasi irrésistible. Elle feignit d'examiner dans la sellerie un inventaire assez important de harnais, licous, colliers, traits, cravaches, badines, fouets, et cætera.

« J'adore l'odeur qui se dégage de ces lieux », murmura-t-elle. Elle décrocha un fouet à étalon tressé et le fit claquer une ou deux fois. « Vous avez dû vous servir de ces choses dans le Colorado, Kit. »

« Quelques mots choisis nous suffisent en général », dit Kit. « Je suppose que nos chevaux se comportent très bien. »

« Rien à voir avec les chevaux dans l'Est », dit-elle tout bas. « Vous voyez la quantité de fouets et autres accessoires qu'il y a ici. Nos chevaux sont très, très capricieux. » Elle lui tendit le fouet. « J'imagine que celui-ci doit être terriblement cuisant. » Et presque aussitôt elle s'était retournée, avait relevé la jupe de son costume d'amazone et s'exposait, en regardant par-dessus son épaule avec ce qu'on pourrait appeler une impatience espiègle.

Il regarda le fouet. Il était long d'environ un mètre vingt, d'une épaisseur de deux centimètres peut-être.

« M'a tout l'air d'un modèle professionnel – sûr que vous ne préféreriez pas quelque chose de plus léger ? »

« Nous pourrions garder notre culotte. »

« Hmm, voyons voir… Si je me souviens bien, c'est ainsi qu'on se positionne — »

« Maintenant que j'y pense », dit cousine Dittany, « votre main gantée devrait faire agréablement l'affaire. »

«Tout le plaisir est pour moi», rayonna Kit, et il y en eut également pour Dittany, même si les choses prirent au bout d'un moment un tour un peu bruyant et qu'ils décidèrent de se rendre dans un grenier à foin attenant.

Tout le reste de la journée, il essaya de se retrouver seul avec Colfax pour l'entretenir de sa cousine, mais, comme si les autres complotaient pour l'en empêcher, il y avait toujours des visiteurs inattendus, des appels au téléphone, d'impromptus matches de tennis sur gazon. Kit se sentit vite irritable, comme quand il peinait trop longtemps sur un problème vectoriel au point d'en éprouver une sorte d'ébriété, ce sur quoi son autre esprit, ou son esprit co-conscient, émergeait alors pour voir ce qu'on pouvait voir.

Plus tard ce soir-là, après dix autres minutes fébriles passées avec Dittany sous une tente à cocktail rayée lors d'une partie de croquet qui eut lieu l'après-midi, la plupart des hôtes présents s'étant retirés, Kit errait dans la maison lorsqu'il entendit le son d'un piano qui, supposat-il, provenait du salon de musique. Il se dirigea vers la source des notes, des phrases non résolues qui cédaient la place à d'autres également inachevées, des accords qu'il avait lui-même frappés par accident en s'asseyant sur les touches du piano mais n'avait jamais considérés, franchement, comme de la musique… Il déambula dans une pénombre ambrée qui allait s'accentuant comme si le courant électrique de la maison s'épuisait, s'amenuisant lentement telle une lumière au gaz qu'une main inconnue tamise à l'aide d'une valve. Il chercha autour de lui des interrupteurs mais n'en vit aucun. Tout au bout d'un des couloirs, il crut distinguer une silhouette sombre qui reculait dans l'invisible, vêtue d'un de ces casques coloniaux que portaient, paraît-il, les explorateurs. Kit comprit qu'il devait s'agir de la brebis galeuse de la famille dont on parlait tant, Fleetwood Vibe, de retour d'une de ses expéditions.

R. Wilshire Vibe ne s'était pas gagné l'affection de son neveu avec son «spectacle» *Amusettes africaines*, qui comportait l'entraînant :

> Quand les indigènes deviennent fous!
> Quand ta vie ne vaut plus un sou!
> Les yeux révulsés, à moitié soûl,
> Et que tu prends un certain re-tard,
> Dis-moi, que feras-tu quand
> Ils te courront après en hurlant?
> Tu décamperas au plus vite,

Pour éviter de finir dans la marmite!
Mais dans cette contrée très en vogue,
Y a pas un seul vendeur de hot-dog (hi-hi!)
Leur-pe-tit-plat-du-jour-à-eux, c'est
La cervelle grillée servie dans-ta-caboche, alors

Si tu te rends dans ce pays,
N'oublie pas ce que je t'ai dit,
Tu veux pas finir dans leur assiette?
Parfait, alors vas-y en au-to-mo-bile!
Dans un vrai petit bo-lide!

Et que tous aimaient entonner dans le salon, réunis autour du Steinway. Un chouette moment pour tous sauf pour Fleetwood, qui s'efforçait tous les soirs de tenir bon pendant au moins les trente-deux premières mesures.

«En fait, ils ne savent pas que je suis là», confia-t-il à Kit. «Et s'ils s'en doutent, c'est seulement de la façon dont on perçoit les fantômes – même peut-être avez-vous déjà remarqué que ces derniers ne sont pas les personnes les plus spirituelles qui soient. J'ai naguère nourri l'espoir de voir Dittany échapper à la corruption générale, mais je n'y crois plus guère ces derniers temps.»

«Elle me semble tout à fait honnête.»

«Je suis de moins en moins qualifié pour en juger, de toute manière. En fait, vous ne devriez pas croire tout ce que je dis sur cette famille.»

Kit éclata de rire. «Oh, super. Des paradoxes logiques. J'adore.»

Ils étaient arrivés au sommet d'une colline escarpée, émergeant d'un bosquet d'érables et de noyers noirs, certains déjà âgés quand les premiers Européens étaient arrivés – la demeure restait cachée dans les feuillages quelque part en contrebas.

«Nous avions tous coutume de monter ici l'hiver puis de dévaler cette pente en luge. À l'époque, ça nous paraissait quasiment à la verticale. Et regardez-moi ça là-bas.» D'un mouvement de la tête, il désigna un point à l'ouest. Derrière l'étendue de fumée de charbon et de brume salée, Kit distingua quelques tours à peine visibles de la ville de New York, éclairées par les derniers rayons obliques du soleil perdu parmi des nuages qui paraissaient presque leurs propres prototypes célestes, ce que les photographes appellent «un ciel de deux minutes», voué à rapidement se couvrir et même à lâcher une légère averse. «Quand je venais seul ici, c'était pour regarder la ville – je pensais qu'il existait une sorte de portail donnant sur un autre monde... Je n'arrivais pas à concevoir un paysage continu menant naturellement de l'endroit où je me trouvais à ce que je voyais. Bien sûr, c'était le Queens, mais le temps que je m'en aperçoive, il était trop tard, j'étais possédé par le rêve d'une porte invisible, d'un passage. Ce pouvait être une ville, mais ce n'était pas obligé. J'imaginais davantage quelque chose d'invisible acquérant de la substance. »

Kit acquiesça. « Et... »

Les mains dans les poches, Fleetwood secoua lentement la tête. « Il existe des histoires ; comme des cartes qui concordent... trop cohérentes dans trop de langues et de récits pour n'être que des désirs confondus avec la réalité... Il s'agit toujours d'un endroit caché, y pénétrer n'est pas évident, la géographie est tout aussi spirituelle que physique. S'il vous arrivait de tomber dessus, votre plus forte impression serait non pas de l'avoir découvert mais d'y être déjà allé. Une vaste et soudaine illumination, et vous vous souvenez de tout. »

« Une sorte de... foyer ? »

« Oh... » Suivant le regard de Kit, en bas de la colline, vers l'invisible « grande maison », le soleil caressant une dernière fois les arbres. « Il y a foyer et foyer, vous savez. Et ces derniers temps, tout ce qui intéresse mes collègues, c'est de trouver des chutes d'eau. Plus les chutes sont spectaculaires, plus grandes sont les chances d'y établir un hôtel de luxe... Il semble que la seule chose que je cherche actuellement c'est le mouvement, pour lui-même, ce que vous autres nommez le vecteur, je suppose... Est-ce que ça existe, des inconnues vectorielles ? »

« Les vecteurs... peuvent être résolus. C'est certain. Mais peut-être pensez-vous à autre chose. »

« Celui-ci part toujours d'ici, mais celui-là... » – désignant la métropole scintillante d'un mouvement latéral de la tête – « c'est là que se trouve l'argent. » Il marqua moins une pause qu'il ne guetta, comme on le ferait devant un télégraphe, une affirmation venue du lointain invisible.

« Vous savez », reprit-il, « on rencontre de drôles de bonshommes là-bas. On les voit s'enfoncer, ils ne ressortent pas avant des mois, parfois jamais. Des missionnaires, des déserteurs, des habitants de la piste, car il s'agit toujours de ce à quoi ils ont prêté allégeance – la piste, la sente, la rivière, tout ce qui peut les conduire au-delà de la corniche suivante, du coude du fleuve émergeant dans cette étrange lumière humide. "Un foyer", qu'est-ce que cela peut bien signifier ? En quoi ça peut bien les concerner ? Je vais vous raconter une histoire sur la Cité céleste. Sion. »

Un soir, en Afrique orientale, il ne savait plus trop où exactement, Fleetwood rencontra Yitzhak Zilberfeld, un agent sioniste, qui sillonnait le globe en quête d'éventuelles patries juives. Ils en vinrent très vite à discuter des conditions des apatrides par rapport à celles des propriétaires. La fièvre, l'abus de drogues locales, les guerres tribales et intestines, omniprésentes et incessantes, les mille menaces à l'intrusion blanche ici, souvent invisibles, donnèrent au débat une tournure de plus en plus extravagante.

«Qu'est-ce que l'État moderne», déclara Yitzhak, «sinon un quartier résidentiel de banlieue étendu à une plus vaste échelle? L'antisémitisme découle directement d'une peur faubourienne de ceux qui sont en perpétuel déplacement, qui campent pour une nuit, ou paient un loyer, à la différence des bons citoyens qui croient "posséder" leur maison, même s'il est plus vraisemblable qu'elle soit la propriété d'une banque, peut-être même d'une banque juive. Tout le monde doit vivre dans un espace simplement connexe fermé par une ligne ininterrompue. Certains disposent de cordes en cheveux tressés, pour éloigner les serpents. Quiconque vit en dehors des limites de la propriété est automatiquement une menace pour l'ordre faubourien et, par extension, pour l'État. Comme par hasard, les Juifs ont un passif apatride.»

«Cela n'a rien de déshonorant que de vouloir un bout de terre, non?» objecta Fleetwood.

«Bien sûr que non. Mais aucune patrie juive ne mettra jamais fin à la haine pour celui qui n'a pas de propriété, et c'est là un point inhérent à l'impératif faubourien. La haine est reportée sur une nouvelle cible, c'est tout.»

Et se pourrait-il qu'on trouve un jour, au beau milieu de la pire des jungles, une paisible étendue de prairie, encore inoccupée, à l'abri de toutes prétentions rivales, haute, fertile, saine, naturellement défendable, et cætera? Allaient-ils arriver à un coude de la route, ou franchir une corniche, et franchir alors ce fameux portail secret, atteindre la terre pure, Sion?

Ils regardèrent le soleil décliner sur cette possibilité bénie.

«Est-ce réel?»

Un haussement d'épaules. «Oui... ou, non.»

«Ou alors nous avons tous deux la fièvre.»

Ils installèrent leur campement dans une clairière, près d'une petite chute d'eau, et firent un feu. Puis la nuit prit ses quartiers.

«C'était quoi, ça?»

«Un éléphant», dit Fleetwood. «Vous m'avez dit que vous étiez ici depuis quand?»

«Il me semble tout près, vous ne trouvez pas?» Quand Fleetwood haussa les épaules : « Je veux dire, vous avez déjà... eu affaire à des éléphants ? »

« Ça m'est arrivé. »

« Vous avez un fusil à éléphant avec vous ? »

« Non. Et vous ? »

« Bon, si celui-ci charge, on fait quoi ? »

« Ça dépend comment il charge – on pourrait le dissuader ? »

« Antisémite ! »

Dans l'obscurité, l'éléphant trompeta de nouveau, cette fois-ci en chœur avec un autre. En harmonie. Une sorte de commentaire, comment savoir ?

« Dis donc, ils ne dorment pas la nuit ? »

Fleetwood exhala de façon audible. « Je ne voudrais pas vous offenser, mais... si ce genre d'angoisse liée aux éléphants est courante chez votre peuple, peut-être que l'Afrique n'est pas le site le plus prometteur pour une colonie sioniste. »

À travers leurs pieds ils purent sentir les vibrations dans le sol de la jungle, révélatrices d'un éléphant adulte approchant à grande vitesse.

« Bon, j'ai eu beaucoup de plaisir à discuter avec vous », dit Yitzhak, « et maintenant je crois que je vais juste — »

« En fait, vous feriez mieux de ne pas bouger d'un millimètre. »

« Et après ? »

« Regardez-le droit dans les yeux. »

« Obliger un éléphant enragé à baisser les yeux ? »

« Une vieille sagesse de la brousse », conseilla Fleetwood, « ne jamais courir. Courez, et vous vous ferez piétiner. »

L'éléphant, qui avoisinait les trois mètres cinquante de haut, émergea de la forêt, se dirigeant droit sur Fleetwood et Yitzhak, manifestement mécontent. Il avait la trompe levée et recourbée en arrière, une précaution que prennent les éléphants juste avant d'utiliser leurs défenses contre l'objet de leur ire.

« O.K., faisons le point – on ne bouge pas, on le regarde droit dans les yeux, et vous me garantissez que cet éléphant va simplement... s'arrêter ? Se détourner, s'en aller, y a pas de mal les gars ? »

« Regardez. »

Le gros titre dans la *Gazette de la brousse* de la semaine suivante annonça : UN JUIF ÉCHAPPE À UN ÉLÉPHANT FOU. Yitzhak fut si reconnaissant qu'il refila à Fleetwood plusieurs tuyaux d'investissements, avec des noms de contacts bancaires utiles partout en Europe, ce qui aurait largement profité à ce dernier s'il ne s'était mis entre-temps à poursuivre des objectifs moins financiers. Il voulut s'expliquer.

« Quand j'étais gosse, je lisais Dickens. La cruauté ne me surprenait pas, mais j'étais intrigué par les actes de bonté désintéressés, que je n'ai jamais observés en dehors des pages des romans. Un peu partout, c'est un principe éternel : ne jamais rien faire sans contrepartie. »

« Exactement », dit Yitzhak. « Faites-moi confiance. Achetez des actions Rand. »

« L'Afrique du Sud ? Mais la guerre fait rage là-bas. »

« Les guerres n'ont qu'un temps, il y a cinquante mille coolies chinois qui dorment sur les quais de T'ien-tsin à Hong Kong, en attendant d'être expédiés par bateau dans le Transvaal dès que les tirs cesseront… »

Et d'ailleurs, tous les marchés de la planète furent assez vite envahis par l'or, non seulement l'or du Rand mais également des recettes provenant de la Ruée vers l'or australienne alors en plein essor – exactement le genre de revenus « injustement acquis » qui plongeaient le patriarche Vibe dans des colères écumantes et déraisonnables.

« J'y comprends rien. Cet argent sort de nulle part. »

« Mais il est réel », fit remarquer Foley Walker. « Ce qu'ils achètent avec est réel. »

« Bon sang, je sens que je deviens socialiste », dit Scarsdale. « Communiste, même. Comme quand on sent qu'on est en train d'attraper froid, tu sais ? Mon esprit – ou la partie dont je me sers pour réfléchir aux affaires – me fait mal. »

« Mais, Mr V., vous détestez les socialistes. »

« Je déteste encore plus ces fils de putes d'arrivistes. »

Il était à peine visible dans l'obscurité, à une fenêtre de l'étage hanté de la maison, tel un meuble datant d'une époque ancienne, laissé là dans quelque dessein domestique et obsolète. C'était la seule partie de la maison où personne ne s'aventurait, dédiée à l'exil, au départ, au périple inquiet, réservée à quiconque ne pouvait résider ici. Il se souvenait, rongé par la fièvre du souvenir.

En Afrique, il avait connu des lieutenants angéliques condamnés à mourir jeunes, des fugitifs nés de l'effondrement de la Question orientale, des marchands d'esclaves ou de canons indifférents à la nature des biens dont ils s'occupaient, qui ressortaient au bout de plusieurs mois de l'Enfer vert, dépossédés de leurs marchandises mais également du souvenir de ces dernières, malades, empoisonnés, trop souvent à l'agonie, maudits par les chamans, trahis par les anomalies magnétiques, rongés par le ver de Guinée et la malaria, et qui, malgré tout, ne souhaitaient qu'une chose, retrouver l'étreinte de l'intérieur… Fleetwood voulait être comme eux... Il priait pour devenir l'un d'eux. Il se rendit dans des contrées que même le dingue européen du coin trouvait trop dangereuses, dans l'espoir d'être envahi par ce qui se trouvait là-bas... Rien ne se passa. Personne n'eut l'indélicatesse de lui dire que c'était son argent qui éloignait les esprits dont il recherchait l'appui – que même ces vicieux intercesseurs étaient suffisamment intelligents pour ne pas trop s'approcher de fonds non régulés, et dont l'origine était, quel que fût l'angle sous lequel on la considérait, criminelle.

À Massawa, Fleetwood avait trouvé un caboteur qui se rendait dans le Sud. Il débarqua à Lourenço Marques, passa une semaine dans diverses *cantinhas* locales, réunissant des informations, ainsi qu'il aimait décrire la chose. Cela lui coûta quelques barriques de vin portugais colonial, le tord-boyaux du Bucelas et du Dão, sous les regards intrigués des autochtones qui le sifflaient depuis toujours.

Quand Fleetwood sentit qu'il s'était enfin purgé de la dernière parcelle de prédisposition américaine, il prit le train pour le Transvaal. Mais dans l'intervalle de quelques minutes entre Ressano Garcia et Komati Poort, quelque chose se réarrangea dans ses pensées. À l'instant où il franchit la frontière, il comprit ce qu'il était censé faire ici – il se rendait à Johannesburg pour se constituer une fortune personnelle, dans cet enfer de phtisie chronique, de veld galeux, d'avarice des commerçants, de pullulement de rickshaws, où les femmes blanches faisaient cruellement défaut, une ville appartenant à l'anhistorique... « comme Bakou mais avec des girafes », écrivit-il aux siens. Le veld s'étendait bien trop loin, sans un seul arbre en vue, juste des cheminées et des bocards, qui ahanaient dans un raffut infernal, audible à des kilomètres, de jour comme de nuit, rejetant dans les airs une infecte poussière blanche à laquelle on ne pouvait échapper et qui s'attardait dans l'air où elle était inhalée ou se redéposait et recouvrait logements, vêtements, végétations, peaux de toutes les couleurs. Partout dans le monde, à tout instant, il y avait suffisamment de villes comme Johannesburg pour occuper un certain type de jeunes gens âpres au gain. Il allait falloir s'immerger, renoncer aux abrutissements bourgeois de toutes sortes, aux climats prédominants, aux récits du marché, aux fluctuations des moissons – y compris celles de la mort –, à tout ce qui faisait jusqu'ici votre quotidien, se jeter aussi stoïquement que possible dans la fièvre et se conduire selon les prescriptions de la survie et du profit en matière d'enivrement, trahison, brutalité, risque (profondes descentes dans les abysses aurifères, insignifiantes à côté des chutes morales qui ne cessaient de vous solliciter), obsession sexuelle, paris épiques, séductions dans les bouges du *dagga rooker* et de l'opiomane. N'importe quel Blanc était d'une façon ou d'une autre embringué là-dedans, c'était un jeu sans limites, même si la Haute Cour de Witwatersrand faisait office de conscience publique, en pratique on pouvait prendre le train de Lourenço Marques et se retrouver sous juridiction portugaise en un jour et demi, pour de bon si on le voulait, l'argent vous précédait, était déposé en lieu sûr, il semblait déjà appartenir au domaine du rêve, aussi innocent qu'une somme écrite à l'encre dans n'importe quel livre de comptes impeccablement tenu... Difficile dans ces conditions de ne pas retourner au vieux saloon local, pour y boire des coups jusqu'à l'heure de la fermeture. «Non, pas extra-ordinairement riche, mais bon, vous savez... un *tickey* ici, un *tickey* là, au bout d'un moment ça s'additionne...»

Les Cafres l'appelaient eGoli, «la Cité de l'or». Peu après son arrivée à Johannesburg, Fleetwood se retrouva à bord de ce que les fumeurs de *dagga* nommaient le Train du singe. Le bruit courait qu'il avait abattu un coolie, mais dans une autre version il s'agissait d'un Cafre qu'il avait surpris en train de voler un diamant, il aurait alors laissé le choix au Cafre entre être exécuté ou descendre dans un puits de mine de huit cents mètres de profondeur. L'homme avait volé, après tout, même si la pierre n'était pas exceptionnelle pour un diamant – Fleetwood qui reconnaissait ne pas trop avoir l'œil l'estimait à moins de trois carats une fois qu'Amsterdam en aurait fini avec. «Je n'ai pas volé cette pierre», dit le Noir. Mais il obtempéra et la remit à l'homme blanc. Fleetwood lui désigna le puits avec le canon du Borchardt et sentit alors une étrange euphorie grandir en lui et remplir son corps, surpris de voir, par ailleurs, que le Cafre non seulement percevait son excitation mais la ressentait également à son tour. La tache américaine, finalement, ne serait pas éradiquée. Les deux hommes restèrent un court instant au bord du vide effrayant, et Fleetwood comprit mais trop tard qu'il aurait pu obliger le Cafre à faire n'importe quoi d'autre mais, pour une raison inconnue, n'avait rien trouvé de mieux que ça.

Bien qu'un motif légal eût dépouillé l'acte de sa cruelle dimension, peu importait à vrai dire que le Cafre eût volé ou non la pierre, et peut-être avait-il seulement attendu le bon moment pour la faire sortir des lieux, où il y avait de fortes chances pour qu'il s'en fît à son tour déposséder, par un autre Cafre un peu moins défoncé au *dagga* pour le moment, en suite de quoi les choses auraient mal tourné et seraient devenues nettement plus douloureuses pour lui que cette longue descente relativement humaine dans l'abîme sous la terre bleue, les parois du tunnel défilant de plus en plus vite – plutôt agréable, s'imagina

Fleetwood, car la chaleur s'accentuerait à mesure qu'on tomberait –, et il aurait peut-être même l'impression de retourner dans quelque sombre matrice...

Cela vint plus tard, dans les rêves, en même temps que l'inévitable visage du mort, blanchi par la poussière, imposant. Comme s'ils regardaient par des trous dans un masque, les yeux bougeaient et luisaient, horriblement vivants dans une chair qui aurait tout aussi bien pu être artificielle. Le mort semblait murmurer des conseils. L'avertissant que la structure du monde avait subi un grave préjudice, qu'il s'agirait de rectifier.

Fleetwood était alors chaque fois non pas tant la proie du remords qu'ébloui pour avoir vu les terres reculées et secrètes de la richesse, laquelle tôt ou tard dépendait d'un acte meurtrier, souvent suivi d'autres. Il apprit à guetter cette révélation, même s'il lui arrivait de se réveiller trop tôt.

Pour se rassurer, il s'imaginait que le Cafre et le Juif s'équilibraient dans le vaste registre karmique. Mais en fait, ainsi qu'il l'apprit par ces rêves lucides qui survenaient avant l'aube, tout l'or du Transvaal ne pouvait acheter la rémission d'une seule minute de ce qui l'attendait. Il éclata d'un rire furieux : « Le purgatoire ? Une loi supérieure ? Un proche parent du Cafre, qui me traquerait partout où je vais ? Un peu de sérieux. »

Les Pygmées du Club le dévisageaient avec un dégoût implicite. Dans la rue, les Chinois l'insultaient, et, connaissant quelques rudiments de leur langue, il pensait reconnaître les mots « tuer », « mère », et « salaud ». Le bruit courait qu'Alden Vormance état en train de monter sur pied une expédition afin d'aller récupérer une météorite dans le Nord. Il n'y aurait ni or, ni diamants, ni femmes, ni drogues propices aux rêves, ni coolies, ni Noirs, mais éventuellement quelques Eskimos. Et la pureté, la géométrie, le froid.

Jetant derrière lui de rapides coups d'œil, Lew Basnight finit par voir sur la piste des choses qui n'y étaient pas nécessairement. Un cavalier au loin, gabardine noire et chapeau, parfaitement immobile, profil dans l'éclat brut du jour, sa monture tendant le cou vers le sol aride. Aucune réelle vigilance, au mieux un repli dans sa propre silhouette plus ou moins en étoile, comme si elle n'avait jamais aspiré à rien d'autre. Il ne lui fallut pas longtemps pour se convaincre que la présence derrière lui, toujours à bonne distance, appartenait à une seule et même personne, le célèbre dynamiteur des San Juan, surnommé le Kieselguhr Kid.

Il se trouvait que White City Investigations s'intéressait de très près au Kid. À peu près au moment où Lew descendait du train à la gare centrale de Denver, alors même que les troubles à Coeur d'Alene commençaient à laisser leur empreinte sanglante sur tout le pays minier, où il ne s'écoulait déjà presque pas une journée sans que se produise une explosion, l'attitude des grandes agences de détectives basées en ville, telles que Pinkerton et Thiel, dut changer devant l'excédent de travail auquel elles étaient confrontées. Estimant qu'elles n'avaient qu'à considérer les affaires non résolues comme un banquier le ferait d'un instrument de dette, elles se mirent à revendre à des agences moins établies et par conséquent plus avides, telles que White City, leurs avis de recherche les plus « chauds », dont celui lancé contre le Kieselguhr Kid.

C'était le seul nom par lequel on l'eût jamais appelé, la « kieselguhr » étant une sorte de glaise fine, qu'on utilisait pour absorber la nitro-glycérine et la stabiliser en dynamite. La famille du Kid avait soi-disant fui l'Allemagne peu de temps après la réaction de 1849, s'installant tout d'abord près de San Antonio, que le futur Kid, désormais assoiffé de terres plus élevées, quitta vite, puis après une courte période dans les Sangre de Cristo, d'après la légende, se dirigeant de nouveau vers l'ouest, attiré par les San Juan, non à cause de l'argent des mines, ni des ennuis qu'il pouvait s'attirer, ces deux choses étant par ailleurs, comme il était assez grand pour s'en rendre compte, monnaie courante. Non, il s'agissait d'autre chose. Et chacun d'y aller de sa version personnelle aussitôt qu'on abordait le sujet.

« Il a pas de pistolets, même pas un fusil ou une carabine – non, sa marque de fabrique, ce que vous le verrez trimballer dans ces étuis en cuir repoussé, c'est rien que des bâtons jumeaux de dynamite, avec une douzaine d'autres en… »

« Quelques douzaines, dans de grandes cartouchières qui lui barrent la poitrine. »

« Facile à reconnaître, donc. »

« C'est ce qu'on pourrait croire, mais y a pas deux descriptions qui concordent. C'est comme si toutes ces explosions l'effaçaient des mémoires. »

« Mais dites, est-ce qu'un tireur même lent ne pourrait l'abattre avant qu'il ait le temps d'allumer une mèche ? »

« Je parierais pas là-dessus. Il a installé des sortes de percuteurs à l'épreuve du vent sur chaque holster, comme pour les allumettes de sûreté, du coup il a juste à dégainer, et ces saloperies sont fin prêtes à s'envoler. »

« Des mèches rapides, aussi. Des types qui s'étaient aventurés sur le plateau d'Uncompaghgre l'ont découvert à leurs dépens fin août, plus grand-chose à enterrer que des éperons et des boucles de ceinturon. Même Butch Cassidy et sa bande se mettent à roucouler comme une grange pleine de pigeons chaque fois que le Kid se pointe dans le comté. »

Bien sûr, personne n'avait jamais su non plus avec certitude qui faisait partie de la bande de Butch Cassidy. On n'était pas en reste côté légendes, ici, mais les témoignages oculaires peinaient à établir clairement qui à chaque fois, exactement, avait fait quoi, et cela n'était pas dû uniquement à la peur des représailles, mais comme si l'apparence physique *changeait réellement*, obligeant non seulement à attribuer à tort des noms d'emprunt mais altérant également la nature même de l'identité. Advenait-il quelque chose, quelque chose d'essentiel, à la personnalité humaine à partir d'une certaine élévation par rapport au niveau de la mer ? Nombreux étaient ceux qui citaient le Dr Lombroso, pour qui les habitants des terres basses étaient souvent placides et disciplinés, tandis que les pays montagneux engendraient des révolutionnaires et des hors-la-loi. Mais cela venait d'Italie, bien sûr. Les théoriciens de l'inconscient, récemment découvert, rechignaient à écarter toute variable qui pourrait se révéler utile, ils ne pouvaient donc délaisser l'altitude, et la pression barométrique qui allait avec. Il s'agissait de l'esprit, après tout.

Pour l'instant, Lew se trouvait à Lodazal, dans le Colorado, en train de discuter avec Burke Ponghill, rédacteur au *Lodazal Weekly Tidings*, la feuille à sensation d'une ville qui n'était encore rien de plus qu'un louable projet immobilier. C'était le boulot du jeune Ponghill que de remplir les colonnes vides avec des histoires de fantômes, dans l'espoir que de lointains lecteurs soient assez intrigués pour venir faire un tour en ville, voire s'y installer.

«Mais jusqu'ici tout ce qu'on a c'est une ville minière qu'est pas encore bâtie.»

«Argent? Or?»

«Eh bien, du minerai, c'est sûr... contenant cet élément métallique qui a pas franchement été —»

«Découvert?»

«Découvert, c'est possible, disons pas encore tout à fait raffiné?»

«Et destiné à...?»

«Des applications qui restent à imaginer?»

«Dites, mais tout ça me semble parfait. Où est-ce qu'on peut trouver à se loger pour la nuit?»

«Bain chaud? cuisine maison?»

«Ça marche.»

Le vent bruissait dans les arbustes du désert, et les deux hommes allumèrent des cigares. Lew essaya de ne pas succomber à la lassitude de la piste.

«La voix dans ces lettres-ci», Ponghill tapotant la pile de feuilles devant lui, «loin d'appartenir à quelque illuminé du sud de l'Europe ou à un adepte de la veuve poignet, suggère plutôt un *hombre* qui sait parfaitement qu'*il lui est arrivé quelque chose*, mais qui se demande bien ce que ça peut être – vous connaissez ce sentiment? – évidemment, comme tout le monde – et il essaie d'analyser tout ça, là sur le papier, comment ça lui est arrivé, et surtout qui en est le responsable. Mais bon sang, regardez ses cibles. Vous remarquerez qu'il les identifie toujours par le nom et l'adresse, sans jamais généraliser comme certains dynamiteurs, pas le genre à écrire "Wall Street" ou "Association des Propriétaires de Mines" – non, vous voyez, ces infâmes sont tous très clairement accusés, l'un après l'autre.»

«Ces "infâmes"?»

«Il ne fait pas ça pour s'amuser, Mr Basnight, ni pour l'excitation que produit l'explosion, oh que non, on a affaire ici à un homme de principe. Quelque peu coupé du monde du travail... sans parler d'un manque d'exposition au sexe faible, à toute son influence civilisante dont il tire sa renommée...»

«Trop de temps passé seul, l'arbre à jute qui refoule, fait monter la pression dans la cervelle – oh mais bon, est-ce que ça ne s'applique pas à la moitié de ces montagnes? En fait, cette théorie est plutôt naïve, n'est-ce pas, Mr Ponghill, ce n'est pas la vôtre, j'espère?»

«Une dame de ma connaissance. Elle se dit que s'il sortait davantage —»

«Maintenant que vous en parlez, tous les jours à notre bureau de Denver, on voit des lettres adressées à cet oiseau, dont pas mal écrites par des femmes, étrange mais vrai, et la plupart lui proposant de l'épouser. De temps en temps, c'est un gars qui aborde la question, aussi, mais ça finit dans un dossier différent.»

«Vous ouvrez et lisez son courrier?»

«On peut pas dire qu'il ait franchement un nom ou une adresse fixes – c'est pas une *putain de boîte postale* ici, quand même!»

«Ça ne veut pas dire qu'il n'a pas droit à une vie privée.»

«Une… Ah. Ben ça alors, si c'est pas rafraîchissant, tiens! Un débat sur les droits des criminels, ça vous rappelle les feux de camp de jeunesse, sauf qu'alors c'était Dieu qui avait ni nom ni adresse.»

On sortit la cruche de gnôle et Burke Ponghill se laissa aller aux confessions. La recherche du mystérieux dynamiteur avait fini, à force d'acharnement, par affecter des familles sans le moindre lien avec l'affaire, y compris celle de Ponghill, leur mettant une pression inhabituelle pour qu'elles désignent certaines brebis galeuses comme éventuels candidats ou pour se protéger elles-mêmes de la justice. Le conflit était explicite, entre l'État et les loyautés du sang. La résidence Ponghill devint une maison divisée. «C'est du crétinisme moral, Ma, examine son crâne, les lobes du sentiment social sont tout simplement inexistants.»

«Mais, Buddy, c'est ton frère.»

«Ils vont l'attraper et l'abattre, tu n'as pas encore compris qui sont ces fumiers?»

«Et si tu le livres, ils le pendront.»

«Pas avec un bon avocat.»

«Ces fils de putes ne travaillent pas pour rien.»

«Ils travaillent parfois pour leur conscience.»

«Oh, Buddy.» Avec dans ce soupir une vie entière consacrée à protéger ses attentes naïves et ses plans sur la comète, mais il continua comme s'il n'avait rien entendu.

«Alors Buddy a livré notre petit frère», raconta Burke à Lew, «et maintenant Brad n'a plus qu'à espérer qu'il restera suffisamment longtemps en vie pour que le procès ait lieu à Denver, où notre junte locale a moins de panache, et où les journaux de l'Est pourront s'emparer de l'histoire...»

Lew quitta la remise en planches grossièrement équarries qui faisait office d'imprimerie et retourna dans la vallée. Jusqu'ici, on ne lui avait pas tiré dessus, ou en tout cas pas de façon vérifiable, mais le pressentiment que ça n'allait pas tarder prit très vite chez lui un tour fâcheusement gastrique. Il avait appris très tôt à mettre entre lui et les villages une distance équivalente à la portée des armes à feu qui devaient sûrement se trouver entre les mains d'éventuels scélérats – au-delà de ce rayon, toutes ces montagnes et tous ces couchers de soleil devraient se passer du regard admiratif de Lew Basnight.

L'obscurité s'étendait lentement sur la vallée. Dans les fermes on tisonnait les poêles pour les relancer, on allumait les lampes dont la lumière remplissait vite les cadres des fenêtres, éclipsant le soleil déclinant qui passait sur leur revêtement en sapin et s'étiolait parmi les rangées des potagers, les rondins débités et entassés soudain teints à leurs extrémités du même jaune orangé et intense, leur écorce presque noire, argentée, pleine d'ombres... Comme d'habitude à cette heure-ci de la journée, Lew se sentit devenir de fort mauvaise humeur à cause de ce travail de limier qui vous lessivait l'esprit et la monture, allant même jusqu'à lui interdire de goûter au soir, qui pour chacun était l'occasion d'un peu de bien-être domestique. Mais c'était ça ou retourner à Denver, derrière un bureau, à épousseter des dossiers trop obsolètes pour que ça vaille la peine de prendre la route.

Parvenu sur une nouvelle éminence, il s'arrêta et contempla la paisible vallée. Peut-être n'avait-il pas encore tout vu, mais Lew aurait hésité avant de parier plus d'un verre de bière que Chicago, en dépit de sa frénésie urbaine, n'avait rien à envier à la région. Il soupçonnait chaque cabane, appentis, saloon et ferme qu'il voyait d'abriter des histoires n'ayant rien de paisible – des chevaux d'une excessive beauté étaient devenus fous, s'étaient retournés tels des serpents pour arracher à leur maître des morceaux de chair qui ne repousseraient jamais, des femmes avaient initié leur mari à de succulents champignons capables de faire virer au noir une pièce en argent, des maraîchers avaient abattu des bergers à cause d'un moment d'inattention, de gentilles petites filles s'étaient changées en une nuit en jeunes mariées déchaînées et hurlantes, obligeant les hommes de la famille à accomplir des actes guère propices à la tranquillité publique, et, comme avenant au contrat passé avec sa destination, la terre grouillait des esprits à jamais troublés de générations d'Utes, Apaches, Anasazis, de Navajos, Chirakawas, ignorés, trahis, violés, dépouillés et assassinés, qui témoignaient à la vitesse du vent, saturaient la lumière, murmuraient tout contre les visages et à travers les poumons des intrus blancs en une musique aussi atone que les cigales, aussi réprobatrice qu'une tombe, anonyme ou non.

Quand il avait quitté Chicago, personne n'était venu lui dire au revoir, pas même Nate Privett, dont on aurait pu penser qu'il aurait au moins tenu à s'assurer que Lew partait bien. Méditant sur la façon dont il en était arrivé là dans la vie, Lew trouva que c'était un peu comme de connaître la disgrâce.

Il n'y a pas si longtemps, il n'aurait su comment choisir son camp. Au cours de ces journées passées à traquer les anarchistes de Chicago, Lew s'était installé dans un isolement commode, pendant un temps en tout cas, évitant une trop grande empathie avec la victime comme avec l'auteur du crime. Comment pouvait-on débarquer sur les lieux d'un attentat et arriver à quoi que ce soit en se répandant sur le gâchis absurde des vies, le sang et la douleur ? En fervent détective, il mit un certain temps à admettre la possibilité que ces bombes avaient pu être placées par n'importe qui, y compris ceux qui avaient tout à gagner si des « anarchistes », même au sens large, pouvaient porter le chapeau. Et il n'échappa pas non plus à son attention, durant ces longues filatures derrière les Abattoirs et au-delà, à quel point la vie des membres de cette confrérie était profondément malheureuse, alors que leur idéal promettait d'arracher l'homme à une captivité souvent aussi cruelle que l'ancien esclavage des Noirs. Plus cruelle, parfois. Lew se laissa aller à de séduisantes songeries dans lesquelles il ramassait une bombe de fortune, un morceau de glace ou, mieux, un tas de crottin de cheval gelé, qu'il balançait sur le premier chapeau en soie qu'il voyait avancer sereinement dans la rue, le premier policier matraquant un gréviste sans protection.

C'était criant aux Abattoirs, mais il y avait l'usine Pullman, également, les aciéries et les moissonneuses McCormick, et pas seulement à Chicago – il aurait parié qu'on retrouvait la même structure d'enfers industriels nimbés de silence un peu partout. Il y avait toujours une Quarante-Septième Rue, toujours quelque légion d'invisibles sur une colonne du livre de comptes, face à un petit nombre qui s'enrichissait beaucoup, souvent de façon incalculable, aux dépens des premiers.

L'altitude, l'immensité de la région imposaient une vision vertigineuse de la situation, embrassant propriétaires de mines comme ouvriers, révélant les puissances plutoniques alors qu'ils envoyaient chaque jour leurs légions de gnomes sous terre pour creuser au mieux ce paysage dévasté avant que les morts-terrains s'effondrent, le plus souvent sur leurs têtes, même si les Puissances s'en moquaient, ayant toujours d'autres nains qui attendaient, voire trépignaient, qu'on les envoie en bas. Jaunes et syndiqués, syndiqués et jaunes, en un manège incessant, changeant de camp, en changeant encore, sûr que ça l'aidait par rapport à ce qu'il ne se privait pas de considérer comme un concours pour décrocher son âme.

Il persévéra malgré tout à Denver, finissant par savoir qui était qui, devint un habitué du grill Pinhorn's Manhattan, laissa des ardoises dans tous les bars de la Septième Rue, se lia d'amitié avec les chroniqueurs judiciaires qui traînaient chez Tortoni, dans Arapahoe, et au saloon de Gahan en face de City Hall, remboursa suffisamment ses pertes chez Ed's Arcade pour rester en bons termes avec les associés d'Ed Chase, le caïd des quartiers chauds, passa des journées entières d'affilée sans guère penser à Chicago ni comparer les deux cités mais fut incapable néanmoins de rester cloîtré en ville pendant plus d'une semaine ou deux avant de reprendre le Denver & Rio Grande, direction le pays minier. C'était plus fort que lui, même si, chaque fois qu'il arrivait, on aurait dit que les relations entre propriétaires et mineurs avaient empiré. Tous les jours ou presque on avait droit là-bas à un autre petit Haymarket, la dynamite dans ces montagnes de roche dure n'étant pas tout à fait la substance exotique qu'elle avait été à Chicago. Il croisa bientôt sur la piste des bandes organisées, armées jusqu'aux dents, qui se faisaient appeler l'Alliance des citoyens ou les Auxiliaires des propriétaires. Certains possédaient des armes très sophistiquées, des fusils Krag-Jørgensen de l'armée, des fusils de chasse à répétition, des obusiers de campagne démontés et chargés sur des convois de mules. Au début, il réussit à les croiser sans plus d'ennuis qu'un hochement du chef ou une main portée au rebord du chapeau, mais chaque fois l'atmosphère était un peu plus tendue, et bientôt ils l'interpellèrent et lui posèrent ce qu'ils estimaient sans doute être des questions pointues. Au bout d'un moment, il veilla à avoir toujours sur lui ses permis de l'Illinois et du Colorado, même si la plupart de ces petits Blancs ne savaient pas lire.

Il avait dû céder entre-temps la moitié de son espace de travail à de nouveaux dossiers sur divers anarchistes, professionnels et amateurs, meneurs ouvriers, dynamiteurs, dynamiteurs potentiels, mercenaires, et cætera – les secrétaires qu'il engageait régulièrement pour l'aider à la dactylographie et aux tâches courantes restaient en moyenne un mois puis, exaspérées, le lâchaient pour les simplicités réconfortantes du mariage, une arrière-salle dans le quartier chaud, l'enseignement, ou un autre bureau ou commerce en ville où elles étaient sûres au moins de retrouver les souliers qu'elles avaient ôtés précédemment.

Lew avait bien trop de mal à remettre la main sur certains dossiers pour prendre du recul et se faire une vision d'ensemble, mais il sentait néanmoins que les deux camps concernés étaient organisés, ce n'étaient pas juste des accrochages épars, un dynamitage par-ci par-là, des coups de feu tirés par un homme embusqué. Il s'agissait d'une guerre entre deux armées de grande envergure, chacune dotée d'une chaîne de commandement et de visées stratégiques à long terme – une nouvelle guerre civile, mais la différence cette fois-ci c'étaient ces rails qui traversaient les anciennes frontières, redéfinissant le pays pour lui donner exactement la forme et la taille du réseau ferroviaire.

Il l'avait senti dès la grève Pullman à Chicago, alors que les troupes fédérales patrouillaient les rues, la ville étant située au centre de vingt ou trente voies ferrées, qui rayonnaient avec leurs interconnexions vers le reste du continent. Lew, qui perdait un peu parfois la boule, avait alors l'impression que ce réseau d'acier était un organisme vivant, croissant à chaque heure, obéissant à quelque invisible commandement. Il lui arrivait de s'allonger en pleine nuit entre deux voies de banlieue, entre deux trains, l'oreille collée aux rails, et de guetter des signes d'agitation, des tressaillements, tel un futur père contre l'abdomen de sa tendre épouse. La géographie américaine était devenue franchement bizarre… Qu'était-il censé faire ici, au Colorado, coincé entre les forces invisibles, sans savoir la plupart du temps qui le payait ou qui avait l'intention de l'éliminer ?

Tous les jours ouvrables ou presque, dans les saloons, les restaurants et les tabagies, il surprenait des conversations, auxquelles il lui arrivait même de prendre part, entre des types appartenant à la fois au Syndicat et aux Associations de propriétaires, et qui n'avaient été jusqu'ici que des noms dans des rapports d'enquête. Mais le plus bizarre, c'était que les noms des détectives travaillant pour les propriétaires apparaissaient également dans ses dossiers sur les mineurs. Certains étaient recherchés par les autorités d'États reculés pour des crimes commis contre des propriétaires, et pas toujours d'ailleurs des délits mineurs – des francs-tireurs du Syndicat, voire des anarchistes portés sur la dynamite, sauf qu'ici ils étaient employés par l'Association des Propriétaires. « Étrange », marmonna Lew, en tirant énergiquement sur un cigare et en mâchouillant son extrémité avec les dents, car il avait l'impression écœurante, pas uniquement due au jus de tabac qu'il avalait, que quelqu'un le prenait pour une andouille. Qui donc étaient ces lascars – des dynamiteurs prétendant travailler pour les propriétaires tout en complotant d'autres attentats ? des laquais des propriétaires infiltrant la Fédération des Mineurs de l'Ouest pour trahir leurs frères ? Se pouvait-il que certains fussent les deux – d'abjects spéculateurs jouant sur les deux tableaux et dont la seule allégeance était la monnaie américaine ?

« Voilà comment il faut s'y prendre », suggéra son assistante d'alors, Tansy Wagwheel, qui d'ici quelques semaines dévalerait en hurlant la Quinzième Rue pour embrasser le système scolaire privé du comté de Denver. « C'est dans ce bouquin génial que j'ai toujours à portée de main, *Le Guide des perplexités morales à l'usage du chrétien moderne*. Juste ici, à la page quatre-vingt-six, se trouve votre réponse. Vous avez votre crayon ? Bien, notez ceci — "Dynamitez-les tous, et laissez Jésus faire le tri". »

« Euh... »

« Oui, je sais... » L'expression rêveuse sur son visage ne pouvait être pour Lew.

« Ils disent quoi pour les courses de chevaux ? » demanda Lew au bout d'un temps.

« Z'êtes un rigolo, Mr Basnight. »

Quand Lew retourna dans les hauteurs effervescentes des San Juan, il remarqua qu'en plus des briseurs de grève habituels on trouvait désormais là-bas des unités de cavalerie de la Garde nationale du Colorado, en uniforme, qui parcouraient les montagnes et les berges des rivières. Il avait pensé à se procurer, par le truchement d'un de ses contacts les moins fiables de l'Association des Propriétaires de Mines, un sauf-conduit, qu'il conservait en permanence dans un portefeuille en cuir avec ses permis de détective. Il tomba à plus d'une reprise sur des groupes de mineurs hagards, au visage parfois tout contusionné ou enflé, sans manteau, sans couvre-chef, sans chaussures, que des soldats de la Cavalerie montée escortaient vers quelque frontière. À en croire du moins leur commandant. Lew se demandait ce qu'il aurait dû faire. La situation était pourrie par bien des côtés, mais les attentats, quoique utiles, n'arrangeaient rien.

Et bien sûr un jour on lui tomba dessus – des ombres filtrées par les trembles se changèrent comme par magie en cavaliers du Klu Klux Klan, et ce encore en plein jour. Lew détailla le groupe armé et cagoulé, dont les déguisements, plus vraiment de toute première fraîcheur, exhibaient des brûlures de cigarette, des taches de nourriture, des auréoles pisseuses et des traînées de merde, et trouva qu'en dépit de leurs capuchons pointus ils peinaient à effrayer.

« Salut les gars ! » lança-t-il, d'un ton qui se voulait amical.

« M'a pas l'air d'un négro », commenta l'un d'eux.

« Trop grand pour un mineur », dit un autre.

« Armé, en plus. J'crois l'avoir vu sur une affiche quelque part ».

« On fait quoi ? On l'abat ? On le pend ? »

« On lui cloue la bite à une souche, et, et après, on y fout le feuhhh », moyennant une bonne dose de salive qui imbiba la toile de l'encapuchonné.

« Je vous félicite pour votre belle vigilance », dit Lew d'un ton enjoué, en circulant entre eux aussi facilement que parmi des moutons, « et je ne manquerai pas de le faire savoir à Buck Wells la prochaine fois que je le verrai. »

Le nom du contremaître de mine et commandant de cavalerie de Telluride opéra tel un sésame.

« N'oubliez pas mon nom », beugla le baveur. « Clovis Yutts ! »

« Chut ! Clovis, espèce d'andouille, t'es pas censé dire ton nom. »

Mais que diable se passait-il ici ? Lew n'en avait aucune idée. En proie à un poisseux pressentiment, il se dit qu'il avait intérêt à garer ses fesses au plus vite et à filer à Denver, en attendant que tout ça se tasse. Ça ressemblait sacrément à une guerre, et c'était sûrement ça qui le retenait ici, supputa-t-il, cette possibilité. Comme de vouloir découvrir de quel côté il était sans tous ces doutes…

De retour à Denver, Lew rentra tard chez lui, comprenant dans le couloir que la journée était loin d'être finie, car de l'imposte de sa porte montait une odeur de feuille brûlée qui éveilla en lui, comme toujours, des sentiments mitigés. Ce ne pouvait être que Nate Privett, fumant un de ses fameux cigarillos de Key West et venu faire sa tournée d'inspection annuelle, ce qui signifiait qu'un an s'était écoulé depuis sa dernière visite, un fait qui laissa Lew perplexe.

En bas, dans le saloon, les anarchistes braillaient déjà, comme à l'accoutumée. Ils chantaient dans des tonalités et des tempos si différents, tels des congrégationalistes, qu'il était impossible de reconnaître la chanson en question. Des filles dont les voix haut perchées trahissaient un amateurisme enjoué, et qui manifestement auraient préféré danser plutôt qu'essayer de faire illusion. Des bottes martelant le parquet sur des rythmes étranges, très peu américains. Lew avait pris l'habitude de faire un saut ici en fin de journée, le temps d'une bière, de plus en plus sensible à l'attrait politique, voire romantique, des lieux, car il y avait là toutes sortes de mésanges anarchistes qui n'aimaient rien tant que voir de près un privé bourru. Il allait devoir, ce soir, leur préférer Nate, mais pas de gaieté de cœur.

Avec lassitude, Lew se composa une expression et ouvrit sa porte.

«Ah, Nate, bonsoir. J'espère que je ne vous ai pas fait attendre.»

«Toujours un rapport à feuilleter. On perd jamais son temps, Lew, quand on pense à apporter de la lecture.»

«Je vois que vous avez trouvé le Valley Tan.»

«Une fouille poussée, la seule bouteille dans la pièce. Quand c'est que vous vous êtes mis au whiskey mormon?»

«Quand la banque a commencé à me renvoyer vos chèques. Le niveau semble avoir considérablement diminué depuis la dernière fois où je l'ai vue.»

«Un homme désespéré se console avec ce qu'il peut, Lew.»

«Désespéré à quel point, Nate?»

«J'ai lu votre dernier rapport sur le Kieselguhr Kid. Je l'ai lu deux fois, en fait, ça m'a fortement rappelé ce légendaire Butch Cassidy et sa bande, même si vous les citez jamais, d'ailleurs.»

La journée avait été longue pour Lew. Nate Privett était un de ces ronds-de-cuir persuadés que, quelque part dans la masse infinie des livres de comptes, itinéraires, registres d'exploitation, et cætera, brillant d'un éclat irrationnel, allaient se manifester spontanément les réponses, et que du coup il ne serait pas nécessaire de monter en selle pour partir s'aventurer dans des contrées pour le moins crépusculaires.

«Marrant», essayant de gommer le dépit dans sa voix, «mais les situations à la Butch Cassidy sont devenues monnaie courante ici ces derniers temps – ça vous dérangerait de me passer cette bouteille, merci – des exactions commises par des êtres à demi imaginaires – si ça se trouve, on a affaire ici à plus d'un Kid solitaire, peut-être à *des tas de complots anarchistes*, sans parler de cette petite armée de barjots qu'on retrouve partout, des types qui rêvent de passer à l'acte, ou du moins d'en revendiquer la paternité, à la place du Kid —»

«Lew?»

«Ce dossier, franchement, c'est l'enfer, et ça ne fait qu'empirer chaque jour. Je suis tout seul ici sur le coup, et y a des fois où j'aimerais bien que la maison "Je-Vois-Tout" me retire cette saleté de dossier —»

«Hé, oh, une seconde, Lew, ça marche pas comme ça, et en plus, les clients continuent de nous payer, vous savez, tous les mois – oh, ils sont contents, croyez-moi, aucune raison de pas continuer, exactement comme on —»

Il s'arrêta, comme s'il craignait d'en avoir trop dit.

«Ah! C'est donc *ça*.» Feignant d'avoir tout compris. «Ben ça alors, bande de vautours.»

«Oh… pas la peine de…»

«Tout ce temps passé ici, à mille lieues des lumières de Michigan Avenue, sans jamais me douter que… que c'était juste de la poudre aux yeux, rien de plus…»

«Allez surtout pas m'en vouloir, Lew —»

«Je souris, non?»

«Vous savez, à Chicago, notre valeur n'excède pas notre crédibilité, à laquelle contribue le Détective Responsable de la Région Lew Basnight, grâce au respect dont vous jouissez dans le milieu —»

«Je vous emmerde, Nate. Et deux fois plutôt qu'une. Sans rancune.»

«Allons, Lew —»

«Bonne chance, Nate.»

Le lendemain soir au Walker, dans Arapahoe, Lew était en train de s'enfiler des verres d'un mauvais bourbon, coude à coude avec cinq autres buveurs zélés, le maximum que pouvait contenir le mouchoir de poche qu'était l'établissement, quand il comprit d'une façon quasi religieuse que cela aurait dû se produire des années auparavant, qu'il avait pris largement son temps, et qu'il était peut-être maintenant trop tard, qu'on avait sûrement raté l'occasion de vaincre le mastodonte qui avait déboulé dans ce pays pour le confisquer.

Quand il retourna ce même soir au saloon des anarchistes, il ne fut qu'à moitié surpris de voir un type lui adresser un de ces regards qui semblent suggérer que tout n'est pas réglé. Probablement pas le Kieselguhr Kid, mais Lew était désormais dans un état d'esprit expérimental et il partit de l'hypothèse que c'était lui.

«J'vous offre une bière?»

«Tout dépend de si vous avez recouvré la raison.»

«Disons que c'est le cas.»

«Alors tout le monde ne va pas tarder à être au parfum et l'anarchiste que vous êtes va devoir prendre ses jambes à son cou, Frère Basnight.»

«Je peux vous poser une question? Pas que j'aie l'intention de le faire, mais bon, il vous est sûrement arrivé d'allumer un ou deux bâtons de dynamite dans une intention bien précise. Des regrets?»

«Seulement si des vies innocentes en ont pâti. Mais ça n'a jamais été le cas, pas avec moi.»

«Mais s'il n'y a pas de "bourgeois innocents", comme le pensent de nombreux anars —»

«Vous suivez ça de près, je vois. Bon. Je saurais peut-être pas reconnaître un bourgeois s'il fonçait sur moi et me mordait, vu qu'il y en avait pas des tonnes là où je suis allé, c'était surtout paysannerie et prolétariat. En gros, quand je fais mon boulot, ça se résume à pas oublier d'être prudent.»

«Votre boulot.» Lew rédigea un long commentaire sur sa manche de chemise puis releva la tête d'un air naïf. «Bon, et si c'était moi, moi ou quelqu'un du même tonneau, qui se faisait blesser?»

«Vous vous croyez *innocent*? Bon Dieu, l'ami, vous travaillez pour eux – vous m'auriez descendu si l'occasion s'était présentée.»

«Je vous aurais livré.»

«Peut-être, mais sûrement pas vivant.»

«Vous me confondez avec Pat Garrett, Wyatt Earp, ces brutes de l'Ouest ont jamais été regardantes, et ont peut-être même jamais su dans quel camp elles étaient. N'ayant pas eu ce luxe, je ne vous aurais pas plus descendu à l'époque que maintenant, dès lors que je sais à quoi m'en tenir.»

«C'est un sacré soulagement. Dites, votre verre est vide. Herman, un autre pour cette criante menace rouge à la société.»

Peu à peu l'endroit se remplit et se changea en une sorte de bal populaire, et le Kid, ou qui que ce fût, se dissipa dans la cohue, et Lew ne le revit pas avant un bout de temps.

De retour à Chicago dans sa patrie de papier, Nate continua de gaspiller l'argent de l'Agence en envoyant télégramme sur télégramme. S'imaginant que rien n'avait changé, un petit boulot peinard de province, gentillet. Mais des scélérats armés de cisailles devaient être désormais juchés en haut de chaque poteau sur des miles à la ronde, et Nate n'était pas près d'avoir des nouvelles de Lew.

C'est environ à ce moment que se manifesta ce que Lew en vint à considérer comme une habitude honteuse. Il se trouvait dans la sympathique petite oasis de Los Grolardos, à manipuler des explosifs le plus clair de son temps, et il devait avoir oublié de mettre ses gants (même si certains n'en crurent jamais rien), du P.E.T.N., pour autant qu'il se rappelait – bon, peut-être quelque chose d'un peu plus expérimental, car il fréquentait ces derniers temps le Dr Oyswharf, un savant fou et largement respecté, peut-être involontairement à l'origine des attentats liés au Kieselguhr Kid, dont on disait alors qu'il travaillait sur différents mélanges de composés de nitro et de polyméthylène. Un truc vicieux et mortel. L'après-midi céda insensiblement la place à l'heure du dîner, et Lew dut oublier de se laver les mains, car sans avoir eu le temps de comprendre ce qui lui arrivait il perçut la salle à manger de l'hôtel dans une gamme de couleurs, et de références culturelles, qui n'existaient pas quand il était entré. Le papier peint, en particulier, ne présentait pas du tout un motif répété mais une vue unique, dans le style des panoramas français, d'une contrée bel et bien lointaine, absente même peut-être de notre planète telle qu'on la concevait en temps normal, et où des êtres qui ressemblaient – mais pas de façon systématique – à des humains vaquaient à leurs occupations – entendez : *en mouvement* – dans les rues d'une imposante cité nocturne pleine de tours, de dômes, et de passe-relles labyrinthiques, le tout rehaussé d'un éclairage sinistre de prove-nance, entre autres, municipale.

On apporta bientôt à Lew son «plat», lequel retint immédiatement son attention – plus il l'examinait de près et moins ses détails rappe-laient les origines animales auxquelles on était en droit de s'attendre, évoquant davantage le monde de la cristallographie, chaque morceau qu'il découpait avec son couteau révélant en fait de nouvelles perspec-tives, d'abord des axes et des polyèdres disposés de façon complexe, puis les activités grouillantes d'une race de minuscules habitants, néanmoins parfaitement visibles, qui tout en s'activant, apparemment sans savoir qu'ils étaient observés, chantaient des chœurs miniatures d'une harmonie complexe avec de petites voix accélérées qui insufflaient à chaque mot un sens lumineux de plus en plus polycristallin :

> C'est nous, les Castors du Cerveau,
> On s'agite comme de beaux diables
> Même si on nous compare souvent
> À de petites abeilles sociables
> Laissez ce Bulldog où il est
> Et surtout évitez la provo
> Si vous voulez pas d'*ennuis*
> Avec les Castors du Cerveau...

Exactement, songea Lew, intrigué, et... et maintenant si — «*Tout va bien*, Mr B. ?» Curly, le serveur, campé devant Lew avec une expression inquiète et, sembla-t-il à Lew, menaçante. C'était Curly, bien sûr, mais en un sens plus profond ce n'était pas lui. «Vous regardiez bizarrement votre assiette.»

«Eh bien, c'est parce qu'elle *est* bizarre», répondit raisonnablement

Lew, ou du moins le crut-il, jusqu'à ce qu'il s'aperçoive que tout le monde dans la salle s'efforçait frénétiquement de franchir le seuil en même temps. Était-ce quelque chose qu'il avait dit? fait? Il devrait peut-être se renseigner...

« Il est fou! » cria une femme. « Emmett, ne le laisse pas s'approcher de moi! »

Lew revint à lui dans la cellule municipale, en compagnie d'un ou deux habitués qui discouraient avec indignation tout en lui décochant de sévères regards éthyliques. Dès que le marshal eut jeté un œil à Lew et estimé qu'il n'était plus un danger public, Lew put sortir et se rendre au labo du Docteur, l'air, comment dire, un peu penaud.

« À propos de ce — j'ai oublié son nom... »

« Bien sûr. Vu que c'est plus ou moins du cyclopropane additionné de dynamite », répondit le Doc avec un sourire que Lew trouva espiègle, « aucune raison de ne pas l'appeler "cyclomite", hein? Allez-y, des échantillons gratuits aujourd'hui, prenez-en autant que vous voulez, c'est très stable, alors si vous en vouliez pour des travaux de dynamitage, il vous faudra utiliser des amorces explosives, les numéros 6 de DuPont font tout aussi bien l'affaire. Mais peut-être que vous aimeriez également du plasticérateur, certains disent que ça améliore... l'effet général. » Il n'ajouta pas vraiment: « Ça abîme moins les ratiches, aussi », mais Lew sentit que ça se profilait, il fit vigoureusement non de la tête, s'empara des produits, marmonna quelques mercis et partit aussi vite qu'il put.

« Et faites-vous examiner le palpitant, de temps à autre », lui lança le Docteur.

Lew s'arrêta. « Comment ça? »

« Un toubib vous l'expliquerait sans doute, mais il existe une étrange relation chimique entre les explosifs à la nitro et le cœur humain. »

Désormais, chaque fois qu'une charge explosait, même hors de portée des oreilles, ça déclenchait quelque chose dans la conscience de Lew... ce fut même bientôt le cas *avant* que ladite explosion se produisît. Partout. Il contracta rapidement une dépendance à la cyclomite, qu'on pourrait qualifier de zélée.

C'est dans une kermesse à Kankakee que Lew assista à sa première explosion à la dynamite. Il y avait des motocyclistes qui tournaient en rond sur un Mur de la Mort, à moitié aveuglés par la fumée de leur pot d'échappement. Il y avait des jeunes femmes habillées en foraines, qu'on pouvait voir dans le simple appareil moyennant un nickel supplémentaire, ce qui poussait certains gamins à se faufiler par la clôture. Il y avait l'Étonnant Papi Galvanique, qui arborait des panaches électriques de toutes les couleurs depuis la pointe de ses orteils jusqu'à ses oreilles tout en se cramponnant à un générateur dont un gosse du coin actionnait la manivelle. Et il y avait l'attraction connue sous le nom de Lazare Dynamite, dans laquelle un prolo en casquette et bleu de travail grimpait à l'intérieur d'un cercueil en sapin peint en noir, qu'une équipe remplissait alors solennellement d'une batterie de bâtons de dynamite avant d'y attacher une mèche orange vif qui ne semblait pas assez longue. Après avoir cloué le couvercle, le chef d'équipe brandissait une allumette universelle, la grattait d'un geste théâtral sur son fond de culotte, et allumait la mèche, sur quoi tous détalaient comme de beaux diables. Un tambour retentissait quelque part, de plus en plus fort, les roulements s'accéléraient à mesure que la mèche se consumait et raccourcissait – Lew, dans les gradins, était suffisamment loin pour voir la boîte commencer à exploser une demi-seconde avant d'entendre la détonation, juste le temps de se dire qu'il ne se passerait peut-être rien, et c'est alors que frappa le front de cette onde de compression. Ce fut la fin de quelque chose – s'il ne perdit peut-être pas son innocence, il cessa de croire que les choses se produiraient toujours de façon suffisamment progressive pour lui laisser le temps d'intervenir. Ce n'était pas seulement le bruit, n'est-ce pas, c'était la *forme*.

Ayant croisé à une ou deux reprises un docteur homéopathe, il savait qu'on pouvait guérir certains maux avec de minuscules doses d'un produit chimique particulier qui, pris en large quantité, aurait provoqué les mêmes symptômes. L'ingestion de cyclomite l'avait peut-être immunisé contre les explosions. Ou peut-être était-ce juste de la chance. Mais comme par hasard, à peine Lew eut-il fait part à Nate Privett de ses doutes concernant le Kieselguhr Kid – renonçant en fait au dossier – que *la chose en question* s'en prit à lui. Il avait laissé son cheval en amont de la rivière et pissait tranquillement dans un petit arroyo quand le monde bascula. Lew connaissait la méthode foraine, consistant à se jeter au cœur de l'explosion à l'instant où elle se produisait, afin que l'onde de choc soit déjà à l'extérieur et s'éloigne de vous, vous laissant indemne au centre – peut-être sur le carreau un certain temps, mais en tout cas entier. Toutefois, quand vint le moment de le *faire*, sans autre choix que de plonger vers les étincelles de la mèche trop courte, dans ce goulot éclatant qui menait Dieu sait où, en se disant qu'il y aurait quelque chose là, pas seulement le Zéro et l'obscurité... eh bien s'il avait eu le temps d'y réfléchir à deux fois, il aurait peut-être hésité, et cela aurait certainement causé sa perte.

Quand il revint à lui, l'endroit ne ressemblait plus au Colorado, pas plus que les créatures qui l'avaient secouru ne ressemblaient à la lie habituelle qu'on trouvait sur la piste – davantage des visiteurs venus d'ailleurs, et de très loin, qui plus est. Tout ce temps, alors que la mémoire lui revenait, il était resté éveillé, à l'extérieur de son corps, glissant au-dessus de la scène sans se soucier du monde – quel que fût alors le sens du «monde» –, s'efforçant juste de rester dans cet état, non mental et serein, le plus longtemps possible – jusqu'à ce qu'il comprenne qu'ils étaient sur le point de renoncer, d'empiler sur lui quelques pierres et de le laisser là à la merci des charognards, et du coup il se hâta de réintégrer hâtivement sa carcasse, laquelle était étrangement incandescente, ainsi qu'il put le constater alors.

«Dis donc, Nigel, il respire, au moins, non?»

«Franchement, Neville, comment veux-tu que je sache, faudrait pas approcher un miroir ou je ne sais quoi?»

«Attends! J'en ai un dans mon nécessaire...»

«Frivole créature!»

Aussi la première vision qu'eut le Nouveau Lew du monde reconstitué fut-elle celle de ses propres narines étonnées et pleines de poils, s'agitant dans l'ovale d'un miroir de voyage encadré par les tresses d'une femme argentée, ou peut-être des herbes dans l'eau, un article de luxe assurément, et rendue rythmiquement floue par une respiration, vraisemblablement la sienne.

«Tenez.»

L'un d'eux avait sorti une flasque. Lew ne reconnut pas ce qu'elle contenait, une sorte de cognac, supposa-t-il, mais il en prit néanmoins une longue gorgée et fut bientôt de nouveau d'aplomb. Les deux jeunes gens avaient même trouvé son cheval non loin de là, apparemment indemne, même si rien n'était sûr mentalement.

«Merci, les gars, je crois que je vais y aller.»

«N'y songez même pas!» s'écria Neville.

«Celui qui a essayé de vous pulvériser risque de vouloir recommencer», dit Nigel.

Lew les examina alors. À première vue, ses sauveteurs ne paraissaient guère en mesure de dissuader un regain d'intérêt explosif pour sa personne. Ils portaient des Trilby, des culottes courtes en velours, une coupe à frange, une cartouchière décorée de lis des neiges et de primevères sauvages. L'influence d'Oscar Wilde, supposa-t-il. Depuis que le célèbre poète était rentré en Angleterre après un périple américain, débordant d'enthousiasme pour l'Ouest et Leadville en particulier, toutes sortes d'aventuriers extravagants avaient fait leur apparition dans ces montagnes.

Mais bon, où pouvait-il se rendre, maintenant qu'il avait franchi ce qui venait juste de se révéler de façon très nette comme étant le terrible fossé américain, séparant le chasseur de sa proie?

Ils arrivèrent à la nuit tombée dans d'anciennes ruines anasazies à l'ouest de Dolores Valley.

«Un vrai Stonehenge peau-rouge!»

«Juste différent!»

Ils s'assirent en «triangle mystique» et allumèrent des bougies parfumées et quelques cigarettes roulées main avec le *grifa* local, et l'un d'eux sortit un étrange paquet de cartes, pas si étrange que ça.

«C'est quoi ces — on dirait des cartes mexicaines, non?»

«Anglaises, en fait. Bon, Miss Colman-Smith est antillaise...»

«Ces *espadas*, là, je les reconnais, et ça ce sont des *copas*, mais c'est quoi celle avec le bonhomme suspendu tête en bas, une jambe repliée pour former un quatre —»

«C'est le Pendu, bien sûr... Ça alors, vous voulez dire que vous n'avez *jamais* vu un Tarot avant?»

«Le rêve de tout cartomancien!» et «Extra!» et ainsi de suite, y compris un examen du visage de Lew prolongé de façon gênante. «Oui, bon, les cheveux et les yeux foncés, c'est en général le Cavalier d'Épée —»

«Ce que vous devez faire maintenant, Lewis, en tant que requérant, si ça ne vous embête pas, c'est interroger les cartes en leur posant une question précise.»

«Ça roule. Combien de Chinois vivent dans le Dakota du Sud?»

«Non, non – quelque chose qui vous concerne, que vous avez besoin de savoir. Quelque chose de personnel.»

«Du genre: "Mais qu'est-ce qui se passe, bon sang", ça ferait l'affaire?»

«C'est possible. Posons la question, d'accord?»

Et comme de bien entendu la dernière carte retournée de la série, celle qui selon ces loustics importait vraiment, fut de nouveau le Pendu.

Au-dessus d'eux, toutes les deux ou trois secondes, des arcs de lumière fusaient dans toutes les directions. C'était la pluie des Perséides, un événement saisonnier, mais pendant un moment on eût dit que le firmament entier se décousait. Sans parler des fantômes indiens qui défilèrent toute la nuit, aussi amusés que peuvent l'être des Indiens par les mystères de l'homme blanc.

Au matin, le trio chevaucha en direction du sud, avec l'intention de prendre le train au Nouveau-Mexique – Neville et Nigel s'en retournaient dans leur Angleterre natale – et moins d'une semaine après ils se trouvèrent à bord d'un convoi étrangement luxueux, avec salons, restaurants et clubs immensément spacieux, le fourgon de queue réservé au personnel encore plus chic qu'une suite d'hôtel à Chicago. Le prix à payer pour ces somptuaires prestations était une rumeur, aussi inévitable que la suie des locomotives, concernant un mystérieux complot pour faire sauter le train.

« On va sûrement devoir tous descendre et marcher », déclara Mr Gilmore, le conducteur en chef.

« Pas une situation confortable, chef », Lew retournant à sa précédente identité, qui ces derniers temps semblait de plus en plus en congé prolongé, voire en tournée mondiale. « De quoi s'agit-il, cette fois ? Des Rouges ? des métèques ? des dynamiteurs ? »

Mr Gilmore sortit un mouchoir grand comme une serviette de saloon et s'épongea le front.

« Je vous laisse choisir, on raconte tellement d'histoires. Le seul trait qu'elles ont en commun c'est que ça va être une sacrée explosion. Autre chose que de la dynamite. Toute une partie du Texas, peut-être le Nouveau-Mexique, transformée en friche en un clin d'œil. »

Ils continuèrent à aller de gare en gare, attendant le terrible moment, des tours princières de pierre sculptée et des aciéries surgissant à l'horizon des broussailles, se dressant en plein orage matinal, puis, bientôt, luisantes sous les averses, des routes, des cabanes, des clôtures, avec des saloons aux croisements… ils descendaient les rues principales des villes, accompagnés dans leur lente progression par des cavaliers en longs pardessus qui chevauchaient à leurs côtés pendant des miles, des gamins qui grimpaient et descendaient à chaque fois que le train ralentissait pour des montées ou des virages, de vieux humoristes qui feignaient de s'allonger sur les rails pour piquer un somme et roulaient en ricanant sur le côté au dernier moment, des groupes de conducteurs de bestiaux qui regardaient passer le bruyant et tranquille convoi, sans qu'on sût ce qu'ils pouvaient bien penser, les reflets des nuages dans le ciel glissant sans heurt sur leurs yeux, des chevaux attachés qui patientaient, en échangeant de temps en temps des regards, et qui tous semblaient au courant, mais pas forcément des mêmes choses. La menace était pour certains une espèce de tornade de la taille d'un comté, une sombre présence à l'horizon, se déplaçant sur la plaine, tandis que pour d'autres il pouvait s'agir de lumières dans le ciel, « une seconde Lune, dont il est difficile d'apprécier la proximité ou la dangerosité… ». Quant à Lew, il s'était efforcé de ne pas penser au Kieselguhr Kid ou à celui qui avait décidé de se faire appeler ainsi, et le fait est qu'on avait parfois l'impression qu'il était là, esprit planant juste au-dessus de la corniche suivante, incarnation d'une obligation ancienne qui s'accrochait à lui, continuait de le hanter, insistante.

Lew, dérouté, se contentait d'observer, de fumer des cigares et de grignoter en secret sa réserve de plus en plus réduite de cyclomite, s'efforçant de comprendre les altérations à l'œuvre dans son cerveau, les yeux luisant d'une inhabituelle rosée émotionnelle.

Ils arrivèrent à Galveston sans incident mais avec la menace de plus en plus imminente, sur le point de s'abattre. Neville et Nigel réservèrent une traversée transatlantique à bord d'un cargo plutôt louche dont ni l'un ni l'autre n'identifièrent le pavillon, et ils passèrent le reste de la journée à tenter de communiquer avec un gentilhomme chinois qu'ils prirent pour un revendeur de substances opiacées.

«Juste Ciel, Nigel, on a failli oublier! Les autres vont être diablement furibards si on ne leur rapporte pas des *souvenirs* du Far West, à défaut d'un véritable *scalp* ou je ne sais quoi.»

«Hé oh, pas la peine de me regarder», dit Lew.

«Si, vous seriez parfait!» s'écria Neville.

«Parfait pour quoi?»

«Nous allons vous ramener en Angleterre», déclara Nigel. «Voilà ce qu'on va faire.»

«J'ai pas de billet.»

«Pas de problème, on va vous faire monter clandestinement.»

«Il me faudrait un passeport, non?»

«Pas pour l'Angleterre. Mais surtout n'oubliez pas votre *sombrero de cow-boy*. Il est bien authentique, hein?»

Lew les observa attentivement. Les deux hommes avaient les yeux rougis, leurs pupilles étaient de minuscules points qu'on distinguait à peine, et ils ricanaient tellement qu'il fallait sans cesse leur demander de répéter.

Il passa les deux semaines qui suivirent dans une cale du cargo, enfermé une malle pourvue de deux, trois trous d'aération discrètement pratiqués. De temps en temps, un des N. allait le voir en douce avec de la nourriture volée au mess, même si Lew n'avait guère faim.

«Ce rafiot secoue sacrément», parvint-il à dire entre deux vomissements.

«Il paraît qu'une terrible tempête arrive du sud», dit Nigel.

Ce n'est qu'en débarquant en Angleterre qu'ils entendirent parler du désastreux ouragan qui avait frappé Galveston le lendemain de leur départ – des vents de deux cent quinze kilomètres à l'heure, la ville submergée par les eaux, six mille morts.

«On est partis juste à temps», dit Nigel.

«Oui, on a eu une veine du tonnerre.»

«Oh, mais dis donc, regarde Lewis, il m'a tout l'air neurasthénique.»

«Eh bien, Lewis, qu'est-ce qu'il y a donc?»

«Six mille morts», dit Lew, «une première estimation.»

«En Inde, ça arrive tout le temps», dit Nigel. «C'est le monde, après tout.»

«Oui Lewis, où donc viviez-vous, avant que cette terrible bombe vous conduise jusqu'à nous?»

Vers la fin, Webb Traverse avait réussi à se faire nommer chef d'équipe sur le chantier de Little Hellkite. Veikko et ses *compadres* décidèrent de célébrer l'événement, et une fois de plus Webb se rappela que boire de l'alcool de pomme de terre toute la nuit ne convient pas à tout le monde. Heureusement, il avait cessé de neiger, sinon on aurait eu droit à une répétition de l'hiver dernier lorsqu'il avait laissé quelques Finlandais le convaincre de chausser une paire de skis, au-dessus de Smuggler, près de la gigantesque masse de neige connue sous le nom de Gros Éléphant – il avait eu la trouille de sa vie, comme l'aurait eue tout individu sensé, et les personnes présentes furent grandement soulagées quand il atterrit sans se briser le moindre os ni déclencher d'avalanche.

Il semblait s'entendre avec tout le monde ces temps-ci sauf avec les deux femmes de sa propre famille, les personnes qui auraient dû compter le plus, comme si, maintenant que les garçons étaient partis vivre leur vie, sa place était désormais ailleurs que chez lui – les chances de croiser ces derniers paraissant d'une certaine façon plus élevées à l'extérieur qu'au sein d'un foyer. Dès qu'il remettait les pieds dans sa cabane, les choses tournaient rapidement à l'aigre. Un jour, Lake partit et ne revint pas. Il attendit une journée et une nuit avant de la voir enfin émerger de l'obscurité avec une liasse de billets de banque.

«T'étais où, la miss? T'as trouvé ça où?»

«J'étais juste à Silverton. J'ai parié sur un combat.»

«T'as parié avec quoi?»

«Avec l'argent des lessives.»

«Et qui c'est qui se battait, déjà?»

«Jim Flynn l'Éclair.»

«Contre qui?»

«Andy Malloy?»

«Te fatigue pas, petite, Andy ne vaudrait pas un pet au combat, pas plus que son frère Pat. Le match serait bien trop inégal entre l'Éclair et lui pour seulement l'envisager, alors tu veux peut-être essayer une autre version?»

«Je voulais dire Pete Everett, le Mexicain?»

«Tu étais avec qui?»

«Rica Treemorn.»

«Les filles Floradora. Sa famille est au courant?»

Lake haussa les épaules. «Pense ce que tu veux.» Le visage baissé, le regard détourné comme en proie à un chagrin incommunicable, sans le moindre rapport avec cette mine réjouie qui avait intrigué Webb.

«Fille de la tempête», presque un murmure dans le brouhaha général. Une expression de désespoir sur le visage de Webb. Comme possédé par quelque chose qu'elle connaissait et redoutait depuis l'époque où les choses n'avaient pas encore de nom.

«Papa, ça veut dire quoi tout ça, à la fin?»

Elle voulait paraître sûre d'elle, mais elle avait peur, et elle le vit se changer sous ses yeux en quelqu'un d'autre —

«On va bien voir combien de temps tu peux t'en sortir seule. *Fille de la tempête*. Bien. Que cette foutue tempête te protège.»

De quoi parlait-il? Il refusait de s'expliquer, même si ça n'avait rien de bien mystérieux. Il n'y a pas si longtemps, lors d'un séjour à Leadville, au cours d'un de ces orages soudains comme en connaissait souvent la région, au milieu des éclairs incessants, qui s'abattaient comme le vent d'hiver... son jeune visage soudain si clair à ses yeux, cette façon qu'avait eue la féroce lumière de teindre un instant ses cheveux en blanc, passant sur son petit visage comme chassé par le vent, même si l'air dans la petite cabane était immobile. Un ciel noir d'apocalypse. Une sensation dans la colonne vertébrale l'avertissant qu'il allait être frappé par la foudre.

Ne comprenant que plus tard que c'était la peur. La peur de ce jeune esprit féminin qui hier encore enfouissait son museau morveux contre lui.

«T'as perdu la tête, Papa?»

«C'est pas un abri pour catins, ici.» En criant à tue-tête, quasiment tremblant du plaisir de savoir qu'il ne pouvait rien faire pour empêcher ça.

Presque aussi heureuse de lui rendre sa monnaie. «Un abri? Qui as-tu jamais protégé? Tu es incapable de protéger ta famille, tu ne sais même pas te protéger, pauvre fils de pute.»

«Oh! parfait, nous y voilà —» Et sa main se leva pour former un poing.

May venait juste d'allumer sa pipe, qu'elle dut poser pour traîner une fois de plus sa carcasse lasse dans l'arène du rodéo. «Webb, pas de ça, allons, Lake, viens ici un moment – tu vois bien qu'elle a rien fait de mal.»

«Ça reste une semaine à Silverton, ça revient avec un an de salaire, non mais de quel chariot de fumier tu crois que je suis tombé, femme? On a ici une candidate pour Blair Street, ça fait pas un pli.»

Il s'en prit alors à elle, et Mayva dut s'emparer d'une pelle, et finalement pour diverses raisons tous deux crièrent à Lake de vider les lieux. Ce qu'elle fit, bon sang, très volontiers.

Je suis mauvaise, ne cessait-elle de se répéter mais sans le croire vraiment avant d'être retournée à Silverton, où une fille perdue pouvait découvrir son véritable moi, avoir l'impression de rentrer chez elle auprès de sa vraie famille. Juste quelques rues à angle droit, au milieu des champs dominés par les montagnes, mais pour ce qui était du vice c'était une des grandes métropoles de la terre déchue... Seigneur tout-puissant. Soixante ou soixante-dix saloons et vingt tripots rien que dans Blair Street. Où ça picolait jouait baisait vingt-quatre heures par jour. La crise? Quelle crise? Fumer de l'opium avec le Chinois qui venait faire la lessive des filles. Passer entre les mains de visiteurs étrangers ayant traversé l'Atlantique avec de dangereux penchants, de tranquilles pervers américains, des maris violents, des assassins, des républicains, difficile de dire laquelle des deux, Rica ou Lake, savait vraiment avec qui elle montait. Mais elles traversaient les nuits sans heurt comme sous protection surnaturelle. Apprenaient à ne pas échanger de regards, car alors elles auraient sûrement eu un fou rire, et ça rendait violents certains clients. Elles se réveillaient parfois dans la cellule du marshal et devaient écouter le sermon de son épouse au front éternellement plissé. Cela dura jusqu'à ce que l'hiver commence à se faire sentir et que la perspective de la neige montant jusqu'aux avant-toits pousse toutes ces dames à prendre des dispositions saisonnières.

Lake retourna un jour à la cabane pour prendre des affaires à elle. L'endroit respirait l'abandon. Webb était à la mine, Mayva partie faire des courses. Tous ses frères avaient quitté le domicile depuis longtemps, celui qui lui manquait le plus était Kit, car étant les deux plus jeunes ils avaient le même caractère têtu, le même désir d'un destin inouï, ou peut-être juste une aversion tenace pour le quotidien.

Elle s'imagina prendre un bâton de dynamite et guetter Webb sur un chemin. Le lui balancer, bien à l'abri derrière un rocher, nichée dans une anfractuosité de la paroi, et lui minuscule, vulnérable, tout en bas. Dégager l'amorce, allumer la mèche, et lâcher le bâton en une longue courbe en piqué, dans une traînée d'étincelles, passant de l'éclat du soleil à un puits d'ombre, et ce vieux salopard disparaîtrait dans une gerbe de poussière, de pierre et de feu, avec un cri sinistre et soutenu.

Mayva savait où était allée sa fille. Peut-être son nouveau parfum, peut-être un détail déplacé, peut-être savait-elle, tout simplement. Ce qui lui paraissait évident, c'est qu'elle devait essayer de sauver au moins un de ses enfants.

« Webb, je dois rester avec elle. Un peu plus longtemps, en tout cas. »

« Laisse-la partir. »

« La laisser aller là-bas, dans cet endroit ? »

« Merde alors, elle va avoir vingt ans, elle peut très bien se débrouiller seule. »

« Allons, c'est la guerre là-bas, difficile de passer à travers. »

« Elle n'a pas besoin de toi, May. »

« C'est de toi, Webb, dont elle a pas besoin. »

Ils se regardèrent, déconcertés.

« Bon, dans ce cas vas-y toi aussi. Et putain ça sera vraiment le pompon. Je m'en sortirai seul, c'est pas comme si je savais pas y faire. Allez vous amuser toutes les deux là-bas, toi et cette salope. »

« Webb. »

« Tu veux partir, eh bien pars. »

« C'est juste le temps de — »

« Si tu décides de revenir, n'envoie pas de télégramme, je serai encore dans le coin, alors fais-moi la surprise. Ou plutôt non, d'ailleurs. » Le bruit des bocards quelque part au loin. Un convoi de mules brayant à flanc de colline. La Garde nationale qui tirait au canon depuis le col pour mater les indigènes. Webb se tenait au centre de la pièce, les rides sur son visage comme pétrifiées, une flaque de lumière touchant le bout de son pied, très calme. « Si calme », se souvint plus tard Mayva, « que ça ne pouvait être lui, c'était quelque chose qu'il était devenu et désormais il ne serait rien d'autre, plus rien, j'aurais dû m'en douter, oh, ma fille, j'aurais dû… »

« Tu ne pouvais rien faire. » Lake lui serra l'épaule. « C'était inévitable. »

« Non. Toi, moi, lui, on aurait pu rester ensemble, Lake, quitter la ville, aller dans un endroit que ces gens ne connaissent pas, dont ils n'ont même jamais entendu parler, loin très loin de ces saletés de montagnes, on aurait pu se dégoter un bout de terre — »

« Et il aurait quand même trouvé le moyen de tout gâcher », le visage de Lake légèrement bouffi, comme au sortir de rêves dont elle ne pouvait parler à personne, plus âgé que celui que connaissait sa mère. Plus vide.

«Je sais, tu prétends qu'il ne te manque pas. Grand bien te fasse. Comment peux-tu rester ainsi? Sans rien pardonner?»

«Nous n'avons jamais vraiment compté pour lui, Maman. Merde alors, il avait son Syndicat tout-puissant, y a que ça qu'il aimait. Si tant est qu'il ait aimé quoi que ce soit.»

Si c'était de l'amour, c'était tout sauf réciproque. Désormais incapable de s'abriter derrière une façade respectable de chargé de famille, Webb rechercha la chaleur du Local 63, lequel, effrayé par la violence de ses attentes, décida de mettre un peu de distance entre le Syndicat et Traverse, et lui suggéra d'aller travailler un temps dans l'Uncompahgre, à la mine de Torpedo. Et c'est là qu'il rencontra Deuce Kindred, lequel, ayant quitté précipitamment Grand Junction, venait de se faire embaucher par Torpedo, comme si gagner sa vie sous terre allait le mettre à l'abri de l'intérêt récent qu'éprouvait la justice à son égard.

Deuce avait été un de ces jeunes souffreteux ayant davantage peur du sort réservé aux faibles dans ce pays que de l'endurance nécessaire pour qui voulait s'y soustraire. Bien qu'autodidacte en matière d'endurance, il avait néanmoins absorbé assez d'insultes à un stade précoce pour en émettre à son tour plus tard, à une fréquence psychique différente – la vengeance à l'état fluorescent. Il considérait d'ordinaire la chose comme un besoin de vaincre tous les défis qui se présentaient, *quelle que fût leur échelle*, depuis couper les cartes jusqu'à s'attaquer à une paroi rocheuse.

«J'préfère travailler au volume», marmonna Deuce.

«Ce système-là existe pas ici», dit Webb, qui était en train de creuser au marteau à côté. «Pas depuis la grève de 1901, et ça nous a coûté plusieurs vies et pas des moindres.»

«Le prenez pas mal. Je disais ça comme ça, c'est tout.»

Ils furent interrompus par l'arrivée d'une silhouette sépulcrale vêtue d'un costard à trois dollars. Deuce décocha un regard à Webb.

«Qu'est-ce qu'il y a?» dit Webb.

«Sais pas. Il me regarde bizarrement, et tout le monde dit de faire gaffe quand il est là.»

«Lui? C'est juste le vieil Avery.»

«Un espion de la Compagnie, à ce qu'on raconte.»

«Un autre nom ici pour les inspecteurs. Te bile pas trop – tous ces gars ont l'air nerveux, z'ont toujours peur de tomber dans un puits de mine… Mais tu connais tout ça, tu m'as pas dit que t'avais travaillé à Butte?»

«Pas moi.» Un regard prudent. «Qui vous a dit ça?»

«Oh, tu sais, vu que t'es nouveau par ici, toutes sortes d'histoires circulent», Webb posant une main rassurante sur l'épaule du jeunot, et ne sentant pas ou alors décidant d'ignorer le tressaillement de Deuce. Ayant réussi d'une façon ou d'une autre à s'aliéner toute sa famille, Webb avait rejoint la confrérie de ceux qui, souffrant d'une même déficience du jugement, se laissaient séduire par Deuce Kindred, pour leur plus grand malheur.

Deux ou trois jours plus tard, il tomba un soir sur le jeune Kindred au Beaver Saloon, en train de jouer au poker à une tablée de gus réputés pour leur absence de principes. Webb attendit que le gamin fasse une pause et laisse passer un tour ou deux.

«Comment ça va ce soir?»

«Ça s'équilibre à peu près.»

«La soirée ne fait que commencer. J'aimerais pas que tu te fasses plumer.»

«C'est pas le cas. C'est le petit gars là-bas avec les binocles.»

«Le Colonel? Bon Dieu, fiston, il a quitté Denver parce qu'on le laisse plus jouer là-bas.»

«J'ai pas vu trop de jetons devant lui.»

«Il les planque à mesure. Surveille son cigare, il va lâcher un gros nuage de fumée et — tiens, t'as vu ça?»

«Euh, ben ça alors.»

«C'est ton argent, bien sûr.»

«Merci, Mr Traverse.»

«Appelle-moi Webb.»

«Vous avez déjà fait ça, Mr Kindred?»

«Vous voulez dire les amener à rentrer un peu plus dans le rang —»

«Il semblerait qu'ils veuillent aller plus loin cette fois-ci.»

«Ils ont dit ça?»

«Ils ont dit, imaginez que ça soit un animal – un chien, une mule, qui mord et rue tout le temps –, qu'est-ce que vous faites?»

«Moi, je refilerai la bestiole à quelqu'un qui ferait pas la différence entre ça et se faire avoir.»

«Tout le monde ici sait faire la différence», dit le porte-parole de la Compagnie, calmement, mais non sans impatience.

«Vous ne… vous n'avez pas l'intention de me dire ce que vous voulez, c'est ça?»

«Peut-être que ce qui nous intéresse c'est ce que vous arriverez à deviner tout seul, Mr Kindred.»

«Bien sûr, ce qu'on appelle l'"initiative". Auquel cas il faudrait qu'il y ait quelques frais d'initiative indexés à ça.»

«Oh? Et qui iraient chercher dans les combien…?»

En fait, Deuce en savait plus que ce que le porte-parole pensait sur la somme dont était prête à se délester la Compagnie.

«Bien sûr, si vous n'avez pas les fonds suffisants, on peut toujours le virer, le reconduire à la Dallas Divide, disons, le prix d'un billet pour Montrose plus mon pourcentage, ou pour un petit peu plus, l'obliger à quitter l'État et vous ne le reverriez jamais. Vous évitez les frais, voire d'autres ennuis plus tard —»

«Si c'est bien fait, y aura pas d'ennuis.»

Deuce le comprit parfaitement.

«Je vous écoute.»

«Le cran et l'initiative, Mr Kindred, sont deux choses distinctes.»

Ils s'entendirent sur une somme.

Sloat Fresno, l'acolyte de Deuce, était environ deux fois plus grand que lui et pensait que Deuce était son acolyte. Ce n'était pas la première fois qu'ils rendaient service à l'Association des Propriétaires. Du boulot de surveillance, ce genre-là. Ils avaient acquis la réputation d'être fiables, de ne pas parler à des personnes qu'ils ne connaissaient pas. Dans les querelles de saloon, ils avaient coutume de se battre dos à dos, chacun s'imaginant protéger l'autre, ce qui les rendait encore plus coriaces.

Ils avaient d'abord fait équipe à Cripple Creek pendant les premiers troubles, en 1895, dans ces eaux-là. Sloat venait juste d'embrasser la carrière de hors-la-loi, après avoir pratiqué à outrance ce qu'on appelait alors «l'estampe» – il s'engageait dans l'armée, touchait la prime, désertait, se présentait à un autre poste, s'engageait, touchait la prime, désertait de nouveau, et ce dans tout l'Ouest occupé, devenant au final pour les militaires aussi gênant que Geronimo lui-même, son portrait peu flatteur affiché dans tous les endroits publics de Fort Bliss à Coeur d'Alene. La grève à Cripple avait dû représenter pour Sloat une occasion unique de réintégrer les forces de la justice et de l'ordre. Cela avait dû marcher, car à partir de là Deuce et lui furent considérés suffisamment fiables pour se voir confier un travail régulier et même des billets de train pour se rendre jusque dans des coins grouillant d'anarchistes encore indemnes.

«Surveille mes arrières, petit, fais très attention une fois là-bas, parce que si jamais ils me descendent, tu feras quoi?» – le genre de remarque que Deuce avait appris à ignorer, mais parfois juste ce qu'il fallait. Avec une référence particulière à Webb Traverse : «Tu te charges des vieux, et tu laisses la viande fraîche à Big S., il te réglera tout ça sans faire de vagues avant que t'aies le temps de dire ouf.» Bien que Sloat trouvât son compte dans le plaisir intense qu'il sentait poindre en lui dès qu'il infligeait des dégâts (mais pas forcément des souffrances, car, nom de nom, chaque jour est une souffrance en soi, pas vrai?), Deuce avait fini par trouver amusante, et par respecter, la sphère de la domination mentale, et il était réputé pour intimider des bandes entières sans sortir les mains de ses poches. Certains appelaient ça de l'hypnotisme, peu importe – les gens disaient que tant que vous n'aviez pas vu ses yeux de serpent briller dans l'ombre de son chapeau, et se fixer sur vous, alors c'est que vous n'étiez pas encore tombé sur un vrai méchant.

Mais la différence entre Deuce et le tueur ordinaire, c'était que Deuce s'impliquait chaque fois sur le plan affectif à un moment donné. Si ça ne se produisait pas au début, il trouvait toujours avant la fin de la mission quelque chose de suffisamment méprisable ou attrayant pour l'inciter à en finir. Il enviait les flingueurs plus professionnels de l'époque, et même Sloat avec son approche d'engagé, redoutant le jour où il lui faudrait passer à l'action de sang-froid, sans rien pour le motiver.

Deuce finit par s'imaginer «en mission», pour le compte des propriétaires, une espèce de «détective» clandestin qui gardait un œil sur les agitateurs, y compris Webb Traverse. Webb, lui, s'imagina plus ou moins consciemment avoir trouvé un fils de substitution, et Deuce ne fit rien pour le détromper. Sachant qu'il y avait rarement un moment précis dans ce genre d'histoire où l'imposteur estime sa tâche accomplie, et où la personne abusée cesse de s'interroger sur la solidité de l'amitié, Deuce aborda sournoisement le sujet des activités syndicales, afin de voir jusqu'où il pouvait aller tout en arborant les apparences de l'ouverture – un numéro qu'il pensait avoir mis au point, celui du jeune-homme-sympathique.

Webb avait pris l'habitude de passer à la pension de Torpedo, en général vers les quatre heures du matin quand l'équipe de nuit avait fini – Deuce et lui discutaient jusqu'à l'aube, sous l'âpre clair de lune artificiel des lampes électriques disposées le long des sentiers et des pipelines et devant les fenêtres du dortoir, tandis qu'allait et venait l'équipe suivante. Des ombres plus noires qu'elles n'auraient dû l'être. Tous deux assis là, à boire un alcool rouge comme si c'était un remède à la tristesse. Stupide. Croyant discerner de la nostalgie sur le visage de Deuce, même si c'était sans doute de la simple fatigue, Webb dit : «Dommage que ma fille ait fui le nid, je te l'aurais présentée.»

Non, il ne l'aurait pas fait. Mais pourquoi disait-il ça, d'ailleurs ? Elle était partie. Cette salope était partie…

« Merci. La vie de célibataire a ses bons côtés… »

Deuce n'acheva pas sa phrase, comme si c'était là un sujet qu'il ne souhaitait pas aborder.

« Ça a du bon et du mauvais, fiston. Apprécie-la tant que ça dure. »

Quand Deuce comprit enfin qu'il était en présence d'un anarchiste pur et dur doublé d'un gai dynamiteur, il se dit qu'il aurait peut-être dû demander plus d'argent. Il alla trouver le porte-parole de la Compagnie.

« L'heure et le lieu ont été fixés, oh, à ce propos — »

« Vous avez perdu la raison ou quoi ? Je ne vous connais pas, on ne s'est jamais parlé, fichez-moi le camp d'ici avant que quelqu'un nous voie. »

Deuce haussa les épaules. Ça valait le coup d'essayer.

L'inspecteur de la Compagnie dit : « Tu t'es rempli les poches, Webb. »

« Qui ne part pas d'ici sans quelques cailloux dans sa cantine ? »

« Peut-être là-bas à Telluride, mais pas dans cette mine. »

Webb examina la « pièce à conviction » et dit : « Tu sais qu'on me l'a mise exprès dans mes affaires. Un de tes mouchards. Peut-être même toi, Capt — »

« Surveille tes paroles. »

« — pas un seul foutu inspecteur qui n'ait piqué une pépite quand il en avait l'occasion. » Lèvres retroussées, presque souriant.

« Oh ? Et t'as vu ça souvent dans ta vie ? »

« Tout le monde l'a vu. À quoi riment ces conneries, franchement ? »

Le premier coup jaillit de l'obscurité, saturant la vision de Webb de lumière et de souffrance.

Ce serait un chemin de douleur, Deuce s'efforçant de le prolonger, Sloat, plus proche des réalités de la douleur, essayant de le suivre.

« J'croyais qu'on allait juste le flinguer et le laisser sur place. »

« Non, c'est spécial cette fois-ci, Sloat. Traitement spécial. On a affaire à du sérieux. »

« M'a tout l'air du saisonnier habituel, Deuce. »

« Eh bien, c'est là où tu te trompes. Il se trouve que Frère Traverse est un élément clé dans le monde de l'anarchisme criminel. »

« Dans le quoi ? »

« Excusez mon associé, les mots compliqués le déconcertent. Tu ferais mieux de te rencarder sur l'anarchisme, Sloat, parce que c'est notre prochain champ de manœuvres. Un paquet de fric à se faire. »

Webb garda le silence. Il était peu probable que ces deux-là aient l'intention de l'interroger, car ils ne lui avaient épargné, semble-t-il, aucune souffrance, la souffrance et l'information étant d'ordinaire échangeables, comme l'or et les dollars, pratiquement à un taux fixe. De toute façon, il ignorait combien de temps il tiendrait s'ils décidaient de passer à la vitesse supérieure. Mais il y avait pire que la douleur, supposa-t-il, et c'était sa stupidité, son irrémédiable crétinerie, pour avoir fait ainsi confiance à ce gamin.

Avant, Webb considérait simplement tout cela comme de la politique, ce que Veikko appelait une « procédure » – accepter de devoir un jour renoncer à la vie, savoir qu'il était condamné, pour ainsi dire contractuellement, à mourir pour ses frères et sœurs en luttant. Mais maintenant que ce moment approchait...

Depuis qu'ils faisaient équipe, Deuce et Sloat s'étaient partagé le travail, ce dernier s'occupant des corps, son partenaire préférant endommager l'esprit, et tous deux se félicitaient que Webb fût abattu au point de ne plus pouvoir les regarder.

Sloat possédait un boulon d'attelage qu'il avait piqué un jour au D. & R.G., en se disant que ça servirait toujours. La chose pesait un peu plus de sept livres, et Sloat l'enroula dans un exemplaire du *Denver Post* vieux d'une semaine. « On s'est occupés de tes deux pieds, et si on passait maintenant à tes mains, l'ancêtre ? » Quand il frappa, il prit soin de ne pas regarder sa victime dans les yeux mais resta professionnellement concentré sur ce qu'il souhaitait endommager.

Webb se mit à hurler les noms de ses fils. Du fond de la douleur, il distingua avec un lointain étonnement une note de reproche dans sa voix, sans trop savoir si elle avait été exprimée tout haut ou bien était restée confinée dans ses pensées. Il regarda disparaître lentement la lumière des cimes.

Au bout d'un moment, il ne put plus dire grand-chose. Il crachait du sang. Il voulait qu'on en finisse. Il chercha le regard de Sloat avec son œil encore valide, quêtant un marché. Sloat se tourna vers Deuce.

« Où c'est qu'on va, collègue ? »

« À Jeshimon. » Avec un sourire malveillant, censé flétrir le peu d'espoir qu'avait encore Webb, car Jeshimon était une ville dont le fonds de commerce était la mort, et les tours d'adobe rouge de Jeshimon étaient connues et redoutées comme les endroits au sommet desquels vous finissiez quand on ne voulait pas qu'on vous retrouve. « Tu vas aller dans l'Utah, Webb. Et si jamais on croise en chemin des apôtres mormons, eh bien tu pourras même te faire baptiser, et leur demander à ce qu'ils te réservent quelques-unes de leurs épouses, comme ça tu seras respecté des saints, plutôt chouette, non, pendant que vous attendrez tous la bonne vieille résurrection des corps. » Webb continuait de fixer Sloat, en battant des paupières, espérant quelque réaction, mais n'en voyant aucune il détourna le regard.

Alors qu'ils traversaient Cortez, le célèbre flingueur local, Jimmy Drop, se trouvait comme par hasard derrière le Four Corners Saloon en train de pisser dans une allée. Il aperçut alors Deuce et Sloat qui quittaient la ville, avec entre eux Webb allongé en travers d'un cheval de bât. Il faisait encore suffisamment jour pour que Jimmy reconnaisse Deuce, qui avait chevauché un temps avec sa bande.

« Hey ! »

« Putain manquait plus que ça », Sloat sortant son pistolet et tirant deux balles bien intentionnées en direction de Jimmy.

« Pas le moment », reconnut Deuce, qui éperonna sa monture et agrippa la longe du cheval transportant Webb.

Ça va pas se passer comme ça, songea Jimmy. Il avait laissé son revolver sur le comptoir. Eh merde. Boutonnant son pantalon, il retourna dans le saloon au pas de course. « Mille excuses, miss, juste besoin d'emprunter ceci une minute », et de farfouiller énergiquement sous les jupons de la plus proche danseuse de fandango.

Elle tenait un couteau de chasse et souriait pour l'instant.

« Ayez l'obligeance, monsieur, de retirer votre main ou je devrai m'en charger personnellement. »

« J'espérais que vous auriez planqué un Derringer de fabri — »

« Pas ici, joli cow-boy. » Elle glissa une main dans son décolleté et en sortit un petit calibre .22. « Et ça se loue, payable à l'avance. »

Entre-temps, Webb et ses assassins avaient disparu des rues de Cortez, et les ombres s'étaient emparées de l'immense plaine.

Pour se payer ses études d'ingénieur des Mines, Frank avait emprunté un peu d'argent à son frère Reef, dont la rapidité à réunir des fonds était alors légendaire.

« J'sais pas trop quand je te rembourserai, mon vieux Reefer. »

« Tant que je suis encore en vie à ce moment-là, c'est le principal, alors t'inquiète pas. »

Comme d'habitude, Reef ne réfléchissait pas vraiment à ce qu'il disait, étant de toute façon incapable d'imaginer le moindre avenir où être mort était préférable à vivre. Ça relevait de cette attitude de jeune coq qui lui permettait de gagner aux jeux de hasard. Ou de gagner suffisamment. Ou de le croire.

Un jour, bien sûr sans prévenir, Reef débarqua à Golden et trouva Frank le nez plongé dans un ouvrage de métallurgie.

« J'ai un truc à faire, un truc plutôt romantique, rien de bien compliqué, ça te dit de m'accompagner ? »

« Où ça ? Parce que, bon, j'ai un exam. » Agitant les pages du livre devant son frère pour appuyer son propos.

« Une petite pause te ferait pas de mal, à ce que je vois. Et si on allait dans ce parc d'attractions, à Castle Park, et qu'on se sifflait quelques bières ? »

Pourquoi pas ? Frank n'y voyait aucune objection. Tout alla très vite, le jour succéda à la nuit, Reef s'arrangea avec le Professeur et les voilà en route pour le Nevada.

Après ce qui parut une semaine en train : « Pourquoi tu voulais que je vienne, déjà ? »

« Pour protéger mes arrières. »

« Elle est si dangereuse que ça ? »

« Ouaip, et y a pas qu'elle. » Après quelques lents changements de paysage : « Ça risque de te plaire, Francisco, tu sais, y a une église, une école, toutes sortes de restaus végétariens comme dans l'Est — »

« Oh, je trouverai de quoi m'occuper. »

«Allez, te morfonds pas.»

«Eh ho, tu trouves que je me morfonds. Je me morfonds pas du tout. Comment tu peux penser un truc pareil?»

«J'sais pas, si j'étais à ta place, je me morfondrais.»

«Arrête, Reefer, tu sais même pas à quoi sert le cœur.»

«Disons alors qu'on a tous besoin d'un faire-valoir, et dans ce cas précis il se trouve que c'est toi.»

«Bien sûr, mais attends un peu, c'est qui... le faire-valoir de l'autre, déjà?»

Bon, il est vrai qu'ils traversaient un autre monde, un rêve éveillé. Des salants sous la pluie, pas d'horizon, des montagnes aux reflets brouillés pareils à des crânes d'animaux d'une autre ère, nimbées d'un blanc miroitement... on distinguait parfois au loin la courbure de la Terre. Des tempêtes soufflant vers l'est apporteraient sûrement de la neige avec en prime quelques coups de tonnerre et des éclairs, et le brouillard des vallées était de la même couleur que la neige.

La gare de Nochecita avait des murs lisses et stuqués couleur abricot, mâtinés d'une nuance de gris étrangement lumineuse – autour de la tête de ligne, de ses hangars et ateliers, la ville avait grandi, les maisons et les commerces peints en vermillon, vert cendré et fauve, et tout au bout de la rue principale se dressait une gigantesque maison de passe dont les lampes électriques turquoise et cramoisies restaient allumées de jour comme de nuit, car l'endroit ne fermait jamais.

Il y avait un dépôt de glace et une salle de billard, un marchand de vin, un café qui faisait restaurant, des tripots et des *taquerías*. Dans la partie de la ville située de l'autre côté des rails, Estrella Briggs, que tout le monde appelait «Stray», vivait au premier étage de ce qui avait été le palais privé d'un propriétaire de mine d'or à l'époque des premières grandes grèves du coin, désormais un refuge vaguement illicite pour vies secrètes, en bois sombre et par endroits non repeint, se détachant sur un ciel qui ce matin-là sentait la tempête. Aux abords, les trottoirs sur-élevés étaient protégés par une toiture en tôle ondulée. Le restaurant et le bar du rez-de-chaussée existaient depuis la ruée, proposant menus pas chers et copieux, sciure par terre, vaisselle industrielle, odeurs de steak, côtelettes, chili de venaison, café et bière, tout ça ayant imprégné le bois des lambris, les vieilles tables à tréteaux, le comptoir et les tabourets. L'endroit grouillait à toute heure de croupiers qui prenaient leur pause, de gagnants généreux et de mauvais perdants, de détectives, de commis voyageurs, d'aventurières, de gogos et d'escrocs. Une salle encastrée rappe-

lant les bains d'une station thermale, si fraîche et si pénombreuse que
vous en oubliiez au bout d'un moment le désert qui n'attendait que votre
venue pour exister à nouveau.

Stray était bel et bien enceinte. Et ça se voyait, tout comme cette
expression calme et rêveuse qu'on ne pouvait s'empêcher de remarquer
d'emblée dans cet environnement qui n'avait rien de serein. À l'étage,
l'insomnie régnait. Cette semaine-là était une semaine de grandes
convergences. Tout le monde, sauf Stray, avait presque déjà perdu la
tête, et la venue de Reef et de Frank n'était qu'un problème de plus. Il
y avait aussi les ex-parents adoptifs mormons de Sage, l'amie de Stray,
«des arrangements sacrés» qui remontaient à loin, aux problèmes de sa
mère avec ces gens-là, la promesse faite par Sage d'embrasser leur foi,
son dernier petit ami en date, qui allait peut-être ou peut-être pas venir,
ou se trouvait déjà en ville, avec de nouvelles relations, moins personnelles, semblait-il, que quasi publiques, une bande d'«amis» convertis
– une conversion fleurant bon le bureau du Shérif –, des «amis» encore
plus récents que ces Mormons mais non moins inquiets pour la fille,
pressés en fait de la savoir sagement casée, et qui formaient littéralement
un cercle autour du couple comme pour leur imposer ce choix et ne leur
en laisser aucun autre...

Frank comprit vite que Stray et son frère s'étaient disputés, que Reef
était parti mais faisait maintenant amende honorable, et que ce qu'il
attendait de Frank c'était un renfort musclé. Peut-être. À croire qu'il
ignorait ce qu'il faisait et comptait sur Frank pour le conseiller. Comme
si deux noceurs mal dégrossis pouvaient se montrer plus malins qu'un
seul.

«Merci de m'avoir enfin affranchi.»

«Frank, voici Stray.»

Oh-oh, pensa Frank. «L'idiot de la famille», se présenta-t-il, «venu en
renfort au cas où l'on aurait besoin d'aide pour s'extasier, tout ça.»

À tout moment, deux ou trois filles faisaient ou défaisaient leurs
bagages, revenaient de voyage ou s'apprêtaient à partir, aussi y avait-il
des habits tout neufs et pas encore mis, des patrons et des chutes de
tissu, des provisions en conserves ou en bocaux ou dans des sacs, et
tout ça au grand jour, dispersé dans les chambres. Le ménage n'était pas
ici la priorité des femmes. Même si toutes ces copines de chambrée
– combien étaient-elles et comment s'appelaient-elles, il n'en savait rien –
étaient plutôt agréables, laissant Frank utiliser la cuisine, puis le garde-
manger, lui assignant un des douze lits vides, il se disait qu'elles devaient

forcément se méfier de quelqu'un qui était le frère de Reef. Prêtes, au premier geste louche, à offrir leur protection à Stray. Il n'était pas exclu non plus que Stray et Sage déclarent forfait et quittent ensemble la ville si ces histoires de prétendants s'envenimaient.

Un de ces soupirants plus ou moins attendus – Cooper – se présenta enfin. Il était blond, timide, faisait environ les sept huitièmes de la taille escomptée, un visage plutôt agréable à l'exception de la lèvre supérieure, qui avançait sur ses dents d'une façon protectrice, comme s'il y avait une profonde blessure dans son passé, suffisamment ancienne pour que cette défense se fût développée et mise en place. Il refusa d'entrer dans la maison, se contentant de rester dehors perché sur son engin, un bicy-lindre en V noir et or avec des pneus en caoutchouc blancs et un phare en cuivre, braquant ses quinquets bleu ciel sur les passants – lesquels étaient censés y voir, malgré la lèvre impavide, l'équivalent d'un sourire.

Cooper et sa bécane étaient garés de l'autre côté de la rue. Frank, désireux de se rendre utile, alla les examiner d'un peu plus près.

« Comment ça va ? »

Le voyou motorisé hocha la tête et darda ailleurs le regard.

« Tu cherches Sage ? » sur un ton plus sec que nécessaire. Ce qui mit peut-être Cooper un peu en veilleuse, même si, étant donné le diamètre de ses yeux, il s'ensuivit à peine un sourcillement. « Je crois qu'elle est à la gare, en fait. »

« Pour attendre quelqu'un, ou s'en aller ? »

« J'en sais pas plus. »

« Ça dérange si je gratte un peu ? » Sortant alors une guitare Acme modèle « Cornell », une Grand Concert, achetée par correspondance chez Sears & Roebuck, dont les notes, quand il se mit à jouer, firent l'effet de cloches d'école résonnant dans toute la ville poussiéreuse. Ceux qui déjeunaient au Double Jack quittèrent sa pénombre en plissant les yeux, d'autres sortirent de l'allée pour voir de quoi il retournait. Tout en chantant, le nouveau venu fixait de ses yeux par trop éloquents les fenêtres du haut du bâtiment d'en face, y guettant des visages, ou un visage particulier, attiré par la musique, dont les accords s'augmentaient parfois de notes étranges, comme si Cooper avait positionné ses doigts entre les mauvaises frettes, bien que ça sonnât juste. Des gamins sor-tirent en se bousculant de l'école d'à côté et se pressèrent dans l'ombre des peupliers ou sur les marches des porches pour manger ou jouer avec leurs en-cas, les plus lunatiques allant même jusqu'à chanter en chœur :

Quelque part dans le vent...
La colombe de Durango,
Traverse le ciel,
Et défie la tempête...
Nous n'avons jamais
Vraiment parlé d'amour,
Sans quoi je serais libre,
Et parti depuis longtemps...
Quand le réverbère
S'allume en ville,
Bagues et fard,
Robe de satin...
Oh, ma regrettée
Colombe de Durango,
Sont-ils tous dupes
Comme je le suis?
Tomberaient-ils
Dans ton ciel,
Prêts à mourir,
Colombe, pour toi...

Leurs voix égales, ténues, du vent dans les feuilles. Les doigts de Cooper crissant le long des cordes filetées, cahots grinçants des chariots dans les rues de terre battue. L'heure attendue de la sieste. Le ciel gris perle, l'absence de vent. Et qui s'était matérialisé entre-temps à la fenêtre de l'étage? La lippe sévère du jeune homme se délita dans le plus inattendu des sourires, assez peu contrôlé, beaucoup trop ardent. Sage apparut sur les marches extérieures dans une tenue de danseuse de saloon d'un gris extrêmement clair, tout en jambes et simplicité, puis descendit vers lui sans à-coups, sans se préoccuper des détails progressifs de son approche, aussi calme et légère qu'une respiration, et avant que le jeune motard ait eu le temps de seulement battre des paupières, elle avait glissé un avant-bras nu dans sa manche de chemise qui remonta le long de son bras, les mirettes bleues de Cooper peinant à voir la fille, tellement elle se tenait tout près, même si elle ne l'avait pas encore tout à fait dévisagé.

Reef n'en croyait pas ses yeux. «Trois semaines de salaire pour un de ces trucs? Ça doit valoir le coup. Doit pas être si compliqué d'apprendre à en jouer.»

«Tu crois que ça te serait d'une quelconque utilité?» demanda Frank, ingénument.

236

En pleine nuit, la maîtresse d'école qui habitait juste à côté sortit sur son balcon pour préparer les repas du lendemain. Frank n'arrivait pas à dormir. Il sortit dans la rue, puis la vit.

« Encore à bosser ? »

« Toujours à traîner ? »

« Ça peut s'arranger. »

« Venez m'aider, alors. »

« Entendu. »

De près, dans la lumière des réverbères, il ne put s'empêcher de remarquer combien elle était jolie – ses joues, sous des yeux et des sourcils foncés, présentant tout juste les prémices d'un léger hâle, l'influence du désert, sans doute…

« Tenez, écossez-moi ça. Vous connaissez Estrella depuis longtemps ? »

« En fait… c'est mon frère qui — »

« *Oh* Seigneur. C'était Reef Traverse ! »

« Ça l'était en tout cas la dernière fois que je l'ai vu – moi, c'est Frank… celui qui est pas Reef. »

« Linnet Dawes. » La main d'une dame du désert, une poigne ferme qui préférait ne pas s'attarder. Ou, supposa-t-il, traîner.

« Reef est plutôt connu en ville, non ? »

« Estrella m'a parlé de lui une ou deux fois. Pas qu'on soit intimes, tout ça. »

Une brise nocturne s'était levée, apportant avec elle le bruit d'un ruisseau pas très éloigné. Comme si la sérénité de Linnet pouvait être contagieuse, il apprécia de rester là à écosser des petits pois, sans guère ressentir le besoin de faire la conversation, bien qu'il coulât de temps en temps un regard vers elle pour voir ce qu'elle fabriquait dans le clair de lune fractionné, et la surprît même en train de lui décocher à une ou deux reprises ce genre de regard oblique.

Était-ce juste la région ? Un lien avec la relative humidité, peut-être ? Frank avait remarqué une espèce d'interrupteur de sûreté, un mécanisme de fermeture qui, chaque fois que se profilait une femme intéressante ou même intéressée, interdisait immédiatement toute idylle possible. Les hommes de cette région n'étant pas censés soupirer, il exhala de façon prononcée. Il fallait de ce côté-là s'en remettre à Market Street, et même alors la chose devenait vite décourageante, en dépit des cadences plagales des pianos de bar, des lumières de la ville et des miroirs menteurs.

Linnet se leva alors, secoua son tablier. Frank lui tendit le bol de petits pois écossés.

« Merci. Votre frère a du pain sur la planche. »

«On lui dira.» Non, un instant – mauvaise réponse, paria-t-il.

Elle secoua la tête, lèvres pincées, un peu de travers.

«Oh, je m'inquiète pas trop pour eux.»

Il se dit qu'il ferait mieux d'en rester là, plutôt que de demander pour qui d'autre elle aurait pu s'inquiéter. Elle l'observait comme si elle suivait le déroulement de ses pensées. Par-dessus son épaule, juste avant de disparaître dans la maison, elle dit : «La prochaine fois, on pourrait peler des oignons.»

Le lendemain après-midi, il était allongé sur un des lits et lisait la *Gazette de la police* ou, plutôt, regardait les photos reproduites dedans, quand Stray apparut sur le seuil, aussi discrètement qu'un carillon, regarda s'il dormait, hocha la tête, entra et s'assit à l'autre bout du lit.

«Vous… vous ne cherchiez pas Reef?» dit-il.

«Non.»

«Parce que je crois qu'il est en face, je l'ai vu… entrer au Double Jack, y a environ une heure.»

«Frank» – dans le crépuscule filtré par la vitre sale, le visage de Stray à deux doigts de se décomposer, une situation qui le dépasserait sûrement – «si ce n'était pas votre frère, juste un client apporté par le vent, vous sauriez y faire avec lui, est-ce que vous prendriez même la peine de…?»

«Difficile à dire.» Oh. Encore une bourde.

Elle le fixa avec impatience, un léger tremblement dans les bras et le cou. «Ras le bol de tout ça, je vous le dis tout net.»

Malgré la lumière du jour déversée par la plaine, il essaya de distinguer ce qu'il pouvait de son visage voilé dans sa propre pénombre, redoutant de se tromper, son front rendu comme enfantin par la clarté fragile, ses yeux libres d'afficher juste ce qu'il fallait de complicité avec la lascivité.

Les actrices prient pour se voir accorder ce genre de lueur. L'interrupteur électrique était à portée de sa main, mais elle ne chercha pas à l'atteindre.

«Faut voir la situation ici. Bon, y a tous ces Utahiens en ville qui insistent auprès de Sage pour qu'elle épouse ce jeune Mormon qu'elle se souvient à peine d'avoir connu quand elle vivait là-bas, pendant ce temps Cooper veut qu'elle fasse un tour sur son engin qui semble infoutu de les emmener à plus d'un kilomètre sans tomber en panne, et elle qui doit lui passer les démonte-pneus et tout ça, alors elle ne peut demander conseil à personne pour les affaires de cœur, quant à votre frère il me prend pour une rebouteuse professionnelle qu'il peut venir voir chaque fois qu'il se sent patraque. Vous feriez quoi, si vous étiez moi? Ce qui, la dernière fois que j'ai vérifié, n'était pas le cas.»

«Miss Estrella, il a toujours été un drôle d'oiseau.»

Elle attendit un peu, comprit que c'était tout.

«Bon ben merci, c'est d'un grand secours.»

«C'est pas comme s'il pensait qu'à la gaudriole», crut bon d'ajouter Frank. «Même si ça a pas *l'air* d'un travail pénible —»

«Ça va de soi, les sabots se truquent pas tout seuls, quand même? Quel genre d'avenir vous lui prédisez à notre joueur de faro?»

«Vous voulez dire, est-ce qu'il fera... un bon... chargé de famille?»

Le rire d'Estrella, accompagné d'un coup à son pied, fleurait encore assez l'océan pour que même Frank s'en aperçoive. Il resta là, allongé sur le dos, ne voulant rien d'autre pour l'instant que – allons, était-il sérieux? – la serrer contre lui, oui, et poser sa tête là où était ce bébé et juste écouter, se contenter de rester ainsi afin qu'elle puisse dès qu'elle le voulait mettre un terme à ce qui pouvait arriver, mais il ne se passerait rien, parce qu'ils entendirent soudain du boucan dans la rue puis dans la maison, c'étaient les Utahiens en goguette qui montaient bruyamment les marches, en chantant des chansons qui semblaient des hymnes on ne peut plus étranges. «Eh *merde*», déclara Stray, qui baissa aussitôt les yeux pour s'adresser à son ventre: «T'as rien entendu – j'crois qu'on ferait mieux d'allumer cette lampe.» Dans la lumière électrique, ils purent se regarder longuement, et même s'il ne pouvait pas parler pour elle, Frank sut que, dans les années à venir, il pourrait surmonter pas mal d'obstacles s'il repensait à ces deux trois secondes de communion – indépendamment du bébé, l'accord en *ut* dans la mélodie du jour qui lui servirait de repère serait cette grave jeune femme assise au bout du lit, et le regard que ces yeux parurent un instant lui décocher.

Mais il fallut alors remonter en selle et filer vers le Mexique.

Au Casino, dans les salles du fond, en plus des nombreux récepteurs télégraphiques, à la fois à sonneurs et encreurs, de facture pas toujours orthodoxe, chacun relié à un réseau de fils distincts à l'extérieur et qui bruissaient de jour comme de nuit d'infos sur les courses hippiques sur tous les champs de courses connus des deux côtés de la frontière, les combats professionnels et autres concours suscitant les paris, les cours des marchés financiers et des bourses de marchandises de villes situées aussi bien dans l'Est que dans l'Ouest, on trouvait également un appareil téléphonique fixé au mur, et presque tout le temps utilisé. Mais voilà qu'il sonna un jour alors que Reef se trouvait juste à côté, et il sut que c'était pour lui, et que c'étaient des mauvaises nouvelles. Cela faisait partie de l'étrangeté des téléphones à cette époque, avant que le trafic devienne une vraie routine. Comme s'ils étaient dotés de toutes sortes de gadgets supplémentaires tels que des alarmes télépathiques.

C'était Jimmy Drop à l'autre bout du fil, un associé de longue date de Reef, qui appelait de Cortez. Même à cette distance, avec entre eux une série d'obstacles au signal, depuis l'écureuil affamé jusqu'au tireur d'élite désœuvré, Reef perçut la gêne de Jimmy à l'égard de la machinerie dans laquelle il hurlait.

« Reef ? C'est toi ? T'es où ? »

« Jimmy, c'est toi qui m'appelles. »

« Ouais, bon, d'accord, mais — »

« Comment as-tu su que tu pouvais m'appeler ici ? »

« Tu m'as dit Nochecita, avant de partir. »

« J'étais ivre ? »

« Pas sobre, en tout cas. » Une pause tandis qu'un flot turbulent de bruits qui auraient pu être des bribes de conversation ou de la musique déferlait le long des lignes. « Reef ? »

Celui-ci eut soudain envie de faire comme si la communication avait été coupée. Il aurait préféré ne pas entendre ce que Jimmy tenait à lui dire. Mais ce n'était pas possible.

« Tu connais Deuce Kindred ? »

« Il bosse pour l'Association des Propriétaires de Telluride. Sait même pas se tenir à une table de poker. C'est bien lui ? »

« Je suis désolé, Reef. C'est au sujet de ton papa. »

« Mon pa — »

« Ils l'ont emmené sous la menace de leurs armes. Plus rien depuis. »

« "Ils" ? »

« Lui, pis Sloat Fresno, aussi, d'après ce que j'ai entendu. »

« Un vieux pote de Bob Meldrum. Pas mal d'encoches sur sa crosse, à ce qu'on m'a dit. »

« Plus qu'il y a d'États dans l'Union. Reef, si j'étais toi je ferais appel à la Cavalerie. »

« Ben, Jim, t'es pas moi. »

Une autre pause.

« Je vais aller voir ta mère, dès que je pourrai. »

« Tu sais où ils allaient ? »

« Jeshimon. »

Prononcé comme si Reef était suffisamment bien élevé pour ne pas demander à Jimmy d'élever la voix. Et voilà que seul son trou du cul séparait Reef de la force de gravité. Dans ce coin, même si vous ne priiez pas souvent, quand vous priiez c'était pour ne pas entendre ce nom. Et le fait que l'endroit soit à moins d'une journée à cheval de Nochecita n'arrangeait rien.

Frank, bien que jeune, savait garder son sang-froid. Il décida de régler d'abord les aspects pratiques et de s'occuper plus tard des sentiments confus.

« Le train, ou on y va à cheval ? »

« Je pars seul, Frank. »

« Sûrement pas. »

« Tu devrais aller voir Maman et Lake. »

« C'est ça mon rôle dans tout ça, m'occuper des femmes ? »

« Dans tout quoi ? Tu sais ce qui se passe ? Parce que moi, putain, j'en sais rien de rien. »

Ils étaient assis dehors sur les marches, tête nue, et tripotaient le rebord de leur chapeau. Les nuages s'amoncelaient dans le ciel, des éclairs palpitaient de temps en temps à l'horizon. Les vents envahissaient et presque aussitôt agitaient les feuillages des peupliers. Derrière les vitres, dans les particules d'alcali, des jeunes femmes apparaissaient, les observaient, secouaient la tête, puis retournaient à leur propre version du jour.

« Essayons d'y voir clair. Une chose après l'autre. Ça te va ? »

Et le sort de Webb toujours une inconnue...

Encore un silence pesant, passé à tripoter leur chapeau.

« T'en parles comme d'un poste à l'étranger, avec moi qui attends tranquillement que tu te fasses tuer pour reprendre l'affaire, c'est ça ? »

« Dis donc, t'as appris des choses à l'école, t'étais pas aussi vif avant. »

Mais Reef retrouva lentement son calme, presque une sérénité. Comme si, avec l'avalanche mentale qu'essuyaient les deux frères, toute une liste de choses était devenue nettement moins importante.

Parler à Stray, c'était une autre affaire.

« J'ai pas de secrets pour toi, chérie. »

« Tu n'as pas le choix, je suppose. »

« En fait, ce qui se passe... Si Papa est mort... »

« C'est pas sûr. »

« Ouais, c'est pas sûr... »

Il ne la regardait pas dans les yeux mais fixait son ventre, le bébé. Elle s'en rendit compte.

« C'est son petit-fils. J'aimerais pas qu'ils se ratent. »

« Je sentais depuis un bout de temps que ce genre de choses allait arriver. »

Elle parut avoir une grande discussion intérieure avec elle-même. Enfin: «Tu reviendras?»

«Oh que oui, Stray. Je te le promets.»

«Une promesse. Aïe. Faut prévenir le pape, c'est un vrai miracle.»

Les filles furent navrées de les voir partir, l'affirmèrent en tout cas, mais pour Cooper on eût dit que c'était la fin du monde. Il accompagna Frank et Reef jusqu'à la gare, à pied, l'air abattu.

«Ça va aller?» finit par demander Frank. «J'espère que t'as pas l'impression qu'on se débine, ou...»

Cooper secoua la tête, accablé.

«Tous ces chiffons, c'est pesant pour un seul homme, tu piges?»

«T'as qu'à leur jouer de temps en temps ta *Juanita*», conseilla Reef, «paraît que ça fait des merveilles.»

Les frères voyagèrent ensemble jusqu'à Mortalidad, l'arrêt le plus proche de Jeshimon, puis, comme ils ignoraient si on les surveillait ou pas, ils se saluèrent de ce hochement de tête qu'on accorde à quelqu'un qui vient d'allumer votre cigare. Pas de regards par la vitre, pas de front plissé par des pensées graves, pas de flasque sortie de la poche ou de descente soudaine dans le sommeil. Rien qui puisse appartenir au monde observable.

C'était au fin fond de l'Utah. Le pays était si rouge que l'armoise paraissait flotter comme dans une vue stéréoscopique, presque incolore, aussi pâle qu'un nuage, lumineuse de jour comme de nuit. D'aussi loin que Reef pouvait voir, le sol désertique était peuplé de colonnes de pierre, usées au cours des siècles par les vents tenaces au point d'évoquer des divinités tardives, comme si elles avaient eu jadis des membres qu'elles pouvaient remuer, des têtes qu'elles pouvaient incliner et tourner en vous regardant passer à cheval, des visages si sensibles qu'ils réagissaient au moindre changement de temps, au moindre acte de prédation dans leurs parages, des êtres naguère vigilants, désormais anonymes, immobiles, réduits à une simple présence verticale.

« Ça veut pas dire qu'ils sont pas vivants, bien sûr », estima le client d'un saloon, où ils s'étaient arrêtés.

« Vous pensez qu'ils sont vivants ? »

« Vous y êtes allés la nuit ? »

« Pas si je peux l'éviter. »

Même prévenu, Reef trouva que c'était la pire ville qu'il eût jamais traversée. Qu'est-ce qui n'allait pas chez ces gens ? Sur des kilomètres à la ronde, tout poteau télégraphique avait droit à son cadavre suspendu, chaque corps à un stade différent de lacération et de putréfaction, certains squelettes blanchis par le soleil datant d'une époque reculée. La coutume et l'usage locaux, comme le lui expliqua bientôt le secrétaire de mairie, refusaient à ces malfaiteurs les moindres funérailles décentes, et de toute façon ça coûtait moins cher de les livrer aux vautours. Quand les habitants de Jeshimon vinrent à manquer de poteaux télégraphiques en 1893, les arbres étant rares par là-bas, ils fabriquèrent alors leurs potences avec des briques d'adobe. Les nobles et élégants voyageurs qui visitaient la région considérèrent assez vite les grossières structures comme étant des « tours de silence », célèbres en Perse – dénuées d'escalier ou d'échelle, hautes et avec des parois raides afin de décourager les proches de les escalader, si athlétiques ou enclins à honorer leurs morts fussent-ils – les êtres vivants n'avaient pas leur place là-haut. Certains condamnés arrivaient dans des chariots jusqu'au pied de la tour, étaient hissés au moyen de poulies jusque sur un portant qui, une fois la besogne accomplie, permettait d'élever davantage le corps en l'air, puis de le retourner afin qu'il pende là par un seul pied, ensuite de quoi les charognards descendaient et se posaient en sifflant sur des perchoirs façonnés à leur intention avec la glaise rouge de la région.

Reef s'avança donc sous d'énormes ombres ailées et planantes, le long de la sinistre colonnade, laquelle, à en juger par sa fréquentation, ne s'était guère révélée dissuasive. «Non, bien au contraire», admit gaiement le Révérend Lube Carnal de la Seconde Église luthérienne (Synode du Missouri), «nous attirons les scélérats à des centaines de kilomètres à la ronde – sans parler également du clergé, bien sûr, vous n'avez pas idée. Vous remarquerez qu'il y a plus d'églises ici que de saloons, ce qui fait de nous un cas unique sur le territoire. Une espèce de défi professionnel, s'occuper de leurs âmes avant que le Gouverneur s'occupe de leurs nuques. »

« Le quoi ? »

« C'est ainsi qu'il aime se faire appeler. Il considère cette ville comme son petit État privé. Chargé principalement, pourrait-on dire, de trier les âmes. »

« Et qu'en est-il de vos règlements de police et particularités juridiques ? Y a des choses qu'il vaut mieux savoir ? »

« Rien de tel, monsieur, ni loi ni roi ni foi, ici tout est toléré, sinon la partie serait truquée. Jeshimon ne connaît pas les contraintes, consommez ce que vous voulez où vous voulez, commettez les péchés de votre choix ou même de votre invention. Mais le jour où le Gouverneur remarque quelque chose, n'espérez pas vous réfugier dans une de nos églises, ni d'ailleurs bénéficier de quoi que ce soit dans le style presbytérien. Le mieux qu'on puisse faire ici, c'est de vous pétrir comme il faut en prévision des fours de l'Au-Delà. »

Bien que Jeshimon eût la réputation d'être l'endroit où l'on conduisait ceux qu'on ne voulait pas retrouver de sitôt, Reef apprit par le Révérend que, moyennant finance, certains arrangements étaient possibles. Mais comme il s'agissait techniquement de subornation, cela comptait, évidemment, comme un péché, et si vous vous faisiez prendre la main dans le sac, eh bien vous connaissiez un sort approprié audit péché.

De nuit, et vue depuis les collines, Jeshimon évoquait tout d'abord une de ces peintures religieuses de l'Enfer destinées à effrayer les enfants au catéchisme. En denses colonnes à divers endroits du paysage, quelque chose de blafard et de vaporeux, comme de la fumée, de la poussière, mais pas vraiment l'une ou l'autre, montait et s'enroulait dans les airs, formant ici et là dans le ciel des masses aussi structurées que les nuages. Quand la lune se cachait derrière une de ces masses, sa lumière, disait-on, prenait des *couleurs* troublantes, des couleurs qui étaient à ces cieux d'une noirceur surnaturelle ce que les couleurs du couchant sont à un ciel ordinaire d'un bleu azur. Pas le genre de spectacle qu'un visiteur souhaitait contempler trop longtemps – en fait, certains soirs, on prétendait que cette vision avait poussé les âmes plus sensibles à franchir à nouveau la ligne de crête en quête d'autres logements, et ce quelle que fût l'heure tardive.

Il régnait en ville une atmosphère d'iniquité infinie, une chaleur suffocante, de jour comme de nuit, pas une heure ne s'écoulant sans que quelqu'un décharge une arme à feu sur quelqu'un d'autre, ou sans un acte sexuel commis en public, souvent dans un abreuvoir pour chevaux entre plus de deux personnes, et c'était sans compter les coups de cravache donnés à l'aveuglette, les intimidations, les vols à main armée, les mises de poker raflées sans abattre les cartes, les jets d'urine dirigés non seulement contre les murs mais aussi sur les passants, le sable versé dans les sucriers, la térébenthine et l'acide sulfurique dans le whiskey, les bordels consacrés à toutes sortes d'inclinaisons, y compris l'arnophilie, autrement dit l'intérêt inhabituel pour les brebis, et le fait est que certaines nymphes ovines dans ces établissements étaient fort attrayantes, même aux yeux de ceux qui ne partageaient pas inconditionnellement ce goût, ayant leurs toisons teintes en une variété de couleurs à la mode, y compris les éternelles favorites, aigue-marine et mauve, ou accoutrées de vêtements féminins – sans parler de masculins – (les couvre-chefs, pour une raison inconnue, étant fort prisés) destinés à augmenter l'attrait sexuel de l'animal – «bien que certaines brebis», comme l'avoua le Révérend, «vu le niveau de duplicité en vigueur ici, soient en fait des moutons déguisés en agneaux ou, à l'occasion, en chèvres, car même ces dernières sont régulièrement recherchées par une fraction de pèlerins, peu nombreux mais sérieux, qui chaque jour traversent le désert pour se rendre dans cette Lourdes du licencieux... Mais ne nous attardons pas davantage sur un comportement si manifestement abominable. Je dois aller faire ma tournée, accompagnez-moi», proposa le Révérend à Reef, «et je vous ferai visiter la ville. Ah, voici le Saloon de l'Indien scalpé. Nous irriguerons-nous?» C'était la première d'une série de nombreuses pauses dans cette longue prise de contact avec la transgression. «Vous connaissez ce principe en médecine qui veut que le remède pousse juste à côté de la cause. La fièvre des marais et l'écorce de saule, l'insolation dans le désert et l'aloès, eh bien, il en va de même à Jeshimon pour le péché et la rédemption.»

Dans les saloons, la musique inclinait vers les parties chantées en chœur, et on y trouvait davantage d'orgues de salon que de pianos, et parmi les clients autant de cols retournés que de bandanas des pistes.

«Nous aimons à penser que Jeshimon est sous l'aile de Dieu», dit le Révérend Lube Carnal.

«Mais dites, Dieu n'a pas d'ailes —»

«Le dieu auquel vous pensez, peut-être. Mais ici, vous savez, celui qui veille sur nous est une sorte de dieu ailé.»

Un groupe d'hommes aux visages inexpressifs montés sur des chevaux arabes noirs également inexpressifs apparut dans la rue. C'était Wes Grimsford, le marshal de Jeshimon, et ses adjoints. «Vous ne remarquez rien?» demanda tout bas le Révérend. Reef fit signe que non, ce qui lui valut un regard presque compatissant. «Ça paie d'être observateur dans cette ville. Regardez bien l'étoile que porte Wes.» Reef jeta un coup d'œil. C'était une étoile à cinq branches, plaquée nickel, comme on en voyait souvent, sauf qu'elle était inversée. «Avec les deux branches en haut – ce sont les cornes du Diable, qui signifient ce Vieux Monsieur et ses œuvres.»

«Et dire que cette ville paraissait si pieuse», fit Reef.

«J'espère que vous ne rencontrerez pas le Gouverneur. Il ne se découvre jamais, vous devinez aisément pourquoi, et on prétend aussi qu'il a une queue.»

Tous vivaient dans la peur du Gouverneur, qui ne cessait d'arpenter Jeshimon et était susceptible d'apparaître n'importe où en ville sans prévenir. Ce qui marquait le nouveau venu n'était pas un certain charisme naturel, car il en était dépourvu, mais plutôt le sentiment aigu que quelque chose clochait dans son apparence, quelque chose de préhumain dans son visage, le front tombant et la lèvre supérieure rasée de près, laquelle se rétractait sans raison particulière en un sourire simiesque qui perdurait parfois des heures, et qui, combiné avec son regard brillant, suffisait à troubler les desperados les plus endurcis. Bien qu'il crût que le pouvoir que Dieu lui avait accordé exigeait une démarche assurée, cette dernière n'était ni forgée ni, malgré des années d'entraînement, authentique, et évoquait au mieux la démarche d'un singe. La raison pour laquelle il se faisait appeler «Gouverneur» et non «Président» ou «Roi» était affaire de clémence exécutive. Le pouvoir absolu de vie et de mort dont jouit un gouverneur sur son territoire n'était pas sans quelque attrait. Il voyageait avec son « secrétaire de clémence », une fouine servile du nom de Flagg, dont le travail consistait à examiner chaque jour la population des malfaiteurs identifiés et à désigner de sa petite tête proprette ceux qu'il convenait de faire exécuter sommairement, souvent par le Gouverneur lui-même, quoique, étant mauvais tireur et la chose se sachant, ce dernier préférât agir à l'écart des rassemblements. La « clémence » accordait à certains un sursis d'un ou deux jours, le nombre de charognards et la quantité d'espace disponible sur les tours n'étant pas infinis.

Webb n'était pas encore mort quand ses assassins l'amenèrent en ville, voilà pourquoi Reef arriva à Jeshimon à temps pour soustraire la carcasse de son père aux vautours, et il fallut alors prendre une décision importante : soit poursuivre Deuce et Sloat, soit rapatrier la dépouille de Webb jusqu'aux monts San Miguel pour un enterrement digne de ce nom. Il passerait les années suivantes à réexaminer sa décision, se demandant en fait s'il n'avait pas juste voulu éviter d'affronter les tueurs, si la lâcheté n'expliquait pas en partie sa décision d'honorer son père, et quand enfin il réussit à ne plus y penser, il n'y avait personne à qui se confier.

Le pire ce fut peut-être de voir Deuce et Sloat s'éloigner vers le pays de roches rouges, des ombres encore proches comme celles que produisait la lumière impitoyable, le cheval de bât sur lequel ils avaient transporté Webb avançant et s'arrêtant pour brouter à sa guise. Comme outrés par la piètre moralité qui régnait à Jeshimon, ils rechignèrent à jouer de la gâchette. Bien qu'il n'y eût que Reef, ils décidèrent de détaler. Ils s'éloignèrent au galop, en ricanant, comme s'ils venaient de faire une bonne farce et que Reef en était la cible éculée et bougonne.

Les vautours tournoyaient dans le ciel, patients et majestueux. Les habitants de Jeshimon assistèrent à la scène, avec une indifférence plus ou moins prononcée. Personne ne proposa son aide, bien sûr, jusqu'à ce que Reef aperçoive la tour en question. Un Mexicain l'aborda alors dans la pénombre et le conduisit une ou deux rues plus loin devant une ruine sans toit où s'entassait un outillage gagné par la rouille et la dégradation. « *Quieres un cloque* », ne cessait de répéter son guide, encore un gamin. Cela n'avait pas l'air d'être une question. Reef se demanda de quelle « *cloque* » il pouvait bien s'agir quand, scrutant les ombres, il vit enfin de quoi il retournait – une batterie de grappins. Comment ils étaient arrivés là, à quel genre de navire ils avaient appartenu, après avoir traversé quelle mer – tout cela n'avait plus aucune importance ici. Il fallut en revanche débourser pour récupérer la corde qui allait avec. Reef se délesta de quelques pesos sans barguigner, guère surpris par l'existence de ce marché secret, car il devait toujours y avoir quelques survivants pour escalader les murs interdits, peu désireux de laisser ces choses à la merci de Jeshimon. Tandis que le crépuscule recollait les débris du jour défunt, donc, et qu'apparaissait la première étoile, Reef, en proie à un désarroi croissant, se mit à faire tourner les crochets métalliques dans l'air comme si c'était un lasso, s'écartant d'un bond quand il ratait le rebord de la tour et que les crochets retombaient dans l'obscurité en cliquetant. Ses efforts répétés lui valurent un public, essentiellement des enfants, chez qui il aurait en temps ordinaire éveillé quelque grâce, mais son affabilité l'avait déserté. Plusieurs de ces bambins avaient apprivoisé des vautours, leur donnant des noms, trouvant leur compagnie agréable, et ils devaient sûrement avoir lancé des paris sur les chances de réussite de Reef.

Les crochets trouvèrent enfin une prise. Reef, dans un état de fatigue qui n'augurait rien de bon pour l'ascension, savait pourtant qu'il n'avait pas le choix. Le Mexicain qui lui avait vendu le *cloque* se tenait à côté de lui et s'impatientait, comme si Reef avait loué le matériel à l'heure. C'était peut-être le cas.

Il grimpa donc, dans une nuit qui enflait comme la musique d'un orgue d'église. La semelle de ses bottes ne cessait de déraper sur la surface d'adobe — cette dernière n'était pas assez rugueuse pour qu'il escalade facilement. Ses bras furent bientôt tout endoloris, et il eut des crampes aux jambes.

C'est alors qu'il vit le marshal Grimsford approcher avec un petit groupe de citoyens promus adjoints, et Reef et Webb — c'est du moins l'impression qu'il eut, comme si son père était encore vivant et que c'était là leur dernière aventure ensemble — durent décamper séance tenante. Il abattit un charognard, peut-être deux, dans la masse noire et têtue des autres qui s'égaillaient poussivement, passa le cadavre sur ses épaules, pas le temps de songer au mystère de ce qu'avait été Webb Traverse, désormais simple contrebande qu'il convenait de soustraire aux autorités qui leur tiraient dessus. Il descendit en rappel les parois sombres et rouge sang, vola un cheval, en trouva un autre en dehors de la ville sur lequel il harnacha Webb, s'élança sur la piste sans être apparemment poursuivi ni sans la moindre idée de comment il en était arrivé là.

Sur le chemin du retour vers Telluride, au gré des plateaux et des cañons jonchés de roches rouges, tout en passant devant les fermes, vergers et colonies mormones du McElmo, au pied de ruines hantées par un peuple ancien dont personne ne connaissait le nom, de tours circulaires et de villes perchées sur les flancs des falaises, abandonnées des siècles plus tôt pour des raisons que personne n'évoquait, Reef eut enfin l'occasion de réfléchir. Si Webb avait bel et bien été le Kieselguhr Kid, en ce cas quelqu'un ne devrait-il pas reprendre l'affaire familiale – devenir, à son tour, le Kid ?

Était-ce dû au manque de sommeil, au pur soulagement d'être loin de Jeshimon ? Reef sentait une nouvelle présence au fond de lui, qui grandissait, enflait – enceint de ce qu'il devait devenir, il quittait de temps en temps la piste pour allumer un ou deux bâtons, prélevés dans la caisse de dynamite dont il avait délesté la cartoucherie d'une mine. Chaque explosion était semblable au texte d'un sermon, prêché d'une voix tonitruante par quelque prophète du désert, anonyme mais implacable, qui venait de plus en plus veiller sur ses pensées. Il se retournait parfois dans un grincement de selle, comme s'il cherchait l'approbation ou un éclaircissement dans les yeux vides ou le rictus de ce qui serait bientôt la mâchoire squelettique de son père. « Je m'échauffe juste », dit-il à Webb. « Je m'exprime. » À Jeshimon, il avait cru qu'il ne tiendrait pas le coup, mais à chaque explosion, après des nuits passées dans sa couverture avec le cadavre nauséabond et délicatement déposé sur le sol à ses côtés, il trouva que c'était de plus en plus facile, c'était quelque chose qu'il attendait pendant toute l'alcaline journée, davantage de conversations qu'il n'en avait jamais eu avec Webb de son vivant, accompagnées par les sifflements des fantômes d'Aztlán, un passage obligé par l'austérité et la discipline, comme si le changement de statut de Webb était contagieux en ce monde-ci…

Il avait emporté un roman d'aventures, un volume de la série des Casse-Cou, *Les Casse-Cou aux confins de la Terre*, et pendant quelque temps il lut chaque soir pour lui-même à la lumière du feu mais s'aperçut bientôt qu'il lisait à voix haute pour le cadavre de son père, une histoire qu'on lit au chevet d'un enfant, afin de faciliter l'entrée de Webb dans le territoire imaginaire de sa mort.

Ça faisait des années qu'il avait ce livre. Il était tombé dessus, déjà corné, annoté, déchiré et diversement maculé, entre autres par du sang, alors qu'il languissait dans une cellule de Socorro, au Nouveau-Mexique, accusé d'avoir organisé des jeux de hasard sans autorisation. La couverture montrait un jeune homme athlétique (ce devait être l'intrépide Lindsay Noseworth) suspendu à la corde de lest d'un aérostat de conception futuriste, échangeant des coups de feu avec une bande d'Eskimos enragés. Reef se mit à lire, et bientôt, quel que fût le sens de ce « bientôt», il s'aperçut qu'il lisait dans l'obscurité, les lumières ayant été éteintes apparemment peu auparavant, entre le cap Nord et l'archipel François-Joseph. Dès qu'il eut remarqué l'absence de clarté, bien sûr, il n'y vit plus assez pour lire et, à contrecœur, ayant marqué sa page, il se coucha pour dormir sans trouver la chose trop bizarre. Pendant encore un jour ou deux, il jouit d'une espèce d'existence duelle, à la fois à Socorro *et* au Pôle. Ses compagnons de cellule changeaient, le Shérif venait de temps en temps l'observer, perplexe.

Il lui arrivait maintenant de s'abîmer à ses moments perdus dans la contemplation du ciel, comme s'il cherchait à repérer quelque part le vaste aéronef. Comme si les Casse-Cou étaient les agents d'une sorte de *justice extra-humaine*, capables d'escorter Webb dans les territoires qui l'attendaient, et même de donner à Reef des conseils avisés, qu'il ne serait néanmoins pas toujours en mesure de comprendre. Et parfois dans le ciel, quand la lumière était suffisamment étrange, il croyait voir quelque chose de familier. Qui ne durait jamais plus d'une ou deux saccades de trotteuse, mais persistait. «Ce sont eux, Papa», disait-il en adressant à son père un hochement de tête par-dessus son épaule. «Ils nous regardent, c'est certain. Et ce soir je te lirai encore quelques pages de cette histoire. Tu verras.»

En quittant Cortez au matin, il scruta l'extrémité du mont Ute et vit des nuages juste au-dessus.

«Va pleuvoir dans la journée, Papa.»

«C'est toi, Reef? Où suis-je? Reef, bon sang, mais où est-ce que je suis —»

«T'inquiète, Papa. Nous avons quitté Cortez et nous allons à Telluride, on sera bientôt arrivés —»

«Non. C'est pas là qu'on est. Tout est décroché. Rien ne reste semblable. Il est arrivé quelque chose à mes yeux...»

«Tout va bien.»

«Mon cul, oui.»

Ils étaient serrés les uns contre les autres dans le cimetière de Lone Tree, le cimetière des mineurs sis à l'extrémité de la ville, Mayva, Lake, Frank et Reef, au pied des montagnes, avec derrière eux la longue traînée descendante des chutes de Bridal Veil distillant son murmure ténu dans la froide lumière. C'est là qu'avaient échoué la vie et les œuvres de Webb.

Frank revenait de Golden, et ne comptait rester que la nuit. Il se tenait près de Mayva et ne disait pas grand-chose, estimant qu'il n'était là que pour être, même provisoirement, le vivant contraire de tout ce qui les entourait.

« Je voudrais être avec lui », dit Mayva, tout bas, presque sans respirer.

« Mais ce n'est pas le cas », fit remarquer Frank, « et il y a peut-être une raison à cela. »

« Oh, mes enfants. J'aimerais vraiment pas être un de ceux qui ont fait ça. Dieu les punira, même si Dieu est parfois d'une lenteur épouvantable. Et prend son temps, oh oui. Mais peut-être que s'Il est assez lent, quelqu'un d'autre réussira à Le devancer… »

Elle était très calme, et ne se donnerait pas en spectacle comme certaines de ces Mexicaines. Les rares larmes qui coulaient étaient inquiétantes dans leur soudaineté et leur silence – un peu partout sur le visage de Mayva, comme les symptômes d'une maladie qu'aucun médecin n'aurait le courage de nommer. Si ces assassins avaient été dans les parages, la force de sa rage contenue aurait pu les rôtir sur place. Juste des cendres grasses sur le bord du chemin.

« J'croyais que le Syndicat allait envoyer au moins des fleurs. »

« Pas eux. » Non mais quel manque de respect, songea Reef, qu'ils aillent tous se faire foutre. À un moment, son regard se porta vers le flanc de la colline et il vit sur la Tomboy Road ce qui, il en était sûr, était des membres du gang de Jimmy Drop, leur chapeau à la main, observant peut-être un moment de silence mais plus vraisemblablement se disputant à propos d'un point bien moins important que la vie et la mort.

« C'est aussi bien comme ça, Maman, qu'il y ait que nous plutôt que ça soit un de ces enterrements où la moitié de la ville vient pour parader et pique-niquer… Il en a fini avec tout ça, maintenant. Ça va aller pour lui. Et Frank et moi on va s'occuper de ceux qui ont fait ça. » Reef aurait aimé parler différemment. Paraître plus sûr de lui. Sa sœur, qui avait semblé traverser tout ça sans heurt comme si elle avançait sur des roues, le long de rails posés pendant la nuit par des équipes que personne ne voyait jamais, son visage voilé, un simple masque de marbre, lui décocha alors un regard qui disait « Je te crois pas une seule seconde », et si Mayva n'avait pas été là, il l'aurait certes remise à sa place. Vu ce qu'elle en avait à fiche de Webb quand il était vivant.

Ce qui ne voulait pas dire qu'elle n'était pas secouée, et sonnée par la violence du chagrin maternel. Lake était rentrée de Silverton, et pour de bon, même Reef s'en rendait compte. Elle portait une élégante robe noire qui avait dû faire battre plus d'un palpitant parmi la racaille de Blair Street mais qui désormais servait à honorer la mémoire de son père. Et il aurait parié tout ce qu'il avait que c'était la dernière fois qu'elle comptait la mettre. Elle surprit son regard fixe.

« Vous avez mis tous les deux un chapeau noir, c'est déjà ça », dit-elle.

«On te laisse t'occuper du deuil», dit Reef, «Frank et moi on va faire ce que Joe Hill appelle s'organiser. Il y a cette affaire à régler. Ce qu'on veut, c'est que Kit et toi vous restiez à l'écart, et moins vous en saurez, mieux ça sera.»

«Et c'est aussi valable pour Maman?»

«On veut pas qu'elle s'inquiète.»

«C'est gentil de votre part. Ça ne vous est pas venu à l'idée qu'elle aimerait que ses enfants restent en vie, plutôt que d'aller au-devant des ennuis?»

«Nous sommes en vie.»

«Et dans combien de temps vous reverra-t-elle, toi ou Frank? Vous comptez refaire le vieux coup de la vengeance familiale, c'est plus fort que vous, et vous allez vous retrouver perdus tous deux dans une contrée dont vous ne savez pas comment revenir. À votre avis, qu'est-ce qu'elle pense de ce genre d'*affaires*? C'est comme si vous étiez déjà morts tous les deux. Espèces d'idiots.»

Il ignorait encore, comme tous les autres, ce que cachaient ces paroles enflammées.

De retour dans la lumière sinistre du salon: «Tiens», dit Mayva à Reef. «Autant que tu aies ceci.» C'était le vieux douze-coups de Webb, datant de la guerre de Sécession.

«Je le sens pas», dit Reef en le tendant à Frank. «Il est à toi si tu le veux, Francis.»

«Merci, j'ai déjà mon .38 Special.»

«Mais c'est qu'un cinq-coups, et vu comment tu tires, une balle sur deux se perd, putain, t'en auras au moins besoin de douze, Francis, juste pour prendre tes repères.»

«Tu sais, s'il est trop encombrant pour toi, Reefer, je comprends, y a pas de quoi avoir honte.»

«Et je sais qu'il t'a toujours rendu nerveux», dit Reef en reprenant l'arme.

Cela dura un moment. Mayva observait la scène, en tirant sur sa vieille pipe, ses yeux allant de l'un à l'autre comme en proie à un désarroi maternel. Elle savait qu'ils voulaient qu'elle les regarde en plissant les yeux derrière sa fumée et qu'elle secoue la tête comme elle le faisait toujours. *Qu'est-ce que je suis censée faire de ces deux-là?* Quand ils entendirent le train approcher dans la vallée, Frank prit son chapeau et posa le revolver sur la table de la cuisine. Reef et lui échangèrent un rapide coup d'œil, suffisamment long pour s'assurer de ce que l'autre comprenait, à savoir que c'était vraiment l'arme de Mayva et qu'elle resterait avec elle. Et ça ne manqua pas, deux mois plus tard Lake entendit des coups tirés dans la décharge de la ville et vint voir ce qui se passait, et là elle tomba sur sa mère, qui flanquait une frousse de tous les diables aux rats qui avaient déserté les mines – ou du moins les obligeait à se demander si la vie à la surface en valait la peine.

De retour à Nochecita, après avoir enterré Webb à Telluride, et dynamité en chemin quelques bâtiments de la Compagnie, histoire de s'entraîner, des remises à outils réduites en sciure, des jonctions électriques qui saturaient les cieux d'un désastre vert, Reef retrouva une Stray étrangement sereine. Les Mormons et les prêcheurs avaient tous quitté la ville, la naissance était imminente, Reef était assez intelligent pour comprendre qu'il avait intérêt à se taire et à laisser les choses suivre leur cours, comme elles l'avaient fait en son absence.

Quand le bébé naquit, un garçon prénommé Jesse, Reef paya la tournée générale au Double Jack, et quelqu'un dit: «Fini la vie de patachon, Reef, il serait temps que tu sois un peu prudent», et il y repensa souvent la nuit quand il travaillait à la mine, se demandant si c'était une vérité vraie.

Prudent? Ça semblait une bonne idée, jusqu'à un certain point. Peut-être davantage dans un endroit comme Denver qu'ici. À Nochecita, vous aviez beau être prudent comme une chèvre qui regarde où c'est qu'elle met les pattes, ça les empêchait pas de vous descendre, la prudence ne vous rapportait pas une minute de plus sur le temps qui vous était alloué. Mais même si une fois syndiqué vous étiez pour ainsi dire un homme mort, il y avait les affaires courantes, les affaires du monde, auxquelles vaquer.

Webb était plus dangereux qu'il ne le paraissait, forcément, sinon ils ne l'auraient pas tué. Reef ne réussirait peut-être pas à endosser l'habit de travailleur respectable marié-avec-enfants comme l'avait fait Webb. Du coup, il lui faudrait soit jouer franc jeu avec Stray, soit feindre de retomber dans ses travers débridés afin qu'elle s'imagine que, quand il disparaissait pendant plusieurs jours d'affilée, c'était pour taper le carton ou faire la fête, rien de sérieux.

Une de ces situations où il était impossible de se défiler. Dieu, assis à l'autre bout de la table du Destin, se curait le nez, se grattait l'oreille, se montrait généreux en signaux de tout genre, ça devait vouloir dire quelque chose, et une déduction erronée valait mieux que rien. Mais Reef trouverait une solution. Progressant à tâtons comme à son habitude, Reef finirait par pénétrer ces mystères: pourquoi on lui avait pris son père, pourquoi les proprios n'avaient pas voulu qu'il vive, pas ici, pas dans ce pays où l'on tuait au nom de l'or, hanté par des fantômes inquiets venus de Coeur d'Alene, Cripple et Telluride, et qui bravaient la pluie et les orages aveuglants, s'avançant sur les parois rocheuses rendues vitreuses par les éclairs, puis scrutaient, avec tristesse, tous ceux qui étaient las, menacés et contraints à l'exil, les morts de Webb, les blessés de Webb, les démunis de Webb qu'il n'aurait jamais pu abandonner...

Et le fantôme de Webb, pendant ce temps, le fantôme affairé de Webb, s'agitait en tous sens et faisait ce qu'il pouvait pour que les choses ne se tassent pas.

« Enfin chez soi ! » s'écria Neville, « loin de cette Amérique innocente et presque trop saine ! »

« Délices du Mal, nous revoilà ! » ajouta Nigel, visiblement soulagé.

Lew avait appris à ne pas broncher devant ce genre de propos. En son temps – son temps révolu –, il lui était déjà arrivé de croiser ce qu'on aurait appelé le Mal, aussi bien le jour dans les étages supérieurs qu'à la nuit tombante dans de sinistres arroyos, et il était presque certain qu'aucun des deux Anglais ne l'avait suffisamment approché au point d'avoir ne serait-ce que la chair de poule, malgré tout le temps passé, ou si vous préférez perdu, à le chercher. Les rares fois où ils avaient été en présence de cet article, supposa-t-il, ils n'avaient guère dû savoir quoi faire hormis tourner sur eux-mêmes, en se demandant ce qui avait bien pu planter ses crocs nacrés – ou, dans le cas du Mal, vert mousse – dans leurs postérieurs plus ou moins exposés.

Les S.O.T., ou Sectateurs de l'Obscure Tétractys, avaient installé leur quartier général à Chunxton Crescent, au nord de Hyde Park, dans cette zone équivoque connue alors sous le nom de Tyburnia, dans une demeure attribuée à John Soane, laquelle était récemment devenue, depuis en gros que Madame Blavatsky avait quitté le plan matériel, un havre pour toutes sortes de pèlerins en sandales, visionnaires en tweed et végétariens convaincus. En ce moment unique dans l'histoire de la quête spirituelle, en pleine compétition avec la Société Théosophique et ses éléments post-blavatskiens, ainsi qu'avec la Société pour la Recherche Psychique, l'Ordre de l'Aube d'Or, et autres regroupements de chercheurs de certitude, dont il semblait y avoir pléthore à mesure que le siècle se précipitait vers sa fin et franchissait quelque impensable zéro avant de rejaillir de l'autre côté, les S.O.T. s'étaient tournés vers un savoir secret d'essence néo-pythagoricienne, fondé sur la divine Tétractys,

1

2 3

4 5 6

7 8 9 10,

à laquelle leurs lointains prédécesseurs avaient prêté allégeance. Il s'agissait, pour autant que Neville et Nigel parviennent à l'expliquer, de considérer ces chiffres comme n'occupant pas deux mais trois dimensions, formant un tétraèdre régulier – puis quatre dimensions, et ainsi de suite, jusqu'à ce que vous commenciez à vous sentir tout bizarre, ce qui était perçu comme un signe d'illumination imminente.

Pour lors, les jeunes gens, qui comptaient parrainer l'incorporation de Lew dans l'Ordre, s'efforçaient de lui prodiguer des conseils vestimentaires.

« Qu'est-ce que ça peut faire », voulut savoir Lew, « puisque tout le monde met vos fameuses tenues de "postulant" ? »

« Il n'en reste pas moins », dit Neville, « que les bottes de cow-boy sont absolument déplacées, Lewis – ici à Chunxton Crescent, c'est pieds nus ou rien. »

« Quoi ? Même pas de chaussettes ? »

« Pas même si ce tissu écossais était authentique », fit Nigel avec un regard qui en disait long sur ce que Lew portait présentement aux pieds.

Ils l'avaient conduit ce soir-là au sanctuaire des S.O.T., dont la façade en pierre de Caen semblait drainer au crépuscule toutes les couleurs des environs, et qui se dressait derrière des grilles ouvragées au sein d'un jardin quasi miniature, où des masses d'ombres ayant peut-être leurs équivalences dans le royaume animal se déplaçaient avec une sinistre impatience. « Jolie petite hacienda », reconnut Lew.

À l'intérieur, quelqu'un jouait un duo à la syrinx et à la lyre. Lew crut reconnaître l'air, mais ce dernier prit alors un tour qu'il ne put identifier. Des Anglais, d'un exotisme modéré, essayaient sur des tapis des postures qui rappelaient à Lew les contorsionnistes des baraques foraines. Les gens déambulaient dans d'étranges tenues, voire dans le plus simple appareil ou presque. On apercevait des visages rendus célèbres par la presse illustrée. La lumière était sujette à d'étranges altérations que n'expliquait pas entièrement la fumée dans l'air, tandis que des présences lumineuses surgissaient de nulle part puis disparaissaient aussi brusquement. Des humains réincarnés en chats, en chiens et en souris rampaient ici et là ou dormaient devant l'âtre. Des colonnes de pierre se dressaient dans les régions reculées du lieu, donnant l'impression de marches s'enfonçant dans quelque mystère souterrain.

Lew fut accueilli par Nicholas Nookshaft, Grand Cohen de la section londonienne des S.O.T., un individu vêtu de robes mystiques ornées de symboles astrologiques et alchimiques, avec une coupe au bol et une courte frange.

«Neville et Nigel, suite à des excès chimiques, prétendent vous avoir vu émerger d'une explosion. La question qui se pose est: où étiez-vous juste avant?»

Lew plissa les yeux, perplexe.

«J'étais au bord d'une rivière, à faire ce que j'avais à faire, pourquoi?»

«Dans un monde sûrement différent de celui dans lequel vous vous trouvez à présent.»

«Si vous le dites.»

Le Cohen développa sa pensée: «Des enfilades de mondes latéraux, d'autres régions de la Création, s'étendent autour de nous, chacune dotée de points de passage ou de portails transitionnels permettant d'aller de l'un à l'autre, qui peuvent être partout, franchement... Une explosion imprévue, survenant dans le courant normal du jour, peut aisément ouvrir, de temps à autre, des passages menant ailleurs...»

«Bien sûr, comme la mort.»

«Une possibilité, mais ce n'est pas la seule.»

«Et donc, quand j'ai plongé dans cette explosion —»

Le Grand Cohen Nookshaft acquiesça d'un air grave.

«Vous avez trouvé un passage entre les mondes. Vos mystérieux agresseurs vous ont fait cadeau d'un don involontaire.»

«Je leur ai rien demandé», grommela Lew.

«Mais en vous favorisant un tel passage, n'ont-ils pas agi en agents de l'angélique?»

«Sauf votre respect, monsieur, je ne le pense pas, ces gus étaient plutôt des terroristes anarchistes.»

«Allons. Ce sont des chamans, Mr Basnight. Plus proches que nous autres déchus le serons jamais de la pureté sauvage du monde tel qu'il était et plus jamais ne sera – pas pour des gens comme nous.»

«J'y crois pas, désolé.»

«Vous le devez», insista le Grand Cohen. «Si vous êtes celui que nous commençons à penser que vous êtes peut-être.»

Neville et Nigel, qui s'étaient éclipsés pendant cet échange, revinrent alors en compagnie d'une superbe jeune femme, qui observa Lew avec des yeux dont n'était peut-être pas tout à fait absente une nuance d'Orient.

«Permettez», dit Nigel, «que nous vous présentions mademoiselle

– ou plutôt, puisqu'elle est une Adepte au dix-septième degré, devrions-nous dire exactement "Tzaddik", même si, visiblement —»

«Oui, bon, c'est juste notre bonne vieille Yasmina», ajouta Neville.

«C'est ça, Neville, et si tu allais te chercher une part de tarte bien méritée?»

«Et peut-être, Nigel, que t'aimerais t'en fourrer une dans le nez?»

«Silence, imbéciles», les rembarra la fille. «Imaginez un peu quels idiots ils feraient s'ils savaient parler.»

Les deux jeunes hommes la regardèrent avec une expression dont on ne pouvait pas vraiment exclure l'obsession érotique à jamais rabrouée, et Lew crut entendre Nigel soupirer: «La Tétractys n'est pas la seule chose ici qui soit occulte.»

«Allons, les enfants», les gourmanda le Grand Cohen. Et, comme si Yasmina ne se tenait pas à moins d'un pas, il entreprit de raconter à Lew l'histoire de celle-ci. Elle avait été la pupille du lieutenant-colonel G. Auberon Halfcourt, naguère chef d'escadron du Dix-Huitième Hussard, auparavant chargé au Département politique de Simla de diverses corvées extra-régimentaires, et actuellement censé opérer quelque part en Asie intérieure. Yasmina, envoyée ici plusieurs années auparavant pour recevoir une éducation britannique, avait été placée sous la protection des S.O.T. «Hélas, aux yeux de plus d'un élément actif en Angleterre, la question de sa sécurité physique est un argument idéal pour influencer le comportement du Colonel. Aussi notre tutelle excède-t-elle la simple vigilance.»

«Je sais me débrouiller seule», déclara la fille, apparemment pas pour la première fois.

Lew se fendit d'un grand sourire admiratif.

«Ça saute aux yeux, franchement.»

«Dans ce cas fermez-les», lui conseilla-t-elle en se tournant vers lui.

«Guichet touché!» s'écrièrent ensemble Nigel et Neville, tous deux de fervents adeptes du cricket.

Plus tard dans la soirée, le Grand Cohen prit Lew à part pour lui exposer sa conception personnelle du détective psychique. «L'espoir étant un jour de transcender le monde gris et littéral des couloirs d'hôtel et des bons de réquisition pour entrer dans la *condition avancée* – "Savoir, oser, vouloir, se taire" –, mais il est difficile pour la plupart d'entre nous d'observer ces impératifs fondamentaux, en particulier, et vous l'aurez remarqué, celui qui consiste à se taire. Au fait, ai-je trop parlé? Quelle situation effroyablement maladroite, je vous laisse juge.»

«Aux États-Unis, le mot *détective* désigne plutôt —», commença Lew.

«Il faut reconnaître que notre travail est plutôt étrange – une seule "affaire" nous préoccupe ici. Les "suspects" sont exactement au nombre de vingt-deux. Il s'agit de ce cartel d'espions qui, œuvrant en secret, font – ou du moins permettent – que l'Histoire soit possible sur cette île, et ils correspondent aux vingt-deux Arcanes majeurs du Tarot.» Il expliqua alors, comme il l'avait fait un nombre incalculable de fois, qu'on pouvait considérer les vingt-deux cartes des Arcanes majeurs comme de véritables agences, des postes destinés à de vraies personnes, au cours des générations, chacune consignant dans son dossier particulier tous les méfaits graves ou bénins, à mesure qu'apparaissaient les sinistres déterminants, les assassinats, fléaux, manquements au bon goût, pertes de l'amour se succédant tels des moutons carnivores sautant par-dessus la barrière qui séparait les rêves du jour. «Il doit toujours y avoir une Tour. Il doit toujours y avoir une Grande Prêtresse, la Tempérance, la Fortune, et cætera. De temps en temps, en cas de vacance, due à un décès ou quelque accident, de nouveaux occupants se manifestent, nous obligeant à les repérer et les traquer, ainsi qu'à étudier leur passé. Le fait qu'ils habitent, tous sans exception, un silence aussi intimidant que leur quasi-invisibilité ne rend que plus intense notre défi.»

«Et ce crime, monsieur, si ce n'est pas se montrer trop curieux, quelle en serait exactement la nature?»

«Hélas, elle ne correspond guère aux définitions existantes, ni ne risque de le faire… non, il s'agit davantage d'une transgression, qui s'accumule au fil des jours, l'incursion du Temps dans un monde atemporel. Qui nous est révélée, lentement, et on l'espère sans trop de dégâts, par une austère convergence… L'Histoire, si vous préférez.»

«J'en déduis donc qu'aucun tribunal ne se penchera jamais là-dessus», dit Lew.

«Supposons que le Péché originel n'ait finalement jamais existé. Supposons que le Serpent dans le Jardin d'Éden n'ait pas été un symbole, mais un être réel dans une histoire réelle parlant d'intrus venus d'ailleurs. Disons d'un "au-delà du ciel". Admettons que nous étions parfaits. Nous étions disciplinés et innocents. Puis un jour *ils* sont arrivés.»

«Euh… c'est ainsi que vous expliquez les scélérats et les méchants au sein d'une population par ailleurs morale?» Non que Lew fût d'humeur à débattre. Il était sincèrement déconcerté.

«Vous verrez dans la pratique. Je ne veux pas que vous soyez trop rudement surpris, c'est tout.»

Lew finit par se demander si l'innocence n'était pas une sorte de maladie farceuse, se transmettant d'un personnage à un autre, et en ce cas s'il l'avait contractée, qui la lui avait refilée, et à quel degré il allait être affecté. Ce qui pouvait se formuler autrement comme suit : qui donc, dans cette histoire, le prenait pour un gogo, et jusqu'où on comptait aller ? Si c'étaient les S.O.T. qui l'utilisaient pour des desseins encore plus « occultes » qu'ils n'avaient feint de le lui laisser croire, alors on avait affaire à un sérieux tas de fumier, et il avait intérêt à trouver la sortie, et le plus tôt possible.

Il y avait pléthore de mystères. Des voitures sans fenêtres arrivaient en pleine nuit à Chunxton Crescent dans un bruit de sabots scientifiquement assourdi, des documents considérablement scellés étaient rangés chaque fois que Lew approchait du bureau du Grand Cohen, des tentatives d'une discrétion douteuse étaient faites pour consulter ses propres dossiers. Était-ce une façon amicale de le mettre en garde, ou bien quelqu'un tenait-il *vraiment* à ce qu'il se méfie ? Allant jusqu'à essayer de le pousser à se nuire à lui-même ?

Miss Yasmina Halfcourt lui paraissait la personne la plus digne de confiance de la bande, car elle aussi avait été repêchée, si l'on veut, dans un état plus ou moins vulnérable, et escortée jusqu'ici sous la protection des S.O.T., pour des raisons qu'on n'avait pas cru bon de leur révéler entièrement. À quel point cela leur conférait des points communs, voilà bien sûr ce qui restait à découvrir.

« C'est ça qu'on appelle "sortir ensemble" ? »

« J'espère pas. »

Il y avait du vent ce jour-là – Lew avait pris le parapluie de rigueur, enfilé l'imper, les chaussettes chaudes et les bottes de mineur adaptés aux diverses intempéries auxquelles il fallait s'attendre en temps normal dans le sud de l'Angleterre. Yasmina s'attirait les regards approbateurs des passants, hommes comme femmes. Rien d'étonnant à cela, si ce n'est que sa tenue n'avait rien qui sortît de l'ordinaire.

Ils traversèrent le parc, dans la direction générale de Westminster. Autour d'eux, derrière un voile de végétation aussi ténu que celui de *maya*, persistait l'ancien paysage londonien avec ses hauts lieux sacrés, ses pierres sacrificielles et ses mystérieux tumulus connus des druides et de ceux dont ils tenaient leurs us.

« Que savez-vous de Frère Nookshaft ? » demanda Lew. « Qu'était-il avant d'être Cohen, par exemple ? »

« Un peu de tout », supposa-t-elle, « depuis maître d'école jusqu'à simple malfaiteur. Je ne le vois pas en ex-militaire. Pas assez d'indices en ce sens. À commencer par la coupe, en fait. Pas franchement le style de la Cour, non ?»

«Vous pensez qu'il a pu débarquer là-dedans juste par hasard ? Une affaire familiale qu'il aurait reprise ?»

Elle secoua la tête, l'air chafouin. «Ces gens-là – non, non, c'est bien ça le problème, ils n'ont pas de port d'attache, pas d'histoire, pas de responsabilité, ils apparaissent un beau jour, c'est tout, n'est-ce pas, chacun avec ses propres desseins secrets. Ce peut être politique, voire une tentative d'escroquerie.»

«Vous parlez comme un inspecteur. Et s'ils étaient vraiment ce qu'ils prétendent être ?»

Un éclair amusé dans ses yeux intéressants. «Oh alors c'est que vraiment je les ai mal jugés.»

Ils marchèrent un temps sans rien dire, Lew l'air soucieux comme s'il réfléchissait à quelque chose.

«Sur cette île», reprit-elle, «ainsi que vous aurez commencé à le remarquer, personne ne s'exprime jamais clairement. Qu'il s'agisse des règles du cockney ou des mots croisés dans les journaux – tout énoncé anglais, écrit ou parlé, est considéré comme n'étant qu'une suite de mots astucieusement cryptés. Rien de plus. Quiconque en vient à se sentir trahi par ces énoncés, ou insulté, voire blessé, même gravement, prend tout simplement "la chose trop au sérieux". Les Anglais haussent les sourcils, sourient et vous disent que c'est de l'*ironie*, ou *pour rire*, car il ne s'agit après tout, n'est-ce pas, que de combinaisons de lettres.»

On la sentait prête à s'inscrire à l'Université, à Girton College, pour étudier les mathématiques.

Lew avait dû la regarder d'une certaine façon, car elle se tourna vers lui assez sèchement. «Un problème ?»

Il haussa les épaules. «Un jour, ils vous donneront le droit de vote.»

«Pas de votre vivant», le tança-t-elle.

«C'était pour rire», protesta Lew.

Il lui vint à l'esprit que Yasmina était peut-être davantage que ce que les autres affirmaient qu'elle était.

Le soir s'éternisa, le bruyant, tumultueux et quelque peu imposant soir londonien, la lumière tombant apparemment sans dessein précis sur les places livrées aux vents et les vestiges hantés d'autrefois, et ils allèrent dîner chez Molinari dans Old Compton Street, également connu sous le nom d'Hôtel d'Italie, réputé pour être un des repaires de Mr Arthur Edward Waite, même si ce soir-là l'endroit n'était pris d'assaut que par des faubouriens en goguette.

Véritable novice en la matière, Lew s'en remit aux traditionnelles interprétations du Tarot, dont les canons venaient d'être fixés par Miss Pamela («Pixie») Colman Smith sous l'égide de Mr Waite. Mais Lew déchanta rapidement. «Dans la grammaire de leur iniquité», lui apprit-on, «l'Icosaèdre, ou Société des Vingt-Deux, ne tient compte ni du genre ni du nombre. "Le Chariot" peut être une véritable unité de combat, très souvent de taille régimentaire. Allez sonner chez l'Hiérophante et la porte risque fort de s'ouvrir sur une femme, voire une femme superbe, que vous ne tarderez pas à désirer.»

«Ben ça alors.»

«Enfin, pas forcément, n'est-ce pas.»

Comme s'ils testaient un nouveau policier en service, les Vingt-Deux démontrèrent assez rapidement à Lew la souplesse de cette nomenclature. La Tempérance (numéro XIV), était en fait une famille entière, les Uckenfay, qui vivait dans un déplaisant faubourg de l'ouest et dont chaque membre était spécialisé dans une pulsion pathologique qu'il ou elle était incapable de contrôler, tels que la chicane, la dépendance au chloral, la masturbation en public, l'usage intempestif d'armes à feu et, dans le cas du bébé, Des, âgé d'à peine un an et pesant déjà vingt-cinq kilos, cette forme de gloutonnerie connue des étudiants en médecine sous le nom de *boulimia*. Aux dernières nouvelles, l'Ermite (IX) était le sympathique propriétaire d'une tabagie dont Lew devint rapidement l'un des clients réguliers, la Roue de la Fortune (X) était le gérant chinois de fumeries d'opium, basées dans les Midlands, dont les gains provenaient de «bouges» un peu partout dans Londres ainsi qu'à Birmingham, Manchester et Liverpool, le Jugement dernier (XX) était une prostituée de Seven Dials, accompagnée parfois de son souteneur, et ainsi de suite... Lew, lui, était toujours partant pour de nouvelles rencontres intéressantes, et les désagréments que ces dernières apportaient parfois étaient aisément écartés. Mais ils ne tardèrent pas à pleuvoir.

Cela faisait moins d'une semaine que Lew était en Angleterre quand, un soir, un néophyte des S.O.T. déboula, le visage livide comme du plâtre, oubliant dans son trouble d'ôter son chapeau, un fedora mauve. «Grand Cohen, Grand Cohen! Pardonnez cette interruption! Ils tenaient à ce que je vous le remette en mains propres.» Tendant un bout de papier bleu pâle.

«Effectivement», acquiesça le G.C., «Madame Eskimov reçoit ce soir, n'est-ce pas... voyons voir... Oh mon Dieu.»

Le papier palpita dans ce qui parut soudain une main inerte. Lew,

qui avait caressé l'espoir d'une soirée tranquille, le regarda d'un air interrogateur. Le Cohen se débarrassait déjà de ses robes de cérémonie et
cherchait ses souliers. Lew tira ses chaussettes d'une des poches de son
veston, s'empara de ses chaussures puis tous deux sortirent ensemble,
hélèrent une voiture et s'en allèrent.

Le Grand Cohen donna en chemin un aperçu de la situation :

« C'est sans doute lié », dit-il en soupirant et en sortant d'une poche
intérieure un jeu de Tarot qu'il examina, « à... tenez, celui-ci, le
numéro XV, le Diable » – et plus précisément, selon le Cohen, aux deux
figures enchaînées qu'on trouve au bas de la carte, dessinées par l'artiste
Miss Colman Smith, sans doute d'après Dante, un homme et une
femme nus, bien que la tradition voulût autrefois qu'on y vît un couple
de démons, de sexe non précisé, dont les sorts étaient unis et qui ne
pouvaient se séparer même s'ils l'avaient voulu. Pour l'heure, cette
malencontreuse position dans les Arcanes majeurs était occupée par deux
professeurs d'université rivaux, Renfrew à Cambridge et Werfner à
Göttingen, non seulement des sommités dans leur cadre académique
mais également de futurs mentors dans le vaste monde. Des années plus
tôt, dans le sillage de la conférence de Berlin de 1878, leur intérêt
commun pour la Question orientale était passé de la simple chamaillerie par le truchement de revues spécialisées à une véritable haine réciproque, implacable, obsessionnelle, et ce à une rapidité qui les avait tous
deux étonnés. Très vite, chacun en était venu à se considérer comme un
spécialiste de tout premier plan, consulté par le ministère des Affaires
étrangères et les Services de renseignements de son pays respectif, sans
parler d'autres nations qui préféraient rester anonymes. Au fil des ans,
leur rivalité avait continué à s'étendre bien au-delà des Balkans, par-delà
les frontières sans cesse mouvantes de l'Empire ottoman, jusqu'au vaste
bloc continental eurasien, alors en plein conflit mondial, avec tous
ses éléments anglais, russes, turcs, allemands, autrichiens, chinois,
japonais – sans parler de la fraction indigène, baptisée par Mr Kipling,
en des temps moins fumeux, « le Grand Jeu ». Les menées des professeurs avaient au moins l'élégance d'éviter l'effet de miroir – si des symé-
tries surgissaient parfois, la chose était reléguée au rang d'accident,
« quelque prédisposition à l'écho », comme le disait Werfner, « peut-être
inscrite dans la nature du Temps », ajoutait Renfrew. Quoi qu'il en soit,
par-dessus leurs murs monacaux et jusque sur la carte du mégacosme, les
deux professeurs continuèrent de lancer leurs bataillons d'adeptes
envoûtés et de disciples serviles. Certains d'entre eux trouvèrent un
emploi dans les services diplomatiques, d'autres dans le commerce inter-

national, d'autres encore se firent engager comme aventuriers, et on les affecta temporairement aux armées et marines de leur pays – mais tous étaient affiliés à un camp au service duquel ils devaient traverser le monde telles des présences spectrales, que seuls percevaient les fidèles.

«Peut-être vous rendez-vous compte que vous pouvez supporter les deux», dit le Grand Cohen. «Moi je ne peux pas, pas pendant très longtemps. Aucun S.O.T. nommé à ce poste pendant plus d'un jour n'a été en mesure de les supporter. Et, bien sûr, de tous les Icosaèdres, ce sont ceux qui peuvent faire le plus de dégâts, et on doit les surveiller en permanence.»

«Merci, Cohen.»

Ils arrivèrent enfin devant un sombre et vieux pâté de maisons au sud du fleuve, se dressant dans un agencement irrégulier de vides et de fenêtres obscures de ce qui, en plein jour, espéra Lew, paraîtrait moins sinistre que maintenant.

On trouvait, dans les appartements de Madame Natalia Eskimov, des lampes mameloukes et des tentures aux motifs indiens, de la fumée montant de complexes encensoirs en cuivre, des meubles en figuier sculpté, et d'étranges recoins qui semblaient conçus pour repousser jusqu'aux moins frivoles des curieux. Lew fut aussitôt sous le charme, car la dame elle-même était jolie comme un cœur. Des yeux immenses et expressifs comme ceux qu'on s'attendrait à voir davantage dans des magazines illustrés qu'ici dans ce monde problématique. Des volumes de tresses veinées d'argent qui invitaient la main imprudente à les dénouer pour voir jusqu'où elles descendaient le long de sa silhouette. Ce soir-là, elle portait une tenue en taffetas noire qui semblait simple mais non austère, et lui avait probablement coûté un paquet de billets, ainsi que des perles ambre et une broche Lalique. D'autres soirs, selon que l'occasion était plus ou moins huppée et la robe en soie de rigueur, on pouvait également observer, tatoué en exquise symétrie sous la nuque découverte de Madame Eskimov, l'Arbre kabbalistique de la Vie, avec les noms des Sefirot inscrits en hébreu, ce qui lui avait valu d'amples doses de cet imbuvable antisémitisme anglais – «Eskimov… Non mais à quoi rime ce nom-là?» – bien qu'en fait elle eût grandi dans la foi orientale et, à la grande déception des chiens de garde racialistes de l'île qui l'apprirent assez vite à leur grande confusion, fût une rose anglaise tout ce qu'il y a de plus classique.

Examinée attentivement en son temps à la fois par Sir Oliver Lodge et par Sir William Crookes, elle s'était rendue à Boston en transatlantique pour saluer Mrs Piper, avait voyagé jusqu'à Naples pour dîner avec Eusapia Palladino (qu'elle devait plus tard défendre contre des accusations d'escroquerie lors des tristement célèbres expériences de Cambridge), pouvait effectivement prétendre avoir assisté aux séances les plus fameuses de l'époque, au nombre desquelles allait bientôt figurer celle organisée par l'omniprésent Mr W. T. Stead, séance au cours de laquelle la médium Mrs Burchell devait suivre jusque dans les moindres détails l'assassinat d'Alexandre et de Draga Obrenovitch, le roi et la reine de Serbie, trois mois avant que l'attentat n'ait lieu. Elle était connue chez les S.O.T. comme une «extatica», une catégorie jouissant apparemment de plus de respect que ce n'était le cas pour une médium ordinaire.

«Nous ne plongeons pas dans des transes ordinaires», expliqua Madame E.

«Plus proches de l'extase», supposa Lew.

Il fut récompensé par un regard soutenu et intrigué.

«Je serais ravie de vous faire une démonstration, peut-être lors d'une soirée moins épuisante que celle-ci.»

C'était lié à quelque chose qui s'était passé pendant la séance, et dont Madame Eskimov n'avait gardé aucun souvenir direct, même si, comme toute séance approuvée par les S.O.T., elle avait été enregistrée au moyen d'un Auxetophone Parsons-Short.

«Nous effectuons des galvanotypes des impressions originales sur cire immédiatement après chaque séance. Ça fait partie de la routine. J'ai déjà écouté plusieurs fois celle de ce soir, et même si certains détails restent obscurs, j'ai perçu de nouveaux éléments suffisamment graves pour vous demander de venir ici.»

Il semblait qu'un certain Clive Crouchmas, membre d'une agence semi-gouvernementale mais aussi des S.O.T., bien qu'à un échelon très inférieur, avait tenté d'entrer en contact avec un de ses agents, mort à Constantinople de façon inattendue, au beau milieu de négociations particulièrement éprouvantes concernant la prétendue concession ferroviaire «Bagdad». Les réponses étant censées se faire en turc, Crouchmas avait également amené avec lui un interprète.

«Il est spécialisé dans les territoires ottomans, là où Renfrew et Werfner ont souvent trouvé leurs plus belles occasions de nuire, et travaille par ailleurs comme consultant pour tous les deux, en faisant croire à chacun qu'il est le seul à savoir pour l'autre, et cætera. Une farce à la française. Étant probablement l'unique personne en Angleterre capable de supporter la compagnie de l'un comme de l'autre pendant plus de deux minutes, ce vieux C.C. nous est devenu extrêmement utile comme intermédiaire, même si je dois reconnaître que je lui en veux plutôt pour l'instant», marmonna le Grand Cohen. «Il a tort de vous faire perdre votre temps, madame, avec ces barguignages ottomans.»

Lew avait une vague idée de la situation. Cela faisait déjà des années que les Puissances européennes rivalisaient de séduction et contre-séduction afin d'obtenir des Ottomans cette concession ferroviaire hautement convoitée, or si elle était attribuée aux Allemands, ce serait un sacré revers pour la Grande-Bretagne, principal rival de Berlin dans la région. Au nombre des inquiétudes diplomatiques qui allaient bon train, on en trouvait une, et non des moindres, liée à l'éventuelle approbation par la Turquie d'une voie ferrée allemande, censée traverser l'Anatolie, franchir les monts Taurus, longer l'Euphrate et le Tigre, passer par Bagdad et jusqu'à Basra et au golfe Persique, que l'Angleterre avait jusqu'ici cru relever de sa propre sphère d'influence, offrant ainsi à l'Allemagne un prétendu «raccourci vers l'Inde» encore plus favorable au commerce que le canal de Suez. Toute la matrice géopolitique allait obéir à une nouvelle série de coefficients, dangereusement invérifiables.

Madame Eskimov disposa le cylindre de cire dans la machine, actionna le compresseur, ajusta quelques rhéostats, et tous écoutèrent. On distinguait mal au début les différentes voix, et d'inattendus murmures et sifflements se faisaient entendre en arrière-fond. Une seule voix, apparemment celle de Madame Eskimov, était vraiment distincte, comme suite à un effet syntonique inexpliqué entre l'endroit d'où parlait cet esprit et la machine enregistreuse. Elle expliqua plus tard que ce n'était pas entièrement elle qui parlait, mais un «contrôle», un esprit situé de l'autre côté et se comportant, pour l'âme défunte qu'on souhaitait contacter, un peu à la façon dont un médium agit de ce côté-ci pour le compte des vivants. Le contrôle de Madame Eskimov, qui s'exprimait par elle, était un fusilier du nom de Mahmoud, mort en Thrace à l'époque de la guerre russo-turque. Il répondit du mieux qu'il put aux demandes de renseignements détaillées de Clive Crouchmas concernant les garanties par kilomètre pour diverses branches et extensions de la ligne Smyrne-Casab, ses propos étant traduits par la troisième voix que Crouchmas avait engagée pour la séance, quand soudain —

«C'est là», dit Madame Eskimov. «Écoutez bien.»

Ce n'était pas exactement une explosion, bien que le pavillon en acajou de l'Auxetophone donnât des signes de défaillance comme s'il était, tout frissonnant et cliquetant sur son support, incapable de traiter le mystérieux événement. Peut-être était-ce ainsi qu'une violente décharge d'énergie dans ce monde retentirait aux oreilles d'un reporter désincarné tel que Mahmoud – la voix d'une explosion, ou tout au moins la même abolition de cohérence, la même rapide dispersion… Et aussitôt, avant que le bruit se fût complètement dissipé, tel un train passant derrière une chaîne montagneuse, quelqu'un, une femme, se mit à chanter en turc sur un des modes orientaux. *Amán, amán…* Ayez pitié.

« Bien. Qu'en pensez-vous ? » demanda Madame Eskimov après un silence.

« Selon ce que j'ai compris », dit le Cohen d'un ton songeur, « bien que Crouchmas ne s'exprime pas au nom d'Allah dans ces questions, loin de là, les garanties kilométriques du gouvernement ottoman sont devenues récemment si séduisantes que, comme par miracle, des voies ferrées fantômes sont en train de s'épanouir partout en Asie Mineure, sur ces plateaux nus où même les panthères ne s'aventurent pas, reliant des villes qui, au sens strict, n'existent pas – même nominalement. Or c'est apparemment là que se trouvait la personne parlant via le canal Mahmoud. »

« Mais cela ne se passe pas ainsi d'habitude », fit remarquer la belle extatica. « Ils aiment hanter les lieux stationnaires, les maisons, les églises – mais des trains en mouvement ? des voies ferrées imaginaires ? Cela ne s'est jamais vu. »

« Il se trame quelque chose », bougonna le Cohen, avec un accent de désarroi gastrique.

« Et si quelqu'un avait juste fait exploser une voie ferrée ? » Lew se sentant quelque peu déplacé ici. « Ou… »

« Tenté de le faire », dit-elle, « y avait songé, en avait rêvé, ou bien avait vu quelque chose – quelque chose ressemblant à une explosion. La mort est une région métaphorique, dit-on souvent. »

« Pas toujours déchiffrable », ajouta le Cohen, « mais dans le cas présent, la réponse est la question – orientale, bien sûr. Encore un coup de théâtre de Renfrew et Werfner. Un coup fourré de ces maudits jumeaux, selon moi. Pas encore très clair qui assassinera l'autre, mais le crime en lui-même ne fait pas un pli. »

« Qui avons-nous à Cambridge, pour surveiller Renfrew ? » demanda Madame E.

« Neville et Nigel, je crois. Ils sont à King's College. »

« Dieu protège le King's. »

« Le dernier trimestre approche », dit le Cohen, « et Miss Halfcourt va s'inscrire à Girton. Cela pourrait nous fournir une occasion de surveiller le Professeur… »

La bonne de Madame Eskimov avait apporté du thé et un gâteau, ainsi qu'un malt speyside de douze ans d'âge et des verres. Ils baignaient dans une sorte d'agréable crépuscule électrique, et le Cohen, incapable de changer vraiment de sujet, se mit à discourir sur Renfrew et Werfner.

« C'est une conséquence inévitable de l'Ère victorienne. Du caractère de son auguste éponyme, en fait. Si les coups de feu tirés par le barman fou Edward Oxford avaient atteint leur but soixante ans plus tôt à Constitution Hill, si la jeune Reine était morte alors sans descendance, le très détestable Ernst August, duc de Cumberland, serait devenu roi d'Angleterre, et la loi salique étant ainsi une fois de plus observée, les trônes de Hanovre et d'Angleterre auraient été réunis…

« Imaginons un monde latéral, situé à une distance infinitésimale de celui que nous pensons connaître, où cela même vient de se produire. Les sujets britanniques endurent un despotisme tory d'une rigueur et d'une cruauté encore jamais imaginées. Sous la férule militaire, l'Irlande est devenue un véritable chaos – des catholiques de tout poil sont désignés dès leur plus jeune âge, emprisonnés et assassinés sur-le-champ. Les Loges orange sont omniprésentes, et chaque quartier est administré par l'une d'elles. Une sorte d'anti-Noël sinistre perdure du 1er au 12 juillet, dates anniversaires des batailles de Boyne et d'Aughrim. La France, le sud de l'Allemagne, l'Autriche-Hongrie et la Russie ont constitué une Ligue européenne, dans le but de faire de l'Angleterre un paria dans la communauté des nations. Son seul allié est les États-Unis, qui sont devenus une sorte de fidèle acolyte, dirigé principalement par la Banque d'Angleterre et l'étalon-or. L'Inde et les Colonies se portent encore plus mal qu'avant, si la chose est possible.

« Il faut également tenir compte du refus répété de Victoria de reconnaître le passage du Temps, le fait, par exemple, qu'elle insiste depuis plus de soixante ans pour que l'unique image postale d'elle soit celle de la jeune fille des premiers timbres adhésifs de 1840, l'année de la tentative d'assassinat perpétrée par le jeune et stupide Oxford. Son portrait, que ce soit sur les médaillons, les statues ou les porcelaines commémoratives, est censé être le plus impérial possible, sauf que la femme représentée est bien trop jeune pour ces ornements impériaux. Ajoutez à cela son incapacité à accepter la mort d'Albert, son obstination à conserver sa chambre telle quelle, des fleurs fraîches tous les jours, les uniformes envoyés régulièrement chez le teinturier, et cætera. C'est presque comme si, en ce jour fatidique à Constitution Hill, les coups de feu d'Oxford avaient finalement atteint leur cible, et que la Victoria que nous pensons connaître et vénérer fût en fait une sorte de doublure spectrale, la version originale restant imperméable au passage du Temps sous toutes ses formes, y compris les plus connues, le Vieillissement et la Mort. Bien qu'elle ait pu, d'un point de vue technique, vieillir comme n'importe qui, devenant la mère énergique, la femme d'État admirée internationalement et la boulotte légendaire quoique dépourvue d'humour, supposons que la "vraie" Vic est ailleurs. Supposons que cette jeune fille en fleur soit retenue captive, immunisée contre le Temps, par quelque dirigeant d'un monde souterrain, et jouisse des visites conjugales régulières d'Albert, sans que ni l'un ni l'autre ne vieillissent, unis par la même passion amoureuse que lors de leur ultime et terrible montée des marches du palais, la princesse royale à jamais dans le ventre de sa mère depuis trois mois et demi, le gai printemps de sa grossesse passant de la mère à l'enfant en un flux que le Temps ne touchera pas. Supposons que l'amalgame connu sous l'appellation d'Ère victorienne n'ait été rien d'autre qu'un masque bienveillant apposé sur les sinistres réalités de l'Ère d'Ernst August dans laquelle nous vivons vraiment. Et que les commanditaires de cette pantomime généralisée soient précisément les professeurs jumeaux Renfrew et Werfner, lesquels servent pour ainsi dire de pôles dans le flot temporel entre l'Angleterre et Hanovre. »

Lew était consterné. « Dites donc, Cohen, mais c'est horrible. »

Le Grand Cohen haussa les épaules. « C'était pour rire. Vous autres Yankees, vous êtes si sérieux. »

« Ces professeurs ne prêtent guère à rire », intervint Madame Eskimov, « et vous auriez tout intérêt, Mr Basnight, à prendre très au sérieux cette histoire d'Icosaèdre. J'ai été l'un d'eux, autrefois, en tant que Fou – ou "non-sage", comme préférait l'appeler Éliphas Lévi –, peut-être le plus exigeant des Arcanes majeurs. Désormais, toute une flopée de pauvres diables des faubourgs sont persuadés que je possède des renseignements susceptibles de les aider. Étant toujours aussi déraisonnable, je ne peux me résoudre à les décevoir. »

« Vous avez changé de camp ? » fit Lew.

Elle sourit, avec une nuance qui lui parut être de la condescendance. « Eh bien, non, pas exactement de "camp". Ça a fini par entraver ma vocation, alors j'ai démissionné et j'ai rejoint les S.O.T., non sans le regretter par la suite. C'est déjà assez difficile d'être une femme, vous savez, mais une pythagoricienne par-dessus le marché… bon. » On aurait dit que chaque ordre mystique anglais se prétendant d'ascendance pythagoricienne avait ses propres idées sur les tabous et tuyaux gratis connus sous le nom d'*akousmata*. Le préféré de Madame Eskimov se trouvait être le chiffre 24 tel que l'a spécifié Iamblique – ne jamais regarder dans un miroir quand il y a une lampe près de vous. « Cela signifie qu'on doit réorganiser toute sa journée, s'assurer qu'on a fini de s'habiller bien avant la tombée de la nuit – sans parler de la coiffure et du maquillage – toutes choses qui inévitablement paraîtront différentes à la lumière du gaz ou sous un éclairage électrique. »

« J'ai du mal à croire que ça vous prendrait plus d'une minute ou deux », dit Lew.

De nouveau, ce regard appuyé. « Des heures entières peuvent disparaître », feignit-elle de se plaindre, « dans de simples problèmes d'épingles à chapeau. »

Plus on s'enfonça dans l'automne, et plus on vit Lew s'agiter, courir d'un endroit à l'autre, comme réclamé par une cause supérieure – formidablement vertical, avec une prédilection pour les pardessus noirs et étriqués, les chapeaux mous et les bottes fonctionnelles, une moustache noire bien entretenue apposée sur sa lèvre supérieure. Malgré l'éclairage électrique de plus en plus répandu dans un Londres bien décidé à s'arracher à l'emprise du gaz, il sentit que l'obscurité était dotée d'une structure, remontant à des temps très anciens, bien avant qu'il y eût ici la moindre ville – présente depuis toujours, à peine confirmée par la blancheur extrême et impitoyable qui remplaçait les nuances ternes et les ombres composites de l'ancien éclairage, propice aux égarements. Même quand il sortait en plein jour, il s'apercevait qu'il glissait juste d'une ombre à une autre, parmi des frayeurs quotidiennes que le passage à la noble nuit électrique ne faisait que rendre intolérablement visibles.

Cet affairement ne l'empêcha pourtant pas, pendant un temps d'ailleurs assez long, d'essayer de localiser en Grande-Bretagne une source de cyclomite, et il passa des préparations opiacées pour le catarrhe telles que la mixture de Collis Brown aux toniques cocaïnisés pour le cerveau, aux cigarettes imbibées d'absinthe, au xylène dans des chambres non aérées, ainsi de suite, tous succédanés qui peinaient, de façon souvent pathétique, à remplacer l'explosif modificateur de réalité auquel il avait goûté du temps de son existence précédente ou américaine.

Il n'hésita pas à faire appel à Neville et Nigel, qui ces temps-ci semblaient toujours revenir de l'Université. On prétendait que chacun d'eux touchait au moins mille livres par an, qu'ils dépensaient apparemment et principalement en drogues et en chapeaux.

«Tiens», dit Nigel en l'accueillant, «essaie donc une goutte de "rosé", c'est vraiment extra.»

«Du fluide de Condy», expliqua Neville, «un désinfectant au permanganate, qu'on mélange ensuite avec de l'alcool dénaturé —»

«Je tiens la recette d'un Australien qu'on a rencontré lors d'une régate organisée un week-end. On a fini au bout d'un moment par vraiment apprécier ce truc, même si bien sûr on s'est rendu compte de certains inconvénients côté santé, du coup on prend soin de n'en consommer qu'une bouteille par an. »

« J'admire votre modération, les gars. »

« Oui, et *ce soir, c'est le grand soir*, Lewis ! » Brandissant soudain un flacon assez imposant et rempli d'un étrange liquide d'un violet que Lew aurait juré voir briller.

« Oh, non, non, je —»

« Qu'est-ce qu'il y a, la couleur te plaît pas ? Bon, je vais régler le gaz », dit Neville avec obligeance. « Voilà. C'est mieux comme ça ? »

Ils réveillèrent Lew tôt un matin et le mirent dans un taxi avant qu'il soit tout à fait réveillé.

« Où est-ce qu'on va ? »

« C'est une surprise. Tu verras. »

Ils roulèrent en direction de l'est et se garèrent bientôt devant un marchand de nouveautés de Cheapside qui paraissait fermé depuis un bout de temps.

« Qu'est-ce que c'est ? »

« Le ministère de la Guerre ! » s'écrièrent Neville et Nigel, en échangeant un sourire espiègle.

« Me baratinez pas, je sais qu'il vient de déménager, mais pas ici. »

« Certains de leurs bureaux n'envisagent même pas de déménager », dit Neville. « Suis-nous. »

Lew s'enfonça à leur suite dans un étroit passage situé sur le côté de la boutique, menant dans une ruelle entièrement invisible depuis la rue, dont le vacarme était devenu soudain inaudible, comme si une lourde porte s'était refermée. Ils empruntèrent une espèce d'allée couverte jusqu'à une volée de marches, qui les conduisit dans des régions plus froides et plus éloignées de la lumière matinale. Lew crut entendre de l'eau goutter, et du vent s'exprimer, de plus en plus bruyamment, jusqu'à ce qu'ils se retrouvent devant un portail entaillé et tout cabossé comme par des décennies d'agression.

On était persuadé à Whitehall que les excentriques avaient accès à des forces paranormales n'ayant rien de mieux à faire que de suggérer à voix basse des modèles d'armes toujours plus performants, et du coup dans tout l'Empire les bureaux du personnel étaient sensibles depuis au moins une génération au bégaiement affecté, aux regards désordonnés, aux coupes de cheveux rétives à toute pommade. Mais le Dr Coombs De Bottle ne répondait en rien à ces critères. Affable, cosmopolite, vêtu d'une blouse de laboratoire immaculée en coutil russe tissé à la main provenant de chez Poole dans Savile Row, fumant des cigarettes égyptiennes noires avec un fume-cigarette en ambre, le visage exempt du moindre poil déplacé, il respirait une vocation autrement plus respectable, le commerce international des armes, peut-être, ou le clergé. Mais quelque chose dans son attitude, une sorte de vernis d'acteur, indiquait un passé nébuleux, et l'on sentait qu'il n'en revenait pas d'avoir trouvé refuge ici. Il accueillit Neville et Nigel avec une familiarité que Lew aurait jugée suspecte s'il y avait eu moins de choses, dans le vaste atelier où on les fit bientôt entrer, pour solliciter son attention et, au final, supposa-t-il, troubler ses rêves.

Des arcs électriques transperçaient la pénombre violette. Des solutions gémissaient avant d'atteindre leur point d'ébullition. Des bulles s'élevaient hélicoïdalement dans des liquides d'un vert lumineux. Des explosions miniatures se produisaient dans les recoins du laboratoire, projetant des geysers de verre tandis que les ouvriers à proximité se protégeaient derrière des parasols installés à cet effet. Des aiguilles de jauge oscillaient fébrilement. Des flammes sensibles chantaient à des hauteurs différentes. Parmi la masse étincelante des brûleurs et spectroscopes, entonnoirs et flacons, extracteurs centrifuges et de Soxhlet, entre les colonnes de distillation de systèmes à la fois Glynsky et Le Bel-Henninger, des filles graves aux cheveux protégés par des résilles inscrivaient des données chiffrées dans des registres, et des gnomes pâles, patients comme des cambrioleurs, plissaient les yeux devant des loupes et ajustaient des trembleurs et des minuteurs avec des tournevis et des pinces. Mais surtout, quelqu'un préparait ici quelque part du café.

Le Dr De Bottle les avait conduits dans une aile retirée, où des techniciens s'activaient au-dessus de tables jonchées de bombes artisanales à différents états de démontage.

« Nous avons d'abord tenu à examiner les engins confisqués lors de divers attentats avortés qu'on a eu la bonté de nous transmettre, afin de remonter étape par étape, au moyen d'une analyse méticuleuse de chaque bombe, jusqu'à sa conception originale. Or cette conception semblait s'être déroulée dans des conditions si épouvantablement primitives que nous avons fini par éprouver de la commisération pour ces pauvres diables. Ils se font exploser à un rythme très alarmant, vous savez, et la méconnaissance en matière de solvant adéquat explique à elle seule les dizaines de victimes anarchistes par an, rien qu'ici à Londres. On doit bien entendu brider la pulsion missionnaire consistant à les rejoindre… distribuer peut-être des brochures peu coûteuses, souligner à leur intention les principes de sécurité en laboratoire les plus élémentaires... ça ne ferait pas de mal, non?»

Lew, réprimant un haussement réflexe des sourcils, aurait apprécié en cet instant n'importe quelle remarque pertinente émanant de Neville ou Nigel, mais les deux jeunes gens s'étaient éclipsés, apparemment pour inhaler diverses vapeurs.

«Je ne suis pas sûr de suivre votre logique», dit Lew, «à quoi bon sauver des vies anarchistes, si chacune que vous sauvez risque au final de coûter la vie à des centaines d'innocents?»

Coombs ricana et examina ses manchettes de chemise. «Des vies de bourgeois innocents. Enfin... "innocents".»

Un assistant apporta sur un chariot roulant du café dans un flacon Erlenmeyer, des tasses, et une assiette pleine d'étranges muffins.

«Ça ne vous parlera sans doute guère, vu que vous êtes américain, mais parmi les derniers vestiges prouvant qu'il y eut jadis une civilisation sur cette île figure le jeu de cricket. Pour nombre d'entre nous, un match de cricket est une sorte d'observance religieuse. "Un sentencieux silence s'empare des officiants", si vous connaissez le poème de Newbolt, ce dont je doute. "Innocent", oui, si l'on veut. Et cependant même ici nous avons —» Il brandit maladroitement une batte de cricket, qui brilla presque dans l'éclairage électrique. «Depuis quelque temps déjà, les terrains de cricket d'Angleterre et du pays de Galles sont hantés par un mystérieux personnage en flanelle blanche, connu dans le milieu sous le nom de Gentleman Dynamiteur de Headingly, d'après la seule photo connue de lui avec un sac ordinaire de joueur de cricket à l'épaule, dans lequel il transporte quantité de grenades sphériques déguisées en balles de cricket. En voici une que nous sommes parvenus à récupérer intacte. Il suffit de la frotter contre une jambe de pantalon pour activer le mécanisme d'armement à l'intérieur. Vous remarquerez, peut-être, qu'elle est nettement plus brillante et que ses coutures sont un peu plus serrées qu'une balle anglaise, elle ressemble davantage en fait à une balle australienne, ou "kookaburra". Et comme le tournoi d'Ashes se déroule actuellement, et que les passions risquent de s'enflammer, les Australiens, qui sont ces derniers temps quelque peu légion ici, servent peut-être involontairement de couvertures à ce vieux G.D. de H., voire de boucs émissaires.»

«Il *jette des bombes* pendant les matches de cricket?»

«Nous essayons de ne pas dire "bombe", en fait, c'est plus une grenade à gaz toxique. Et en général il attend l'heure du thé.»

«"À gaz toxique"?» Lew tombait des nues. Mais le Dr De Bottle avait pris une expression sombre.

« Du phosgène. » Quelque chose dans la façon dont il avait prononcé le mot. « Un terme forgé par les Français. Nous préférons appeler ça du dichlorure de carbonyle. Moins… inquiétant, si l'on veut. Le problème, pour la police, c'est que, du fait du nuage dispersant, trop souvent les victimes ne se rendent absolument pas compte qu'elles ont été gazées. Puis, soudain, mystérieusement, comme disent les journaux, quarante-huit heures plus tard, elles sont mortes. Pourquoi est-ce que vous regardez ainsi ce muffin ? »

« Quoi ? Oh. La couleur, je suppose. »

« Belle nuance de violet, n'est-ce pas ? Du campêche bouilli, je crois, notre cuisinier en met partout – allez-y, ça ne vous empoisonnera pas, un peu de tannin, peut-être, tout au plus. »

« Certes, et ces, hum… » Tenant un fragment du muffin et désignant certaines incrustations d'une teinte vive, indéniablement violette.

« Par pitié, Lewis, ne les mangez pas tous ! » s'écria Neville, suivi de près par son coadjuteur, tous deux évoluant, en proie à une curieuse euphorie, à quelques centimètres au-dessus du sol.

« Non mais regarde un peu ce qu'on a trouvé ! » Nigel brandissant une sorte de marmite contenant une substance beige que Lew identifia aussitôt.

« Joyeux anniversaire ! » hurlèrent-ils presque en chœur.

« Et qui a eu la géniale idée de — »

« Allons allons, Lewis, tu es Gémeaux, c'est évident, et quant à la date précise, ma foi, Madame Eskimov sait tout. »

« À ce propos — »

Lors de leur précédente entrevue, le Dr De Bottle avait demandé d'un ton plaintif à Neville et Nigel si l'Angleterre avait des chances de remporter le tournoi d'Ashes, et les deux garçons avaient accepté de consulter l'extatica.

« L'an prochain », avait répondu Madame Eskimov, « mais seulement si elle a le bon sens de choisir ce lanceur droitier du Middlesex, le jeune Bosanquet, qui a mis au point un lancer absolument diabolique, selon toute apparence un *leg-break* mais qui part dans l'autre sens. Une dynamique physique étonnante, n'ayant quasiment jamais fait l'objet d'une étude. Ce serait une invention australienne, mais ils auront un mal de chien à trouver un Britton sachant l'empaumer. »

« J'en parlerai à mon bookmaker », déclara aimablement le Dr De Bottle aux deux jeunots.

Il fut décidé que Lew se rendrait à Cambridge avec le Cohen pour rencontrer le Pr Renfrew.

«Oh, j'ai compris. Vous avez besoin de renforts musclés.»

«Non, en fait, voici notre protection.» Un homme de taille moyenne et d'apparence inoffensive se dirigeait vers eux, un sandwich au cresson dans sa main gantée. «Clive Crouchmas. Vous avez déjà entendu sa voix pendant la séance de l'autre soir chez Madame Eskimov.»

Cet individu salua le Cohen en levant la main gauche, puis en écartant les doigts deux par deux loin du pouce comme pour former la lettre hébraïque *shin*, l'initiale d'un des noms prémosaïques (c'est-à-dire pluriels) de Dieu, qu'on ne doit jamais prononcer.

«En gros, ça veut dire longue vie et prospérité», expliqua le Cohen, qui répondit par le même geste.

Par le passé, Clive Crouchmas avait été un fonctionnaire modèle, d'une ambition inconsciente dont l'avidité ne tarderait pas à se manifester. Il travaillait au Bureau Ottoman de Recouvrement des Dettes, un organisme international auquel le sultan avait donné quelques années plus tôt les pleins pouvoirs pour percevoir et distribuer les recettes fiscales, une manière de restructurer la dette de son empire aux activités trop diversifiées. En théorie, le B.O.R.D. prélevait une taxe sur les ventes de poisson, alcool, tabac, sel, soie et timbres – les prétendues «six contributions indirectes» –, et reversait l'argent à divers porteurs de bons en Angleterre, France, Autriche-Hongrie, Allemagne, Italie et Pays-Bas. Toutefois, quiconque connaissait la seconde loi de la thermodynamique ne s'attendait pas à un transfert de fonds impeccable – une partie des livres turques se perdait toujours pendant la transaction, créant des opportunités que seule aurait pu laisser passer une personne plus avancée que Clive Crouchmas sur le sentier mal balisé de la sainteté.

En temps ordinaire, Crouchmas se souciait peu de métaphysique, refusait même d'en reconnaître la moindre once de métaphysique, ne serait-ce que dans l'acte de *morsus fundamento*. La chose lui était aussi étrangère que la frivolité, laquelle abondait dans les milieux qu'il semblait fréquenter ces temps-ci. «Oh, Clivey!» s'exclamaient à l'unisson trois ou quatre voix féminines à la limite du rire forcé à l'autre bout d'un salon d'hôtel riche en palmiers. Crouchmas ne s'aventurait même pas à répondre: «Quoi?» Cela aurait ouvert les portes à un défilé de créatures un tant soit peu farceuses.

Mais, bizarrement, il avait résisté à la tentation matérielle. Tandis que la Question orientale dégénérait en une inconvenante ruée vers les vastes richesses de l'Empire ottoman, ruée marquée par les intrigues pour savoir quel pays finirait par remporter la concession ferroviaire «Bagdad», on pouvait voir Clive à Chunxton Crescent, silencieux et en toge, avec toutes les apparences de quelqu'un en quête d'une voie spirituelle, même si à en croire la rumeur – une force séculaire que les S.O.T. ne pourraient jamais transcender – sa présence s'expliquait par sa muette fascination pour Miss Halfcourt, dont il recherchait par tous les moyens la compagnie, ne maîtrisant que fort mal les arts de la débauche vénale, car il en était à ce stade de sa carrière où le travail l'emportait encore sur la poursuite du plaisir.

Pendant plus de dix ans, le B.O.R.D. avait perçu en outre une dîme locale assignée spécifiquement aux garanties ferroviaires, qu'il devait reverser chaque année, selon un taux indexé au kilomètre de voie, à diverses sociétés ferroviaires européennes, avant que quiconque, même le gouvernement turc, ne pût en voir une piastre. Cela n'avait pas échappé à l'attention d'une cabale du B.O.R.D., à laquelle appartenait Crouchmas. Usant d'un pseudonyme et prenant soin de n'afficher qu'un vague lien avec la Banque ottomane impériale de Paris, les membres du Bureau ottoman avaient mis sur pied une petite société essentiellement chargée des affaires d'escroqueries aux bons, jugée trop instable par le comité consultatif de la banque pour que celle-ci s'en mêle, de près comme de loin.

«L'occasion est trop belle pour qu'on la laisse passer, non?» dit Crouchmas au Grand Cohen Nookshaft, son conseiller spirituel.

«Je réfléchis», dit le Cohen, dont l'argent était resté dans des fonds consolidés à trois pour cent, pour autant loin qu'il s'en souvienne, sans qu'il sache même pourquoi. «Je réfléchis.»

«Je n'ai jamais compris», dit Clive Crouchmas, «pourquoi, avec tous les talents divinatoires ici présents, personne n'a jamais...» Il s'interrompit, comme s'il cherchait une façon diplomatique de poursuivre.

«Une sérieuse dissonance entre les dons psychiques et le capitalisme moderne, j'imagine», dit le Cohen, un peu sèchement. «Mutuellement antagoniste, pourriez-vous dire. Nous essayons également de ne pas trop devenir mabouls, comme certains gars de chez vous, avec cette concession ferroviaire.»

«Si je n'étais pas là à évoluer librement parmi vous», déclara Clive Crouchmas, «je serais bon pour Bedlam. L'autre soir, pendant à peine une demi-seconde, j'ai vu... j'ai cru voir...»

«Ne vous inquiétez pas, Crouchmas, on entend en permanence ce genre de choses.»

«Mais...»

«L'illumination est une proposition douteuse. Tout dépend des risques que vous voulez prendre. Pas tant l'argent que la sécurité personnelle, le temps précieux, en prévision d'une très lointaine échéance.

Ça arrive, bien sûr. Surgissant de la poussière, des nuages de sueur et de buée, du martèlement des sabots, l'animal se détache du peloton, le dernier auquel vous vous seriez attendu, immense, luisant, inévitable, et il les traverse tous tel un rayon de soleil matinal perçant les vestiges spectraux du rêve. Mais ça reste un pari stupide, un piège à gogos et vous n'aurez peut-être ni la volonté ni la patience requises. »

« Mais supposons que je m'accroche. Ça fait un moment que je me pose la question – plus on approche de l'illumination, et plus on devrait bénéficier d'une ristourne sur les cotisations, non ? »

Il pleuvait quand Lew arriva à Cambridge. Les manchettes des journaux affichaient :

NOUVELLE ENCYCLIQUE DU PROF. MCTAGGART
LE VATICAN PROTESTE ÉNERGIQUEMENT
PAS DE COMMENTAIRE DE G.H. HARDY, INJOIGNABLE
« *Multi et Unus* » – Texte complet en pages intérieures

Tracés à la craie sur les murs anciens, des graffitis proclamaient BATTEZ EN BRÈCHE et SUS AUX GUICHETS.

Après avoir laissé Yasmina devant le corps de garde de Girton, Lew et Clive Crouchmas se rendirent au Laplacien, un pub pour mathématiciens assez éloigné, où ils avaient rendez-vous avec le Pr Renfrew.

« Surtout des gens de Trinity ici », dit Crouchmas. « Personne ne risque de le reconnaître. »

« En quoi ça le dérangerait ? » se demanda tout haut Lew, mais Crouchmas ignora la question, désignant d'un mouvement de tête le soir qui tombait au-dehors.

Lentement, dans la lumière tourbeuse, le visage du Professeur apparut, paré d'un éclat… non, un déni de la vision ordinaire… un sourire qui ne pouvait pas naître d'une cordialité intérieure.

Après trois inévitables tournées d'un liquide dense, tiède et fuligineux, répondant sur cette île au nom de bière, Crouchmas s'en alla ourdir quelque méfait de son côté tandis que Lew et le Professeur se rendaient chez Renfrew, qui habitait dans une cour reculée. Quand ils eurent allumé un cigare et laissé passer un battement de silence prudent, Renfrew prit la parole :

« Vous connaissez, je crois, la pupille d'Auberon Halfcourt. »

Lew supposa que Crouchmas, en fervent admirateur de Yasmina, n'avait pu s'empêcher de prononcer le nom de cette dernière. Il haussa les épaules.

« Simple protection de routine, ni plus ni moins, Mr Crouchmas m'a suggéré d'aller la voir, de me présenter, et cætera. »

Cela lui valut néanmoins un regard soupçonneux.

« Pauvre Halfcourt. L'homme ne comprend tout simplement rien à rien. Pire que Gordon à Khartoum. Le désert a généré en lui des fantasmes de pouvoir qui, à Whitehall, Dieu merci, sont jugés peu inquiétants. Et vous n'avez pas idée combien les protecteurs de cette fille chez les S.O.T. n'ont cessé de me pourrir l'existence. Il est impossible de faire le moindre mouvement, si innocent soit-il, sans s'attirer leur, comment dire, attention zélée. »

Lew avait l'impression que les mâchoires inférieure et supérieure de Renfrew remuaient indépendamment l'une de l'autre, comme celles d'une marionnette de ventriloque. La voix, à certains moments, semblait émaner d'ailleurs.

« Ils s'y prennent parfois bizarrement, je vous l'accorde. Mais ils paient correctement. »

« Ah. Vous avez déjà travaillé avec eux. »

« Pour des escortes – une ou deux fois, appelez ça comme vous voulez… renfort musclé. »

« Êtes-vous sous contrat avec eux ? »

« Nan. C'est à la tâche, payable d'avance et en liquide. Ça vaut mieux pour tout le monde. »

« Hmm. Donc, si, par exemple, je souhaitais vous engager… »

« Ça dépendrait de la mission, je suppose. »

« Le jeune Crouchmas estime qu'on peut vous faire confiance. Allez. Donnez-moi votre avis. »

Lew vit, épinglée sur un panneau en liège, la photographie d'une silhouette sombre vêtue de blanc et munie d'un sac de joueur de cricket, avec en fond un de ces fameux arrangements nébuleux pour lesquels était connu le terrain de Headingly. Le visage était flou, mais Lew recula jusqu'à ce qu'il gagne en netteté.

« Vous le reconnaissez ? »

« Non… j'ai cru une minute que ça serait possible. »

« Vous le reconnaissez. » Hochant sournoisement la tête à part soi.

Lew éprouva un sinistre sentiment gastrique mais s'abstint d'acquiescer. Il préféra raconter la même histoire que lui avait sortie Coombs De Bottle concernant le mystérieux lanceur de bombes à gaz.

« Vous voulez que je le trouve ? que je le coince, le livre à la police ? »

« Pas directement. Amenez-le-moi d'abord, si c'est possible. Il est de la plus haute importance que j'aie avec lui un entretien. »

«Supposons qu'il soit sur le point de lancer une de ses attaques au phosgène?»

«Oh, il y aurait un bonus pour prise de risques, j'en suis sûr. Je ne peux pas vous verser grand-chose, vous voyez à quel point nous sommes limités ici – à croire que ma vie a été soumise au même genre d'agression gazeuse – mais d'autres se montreraient plus généreux, si vous le livriez vivant.»

«Ce n'est donc pas une affaire personnelle.»

«Batifoler sur la plage avec Mrs Renfrew, ce genre-là… vraiment désolé, non… bien peur que non…» Lew avait déjà vu ce genre d'expression sur des visages anglais, c'était un mélange de suffisance et d'apitoiement sur soi-même, qu'il ne pouvait toujours pas s'expliquer mais qu'il connaissait suffisamment pour se montrer prudent. «Non, c'est à une échelle un peu plus, hum, vaste. Et c'est pourquoi vous aurez peut-être quelques démêlés avec la police. Les inspecteurs sont venus me trouver plus d'une fois pour me demander de rester en dehors de tout ça. En fait, ils ont fait tout le trajet depuis Londres jusqu'ici pour m'informer que c'était à eux et à eux seuls de s'occuper du "sujet".»

«Je peux me renseigner à Scotland Yard, voir de quoi il retourne.» Puis, incapable de résister: «Votre collègue allemand, c'est quoi déjà son nom, ah oui, Werfner – il s'intéresse autant que vous à ce type?»

«Aucune idée.» La réaction de Renfrew se manifesta peut-être par un clignement d'yeux, trop rapide pour que Lew en soit certain. «Mais je doute fort que Werfner sache faire la différence entre un guichet et un taquet. Oh mais vous ne l'avez pas encore rencontré? Ça vous réserve une agréable surprise!»

Il fit signe à Lew de le suivre dans une pièce plus petite, où un globe terrestre scintillait, juste en dessous du niveau des yeux, suspendu à une fine chaîne de métal, entouré d'un éther de fumée de tabac, de particules de poussières domestiques, de vieux papiers et de reliures anciennes, d'haleine humaine… Renfrew prit le globe à deux mains, à la façon d'un verre de cognac, et le fit tourner résolument comme s'il soupesait l'argument qu'il souhaitait avancer. Derrière les carreaux, une pluie éclatante balayait la cour. «Alors voilà – si l'on considère le pôle Nord comme étant au centre, en imaginant pour le bien-fondé de la démonstration que la zone autour est solide, un élément inconnu sur lequel il est possible non seulement de marcher mais également de faire passer de pesantes machines – glace arctique, toundra gelée –, on voit bien que ça compose une seule et vaste masse, n'est-ce pas? L'Eurasie, l'Afrique, l'Amérique. Avec l'Asie intérieure en son cœur. Contrôler l'Asie intérieure, par conséquent, c'est contrôler la planète.»

«Et qu'en est-il de l'autre, eh bien, disons, hémisphère?»

«Oh, ça?» Il fit pivoter le globe et lui donna une petite tape méprisante. «L'Amérique du Sud? Tout juste un appendice de l'Amérique du Nord. Ou de la Banque d'Angleterre, si vous voulez. L'Australie? Des kangourous, un ou deux joueurs de cricket au talent éventuellement notable, quoi d'autre?» Ses petits traits frissonnant dans le jour déclinant.

«Cette canaille de Werfner, avec son esprit vif mais *unheimlich*, est obnubilé par les voies ferroviaires, l'histoire naît de la géographie bien sûr, mais pour lui la géographie principale de la planète se résume aux rails, qui obéissent à leur propre nécessité, aux interconnexions, aux lieux choisis et contournés, aux centres et aux rayons qui en partent, aux pentes possibles et impossibles, aux canaux qui les relient, aux tunnels et aux ponts déjà existants ou futurs, aux capitaux devenus concrets – et aux flux de pouvoir également, tels qu'ils s'expriment, par exemple, dans les mouvements de troupes massifs, aujourd'hui et dans l'avenir –, il s'est lui-même baptisé "le Prophète de l'*Eisenbahntüchtigkeit*", ou "Ferroviarité", la moindre adaptation au réseau des points stratégiques, chacun considéré comme un coefficient de l'équation inédite de la planète…»

Il pérorait. Lew alluma une autre cigarette et s'installa confortablement.

«Agréable visite?» s'enquit le Cohen avec un peu trop de désinvolture, comme s'il allait s'ensuivre une farce.

«Il m'a proposé du boulot.»

«Excellent!»

Lew résuma l'affaire du Gentleman Dynamiteur de Headingly, que le Cohen, comme tout le monde dans les îles Britanniques hormis Lew, connaissait déjà sur le bout des doigts.

«Cela fait-il de moi un agent double? Devrais-je porter un faux nez ou je ne sais quoi?»

«Renfrew ne se fait aucune illusion quant à vos liens avec les S.O.T. Il a dû entre-temps établir un dossier fourni sur votre personne.»

«En ce cas…»

«Il pense qu'il pourra se servir de vous.»

«Comme vous autres.»

«Oh, mais nos cœurs à nous sont purs, vous savez.»

C'était peut-être dû aux effets résiduels de l'abus de cyclomite, mais Lew aurait juré avoir entendu une assemblée entière éclater de rire, avec quelques applaudissements en sus.

Un champ de cloches s'épanouit à travers toute la ville, alors que les jeunes hommes passaient au-dessus de Murano, survolaient de grandes cheminées d'argile rouge à embouts blancs connues sous le nom de *fumaioli*, à en croire le pilote du coin, Zanni. «*Très dangereuses*, les étincelles, elles pourraient crever le ballon, *certo*», des gouttes de sueur jaillissant de son visage dans tous les sens, comme autopropulsées. L'Italien, un homme de cœur mais sujet à de comiques angoisses, les avait rejoints un peu plus tôt dans la journée, après que les garçons eurent obtenu les autorisations nécessaires de la branche Piacenza de la Confrérie des Casse-Cou, connue ici dans son Italie natale sous le nom de «Gli Scavezzacolli». Le *Désagrément* ayant dû être révisé au chantier naval, les garçons avaient bénéficié provisoirement d'un aéronef italien de la même catégorie, le semi-rigide *Seccatura*.

Depuis leurs postes, les Casse-Cou observaient à présent la ville de Venise, qui évoquait une carte d'elle-même imprimée dans une sépia ancienne, offrant à cette distance une impression de ruine et de désolation, laquelle céda bientôt la place à un million de tuiles d'un rouge un peu plus optimiste.

«On dirait une immense amulette rouillée», s'émerveilla le Dr Chick Counterfly, «tombé du cou d'un demi-dieu, son charme enveloppant l'Adriatique —»

«Oh, en ce cas», grommela Lindsay Noseworth, «on devrait peut-être te déposer sur-le-champ, pour que t'ailles la briquer, ou faire ce que font les amateurs d'amulettes.»

«Hé, Lindsay, brique-moi ça», suggéra Darby Suckling, assis devant le tableau de bord. À côté de lui, Miles Blundell examinait attentivement divers cadrans tout en récitant dans une espèce d'extase torpide: «Le chiffre italien qui ressemble à un zéro est le même que notre "zéro" américain. Celui qui ressemble à un "un" est "un". Celui qui ressemble à un "deux" —»

«Assez, crétin!» aboya Darby, «on a compris!»

Miles tourna vers lui un large sourire, ses narines inhalant l'odeur ambiguë du verre fondu qui montait des *vomitoria*, qu'il était le seul dans l'équipage à trouver agréable. «Écoutez.» Quelque part dans la brume lumineuse on distinguait la voix d'un gondolier, qui chantait son amour, non pour quelque *ragazza* à frisettes mais pour la gondole d'un noir charbon qu'il barrait actuellement, comme transporté. «Z'entendez?» des larmes glissant le long des convexités du visage de Miles. «La façon dont ça s'étire en mode mineur, puis repasse à chaque refrain en mode majeur? Ces tierces picardes!»

Ses camarades de bord se tournèrent vers lui, échangèrent entre eux des regards, puis, dans un haussement d'épaules collectif, désormais coutumier, reprirent leurs occupations.

«Tenez», dit Randolph. «Voici le Lido. Bien, jetons un coup d'œil à la carte...»

Approchant de la digue séparant la lagune vénète de l'Adriatique, ils descendirent à une altitude d'une douzaine de pieds (ou *quota*, ainsi que l'indiquaient les instruments italiens) et explorèrent bientôt la «Terre perse», ou Terres perdues. Depuis l'Antiquité, de nombreuses îles inhabitées avaient disparu sous les vagues, formant une considérable communauté sous-marine d'églises, de boutiques, de tavernes et de palais, où se déroulaient les querelles et les quêtes incompréhensibles de générations de morts vénitiens.

«Juste à l'est de Sant'Ariano et — *Ecco!* Vous la voyez? Si je ne m'abuse, messieurs, Isola degli Specchi, ou l'île des Miroirs elle-même!»

«Excusez-moi, Professeur», dit Lindsay avec une mine intriguée, «il n'y a rien d'autre là-dessous que de l'eau.»

«Essayez de regarder *sous* la surface», conseilla l'émérite aéronaute. «Je vous parie que Blundell peut la voir – n'est-ce pas, Blundell, oui?»

«Voilà qui change un peu», se gaussa Darby Suckling. «Une fabrique de miroirs sous-marine. Comment allons-nous pouvoir mener à bien cette mission?»

«Avec notre grâce habituelle», répondit d'un air las le commandant de l'aéronef. «Mr Counterfly, sortez vos objectifs – nous désirons le plus de plaques possible de ce petit *stabilimento*.»

«Des clichés de la mer vide – you-piiii!» fit la mascotte aigrie en tournicotant un doigt devant sa tempe, «voilà-t'y pas que le vieux a enfin perdu la boule!»

«Pour une fois, j'aurais tendance à être d'accord avec Suckling», ajouta sinistrement Lindsay Noseworth, comme s'il se parlait à lui-même, «mais peut-être en des termes plus étroitement cliniques.»

«Les rayons, les gars, les rayons», gloussa l'Officier scientifique Counterfly, absorbé par ses calculs photographiques, «les merveilles de notre époque, et soyez certains qu'aucun d'eux n'est étranger au spectre de cette légendaire lumière italienne. Attendez seulement qu'on soit à nouveau dans la salle de développement, et vous verrez une chose ou deux, par Garibaldi, je vous dis que ça.»

«*Ehi, sugo!*» s'écria alors Zanni depuis la barre, en attirant l'attention de Randolph vers une apparition tremblante dans le lointain, à tribord.

Randolph s'empara des jumelles qui étaient sur la table des cartes.

«Bon sang, les gars, soit c'est le plus gros oignon volant du monde, soit c'est ce vieux *Bol'shaia Igra*, venu sans nul doute enrichir ici sa culture italienne.»

Lindsay scruta les nues. «Ah! ce misérable chaland tsariste! Mais que diable viennent-ils chercher ici?»

«Nous», suggéra Darby.

«Mais nos ordres étaient scellés.»

«Et alors? Quelqu'un en aura brisé le sceau. Ne me dites pas que les Romanov ne peuvent pas se payer un ou deux comparses à l'intérieur.»

Un silence inquiétant s'empara de la passerelle, le temps de comprendre que ce n'était pas une coïncidence si l'implacable Padzhitnov, quelles que fussent leur destination et les mesures de sécurité qu'ils avaient pu prendre dans les airs, finissait toujours par se profiler à l'horizon. En dépit du nombre de soupçons qui avaient vu le jour au sein de l'équipage – qu'un calcul fort simple portait à au moins une vingtaine –, les véritables appréhensions des Casse-Cou convergeaient vers ces invisibles degrés «supérieurs», où étaient rédigés et édictés les ordres.

Pendant toute la journée, les jeunes gens ne purent s'empêcher d'évoquer la présence des Russes dans ces parages, et d'en chercher la raison. Bien qu'il n'y eût pas de rencontre ce jour-là avec le *Bol'shaia Igra*, l'ombre de l'enveloppe bulbiforme, et le scintillement menaçant du bronze à canon juste en dessous, continuerait néanmoins de planer même aux derniers instants de leur escale.

«Vous ne voulez tout de même pas insinuer que celui qui donne ses ordres à Padzhitnov est un proche de celui qui nous commande», protesta Lindsay Noseworth.

«Tant qu'on fait tout ce qu'on nous dit de faire», lança Darby, l'œil mauvais, «on ne saura jamais. La rançon d'une obéissance inconditionnelle, pas vrai?»

La journée touchait à sa fin. Après avoir restitué leur vaisseau d'emprunt aux quartiers des A. dell'A., sur la terre ferme, l'équipage s'en alla dîner dans le jardin d'une plaisante *osteria* dans San Polo, près d'un canal peu fréquenté, ce que les Vénitiens désignent par le mot *rio*. Des femmes se penchaient à leur petit balcon pour relever le linge qui y avait séché toute la journée. Quelque part, un accordéon serrait les cœurs. On commençait à fermer les volets en prévision de la nuit. Des ombres vacillaient dans les étroites *calli*. Des gondoles et des bateaux de livraison nettement moins élégants glissaient sur une eau aussi lisse qu'une piste de danse. Se faisant écho dans la fraîcheur du soir, s'engouffrant dans ces conduits à vent qu'étaient les *sotopòrteghi* et défiant tellement de recoins occultes que les sons auraient pu émaner de rêveurs à jamais lointains, retentissaient les injonctions étrangement chagrines des *gondolieri* – «*Sa stai, O! Lungo, ehi!*» – mêlées aux cris des enfants, des épiciers, des marins en goguette, des vendeurs de rue, n'attendant plus de réponses mais néanmoins pressants comme s'ils interpellaient les dernières lumières du jour.

«Quel choix avons-nous?» dit Randolph. «Personne ne va nous dire qui a renseigné Padzhitnov. Qui pourrions-nous d'ailleurs interroger, puisqu'ils sont tous si invisibles?»

«À moins que nous ne décidions pour une fois de désobéir – ils ne tarderaient pas alors à se montrer», déclara Darby.

«Ben voyons», dit Chick Counterfly, «juste le temps de nous pulvériser en plein ciel.»

«Donc… en ce cas», repartit Randolph se tenant le ventre comme si ce dernier était une boule de cristal et qu'il lui parlait d'un ton rêveur, «il ne s'agit que de peur? Est-ce cela que nous sommes devenus, une bande de lapins grelottants en uniforme se faisant passer pour des hommes?»

«Le ciment de la civilisation, amis 'nautes», gazouilla Darby. «C'est tout nous, ça.»

Les jeunes filles qui travaillaient là, récemment descendues des montagnes ou montées du Sud, se faufilaient entre les tables ou faisaient la navette entre salle et cuisine dans une sorte d'extase comprimée, comme si elles n'en revenaient pas d'avoir eu la chance d'échouer ici, dans cette mer blafarde. Chick Counterfly, qui était le plus expérimenté de la bande, et donc le porte-parole par défaut lors de rencontres avec le beau sexe susceptibles de devenir ambiguës, fit signe à l'une des jolies *cameriere*.

«Juste entre nous, Giuseppina – un secret entre amants –, as-tu eu vent cette semaine d'autres *pallonisti* dans la lagune?»

«Des amants, eh? Quel genre d'amant», demanda Giuseppina, affablement mais de façon audible, «ne pense qu'à ses rivaux?»

285

«Des rivaux! Tu veux dire qu'un autre aéronaute – voire plus d'un! – a sollicité ton cœur? *Ehi, macchè, Pina!* – quel genre de "bien-aimée" agite ses admirateurs en tous sens, telles les feuilles d'une salade?»

«Peut-être qu'elle cherche derrière ces feuilles un gros *giadrul*», suggéra sa collègue napolitaine, Sandra.

«Capitaine Pa-zi-no!» chantonna Lucia à l'autre bout de la salle.

Giuseppina se mit à rougir, même si c'était peut-être dû à l'effet du soleil couchant au-dessus des toits.

«Pazino…», répéta, taquin, Chick Counterfly.

«C'est Pa-djit-nov», articula Giuseppina, tout en dévisageant Chick avec un sourire soi-disant mélancolique qui pouvait fort bien, dans cette ville de l'éternelle négociation, signifier: *Bon, et que puis-je espérer en retour?*

«Nom d'une pustule véreuse!» s'exclama Darby Suckling, «Avec tous les rades à spaghettis dans cette ville, tu veux nous faire comprendre que ces manants de Russes sont venus *ici*? Combien étaient-ils?»

Mais elle avait dit tout ce qu'elle voulait bien dire et, décochant par-dessus une épaule dénudée un regard de feint reproche au jeune importun, vaqua à d'autres tâches.

«De la dinde violette», s'épata Miles Blundell, qui avait décidé ce soir, pour se motiver, de commencer par le *tacchino* à la sauce grenade, dont des traces ornaient déjà le tricot d'ordonnance.

«Des nouvelles guère encourageantes, Cap'taine», marmonna Darby en quêtant l'approbation de la tablée, «on devrait peut-être oublier la bouffe et dégager *illico*?»

«Hors de question», déclara vivement Lindsay Noseworth. «Quelles que soient leurs intentions ici —»

«Dites donc, Noseworth, mettez-la un peu en veilleuse», soupira le commandant du vaisseau, «nous savons tous très bien que nous avons déjà pris la fuite par le passé, et nous le referons sûrement, et le nier n'augmentera en rien nos chances contre notre céleste homologue Padzhitnov. Alors, en attendant – *dum vivimus, bibamus* –, enfin, si vous voulez bien nous faire l'honneur, Lindsay», désignant avec son verre le seau rempli de glace au centre de la table qui conservait sa fraîcheur au vin du soir. De mauvaise grâce, le second choisit et déboucha deux bouteilles, un *prosecco* issu d'un vignoble du nord de Venise et un *valpolicella* également effervescent mais venant de plus loin à l'intérieur des terres, puis il fit le tour de la tablée, afin de verser dans chaque verre une équitable quantité de *vini frizzanti* rouge et blanc.

Randolph se leva, son verre à la main. «Sang rouge, esprit pur», ce que les autres répétèrent en un unisson plus ou moins réticent.

Les verres de vin provenaient d'un service de douze, chacun étant né quelques jours plus tôt à Murano sous la forme d'une paraison rougeoyante à l'extrémité d'une canne. En argent décoré avec goût du blason des Casse-Cou et de la devise SANGUIS RUBER, MENS PURA, le service avait été présenté ce jour même aux jeunes gens par l'actuel Doge-en-exil, Domenico Sfinciuno, dont la famille, en 1297, ainsi que de nombreux autres riches et puissants Vénitiens de l'époque, s'était vu refuser le droit de siéger au Grand Conseil – et avait été de fait rendue inéligible – par le Doge siégeant d'alors, Pietro Gradenigo, dans un décret tristement célèbre connu sous le nom de *Serrata del Maggior Consiglio*. Mais même l'abolition par Napoléon de la charge de Doge cinq cents ans plus tard n'empêcha pas les Sfinciuno de prétendre à ce titre, ayant depuis des générations, par une étrange inertie du ressentiment, fini par le considérer comme leur revenant de droit. Pendant ce temps ils se consacrèrent au commerce avec l'Orient. Après le retour des Polo à Venise, les Sfinciuno rallièrent d'autres aventuriers, également écartés par l'interdit de Gradenigo, dont la richesse était moins ancienne que celle de la Case Vecchie mais suffit largement à financer une première expédition – et ils partirent en Orient pour faire fortune.

On vit donc éclore en Asie intérieure toute une théorie de colonies vénitiennes, chacune installée autour d'une oasis écartée, et dont l'ensemble formait une route, alternative à celle de la Soie, et menant aux marchés de l'Orient. Des cartes étaient jalousement gardées, et les divulguer aux non-initiés était souvent passible de mort.

Les Sfinciuno s'enrichissaient et attendaient – ils avaient appris la patience. Domenico ne faisait pas exception. Comme ses ancêtres avant lui, non seulement il portait le classique *corno* à pointe mais également, dessous, la traditionnelle *cuffietta* ou coiffe en lin, dont il était en général le seul à connaître l'existence, à moins bien sûr de décider de la montrer à des hôtes choisis, tels que les Casse-Cou, comme c'était le cas en ce moment, d'ailleurs.

«... ainsi donc», dit-il à l'assemblée, «notre rêve est aujourd'hui en passe d'être réalisé, grâce aux miracles de cette invention du vingtième siècle que nos illustres jeunes savants américains ont apportée jusqu'ici, nous pouvons enfin espérer recouvrir la route perdue de notre destinée asiatique usurpée par les Polo et ce maudit Gradenigo. Qu'ils soient bénis! Ces *ragazzi* auront droit à toutes les formes de respect, symbolique ou pratique, au risque de notre déplaisir ducal, lequel est considérable.»

«Ça alors, c'est comme les clés de la ville!» s'exclama Lindsay.

«Plutôt du genre *"Attenzione al culo"*», marmonna Chick. «Tâchons de ne pas oublier que cet endroit est connu pour son industrie des masques.»

En ardent défenseur de l'inconstance, Chick trouvait les cérémonies comme celle d'aujourd'hui à la fois inutiles et dangereuses. Leur mission à Venise, dont le succès exigeait qu'on cessât de perdre ainsi du temps et de s'exposer de la sorte, consistait à repérer le légendaire Itinéraire de Sfinciuno, une carte ou un plan des routes post-Polo vers l'Asie, censé mener, aux dires de plus d'un, jusqu'à la cité secrète de Shambhala.

«Tout d'abord», conseilla leur cicérone en la matière, le Pr Svegli de l'Université de Pise, «essayez d'oublier l'image habituelle à deux dimensions. Ce n'est pas là le genre de "carte" que vous recherchez. Que vous faudrait-il, pour déterminer votre position et votre destination? Quand on ne distingue pas toujours les astres, ni des pics comme celui du Khan-Tengri... Ni même le paradis personnel de Shiva, le mont Kailash, qui à certains moments de la journée est comme un phare aveuglant permettant de s'orienter... Car il existe non seulement des balises mais également des anti-balises – à chaque phare correspond un épisode de cécité intentionnelle.»

«Bien», dit Chick qui se renfrogna, perplexe. «Je me trompe ou cette conversation prend un tour, comment dire? abstrait. L'Itinéraire de Sfinciuno va-t-il se révéler non pas une carte géographique mais le récit de quelque voyage spirituel? Une simple allégorie et un symbolisme caché —»

«Sans la moindre fichue oasis où se désaltérer», ajouta Darby avec amertume. «Merci beaucoup, Professeur. Voilà qu'on donne dans le commerce des bondieuseries à présent.»

«Le terrain est tout ce qu'il y a de réel, tout à fait de ce monde – et c'est là précisément, vous vous en rendez compte, le problème. Bien, comme à l'époque de Sfinciuno, il existe deux "Asies" distinctes, l'une est l'objet de luttes politiques entre les Puissants de la Terre – l'autre est une foi atemporelle au regard de laquelle toutes ces luttes terrestres sont illusions. Ceux dont l'objet durable est le pouvoir ici-bas ne sont que trop heureux d'utiliser les autres sans scrupule, ces derniers cherchant bien sûr à transcender toutes les questions de pouvoir. Chacun considère que l'autre appartient à une bande d'idiots se berçant de chimères.

«Le problème vient de la projection. L'auteur de l'Itinéraire a conçu la Terre non seulement comme une sphère tridimensionnelle mais, en outre, comme une *surface imaginaire*, et les dispositions optiques nécessaires à sa projection sur la page bidimensionnelle étaient effectivement très bizarres.

« Il s'agit donc d'une espèce d'anamorphoscope, ou plus exactement d'un *para*morphoscope, parce qu'il révèle des mondes qui se trouvent sur la partie de celui que nous avons pris, jusqu'ici, pour le seul monde qui nous est donné. »

Les anamorphoscopes classiques, expliqua-t-il alors, étaient des miroirs, en général cylindriques ou coniques, qui, lorsqu'on les plaçait sur, ou bien près d'une image volontairement déformée, en les observant selon un angle adéquat, faisaient que l'image paraissait à nouveau « normale ». L'engouement pour ces objets connut des hauts et des bas, débutant dès le dix-septième siècle, et les artisans d'Isola degli Specchi apprirent rapidement à approvisionner ce marché spécialisé. On sait que plusieurs d'entre eux devinrent fous et finirent dans l'asile d'aliénés de San Servolo. La plupart de ces malheureux ne pouvaient plus supporter de regarder dans quelque miroir que ce fût, et on les tenait soigneusement éloignés de toute surface réfléchissante. Mais quelques-uns, désireux de s'aventurer plus avant dans les douloureux couloirs de leur mal, s'aperçurent au bout d'un temps qu'ils étaient capables de polir des surfaces toujours plus exotiques, hyperboloïdes, voire étrangères, y incorporant finalement ce que nous devons appeler des formes « imaginaires », même si d'aucuns préfèrent le terme choisi par Clifford : « invisibles ». Ces spécialistes restèrent à Isola degli Specchi dans une sorte de réclusion si sévère qu'elle leur fournissait, paradoxalement, une liberté inconnue en Europe et même partout ailleurs, et ce de tout temps.

« L'Itinéraire de Sfinciuno » expliqua le Professeur, « compilé à partir de ses sources originales des quatorzième et quinzième siècles, a été crypté au moyen d'une de ces distorsions paramorphiques, qu'il était possible d'arracher à l'invisible grâce à une configuration particulière de lentilles et de miroirs, dont les spécifications exactes n'étaient connues que du cartographe et des artisans par ailleurs irrémédiablement déments qui l'avaient conçue, sans parler des inévitables héritiers et assignés, dont les identités sont encore à ce jour sujettes à de vifs débats. En théorie, il fallait tenir compte de chaque point de cette carte diaboliquement codée, même si en pratique, étant donné que cela impliquait un degré de l'infini dont même le Dr Cantor à notre époque n'est pas certain, le dessinateur et l'artisan s'en remettaient à la précision rendue possible par ce qui était alors les microscopes complexes les plus récents, importés des Pays-Bas, devançant ainsi – et, a-t-on dit, l'emportant sur elles – les lentilles plano-convexes de Griendl von Ach lui-même.»

Un peu avant sa découverte officielle en 1669, la calcite, ou spath d'Islande, était arrivée à Copenhague. Ses propriétés biréfringentes ayant été aussitôt remarquées, le minerai spectral fut bientôt très demandé par tous les opticiens d'Europe. On s'aperçut vite que certaines lignes et surfaces «invisibles», analogues à des points conjugués dans l'espace bidimensionnel, devenaient accessibles grâce à des lentilles, des prismes, et des miroirs de calcite soigneusement façonnés, bien que les tolérances fussent encore plus subtiles que celles rencontrées dans le travail du verre, obligeant les artisans, d'abord par dizaines puis par centaines, à rejoindre leurs nombreux frères exilés qui erraient déjà dans les lointaines contrées de la folie.

«Aussi», continua d'expliquer le Professeur, «si l'on accepte l'idée que les cartes sont tout d'abord des rêves, qu'elles ne durent qu'un temps dans ce monde, puis redeviennent des rêves, nous pouvons dire que ces paramorphoscopes de spath d'Islande, qu'on ne saurait trouver en grand nombre voire pas du tout, révèlent l'architecture du rêve, de tout ce qui échappe au réseau des latitudes et longitudes ordinaires…»

Un jour, Miles Blundell, lors d'une de ses fugues coutumières dans Venise, s'arrêtant pour examiner des fresques en ruine comme s'il s'agissait de cartes dont les parties estompées par le temps étaient les océans, ou pour contempler une étendue de pierres d'Istrie et lire dans ses marques naturellement cursives des commentaires sur un littoral interdit, se retrouva dans ce qu'une enquête ultérieure rapprocherait de la vision prophétique d'un saint Marc, mais *inversée*. Plus précisément, il retourna dans les marécages et lagons du Rialto tels qu'ils étaient au premier siècle avant J.-C., les piqués disgracieux des sombres cormorans, la cacophonie des mouettes, l'odeur des marais, l'immense respiration fricative, parole en devenir, des roseaux agités par le sirocco qui l'avait amenée en ces parages – et où, enfoncé jusqu'aux chevilles dans la vase, ce fut Miles qui apparut à un Être n'étant visiblement pas des environs immédiats. Non loin, à quelques brasses du littoral indistinct, mouillait un étrange vaisseau à bord duquel, semble-t-il, était arrivé l'Être. Pas une voile latine ordinaire, n'ayant en fait apparemment ni voiles, ni mâts, ni avirons.

«Vous êtes sûr que ce n'était pas juste quelqu'un qui portait un masque ou je ne sais quoi? Et… et qu'en est-il de ce *lion ailé*?» – animal dont Chick Counterfly, en sa qualité d'Officier chargé des interrogatoires, souhaitait particulièrement être entretenu – «le Livre, la page à laquelle il était ouvert?»

«Avec un visage humain, oui, ce sourire ambigu à la Carpaccio, la Porta della Carta, et cætera, la lubie de tout artiste, je le crains… À moins que vous ne vouliez parler de ce que l'Être a vu quand il m'a regardé?»

«Comment sauriez-vous ce qu'il a vu quand il —»

«Ce qu'il me fut donné de comprendre. En devenant ce qu'ici ils appelleraient aptotique, non infléchi, incapable, parfois, de distinguer le sujet de l'objet. Tout en demeurant moi-même, j'étais également le lion ailé – j'éprouvais cette charge sur mes omoplates, les obligations musculaires imprévues. Le Livre, dites-vous? J'avais l'air de connaître le Livre par cœur, le Livre des Promesses, des promesses faites aux sauvages, aux galériens, aux doges, aux fuyards byzantins, aux peuples vivant en dehors des limites explorées de la Terre, dont les noms sont si peu connus – quelle importance dans ces pages pouvait avoir "ma" promesse, la simple promesse que, "ici, tu déposeras le corps de notre visiteur", ici dans un désert de sel humide? Alors que partout ailleurs dans le Livre attendaient des affaires autrement plus importantes qu'il fallait régler, des mariages et des conceptions, des dynasties et des batailles, les convergences exactes des vents, les flottes, le climat et les fluctuations du marché, les comètes, les apparitions – quelle importance revêt une vague promesse, même aux yeux de l'Évangéliste? Il se rendait à Alexandrie, n'est-ce pas? Il connaissait le sort qui l'attendait là-bas, comprenait qu'il ne s'agissait là que d'une interruption, un vent pervers monté de l'Afrique, un faux détour dans ce pèlerinage qu'il savait, désormais, être le sien.»

«Hé, Miles», railla Darby, «il y a un poste d'aumônier à pourvoir, si ça t'intéresse.»

Miles, souriant avec bonhomie, continua. «L'Être voulait que nous sachions que nous aussi nous faisons un pèlerinage. Que notre intérêt pour l'*itinerario sfinciunese* et les oasis qui le jalonnent sert davantage nos desseins que ceux des personnes qui nous ont engagés. Quand tous les masques sont tombés, il fut bel et bien question d'une enquête sur notre propre devoir, notre destinée. Laquelle est de ne pas nous aventurer en Asie dans l'espoir de nous enrichir. De ne pas périr dans les déserts de ce monde sans avoir atteint notre objectif. De ne pas nous élever dans les hiérarchies du pouvoir. De ne pas découvrir les fragments d'une Véritable Croix même imaginaire. Tout comme les Franciscains ont conçu les stations de la Croix afin de permettre à tout paroissien de se rendre à Jérusalem sans avoir à quitter sa paroisse, nous avons été conduits sur les chemins et dans les allées de ce que nous prenons pour le monde quasi illimité, mais qui en réalité n'est qu'un circuit d'images humbles, réfléchissant une gloire plus vaste que ce qu'on peut imaginer – afin de nous épargner l'erreur aveuglante consistant à accomplir le véritable voyage, le passage d'un épisode à l'autre du dernier jour du Christ sur terre, jusqu'à l'insupportable et réelle Jérusalem. »

Chick Counterfly, dont les allégeances allaient à un monde plus tangible, ressentit néanmoins, comme à chaque fois, une once de culpabilité devant la passion avec laquelle Miles rapportait ses visions. Au cours de leur mission vénitienne, Chick avait fini par s'occuper de moins en moins des affaires du bord, de plus en plus attiré par les *sotopòrteghi* de la ville, et les aventures que promettaient ces ténébreux passages. Au fond d'un de ceux-ci, par un soir humide et brouillé, une jeune femme du nom de Renata, dans une volte de boucles brunes, lui fit signe d'avancer en agitant un étui à cigarettes en argent niellé russe, lequel s'ouvrit soudain et révéla un échantillon de « cigarettes », autrichiennes, égyptiennes, américaines, de formes et tailles diverses, certaines portant des armoiries dorées et des inscriptions exotiques dans des alphabets tels que le glagolitique, ancien et récent. « Je les récupère, ici et là, auprès d'amis. J'en vois rarement deux identiques le même soir. » Chick choisit une Gauloise, et ils « s'allumèrent », Renata tenant doucement le poignet de Chick à la façon traditionnelle, feignant d'examiner son briquet breveté. « Je n'en ai jamais vu de semblable. Comment marche-t-il ? »

« Il y a un petit prisme d'alliage radioactif à l'intérieur, qui émet certains *rayons énergétiques*, lesquels peuvent être concentrés, au moyen de "lentilles radio" spécialement conçues à cet effet, et dirigés sur un point précis comme celui où l'extrémité de la cigarette se trouve – *scusi*, se trouvait. »

Renata l'observait songeusement de ses grands yeux d'une étrange couleur bronze vert-de-grisé. « Et c'est vous, *Dottore*, qui avez inventé ces lentilles spéciales. »

« Eh bien, non. Elles n'ont pas encore été inventées. Je les ai trouvées – ou elles m'ont trouvé ? Un pêcheur dans la brume, qui jetait sans relâche ses lignes dans le fleuve invisible, le cours du Temps, espérant récupérer de tels artefacts. »

« *Affascinante, caro*. Cela signifie-t-il que, si je vis assez longtemps, je pourrai en voir un jour sur le Rialto, en vente par dizaines ? »

« Pas nécessairement. Votre propre avenir peut ne jamais les contenir. Ni le mien. Ce n'est pas ainsi que fonctionne le Temps. »

« Hmm. Mon *ragazzo* – enfin, plus que ça, également mon associé en affaires – est avec la police. Il veut être inspecteur un jour. Il passe son temps à lire les toutes dernières théories criminelles, et je sais qu'il serait intéressé par — »

« Non-non-non, de grâce. Je ne suis pas un des *mattoidi* du Dr Lombroso, juste un simple balloniste sous contrat. »

« Mais pas un autre Russe. »

« "Un autre"… mais en êtes-vous si sûre ? » Se caressant malicieusement ses moustaches.

« Peut-être que j'en ai croisé un ou deux et que je sais faire la différence. »

« Et… ? »

« Dois-je faire appel à mes souvenirs ? »

« *Prego*, curiosité professionnelle, rien de plus. »

« Venez, il y a un *caffè* juste après le prochain petit pont. Vous me laisserez vous tirer les cartes, au moins, j'espère. »

« Mais votre associé — »

Un haussement d'épaules.

« Parti à Pozzuoli, pour faire encore des siennes. »

Ils s'installèrent à une petite table vernissée, avec juste assez de place pour leurs tasses et des *Tarocchi* miniatures. Renata sortit un jeu de son sac à main, brassa les cartes, en disposa huit, puis en dessous quatre, puis deux, puis une, le tout formant un vague croissant.

« Ça permet à chacune des cartes du haut d'être influencée par les deux juste en dessous. La dernière carte, comme toujours, est celle qui importe. »

Ce soir-là, ce fut le numéro XVI, la Tour. Elle brassa et réarrangea les cartes encore à deux reprises, et à chaque fois cela convergea vers la Tour, ce qui parut la rasséréner – sa respiration se fit moins profonde. Les seuls autres Arcanes majeurs à se manifester semblaient indiquer un changement de caractère, tels que la Tempérance et la Force.

« Dans les contrées protestantes comme l'Angleterre », fit remarquer Chick, « ceux qui tirent ces cartes croient que la Tour signifie l'Église romaine. »

« Interprétation tardive. Les *Tarocchi* sont beaucoup plus anciens. Ils datent d'avant le Christ et les Évangiles, sans parler de la papauté. Toujours très francs. Cette carte, sur la table, pour vous, c'est une vraie tour, peut-être même le vieux *Papà* lui-même. »

« Le Campanile sur la Piazza ? Il va être frappé par la foudre ? Deux parties vont s'en détacher ? »

« Une sorte de foudre. Une sorte de détachement. »

Peu avant l'aube, comme si elle venait juste d'y songer : « Mais — ne devriez-vous pas être avec votre unité ? »

« À partir de minuit j'étais officiellement "en perm" et selon l'heure à laquelle les gars comptent appareiller, eh bien, je pourrais manquer le départ. »

« Que se passerait-il ? »

« Ils pourraient envoyer un groupe à terre pour me chercher, je suppose… Vous voyez quelqu'un de louche dehors ? »

« Seulement le bateau du petit déjeuner. Venez, c'est moi qui régale. »

Deux Vénitiens dans une embarcation venaient d'émerger du flou lumineux du *sfumato*, qui ne s'estomperait que tard dans la matinée – l'un ramant et l'autre s'occupant d'un petit poêle à charbon dont le rougeoiement était sur le point d'être absorbé par le crescendo nacré du jour. On distinguait à présent des gens qui ramassaient des moules dans l'eau, laquelle leur arrivait à la taille, et qui se déplaçaient tels des moissonneurs dans un champ. Des bateaux de victuailles en provenance du Ponte di Paglia défilaient calmement, ainsi que quelques barques chargées de crabes verts dont les ébats crépitants résonnaient dans l'aube.

Le petit déjeuner fut désagréablement interrompu par Darby Suckling, qui descendit en rappel depuis quelque prise située au-dessus, et railla : « Mince, vraiment *típico*. On s'en va, Counterfly. »

« *Pax tibi, Darbe.* Dis bonjour à Renata. »

« *Arrivederci*, frangine. »

« T'étais vraiment un gars sympa avant. Qu'est-ce qui s'est passé ? »

« Eeeyynnhh, me suis fadé trop de marioles au fil des ans, je suppose – oh, je suis désolé, j'espère que je vexe personne — »

« Et si je ne retourne pas à bord ? »

« Ben voyons – d'abord toi, puis un autre, et encore un autre, comme dans une maudite *Symphonie des adieux*, nous soufflons nos bougies, nous barrons, démissionnons du Ciel. Je ne crois pas. »

« Vous ne me regretteriez jamais, les vents vont bientôt changer, puis ce sera un hiver comme les autres — »

« Le Ciel a été bon avec toi, Counterfly. »

« C'est à l'avenir que je pense. J'ai quelques problèmes avec mon plan de retraite. »

Une vieille plaisanterie dans le milieu – il n'y avait pas de plan de retraite, en réalité aucune retraite. Les Casse-Cou étaient censés mourir au travail. Ou bien vivre éternellement, puisqu'il existait, en fait, deux écoles de pensée.

«Je pense que je pourrais te donner un coup de matraque et te traîner jusque là-bas», marmonna Darby.

Il les avait rejoints à une table en terrasse pour un petit déjeuner composé de poisson grillé, petits pains, figues et café.

«Pas de tout repos», dit Chick.

Ils se promenèrent le long de la Riva, avec sa suite de vedettes amarrées.

«Un boulot à terre?» dit Darby. «Ben voyons, mon gogo. Mais tu veux faire quoi? On peut pas dire que tes talents soient très recherchés ici-bas.»

«On est à mille lieues de la gaudriole, c'est sûr», dit Chick.

«Je te parie que Padzhitnov n'est pas de cet avis.»

«Il s'agit d'une mission gouvernementale. Selon mes sources au ministère de la Guerre italien, il est basé à l'autre bout de l'Adriatique, au Monténégro, et prend des photos de reconnaissance des installations autrichiennes en Dalmatie. Le ministère est très intéressé, sans parler des éléments irrédentistes des deux pays.»

«Ce fichu irrédentisme a la cote ces derniers temps», estima Darby.

«L'Autriche n'a rien à faire ici dans l'Adriatique», déclara Renata. «Ça n'a jamais été une nation maritime et ça ne le sera jamais. Qu'ils restent dans leurs montagnes et skient, mangent du chocolat, molestent les Juifs, fassent ce qu'ils font. On a repris Venise, et de même Trieste sera de nouveau à nous. Plus ils s'ingèrent ici, plus leur destruction sera certaine et totale.»

Le *Désagrément* attendait dans un coin reculé de l'Arsenal, enfin réparé, tout rutilant et plus grand qu'auparavant, semblait-il. Chick salua ses camarades de bord, qui étaient tout excités après avoir appris que leurs homologues russes avaient embarqué de mystérieuses caisses et barils, comme s'ils s'apprêtaient à livrer combat.

«Contre qui?» dit Darby en haussant les épaules. «Sûrement pas nous, non?»

«Y a un moyen de contacter Padzhitnov?» demanda Chick.

Pugnax arriva en compagnie de Mostruccio, un petit chien vénitien grincheux, offrant une certaine ressemblance avec ses ancêtres dans les toiles de Carpaccio, Mansueto et d'autres, qui pour certains se déplaçaient en gondole particulière. Émergeant de rêves dans lesquels, ailé tel un lion, il s'élançait à la poursuite de pigeons au-dessus des tuiles des toits et parmi les cheminées, Mostruccio était contraint de passer ses heures éveillées à ras de terre et se vengeait sur les chevilles des distraits... Il avait trouvé en Pugnax une âme compatissante, car, après des semaines passées la plupart du temps cloîtré dans la nacelle du *Désagrément*, Pugnax rêvait également de liberté, et de s'élancer, aux petites lueurs du matin, dans le vent sec, en laissant derrière lui ces humains qui l'avaient accompagné, le long des plages désertes de Floride aussi dures qu'une chaussée, ou sur les fleuves gelés de Sibérie où les Samoyèdes couraient ensemble dans un esprit d'amicale rivalité. Il s'approcha de Randolph, donna à ses sourcils une forme suppliante, et demanda : « Rrr-rrururu rf-rf rf-rf rr rff rr-rff ? » ou « Mostruccio peut-il être mon hôte à bord ? ».

En dessous, les piétons se déplaçaient à leur allure habituelle, s'installaient à la terrasse du Florian et du Quadri, s'ils étaient francophiles trinquaient au 14 Juillet, prenaient des photos, maudissaient les pigeons, lesquels, conscients d'une certaine anomalie dans leur ciel, battaient follement des ailes dans l'air, puis se ravisaient, se posaient, pour s'élancer à nouveau un instant plus tard vers les cieux, comme délogés par une rumeur.

Vus du sol, les vaisseaux rivaux étaient plus conjecturaux que littéraux – des objets de peur et de prophétie, censés se déplacer à des vitesses et avec une souplesse inexistantes chez tout autre aéronef officiel de l'époque – condensés ou projetés hors de rêves, d'exils, de solitudes. Dans les moments qui précédèrent celui où le Campanile s'écroula, certains eurent l'heur d'assister au combat dans le ciel, et ce furent bien sûr ces *lasagnoni* qu'on trouvait toujours sur la Piazza, photographiés au fil des saisons par des milliers de touristes qui en rapportaient chez eux les images en une diaspora silencieuse et automnale – flous telles des chauves-souris au crépuscule, souvent réduits à des mouvements sépia devant la façade rêveuse de la basilique Saint-Marc, ou le long d'une des trois Procuraties – du fait, disait-on, des longues expositions requises par la lumière humide de Venise, mais en réalité à cause de la double nationalité des aéronautes dans les régions du quotidien et du fantomatique, ce furent les *lasagnoni* qui jouirent d'une vision nette du combat. Et eux seuls. Oniroportés telle la célèbre populace aviaire, contemplant le ciel, ils sentirent ce matin-là que quelque chose allait émerger du *sfumato*, une visitation… quelque chose qui allait transcender à la fois les Casse-Cou et les Tovarishchi, car tout d'un coup un immense cri rauque jaillit de l'invisibilité, quasi concret, une impédance mortelle dans l'air, comme si un élément néfaste s'efforçait violemment de prendre forme avant de déferler sur ce monde en de longues et fulminantes pétarades, ébranlant la texture même de l'espace. À chaque salve, les deux aéronefs s'écartaient à des angles qui empêchaient presque de les distinguer correctement, tant le médium à travers lequel devait passer la lumière était déformé.

La lucidité des deux équipages parut se brouiller vertigineusement. La perspective d'un accrochage les oppressait, telle une malédiction, avec son lot d'énigmes obscures et concomitantes. Encore quelques degrés ou même minutes d'arc, et leurs artilleurs allaient abolir le Temps – ce qu'ils voyaient «maintenant» dans leurs visées était en fait ce qui n'existait pas encore *mais qui seulement serait* dans quelques secondes à partir de «maintenant», si plate-forme et cible conservaient chacune leur cap et leur allure – ou des idéalisations de «cap» et d'«allure», puisque les vents tentaient de modifier l'un et l'autre de façon assez imprévisible.

Le Campanile se profila brièvement sur une austère diagonale, maculé de pigeons, avec ses taches claires et sombres, visiblement déséquilibré, et penchant comme s'il allait confier un secret, aussi hagard que l'ivrogne local...

L'instant suivant, Padzhitnov vit l'antique édifice se scinder distinctement en une multitude de blocs de quatre briques, chacun d'eux nimbé d'un contour lumineux, et rester suspendu un moment dans l'espace, tandis que le Temps ralentissait et que les formes permutaient systématiquement, avant d'entamer leur douce et inoffensive descente, pivotant et coulissant selon tous les modes existants, comme tentant de satisfaire une folle analyse de théorie des groupes, jusqu'à ce que le nuage de poussière qui s'élevait tandis qu'elles s'effondraient noie toutes ces considérations dans un vaste et incertain magma terre de Sienne.

Entre autres armes, les jeunes hommes possédaient un modèle unique de torpille aérienne, mise au point par le Dr Chick Counterfly moins pour annihiler ou même endommager un aéronef ennemi que pour «lui rappeler sa sensibilité innée à la gravitation». L'arme bénéficiait de six projectiles – que les Casse-Cou appelaient des «poissons célestes» et qui étaient répertoriés dans l'arsenal du *Désagrément* comme des engins de contre-portance. Lors du débat qui eut lieu ce jour-là juste après le déjeuner, tous se demandèrent s'il était possible qu'un de ces projectiles – tiré sur le *Bol'shaia Igra* sans tenir compte d'un certain nombre de facteurs critiques, tels que l'humidité – fût la cause de l'effondrement du Campanile.

«Ce qui se dressait depuis mille ans», déclara Randolph, «ce que ni la tempête, ni les séismes, ni même le catastrophique Napoléon Bonaparte n'ont pu ébranler, nous l'avons fait s'écrouler comme des empotés en un instant. Quelle sera la prochaine cible de notre ineptie? Notre-Dame? les Pyramides?»

«C'était un accident de guerre», affirma Lindsay. «Et je ne suis pas si sûr que ça soit nous.»

«Vous avez donc bel et bien vu quelque chose, Noseworth?» demanda Chick Counterfly.

«Je regrette», renifla Lindsay, «d'avoir rarement eu, dans le feu de l'action, le temps de m'adonner à l'observation scientifique, même si la célèbre propension de l'autre commandant à s'en prendre à des cibles aux maçonneries fragiles laisse fortement à penser, voire confirme ce que —»

«Mais, étant dans les airs, nous n'étions pas du tout sur la trajectoire de la tour quand elle s'est écroulée», fit remarquer Chick, avec patience. «Nous avions l'avantage du vent. Nous foncions sur eux.»

«— en plus de leur prompt départ», Lindsay, ignorant la remarque, avait continué, «comme s'ils avaient honte de ce qu'ils venaient de faire —»

«Hé, Lindsay, tu peux toujours les rattraper si tu te dépêches», persifla Darby.

«Ou nous pourrions dépêcher *ta chère génitrice*, Suckling, puisque sa seule vision devrait suffire à leur miner durablement le moral, voire à les *transformer tous* en structures —»

«Oui, et ta mère à toi», riposta le jeune homme qui s'emportait facilement, «elle est *si laide* —»

«Messieurs», implora Randolph, dont la voix dénotait, sans qu'il fût nécessaire d'être extralucide pour s'en rendre compte, une prostration neurasthénique qu'il combattait péniblement, «il se peut que nous ayons commis aujourd'hui un grand tort envers l'Histoire, à côté duquel ces mesquines arguties prennent des proportions d'une insignifiance plus que microscopique. Veuillez avoir la bonté de nous les garder pour quelque moment plus tranquille.»

Ils convinrent d'une rencontre avec le capitaine Padzhitnov et ses officiers sur une étendue de plage quasi déserte de l'Adriatique, non loin du Lido, vers Malamocco. L'accolade que se donnèrent les deux commandants fut étrangement à la fois formelle et attristée.

«C'est vraiment terrible», dit Randolph.

«C'était pas le *Bol'shaia Igra*.»

«Non. Nous vous croyons. Ce n'était pas non plus le *Désagrément*. Qui donc, alors?»

L'aéronaute russe parut se débattre avec une question éthique.

«St. Cosmo. Vous aussi vous avez senti cette autre présence.»

«Du genre...»

«Vous n'avez rien vu? rien détecté d'inhabituel?»

«Au-dessus de la Piazza, vous voulez dire?»

«Partout. Qu'importe la géographie.»

«Je ne suis pas sûr —»

«Ils surgissent d'un… d'une autre condition, puis ils y retournent.»

«Et vous croyez que ce sont eux qui ont renversé le Campanile?» demanda Chick. «Mais comment?»

«Des rayons vibratoires, selon nous», dit l'homologue de Chick, le Dr Gerasimov. «Réglables sur la fréquence sympathique de la cible, et déclenchant de fait une oscillation divergente.»

«Comme il est commode», marmonna sombrement Lindsay, «qu'on ne puisse analyser les débris pour y trouver la preuve des quadruples briques que vous aimez tant à balancer sur quiconque a le malheur de vous déplaire.»

Le Russe, se remémorant sa vision de l'effondrement, eut un faible sourire.

«Les tétralithes ne sont largués que sous l'emprise de la colère», dit-il. «Une particularité héritée des Japonais, qui ne vous présenteront jamais, à moins de vouloir vous offenser, quoi que ce soit qui aille par quatre – le caractère japonais pour "quatre" étant le même que celui servant à désigner la "mort".»

«Vous êtes allé au Japon, Capitaine?» dit Randolph qui jeta dans le même temps un regard noir à Lindsay.

«Ces temps-ci, qui dans ma partie n'y est pas allé?»

«Vous ne connaîtriez pas par hasard un certain Mr Ryohei Uchida…?»

Hochant la tête, les yeux pétillant d'une haine enthousiaste: «Ça fait deux ans qu'on essaie d'éliminer cette ordure. On a failli l'avoir à Yokohama avec un beau fragment à angle droit, il était en fait si près qu'il se tenait bel et bien *dans l'angle*, mais on l'a manqué de quelques millimètres – *polny pizdets!* quelle chance, cet homme!»

«Il semblait on ne peut plus civilisé quand il nous a sollicités pour une mission —»

Padzhitnov plissa les yeux d'un air méfiant. «"Mission"?»

«L'an dernier, les siens – une unité répondant au nom de Société du Dragon noir? – ont voulu nous engager pour de la surveillance aérienne de routine.»

«St. Cosmo, vous êtes fou? Pourquoi me racontez-vous ça? Ignorez-vous qui ils sont?»

Randolph haussa les épaules. «Une sorte d'organisation patriotique. Je veux dire, il se peut qu'ils soient japonais, mais ils sont aussi fiers de leur pays que n'importe qui.»

« *Smirno*, jeune balloniste ! C'est une situation politique ! Le but du Dragon noir est de subvertir et de détruire la présence russe en Mandchourie. Cette région est russe depuis 1860, mais après la guerre contre la Chine, les Japonais ont cru qu'elle leur appartenait. Ignorant les traités, le Chemin de fer de l'Est chinois, les souhaits des Puissances européennes, et même leur propre promesse de respecter les frontières chinoises, les Japonais rassemblent les pires éléments criminels en Mandchourie, ils les arment et les entraînent à la guérilla pour nous combattre là-bas. Je vous respecte, St. Cosmo, et je ne peux croire que vous puissiez ne serait-ce qu'envisager de travailler avec de tels individus. »

« La Mandchourie ? » fit Randolph, intrigué. « Pourquoi ? C'est un misérable marécage. Gelé la moitié de l'année. Pourquoi quiconque se donnerait-il autant de mal pour ça ? »

« L'or et l'opium », dit Padzhitnov avec un haussement d'épaules, comme si tous étaient au courant. Ce n'était pas le cas de Randolph, même s'il comprenait en théorie que des habitants de la surface du globe puissent livrer une guerre pour de l'or – c'était le cas en Afrique du Sud en ce moment précis, et on disait même que « l'étalon-or » était un facteur dans l'agitation sociale que connaissaient actuellement les États-Unis. Il savait également qu'il y avait eu soixante ans plus tôt des « guerres de l'Opium » entre la Chine et la Grande-Bretagne. Mais entre l'Histoire et les émotions triviales qui la motivaient, disons la peur d'être pauvre, la félicité née de la délivrance de la douleur, figurait cet étrange intervalle qu'il n'avait pas le droit de franchir. Il se renfrogna. Les deux camps s'étaient reclus dans un silence perplexe.

En repensant plus tard à cette discussion, Chick Counterfly eut l'impression que Padzhitnov avait tenu une ligne fourbe. « Aucune réflexion sur la question mandchoue ne peut décemment ignorer le chemin de fer transsibérien », fit-il remarquer. « Considérée depuis une certaine altitude, comme nous l'avons souvent observé, cette vaste entreprise ressemble à un organisme vivant, un organisme conscient, oserait-on dire, avec des besoins et des projets personnels. Concernant nos desseins immédiats, en défrichant d'immenses régions en Asie intérieure, il ne peut que rendre inévitable l'accès russe – et, à un certain degré, européen – à Shambhala, quelles que soient les coordonnées de cet endroit. »

« En ce cas... »

« Nous devons supposer qu'ils veulent l'Itinéraire de Sfinciuno, tout comme nous. »

Pendant ce temps, telle une forme de prière architecturale, des dispositions civiques avaient été prises pour rebâtir le Campanile *dov'era,* *com'era,* comme si les dégradations causées par le temps et l'entropie pouvaient être inversées. La tessiture du chœur des cloches avait changé, maintenant que la plus profonde, la Marangona, n'était plus là pour les retenir, les aéronautes éprouvaient davantage l'attraction du ciel et sentaient que le départ était imminent. Ou, ainsi que l'exprima Miles juste au coucher du soleil : « Les cloches sont les plus anciens objets qui soient. Elles nous appellent depuis l'éternité. »

Deuce et Sloat partageaient un logement à la ferme de Curly Dee, dans la vallée, où Curly et sa femme possédaient une sorte de ranch routier pour fugitifs, journaliers, menaces envers la société, et différents cas d'idiotie morale – une sordide bicoque, trop petite, qui s'affaissait entre ses poteaux, et dont le toit aurait tout aussi bien pu être un grillage, vu son utilité en cas de tempête.

« Et si on allait en ville se dégoter des pisseuses, on les ramène ici — »

« On n'emmène pas des femmes dans un endroit pareil, Sloat. Ça les mettrait dans tous leurs états, tout ce qu'elles verraient c'est le jus de chique, les rats, les reliefs de repas, ça leur gâterait l'appétit. »

« Tu l'aimes pas cette pièce ? »

« Ça, une pièce ? C'est même pas une stalle. »

« J'aurais pas cru que tu virerais *domestique*, tout ça. »

« On ferait mieux d'aller au Big Billy, au Jew Fanny ou ailleurs. »

Ils prirent alors leurs chevaux et se rendirent en ville. L'éclairage électrique les happa et les satura, changeant les rides en vêtements et retournant la peau. Un bouillonnement de voix humaines et animales. Certaines souffrantes, d'autres enjouées, d'autres encore affairées. Telluride. Creede, mais avec une seule voie d'accès.

« Et si on allait faire un saut au Cosmopolite ? »

« Pour quoi faire ? Y a pas une seule minette là-dedans. »

« Tu penses qu'au cul, Big S. »

« C'est mieux que l'opium », rétorqua-t-il en s'écartant tandis que Deuce dégainait son .44 pour rire. Une allusion sournoise à la vague idylle entre Deuce et Hsiang-Chiao, une Chinoise qui travaillait dans une blanchisserie de la rue. Le numéro était rodé entre les deux hommes, et d'ailleurs chacun allait s'adonner ce soir-là à son loisir préféré, le duo ne se reformant que des heures plus tard après un long moment passé dans cette fausse lumière crue qui faisait la réputation de Telluride.

Peu avant l'aube, Deuce pénétra en vacillant dans le bouillon du

Nonpareil, Sloat sur ses talons, fusil sur l'épaule. L'endroit grouillait d'ivrognes affamés. Des bouviers au savoir-vivre laissant à désirer pourchassaient entre les tables des entraîneuses qui ne se lassaient pas de se déplacer aussi vite qu'elles le devaient. L'endroit empestait le lard fumé. Mayva vaquait des fourneaux aux tables, secondée en salle par Lake. Les deux femmes maintenaient un degré d'affairement fiévreux, permettant aux mille détails du jour de remplir ce qui aurait été sinon un vide insupportable.

Deuce y vit cette «agitation féminine» qu'il pensait comprendre. Quand Lake vint lui demander d'un simple haussement des sourcils s'ils comptaient déjeuner ou juste boire, il ne remarqua pas sur le moment à quel point elle était désirable. Ce qui le surprit, ce fut cette flamme qui persistait dans ses yeux, rare chez une cuisinière, et que des heures en salle n'étaient pas près d'éteindre. Plus tard, il perçut également chez elle une obscurité tout aussi tenace, vestige improbable, mais possible, d'un crime secret.

«Soyez pas pressés, les gars, on sera livrés qu'à midi, y aura sûrement quelque chose dans le chariot que vous pourrez manger.»

«On admire le paysage», dit Deuce d'une voix mielleuse.

«Rien de tel à Cañon City, je parie.»

«Oooh», mugit Sloat, ravi.

«Café», dit Deuce en haussant les épaules.

«Z'êtes sûr. Réfléchissez bien.»

«Lake», lança Mayva depuis la cuisine, à peu près au moment où Sloat marmonnait: «Deuce».

Les volutes de vapeur et de fumée qui s'échappaient par la fenêtre de la cuisine se fondaient dans les cônes de lumière électrique blanche que dispensaient les ampoules fixées aux madriers en sapin. Des conversations animées en chinois résonnaient dans la rue. Des échos d'explosions prolongés grondaient quelque part dans la vallée. Des sifflets de mine retentissaient dans les montagnes. Le matin s'insinuait poussivement entre les cils et dans les semelles de bottes, aussi bienvenu qu'un marshal à la sacoche bourrée de mandats. Lake haussa les épaules et retourna travailler.

Sloat hocha la tête, en proie à un profond contentement narquois. «Des civils, à présent, mince alors. L'opium va finir par te brouiller la jugeote, *amigo*.»

«Me fiche pas mal que ça plaise ou non, Sloat.»

Pendant ce temps dans la cuisine: «Arrête de faire les yeux doux, Lake, il sent les ennuis à plein nez, ton cow-boy.»

«Maman, j'ai à peine compris son nom.»

«Je te vois venir. Des centaines de types défilent ici chaque jour, certains sont des vraies photos de mode, et toi tu t'affaires sans rien voir, mais voilà que débarque un petit dur à cuire aux yeux baladeurs qui sue l'embrouille, et t'es prête à — à je sais pas quoi.»

«C'est vrai.»

«Lake...»

«Je plaisante, Ma?»

Qu'est-ce qui s'était mis à résonner, exactement, tout au fond de Lake, à tinter, dans sa chair, invisible dans la nuit... Était-ce la façon dont le visage de Deuce, ce matin-là, même dans la fumée qui emplissait la salle, était devenu lentement distinct? Tel un souvenir ancien, plus ancien qu'elle, quelque chose qui s'était produit avant, et qu'elle savait maintenant qu'elle allait devoir revivre à nouveau... Et puis, cette façon qu'il avait de la regarder – un *regard entendu*, pire que les regards les plus m'as-tu-vu qui se posaient toujours sur elle, étayé par quelque chose qui semblait les dépasser tous deux. Ce devait être l'altitude.

Quant à Deuce, il «savait» bien sûr qui elle était – elle avait le même visage que son père, bon Dieu. Deuce n'était pas très grand, à peine plus qu'elle, en fait – en un juste combat elle aurait même peut-être eu le dessus, mais le combat n'était pas juste. Ne le serait jamais. Son avantage, du moins le croyait-il, venait du halo nocif de tueur à gages qu'il dégageait, cette vilenie crasse, inhérente à tout ce qu'il faisait quand il n'était pas avec elle. Les femmes pouvaient le nier jusqu'à ce que les poules aient des dents, mais la vérité, c'était qu'un assassin leur ferait toujours tourner la tête en secret.

Au grand étonnement de Lake comme des autres, n'allait-elle pas se révéler une de ces jeunes femmes passionnées qui croyaient, ainsi qu'aimaient à le dire les señoritas mexicaines, qu'on ne peut vivre sans amour? Et l'intrusion de ce sentiment dans sa vie ne serait-elle pas semblable à un rire inattendu ou une foi révélée, une bénédiction qu'elle n'avait pas le droit d'ignorer et de laisser passer? Malheureusement, la «chose» venait de se manifester sous la forme de Deuce Kindred, pour lequel elle devait éprouver une passion bientôt indissociable d'une égale répulsion.

Pour compliquer les choses, mais pas au point de l'empêcher de dormir, il y avait Willis Turnstone, ce jeune médecin qui soignait les mineurs et qu'elle avait rencontré quand elle travaillait à la clinique avant qu'on la case au restaurant. Willis était plutôt direct, et il avait suffi d'une promenade au milieu des fleurs sauvages pour qu'il déclare sa flamme.

« Peux pas dire que je t'aime, Willis », estimant qu'elle lui devait une réponse tout aussi directe. Car elle avait rencontré entre-temps Deuce, et c'était tout simplement l'homme de sa vie et son ombre quasi invisible, et elle n'avait pas besoin d'écouter longtemps son cœur pour en être sûre.

« T'es un sacré beau brin de calicot, comment ça se fait que tu sois pas encore mariée ? » – ainsi Deuce en vint-il à aborder la question.

« Je pensais prendre mon temps, je suppose. »

« Le temps c'est quelque chose qu'on reçoit », philosopha-t-il, « pas qu'on prend. »

Ce n'était pas vraiment un reproche, et du coup à peine une requête, mais ça lui mit la puce à l'oreille.

« Tel que c'est maintenant – je pourrais pas rêver mieux. Mais quand on sera vieux ? »

« Sauf si on est malins. Qu'on vieillit jamais. »

Elle n'avait encore jamais vu ce regard chez lui.

« J'espère que c'est pas une phrase à la Billy the Kid. »

« Non. Plus dingue que ça. »

Il était sur le point de tout lui dire. Il avait mal à la plante des pieds, ses doigts l'élançaient, ses battements de cœur s'entendaient à l'autre bout de la rue et même un peu plus loin, et elle le dévisageait avec une certaine inquiétude, essayant de ne pas perdre la tête, attendant elle ne savait quoi. Ils étaient tous deux si aisément dépassés par ces passions imprévisibles. Leurs yeux prirent un éclat sauvage, les muscles de leur cou tressautèrent, ils en oublièrent où ils étaient, ne firent même plus attention aux autres.

Deuce, soudain vulnérable, sentit son cœur fondre et son pénis s'engorger follement pour elle, les deux en même temps… Désavantagé par son ignorance des émotions humaines, il allait finir par désirer Lake au-delà de ce qu'il pouvait imaginer. Il allait la supplier, la supplier littéralement, lui le méchant autoproclamé, la supplier qu'elle l'épouse. Et même respecter son souhait qu'ils ne baisent pas avant le mariage.

« Ça n'avait pas d'importance pour moi avant. Tout simplement. Maintenant, si. Lake ? Je changerai, je le jure. »

« Je ne te dis pas d'aller à l'église. Fais juste gaffe avec qui tu traînes. C'est "tout" ce que je te demande. »

Certains auraient dit qu'elle savait très bien ce qu'il avait fait. Ne pouvait pas ne pas savoir, bon sang.

Mayva s'était fait remplacer un jour par Oleander Prudge, qui, quoique bien trop jeune pour jouer les consciences de Telluride, s'en prit très vite à Lake.

« On raconte que c'est Deuce Kindred qui a descendu ton père. »

Pas assez fort pour que cessent les conversations au Nonpareil, mais voilà, c'était dit.

« Qui c'est qui raconte ça ? »

Sa gorge fut soudain la proie d'une crispation visible, mais hors de question qu'elle défaille.

« Aucun secret dans cette ville, Lake, il se passe trop de choses, pas le temps de dissimuler et pas grand monde que ça intéresse, si on y réfléchit. »

« Est-ce que Maman est au courant ? »

« Espérons que non. »

« Ce n'est pas vrai. »

« Hmp. Demande à ton galant. »

« C'est peut-être bien ce que je vais faire. » Lake posa son plat si violemment que la pile de crêpes, chacune luisante de gras de bacon, se renversa, arrachant un juron surpris à un mineur, qui retira sa main et la serra en hurlant.

« C'était pas si chaud, Arvin », gronda Lake, « mais bon, un petit baiser et ça va déjà mieux. »

« Tu déshonores la mémoire de ton père », jeta Oleander, franchement pimbêche, « en faisant ça. »

Lake réarrangea la pile de crêpes en la toisant.

« Ce que j'éprouve pour Deuce Kindred », articulant comme une maîtresse d'école, « même si ça ne te regarde pas, et ce que j'éprouvais pour Webb Traverse sont deux choses différentes. »

« C'est pas possible. »

« Parce que tu connais ce sentiment, toi ? Sais-tu au moins de quoi tu parles ? »

Les clients accoudés au comptoir prêtaient-ils attention ? En y réfléchissant, Lake se dit que tous avaient été de mèche dès que la chose s'était sue, tandis que Mayva et elle, les pauvres dindes, étaient les dernières à l'apprendre.

Elles restaient là, à se regarder d'un air mauvais, sans pouvoir dormir dans l'odeur de bois fraîchement coupé et de peinture de la chambre qu'elles partageaient.

« Je ne veux plus que tu le voies. S'il s'approche de moi, je te jure que je le descends. »

«Maman, c'est cette ville, des gens comme Oleander Prudge, ils disent n'importe quoi, du moment que ça peut faire du mal à quelqu'un.»

«Je n'ose plus sortir, Lake. À cause de toi, on passe pour des idiotes. Il faut que ça cesse.»

«Je ne peux pas.»

«T'as intérêt.»

«Il m'a demandé de l'épouser, Ma.»

Pas une nouvelle que Mayva attendait avec impatience.

«Bon. Dans ce cas tu as choisi ton camp.»

«Parce que je refuse de croire ces ragots pitoyables? Ma?»

«Tu n'es pas bête. J'ai été folle comme tu l'es en ce moment, bon sang, plus folle encore, et ça passe plus vite que le temps de se moucher, et un jour tu vas te réveiller, et alors, oh, ma pauvre fille —»

«Oh. C'est donc ça qui vous est arrivé, à Papa et à toi.»

Elle regretta ces paroles dès qu'elles eurent franchi ses lèvres, mais c'était là un chariot dévalant une pente que ni l'une ni l'autre ne pouvaient stopper.

Mayva sortit son vieux sac en toile vert de sous le lit et commença à y ranger des affaires. Soigneusement, une tâche comme une autre. Sa pipe de bruyère et sa blague à tabac, de minuscules ferrotypies des gamins, un chemisier, un châle, une petite bible amochée. Ce fut vite fait. Toute une vie, et rien d'autre en magasin. Bon. Elle leva enfin les yeux, les traits empreints d'un chagrin incommensurable.

«C'est comme si t'avais tué ton père. Ça fait pas la moindre foutue différence.»

«Qu'est-ce que tu viens de dire?»

Mayva prit son sac et se dirigea vers la porte.

«Tu récolteras ce que tu as semé.»

«Où est-ce que tu vas?»

«T'occupe.»

«Le train ne passera pas avant demain.»

«Alors j'attendrai qu'il passe. Je ne resterai pas une nuit de plus dans cette pièce avec toi. J'irai dormir à la gare. Et tout le monde pourra me voir. Voir la pauvre vieille idiote.»

Et elle s'en alla, et Lake resta là, les jambes tremblantes mais la tête complètement vide, elle ne chercha pas à la retenir, et le lendemain elle entendit le sifflet du train qui arrivait bruyamment avant de repartir peu après dans la vallée, et elle ne revit plus jamais sa mère.

«C'est… vraiment… dégoûtant», fit Sloat en secouant la tête. «Enfin quoi, je suis à deux doigts de rendre tout mon repas.»

«J'y peux rien. Tu crois que j'y peux quelque chose?»

Deuce se risqua à jeter un coup d'œil à son comparse, attendant de lui une vague compréhension.

Raté.

«Pauvre andouille. Tu te racontes des histoires – écoute, que tu l'épouses ou pas, ça défrise pas un poil sur le cul d'un rat, mais si tu fais la connerie de l'épouser, qu'est-ce qui va se passer quand elle apprendra la vérité? Si elle est pas déjà au courant. Tu crois que tu vas dormir ne serait-ce qu'une minute avec elle qui saura que c'est toi qui as refroidi son père?»

«Je pense que je peux vivre avec ça.»

«Oh non, pas très longtemps. Tu veux la baiser, baise-la, mais surtout *ne lui dis rien*.»

Sloat n'arrivait pas à comprendre ce qui était arrivé à son associé. À croire que Traverse était le seul homme qu'il eût jamais tué. Était-il possible, même avec ces vies de mineurs qui ne valaient pas mieux que du whiskey en cruche et qui disparaissaient aussi facilement dans le gosier des jours, que Deuce fût hanté par son acte, et qu'épouser Lake lui parût une chance d'assagir ce fantôme, une façon pour lui, pauvre diable, de *s'amender* aux yeux de Lake?

Les neiges des sommets s'étendirent au flanc des montagnes, et bientôt les martinets à gorge blanche prirent leur envol, les fusillades et les rixes en ville empirèrent, l'occupation militaire débuta en novembre et, au cœur de l'hiver, en janvier, la loi martiale fut déclarée – des jaunes vinrent travailler dans une paix relative, les affaires tournèrent au ralenti un temps puis reprirent, Oleander Prudge fit ses débuts comme nymphe du pavé, et les mineurs qui croyaient tout savoir s'écartaient, effrayés, en secouant la tête. Malgré sa mise, soignée au point d'en être invisible, sa mine perpétuellement renfrognée, et sa tendance à réprimander ses clients sur des questions d'hygiène personnelle, elle eut bientôt des fidèles et s'installa à son compte, dans une maison de passe, sa chambre offrant une vue sur toute la vallée.

Lake et Deuce se marièrent derrière les montagnes, dans une église dont le clocher était visible à des kilomètres. Ce n'était au début qu'un simple épisode géométrique et gris dans le ciel de la même couleur, mais à mesure qu'on s'en approchait les lignes droites se fracturaient, partaient en tous sens, comme les traits d'un visage vu de trop près, rendu hagard par les rigueurs de plus d'hivers que ne pouvait s'en rappeler quiconque vivant encore dans la région, une bâtisse d'une tristesse immense, empestant des générations de rongeurs momifiés, bâtie en épinette d'Engelmann et aussi sensible aux sons que l'intérieur d'un piano de bastringue. Bien que la musique ne s'aventurât presque jamais par là, le voyageur égaré qui franchissait ses portes de guingois en jouant de l'harmonica ou en sifflotant se retrouvait happé par une grâce à laquelle ne l'avaient pas habitué jusqu'ici ses aléas acoustiques.

Le maître des lieux, un Suédois du Dakota ayant migré à l'Ouest, portait une soutane grise et poussiéreuse, son visage indistinct comme dans l'ombre d'une capuche, et il récita moins les fameuses paroles qu'il ne les chanta, en un sourd mode mineur harmonique que cette sympathique caisse claire transforma en un sombre psaume. La mariée portait une robe simple en mousseline satinée bleu pâle, fine comme un voile de nonne. Sloat était le témoin. Au moment crucial, il laissa tomber la bague. Dut se mettre à genoux dans la pénombre pour chercher où elle avait pu rouler.

«Alors, tu t'en sors?» lança Deuce au bout d'un temps.

«Je t'y verrais, tiens», marmonna Sloat.

Après la cérémonie, alors que son épouse apportait un saladier en verre rempli de punch et quelques tasses, le prêtre sortit un accordéon et, comme si c'était plus fort que lui, leur joua une valse tonitruante d'Oster-bybruk, d'où sa dame et lui étaient originaires.

«Y a quoi dedans?» voulut savoir Sloat.

«De l'esprit-de-vin», répondit le prêtre, le visage impassible. «Soixante pour cent d'alcool? Un peu de jus de pêche… quelques ingrédients scandinaves.»

«Mais encore?»

«Un aphrodisiaque suédois.»

«Tel que, hum…»

«Son nom? *Ja*, je pourrais le dire, à vous – mais en dialecte du Jämtland c'est presque la même chose que "vagin de ta mère", alors à moins de le prononcer correctement, il y a toujours la possibilité d'un malentendu avec des Suédois qui seraient à portée de voix. Je préfère vous éviter des ennuis éventuels, hein.»

La mariée était vierge. Au moment de s'abandonner, elle s'aperçut qu'elle rêvait de n'être plus que vent. Rêvait d'être réduite à un simple tranchant, un tranchant invisible d'une longueur inconnue, et de s'élancer dans les airs en perpétuel mouvement au-dessus de la terre brisée. Fille de la tempête.

Ils se réveillèrent en pleine nuit. Elle colla son dos contre son torse, n'éprouvant aucun besoin d'échanger un regard, communiquant au moyen de son cul subitement loquace.

«Bon sang. Dis donc, on est vraiment mariés.»

«Il y a mariés», dit-elle songeuse, «et mariés comme il faut. Et puisqu'on aborde le sujet, où donc cette chose pourrait bien – eh, c'est reparti...»

«Bon sang, Lake.»

Au cours de la première semaine qui suivit la nuit de noces, Deuce et Sloat se dirent qu'ils allaient procéder à une rapide inspection de la région.

«Ça te gêne pas, hein, ma douce?»

«Que —»

«Ressers-moi un peu de café», grogna Sloat. Et avant qu'elle ait pu dire quoi que ce soit, ils avaient passé le seuil et franchi le ravin, et ils ne rentrèrent pas à la tombée de la nuit ni en fait avant une semaine, et quand ils revinrent ce fut dans une tempête de rires rauques et haut perchés que ni Deuce ni Sloat ne pouvaient contrôler, et qu'elle entendit à un kilomètre de distance. Ils entrèrent et s'assirent en riant, leurs yeux, ternis par l'absence de sommeil, se fixant sur elle, pas vraiment disposés à regarder ailleurs. Elle se sentit moins effrayée que nauséeuse.

Quand ils se furent un peu calmés: «Vous comptez rester», parvint-elle à demander, «ou vous êtes juste revenus changer de chaussettes?» Ce qui les fit de nouveau hurler de rire.

Dès lors, ce genre de frasques post-nuptiales se reproduisit presque tous les jours. Sloat avait élu résidence chez eux, apparemment, et son intérêt pour la mariée devint de plus en plus manifeste.

«Te gêne pas, mon pote», proposa Deuce un soir, «elle est tout à toi. Un peu de repos me ferait pas de mal.»

«Oh allons, Deuce, les restes c'est pour les acolytes, tout le monde sait ça, et je ne suis pas ta saleté d'acolyte.»

«Tu déclines mon offre, Sloat? C'est peut-être pas exactement de la qualité de Market Street, mais jettes-y un œil, c'est encore de la chouette marchandise.»

«Elle se met à trembler dès que je m'approche à moins de trois mètres. Elle a peur de moi?»

«Et si tu lui demandais toi-même?»

«Z'avez peur de moi, m'dame?»

«Oui.»

«Bon ben c'est déjà ça je crois.»

Lake ne comprit pas tout de suite que c'était l'idée que se faisait Sloat des avances. En fait, le temps qu'elle comprenne, il serait parti depuis longtemps.

Mais en attendant, bon Dieu, quelle sorte de garce se croyait-elle capable d'être? Avant même qu'elle le sache, elle était nue et ils étaient tous les trois sur un lit, dans une chambre de l'Hôtel Elk, à Colorado Springs.

«Ça remonte à cette Chinoise de Reno», disait Deuce, «tu te souviens d'elle?»

«Mmm! cette chatte bridée!»

«Allons allons», dit Lake.

«Sérieux, fallait qu'on se mette en croix, tiens, on va te montrer —»

Elle devait rester nue la plupart du temps. Ils l'attachaient parfois au lit à l'aide d'entraves en cuir, mais avec assez de longueur de chaîne pour qu'elle puisse bouger. Non qu'ils y fussent obligés, car elle était toujours disposée à obéir. Après qu'elle se fut habituée à l'idée d'être possédée par les deux en même temps, elle prit elle-même les devants, d'habitude un dans sa bouche, l'autre par-derrière, parfois dans le cul, et elle en vint rapidement à supporter ses propres fluides mélangés à la merde. «Me voilà du coup une vraie garce», dit-elle calmement, en levant les yeux vers Deuce.

Sloat la prit par les cheveux et l'obligea à baisser la tête sur la queue de son époux légitime. «C'est pas ça qui fait de toi une garce, espèce de sale putain goulue, ce qui fait de toi une vraie garce c'est d'avoir épousé mon petit *compadre*.»

«Elle en a eu deux pour le prix d'un», fit Deuce en riant. «Ça paie d'être une garce.»

Elle se découvrit des talents insoupçonnés pour l'allusif et le flirt, parce qu'elle devait veiller à ne jamais avoir l'air d'exiger, avec ces deux-là qui pouvaient casser l'ambiance plus vite que les doches. En fait, Deuce et Sloat étaient les voyous les plus susceptibles qu'elle eût jamais rencontrés, n'importe quoi pouvait les mettre de mauvaise humeur. Des trams dans la rue, un coup de sifflet criard. Elle avait commis une seule fois l'imprudence de suggérer: «Et si pour changer vous me laissiez tranquille et que vous vous occupiez chacun de l'autre?» et, ma foi, l'offense fut telle qu'on put la sentir pendant des jours.

Sloat avait un faible pour le vert. Il ne cessait de se pointer avec de drôles de tenues, presque toujours volées quelque part, qu'il voulait qu'elle porte, des gants, des bonnets, des culottes de cycliste masculin, des chapeaux coquets et sobres, qu'importe, du moment qu'ils étaient d'une nuance verte.

«Deuce, ton associé est vraiment dingue.»

«Ouais, j'ai jamais aimé le vert, moi c'est plutôt le mauve», en sortant un tablier en vichy maculé d'à peu près cette couleur. «Tu veux bien?»

Ils la firent s'allonger au Grand Croisement et la disposèrent de façon qu'un de ses genoux soit dans l'Utah, l'autre au Colorado, un coude en Arizona et l'autre au Nouveau-Mexique – avec le point d'insertion exactement au-dessus du mythique réticule. Puis ils la placèrent tour à tour dans les quatre directions. Son joli minois collé contre la terre, la terre rouge sang.

Ils s'installèrent alors pendant un temps dans un ménage à trois d'un confort douteux. Les acolytes n'avaient pas l'air de vouloir rompre leur association pour l'instant, et Lake n'avait pas l'intention de laisser l'un comme l'autre s'aventurer hors de portée de fusil sur le plateau. Deuce ronflait, même quand il était éveillé. Sloat n'était guère porté sur les ablutions, en fait il en avait une horreur superstitieuse, persuadé que s'il se lavait ne serait-ce que les mains, le ciel lui tomberait sur la tête. Lake tenta un jour de le circonvenir en ce sens, et ce soir-là à la table du souper quelque chose heurta le toit dans un grand fracas, faisant se renverser la soupe de Sloat.

«Tiens! Tu vois? Tu crois que je suis fou, maintenant?»

«Bon sang», dit Lake. «c'est une marmotte.»

«Elle est parfaite», avoua un jour Deuce à son associé, «même si elle est franchement casse-couilles.»

«C'est ta pénitence, *huevón*», répliqua Sloat en prenant un accent mexicain comique.

«Un truc catho, ça. Je comprends pas vraiment mais merci quand même.»

«Peu importe ce que tu comprends, même ce que tu penses. *Si* tu penses, *pinche cabrón*. T'as tué, tu dois payer.»

«Ou te défiler.» Deuce avec un sourire lointain, apparemment ravi par la situation. Sloat perçut des signaux d'alerte tel un télégraphiste apprenant la venue d'un train de nuit, plein de dynamiteurs malintentionnés.

Un jour à Telluride, Deuce fut convoqué dans les bureaux du porte-parole de la Compagnie qui l'avait embauché pour s'occuper de Webb, il y avait des années, aurait-on dit.

« Les attentats à la dynamite continuent, Mr Kindred. »

Deuce n'eut pas besoin de feindre la perplexité.

« Alors comme ça, le vieux Webb était pas le seul anarchiste dans les San Juan ? »

« Il procède toujours à l'identique, de la dynamite accrochée à un Ingersoll à deux dollars, même heure, juste avant l'aube... il va jusqu'à poser des bombes à la pleine lune, tout comme le faisait Traverse. »

Deuce haussa les épaules. « Ça pourrait être un de ses apprentis. »

« Mes chefs veulent vous poser une question plutôt délicate. Ne le prenez pas mal, je vous prie. » Deuce le voyait venir mais il resta calme et attendit. « Êtes-vous sûr de l'avoir supprimé, Mr Kindred ? »

« Ils l'ont enterré dans le cimetière des mineurs de Telluride, allez le déterrer et vérifiez. »

« Une identification correcte ne serait peut-être plus possible. »

« Donc vous dites que j'ai juste flingué un sosie ? le premier pilier de saloon que j'ai croisé ? Et les proprios veulent récupérer leur argent, c'est ça ? »

« Est-ce que j'ai dit une telle chose ? Eh zut. On savait que vous seriez pas content. »

« Et comment que je suis pas content, non mais pour qui vous vous prenez bordel de — »

Ce laquais de la société avait au moins ça pour lui : il n'avait pas l'air de se soucier beaucoup de ce qu'il provoquait.

« Il y a aussi la question de vos relations personnelles avec la fille du défunt — »

Deuce avait déjà décollé du sol en hurlant, les mains à seulement quelques centimètres de la gorge du représentant, quand il fut surpris par l'apparition d'un .32 double action que son adversaire sortit de son costume, sans parler d'une autre arme dans les mains d'un complice que Deuce n'avait pas remarqué, tout entier à sa fureur momentanée. Le porte-parole l'esquiva prestement et Deuce s'écrasa contre un meuble à machine à écrire.

« En temps normal, nous ne sommes pas portés sur la vengeance », dit tout bas le porte-parole. « La possibilité d'un épigone nous était bien sûr venue à l'esprit. Nous continuerons à vous laisser le bénéfice du doute jusqu'à ce que notre enquête soit achevée. Mais s'il s'avérait que vous avez accepté d'être payé pour un travail qui n'a pas été fait, eh bien... Qui sait alors quelle forme pourrait prendre notre ressentiment. »

Bon, c'était peut-être dû au cactus qui explosa mystérieusement près de sa tête un jour à Cortez, ou à l'as de pique qu'il reçut par la poste peu après, mais Deuce dut faire gentiment comprendre à Lake qu'il était possible que des personnes en aient après lui.

Elle pouvait encore offrir d'étranges zones d'innocence. Elle crut qu'il s'agissait de dettes, de quelque chose de ce genre, un ennui bénin, provisoire.

«Qui sont-ils, Deuce? Ça a un rapport avec Butte?»

Il ne pouvait se permettre aucun relâchement, surtout quand les yeux de Lake étaient aussi candides. «Peu vraisemblable», feignit-il d'expliquer, «les gars là-bas ont tendance à faire très attention avant de se vexer – trop d'occasions d'insulter, à chaque jour suffit sa peine et tout ça. Non, si tu arrives à quitter les limites de la ville, eh bien tout est oublié à Butte.»

«Donc...»

«Écoute, je suis presque sûr que c'est lié aux proprios, c'est pour eux qu'ils bossent.»

«Mais —» Elle fronça les sourcils. Elle s'efforçait de comprendre, voulait au moins en donner l'impression, mais tout ça faisait penser à une berline qui s'est décrochée et file droit vers le centre de la Terre. «T'as fait quelque chose que t'aurais pas dû, Deuce?»

«Peut-être. Rien qui n'ait pas été fait sur leurs ordres.»

«Brave soldat. Pourquoi enverraient-ils quelqu'un après toi, alors?»

Il la regarda calmement, écarquillant les yeux comme pour demander: *Tu n'as donc toujours pas compris?*

«Eh bien», dit-il enfin, «ils n'apprécient pas trop l'idée que quelqu'un puisse, un jour, comment dire? parler.»

On apprit bientôt, par une rumeur toutefois aussi prometteuse que la première neige de l'automne, que les propriétaires avaient confié le boulot à des types de l'Utah, une bande d'ex-danites carrément dangereux qui trouvaient leur retraite un peu trop paisible. Des bonshommes qui aimaient trimballer des «Anges de la Vengeance», ces Colt de la guerre de Sécession aux canons sciés. Des permissionnaires des Enfers.

«Flinguer de loin ne fait pas partie de leurs loisirs, ils préfèrent le travail rapproché.»

«T'as peur, Deuce?» demanda Sloat.

«Et comment que j'ai peur. Si tu te servais de la cervelle avec laquelle t'es né, toi aussi t'aurais peur.»

«On fait quoi? On prend la fuite?»

«"On"?»

«Je suis censé attendre qu'ils arrivent? Ça te gêne si je prends avec moi un fusil? deux ou trois cartouches, peut-être aussi?»

«C'est pas toi qu'ils recherchent, Sloat.»

«Sans doute penseront-ils que je sais où tu es.»

Deuce avait trop peur lui-même pour tenir vraiment compte de ce qui brillait dans les yeux de Sloat en ce moment précis. Plus tard, ça l'obséderait, et Deuce serait alors la proie des plus sombres soupçons concernant son vieux camarade de virée. Si le porte-parole avait tenu à voir Deuce, pourquoi n'aurait-il pas fait de même pour Sloat, avec, qui sait, des résultats plus fructueux? Peut-être Sloat, qui craignait autant pour sa peau, avait-il conclu une sorte de marché avec ses poursuivants. «Bien sûr», Deuce pouvait l'entendre se confesser, «moi je voulais zigouiller ce vieux salaud, mais c'est Deuce qui – bon, j'ai pas envie de l'accabler, mais il se peut qu'il ait manqué de cran à… j'sais pas, un matin, on s'est réveillés, là-bas dans les Dolores, Traverse était parti, et Deuce n'avait pas l'air si contrarié, alors on a décidé de vous faire croire que le vieux était mort. Mais c'était pas le cas, vous me suivez?»

«Je pense que nous comprenons la teneur de vos propos, Mr Fresno.»

Quoi qu'il en soit, ça devenait trop compliqué pour que ça dure, et le jour arriva enfin où Sloat partit à cheval sur la piste qui montait vaguement vers le sud. L'air était alors d'une douceur contre nature ce jour-là, la poussière qu'il soulevait derrière lui refusait de se poser, devenait simplement plus épaisse, jusqu'à ce qu'il parût se métamorphoser en une créature longue de plusieurs kilomètres de poussière, qui s'éloignait en rampant. Deuce, adossé à la clôture, suivit son départ poussiéreux pendant près d'une heure, et ne dit rien pendant des jours après ça…

Ils n'étaient plus que deux, et Deuce dormit mal, voire pas du tout. Il ne cessait de se réveiller. Il se réveilla une fois en pleine nuit, sans la moindre lumière dans le ciel, avec à leur chevet un horrible tas de scories puantes, et vit tout près de lui un visage lumineux suspendu au-dessus de l'endroit où aurait dû se trouver celui de Lake, *aurait dû*, car ce spectre flottait en l'air, bien trop haut, au-dessus du sol, là où celui-ci était censé être. Mais ce n'était pas non plus vraiment son visage à elle, non. Car il ne reflétait pas la lumière, comme celle des cieux ou des âtres, mais émettait sa propre lueur, marqué par ce sentiment distinct d'une ressource dont on use sans compter, sans rien rendre en retour – l'expression, pourrait-on dire, d'un sacrifice. Ça ne plut pas à Deuce, il ne voulait pas de sacrifices, ces derniers ne faisaient jamais partie de ses projets, ni des jeux de cartes auxquels il savait jouer.

Une fois Webb enterré, et Reef parti, Frank, craignant pour ses jours, se laissa porter par les vents de l'inertie jusqu'à Golden, envisagea de demander ici et là si quelqu'un le recherchait mais se dit qu'il connaissait déjà la réponse à cette question. Encore jeune à l'époque, et ne sachant obéir qu'à ses impulsions, il resta juste le temps nécessaire pour rassembler ses affaires et prit le tram pour Denver. Au cours de l'année qui suivit, il recourut à un certain nombre de déguisements, y compris moustaches, barbes, coupes réalisées par quelques-uns des barbiers d'hôtel les plus doués, mais de tout cela ne survécut qu'un nouveau couvre-chef au bord plus étroit et à la couleur passée là où le pli évoquait aux yeux de Frank un long chemin amer.

Il repéra très vite certaines façons de l'aborder – des sous-directeurs, d'allure citadine mais au comportement rappelant vaguement celui des inspecteurs de mines, proposaient de lui payer un verre, s'asseyaient près de lui quand un joueur laissait sa place, lorgnant Frank comme s'il était censé savoir ce qu'ils voulaient. Il crut au début que c'était lié à Reef, que ces types avaient été engagés pour traquer son frère et voulaient des renseignements. Mais il comprit assez vite qu'il n'en était rien. Systématiquement, la conversation, quand conversation il y avait, portait sur des questions d'emploi. Travaillait-il, et si oui pour qui, et envisageait-il de changer de boulot, et cætera. Peu à peu – n'étant guère du genre intuitif, ainsi qu'une dizaine de femmes se firent alors un plaisir de le lui rappeler –, il en conclut que ces types démarchaient pour la Vibe Corp. ou ses filiales, aussi sa réaction première était-elle invariablement de les envoyer chier, même s'il prenait garde à ne jamais trahir le moindre agacement. « Tout baigne pour l'instant », apprit-il à dire en souriant, avec toutes les apparences de la sincérité. « Vous avez une carte de visite ? Dès que le besoin se fera sentir, je ne manquerai pas de vous contacter. »

Il mena une enquête discrète sur l'affaire Webb. Sans guère de résultats. Ce n'était même plus une affaire. Il fréquenta un temps le bureau de la Fédération des Mineurs, mais personne, bien sûr, ne savait rien, et Frank cessa très vite d'être le bienvenu.

Étrange. On aurait pu s'attendre à un peu plus de répondant à Arapahoe, mais ils avaient apparemment des choses importantes à faire, le temps s'écoulait, les ennuis s'accumulaient, trop nombreux pour qu'on puisse en tenir le compte, voilà comment ils voyaient les choses.

Il n'était pas inspecteur de police, et n'avait pas passé beaucoup de temps à enquêter, mais à force de tendre l'oreille dans la rue, il finit par en déduire que la Vibe Corp., qui avait enrôlé son petit frère Kit, était également derrière le meurtre de Webb Traverse. Voilà qui rendait problématique à ses yeux la possibilité d'un avenir sérieux en tant qu'ingénieur des Mines, du moins aux États-Unis. Il allait peut-être devoir envisager de partir à l'étranger. Tous les bureaux d'embauche de ce côté-ci des Rocheuses où Frank entrait avaient entendu parler de lui, connaissaient les offres plus que généreuses de Scarsdale Vibe, et se demandaient pourquoi Frank n'était pas encore cadre régional pour lui. Que pouvait-il leur répondre ? Ce type a fort bien pu faire disparaître mon père, aussi négligemment que si c'était un rond laissé par un verre sur le comptoir, et je n'ai pas trop envie d'accepter sa charité ? Évidemment, ils pensaient déjà connaître toute l'histoire, et ils étaient stupéfiés par l'audace chrétienne du geste de Scarsdale envers Frank, dans la mesure où les us dans les montagnes à cette époque auraient voulu qu'on le zigouille le plus prestement possible, juste au cas où il aurait eu une goutte d'anarchisme dans le sang, ou quelque chose de ce genre. L'industriel new-yorkais était bien au-dessus de ces sordides histoires de parenté et de vengeance – pourquoi n'était-ce pas le cas de Frank ? Comment concevoir pareille ingratitude ? Et ce qu'ils ne pouvaient pas concevoir, ils n'avaient pas l'intention d'en embaucher la cause.

L'or et l'argent lui laissèrent vite un goût amer. Il en vint à les éviter. Pur pragmatisme, pensa-t-il. Il avait vu trop de malheurs causés par les fluctuations de ces deux métaux, surtout après l'abrogation de la loi Sherman en 93. Le tableau périodique de Mandeleïev regorgeait d'autres possibilités, et «le monde minéral», pour citer un de ses professeurs, «proposait toutes sortes d'éléments qui attendaient que quelqu'un leur découvre une utilité».

Et c'est ainsi qu'il en vint à travailler sur des éléments moins prestigieux, tels que le zinc, et passa du coup plus de temps à Lake County qu'il ne l'avait prévu.

L'époque glorieuse de Leadville était bel et bien révolue, ce n'était plus la ville de Haw Tabor, même si sa veuve, déjà légendaire, restait encore terrée dans la mine Matchless avec une arme à feu qu'elle n'hésitait pas à vider sur quiconque s'approchait de trop près, et on trouvait toujours là-bas un goût ancien et fondamental pour des formes d'oisiveté encore inexploitées. L'intérêt s'était déplacé de l'argent au zinc – on assistait en fait à une véritable Ruée vers le zinc, le minerai le plus coté ici à ce moment-là, et dont la valeur surpassait celles de l'or et de l'argent combinées. Apparemment, un brillant ingénieur avait inventé une façon de traiter les scories des vieilles mines d'argent d'avant 93, et certaines usines de concentration produisaient du contenu de zinc allant jusqu'à quarante-cinq pour cent. Le traitement de la blende ordinaire locale avait été on ne peut plus simple – vous chassiez d'abord le soufre en grillant la blende pour obtenir de l'oxyde de zinc, puis vous réduisiez l'oxyde pour obtenir du zinc métal. Mais les scories de Leadville, qui formaient en ville de hauts monticules, et recouvraient en outre les rues et les allées, étaient un mélange exotique et largement inconnu de crasses, de saletés, d'anthracites, de pyrites et autres composés du cuivre, d'arsenic, d'antimoine, de bismuth, et de quelque chose que les mineurs appelaient «Molly-la-bedaine» – différents éléments surgissaient à différentes températures, aussi fallait-il s'atteler aux tâches de distillation. Ces monticules dominaient, pareils à un mystère obscur, les intérieurs éclairés, les joueurs de faro et les femmes inlassablement désirées, et on distinguait parfois de sombres silhouettes qui s'agenouillaient et tendaient la main pour toucher un de ces tas de scories, avec respect, comme si, telle une eucharistie contre-chrétienne, ils représentaient le corps d'un bien-aimé surnaturel.

«Un peu comme l'alchimie», estimait Wren Provenance, une anthropologue sortie depuis un an de Radcliffe College, avec laquelle Frank s'était lié de façon inattendue.

«Ouaip. Changer un vil sédiment en argent comptant.»

«Ces monticules seront encore là dans plusieurs siècles, quelqu'un viendra et les contemplera et se posera des questions. Les prendra peut-être pour des édifices, des bâtiments administratifs, des temples, qui sait. Des mystères anciens.»

«Les pyramides d'Égypte.»

Elle acquiesça. «Cette forme est commune à de nombreuses cultures anciennes. Une sagesse secrète – des détails différents, mais la structure en dessous est toujours la même.»

Frank et Wren s'étaient rencontrés un samedi soir à Denver dans un cabaret. Sur scène, des Nègres jouaient du banjo et des cuillers. Elle était avec des amis étudiants, dont deux types de Harvard qui voulaient visiter un saloon chinois dans le quartier des Fils célestes. À la grande joie de Frank, Wren déclina la proposition. « Et n'oubliez pas de goûter la patte d'ours à l'encre de pieuvre, les gars ! » Il resta près d'elle, agitant la main jusqu'à ce que le taxi disparaisse au coin de la rue.

Quand ils furent seuls : « Ce que je dois voir à tout prix », confia Wren, « c'est le Denver Row et une maison mal famée. Vous voulez bien m'escorter ? »

« Une quoi ? Oh. » Frank reconnut dans ses yeux noisette une étincelle qu'il savait désormais dangereuse, et derrière laquelle se trouvait un penchant pour l'ombre dont il aurait dû se méfier. « Et... c'est strictement pour des raisons scientifiques, bien sûr. »

« On ne saurait faire plus anthropologique. »

Et les voilà partis dans Market Street, direction la Maison aux Miroirs de Jennie Rogers. Wren fut immédiatement entourée par une dizaine de filles qui la conduisirent gentiment à l'étage. Il passa un peu plus tard la tête par une porte, et elle était là, chichement vêtue, dans un corset noir serré, les bas de traviole, au milieu d'un polyèdre de miroirs, s'examinant sous toutes les coutures possibles. Transformée.

« Intéressante tenue, Wren. »

« Tous ces trajets, toutes ces escalades, ces activités en plein air, ma foi, quel soulagement d'être de nouveau corsetée. »

Ça amusa les filles.

« Arrête, tu vas le faire fuir. »

« Ça t'embête si on te l'emprunte un moment ? »

« Oh », alors qu'elles l'entraînaient, « mais je croyais qu'on devait — », incapable de ne pas regarder, ou, comme il l'aurait dit, « observer » Wren dans son étrange accoutrement le plus longtemps possible.

« T'inquiète pas, Frankie, elle sera là quand tu reviendras », dit Finesse.

« On va bien s'occuper d'elle », lui assura Fame avec un sourire malicieux. Wren s'arracha alors à son admiration narcissique et, se tournant vers elle, il chercha leurs regards, avec une expression de désarroi feint comme on en voyait parfois sur les illustrations érotiques.

Quand elle réapparut, elle portait une nouvelle tenue légère et scandaleuse, tenait une bouteille de bourbon par le goulot et tirait sur un havane. Un casque de cavalerie d'apparat avec aigle en or, galon et pompons trônait de travers sur ses tresses négligées.

« On s'amuse ? »

Ses paupières étaient trop pesantes pour qu'elle puisse lui décocher quelque œillade. Elle parlait d'une voix traînante dont on ne pouvait exclure complètement, supposa-t-il, l'influence de l'opium.

«Tissu fascinant… et ces volumes… Et ces bouviers, mon Dieu.» Puis, semblant le reconnaître, elle sourit lentement. «Oui et on a prononcé votre nom.»

«Tiens donc.»

«Ils ont dit que vous étiez bien trop gentil.»

«Moi? Ils ne me voient jamais de mauvaise humeur, c'est tout. De drôles de traces rouges, là, sur vos bas.»

«Rouge à lèvres.» S'il s'attendait à ce qu'elle pique un fard, ce fut peine perdue. Au lieu de ça, elle lui rendit audacieusement son regard, droit dans les yeux. Il vit que les contours écarlates de ses lèvres étaient indistincts et que le khôl autour de ses yeux avait coulé, ici et là, comme si elle avait pleuré.

Fame arriva d'un pas léger, vêtue d'un peignoir incompréhensible mais pernicieux, se glissa derrière Wren, passa un bras autour de sa taille, et les filles formèrent un tableau d'un charme indéniable.

«Je peux plus partir», murmurait Wren. «… Vous m'avez rendu inepte la sexualité bourgeoise. Que vais-je bien pouvoir faire?»

Wren était partie dans l'Ouest à la recherche d'Aztlán, la mythique demeure ancestrale du peuple mexicain, qu'elle croyait située quelque part près du Grand Croisement, mais avait trouvé plus que ce à quoi elle s'attendait. Peut-être trop. Elle avait l'allure d'un soldat de retour d'une longue campagne au cours de laquelle s'étaient posées des questions de vie et de mort – les siennes, celles des autres, suivies d'une fusion d'identités qui l'avait rendue insomniaque et qui, du moins aux yeux de Frank, n'avait aucun sens si ce n'est qu'elle lui flanquait de temps en temps une trouille du diable.

Il connaissait vaguement le pays de Mancos et McElmo, mais ne savait pas grand-chose de son passé.

«Eh bien, Frank, c'est tout à fait… déplorable, pour dire ma pensée plus délicatement.»

«Vous faites allusion à autre chose qu'aux Mormons, je suppose.»

«Un pays hallucinatoire et cruel, on voit bien pourquoi les Mormons ont pu le trouver assez agréable pour vouloir s'y installer, mais je parle de temps plus reculés – du treizième siècle, au moins. Il y avait peut-être des dizaines de milliers d'individus alors, qui vivaient un peu partout dans cette région, prospères et créatifs, quand soudain, en l'espace d'une seule génération – en une nuit, pour ainsi dire –, ils ont fui, en proie visiblement à une terreur panique, ils ont escaladé les flancs des falaises les plus raides et ont bâti les défenses les plus sûres qu'ils ont pu, pour se protéger de... eh bien, de quelque chose. »

« On évoque parfois les Utes », se rappela Frank, « et d'autres tribus. » Elle haussa les épaules.

« Des intrus du Nord – des chapardeurs, au début, puis des envahisseurs venus avec leur bétail et leur famille. C'est possible. Mais il y a autre chose, derrière tout ça. Regardez. »

Elle avait des tas de photographies, des instantanés pris pour la plupart au Brownie, dans les cañons, y compris, gravées dans la roche, des images de créatures que Frank ne reconnut pas.

« Mais qu'est-ce que... bon sang ? »

Il distingua, peints aussi bien que gravés, des gens avec des ailes... des corps d'apparence humaine à tête de serpent et de lézard, avec au-dessus d'eux des apparitions indéchiffrables, laissant une traînée de ce qui était peut-être du feu dans ce qui avait peut-être été le ciel.

« Oui. » Il la regarda, et quelle que fût la lueur qui habita alors ses yeux, il regretta de ne pas l'avoir vue plus tôt.

« Quoi ? »

« Nous l'ignorons. Nous avons des soupçons, mais c'est trop terrible. Sans parler de... » Elle trouva, contempla, puis tendit à contrecœur une des plaques.

« Des ossements anciens. »

« Des ossements humains. Et si vous regardez attentivement, les plus longs ont été délibérément brisés... brisés à l'intérieur. Comme pour en récupérer la moelle. »

« Des cannibales, des Indiens cannibales ? »

Elle haussa les épaules, son visage affichant l'amorce d'un chagrin qu'il savait ne pas pouvoir alléger.

« Personne ne sait. Des profs de Harvard, on pourrait espérer davantage... mais ils ne font que théoriser et se disputer. Les gens qui ont fui dans les falaises ont même fort bien pu se faire ça à eux-mêmes. Par peur. Quelque chose les a tellement effrayés qu'ils n'ont peut-être pas trouvé d'autre façon de garder cette chose à distance. »

« Cette chose voulait qu'ils — »

« Ils n'ont peut-être jamais su ce qu'elle... "voulait". Pas vraiment. »

« Et vous — » Il lutta pour ne pas la toucher, l'attirer dans une sorte de périmètre. Mais une lueur mouillée brillait dans les yeux de Wren, comme du métal, pas de la rosée, et rien chez elle ne tremblait.

« Je suis restée là-bas un an. Trop longtemps. Au bout d'un moment, ça s'insinue en vous. Quelqu'un d'autre maintenant rédige le rapport, tout dépendra des priorités de carrière. J'étais juste une étudiante venue creuser la terre, escalader ces roches rouges et ces gradins et porter le matériel, la folie de l'endroit m'a contaminée, et ils en savent maintenant bien assez pour ne pas se soucier d'une jeune diplômée hystérique. Tout ça doit être daté plus précisément que ça ne l'est pour l'instant. Ces gens n'ont tenu que quelques années dans ces falaises. Après, on ne sait plus rien. Peut-être sont-ils allés ailleurs. Si ce sont les mêmes qui ont quitté Aztlán pour se réfugier dans le Sud et devenir les Aztèques, cela a peut-être un rapport avec ces sacrifices humains qui ont fait leur réputation.»

Ils retournèrent un soir dans la Dix-Septième Rue. Les barmen faisaient tinter les glaçons dans les shakers. Républicains et démocrates se lançaient dans des discussions politiques qui s'achevaient systématiquement en pugilats. Wren fut obligée de retirer avec une fourchette à steak la main qu'un agent immobilier avait posée sur son sein.

À l'Albany, le miroir derrière le comptoir était légendaire, trente-trois mètres de long, une fresque mouvementée du Denver nocturne d'autrefois. «Comme de lire le journal», dit Booth Virbling, un journaliste spécialisé dans les affaires criminelles que Frank connaissait.

«Sauf que ce qui intéresse Booth se passe en général plutôt dans la zone des toilettes», expliqua Frank à Wren. «Première fois que je te vois ailleurs que chez Gahan. Comment ça se fait?»

«La politique de la ville, à ce qu'on dirait, à tous les coups une atrocité flagrante d'une minute à l'autre. Oh, et quelqu'un te cherche.»

«Un créancier?»

Un regard prudent à Wren.

«Elle sait tout. Booth, que se passe-t-il?»

«Un des gars de Bulkley Wells.»

«En simple visite depuis Telluride?»

«T'avais pas l'intention d'aller là-bas, j'espère.»

«Plutôt dangereuse cette ville ces temps-ci, non, Booth?»

«C'est ce que pensait ton frère.»

«Tu l'as vu?»

«Pas moi, quelqu'un d'autre, près de Glenwood Springs. Reef était en fonds, mais découragé. Tout ce que je sais.»

Il aperçut un témoin principal dans le célèbre procès pour meurtre à la scie à glace de l'année passée et alla discuter avec lui.

«De quoi s'agit-il?» demanda Wren.

Habitué depuis longtemps à ne pas divulguer certaines choses, surtout aux jeunes femmes qu'il fréquentait, il préférait en général éluder ce type de question. Une fois, au beau milieu du plateau d'Uncompaghgre, Frank, qui revenait à cheval de Gunnison ou d'un endroit de ce genre, aperçut un nuage d'orage, sombre et compact, encore très éloigné, et comprit alors, malgré la lumière régnante et l'immensité du ciel, qu'il aurait beau changer de direction, rien ne pourrait lui éviter le chemin de ce nuage, et ça ne manqua pas, moins d'une heure plus tard on se serait cru en pleine nuit, et il se retrouva trempé et gelé, momentanément assourdi par les coups de tonnerre qui fusaient de toutes parts, penché sur l'encolure de son cheval pour le rassurer, même si, étant un cheval de montagne, la créature avait vu pire et s'efforça bientôt de rassurer Frank. Ce soir-là, à l'Albany, Frank vit bien que Wren était arrivée ici après d'innombrables kilomètres et Stations de Croix – dans la lumière renvoyée par le vaste miroir, son visage était d'un bleu ciel étrangement dépourvu d'ombre, le visage d'une chercheuse, jugea Frank, qui était allée aussi loin qu'elle le devait pour poser la question à laquelle il était le moins disposé à répondre. Il comprit qu'il existait de telles présences quelque part dans le monde, et même si on pouvait passer une vie entière sans jamais en croiser une, quand la chose se produisait, ça devenait une obligation solennelle de parler quand on vous adressait la parole.

Il exhala longuement, la regarda droit dans les yeux. «Pas de mon ressort en temps normal, hein, c'est de celui de Reef, mais là on est sans nouvelles depuis un bail, et bon, Glenwood Springs, peut-être qu'il a été viré de là-bas et qu'il est retourné taper le carton quelque part, montrer à des filles l'armoise au clair de lune, ce genre, mais parfois ça se déplace au suivant dans la file, alors si c'est pas moi qui m'en occupe, quelqu'un d'autre devra aller trouver Kit et l'arracher à cette vie estudiantine de la côte Est dans laquelle il s'est embringué, vous connaissez ça mieux que moi, pourtant je préférerais qu'on épargne ces ennuis à Kit, c'est un brave gars mais un mauvais tireur, et dans le cas très probable où ils le trouveraient en premier, eh bien, ça ferait un crime de plus à résoudre, et y a peu de chances pour que ça aboutisse.»

Elle le regardait plus franchement que d'habitude. «Où peuvent-ils bien se trouver, alors, vos tueurs?»

«D'après ce que j'ai pu apprendre, il s'agit de deux flingueurs plus ou moins célèbres, Deuce Kindred et Sloat Fresno, qui bossent sûrement pour l'Association des Propriétaires de Mines, là-bas, à Telluride. Et maintenant, à en croire le vieux Booth, quelqu'un de la région veut me voir. Un rapport, selon vous?»

323

« Et bien sûr c'est là-bas que vous allez. »

« C'est le dernier endroit où j'ai vu ma mère et ma sœur. Elles y sont peut-être encore. Je devrais de toute façon aller y jeter un œil. »

« C'est le boulot d'un fils et d'un frère. Pour parler anthropologiquement. »

« Et vous, vous comptiez retourner dans le McElmo ? »

Elle grimaça. « Guère d'avenir là-bas. Aujourd'hui, m'a-t-on dit, c'est les îles du Pacifique Sud que ça se passe. »

« Spécialisée dans les cannibales, alors ? »

« C'est pas aussi drôle que ça n'y paraît. »

Ne voulant pas vraiment le demander : « Ça vous dirait de venir avec moi à Telluride ? »

Bon, techniquement, elle souriait, même si le sourire se cantonnait à son regard. « Je crois pas, Frank. »

Il eut l'élégance de ne pas paraître trop soulagé. « J'aurais dû m'en douter en me creusant un peu la cervelle, franchement, car c'est pour sûr une ville fourbe, des pièges partout où on met les pieds, la partie de poker la plus moche et la plus longue de la Création, trop d'argent qui change trop vite de mains, on sait jamais à qui faire confiance. »

« Vous n'aviez pas l'intention de partir au galop en brandissant un pistolet et en exigeant des informations, j'espère. »

« Pourquoi, vous vous y prenez comment d'habitude ? »

« À votre place, je feindrais d'être là-bas pour affaires, je prendrais un nom d'emprunt – les gars que vous poursuivez pourraient avoir des ennemis en ville, peut-être même parmi ceux pour qui ils travaillaient. Si vous avez l'oreille qui traîne, vous finirez tôt ou tard par apprendre quelque chose. »

« Si ce que les vôtres appellent des "recherches", c'est s'enquiller tous les saloons, rades, tripots et bordels, merde, je pourrais pas faire ça plus d'une semaine sans avoir quelqu'un sur le dos. »

« Peut-être que vous êtes meilleur acteur que vous le croyez. »

« Ça veut dire rester sobre plus longtemps que ça me plairait. »

« Dans ce cas, on ferait mieux d'aller s'en jeter quelques-uns, non ? »

Après que les passagers pour Telluride eurent changé à Ridgway Junction, le petit train de liaison escalada la Dallas Divide et redescendit jusqu'à Placerville avant d'entamer l'ultime ascension de la vallée des San Miguel, dans le crépuscule et les incertitudes de la nuit. L'obscurité de la Sierra, que rien n'entamait hormis la lumière des étoiles reflétée par un petit cours d'eau, une lampe, ou l'âtre dans la cabane d'un mineur, laissa bientôt la place à un éclat anormal à l'est. Ce n'était pas le feu d'un incendie, et l'aube n'était pas imminente, même si la fin du monde restait une possibilité. C'était en fait le fameux éclairage électrique de Telluride, première ville des États-Unis à être ainsi éclairée, et Frank se souvint que son frère cadet, Kit, avait travaillé un temps sur un projet consistant à faire venir l'électricité depuis Ilium Valley jusqu'ici.

Les grands pics que l'on avait aperçus dès la veille de l'autre côté de l'Uncompahgre, et qui formaient une longue ligne déchiquetée au sud, se dressaient désormais, affreusement éclairés à contre-jour, reculant sous les yeux des passagers, lesquels observaient en badauds la clarté grandissante, piaillant comme des touristes venus de l'Est.

La route qui remontait la vallée en longeant la voie ferrée fut bientôt aussi animée que les rues d'une ville – chariots transportant minerais et provisions, convois de mules, jurons des tanneurs se hâtant, souvent dans des langues que personne, dans le petit wagon enfumé, ne reconnaissait. Le long des rails, près d'une courbe, le cinglé local, qui, vous l'auriez juré, n'avait pas bougé depuis des années, hurlait au passage des trains : « Bienvenue en Enfer, m'sieurs dames ! Bienvenue à Telluride ! Dites-le au conducteur ! Prévenez le mécanicien ! Il est pas trop tard pour repartir ! » Peu à peu, la clarté au-devant d'eux – dont les rayons perçants éclipsaient désormais de nombreuses étoiles familières – devint plus brillante que les lampes à huile du wagon, et ils entrèrent dans l'étroit réseau d'une ville qui semblait avoir été livrée telle quelle et insérée de force à même la vallée.

Frank descendit du train et passa devant un rang de bouviers venus jusqu'ici pour voir la locomotive, qui maintenant haletait et refroidissait, tandis que les serre-freins et agents de conduite allaient et venaient avec des clés, des pinces, des pistolets à huile et des burettes de graissage.

En temps normal, Frank avait bien les pieds sur terre, mais une fois plongé dans cette incandescence sans âme, il se sentit agressé de tous côtés par des présages de violence. Des barbes épargnées depuis des semaines par l'acier du rasoir, des canines jaunes et dénudées, des yeux brouillés par le feu d'un désir insaisissable... En proie à une moite appréhension, Frank comprit qu'il se trouvait exactement là où il ne devrait pas être. Il jeta un coup d'œil paniqué à la gare derrière lui, mais le train faisait déjà lentement marche arrière dans la vallée. Que ça lui plût ou non, il avait rejoint la compagnie de ceux qui suivent leur instinct jusqu'au bout de la ligne, ici, au pied de montagnes culminant à plus de quatre mille mètres, où la haine entre mineurs syndiqués et propriétaires de mines était sacrément vivace même pour le Colorado, au point qu'on la sentait partout.

L'autre odeur, que Frank ne parvint à oublier qu'en allumant un cigare, émanait de ce qui avait donné son nom à la ville, puisqu'en même temps que l'argent on trouvait habituellement ici du minerai de tellurure, or les composés de tellure, comme l'avait appris Frank à l'École des Mines, étaient horriblement nauséabonds, pires que le pire des pets jamais lâchés dans une pension, ça pénétrait jusque dans les vêtements, la peau, les pensées, et on disait ici que les émanations qui sortaient des puits de mine à l'abandon provenaient de l'atmosphère quotidienne de l'Enfer lui-même.

Ce soir-là, tandis qu'il soupait à l'hôtel, il vit par la fenêtre une colonne de soldats de la Garde nationale qui empruntait Mainstreet pour descendre dans la vallée par l'ouest de la ville. À leur tête titubait un petit groupe d'hommes crasseux et en guenilles. Le bruit volontairement concerté et massif des sabots sur la terre pourtant meuble amena Frank à se demander si l'endroit offrait vraiment un refuge, bien que les autres clients eussent l'air de prendre la chose avec assez de nonchalance. Ce devait être une opération de ratissage, les soldats s'en prenant à tout mineur au chômage qui avait la malchance de se montrer et l'arrêtant pour «vagabondage».

«Pas les soldats qui manquent dans cette ville.»

«Sans compter le vieux "Bob le Retors" dans les parages, qu'est déjà une armée à lui tout seul.»

«S'agirait-il», feignit de demander Frank, «du célèbre tireur Bob Meldrum ? Ici à Telluride ?»

Les hommes le regardèrent en plissant les yeux, mais d'un air plutôt amical, peut-être parce que la barbe naissante de Frank suffisait à dissiper toute impression de verdeur excessive.

« C'est bien lui, *joven*. Ça barde en ce moment dans ces montagnes, et ça risque pas de se calmer, ça non, pas de sitôt. Bob est plus qu'à son aise, là-haut. »

Les autres prirent part à la discussion.

« Il est un peu sourd, mais t'as pas besoin nécessairement de crier quand tu lui causes, ni de te demander quelle oreille est la moins atteinte. »

« Y a pas plus dangereux ici-bas qu'un tireur sourd, vu qu'il a tendance à jouer de la gâchette, tu piges, juste au cas où c'est qu'il aurait raté quelque chose de particulièrement provocant que t'aurais pu dire... »

« Vous vous rappelez la fois où il a descendu Joe Lambert à Tomboy ? Des conditions idéales pour Meldrum, les bocards qui ahanent comme les forges des enfers, personne pouvait rien entendre. "Haut les mains" ? Oh bien sûr, merci, Bob. »

« Moi, je crois qu'il entend très bien – mais comme un serpent, par la peau. »

« J'espère que t'as apporté quelque chose de plus lourd qu'un pistolet avec toi, petit. »

« Blague à part, fiston, j'espère que, quelles que soient tes intentions, tu sais au moins qui contacter à Telluride. »

« On m'a parlé d'Ellmore Disco », dit Frank.

« C'est lui. T'as pris rendez-vous, j'espère. »

« Un rendez-vous... »

« Regardez-moi ça, encore un qui croit qu'il lui suffit de débarquer comme une fleur. »

« Des tas de gens doivent voir Ellmore, fiston. »

Certains pensaient qu'Ellmore Disco était mexicain, d'autres disaient qu'il venait de plus loin encore, de Finlande ou d'un endroit de ce genre. Pas franchement tiré à quatre épingles, il concentrait ses quelques pulsions vestimentaires sur les couvre-chefs, en particulier les toques noires en castor avec bandeaux en peau de serpent et bourrelet sur le rebord, qu'il fallait commander à Denver plusieurs mois à l'avance. Les seules personnes sur lesquelles on savait de source sûre qu'il avait tiré étaient celles qui, par la parole ou le geste, avaient manqué de respect à un de ses chapeaux, un comportement jugé suffisamment agressif. Un jour, au C. Hall & Co., à Leadville, à l'époque où c'était encore Leadville, alors qu'Ellmore était allé pisser un coup au beau milieu d'une partie de poker jusque-là amicale, un chef de poste farceur crut malin de remplir son Stetson, laissé sans surveillance, de consommé de tortue en gelée, dont

Ellmore par ailleurs ne raffolait guère. «Ben ça alors!» déclara celui-ci en revenant, «voilà qui est bien fâcheux!» Le mineur avait dû sentir quelque chose d'inquiétant dans ces propos, car il commença à battre en retraite vers la sortie. Puis, comme par magie, les deux hommes franchirent le seuil et Chestnut Street résonna de coups de feu. Le farceur prit le large à une vitesse impressionnante, malgré une blessure à l'arrière-train et un ou deux trous dans le rebord de son chapeau, qui semblait avoir été la cible privilégiée du courroux d'Ellmore.

L'altercation ayant bénéficié d'un large public, Ellmore fut obligé, lors d'un autre incident chapelier, de se comporter de la même façon, voire d'en rajouter. «Pourtant, je suis un type plutôt tranquille», répétait-il, même si personne n'y prêtait attention. Pour les étrangers, il était Ellmore Qui Mord, pour les amis c'était un gars assez engageant malgré ces crises liées aux couvre-chefs, dont la susceptibilité ne nuisait en rien à ses affaires. Ces temps-ci, E. Disco & Fils était l'entreprise la plus prospère entre Grand Junction et les Sangre de Cristo. Le secret de la boutique semblait résider dans son large éventail de marchandises et de prix, et à n'importe quelle heure du jour on pouvait voir des messieurs à chapeau en soie laquée bousculer des bélîtres en vieux sombrero de laine, tout luisant de graisse et usé par les intempéries, en train de chercher à peu près tout et n'importe quoi – chapeaux melon et casquettes de détective, mantilles, lorgnettes, bâtons de marche, cornets acoustiques, demi-guêtres, cardigans, gourmettes de montre, guimpes et combinaisons-culottes, ombrelles japonaises, baignoires électriques, instruments brevetés pour mayonnaise parafoudre, machines à dénoyauter les cerises, mèches de perceuse et lampes au carbure, cartouchières pour dames spécialement adaptées au calibre .22, sans parler de rouleaux de jaconas, satin Pompadour, tarlatane, basin, grenadine, crêpe lissé, uni, rayé, ou avec imprimés orientaux venant directement de chez Liberty's, à Londres.

Frank arriva en milieu de matinée et découvrit une verrière entourée d'une corbeille, aux ferronneries peintes dans un gris légèrement verdâtre. Le bureau d'Ellmore était surélevé par rapport à l'étage principal où employés et clients s'affairaient dans des odeurs de terre savonneuse et de graisse à fusil.

«Le patron a eu sa ration de Texans pour toute la matinée», l'informat-on. «Vous voyez ce stock d'accessoires pour chevaux, là-bas? Vous trouverez derrière une porte donnant sur le saloon d'à côté, si vous vous fatiguez d'attendre.»

Frank remarqua que cet employé, aux manières plutôt affables, avait sur lui un des modèles de Colt les plus grands qui soient.

« Merci, je crois que je vais laisser l'altitude me griser gratis. »

Le bureau d'Ellmore, quand enfin on lui permit d'y entrer, était meublé dans le style Grand Rapids, avec des éléments acquis à prix cassés chez Cortez après cette fameuse nuit où la Bande du Grand Croisement avait fait sauter le vieux Palais. Sur une photo de studio, une Mrs Disco aux paupières lourdes souriait aux visiteurs.

Frank regardait par la fenêtre l'animation dans la rue principale quand Ellmore entra en coup de vent.

« Vous me surprenez en train d'admirer votre vue. »

« Vous avez de la chance de la voir tant qu'on est en expansion, parce que, quand ces filons seront épuisés, il n'y aura plus rien ici à vendre *hormis* le paysage, ce qui voudra dire des troupeaux de touristes venus d'endroits où ça existe pas – des Texans, par exemple. Le côté de la rue que vous regardez est ce qu'on appelle le "côté ensoleillé". Vous voyez ces petites cabanes de mineurs là-bas ? Bien trop étroites pour qu'y tienne debout et encore moins se retourne, autre chose qu'un crève-la-faim – bon, un de ces quatre, chacune d'elles vaudra un million la pièce en dollars U.S., peut-être deux, et ça grimpera. Vous pouvez rigoler, c'est ce que tout le monde fait, encore une bonne blague de Telluride, mettez ça sur le compte de l'altitude. Mais attendez un peu. On vous aura prévenu, ici. »

« Visionnaire. »

« Putain, les anarchistes sont pas les seuls à avoir leur idée de l'avenir. »

Ellmore Disco ne paraissait pas être d'origine mexicaine ou finlandaise, du moins pas quand il souriait, ce qui était le cas en ce moment – il évoquait davantage un Chinois de music-hall, à la façon dont ses yeux se renfonçaient dans leurs poches protectrices, laissant l'observateur face à une octave ruineuse en *ut* majeur (« ou, comme on dit dans cette ville, un *la* de "mineur" ») sur un piano droit abandonné, interrompue par une paire de scintillantes canines en or qui paraissaient plus longues et plus affûtées que nécessaire, même pour manger dans des grill-rooms de ville minière.

Il faisait maintenant des gestes avec sa tasse de café qu'il ne quittait apparemment jamais et, d'un débit si rapide que la chose aurait pu être dite d'un seul souffle : « Pour ce qui est d'un entretien avec le capitaine Wells – j'y suis favorable, monsieur, et bien que je sois loin d'être le secrétaire particulier du Capitaine, je sais cependant que ce désir est assez répandu, car la réputation de Bulkley Wells a fait le tour du monde, ou tout comme, cette semaine par exemple une délégation est venue carrément de Tokyo, sur ordre de l'Empereur lui-même, genre "Si vous ne rencontrez pas le Cap'taine, les gars, vous fatiguez pas à revenir", et puis bien sûr ils sortent ce wackyzacky dont ils se servent pour faire hari-kari, je vous laisse imaginer la tête du shérif Rutan si ce genre d'incident se produisait *chez lui*. Mais voilà, y a des gens qui seraient prêts à tout, alors ce que je dois savoir maintenant, c'est à quel point *vous* seriez affligé, si, le Ciel vous en garde, vous ne parveniez pas à rencontrer le Capitaine. »

Après s'être assuré qu'Ellmore avait fini, Frank dit : « Un monsieur occupé, apparemment. »

« Vous allez avoir besoin des bons offices de Frère Meldrum, sans parler de ceux de ses associés, pour arriver jusqu'à lui… Vous parliez de travail minier – dans quelle partie êtes-vous ? Cela comporte-t-il un peu d'explosif par exemple ? »

« Un peu, probablement. »

Ils échangèrent un regard froid, sérieux. Ellmore hocha la tête, comme s'il venait juste de penser à quelque chose. « Mais rien qui ne se passe en surface. »

« La première fois qu'on me prend pour un dynamiteur. »

« C'est quoi, ça ? De l'indignation ? »

« Pas vraiment. Plutôt flatteur, à sa façon. »

« Un ingénieur peut pas faire semblant de pas savoir manier un bâton de dynamite, ça va de soi. »

« Et du coup réveiller pas mal de chiens. C'est sûr. J'aurais dû répondre chef pâtissier ou ce genre. »

Ellmore écarta les mains, comme en toute innocence.

Frank chassa d'un geste une mouche imaginaire. « Pour être franc avec vous, monsieur, l'or n'est pas trop mon truc, je préfère le zinc, mais —»

« Le zinc, bon, dans ce cas, vous vexez pas mais pourquoi vous êtes pas à Lake County ? »

« Merci bien, Leadville est une escale normale dans mon périple, mais cette semaine, eh bien il se trouve que j'apporte un nouveau système pour concentrer le minerai d'or —»

« Je parle que pour Tomboy et Smuggler bien sûr, mais ils sont satis-faits de ce qu'ils ont. Ils le pilonnent, passent le dépôt au vif-argent sur une plaque, disent que ça marche bien. »

« Processus d'amalgamation. Traditionnel, plutôt rentable. Bien sûr. Mais ma méthode à moi —»

« Je pense que le capitaine Wells voudra savoir combien ça coûte, et puis qu'il dira non de toute façon. Mais faut que vous en causiez à Bob, qui est pas trop dur à trouver, même si l'aborder peut être dangereux, et c'est triste à dire mais y a pas un moment de la journée qui est meilleur qu'un autre… Oh mais dites donc, c'est l'heure du déjeuner. Allez chez Lupita, le *menudo* est une merveille, elle fait mariner les tripes dans la tequila toute la nuit, c'est son secret» – s'arrêtant devant un énorme râtelier en bois de caribou avec des chapeaux à chaque pointe, et choisissant un sombrero gris avec un bandeau à médaillons d'argent incrustés de lapis et de jaspe, apparemment de l'artisanat zuñi. «Un de ses secrets, en tout cas. On passera prendre mon ami Loomis en chemin», lequel Loomis n'était autre que l'employé armé d'un .44 qui avait accueilli Frank un peu plus tôt.

Ils sortirent par l'arrière, dans Pacific Street, se frayant un chemin parmi les attelages de bœufs et de mules, les cabriolets et les phaétons, les chars à bancs et les grosses berlines transportant des marchandises entre la gare et les mines et les boutiques, les cavaliers en blouse raide rendue spectrale par l'alcali des plaines, les Chinois tirant des charrettes à bras où s'empilait du linge – Ellmore saluait, pointait le doigt de façon humoristique comme si c'était un pistolet et, de temps en temps, alpaguait quelqu'un pour effectuer une rapide transaction. Tout le monde le connaissait, apparemment. La plupart des gens n'oubliaient pas de le complimenter sur le choix de son chapeau.

Le Lupita occupait un bout de sol dense coincé entre Pacific et la rivière San Miguel, qui ici était davantage un ruisseau. C'était un ensemble de tables à tréteaux et de longs bancs peints dans un bleu ciel qu'on ne trouvait nulle part ailleurs en ville, disposés sous un toit de remise rouillé supporté par des poteaux en tremble. On en percevait les arômes culinaires à plus de cinq cents mètres à la ronde. D'énormes *chicharrones* étaient empilés comme des peaux dans un comptoir. Des *ristras* de piments d'un violet dangereusement foncé pendaient un peu partout. On disait qu'ils rougeoyaient la nuit dans l'obscurité. Des employés et des caissiers, des oiseaux de nuit récemment levés, des bouviers montés de la vallée, des travailleurs mexicains maculés de poussière de brique, des tanneurs attendant le train côtoyaient des vendeurs de journaux nègres et des dames coiffées de leur plus beau chapeau, tous occupant les bancs sans discrimination, se servant et s'empiffrant tels des mineurs dans une cantine, ou restaient debout à attendre soit qu'une place se libère soit qu'un des gamins travaillant en cuisine remplisse leur cantine ou leur sac en papier de *tortas* au poulet, de *tamales* à la venaison, des célèbres *tacos* à la cervelle de Lupita, de bouteilles de bière brassée maison, de parts à soixante degrés de tarte aux pêches, et cætera.

Frank, qui s'attendait à une sorte de matrone, fut surpris en voyant l'éponyme de la *taquería*, tornade miniature blanche et noire nuancée d'or, qui débeula de nulle part en tourbillonnant, s'arrêta suffisamment longtemps pour déposer un baiser sur le front d'Ellmore, lequel eut à peine le temps de relever son chapeau pour lui faciliter la tâche, avant de s'engouffrer à nouveau dans le climat instable de la cuisine, en chantant pardessus son épaule, non sans malice sembla-t-il, «*Por poco te faltó la Blanca*».

«Ben zut alors», fit Ellmore avec une amorce d'expression dépitée, «voilà ma journée à l'eau. Qu'est-ce qui peut bien se passer, Loomis, pour qu'*elle* décide de venir en ville?»

«La Blanca», en fait, était le nom donné ici à l'épouse de «Bob le Retors» Meldrum – les gens s'accordaient pour dire «épouse», eu égard à la sinistre susceptibilité de Bob –, et elle tenait ce surnom de la jument blanche au comportement surnaturel qu'elle montait en permanence, s'en tenant d'ordinaire aux sentiers de Savage Basin et aux cols escarpés les moins visibles, connus surtout d'individus comme le célèbre Gang des Troglodytes, gardant scrupuleusement ses distances, les lèvres si exsangues qu'elles semblaient s'estomper, et le seul trait dont vous vous souveniez après qu'elle s'en fut allée, c'était ses yeux ourlés de noir. À en croire les touristes, les Texans, et cætera, les chevaux n'avaient même pas leur place sur des pentes pareilles, car les escarpements étaient trop raides, trop soudains, avec d'innombrables précipices de plusieurs milliers de mètres, impossible de rebrousser chemin la plupart du temps, acculés au pied d'une foutue falaise, ce qui vous obligeait alors à prendre une décision : soit monter tout droit soit descendre à pic, en priant pour qu'il n'y ait pas de plaques de verglas, et que votre cheval soit suffisamment montagnard pour jauger la déclivité, un poney indien étant dans semblable cas plus que préférable. Elle arpentait cette géométrie effrayante avec une telle aisance que Bob aurait presque pu la trouver, comme dans un conte de fées, au sein de montagnes de verre tout aussi étranges que les San Juan, et les poètes de la route soupçonnaient qu'avec tout son attirail de solitaire – cape noire tourbillonnante, chapeau rejeté sur le dos, lumière des cieux sur les cheveux, foulards en soie à fleurs que Bob lui achetait à Montrose et qui crépitaient comme des flammes froides pendant les blizzards, les avalanches de printemps ou les neiges éparses d'août – elle tentait de venir à bout d'un mal du pays trop intense pour ces régions d'or et d'argent ordinaires.

Ils vivaient tout là-haut près de la mine de Tomboy, dans une cabane située derrière les scories, mais ne recevaient guère, d'ailleurs personne n'avait vraiment eu l'occasion de les voir ensemble, ce qui était cause de pas mal de ragots romantiques, même de la part de ceux qui détestaient Bob du galurin jusqu'aux éperons mais l'avaient vue, elle, au moins une fois, lors d'une de ses errances à cheval. Ces temps-ci, Bob, non content de travailler comme représentant de Buck Wells sur Terre, était également gardien de jour à Tomboy, levé avant l'aube et vadrouillant dans le Bassin, son regard – certains qualifiaient ses yeux de «sombres», tandis que d'autres prétendaient qu'ils viraient au gris pâle juste avant qu'il abatte son offenseur – plus perçant qu'en temps normal afin de compenser son audition prétendument déficiente, balayant sans cesse le paysage, vannant toute chose de la taille d'un caillou, attentif à toutes sortes de tracas, au nombre desquels certains concernant la Blanca. De nombreux jeunes gens, aussi imprudents qu'empotés, croyaient savoir ce qu'elle cherchait et, dans leurs rêveries, il s'agissait toujours de se voir débarrassée de son sourdingue d'époux, lequel n'avait, d'ailleurs, pas l'air si coriace, malgré les quatorze et quelques encoches prétendument gravées sur la crosse de son pistolet. Bon sang, n'importe qui peut faire une encoche, encore plus simple que de baratiner, non ?

«Euh, mais Bob le Retors, hein, il se fiche pas mal de qui respire, qui respire plus, tout ça...»

«Peut-être qu'il ne sait pas que c'est aussi mon cas.»

«Des discussions de saloon» – Ellmore jetant brièvement un regard à Frank comme s'il était lui aussi un de ces Roméo en herbe. «Tu sais quoi, Loomis, y a un truc qui m'intrigue. Est-ce que Bob va apprécier que sa moitié descende jusqu'ici ? Il faut qu'on s'occupe de cette histoire sans tarder. T'as vu cette Lupe quelque part ?»

Frank émergeant de son bol gigantesque de tripes épicées :

«Votre Mrs Meldrum... elle pose problème ?»

«*Joven*», marmonna Ellmore tout en mangeant, «personne ne peut rien vous dire de certain. Des *problèmes*, ça, c'est sûr... Bon, il se trouve que Bob...»

Son regard habituellement franc se perdit vers Bear Creek, et il aurait été difficile de qualifier d'imperturbable le masque oriental de son visage.

Lupita apparut, un saladier aux motifs floraux rempli de farine de maïs niché dans la saignée de son coude, dans lequel elle puisa prestement de pleines poignées de pâte, aplatissant l'une après l'autre des *tortillas* parfaites et fines comme du papier qu'elle fit alors tournoyer dans la petite cuisine sur un *comal* en tôle, récupéré après une mémorable tempête de vent près du col de la Tête de Lézard, afin qu'elles cuisent une bonne minute avant d'être étalées sur un carré de tissu préparé à cette intention, informant entre-temps Ellmore : «Je ne crois pas qu'elle te cherchait.»

« T'as vu son mari aujourd'hui ? »

« On m'a dit qu'il a dû s'absenter précipitamment. Tu m'as pas trop l'air amoureux. »

« Plutôt dans le potage. *En la sopa*, comme tu dis. »

« Bien sûr, elle est jeune », dit Lupita. « C'est l'âge où nous faisons tous ce genre de folie. »

« Me rappelle pas. »

« *Pobrecito.* » Et de repartir vivement, en chantant comme un oiseau.

Frank s'aperçut qu'Ellmore l'observait avec un intérêt que la seule sociabilité ne suffisait pas à expliquer. Quand il remarqua que Frank le regardait, il laissa luire une canine fourbe et dorée.

« Alors, ce *menudo* ? J'vois un peu de morve qui coule. »

« M'en rendais pas compte », Frank se passant une manche sous le nez.

« Votre lèvre est déjà trop engourdie pour ça », dit Loomis. « Si vous revenez souvent ici, faudra laisser pousser votre moustache, qu'elle absorbe un peu. »

« Vous avez remarqué qu'en général plus les piments sont petits, plus ils sont piquants, hein ? La première chose qu'on apprend. Bon, ceux qu'utilise Loopy sont petits. Mais alors vraiment petits, *joven.* »

« Petits... petits comment, Ellmore ? »

« Disons... invisibles ? »

« Personne n'a jamais... *vu* ces piments, mais les gens ici en mettent dans les recettes mexicaines ? Comment savent-ils combien il en faut ? »

Les deux autres trouvèrent la question stimulante.

« Z'êtes fou ? » brailla Ellmore. « *Un seul* peut vous tuer ! »

« Sans parler de ceux qui se trouvent dans un rayon de cent mètres », ajouta Loomis.

« Sauf Bob, bien sûr, il les gobe comme des cacahuètes. Il prétend que ça le calme. »

Quand il gravit les marches grinçantes menant à sa chambre du Sheridan, après s'être arrêté dans un grill-room pour manger un steak dont le poids lui parut frôler les quinze kilos, Frank avait contracté une meldrumite aiguë, n'ayant guère entendu parler d'autre chose de toute la journée. Bulkley Wells restait insaisissable, trop occupé par ses affaires courantes – à Londres, peut-être, chez son tailleur, ou quelque part en Argentine pour acheter des poneys de polo, ou en visite, pourquoi pas, dans un univers inhabité. Et toujours rien, comme si certains mots ne pouvaient être prononcés en présence d'un profane, qui concernât, même de loin, Deuce Kindred ou Sloat Fresno.

Frank réussit à garder les yeux ouverts suffisamment longtemps pour inspecter son lit avec une gaffe de mineur et éteindre la lampe électrique, mais pas assez pour ôter ses deux bottes, sombrant vite dans une somnolence éprouvée, dont l'oubli réparateur fut interrompu cinq minutes plus tard par des coups à sa porte, accompagnés de beuglements épouvantables.

« Tu vas sortir de là, espèce de sale bridé voleur de femmes, ou est-ce que je vais devoir entrer ? » lança une voix rageuse.

« Pas de problème », bâilla Frank d'un ton affable qui, l'espéra-t-il, ne trahirait pas la brusquerie avec laquelle il chargeait le barillet de son Smith & Wesson.

« Hé, c'est lequel, là ? Plus fort, j'entends pas bien, et quand j'entends pas je deviens furax. »

« Je crois que la porte est ouverte ! » cria Frank.

Et elle le fut, en un rien de temps. Un petit bonhomme apparut, chapeau, chemise et gants noirs, indubitablement Bob Meldrum, et sa moustache était si large que Frank aurait juré que son propriétaire dût se tourner légèrement de profil pour entrer dans la pièce, précédé par un halo de McBryan's, telle une réputation.

« Ben zut. C'est quoi ce machin ? Un Colt pour gonzesse, j'parie, hein ? Et plaqué nickel, aussi ! Mais c'est qu'elle est choupinette, cette bricole. »

« C'est un .38, en fait », dit Frank. « Un modèle policier, mais je l'ai limé légèrement, peut-être un peu trop ici et là, car la sûreté est un brin trop sensible. J'espère que c'est pas un problème ? »

« Tu t'exprimes sacrément bien dans notre langue pour un enfoiré d'opiomane qu'a même pas l'air particulièrement nippon. »

« Vous pouvez m'appeler "Frank", c'est plus court. Vous ne vous seriez pas trompé de chambre, par hasard ? »

« Tu ne serais pas en train de baiser ma femme et de me mentir comme un beau fumier ? »

« Jamais été dingue à ce point – sans doute Frère Disco vous aura mal informé ? »

« Eh merde, t'es le jeune ingénieur » – ses yeux, au grand soulagement de Frank, perdant un peu de leur pâleur.

« Oui, et vous devez être, monsieur, si je ne m'abuse… Bob Meldrum, c'est bien ça ? » S'efforçant de ne pas hurler trop franchement dans ses oreilles.

« Et comment, nom de nom, et comment. » Le pistolero tout de noir vêtu se laissa tomber avec un soupir ému sur le canapé. « Tu crois que c'est facile d'être un dur dans cette ville, quand on finit toujours par te comparer à Butch Cassidy? Merde, il a fait quoi à part traverser la vallée sur un foutu cheval de cirque, dégainer, rafler dix mille dollars, se tirer en vitesse? Aussi facile que de s'empiffrer une tarte aux cerises, mais les années passent, les légendes de l'Ouest grandissent, les gens marmonnent dans leur moustache quand ils croient que tu les entends pas: "D'accord, c'est un coriace mais rien à voir avec Butch." Non mais, bordel, t'imagines l'effet que ça me fait? Et je parie qu'il y a rien à boire non plus, ici. »

« Et si nous allions quelque part, et que vous me laissiez vous payer un verre? »

« O.K., *seguro*, mais tu pourrais peut-être diriger ailleurs ton petit bâtard luisant une minute, ma réputation, tout ça. »

« Ah, j'avais presque oublié… » Non sans appréhension, Frank rempocha son revolver, prêt à plonger à terre, mais Bob semblait apaisé, pour l'instant en tout cas, il alla même jusqu'à sourire brièvement, révélant une double rangée de couronnes en or. Frank feignit de reculer, comme ébloui, se protégeant les yeux avec l'avant-bras.

« Beau lingot que vous avez là. »

« Ils ont été sympas à la mine, ils m'ont fait un prix », répondit Bob.

Ils évitèrent l'établissement distingué de l'hôtel et se dirigèrent vers le Saloon Cosmopolite et Club de Jeu, un peu plus loin dans la rue, où Bob savait avec certitude que la clientèle aurait le bon sens de le laisser boire tranquillement.

« Tu sais quoi », quand on leur eut servi une bouteille et deux verres, « si on me filait un *nickel* pour chaque enfoiré qui veut faire perdre son temps au capitaine Wells, je serais à Denver en train de m'enfiler whiskey sur whiskey dans tout Market Street, tu peux me croire, et ce foutu trou encaissé serait plus qu'un mauvais rêve. »

« Aucune chance de lui causer? Il est en ville? »

Bob le dévisagea longuement, l'œil pétillant.

« T'as vraiment dit ce que j'ai cru entendre? Ces saletés de métèques d'anarchistes lui balancent des bombes jour après jour, et voilà qu'un inconnu se pointe et demande s'il est "en ville"? Ben si j'étais pas aussi méfiant, je me fendrais grave la gueule. Mais tiens, tu vois ce petit gars là-bas, c'est Merle Rideout – il est amalgameur à Little Hellkite, complètement cinglé à cause de toutes les émanations et saloperies qu'il respire en permanence, et le double les jours où on fond les lingots, mais, même dans cet état, il sera peut-être d'accord pour écouter tes billevesées, voire s'en convaincre. »

Merle Rideout souhaitait se rendre dans l'un des tripots de la rue, mais n'était pas trop pressé. Il accepta d'écouter Frank.

« ... Et vous avez sûrement entendu parler du projet de Mr Edison à Dolores consistant à utiliser l'électricité statique, sans trop de succès, il est vrai – bon, moi, mon approche est différente, j'utilise le *magnétisme*. Dans l'Est, au New Jersey, ils ont extrait des pyrites de la blende de zinc avec un aimant de Wetherill, le plus puissant actuellement – mon engin est une variante, une vraie petite merveille, qui plus est utilisant un de ces Wetherill. Et vu le genre de courant électrique qu'on peut produire dans ces régions —»

Merle examinait Frank avec une expression plutôt affable, mais dénuée de toute crédulité.

« La séparation du minerai par magnétisme, ben voyons, idéal pour les montagnards pas trop regardants, mais j'ai déjà vu un aimant ou deux, alors je me méfie. Mais vous savez quoi ? Venez me rendre visite là-haut à la mine, on causera. Disons demain. »

Un silence s'abattit brusquement, pendant lequel on n'entendit plus que le bourdonnement de l'électricité. Un groupe d'hommes avec d'énormes sombreros en castor flambant neufs venait d'entrer dans le Cosmopolite, en gazouillant et chantonnant dans une langue étrangère. Chacun exhibait un Kodak de poche dont l'obturateur était astucieusement relié à un petit flash au magnésium, afin de synchroniser les deux. Les verres de whiskey se figèrent avant d'atteindre les lèvres, le petit cireur noir arrêta de passer son chiffon, la roulette Hieronymus s'immobilisa brutalement, la bille fit un bond et resta suspendue dans l'air, comme si tout dans la scène prenait la pose. S'approchant de Dieter, le barman, les nouveaux venus s'inclinèrent l'un après l'autre et commencèrent à désigner diverses bouteilles alignées à une extrémité du comptoir. Dieter, qui connaissait des breuvages que personne n'avait encore jamais osé baptiser, hocha la tête en guise de réponse, s'exécuta, versa, mélangea, tandis que les conversations reprenaient dans la salle, chacun ayant reconnu « la délégation commerciale japonaise » dont Ellmore avait parlé à Frank un peu plus tôt dans la journée, venue prendre le pouls du Telluride nocturne. Frank cessa de les observer juste à temps pour voir les yeux de Bob virer au pâle tel un ciel d'été au-dessus d'une chaîne de montagnes, deux jets de vapeur jaillissant simultanément de ses oreilles, menaçant le délicat bord roulé de son chapeau. Ne sachant pas quelle remarque l'irascible professionnel de la gâchette attendait de lui, Frank préféra envisager différentes possibilités de repli, non sans avoir vu les autres clients agir de même.

« Dis donc, Bob, c'est lequel d'entre eux à ton avis ? » lança un des habitués, apparemment persuadé que son âge avancé lui éviterait de payer le prix de son impertinence.

«Salut, Zack», hurla Bob, «c'est-y pas frustrant, hein, tous ces sosies, on sait pas trop lequel descendre en premier!»

«Ouais, et je vois pas la moindre Madame M., et toi?» lança l'imprudent Zack, «peut-être que celui que tu recherches est *occupé ailleurs* – *yeeeh*-heeeh-heeh!»

«Je pourrais commencer par t'abattre toi, bien sûr, histoire d'ajuster mon tir», suggéra Bob.

«Allons allons, Bob —»

Fascinés, les fils de Nippons avaient formé un demi-cercle autour de Bob, étirant au maximum les soufflets de leurs appareils photo, certains essayant même de grimper sur la table de billard pour améliorer l'angle de vue, déclenchant la perplexité chez ceux qui tentaient de jouer à sa surface.

«Petit», sans que les lèvres de Bob eussent l'air de remuer, «tu sais, le *joujou* que j'admirais tout à l'heure, tu l'aurais pas à portée de main? Parce que je risque d'avoir bientôt besoin de ton aide, pour surveiller mes arrières, vu que ça commence à m'agacer sérieusement, tu piges ce que je veux dire?»

«Je parle un peu leur dialecte», osa Merle.

«Tu sais dire: "J'ai l'intention de vous buter tous l'un après l'autre, bande d'enfoirés, histoire de pas en oublier", un truc dans ce goût-là?»

«Voyons voir, hum… *Sumimasen*, les gars, j'vous présente *Bobusan desu!*» Tous saluèrent Bob en s'inclinant, et ce dernier s'inclina également avec hésitation. «*Gonnusuringaa*», ajouta Merle, «*mottomo abunai desu!*»

«*Aa!*»

«*Anna koto!*»

Soudain, les flashes au magnésium explosèrent un peu partout, chacun libérant une colonne d'épaisse fumée blanche dont l'ascension méthodiquement cylindrique fut immédiatement perturbée par les efforts des clients, paniqués, pour sortir, la combinaison inattendue de lumière vive et d'opacité s'emparant de la salle tout entière. Ceux qui, dans leur fuite, ne trébuchaient pas sur ou contre un meuble se cognaient à d'autres, lesquels se sentaient obligés de renchérir, avec intérêts. La mauvaise humeur devint générale. Des objets solides et invisibles volèrent bientôt dans la fluorescence, accompagnés de jurons proférés pour la plupart en japonais.

Frank préféra s'accroupir en bout de comptoir en attendant que l'air s'éclaircisse. Il guetta la voix de Bob, mais le vacarme l'empêcha de l'identifier avec certitude. L'absence de clarté et de repères dans la salle produisit chez beaucoup d'étranges illusions d'optique, qui rappelèrent à plus d'un celles liées aux vastes étendues balayées par un brouillard tenace. Il fut possible de s'imaginer propulsé, par la violente explosion des flashes, dans une contrée lointaine où des créatures encore inconnues se débattaient et poussaient des cris de terreur dans l'obscurité. De vieux habitués, encore hantés par les batailles de la Rébellion, crurent déceler dans les détonations pourtant modérées des flashes les canonnades d'anciennes campagnes qu'il était préférable d'oublier. Même Frank, qui était en général immunisé contre le chimérique, se découvrit passablement désorienté.

Quand la fumée se fut enfin suffisamment dissipée, il distingua Merle Rideout en grande conversation avec un des membres de la délégation japonaise.

« Ici », disait le visiteur, « dans l'Ouest américain – c'est un territoire spirituel ! où nous comptons étudier les secrets de votre… âme nationale ! »

« Ha ! Ha ! » Merle se donna une claque sur le genou. « Z'êtes impayables, vous autres. Quelle "âme nationale" ? On n'a pas la moindre "âme nationale" ! Si vous ne me croyez pas, l'ami, c'est que vous avez la fièvre de l'or. »

« Un tranchant métallique – mathématiquement dénué de largeur, plus mortel que n'importe quel katana, enchâssé dans la précision d'un visage américain – où la clémence est inconnue, auquel le Ciel a fermé ses frontières ! Ne… feignez pas… d'ignorer… cela ! Ce n'est pas faire… bon usage de mon temps ! »

L'œil noir, l'homme rejoignit ses compagnons et tous quittèrent les lieux d'un pas décidé.

Frank les regarda partir en hochant la tête.

« Il a pas l'air content. Vous ne pensez pas qu'il va faire quoi que ce soit de… »

« J'en doute », dit Merle. « M'a tout l'air d'un livreur de blanchisserie, non ? En fait, c'est l'acolyte du célèbre espion international le baron Akashi, qui est ce qu'on appelle un "attaché militaire itinérant" – il se rend dans les différentes capitales d'Europe, pour monter les étudiants russes contre le Tsar. Bon, y a comme qui dirait ici une petite population anti-tsariste, en plein comté de San Miguel, on les appelle les Finlandais. Le gars qui dirige leur Finlande natale ces temps-ci n'est autre que le Tsar tout-puissant de Russie. Et croyez-moi, ils peuvent pas l'encaisser. Du coup, notre ami les trouve du plus haut intérêt, professionnellement parlant. Par ailleurs, ils font preuve d'une attention excédant quelque peu celle d'une simple délégation commerciale pour ce qui se passe là-haut à Little Hellkite, surtout au niveau chimique. »

«Ils préparent peut-être un braquage?»

«Plutôt de l'ordre de l'"espionnage industriel". Ce qu'ils *semblent* vouloir, c'est mon procédé d'amalgamation. Mais ce n'est peut-être qu'une couverture. Allez savoir.» Il ôta son chapeau, y refit un pli, le remit. «Bon. On se voit à la mine demain, d'accord?» Et il s'éloigna avant que Frank pût dire «Entendu».

La pagaille avait commencé à se calmer. Du verre brisé, des éclats de bois et le contenu de crachoirs renversés gênaient les joueurs de cartes qui crapahutaient dans les débris pour essayer de recomposer des jeux entiers. S'occupant de leurs blessures, se frottant les yeux, se mouchant dans leurs manches, buveurs et flambeurs sortaient en titubant dans la rue où les chevaux de location, après s'être habilement détachés, s'en retournaient au corral en soupirant. De lestes donzelles venues des bastringues et guinguettes observaient la scène par petits groupes, en jacassant comme des bourgeoises. Les visiteurs japonais avaient disparu et, dans le Cosmopolite, Dieter s'était remis au travail derrière le bar comme si de rien n'était. Frank se releva prudemment et s'apprêtait à rechercher d'éventuelles bouteilles intactes quand Zack surgit près de lui.

«Avec plaisir, l'ancien, ce que vous voudrez, offrit Frank. Z'auriez pas vu Bob, par hasard?»

«Un Grimpeur à la salsepareille, Dieter, comme d'hab', et pour tout te dire, ma bleusaille, la dernière fois que j'ai vu cet irascible personnage, il se rendait à Bear Creek en gueulant qu'il allait rentrer à Baggs, dans le Wyoming, et recommencer à zéro, mais j'ai peut-être mal compris cette dernière partie.»

«C'est dans l'esprit de la soirée», supposa Frank.

«Oh, ça?» Zack s'emparant d'une serviette pour s'essuyer les lèvres. «Juste une petite réunion mondaine. Mais tu sais quoi, pendant l'été 89, le jour où Butch et sa bande ont déboulé ici...»

Le lendemain matin, à l'écurie de louage des Frères Rodgers, Frank trouva une foule de cavaliers à pied comme il n'en avait vu qu'à Denver à l'heure du déjeuner, et qui tous se bousculaient pour une raison qui ne lui apparut pas tout de suite clairement, en émettant des grognements inquiétants et en marchant de long en large, un cigare plus ou moins consumé aux lèvres. De jeunes garçons revenaient sans cesse du corral avec des chevaux sellés et bridés, distribuant de grands formulaires à signer, empochant les pourboires, maintenant l'ordre dans l'improbable queue, et ignorant les jurons des autres employés, qui s'efforçaient de suivre le déroulement des opérations depuis leur long comptoir à l'intérieur. Le soleil s'était affranchi depuis longtemps des cimes quand Frank obtint enfin sa monture, un *paint horse* du nom de Mescalero aux yeux malicieux. Dans Fir Street, il croisa Ellmore Disco qui se rendait au magasin dans un coquet petit cabriolet perché sur des ressorts Timken.

«Paraît que c'était animé au Cosmopolite hier soir?»

«J'y suis allé avec Bob Meldrum mais je l'ai perdu dans la pagaille.»

«Il a dû retourner au turbin. Mais...» – Ellmore ne dit pas exactement: «Je t'aurais prévenu» même si c'est le sentiment qu'eut Frank en voyant son expression – «... si tu l'aperçois à cheval quelque part aujourd'hui, pense à ce fusil Sharps qu'il trimballe, surtout à sa portée de tir, et rajoute, disons, deux bons kilomètres.»

«Il m'en veut pour une raison particulière?» interrogea Frank.

«Le prends pas trop pour toi, *joven*.»

Et Ellmore Disco s'éloigna, les articulations de son cabriolet tintant tel le glockenspiel d'un orchestre. Frank remonta la route de Tomboy, avec la ville en contrebas, visible à chaque virage en épingle à cheveux derrière les feuillages des trembles, un peu plus aplatie à mesure qu'elle se fondait dans le halo de la fumée de bois, dans le bruit des marteaux des charpentiers et du passage des chariots, avant le silence imminent du Bassin. Les cigales faisaient un raffut d'enfer. La route de Hellkite – «route» était apparemment un terme affectueux par ici – se déhanchait

341

pour suivre le lit rocailleux d'un cours d'eau qui n'hésitait pas à l'emprunter avec décontraction.

Plus il s'attardait dans cette ville et moins il en apprenait. Le point de non-retour approchait rapidement. Mais alors que le chemin devenait plus raide, les cimes plus proches et le vent souverain, il en vint à guetter un éclat fugitif à la limite de son champ de vision, un cheval blanc se détachant sur le ciel, une cascade de cheveux noirs se profilant sauvagement telle la fumée qui marbre les flammes de Perdition.

Même Frank, qui n'avait pourtant franchement rien d'un spirite, voyait bien que l'endroit était hanté. Malgré l'incessante frénésie marchande tout en bas, la béante promesse du désir affranchi, il suffisait d'escalader le flanc de la colline pendant une petite demi-heure pour rencontrer des carcasses brunes de cabanes que plus personne n'habiterait jamais, des sommiers de dortoirs pour mineurs en train de rouiller sous le ciel couvert… des présences se déplaçant furtivement telles des marmottes aux abords du visible. Le froid pas seulement dû à l'altitude.

Frank sentit Little Hellkite bien avant de l'apercevoir. L'odeur s'était manifestée de temps en temps depuis qu'il était arrivé en ville, mais c'était ici qu'elle était vraiment prégnante. Il perçut un geignement métallique un peu plus haut, leva les yeux et vit des berlines chargées de minerai qui se dirigeaient vers Pandora à des fins de traitement, les propriétaires ayant jugé le site trop escarpé pour y installer des engins coûteux comme les bocards. Il passa devant la station de dérivation de la Telluride Power Company, tache rouge vif sur les versants pâles, déboisés depuis longtemps, taillardés de pistes et hérissés de souches désormais aussi blanches que des pierres tombales, le vrombissement du voltage recouvrant celui des cigales.

Le petit Bassin apparut soudain. Il s'engagea au trot entre les cabanes et les remises, leurs planches usées par le périple à dos de mule, plus courtes d'une trentaine de centimètres qu'au moment de quitter la scierie et toutes décolorées par la lumière violente du soleil, jusqu'à ce qu'il trouve le laboratoire d'analyses.

«Rideout est à Pandora, fiston.»

«On m'a dit qu'il était ici.»

«Alors il doit être dans une des galeries, sûrement en train de causer aux fantômes de mineurs.»

«Ah.»

«Vous bilez pas, Merle perd un peu la boule de temps en temps, mais quand il s'agit de fondre les lingots il a pas son pareil.»

Mais bon, qui n'était pas fou à sa façon dans cette parade foraine en mal d'oxygène ? Frank jeta un coup d'œil dans la plus proche entrée de mine, et entendit dans l'obscurité et le froid qui vous comprimait les oreilles, les tempes et la nuque, les échos sourds de marteaux et de pioches émanant de lointaines galeries, de moins en moins nets à mesure de leur progression, se retirant du monde, loin de toute clarté rassurante, et s'enfonçant dans la contrepartie nocturne derrière ses propres orbites, au-delà de toutes les images rémanentes du monde éclairé.

Il la prit tout d'abord pour une de ces créatures surnaturelles qui vivent dans les mines et que les Mexicains appellent *duendes* et sur lesquelles on raconte toutes sortes d'histoires – bien sûr, le bon sens suggérait davantage une jeune dynamiteuse, étant donné qu'elle était en train de verser calmement ce qui ne pouvait être que de la nitro dans des trous forés à même ces profondeurs montagneuses. « Bien sûr que je l'ai pas remarqué tout de suite », lâcha Dally un peu plus tard quand Merle la taquina là-dessus, « tout le monde était occupé à dégager ce filon. On peut manier l'explosif sans être stupide. Qu'est-ce qui compte, de toute façon ? Je suis là-dessous, aux portes de l'Enfer, en train de me faire reluquer par des Finlandais plus ou moins cinglés, des adultes qui dès qu'ils arrêtent de travailler dévalent les falaises sur des planches de bois, et je devrais me préoccuper d'un ingénieur des Mines qui pense qu'aux aimants ? »

L'accent de Dally était difficilement associable à un État précis, c'était davantage une voix chaloupée de bourlingueuse, évoquant des villes que vous pensiez avoir oubliées et où vous n'auriez jamais dû vous aventurer, voire des promesses de villes dont vous aviez pu entendre parler et où vous comptiez vous rendre un jour.

Ils étaient dans la remise de l'amalgameur. Merle avait posé ses pieds sur le bureau et semblait d'humeur enjouée.

« Je vais me barrer d'ici un de ces quatre », lui assura Dally, « et ce jour-là je serai débarrassée de — », désignant Merle d'une secousse de ses boucles lumineuses, « et le plus tôt sera le mieux. »

« Ce jour-là me tarde, t'as pas idée. » Merle hocha la tête. « T'es pas près de me briser le cœur, ça non – qui que tu sois. Hé ! t'es *encore* là, petiote, tu veux dire que t'es pas encore partie ? Qu'est-ce qui te retient ? »

« Ça doit être ce café. »

Avec une grâce toute citadine, elle s'empara de la cafetière sur le poêle dont le rougeoiement semblait défier n'importe quel imprudent.

Ils avaient déjà eu cette discussion de nombreuses fois, père et fille, sous de nombreuses formes.

« Je pourrais faire ce que je fais n'importe où », lui arrivait-il de rappeler à Dally, «dans la ville la plus pépère que tu puisses imaginer, la devanture du monde, plutôt que dans ces maudits San Juan. À ton avis, pourquoi est-ce qu'on est ici à éviter les balles et les avalanches, et non à Davenport, Iowa, ou dans je ne sais quelle coquette bourgade?»

«Tu voudrais que je me fasse tuer?»

«Cherche encore.»

«C'est... c'est pour mon bien?»

«Bingo. C'est l'école, Dally – c'est même une foutue fac, avec un bar au fond de chaque classe, des casiers pleins de fusils et de .44, le corps estudiantin bourré la plupart du temps, de vrais pervers, s'en approcher à moins de deux kilomètres relève du suicide, et les notes ici sont de deux sortes, c'est tout : survivre ou pas. Tu me suis là, ou est-ce que ma métaphore te dépasse?»

«Fais-moi signe quand t'en seras aux fractions.» Elle aperçut une casquette de mineur, la coiffa et se dirigea vers la porte. «Je serai au magasin de la Compagnie, en tout cas jusqu'à ce que l'équipe de jour se pointe. J'ai été ravie de faire votre connaissance, Fred.»

«Frank», dit Frank.

«Bien sûr, je testais juste votre mémoire.»

Elle n'avait pas franchi le seuil depuis trente secondes que Merle, dont la franchise était en partie d'origine chimique, le regarda bien en face et lui demanda ce qu'il fabriquait exactement, ici, à Telluride.

Frank réfléchit.

«Encore faudrait-il que je sache à quel point je dois me méfier de vous.»

«J'ai connu votre père, Mr Traverse. C'était quelqu'un de bien et un excellent joueur de cartes, il s'y connaissait parfaitement en dynamite, il lui est même arrivé de sauver ma gamine les fois où la charge a pas explosé comme prévu, et franchement il a pas mérité ce qu'ils lui ont fait.»

Frank se balançait d'avant en arrière sur une chaise pliante qui semblait sur le point de s'écrouler. «Soit, Mr Rideout.»

«Appelez-moi Merle.» Il fit glisser vers lui une photographie au grain mat montrant Webb Traverse, tête nue, un cigare incandescent au bec, qui fixait l'objectif avec une sorte de jubilation pugnace, comme s'il venait de trouver exactement la façon dont il allait détruire l'appareil photo. «Vous êtes peut-être pas son portrait craché», dit Merle, affable, «mais je sais regarder un visage, c'est lié au métier, et vous lui ressemblez.»

«Et à qui en avez-vous parlé?»

«Personne. Ça me paraît pas souhaitable.»

«Et pourquoi ce ton de prédicateur?»

«Si vous avez l'intention d'éliminer Buck Wells, oubliez. Il est pas mal dérangé et il se chargera lui-même de la besogne avant que vous arriviez à vos fins.»

«Tant mieux, si c'est le cas, mais pourquoi est-ce que j'en voudrais à ce type?»

«Paraît que vous cherchez à tout prix à le voir.»

«J'ai certes très envie d'envoyer *ad patres* son petit cul coincé de harvardeux à la noix, mais sachez que le capitaine Wells ne figure pas en tête de ma liste, il appartient à une catégorie bien trop élevée, et d'un point de vue terre à terre il m'intéresse moins que les mercenaires engagés pour assassiner mon père, c'est pas le genre à tremper sa chemise en batiste pour accomplir ce genre de boulot.»

«Vous pensez tout de même pas que c'est —»

«Je sais très bien qui c'est. Comme tout un chacun dans cette petite communauté étriquée, apparemment. En revanche, Buck pourrait peut-être me dire où les trouver.»

«Mettez-lui la pression, obligez-le à vous dire ce qu'il sait.»

«Ben ça alors, pourquoi j'y ai pas pensé plus tôt?»

«Pensez ce que vous voulez, mais ne tardez pas trop.» Des enfants chinois avaient déjà regardé Frank de cette façon, mais ils étaient moins dérangés, bien sûr. «Les choses se savent, Frank. Vous les gênez.»

Ça n'avait pas traîné. Il avait cru bénéficier encore d'un ou deux jours.

«C'est tatoué sur mon front ou quoi? Y a-t-il une seule personne dans ce fichu comté qui soit dupe? Merde alors.»

«Du calme.» Merle sortit d'autres épreuves en gélatinobromure d'argent d'une armoire à dossiers. «Ça vous aidera peut-être.» L'une d'elles montrait deux espèces de bouviers venus en ville pour le 4 Juillet, l'un ayant l'air de forcer l'autre à manger un énorme pétard allumé d'où jaillissaient des tas d'étincelles, qui fusaient, mouraient, emplissant l'incommensurable fragment de temps pendant lequel l'obturateur restait ouvert, au grand amusement de badauds qui observaient la scène depuis le porche d'un saloon.

«Ne me dites pas que —»

«Tenez, celle-ci est un peu moins floue.»

Elle avait été prise devant le bureau même de l'amalgameur où ils se trouvaient. Mais cette fois Deuce et Sloat ne souriaient pas, et la lumière convenait mieux à l'automne – on voyait des nuages sombres dans le ciel, et rien dans le paysage ne pouvait faire de l'ombre. Les deux hommes posaient, comme si l'occasion était solennelle. À cause de la grisaille, l'exposition avait été un peu plus longue, et on aurait pu penser qu'au moins l'un des deux aurait bougé et rendu l'image floue, mais non, ils étaient restés bien raides, presque provocateurs, laissant le mélange de collodion jouir de la bonne quantité de lumière, et capturer les deux tueurs avec une implacable fidélité, comme incrustés devant une lente émulsion d'autrefois, leurs yeux, remarqua alors Frank de plus près, rehaussés de ce même éclat étrange et dément que produisait naguère le fait de cligner des centaines de fois avant la prise, mais dû à présent à quelque chose de franchement spectral, que ces émulsions permettaient aujourd'hui de révéler, et qu'aucun autre médium jusqu'alors n'avait pu signaler.

« Qui c'est qui les a prises ? »

« C'est comme qui dirait mon hobby », fit Merle. « L'or et l'argent manquent pas par ici, ni les acides et les sels, et cætera, et il se trouve que j'aime bien jouer avec les différentes possibilités. »

« Une vraie petite raclure, non ? »

« Il a toujours voulu que Bob Meldrum fasse de lui son protégé. Même Bob, qui élève des serpents à sonnette, ne supportait pas ce gosse plus de cinq minutes. »

Comme si le nom de Bob était un mot de passe, Dally apparut dans l'embrasure telle une petite explosion, toute son attention concentrée sur Frank.

« Z'avez mis vos bottes ? Peigné vos cheveux ? Parce que je crois que vous devriez filer. »

« Qu'est-ce qui se passe, Dahlia ? » demanda Merle.

« Bob et Rudie, pas loin du bâtiment des puits, et c'est le mauvais qui sourit. »

« Ils en ont après moi ? Mais pas plus tard qu'hier soir Bob semblait bien disposé à mon égard. »

« Par ici —» Merle poussa son bureau sur le côté et ouvrit une trappe qui jusqu'alors était restée invisible. « Une sortie de secours. Y a une belle longueur de galerie là-dessous, qui devrait vous amener tout près du dépôt. Avec un peu de chance, vous attraperez une berline vide qui se rend en ville. »

« Mon cheval ? »

« Rodgers a une petite écurie pas loin de Tomboy, attachez les rênes sur le pommeau de la selle, et laissez-le partir – ils retrouvent toujours leur chemin. Et gardez ces photos, j'ai les négatifs. Oh, et puis ça aussi. »

« C'est quoi ? »

« Ce à quoi ça ressemble. »

« On dirait… un sandwich à la viande… Pour quoi faire ? »

« Vous le découvrirez peut-être. »

« Je le mangerai peut-être. »

« Peut-être pas. Dahlia, tu ferais mieux de l'accompagner en ville. »

Une fois dans le tunnel, Frank perçut une étrange agitation, mi-vue, mi-entendue. Dally se figea et tendit l'oreille. « Eh zut. Ils sont pas contents. » Elle s'exprima alors dans une langue étrange, aux intonations incisives et carillonnantes. Du fond du sombre goulot, bien que Frank fût étrangement incapable d'en définir la direction, leur parvint une réponse. « Z'avez le sandwich, Frank ? »

Ils le déposèrent au milieu du tunnel et détalèrent. « Pourquoi est-ce qu'on… »

« Z'êtes dingue ? Vous savez pas qui ils sont ? »

Ils déboulèrent dans un crépuscule que compensait presque la lumière électrique plus intense qu'une pleine lune, des cercles aveugles et surnaturels coiffant les hauts poteaux tout le long de la route jusqu'à la ligne de crête.

« Vite, les équipes vont pas tarder à se relayer, on va se faire piétiner par ce troupeau d'abrutis. » Ils grimpèrent dans une berline, au sein des ombres métalliques imprégnées d'une tenace odeur tellurique. « Pire que des chiottes texanes, non ? » dit-elle gaiement. Frank marmonna quelque chose, à deux doigts de défaillir. Une cloche sonna quelque part et la berline se mit en branle. Même la tête baissée, Frank sentit l'instant précis où ils quittaient la galerie pour s'élancer au-dessus de la vallée, suspendus au-dessus des lumières de la ville dans le vide immense. Au même moment, dans la mine, retentit un sifflement strident qui annonçait le changement d'équipe, sifflement qui s'estompa et s'assourdit tandis qu'ils filaient dans le golfe obscur. La jeune femme poussa un hourra de ravissement. « Bienvenue en Enfer, Frank ! »

Retourner en ville ne figurait pas franchement en tête de ses priorités. Il aurait préféré rester sur la colline, franchir le col, puis rejoindre la route de Silverton, bifurquer peut-être vers Durango et avec de la veine sauter dans le train, ou alors pousser jusqu'aux Sangre de Cristo, où il pouvait espérer tenter sa chance. Filer au milieu des rares bisons, atteindre les énormes dunes, et gagner la protection des esprits.

Ils entendirent bientôt le martèlement des bocards, tout d'abord assourdi telles les percussions d'une lointaine fanfare, les fifres et les cornets sur le point de se joindre à eux d'une minute à l'autre, s'entraînant pour une fête nationale inconnue qui n'aurait pas forcément lieu, puis le bruit s'amplifia, invisible mais ressenti, comme à peu près tout dans ces montagnes. À un moment, le raffut de la mine fut couvert par celui de la ville, et Frank se souvint alors qu'on était samedi soir.

Le vacarme parut n'être rien en comparaison de la masse qui semblait s'approcher d'eux, davantage que l'inverse, enflait puis les absorbait, une vraie symphonie, vaste comme la vallée, tout en coups de feu, hurlements, beuglements d'instruments de musique, roulis des chariots de marchandises, rires coloratur des nymphes du pavé, bris de verre, grondements des gongs chinois, tintements des harnais, grincements des portes battantes, tandis que Frank et Dally entraient dans le Saloon de la Potence, dans Colorado Street.

«Vous êtes sûre qu'ils vont vous laisser entrer?» Frank aussi doucement qu'il put.

La fille éclata de rire, un seul éclat et plutôt bref.

«Regardez autour de vous, Frank. Trouvez-moi un seul visage ici qui se soucie de qui fait quoi.»

Elle l'entraîna au bout du comptoir ponctué de journaliers, de mineurs payés à la tâche et de résidents étrangers, dans les fumées de tabac, entre les tables où on lançait les dés et abattait les cartes, et où le défi le disputait à l'insulte et aux imprécations. Le pianiste jouait un air qui aurait pu être une marche, hors d'étranges hésitations rythmiques qui firent que Frank, peu disposé à danser en temps ordinaire, regretta de ne pas savoir le faire.

Elle s'en aperçut, bien sûr.

«C'est un "ragtime". Z'avez jamais entendu de rag? J'sais même pas pourquoi je pose la question. Vous venez d'où, déjà? Peu importe, j'serais incapable de prononcer le nom.»

Elle tendit les bras d'une certaine façon, et il se dit qu'il n'avait pas le choix, mais il s'en sortit plutôt bien, car Frank était un roi des claquettes à côté de certains des mineurs que les filles faisaient danser ici, surtout les Finlandais. «Ils frappent du pied comme s'ils avaient chaussé des skis», dit Dally. Au bout d'un moment, Frank en remarqua un ou deux qui portaient bel et bien des skis, et on n'était même pas en hiver.

«Oh, y a Charlie, bougez pas, je reviens.»

Ça ne dérangea pas Frank, qui se demandait quand Bob et Rudie allaient faire leur entrée et, du coup, avait bien besoin d'une petite escale au comptoir en noyer. Il avait bu près de la moitié de sa première bière quand Dally réapparut.

«Je viens de causer à Charlie Fong Ding, qui s'occupe du linge des filles. Il y a une chambre de libre au Silver Orchid, je connais l'endroit, il est sûr, il y a un tunnel pour fuir —»

« Vous connaissez l'endroit ? »

« Oh, mais regardez-moi ça, il est choqué. Charlie a failli le parier. Il aurait pu manger gratis une semaine rien qu'en misant là-dessus. »

« Le Silver Orchid, Dally ? »

« La faute à Papa. »

Un jour, Merle s'était dit qu'ils devaient aborder la question délicate des rapports sexuels ou, plutôt, vu qu'on était dans une ville minière, des *transports* sexuels. Grâce aux bons offices de California Peg, la sous-maîtresse du Silver Orchid, dont il avait été un client régulier, Merle mit au point un programme d'études, bref et clandestin, « susceptible d'effrayer », comme le dit Merle, « les dragons de vertu, mais guère pire quand on y songe que ce petit verre de vin dilué qu'on donne à une enfant aux repas afin qu'elle puisse faire la différence en grandissant entre du vin au dîner et du vin *en guise* de dîner ». « De toute façon, tu es assez âgée », lui répétait-il depuis des années maintenant, « et vu que tôt ou tard tu te mettras à la colle avec un gentil petit gars, autant savoir de quoi il retourne maintenant, ça vous épargnera à tous deux d'immenses déconvenues — »

« Sans parler de t'épargner, à toi, pas mal de tracas », fit-elle remarquer.

« Tu verras les hommes dans ce qu'ils ont de meilleur et de pire, ma chérie », ajouta Peg, « et entre les deux, c'est là que tu trouveras la plupart, mais sache que les besoins des hommes seront jamais plus compliqués que, eh bien, disons, les règles du black-jack. »

Et c'est ainsi que Dally, jeune fille dotée d'un solide bon sens, s'en alla glaner dans Popcorn Alley toute une flopée de renseignements utiles. Elle découvrit que le rouge à lèvres remplaçait agréablement la cire pour ce qui était des gerçures. En échange d'un mois de salaire à la mine, elle acquit, par une joueuse d'orgue de Barbarie du Pick & Gad, un revolver de calibre .22, qu'elle porta au vu et au su de tous, principalement parce qu'elle n'avait ni robe ni jupe sous laquelle le cacher, mais aussi parce que sa simple présence, moins impressionnante, certes, vu sa frêle silhouette, qu'une arme de calibre plus conséquent, ne laissait néanmoins aucun doute quant à sa capacité à dégainer, viser et tirer, ce à quoi elle s'entraînait d'arrache-pied chaque fois qu'elle en avait l'occasion, dans diverses décharges, capable au final de gagner un peu de monnaie en pariant avec des mineurs soi-disant habiles à la détente. « Annie Oakley ! » avaient coutume de s'écrier les Finlandais quand elle se pointait, puis ils lançaient en l'air des petites pièces dans l'espoir qu'elle en trouerait une, ce qu'elle était ravie de faire de temps en temps, permettant ainsi à de nombreux Finlandais de rentrer chez eux avec une amulette porte-bonheur pour les protéger pendant les périodes de guerre civile et de Terreur blanche, mises à sac et massacres à venir – ils pouvaient ainsi espérer que le sort serait conjuré et que le surnaturel se manifesterait dans ce monde hivernal qui les attendait.

Le raffinement érotique ne figurait pas parmi les attractions de Telluride – pour ça, supposait-elle, il fallait se rendre à Denver –, mais au moins elle sortit du cours élémentaire du Silver Orchid immunisée contre, voire franchement à l'aise avec, ces déconvenues qui ont gâché plus d'un mariage et, surtout, comme le confia Peg, sans que « l'Amour », tel que le concevaient ici les hordes chagrines et tumescentes de Casanova bouseux, se mêle trop de la partie, ce qui aurait pu aisément lui gâter son plaisir. « L'Amour », quoi que ce fût, occuperait une tout autre dimension.

« Le genre de choses dont une fille devrait s'entretenir avec sa mère », dit-elle à Frank, « enfin, si sa mère était là et ne se planquait pas quelque part dans une grande ville qui pourrait tout aussi bien se trouver sur une autre planète. Une raison de plus pour moi d'aller la rejoindre, et le plus tôt sera le mieux, parce que pour tout vous dire je commence à en avoir marre d'être ici, les mineurs sont pas franchement des éphèbes, et j'ai besoin de changer d'air. Bon, y avait autre chose, mais j'ai oublié. »

« J'espère que vous ne vous sentez pas responsable de lui. »

« Bien sûr que si. Il pourrait parfois être mon fils. »

Frank acquiesça. « Ça s'appelle s'émanciper. Un truc que tout le monde finit par faire. »

« Merci, Fred. »

« Frank. »

« Encore dans le panneau ! Vous me devez une bière. »

La « chambre libre » du Silver Orchid était en fait un espace entre deux murs, tout au fond, auquel on accédait par une fausse cheminée. Il y avait de la place pour Frank et une cigarette, s'il la coupait en deux. Il avait payé d'avance une nuit de plus au Sheridan mais ne chercha pas à se faire rembourser.

La clientèle entrait et sortait bruyamment. Les filles riaient trop, et sans gaieté. Du verre était fréquemment brisé. Le piano, même pour Frank qui n'avait pas d'oreille, était sérieusement désaccordé. Frank s'allongea entre les murs avec son manteau roulé en guise d'oreiller et s'endormit. Il fut réveillé vers minuit par Merle Rideout qui tambourinait contre la cloison.

« J'ai récupéré vos affaires à l'hôtel. Heureusement que vous y êtes pas allé. Bob Meldrum était dans le coin et rendait tout le monde nerveux. Suivez-moi si vous avez une minute, j'ai quelque chose à vous montrer. »

Ils sortirent et se retrouvèrent sous le cône glacé et impondérable d'une ampoule électrique perchée au faîte d'un poteau, puis se frayèrent un chemin entre les étables vociférantes, un coup de feu claqua à l'autre bout de Pacific Street, un type grimpa sur un toit et se mit à réciter *Le Meurtre de Dan McGrew*, ils entendirent jouir des abatteurs et gémir des ravageuses, puis ils arrivèrent au bord de la rivière, occupé par des formes de commerce plus respectables, et où il était possible de tourner le dos à la ville insoumise pour affronter la nuit inexplorée, avec la rivière San Miguel entre les deux, fraîchement jaillie des montagnes et jetant des éclairs de lumière pareils à des déclarations d'innocence.

« Il existe à New York », dit Merle, « un certain Dr Stephen Emmens. Nombreux sont ceux qui pensent qu'il est cinglé, mais ne vous y trompez pas, car ce type est un as. Ce qu'il fait, c'est qu'il prend un peu d'argent, avec une infime trace d'or dedans, et il se met à le *marteler*, à très basse température, dans un bain d'acide carbonique liquide pour qu'il reste froid, il continue de taper dessus, il tape tout le jour et toute la nuit, jusqu'à ce que l'or contenu, bizarrement, *se mette à croître* – d'au moins vingt pour cent. »

« "Bizarrement", bien voyons, c'est comme ça que parlent les escrocs professionnels. »

« D'accord. Je trouve pas ça "bizarre", c'est juste que j'aime pas effrayer les gens quand je suis pas obligé. Vous avez déjà entendu parler de la transmutation ? »

« Vaguement. »

« Normal. L'argent est transmuté en or, pas la peine de prendre cet air. Le Dr Emmens appelle le résultat de l'argentaurum. » Merle sortit une pépite de la taille d'un œuf. « C'est ça, l'argentaurum, un alliage d'à peu près cinquante-cinquante. Et ça —», dans l'autre main surgit un cristal flou d'environ la taille d'une bible de poche mais aussi mince qu'une psyché, « c'est de la calcite, connue également sous l'appellation *Schieferspath*, un joli spécimen que j'ai réussi à obtenir une nuit quand j'étais à Creede – oui, il arrive qu'il fasse nuit à Creede – par l'entremise d'un Écossais superstitieux qui avait dans son jeu un neuf de carreau qu'il ne voulait pas garder. Jetez un coup d'œil dans ce morceau de spath comme si c'était une fenêtre de cuisine. »

« Jésus Marie Joseph », dit Frank au bout d'un moment.

« On voit pas trop ça à l'École des Mines ? »

Non seulement tout le paysage s'était dédoublé et, ce qui était encore plus étrange, était devenu *plus lumineux*, mais quant aux deux images superposées de la pépite, l'une était or et l'autre argent, c'était indubitable… Merle fut obligé au bout d'un moment de retirer la fine tranche rhomboïde de la main de Frank.

«Ça arrive à certaines personnes», fit remarquer Merle, «elles ne supportent plus que cette catégorie de lumière spectrale.»

«D'où ça vient?» La voix de Frank lente et stupéfiée, comme s'il avait tout oublié de la pépite.

«Ce morceau de spath? Ça vient pas d'ici, plus probablement du Mexique, pas loin de Veta Madre quelque part près de Guanajuato, là où les mines d'argent et de spath vont de pair comme les fayots et le riz, à ce qu'ils disent. Car l'autre truc qu'on extrait là-bas, assez bizarrement, n'est autre que l'argent utilisé pour les dollars mexicains dont Frère Emmens se sert exclusivement dans son processus secret. On trouve au sud de la frontière une veine principale d'argent pré-argentaurique, avec du spath en abondance dans les parages. Vous voyez où je veux en venir?»

«Pas vraiment. À moins que vous ne vouliez dire que la double réfraction est la *cause* de ce —»

«Exactement, et comment se peut-il que la lumière, cette chose si légère, puisse transmuter des métaux solides? Ça semble dingue, non? Ici-bas en tout cas, à notre humble niveau, à ras de terre, voire dessous, où tout est pesant et opaque. Mais considérez les régions supérieures, l'éther luminifère, qui s'insinue partout, comme un médium autorisant ce genre de changement, dans lequel l'alchimie et la science électro-magnétique moderne convergent, considérez la double réfraction, un rayon pour l'or, un pour l'argent, si on veut.»

«Si *vous* voulez.»

«Vous avez vu par vous-même.»

«Sûrement plus que ce que les habitants de Golden voulaient que sachent leurs ingénieurs des Mines, désolé. Je compte sur vous pour ne pas trop abuser de mon ignorance.»

«J'apprécie», rétorqua Merle, «aussi, je vais vous dire un truc. Ce procédé Emmens, malgré son coût – et on a avancé le chiffre de dix mille dollars par opération, mais bien sûr c'est provisoire, et ça ne pourra que baisser – cette matière pourrait *botter le cul à ce cher étalon-or*. Et qu'adviendra-t-il du prix des métaux alors? Est-ce que le Silver Act, et tout le tintouin qui allait avec, a été abrogé pour rien? L'or finira-t-il par ne valoir guère plus que l'argent *augmenté* du coût de ce procédé? Et en quoi sera faite alors la croix sur laquelle crucifier l'humanité? Sans parler de la Banque d'Angleterre, de l'Empire britannique, de l'Europe et de tous ces empires, et de tous ceux à qui ils prêtent de l'argent – ça s'étendra très vite au monde entier, vous pigez ? »

« "Et je suis prêt à vous vendre tous les détails du procédé Emmens pour la modique somme de cinquante *cents*" – c'est là que vous voulez en venir ? Mon cerveau n'est pas vraiment du pudding, Professeur, et même si tout ça est réglo, qui serait assez niais pour acheter votre argentine-je-sais-plus-quoi ? »

« La Monnaie, pour commencer. »

« Oh bon sang. »

« Si vous ne me croyez pas, demandez autour de vous. Doc Emmens vend des lingots d'argentaurum à la Monnaie américaine depuis environ 97, quand Lyman Gage était secrétaire du Trésor et militait pour l'étalon-or. Dites, le zinc vous a pas rendu zinzin au point de ne pas savoir ce que tout le monde sait. Des pans entiers de notre foutue économie reposent là-dessus, vous avez oublié ou quoi ? »

« Merle, pourquoi est-ce que vous me montrez ça, d'abord ? »

« Ce que vous croyez chercher n'est peut-être pas vraiment ce que vous cherchez. C'est peut-être autre chose. »

Frank ne put se départir de l'étrange impression d'être entré dans un théâtre de variétés et qu'un magicien, chinois par exemple, lui avait demandé de jouer les comparses dans un long et complexe numéro, en sortant un boniment qu'il était incapable d'apprécier pleinement.

« Ce que je cherche… »

« Rien à voir avec cette pépite. Ni avec cette petite fenêtre de spath d'Islande non plus. En fait », la voix de Merle commençant à se fractionner, telle une bouilloire se mettant à siffler, en petits chuintements amusés, « il existe *tout un catalogue* de choses que vous ne cherchez pas. »

« Je vous écoute. Qu'est-ce que je cherche vraiment ? À part un saloon, bien sûr. »

« Une idée comme ça, mais je dirais que c'est ce que votre père cherchait également, sauf qu'il ne le savait pas plus que vous. »

De nouveau ce fichu sentiment chinois.

« Allez parler au Dr Willis Turnstone. Il aura peut-être une idée ou deux. »

En sentant un revirement dans le ton de Merle, Frank éprouva une étrange onde de trouble intérieur.

« Pourquoi ? »

Mais Merle s'était retranché derrière une mine impavide de magicien.

«Vous vous rappelez ces espèces de kobolds que Dahlia et vous avez rencontrés à Hellkite?»

Oui, bon, à une époque Merle lui aussi voyait des *petites personnes* dans les tailles, certaines attifées de façon fort interlope d'ailleurs, couvre-chefs inhabituels, uniformes militaires pas franchement de l'armée américaine, petites chaussures pointues, et cætera, et un soir il commit l'imprudence de mentionner ce détail à son confrère le Doc Turnstone, lequel déclara avec aplomb qu'il s'agissait du syndrome de Charles Bonnet, dont il avait entendu parler récemment en lisant le classique de Puckpool, *Aventures en névropathie* : «On lui a attribué toutes sortes de causes, y compris la choroïdite maculaire et les troubles du lobe temporal.»

«Et si c'étaient de vrais *duendes*?» dit Merle.

«Ce n'est pas une explication rationnelle.»

«Avec tout mon respect, Doc, je ne suis pas d'accord, car ils sont bel et bien là-dedans.»

«Vous voulez me montrer?»

L'équipe de nuit, bien sûr, le meilleur moment pour ce genre de choses. Rigueur scientifique oblige, Turnstone s'était abstenu de prendre sa dose du soir de laudanum, même si ça n'avait en rien amélioré son humeur, d'ailleurs Merle le trouva plutôt nerveux quand, après avoir enfilé des combinaisons de mineur et s'être munis de torches électriques, ils pénétrèrent dans la paroi nimbée de lune et se frayèrent un chemin parmi d'antiques débris dégoulinants, empruntant une galerie pentue qui donnait dans un secteur abandonné de la mine.

«La proximité d'humains les met mal à l'aise», avait expliqué Merle en surface. «Aussi ont-ils tendance à séjourner dans des endroits où il n'y a pas d'humains.»

Non seulement les lutins des mines trouvaient agréable ce secteur de Little Hellkite, mais dans les années qui suivirent sa désertion ils l'avaient reconverti en une véritable salle des fêtes. Et bien sûr, ça ne loupa pas, Merle et Willis tombèrent sur eux, une impayable fresque souterraine. Ces *duendes* jouaient au poker et au billard, buvaient du whiskey rouge et de la bière brassée maison, ingurgitaient de la nourriture volée dans les réfectoires des mineurs ainsi que dans les garde-manger des célibataires, se battaient, se racontaient des blagues de mauvais goût, exactement comme dans n'importe quel centre de loisirs à la surface, n'importe quel soir de la semaine.

«Bon, ça ne fait pas un pli», marmonna le Doc comme pour lui-même. «Je suis devenu fou, c'est tout.»

«Nous ne pouvons pas souffrir tous les deux du syndrome de Charles Machin-Chose!» avança Merle. «Non. Ça serait absurde.»

«Moins que ce que je vois.»

Les esprits des mines en vinrent donc à s'opposer aux propriétaires, ou du moins aux explications banales que propriétaires et consorts avaient tendance à priser. Comme, par exemple, qu'il ne s'agirait pas de petites personnes en costume fantaisie mais «seulement» de rats chapardeurs. Les propriétaires appréciaient ces bestioles car elles avaient pour habitude de voler les explosifs. Chaque bâton de dynamite que volait un rat était un de moins entre les mains des anarchistes ou des syndicalistes. «Quelque part», déclara Dally, «il y a au moins un kobold avec une tonne de dynamite planquée. Un vrai eldorado d'explosifs. Mais bon, il compte en faire quoi?»

«Z'êtes sûre que c'est toujours le même?»

«Oui. Je connais son nom. Je parle leur langue.»

«De grâce», soupira Turnstone, «ne m'en dites pas plus. Faudrait savoir s'il vole aussi les amorces de détonateur. S'il en manque beaucoup, ça devient inquiétant.»

Frank alla voir le Doc Turnstone à la clinique pour mineurs où il travaillait de nuit.

«Merle Rideout m'a dit de venir vous voir.»

«Vous êtes donc Frank Traverse.»

Ces deux-là étaient en liaison directe ou quoi? Frank remarqua que le Doc le dévisageait.

«Un problème?»

«Je sais pas si Merle vous en a causé ou pas, mais votre sœur Lake et moi, on est sortis un temps ensemble.»

Encore un admirateur de Lake. «Elle est très belle», s'empressaient toujours d'ajouter ses amis et prétendants, même si Frank n'en avait pas conscience. Un jour, il interrogea Kit, qui passait apparemment plus de temps avec elle que quiconque, mais son frère se contenta de hausser les épaules. «J'lui fais confiance.» Ce qui ne l'avança guère.

«Ouais, mais bon, est-ce qu'on va devoir un jour botter le cul à un de ces foutus macaques qui craquent pour elle et dont on me rebat les oreilles?»

«J'crois qu'elle peut se débrouiller toute seule. Tu l'as vue tirer, elle s'en sort correctement.»

«*Voilà* ce qu'un frère aime à entendre.»

«Le fait est», dit alors Frank, «qu'on s'est pas beaucoup croisés ces derniers temps.»

Il s'écoula une bonne minute avant que Turnstone s'ébroue tel un chien émergeant d'un ruisseau de montagne et présente des excuses : « Lake, elle m'a, eh bien, elle m'a brisé le cœur, voilà. »

Tiens, tiens. « Je sais comment c'est », dit Frank, même si c'était faux. « Quand je rencontre un gars dans votre situation », aussi gentiment qu'il put, « je lui prescris en général de l'Old Gideon, de bonnes doses de trois doigts, le temps qu'il faut. »

Turnstone sourit d'un air un peu penaud. « Je cherchais pas à me faire plaindre. Elle s'est pas abattue comme un élément naturel. Mais bon, puisque ça vous intéresse… »

En 1899, peu après le terrible cyclone qui dévasta cette année-là la ville, le jeune Willis Turnstone, fraîchement émoulu de l'École américaine d'ostéopathie, quitta Kirksville, Missouri, pour se rendre dans l'Ouest, avec une petite valise contenant des effets personnels, une chemise de rechange, un mot d'encouragement du Dr A.T. Still, et un colt archaïque dont il était loin de savoir se servir. Il venait d'arriver au Colorado quand, un beau jour, alors qu'il traversait à cheval le plateau d'Uncompaghgre, une petite bande de pistoleros lui tomba dessus. « Un instant, l'ami, et si on jetait un petit coup d'œil dans cette séduisante valise ? »

« Y a pas grand-chose », dit Willis.

« Oh, mais c'est quoi, ça ? On n'est pas venu les mains vides, à ce que je vois ! Qu'on n'aille surtout pas dire que Jimmy Drop et sa bande ont pas laissé sa chance à un pauvre hère. Bon, ma mignonne… Les gars, si vous preniez ce gros pistolet et si on passait aux choses sérieuses, d'accord ? » Les autres avaient dégagé un espace au centre duquel Willis et Jimmy se retrouvèrent seuls, face à face, dans la pose classique du défi. « Allez, joue pas les timides, je te fais cadeau de dix secondes avant que je dégaine. Promis. » Trop hébété pour goûter l'esprit d'innocente gaudriole de la bande, Willis leva lentement et maladroitement son revolver, s'efforçant de le braquer aussi fermement que le voulaient bien ses mains tremblantes. Après avoir compté jusqu'à dix, fidèle à sa parole et rapide comme le serpent, Jimmy dégaina son arme mais, en plein mouvement, se figea brusquement, dans une posture disgracieuse. « Ehrrrh ! » hurla le méchant, ou quelque chose d'approchant.

« ¡Ay! ¡Jefe, jefe! » s'écria son lieutenant Alfonsito, « nous dites pas que c'est encore votre dos. »

« Pauvre crétin, bien sûr que c'est mon dos. Ô mère de tous les maux – et pire que la dernière fois. »

« Je peux arranger ça », proposa Willis.

«Te demande pardon, mais en quoi ça peut bien regarder une saleté de pied tendre, hein, bordel?»

«Je sais comment vous décoincer ça. Faites-moi confiance, je suis ostéopathe.»

«C'est bon, on a l'esprit large, y en a deux dans la bande qui sont évangélistes, mais attention où tu mets les pattes – yaaaaaghh – hein, quoi?»

«Ça va mieux?»

«Jésus Marie Joseph», se redressant, prudemment mais sans douleur. «Ben ça alors, c'est un miracle.»

«¡ *Gracias a Dios!*» s'écria le dévoué Alfonsito.

«Merci», hasarda Jimmy, en rangeant son pistolet dans son étui.

«Mon prix sera ma vie sauve», proposa Willis. «Et je vous paie la tournée un de ces quatre.»

«Viens, juste derrière cette montagne.» Ils se rendirent dans un saloon fréquenté par des vachers. «La faute à ces pénibles chevauchées et autres activités en selle», expliqua alors Jimmy, «le fléau du cow-boy, pour tout dire, montre-moi un type qui passe sa vie à cheval, je vous montrerai une victime de ce maudit lumbago. Tu as comme qui dirait la main magique, Doc, tu as peut-être trouvé ici la Terre promise.»

Willis, qui venait déjà de s'enfiler un nombre considérable de whiskeys, s'arracha un moment à son hébétude pour envisager cette éventuelle carrière.

«Vous voulez dire que je pourrais accrocher mon enseigne dans une de ces villes —»

«Bon, peut-être pas dans n'importe quelle ville, t'as intérêt à te renseigner d'abord vu que par ici les toubibs aiment pas trop la concurrence. Ça peut même les rendre violents, à ce qu'on raconte.»

«Des médecins assermentés», s'étonna Willis, «des praticiens, *violents?*»

«Et même si tu ne trouves pas de ville tout de suite, eh bien, il y aura toujours du boulot, je suis sûr.»

«Comment ça?»

«Un ostéo-machin-chose ambulant, qui va de bled en bled, comme ont appris à le faire des tas de bouviers, y a rien de déshonorant à ça.»

Et c'est ainsi que la vie du jeune Willis Turnstone prit un tour inattendu. Il était parti dans l'Ouest en caressant, malgré ses dons hérétiques, de simples rêves citadins – fréquenter une église pas trop fervente, épouser une fille bien éduquée et présentable, devenir en vieillissant le toubib du coin avec qui tout le monde serait prêt à jouer aux cartes, moyennant bien sûr une mise hebdomadaire pas trop élevée… mais il lui avait suffi de rencontrer par hasard le célèbre gang de Jimmy Drop au milieu des vesces et de la créosote délétères des hautes plaines pour se lancer dans tout autre chose.

Toutefois, l'impératif faubourien continuait de le titiller. Il finit par ajouter à ses talents d'ostéopathe des qualifications médicales plus conventionnelles, fit venir de l'Est des manuels médicaux, se mit bien avec les droguistes des villes qu'il traversait, et découvrit qu'un ou deux samedis soir passés à perdre au poker valaient largement un semestre dans une école de pharmacie. Quand il arriva à Telluride et commença à travailler à la clinique pour mineurs aux côtés du Dr Edgar Hadley et de l'infirmière Margaret Perril, il était aussi compétent que d'autres dans ces régions, bien qu'il eût pris depuis longtemps l'habitude de toujours diagnostiquer les pires maux possibles afin d'expliquer les symptômes que lui signalaient ses patients. Comme ces derniers ou bien mouraient ou bien recouvraient d'eux-mêmes la santé, et que personne ne tenait les comptes, il était impossible de savoir à quel point tout ça était efficace, et Willis était trop occupé lui-même pour procéder à une étude *ad hoc*.

Il rencontra Lake à la clinique pour mineurs, alors qu'il était venu y soigner un contremaître qui s'était pris une balle dans l'épaule. Le premier suspect auquel pensa Willis, Bob Meldrum, avait été présent lors de l'incident mais uniquement, jura-t-il, en qualité de conseiller, instruisant l'homme sur la meilleure façon de maintenir l'ordre dans les mines. «En prenant des initiatives», supposa le jeune homme. «T'es fou», répondit Bob, «prends plutôt ton .44. Tiens, comme ça – oh zut.» Trop tard, le coup était parti et le sang du vigile avait été détourné de son trajet vers le cœur.

Lake était habillée simplement, en gris et blanc, avec les cheveux couverts, elle se comportait de façon professionnelle, et, à la seconde où il la vit, Willis en tomba raide dingue, bien que ça lui prît quelques semaines avant de s'en rendre compte.

Ils allèrent à Trout Lake pour pique-niquer. Il se présenta devant chez elle avec un énorme bouquet de fleurs sauvages. Un soir, sans réfléchir, il lui dit qu'il voulait l'épouser. Il rencontra sa mère, Mayva, et s'occupa de son dos un moment. Puis un jour il apprit que Lake avait fui avec Deuce Kindred.

Turnstone en fut tellement affecté que Jimmy Drop se proposa pour rattraper le couple. «Ce fumier faisait du cheval avec nous, ça a pas duré longtemps, personne l'aimait, une saleté de petit crotale. Si tu veux qu'il disparaisse, j'y veillerai personnellement.»

«Oh, Jim, non, je ne peux pas te demander de faire ça...»

«Pas besoin de demander, Doc, je te suis à jamais redevable.»

«"À jamais", c'est le temps qu'elle passerait à le pleurer, alors ça ferait pas mon affaire.»

Les yeux de Jimmy s'étrécirent, il parut gêné.

«Ils s'entendent à ce point, hein?»

«Je veux juste éviter ce cas de figure.»

«Ouais… bon, ouais je peux comprendre…»

Bien sûr, Turnstone ne surmonta jamais cette défection. Lake n'était en rien le genre de fille avec laquelle il comptait se caser, elle était tous ses plans fichus par la fenêtre, une occasion de «se planter» suffisamment tôt dans la vie pour que ça lui serve de leçon. Et voilà qu'elle avait déguerpi avec un spécimen détestable, même aux yeux de la bande de Jimmy Drop. Si elle n'était pas la grande déception amoureuse de sa vie, elle pouvait au moins en devenir le grand sujet de discussion.

«Elle quoi? Est partie avec qui?» Frank se répétant peut-être deux fois, car la nouvelle l'avait retourné.

«C'est exact», dit Willis en secouant lentement la tête. «J'ai moi-même du mal à m'y faire.»

«Voilà qui n'arrange rien», dit Frank, «c'est sûr. Qui d'autre est au courant?»

Le regard intense de Willis dénotait moins de l'affliction qu'un intérêt scientifique.

Frank sentit la fièvre de la honte lui assécher le cuir.

«Aucune idée de l'endroit où ils sont allés?»

«Si je le savais, serait-il bien avisé de vous le dire?»

«Vous en pincez pour ma sœur, alors ne le prenez pas mal, mais… quand je la trouverai, je tuerai cette salope. D'accord? Lui, ça va sans dire, mais elle – cette *salope* de – je ne peux même pas prononcer son nom. Vous trouvez ça naturel, vous, qu'une telle chose ait pu se produire?»

«Sais pas. Vous voulez dire, s'agit-il d'une maladie mentale connue ou ce genre?» Il chercha des yeux son exemplaire du Puckpool.

«Bon sang. Je crois que je vais aller faire un tour, juste tuer quelqu'un pour me faire la main.»

«Il va falloir vous calmer, Frank. Tenez», griffonnant, «… vous pouvez aller chercher ça au drugstore —»

«Merci quand même. Peut-être que ce dont j'ai besoin, c'est de causer à Jimmy Drop.»

«Je sais que Kindred et lui ont fait équipe un temps, il y a longtemps, mais dans quelle mesure sont-ils encore en contact, ça…»

«Cette histoire, est, bon sang, complètement absurde.» Frank scrutait l'intérieur de son chapeau, donnant déjà des signes classiques de mélancolie. «D'accord, ils se disputaient pas mal, elle et Papa, surtout quand j'étais à Golden, mais là franchement… Pourquoi est-ce qu'elle l'a pas tout simplement abattu, si elle le détestait tant? Voilà qui aurait eu un sens.»

Turnstone se versa une nouvelle dose tridigitale et agita la bouteille devant Frank.

«Vaut mieux pas. Je dois réfléchir.»

«À la différence du son ou de la lumière, les nouvelles voyagent à d'étranges vitesses et très souvent même pas en ligne droite», avança Willis.

Frank regarda le plafond en plissant les yeux.

«Ça… veutdire*quoi*?»

Turnstone haussa les épaules.

«On trouve en général Jimmy au Busted Flush, à cette heure-ci de la soirée.»

Quoiqu'il fût bien trop tard pour que ce fait connu puisse intéresser qui que ce soit hormis Frank, ça ne l'empêcha pas de rôder dans la ville insomniaque, le chapeau enfoncé sur ses sourcils, persuadé que tous ceux qu'il croisait étaient au parfum et lui souriaient d'un air méprisant ou, pire, compatissant – pauvre benêt de Frank, bien le dernier à l'apprendre.

Jimmy Drop – coupe arapahoe ultracourte lustrée à la brillantine de barman, moustache arrangée dans le style chinois, monocle calé sans effort – se trouvait dans la salle du fond du Busted Flush avec quelques-uns de ses associés, en train de s'adonner à un jeu complexe comportant un couteau plutôt inquiétant dont la pointe et la lame entraient en action chaque fois que la question des gages se posait. À en juger par la couleur de sa chemise, Alfonsito semblait être le moins chanceux ce soir-là, au grand amusement des autres.

«J't'ai reconnu d'emblée», dit Jimmy quand ils furent installés devant une bouteille de bourbon dépourvue d'étiquette. «Toi et ton frère vous avez le même nez, sauf que celui de Reef a été cassé à deux reprises, bien sûr. Je suis fier de dire que j'étais présent les deux fois.»

«C'est pas toi qui l'as cassé, j'espère.»

«Non, non, les professeurs habituels, s'efforçant d'expliquer aux ignorants que nous sommes les subtilités des règles du poker.»

«Comme de pas se faire de signes», Frank esquissant un sourire au coin des lèvres, conscient que ça pouvait agacer Jimmy mais ne s'en souciant guère pour l'instant.

«Oh, il t'a raconté ça.» Le monocle scintilla. «On m'a dit qu'il était retourné dans l'Est. Apparemment, au fin fond de l'Est.»

«Tu dois être plus au parfum que moi.»

«J'en déduis donc que c'est toi qui cherches Deuce désormais. J'aimerais pouvoir t'aider, mais à présent ils peuvent – il peut être n'importe où.»

«Tu peux dire "ils peuvent".»

«Tu sais, je déteste les commérages. Ça devrait être considéré comme un crime, avec des peines allant jusqu'à la potence en cas de récidive.»

«Mais?»

«Je n'ai vu ta sœur qu'une seule fois, près de Leadville. Encore jeune à l'époque, y a peut-être dix ou onze ans. Pendant l'hiver où ils ont construit ce grand Palais de Glace là-haut, après la Septième Rue.»

«M'en souviens. Difficile de croire qu'il était vraiment là.» Trois arpents au sommet d'une colline, des tours de glace hautes de trente mètres, la plus grande patinoire de la Création, des cubes de glace de rechange livrés par bateau tous les jours, une salle de bal, un café, plus populaire que l'Opéra tant qu'il dura, mais voué à fondre avec la venue du printemps.

«Reef débutait tout juste», se souvenait Jimmy, «enfin, pas vraiment, je crois qu'on a bossé ensemble pour la première fois ce printemps-là. Ta sœur s'était dégoté une paire de patins à glace et passait la plupart de son temps dans ce Palais de Glace. Comme tous les autres gamins de Leadville. Un jour, elle a appris la valse hollandaise à un jeune de la ville, un fils de la direction, à peine plus âgé qu'elle, et quand Webb Traverse a su la chose il a piqué une crise. Ça remonte à dix ans, et j'ai vu plus bruyant, mais j'ai pas oublié l'esclandre. Ton paternel voulait vraiment tuer quelqu'un. C'était pas juste on-touche-pas-à-ma-fille, parce que ça, on connaît tous. Non, il était devenu fou furieux, bon pour l'asile.»

«Je bossais ce jour-là», se souvint Frank, «je remplaçais un collègue, et quand je les ai rejoints c'était pas encore fini. Les hurlements s'entendaient à un kilomètre, j'ai cru que c'étaient des Chinois.»

C'était politique, en fait. S'il s'était agi du fils d'un mineur, voire du fils d'un patron de saloon ou d'un commerçant, Webb aurait peut-être râlé un peu, mais les choses en seraient restées là. Ce qui l'avait mis dans cette rage, c'était l'idée qu'un petit morveux de riche qu'a jamais travaillé de sa vie vienne tripoter en cachette la fille innocente d'un travailleur.

«Ce n'était même pas dirigé contre moi», précisa Lake par la suite, calmement, car elle avait entre-temps compris, «c'était une fois de plus ce foutu syndicat.»

Heureusement pour tout le monde, il y avait des personnes plus sensées dans le coin, sans parler de bras et de jambes qui arrivèrent comme par enchantement pour former une barrière sociale et repousser Webb hors de la piste, tandis que Lake restait, tête baissée, dans la pénombre gris perle, se sentant mortifiée, et que le jeunot s'en allait patiner ailleurs en quête d'une nouvelle partenaire.

«Pour un Mex, à la limite», estima Ellmore Disco. «Il te faudrait le bon chapeau bien sûr, et une moustache, même si avec ta barbe de quelques jours t'as un peu d'avance. On peut aller consulter Loopy pour le reste.» Ils étaient au Gallows Frame, et l'ambiance générale subissait l'accélération centrifuge typique du samedi soir, avant le chaos et la somnolence éthylique qui s'ensuivait.

«Pourquoi est-ce que vous m'aidez, Ellmore? Je croyais que vous étiez l'ami des propriétaires de mines.»

«La seule chose dont toute transaction, sous quelque forme que ce soit, ne peut se passer», l'informa Ellmore, «c'est la bonne vieille tranquillité. Tout comportement perturbateur excédant les galéjades du samedi soir risquerait de décourager les banques de Denver, sans parler des excursions en ville de cette population parasitaire dont nous avons tous fini par tant dépendre, et si on fait pas gaffe on encourt la baisse de régime, et ça, c'est à éviter autant que possible. Aussi, quand un type comme vous, un jeune gars en apparence inoffensif, pose un pied en ville, il attire l'attention de beaucoup trop de mauvais acteurs, et du coup il est temps, n'est-ce pas, que le petit E. Disco se demande quelle est la meilleure façon d'aider un tel gars à s'éclipser.»

Un peu plus loin dans la rue, au Railbird Saloon, Gastón Villa et ses Bandoleros Barjos se produisaient. C'était un groupe de musiciens itinérants en veste de cuir blanche à franges, avec «chaps» étoilés, coiffés d'énormes chapeaux qui leur cachaient le visage et étaient bordés de balles *cholo* de toutes les couleurs du spectre dans l'ordre de la longueur d'onde. Le père de Gastón avait fait autrefois les rodéos avec un faux numéro de *charro* – mais quand, un soir, près de Gunnison, il tomba sur un public qui avait une conception assez musclée du rejet, sa femme remballa tous ses vieux costumes et son matériel, accompagna Gastón à la gare, un baiser et *adiós*, et il s'en alla jouer du saxophone dans l'orchestre d'un *Wild West Show*. Contraint à plusieurs reprises de laisser ses instruments en gages pour régler ses notes d'hôtel, ses ardoises de bar et ses dettes de jeu, Gastón allait au fil des ans passer par toute une série d'étranges gagne-pain, y compris l'actuel.

«Surtout, ne t'en fais pas», dit-il alors à Frank. «Tiens, tu sais ce que c'est?»

Il exhiba un bidule imposant en cuivre terni et tout cabossé, hérissé de valves et de touches, dont l'extrémité s'évasait comme ce qu'on voit dans les fanfares.

«Bien sûr. Où c'est qu'est la détente, déjà?»

«On appelle ça un galandronome – un basson militaire, qu'on trouvait naguère dans les fanfares militaires françaises –, mon oncle a récupéré celui-ci à la bataille de Puebla, on peut voir une ou deux entailles causées par des balles mexicaines, ici, et là.»

«Et le bout dans lequel on souffle», Frank, intrigué, «attends un peu, c'est...»

«Tu apprendras.»

«Mais en attendant —»

«*Caballero*, tu connais ces *cantinas*, ils sont pas exigeants côté musique. Personne dans l'orchestre ne savait jouer à la base, mais tous avaient déjà des ennuis. Joue *con entusiasmo*, aussi fort que tu peux, et fais confiance à la bonne volonté et à l'oreille déficiente du gringo en goguette.»

C'est ainsi que Frank devint Pancho, le joueur de basson. Deux jours plus tard, il arrachait déjà des sons à l'engin, puis très vite presque tout *Juanita*. Avec deux trompettes pour les harmonies, ça se tenait, supposa-t-il. Émouvant même, parfois.

Peu de temps avant de quitter la ville, Frank se retrouva dans un état d'esprit un peu excentré par rapport à ce qu'il avait toujours considéré comme son état normal. Après avoir tergiversé le plus longtemps possible, il se rendit dans le cimetière des mineurs à la périphérie de la ville, trouva la tombe de Webb, se planta devant et attendit. L'endroit grouillait de présences, mais guère plus que la vallée et les collines alentour. Étant plutôt terre à terre, Frank n'avait pas été à proprement parler hanté par le fantôme de Webb. Les autres esprits taquinaient Webb à ce sujet. «Oh, il est comme ça, Frank. Quand le moment viendra, il fera ce qu'il faut, il a toujours eu un sens pratique un peu trop développé, c'est tout...»

«C'est comme si chacun avait sa spécialité, Papa. Reef est un paquet de nerfs, Kit veut régler tout ça scientifiquement, y a que moi qui m'acharne là-dessus jour après jour, comme ce type dans l'Est qui essaie de changer l'argent en or.»

«Deuce et Sloat sont pas à Telluride, fiston. Et si quelqu'un ici savait, il te dirait rien. En fait, ils se sont sûrement séparés à présent.»

«C'est Deuce et Lake que je veux retrouver. Il l'a peut-être quittée depuis un moment, peut-être que c'est juste une traînée de plus maintenant et qu'il galope vers ce qu'il appelle son avenir. Il est même possible qu'il ait franchi le Río Bravo.»

«Ou alors il veut que tu croies ça.»

«Il ne restera peut-être pas longtemps aux États-Unis, car ses anciens *compadres* doivent être à sa recherche à présent, les temps sont difficiles, et y a des tas de jeunes fiers-à-bras qui sont prêts à bosser pour pas cher, alors il est cuit si tu veux mon avis. Le seul endroit où il puisse aller, c'est le Sud.»

Ainsi raisonnait Frank. Webb, qui maintenant savait tout, ne voyait pas l'intérêt d'essayer de le convaincre du contraire. Il se contenta de dire: «T'as entendu quelque chose?»

Certains fantômes font *ouuh-ouuh*. Webb, lui, s'était toujours exprimé davantage par la dynamite. Frank eut alors une vision, ou du moins ce qu'on appelle vision quand on entend au lieu de voir… non le tonnerre réconfortant d'une explosion de mine dans les montagnes, mais ici même en ville, et se répercutant dans toute la vallée, poussant les vaches laitières noir et blanc à relever la tête une minute avant de continuer à brouter gravement… la voix sépulcrale du châtiment mettant du temps à arriver.

Des visages qu'il croyait connaître se révélaient tout autres, ou alors absents. Des filles de saloon essayaient de l'entraîner dans des discussions métaphysiques. Un soir, en haut de la route d'Ophir, Frank crut voir sa sœur, qui s'enfonçait dans la vallée, en prenant soin de détourner prudemment la tête, comme avait coutume de le faire Lake, en proie à un chagrin qu'elle refuserait à jamais d'expliquer, si jamais on l'interrogeait. Il finit par se dire que ce devait être une apparition.

Frank accompagna Merle à la gare pour dire au revoir à Dally. «Je prendrais volontiers le train avec vous, jusqu'à Denver en tout cas, mais dans l'orchestre ils ont d'autres projets. Alors écoutez-moi bien – mon frère Kit habite dans l'Est, il fait ses études à Yale, qui se trouve à New Haven, dans le Connecticut. C'est guère plus loin de New York que Montrose l'est d'ici, alors ne manquez pas d'aller le voir si vous le pouvez, c'est un gentil garçon, un peu rêveur tant qu'on n'a pas attiré son attention, mais on n'a pas encore inventé les ennuis dont il pourrait pas vous sortir, alors n'hésitez pas, entendu?»

«Merci, Frank, de vous inquiéter pour moi, avec tout ce que vous avez déjà comme soucis.»

«Ça doit être parce que Kit et vous, vous vous ressemblez.»

«Mince, dans ce cas je vais l'éviter.»

Sur le quai, Dally s'attira les regards des experts ès arts parentaux, plusieurs y allant de leur objection vigoureuse: «Laisser une enfant parcourir sans la surveillance d'un adulte les deux tiers d'un continent jusqu'à un repaire de dépravation comme l'est la ville de New York vous vaudrait sûrement un procès dans de nombreux États, voire la plupart du pays —»

«Sans parler d'être traduit devant le tribunal impitoyable de la Morale chrétienne, devant lequel toutes les puissances séculaires, juges y compris, doivent un jour s'incliner —»

«Madame», fit remarquer l'impertinent objet de ces critiques, «si je peux survivre à une soirée normale à Telluride, il n'y a rien à l'Est qui devrait poser beaucoup de problèmes.»

Merle sourit, à deux doigts de la fierté paternelle.

«Prends soin de toi, Dahlia.»

Tout le monde était monté, le train s'apprêtait à repartir dans l'autre sens, comme s'il ne pouvait supporter de perdre de vue Telluride jusqu'à la dernière minute.

«Au revoir, Papa.»

Ils s'étaient embrassés si souvent qu'elle n'éprouvait aucune gêne avec les *abrazos*. Merle, qui sentait quels étaient les enjeux, préféra ne pas l'effrayer. Ni l'un ni l'autre n'avaient jamais vraiment cherché à se briser mutuellement le cœur. En théorie, tous deux savaient qu'elle devait passer à autre chose, même si tout ce qu'il voulait en cet instant c'était attendre, ne serait-ce qu'un seul jour de plus. Mais il connaissait ce sentiment, et il se dit que ça passerait.

Tengo que j'foute *el* camp d'*aquí,* se dit Kit. À peine levé le matin, et chaque soir avant de se coucher, c'est ce qu'il se répétait, comme une prière. Le charme de Yale avait non seulement fini par s'émousser mais révélait à présent les couches toxiques dissimulées en dessous, et Kit se rendit compte à quel point l'enseignement était ici le dernier des soucis, *idem* pour la découverte d'un monde transcendant dans les imaginaires ou les vecteurs – certes, il lui était arrivé parfois de surprendre des bribes d'une cabale ou d'un savoir inexprimé en train de transiter d'un esprit à l'autre, mais cela semblait se produire *à l'insu* de Yale. C'était lié aux nouvelles ondes invisibles, surtout, latentes dans les Équations de Maxwell avant que Hertz les découvre – Shunkichi Kimura, qui avait étudié avec Gibbs ici, était rentré au Japon, avait intégré le Collège naval, puis participé à la mise au point de la télégraphie sans fil à temps pour la guerre contre la Russie. Vecteurs et télégraphie sans fil, un lien silencieux.

Gibbs était mort fin avril, et vu l'abattement général qui régnait au Département de mathématiques, Kit comprit que c'était le coup de grâce, Yale montrait enfin son vrai visage, une espèce d'école technique pour snobs, voire une usine à fabriquer des yaliens, de beaux esprits et non point des érudits ou alors par mégarde, oui, et c'était à peu près tout.

Colfax fut incapable de l'aider. De toute façon, Kit n'aurait même pas su comment aborder le sujet, bien que Colfax lui tendît plus d'une fois la perche.

«Depuis le temps que t'es ici, t'aurais pu t'inscrire à un club.»

«Trop occupé.»

«Occupé?» Ils se regardèrent, séparés par une distance interplanétaire. «Non mais sincèrement, Kit, tu pourrais même être juif.»

La belle affaire. Les Juifs à Yale à cette époque étaient une espèce exotique.

Au tout début, Kit s'était rendu à une réunion sportive un jour et avait vu un mec de sa classe se faire aborder par un groupe d'hommes âgés, vêtus de ce que Kit savait aujourd'hui être des costumes de ville très coûteux. Ils restèrent là un moment à discuter, en souriant, à l'aise, sans prêter attention aux jeunes athlètes qui, sur la vaste pelouse, couraient, sautaient, pivotaient et lançaient, s'aventurant dans des étendues insoupçonnées de douleur et de dégâts corporels, attirés par les offres de ce temps en matière d'immortalité simulée. Kit songea alors : Je ne ressemblerai jamais à ce type, je ne parlerai jamais comme ça, jamais on ne me sollicitera ainsi. Il en conçut tout d'abord un terrible sentiment d'exclusion, la conviction cuisante que son lieu de naissance et ses origines lui interdiraient pour toujours ce monde de privilèges. Viendrait un moment où, ayant recouvré ses esprits, il se demanderait, à juste raison : Pourquoi ai-je *autant* voulu cela ? Mais, dans l'intervalle, sa vie avait semblé subir une éclipse.

Il se mit à guetter cet étrange commerce, dans le campus, en ville, aux cérémonies et réunions, et y vit bientôt un pas de deux prémédité entre les étudiants et les anciens, les premiers rêvant de reproduire les exploits des seconds. Oui, c'était sûrement ça.

En cours, avant de s'atteler à un problème, Gibbs aimait à répéter : « Imaginons que cette solution n'existe pas dans la nature. » Des générations d'étudiants, dont Kit, avaient pris la formule à cœur, dans toute sa promesse métaphysique. Bien que le vectorisme permît d'accéder à des régions que les cadres de Wall Street ne comprendraient sûrement jamais, et ne risquaient pas d'arpenter, on trouvait néanmoins un peu partout des sentinelles dépêchées par Vibe, embusquées ici et là, comme si Kit était une catégorie d'investissement, dont la croissance ne pouvait être suivie qu'au prix d'une surveillance de chaque minute – ratez un battement de paupière et vous passiez à côté de l'essentiel. Ou pire, comme s'il s'était agi d'emblée de l'enfoncer si loin dans sa tête qu'il ne pourrait plus rebrousser chemin. Eu égard à son esprit mathématique, Kit se retrouva pris entre des allégeances contradictoires, il comprit qu'il ne devait guère se détourner de la mécanique du monde donné, mais sentit dans le même temps qu'il y avait peu d'avenir en tant que Vectoriste dans la panoplie d'objectifs proposés par Vibe, dans la mesure où le magnat était incapable de concevoir le grandiose système de Gibbs, encore moins de tenir ses promesses à long terme.

« Parce que vous pigez ces gribouillages farfelus », s'emporta Scarsdale, quand il fut clair que le refus de Kit de devenir un héritier Vibe n'était pas une feinte réticence visant à rendre le marché plus profitable, « vous vous imaginez supérieur à nous ? »

« Il s'agit plutôt de savoir où tout ça mène », dit Kit, qui n'avait pas envie de se chamailler avec celui qui payait les factures.

«Tandis que nous autres restons en rade dans cette Création souillée, c'est bien ça?»

«Aurais-je donné cette impression? Tenez —»

Toujours obligeant, il lui remit un bloc de papier réglé à petits carreaux.

«Non, non, n'en faites rien.»

«Ça n'a rien de trop spirituel.»

«Jeune homme, je suis aussi spirituel que tous ceux que vous risquez de croiser dans l'institution naguère illustre que vous fréquentez.»

Vibe sortit d'un air digne, laissant une trace vibrante de vertu offensée.

Kit rêva qu'il se trouvait avec son père dans une ville qui était Denver mais pas vraiment Denver, dans une sorte d'étrange bastringue fréquenté par la lie, même si tout le monde se comportait avec une bienséance inhabituelle. Sauf Webb, qui hurlait: «L'Éther! Mais tu te prends pour qui, bordel? Un foutu petit Tesla? Qu'est-ce que ça peut te fiche, l'Éther?»

«Il faut que je sache s'il existe.»

«Personne n'a besoin de savoir ça.»

«Pour l'instant, Père, moi si. J'ai toujours pensé que les enfants venaient du Ciel…»

Il se tut, s'attendant à ce que Webb achève la pensée qu'il était soudain trop triste pour développer. Mais celui-ci, comme s'il n'avait pas la moindre idée de ce qui avait causé cette intensité, ne trouvait rien à répondre. Tous les autres, qu'ils fussent poivrots, tanneurs, opiomanes ou escrocs, ne leur prêtaient pas attention, préférant parler boutique, échanger des commérages et discuter sport. Il se réveilla. La main sur son épaule était celle de son intendant, Proximus. «Le Pr Vanderjuice vous attend au Labo Sloane.»

«Quelle heure est-il, Prox?»

«J'en sais rien, moi aussi je dormais.»

Alors qu'il remontait Prospect Street puis passait devant le cimetière, il fut envahi par le sentiment que quelque chose d'horrible allait se produire. Kit doutait qu'il s'agît de théories sur la Lumière, qu'il était en train d'apprendre ce semestre-ci avec le Professeur, lequel avait suivi les cours de Quincke à Berlin, bien avant Michelson et Morley, aussi y avait-il là une espèce de résidu éthérique distinct. Hors des murs de l'Université, au sud du Green, répandant de la bière dans la salle, soulignant son propos en agitant une part triangulaire de cette tarte italienne au fromage et à la tomate qu'on trouvait partout dans le quartier, le vieux hibou était fort heureusement d'une tout autre espèce, et évoquait les premiers temps de l'électricité sous les yeux médusés des étudiants les plus imbibés.

Kit parvint enfin au cloaque qu'était le bureau du Pr Vanderjuice, lequel l'attendait avec une expression solennelle. Il se leva et tendit au jeune homme une lettre, et celui-ci comprit immédiatement qu'elle contenait des nouvelles auxquelles il n'était pas préparé. L'enveloppe portait le cachet de Denver, mais la date était illisible, et quelqu'un l'avait déjà ouverte et avait lu son courrier.

> Cher Kit,
> Maman m'a demandé de t'écrire pour te dire que Papa est mort. On dit que ça s'est passé là-bas quelque part dans les monts McElmo. Et pas de « mort naturelle ». Reef a rapporté son corps et il est enterré au cimetière des mineurs de Telluride. Reef dit que tu n'as pas besoin de revenir tout de suite, Frank et lui vont s'occuper de tout. Maman tient bon, elle dit qu'elle savait que ça arriverait un jour, avec tous les ennemis qu'il avait, en sursis et tout ça.
> J'espère que tu vas bien et qu'on te reverra un jour. Continue d'étudier d'arrache-pied là-bas, ne pars pas et essaie de ne pas trop t'en faire pour ça, on est capables de faire ce qu'on doit faire.
> Tu nous manques.
> Ta sœur qui t'aime,
>   Lake

Kit examina l'enveloppe profanée, ouverte si impeccablement qu'elle trahissait l'intervention d'un coupe-papier de qualité. Chaque chose en son temps.

« Qui l'a ouverte, monsieur ? »

« Je l'ignore », répondit le Professeur. « On me l'a remise ainsi. »

« "On" ? »

« Le bureau du doyen. »

« Elle m'est adressée. »

« Ils l'ont gardée ici un temps… » S'interrompant comme pour réfléchir à la deuxième partie de sa phrase.

« Ce n'est pas grave. »

« Mon garçon… »

« Votre position. Je comprends. Mais si ça veut dire qu'on a hésité avant de me la remettre… »

«Nous faisons de notre mieux pour n'être pas totalement corrompus...»

«Néanmoins, nous avons là un indice. De complicité, tout au moins. Plus, peut-être, mais c'est tellement horrible...»

«Oui.» Les yeux du vieil homme avaient commencé à se voiler de larmes.

Kit hocha la tête. «Merci. Je vais devoir prendre une décision.» Il sentit au fond de lui la présence d'une petite fille blessée qui essayait de pleurer – pas de douleur, ni pour se concilier quiconque voudrait lui faire encore du mal, mais comme de peur d'être livrée en plein hiver aux rigueurs d'une ville réputée pour abandonner ses pauvres. Il n'avait pas pleuré depuis longtemps.

Il erra sans but, seulement désireux de rester anonyme dans la foule citadine, tout en recherchant la solitude. Il savait que rien, dans l'univers alternatif de l'analyse vectorielle, ne pourrait le rassurer ou l'aider à trouver une solution. Le Moriarty n'était pas encore ouvert, et un sandwich à la viande à la buvette de Louis Lassen aurait été le bienvenu si Kit avait été sûr de ne pas s'étouffer avec. Les bars de Canonical Eli n'étaient pas franchement ce qu'il lui fallait aujourd'hui. Il finit par s'arrêter au bout de Quinnipiac, au sommet de West Rock, s'allongea par terre et s'abandonna aux larmes.

Aucun Vibe ne mentionna son père, pas même Colfax – nulles condoléances, pas la moindre question concernant l'état d'esprit de Kit, rien de ce genre. Peut-être pensaient-ils qu'il n'était pas encore au courant. Peut-être attendaient-ils qu'il en parle. Peut-être qu'ils s'en fichaient. Mais il y avait une autre possibilité, toujours plus probable à mesure que le silence perdurait. Tous savaient, pour la bonne raison que — mais pouvait-il se permettre de pousser à son terme cette pensée ? Si ses soupçons se révélaient fondés, quel parti devrait-il prendre, alors ?

L'année universitaire filait *glissando* vers l'été, et les filles se demandaient pourquoi Kit ne venait plus danser avec elles. Un jour qu'il contemplait le Détroit, il remarqua une étrange et sombre présence géométrique là où, auparavant, ne se trouvaient que les rives brumeuses de Long Island. Au fil des jours, quand la visibilité le permettait, il constata que la chose en question *augmentait en hauteur*. Il emprunta un télescope à un camarade de classe, l'emporta au sommet d'East Rock, sans se préoccuper des couples enlacés et des fervents poivrots, et passa tout le temps qu'il put à étudier la progression verticale de la structure. Une tour, de forme apparemment octogonale, se dressait lentement. On ne parlait que de ça à New Haven. Très vite, la nuit, émanant plus ou moins de cette direction, jaillirent des éclairs de lumière multicolores dans tout le ciel, que seuls les naïfs les plus incurables prirent pour des éclairs de chaleur. Kit ne put s'empêcher de repenser à Colorado Springs et à la veille du 4 juillet 1899.

«C'est Tesla», confirma le Pr Vanderjuice, «il installe un autre transmetteur. J'ai cru comprendre que vous aviez travaillé avec lui dans le Colorado.»

«C'est un peu pour ça que je suis à Yale.» Kit lui parla de sa rencontre avec Foley Walker à Colorado Springs.

«C'est étrange», dit le Professeur. «J'ai travaillé un temps pour la société Vibe —» Il regarda autour de lui. «Ça vous dérange si on marche un peu?»

Ils s'enfoncèrent dans le quartier italien au sud du Green. Puis le Professeur parla à Kit de l'accord que Scarsdale et lui avaient passé à Chicago dix ans plus tôt. «Je n'en ai jamais tiré fierté. Ça a toujours eu de vagues relents criminels.»

«Vibe finançait Tesla mais voulait que vous sabotiez son travail?»

«Morgan faisait grosso modo la même chose, mais avec plus de résultats. Finalement, Vibe a compris qu'il ne pourrait jamais exister de système pratique de transmission d'énergie sans fil, que l'économie avait depuis longtemps conçu des moyens pour empêcher cela.»

«Mais Tesla est en train de construire un transmetteur.»

«Ça n'a pas d'importance. Si jamais il finit par représenter une menace pour les marchés électriques existants, ils n'auront qu'à le dynamiter.»

«Ils n'avaient donc pas vraiment besoin de votre anti-transmetteur.»

«À dire vrai, je n'ai jamais travaillé d'arrache-pied sur ce projet. Un jour, alors que je commençais à avoir des scrupules à accepter l'argent de Vibe, les chèques ont cessé d'arriver – pas même une lettre de licenciement. J'aurais dû arrêter plus tôt, mais ça s'est réglé tout seul.»

«Vous avez fait ce qu'il fallait», dit Kit d'un air malheureux, «mais plus tout cela dure, plus je leur suis redevable, et moins il y a de chances pour que je puisse me défausser. Que puis-je faire? Comment me racheter?»

«Pour commencer, vous pourriez vous convaincre que vous ne leur êtes redevable» – il ne dit pas «lui» – «de rien.»

«Ben voyons. Dans le Colorado, les gens se font descendre tout le temps pour ça. Ça s'appelle le poker.»

Le Professeur respira profondément, une ou deux fois, comme s'il se préparait à soulever un poids inhabituel. «Acceptez l'éventualité», dit-il d'un ton aussi égal qu'il le put, «que des forces pour l'instant anonymes vous corrompent. C'est leur politique inévitable. Ceux auxquels ils ne peuvent nuire dans l'immédiat, ils les corrompent. L'argent règle tout en général, or ils en ont tellement que personne ne voit d'objection morale à en refuser. Leurs victimes s'enrichissent, et quel mal y a-t-il à cela?»

«Et quand l'argent ne suffit pas...»

«Alors ils passent à ces viles et sourdes manœuvres dont ils ont fait leur spécialité, menées en silence. Ça peut prendre des années, et puis un jour l'argent cesse d'affluer, leur nature implacable revient à la surface, les biens sont placés ailleurs et rapportent davantage.»

Ils venaient de franchir le seuil d'un établissement «apizza». L'arôme était troublant, impérieux, pourrait-on dire. «Venez», dit le Professeur qui, en l'espace d'un an, était passé du simple tropisme à une pizzamania avancée, «ça vous dirait de manger une part?»

À mesure que ses rapports avec Scarsdale Vibe se réduisaient à d'annuelles insertions de la tête du magnat dans le Labo Sloane puis, finalement, et fort heureusement, à plus rien, Heino Vanderjuice finit par apercevoir, à une ou deux reprises, à la périphérie de son champ de vision, parmi les maçonneries rustiques et les ormes ondulants, un objet ailé et scintillant, et se demanda, bizarrement, s'il ne pouvait pas s'agir de son âme, dont il avait plus ou moins perdu la trace depuis 1893.

Sa conscience parut également recouvrer quelque sensibilité, comme si elle se remettait d'engelures. Un jour, alors qu'il discutait tranquillement avec le jeune Traverse, il prit sur une de ses étagères un ancien numéro de la revue scientifique anglaise *Nature* qu'il feuilleta jusqu'à ce qu'il tombe sur un article en particulier. «P.G. Tait sur les quaternions. Considère que leur mérite principal est d'être "uniquement adaptés à l'espace euclidien..." parce que – *visez*-moi ça – "Qu'ont à faire les étudiants en physique, en l'état, de plus de trois dimensions?" J'attire votre attention sur ce "en l'état".»

«Un étudiant en physique, dans un autre état, aurait donc besoin de plus de trois dimensions?» demanda Kit, intrigué.

«Eh bien, Mr Traverse, si jamais vous aviez envisagé cet "autre état", l'Allemagne vous paraîtrait l'endroit tout indiqué. L'*Ausdehnungslehre* de Grassmann peut être étendue à toutes les dimensions. Le Dr Hilbert, à Göttingen, est en train de mettre au point sa "Théorie spectrale", qui exige un espace vectoriel aux dimensions infinies. Son coadjuteur Minkowski pense que les dimensions finiront toutes par se dissoudre dans un *Kontinuum* d'espace et de temps. Minkowski et Hilbert, en fait, vont tenir un séminaire conjoint à Göttingen l'an prochain sur l'électrodynamique des corps mobiles, sans parler des travaux récents de Hilbert sur la théorie d'Eigenheit – les vecteurs occupent le devant de la scène, vous ne trouvez pas ça... comment dites-vous déjà? "sensass"?»

Transporté à l'idée qu'il pourrait bel et bien aider quelqu'un, le vieux professeur sortit pour ainsi dire *ex nihilo* un ukulélé fait d'un bois exotique foncé orné d'écailles de tortue et, après avoir gratté les huit mesures enjouées d'une intro, chanta:

LE RAGTIME DE GÖTTINGEN

Allez, viens, enfile ton manteau,
Et laisse à ta tendre un petit mot,
Puis monte à bord du prochain bateau
Et file en A-lle-ma-gneuuu —
Là-bas les profs sont tous barjos,
Ils se coupent ja-mais les tifs,
Mais bon sang, ce qu'ils sont in-tui-tiiifs!
Attends un peu et tu verras!
À peine tu auras
Embarqué pour Hambourg, que déjà
Tu te retrouveras à causer avec
Fe-lix Klein – t'occupe pas
Du loyer ni même des clés (bonjour,
Monsieur Hilbert! Ça va? Ravi de faire
Vot' connaissance, Minkowski!). Dis,
Tu crois que tu as fait le tour
Mais t'as rien vu tant que tu restes – ici!
Alors fais vite tes valises
Et passe à l'Est, petit Yankee,
Là-bas on sait croiser le fer, et le
Théorème des Quat' Couleurs
C'est bon pour les neuneus,
Eux, ce qu'ils aiment
C'est faire la bringue, flirter, et —
Danser le *Ragtime de Göttingen*!

«Oui, un endroit merveilleux, qui d'ailleurs compte parmi mes vieux terrains de manœuvres. Je reste en contact régulier, et je pourrais leur glisser un mot si vous voulez.»

Une plongée dans le vectorisme avancé. Plus moyen de rebrousser chemin. «Ma foi, je suppose que le plus important, c'est de s'occuper.»

Le Professeur l'observa attentivement un moment, comme s'il estimait la largeur d'une crevasse. «Ça marche pour certaines personnes», dit-il calmement. «Mais ce n'est pas un remède infaillible. Quand des tragédies humaines surviennent, on a toujours le sentiment que les savants et les mathématiciens sont en mesure d'affronter la situation plus sereinement que les autres. Mais il ne s'agit bien souvent que d'une forme de réalité où se réfugier, et tôt ou tard il faut payer.»

Kit avait du mal à suivre l'idée jusqu'à son terme. Il voulait faire confiance au Professeur, mais il était seul dans cette histoire. Il répondit : «J'essaie juste de résoudre un problème à la fois, monsieur, et de pas trop me soûler à mort le week-end.»

Il voulait faire pareillement confiance à Colfax, qui était somme toute un chic type, mais à force de voir des inconnus aller et venir dans le campus, le regard inquisiteur, en trop grand nombre pour que ça soit une coïncidence, il était devenu méfiant. Entre Colfax et lui régnait désormais une exquise et béate suspicion – qui savait quoi ? qui ne savait pas ? –, un entrelacs de doutes qui ne cessaient de se ramifier, sans que jamais rien ne soit exprimé ouvertement, juste des regards entendus et des circonlocutions. Colfax, en tout cas, n'avait jamais été l'incapable pour lequel son père le prenait. Du coin de l'œil, du sien comme de celui de Colfax, d'ailleurs, Kit avait surpris toute une gamme d'activités insoupçonnées.

En fait, Colfax s'intéressait considérablement à la mystérieuse tour de l'autre côté du Détroit. «Nous pourrions nous y rendre en bateau. Tu me présenterais ton copain le Dr Tesla.»

Ils longèrent le port pendant une demi-heure, poussés par la brise, parmi les parcs à huîtres de Fair Haven délimités par des poteaux. Quand ils s'engagèrent dans le Détroit, Colfax se mit à jeter des coups d'œil inquiets à l'eau et au ciel. «Ce vent me dit rien qui vaille», répétait-il. «Et la marée monte. Surveille nos arrières.»

Ils furent pris de court. Un instant ils regardaient les éclairs qui zébraient les cieux noirs au-dessus du Connecticut, et l'instant d'après ils donnaient de la bande et étaient entraînés vers la rive sous le vent de Long Island et l'imposante paroi de Wardenclyffe. En apercevant la tour, visible par intermittence dans les lambeaux de brume, Kit aurait pu s'imaginer entraîné par la tempête vers quelque île encore inconnue des cartographes, dans un tout autre océan, s'il avait eu le temps de s'adonner à pareille rêverie – mais il convenait de sauver le petit voilier, et de déjouer les éléments – d'écoper frénétiquement, en naviguant à la bordure libre sans même le temps de lever la bôme – tandis que le grand squelette de la tour se rapprochait dans la clameur océane, témoin solitaire et énigmatique de leur lutte désespérée.

Ils se trouvaient dans une «cabane» de transmission en maçonnerie conçue par McKim, Mead et White, et s'habituaient progressivement au fait d'être vivants et de nouveau sur la terre ferme. La femme d'un ouvrier leur avait apporté des couvertures et du café que le Dr Tesla avait fait venir de Trieste. De hautes fenêtres cintrées dispensaient une lueur pluvieuse.

Le jeune et mince savant au regard hypnotique et à la moustache à la Buffalo Bill avait reconnu Kit.

«Le Vectoriste.»

«Plus que jamais, je suppose.» Kit désigna, à l'autre bout du Détroit, l'endroit où se trouvait Yale.

«J'ai appris avec tristesse le décès du Pr Gibbs. Je l'admirais énormément.»

«J'espère qu'il a trouvé une meilleure demeure», dit Kit, plus ou moins machinalement, mais comprenant environ une seconde et demie plus tard qu'il avait également voulu dire *meilleure que Yale*, en ayant peut-être aussi à l'esprit l'âme défunte de Webb.

Quand Kit présenta Colfax, Tesla ne broncha pas. «Enchanté, Mr Vibe, j'ai eu avec votre père des démêlés guère plus cordiaux qu'avec Mr Morgan, mais le fils n'est pas le gardien du porte-monnaie du père, comme nous avions coutume de le dire à Granitza… en fait, comme nous ne l'avons jamais dit, car quelle occasion aurions-nous eue de dire une telle phrase?»

Sur les eaux et tout autour d'eux, la tempête faisait rage. Kit, frissonnant, oublia les courbures et les laplaciens, éventuels débutants, la caresse récemment prodiguée par les ailes du Silence, et écouta Tesla sans ciller.

«Ma patrie n'est pas un pays mais un artifice né de la politique extérieure des Habsbourg, que certains appellent "Frontière militaire", et nous autres "Granitza". La ville était toute petite, en retrait de la côte adriatique dans le Velebit, où certains endroits sont préférables à d'autres pour… comment dire? des expériences visuelles susceptibles de se révéler utiles.»

«Des visions.»

«Oui, mais il convenait d'être au mieux de sa forme mentale, sans quoi elles risquaient de n'être que des hallucinations d'un usage limité.»

«Dans les San Juan, on les a toujours attribuées à l'altitude.»

«Dans le Velebit, des rivières disparaissent, coulent sous terre pendant des kilomètres, refont surface de façon inattendue, se jettent dans la mer.

Il existe donc une région souterraine encore inconnue, permettant d'accéder à l'Invisible géographique, et – la question mérite d'être posée – pourquoi pas à d'autres sciences ? Je suis allé un jour dans ces montagnes, le ciel s'est soudain couvert, les nuages étaient de plus en plus bas, j'ai trouvé une grotte de calcaire, j'y suis entré, j'ai attendu. L'obscurité s'intensifiait, comme la fin du monde – mais pas de pluie. Je n'y comprenais rien. Je suis resté là en essayant de ne pas fumer trop vite mes dernières cigarettes. Puis un violent éclair venu de nulle part a fendu les cieux, et la pluie est tombée. J'ai réalisé alors que quelque chose d'énorme avait attendu, pour se produire, une décharge électrique d'une certaine ampleur. En cet instant, tout ça » – d'un geste, il désigna les nuages orageux dans le ciel, qui occultaient presque le gigantesque terminal toroïdal haut d'environ deux cents pieds, dont l'armature présentait un chapeau métallique d'aspect fongoïde – « était inévitable. Comme si le facteur temps avait été soustrait à toutes les équations, le Transmetteur amplificateur existait déjà dans ce moment, complet, parfait… Depuis, tout ce que vous avez lu dans la presse n'est qu'une pose pour la galerie – l'Inventeur au travail. Il m'est impossible de parler aux journalistes de ce moment de pure attente. On attend de moi que je sois *consciemment scientifique*, que je fasse preuve de qualités susceptibles d'attiser le mécénat – zèle, rapidité, sueur édisonienne, obstination, opportunisme. Si je leur disais à quel point la procédure est éloignée de la conscience, ils me laisseraient tous tomber. »

Soudain inquiet, Kit jeta un coup d'œil à Colfax. Mais son camarade de classe somnolait – à moins qu'il ne feignît, comme d'autres fidèles du clan Vibe, la semi-conscience.

« Je les ai fréquentés assez longtemps, Dr Tesla. Ils n'ont aucune idée de ce que nous trafiquons. » S'il avait attendu un instant de plus, cette expression de solidarité aurait été noyée dans l'ultime coup de tonnerre qui résonna derrière Patchogue Bay alors que l'orage, après avoir balayé l'île, se retirait en haute mer. Des ouvriers entraient et sortaient, le cuisinier revint avec une autre cafetière, la « cabane » sentait les vêtements humides et la fumée de cigarette, il aurait pu s'agir de n'importe quelle journée de travail à Long Island, les Napolitains et les Calabrais jouaient à la *morra* sous les avant-toits ruisselants, les chariots arrivaient avec du bois de charpente et des poutrelles métalliques, les fers à souder crachaient en silence des étincelles bleues sous la pluie.

L'endroit était spacieux, et on invita les jeunes hommes à y dormir. Tesla passa les voir un peu plus tard pour leur souhaiter bonne nuit.

« Au fait, dans le Colorado – ces modifications apportées aux transfos.

Vous aviez raison à ce sujet, Mr Traverse. Je n'ai jamais eu l'occasion de vous remercier. »

« C'est chose faite. Avec intérêts. Quoi qu'il en soit, ce que vous fabriquiez était assez évident. Les courbures devaient être appropriées, et construites en conséquence. »

« J'aimerais pouvoir vous proposer un poste ici, mais —», désignant du menton Colfax qui semblait dormir.

Kit hocha la tête, l'air sombre.

«Vous pouvez en douter aujourd'hui, monsieur, mais croyez-moi, vous ne risquez plus rien. »

« S'il y a quoi que ce soit —»

«Espérons que ça sera le cas. »

Le lendemain matin, les jeunes hommes profitèrent d'une voiture à cheval qui se rendait à New York. Colfax semblait observer Kit avec plus d'acuité que d'habitude. Ils étaient assis au milieu des sacs de patates, de choux, de concombres et de navets, et roulaient sur la bruyante et poussiéreuse route de North Hempstead, s'arrêtant de temps en temps à des saloons installés aux croisements.

«Ils ont dû lancer des recherches à l'heure qu'il est», supposa Colfax.

«Bien sûr. Si c'était mon fils, j'aurais réquisitionné toute la foutue Flotte atlantique. »

«Pas pour moi», rectifia, morose, Colfax. «Pour toi. »

Kit crut voir brusquement, comme éclairé à la lampe à arc, le chemin parcouru dans cette charrette. «Il n'aurait pas été trop difficile de me faire disparaître, Colfax. Tu n'aurais eu qu'à accomplir un de tes fameux lof pour lof en oubliant de dire "penche-toi", et laisser la bôme faire le travail à ta place. Ça doit arriver souvent sur ce Détroit. »

«Pas mon style», rougit Colfax, si troublé que Kit en déduisit qu'il venait de lui donner des idées. «Peut-être que si t'étais un vrai salopard... »

«Dans ce cas, c'est moi qui t'aurais fait passer par-dessus bord, non? »

«Eh bien, l'un de nous devrait se montrer un peu plus vicieux, plutôt que de rester tous les deux aussi malheureux. »

«Comment ça? Je suis aussi heureux qu'une huître de Long Island. Qu'est-ce que tu racontes? »

«C'est faux, Kit. Et *ils le savent* parfaitement. »

«Et moi qui pensais être la gaieté incarnée. »

Colfax attendit, mais pas longtemps, avant de le regarder dans les yeux. «Je les informe, tu sais. »

«Sur…?»

«Toi. Ce que tu fabriques, ce que tu ressens, ils ont droit à des rapports réguliers, depuis le début.»

«Que tu rédiges?»

«Que je rédige.»

Ni surpris ni blessé, mais laissant Colfax croire que ce pouvait être le cas: «Ça alors… je croyais qu'on était associés, Colfax.»

«Jamais dit que je trouvais ça agréable.»

«Hmmm…»

«T'es fâché.»

«Non. Non. Je me disais… Bon, imaginons que tu leur annonces que je me suis perdu dans cette tempête hier —»

«Ils n'en croiraient rien.»

«Ils continueraient les recherches?»

«Il te faudrait sacrément te cacher, Kit. Tu penses peut-être que c'est facile, ici, en ville. Mais très vite tu t'aperçois que tu fais confiance aux mauvaises personnes, des types qui pourraient même être à la solde de Papa.»

«Qu'est-ce que tu proposes, alors, bon sang?»

«Fais comme moi. Fais semblant. Tu as beaucoup parlé de l'Allemagne ces derniers temps, eh bien, voilà ta chance. Comporte-toi comme si notre sauvetage dans cette tempête tenait du miracle. Va au sud du Green, entre dans une église catholique, dépose une offrande votive. Dis à Père, qui est pieux en dépit des apparences, que tu as fait le vœu, si tu survivais à cette épreuve, d'aller étudier en Allemagne. Du genre, je sais pas, un pèlerinage mathématique. Foley se montrera un peu sceptique, mais il est possible de le duper lui aussi, et je peux t'épauler sur ce coup-là.»

«Tu m'aiderais vraiment?»

«Ne le prends pas mal, mais… j'y ai tout intérêt, tu ne crois pas?»

«Possible. Mieux que de boire la tasse.»

Au bout d'un moment, Colfax dit: «Il y a des gens qui le détestent, tu sais.» Il regardait Kit pour ainsi dire de biais, avec une once de ressentiment.

«Tu l'as dit, putain.»

«Écoute, Kit, sarcasme mis à part, c'est mon père.» Si désireux que Kit entende la vérité qu'on l'en aurait presque plaint. Presque.

Même en plein jour, les statues paraissaient sinistres – ce n'étaient pas des gargouilles, loin de là, mais elles saillaient de la façade avec détermination, comme pour contredire son aspect officiel, raides, crispées, fuyant la possibilité d'un asile, cherchant l'extérieur, la tempête, tout ce qui gèle, rugit, s'aventure dans la nuit.

Kit prit l'ascenseur jusqu'au dernier étage puis grimpa l'escalier en spirale, en acajou sculpté, qui menait aux bureaux de la Direction, accompagné dans sa progression par des vitraux relatant les divers incidents notables qu'avait connus la société Vibe. Main basse sur le Marché de la Saumure. La Découverte de la Neofungoline. Le Lancement du Steamer *Edwarda B. Vibe...*

J'aurais dû prendre des cours de rattrapage en Section Théâtre, se dit-il. Il frappa contre le panneau de bois foncé.

Foley Walker, l'adjoint dévoué, posait devant la fenêtre comme intronisé, sa silhouette se découpant dans la lumière marine, le visage rehaussé d'un fin contour argenté comme s'il était aussi connu qu'une effigie de timbre-poste, et proclamait : *Oui, voilà qui nous sommes, ce qu'il en est, de toute éternité, ce que vous devez attendre de nous, impressionnant, non ? Y a intérêt.*

« Cette histoire d'Allemagne », dit Scarsdale Vibe.

« Monsieur. » Kit s'était attendu à frissonner tel un jeune tremble dans le vent des montagnes, mais une lumière inhabituelle, une lumière déguisée en distance, l'avait au lieu de ça enveloppé subrepticement, lui apportant sinon l'immunité, du moins la clarté.

« Crucial pour votre éducation. »

« Je crois que je dois aller à Göttingen. »

« Pour les mathématiques. »

« Les mathématiques avancées, oui. »

« Les mathématiques avancées *utiles* ? Ou — »

Il eut un geste pour suggérer l'informe, à défaut du falot.

« Il arrive que le monde réel, le monde solide des affaires, de par son immense inertie, témoigne d'un certain retard », fit mine d'expliquer Kit, prudent. « Les Équations de Maxwell, par exemple – cela fait vingt ans que Hertz a découvert les véritables ondes électromagnétiques, voyageant à la vitesse de la lumière, exactement comme Maxwell l'avait établi sur le papier. »

« Vingt ans », sourit Scarsdale Vibe, affichant l'insolence de qui s'attend à vivre éternellement. « Je ne suis pas sûr d'avoir autant de temps devant moi. »

« Tout le monde espère sincèrement que c'est le cas », répondit Kit.

« Vous pensez avoir vingt ans devant vous, Kit ? »

Dans le bref silence qui suivit, tandis que la légère mais fatale insistance mise sur le « vous » résonnait, Scarsdale se dit qu'il venait peut-être d'abattre la mauvaise carte, tandis que pour Kit les choses se mettaient parfaitement en place, et il comprit qu'il ne pouvait laisser la moindre hésitation, et encore moins la colère, le trahir.

«Dans le Colorado», commença-t-il en s'efforçant de ne pas paraître trop circonspect, «entre les avalanches et les rafales venues du Nord, les hommes aux abois, désespérés et grossiers, les chevaux aussi, fin prêts à perdre la boule sans prévenir à cause de l'altitude et du reste, on découvre vite qu'il est impossible de savoir ce que l'avenir vous réserve, même d'une minute à l'autre.»

Près de la fenêtre, Foley émit un grognement sec, comme si on l'arrachait à un somme.

Le visage de Scarsdale Vibe s'épanouit, tâchant visiblement de contenir, non sans mal, une rage primitive, dont Vibe lui-même ne soupçonnait pas le potentiel nocif. «Vos professeurs sont unanimes pour vous recommander. La nouvelle devrait vous faire plaisir.» Il tendit à Kit un billet de bateau à vapeur, cordialement mais sèchement. «Cabine de première classe. Bon vent, monsieur.»

Tout cela était sans doute codé, mais les grandes lignes étaient claires. Vu les circonstances, Scarsdale Vibe apprécierait autant que Kit qu'un océan entier les sépare, et il était disposé à y mettre le prix pour qu'il en soit ainsi. De même qu'en 1863 il avait payé pour ne pas aller se battre, de même il avait continué à payer pour s'éviter de nombreux désagréments, y compris – quel doute y avait-il encore, bon Dieu? – Webb Traverse. La chose crevait les yeux, telle une conjecture implacable, bien qu'aucune preuve rigoureuse n'en fût jamais apportée.

N'attendant plus alors les moindres condoléances concernant Webb, comprenant que ce moment était passé à jamais, tel un résultat négatif excédant sa portée immédiate, Kit ressentit ce qu'il avait éprouvé la première fois qu'il était monté sur une bicyclette, le sentiment qu'il ne tomberait pas s'il continuait de progresser en douceur. Il n'aurait même pas besoin d'en faire trop pour dissimuler ses pensées, hormis pour cette lumière pure et régulière qu'il dissimulait au fond de lui – la certitude qu'il faudrait un jour solder les comptes – libre à lui de choisir le moment, des détails comme la manière et le lieu important moins que le signe égalité qu'il convenait de placer judicieusement...

«Merci, monsieur.»

«Ne me remerciez pas. Devenez le nouvel Edison.»

Vibe le fixait d'un air narquois, confiant dans sa puissance incontestée, sans imaginer un seul instant que tout ce qui soi-disant le protégeait venait d'être changé en verre – du verre qui à défaut d'être pulvérisé était pour l'instant façonné en une lentille permettant un examen rapproché et impitoyable, et qui peut-être un jour, disposée à une distance idoine, laisserait passer le rayon concentré de la mort. Et il aurait dû dire «Tesla», non «Edison».

Kit se retrouva sur le quai 14 de Grand Central Station à temps pour prendre le train de 15 h 55 qui allait à New Haven, sans savoir comment il était arrivé là, ayant apparemment, grâce à des réflexes de cheval de buggy, traversé la ville sulfureuse sans être incommodé par un tram aux freins déficients, des agresseurs armés, des chiens enragés, ou des policiers non corrompus, parvenant indemne devant la vibrante locomotive. Certains avaient toujours un endroit où aller, Kit, lui, avait les quais de départ, les embarcadères, les tourniquets, les seuils institutionnels.

Il ne savait toujours pas s'il s'en était sorti, ou s'il avait simplement mis sa vie en danger. À Pearl Street, les deux Vibe fumaient des cigares en dégustant du cognac.

«Difficile de percer son jeu», acquiesça Foley. «J'espère qu'on n'a pas un autre Rouge sur les bras comme son vieux.»

«Notre devoir n'en serait pas moins clair. Il y a des centaines d'abcès de ce genre qui suppurent sur le corps de notre République», une vibration oratoire s'emparant de la voix de Scarsdale, «qu'il convient d'éradiquer, où qu'ils se trouvent. Pas d'autre option. Les crimes de Traverse père sont plus qu'établis – une fois exposés, son compte était bon. Doit-il y avoir des réserves morales, dans une guerre de classes, quant aux coups à porter? Vous êtes dans la partie depuis suffisamment long-temps pour savoir à quel point les ailes derrière lesquelles nous nous réfu-gions sont puissantes. À quel point nous sommes à l'abri de ces fouteurs de merde de Rouges et de leurs tentatives pour souiller nos noms. À moins — Walker, aurais-je raté un épisode? Vous ne me faites pas le coup de la sensiblerie, quand même?»

La voix de Scarsdale n'étant pas la seule que devait écouter Foley, ce dernier se laissa aller, comme d'habitude, à des propos lénifiants. Il brandit son havane à l'extrémité incandescente. «Si vous trouvez un point sensible, servez-vous de ça pour l'éteindre.»

«Que nous est-il arrivé, Foley? Nous étions autrefois de superbes gail-lards.»

«Le passage du Temps, mais qu'y pouvons-nous?»

«Trop facile. Ça n'explique pas cette étrange furie que je sens dans mon cœur, ce désir de tuer tous ces foutus socialistes et consorts, sans plus de pitié que je n'en montrerais envers un microbe mortel.»

«Ça me semble raisonnable. On peut pas dire qu'on a évité les effu-sions de sang jusqu'ici.»

Scarsdale contempla par la fenêtre le paysage urbain naguère plaisant mais de plus en plus dégradé au fil des ans. «Je voulais tant y croire. Même en sachant que ma propre semence était maudite, je voulais que l'argument eugénique soit erroné. Dans le même temps, je convoitais la lignée de mon ennemi, que j'imaginais non contaminée, je voulais cette promesse, une promesse illimitée.»

Foley feignit de plisser les yeux à cause de la fumée de son cigare. «Une attitude chrétienne», commenta-t-il enfin, d'un ton aussi égal qu'il le put.

«Foley, le baratin religieux m'agace autant que le premier pécheur venu. Mais c'est un tel fardeau de s'entendre dire qu'il faut les aimer, tout en sachant qu'ils sont l'Antéchrist en personne, et que notre unique salut consiste à nous occuper d'eux à notre façon.»

Le fait qu'il avait été réveillé ce matin-là par un cauchemar récurrent de la guerre de Sécession expliquait en partie l'humeur sombre de Foley. Le combat était confiné dans une zone pas plus grande qu'un terrain de sport, même si des milliers et des milliers d'hommes y avaient été rassemblés. Tout était brun, gris, enfumé, sombre. Un long tir d'artillerie avait commencé, depuis des positions situées bien au-delà des limites du petit champ de bataille. Il s'était senti oppressé par l'imminence de la catastrophe, d'un engagement suicidaire de l'infanterie dont nul ne réchapperait. Un tas d'explosifs non loin, un haut râtelier bancal en bois, plein d'obus et autres munitions, rougeoyait, sur le point de prendre feu et d'exploser à tout moment, une cible idéale pour les boulets de canon de l'autre camp, qui continuaient de s'abattre, dans un bourdonnement terrible, ininterrompu…

«Je n'ai donc pas eu ma guerre», venait de dire Scarsdale. «Et c'est tant mieux. J'étais de toute façon trop jeune pour apprécier ce qui était en jeu. Ma guerre civile était encore à venir. Et voilà que nous sommes en plein dedans maintenant, et qu'on n'en voit pas le bout. L'invasion de Chicago, les batailles de Homestead, le Coeur d'Alene, les San Juan. Ces communards parlent une purée de langues étrangères, leurs armées sont ces maudits syndicats de travailleurs, leur artillerie est la dynamite, ils assassinent nos grands hommes et font sauter nos villes, et leur but est de nous dépouiller de nos biens durement acquis, de diviser et subdiviser entre leurs hordes nos terres et nos maisons, de nous écraser, nous, nos vies, tout ce que nous aimons, afin que nous soyons aussi avilis et souillés qu'eux. Ô Seigneur, Toi qui nous as dit de les aimer, à quelle épreuve soumets-Tu notre esprit, quelles ténèbres jettes-Tu sur notre entendement, pour que nous soyons incapables de reconnaître la main du Malin?

«Je suis si las, Foley, je me suis trop longtemps débattu dans ces eaux ingrates, je suis tel un vaisseau égaré dans une tempête qui, jamais, ne se calmera. L'avenir appartient aux masses asiatiques, aux brutes pan-slaves, Dieu miséricordieux, à la noire et grouillante progéniture de l'interminable Afrique. Nous ne pouvons plus tenir. Devant ces marées nous devons succomber. Où est notre Christ? notre Agneau? la Promesse?»

Voyant son désarroi, Foley ne songea qu'à le rassurer: «Dans nos prières —»

«Foley, épargnez-moi ça, ce que nous devons faire, c'est commencer à les massacrer en quantité suffisante, car tout le reste a échoué. Toutes ces idioties – "égalité", "négociation" – quelle farce cruelle, et pour les deux camps. Quand le peuple du Seigneur est en danger, on sait très bien ce qu'il convient de faire.»

«Frapper.»

«Frapper tôt et souvent.»

«J'espère que personne ne nous entend.»

«Dieu nous entend. Quant aux hommes, je n'ai aucune honte à faire ce qui doit être fait.» Une étrange tension s'était emparée de ses traits, comme s'il essayait de réprimer un cri de plaisir. «Mais vous, Foley, vous me semblez – presque – nerveux.»

Foley réfléchit rapidement. «Mes nerfs? De la fonte.» Il ralluma son cigare, l'allumette ferme. «Prêt à tout.»

Sentant la répugnance qu'éprouvait l'Autre Vibe à porter le moindre crédit à des rapports extérieurs, Foley, qui d'habitude estimait avoir une bonne compréhension des choses, avait fini, en proie d'abord à la réticence puis au bout d'un temps à l'inquiétude, par trouver inutile de prendre la parole. Le quartier général de Pearl Street lui faisait de plus en plus l'effet d'un camp retranché et Scarsdale celui d'un dirigeant isolé dans sa fantaisie. Ce dernier n'avait plus dans les yeux cette lueur franche et avide qui le caractérisait. La flamme avait disparu, comme si Scarsdale avait accumulé tout l'argent qu'il voulait et passait maintenant à d'autres chapitres de sa biographie, entreprenant une action à large échelle dans ce vaste monde qu'il croyait comprendre mais – même Foley s'en rendait compte – qu'il ne parvenait plus à interroger correctement. À qui Foley pouvait-il confier cela?

À qui, en effet? Il entrevoyait finalement le pire des dénouements, et chaque fois la conclusion était la même. Ça n'avait rien d'effrayant, bien que s'y résoudre ne fût pas évident – peut-être pas un massacre à l'aune irresponsable et sanglante des Bulgares ou des Chinois, non, c'était plus, disons, dans la tradition américaine modérée de la baie du Massachusetts ou de l'Utah, des hommes vertueux qui croyaient entendre Dieu leur murmurer dans les recoins les plus amers de la nuit – et que Dieu vienne en aide à quiconque pensait autrement. Ses voix à lui, qui n'avaient jamais feint d'être autres que les siennes, rappelaient à Foley sa mission, à savoir empêcher l'Autre Foley, en menant ses affaires à la Scarsdale Vibe, de s'abandonner à de grisantes effusions de sang, la sombre promesse révélée aux Américains pendant la guerre de Sécession, obéissant depuis lors à sa terrible inertie, tandis que les vainqueurs républicains harcelaient les Indiens des Plaines, les grévistes, les immigrants rouges, quiconque n'était pas une matière assez docile dans les moulins du nouvel ordre au pouvoir.

« Il existe une infime frontière », avait laissé un jour entendre le magnat, « entre tuer le bon vieil anarchiste et éliminer toute cette foutue tribu. Je ne sais toujours pas trop quel parti prendre. »

« Ils sont des milliers, et nous en avons zigouillé déjà pas mal », dit Foley. « Pourquoi s'embêter à faire le tri ? »

« Ce jeune Christopher, par exemple. Il est différent. »

Foley n'était pas naïf. Il s'était rendu à Cooper Square et dans le Tenderloin, avait passé une soirée, peut-être deux, dans des bouges où les hommes dansaient entre eux ou s'attifaient comme Nellie Noonan ou Anna Held et chantaient pour les foules de « tantes », ainsi qu'ils s'appelaient les uns les autres, et tout ça n'aurait été qu'un nouvel exemple de dépravation citadine, s'il n'y avait eu le désir. Qui n'était pas simplement réel, mais trop réel pour qu'on l'ignore. Foley en était arrivé à ces conclusions, avait appris à ne pas mépriser les désirs d'autrui.

Certes, arracher Kit à la misère rocheuse des San Juan pour le faire venir ici avait été un acte de salut, tout comme élever dans la foi chrétienne l'enfant d'un sauvage meurtrier qu'on a été contraint de tuer. La raison, donc, ou ce qui en tenait lieu à Pearl Street, entra en ligne de compte, et une décision fut prise concernant la famille de Webb. Mayva recevrait un traitement mensuel, à partager entre Lake et elle. Frank se verrait proposer un poste en or quand il sortirait de l'École des Mines du Colorado. Reef – « Lequel, en fait, ne s'est pas manifesté depuis un temps… Encore un joueur itinérant – tôt ou tard il refera surface et sera sûrement le moins cher, le genre à se contenter de la mise modeste qu'il n'a jamais espéré gagner. »

Mais une voix, différente de celles qui s'adressaient à Foley, s'était élevée, et ne voulait plus se taire. « Certains pourraient appeler ça *corrompre la jeunesse*. Ça ne lui a pas suffi de payer un assassin pour éliminer un ennemi, il faut maintenant qu'il corrompe les enfants de la victime. Tu as souffert à la bataille de Wilderness puis à celle de Cold Harbor, où tu t'es débattu trois jours durant entre deux mondes, et c'est pour ça que tu as été sauvé ? Pour être l'esclave sournois, nerveux, comploteur d'un esprit affaibli ? »

Dans le train qui la ramenait dans l'Est, Dally ne se mêla guère aux autres voyageurs, ayant appris très tôt que les trajets ferroviaires étaient fort prisés, ces temps-ci, des cow-boys poètes, lesquels abondaient dans les wagons à l'ouest de Chicago avec les escrocs, les filles du rail et les pickpockets. Ces rêveurs s'installaient dans les pullmans et s'émerveillaient de tout pendant des heures, se présentaient comme « Raoul » ou « Sebastian », engageaient la conversation avec de jeunes épouses de la prairie qui allaient rejoindre leur mari ou venaient de le quitter sans que le nom dudit mari soit vraiment prononcé. Dans les salons drapés de velours et les voitures de restauration, privés et publics, en mouvement ou à l'arrêt, ces oiseaux gâtaient les appétits et retournaient les estomacs. Le café refroidissait dans la tasse. Les méchants abdiquaient, tournaient les talons et s'éloignaient à grands pas, le sommeil se répandait tel un gaz irrésistible, et ces trouvères du Far West n'en finissaient pas de s'extasier.

Revoir Chicago – si on lui avait demandé quel effet ça lui faisait, ce qui n'était pas le cas, elle aurait été incapable de décrire avec précision ses sentiments, et de toute façon elle n'eut pas le temps de voir grand-chose au moment de la correspondance. Quelque part dans sa tête, elle s'était imaginé que, parce que la Ville blanche avait existé un temps à côté du lac, dans Jackson Park, elle avait dû agir comme de la levure dans du pain et insuffler à la cité tout entière une sorte de grâce. Quand le train entra dans Chicago, elle fut abasourdie par l'immensité, l'accumulation des styles architecturaux, qui se pressaient, s'élevaient vers le cœur de gratte-ciel. Ça lui rappela vaguement les pavillons de l'Expo, ce brouet de peuplades exotiques. Elle regardait par la vitre, dans l'espoir d'apercevoir sa Ville blanche, mais elle ne vit que celle, obscurcie, de la journée, et comprit qu'un processus inverse était à l'œuvre, qui vouait la pierre à la gravité plutôt que de l'alléger.

Enfin parvenue à New York, elle contempla la cohue, vit les ombres des oiseaux glisser sur les murs éclaboussés de soleil. Au coin de la rue, sur Grand Avenue, des cabriolets aussi seyants et somptueux que des lits de courtisanes se frayaient un chemin, les chevaux progressant en une parfaite synchronie. Les trottoirs grouillaient d'hommes en complet noir à col montant blanc et raide, dans l'éclat prégnant du soleil qui partait à l'assaut des quartiers chics, changeant en tubes de lumière les hauts-de-forme luisants, projetant des ombres qui paraissaient quasiment solides… Les femmes, elles, étaient parées de couleurs plus claires, de jabots, de revers criards, elles arboraient des chapeaux de velours ou de paille hérissés de fleurs artificielles, de plumes et de rubans, et leur large bord incliné plongeait les visages dans une pénombre juvénile aussi délicate que la peinture ou le fard. Un visiteur venu de très loin aurait presque cru voir deux espèces distinctes, entretenant fort peu de rapports…

Quand l'heure du déjeuner se fit sentir, pour sa première journée en ville, Dally alla manger dans un restaurant. L'endroit était gai, tout en carreaux blancs et étincelants, les plats en argent tintaient contre la vaisselle robuste. L'odeur caractéristique, et conviviale, de la popote américaine. Des serviettes propres et roulées en tube attendaient dans les verres. À côté de chaque longue tablée se dressait une espèce de mât surmonté d'un ventilateur électrique, avec une petite grappe d'ampoules électriques, chacune dans son globe en verre, juste en dessous de ce qui devait être, songea Dally, le bloc-moteur. Pas de crachoirs en vue, ni de fumeurs de cigare – pas de nappes non plus, bien que les plateaux de marbre des tables fussent scrupuleusement briqués par des filles en robe blanche cintrée et petit nœud papillon noir, leurs cheveux relevés en chignon impeccable, qui débarrassaient et dressaient les tables.

« On cherche du boulot, ma jolie ? Alors faut t'adresser à la dame là-bas, Mrs Dragsaw. »

« En fait, c'est juste pour déjeuner. »

« Va te servir. Tu vois la queue un peu plus loin ? Si t'as besoin de quoi que ce soit, je m'appelle Katie. »

« Moi, c'est Dahlia. T'es du sud de l'Ohio, on dirait. »

« Eh oui, de Chillicothe. Pas toi ? »

« Non, mais j'y suis passée une ou deux fois, belle ville, on y chasse pas mal le canard dans mon souvenir, non ? »

« Quand c'était pas le canard, c'était la grouse. Mon père nous emmenait tout le temps avec lui. On attendait surtout en se les gelant, mais maintenant ça me manque. Tout le monde ici est végétarien, bien sûr. »

« Oh, pauvre de moi, je salivais à l'idée d'une belle tranche de bœuf. »

« Les ragoûts sont pas mauvais d'habitude… tu as un endroit où rester, Dahlia ? »

« On s'y emploie, merci. »

« Fais gaffe où tu mets les pieds. Un pas à la fois. »

« Katie ! »

« Elle a des puces dans sa culotte, aujourd'hui, celle-là. Bon – tu sais où me trouver. » Elle se retira dans l'éclat hygiénique de l'établissement.

Dally trouva un hôtel modeste pour jeunes femmes dont le loyer ne mangerait pas trop vite son pécule, et entreprit de battre le pavé en quête d'un boulot. Un jour qu'elle s'était aventurée dans le quartier des théâtres après avoir travaillé comme apprentie chez un accordeur d'orgues, emploi qu'elle ne conserva guère longtemps du fait, supposa-t-elle, de son absence de pénis, elle tomba par hasard sur Katie qui sortait d'une allée avec un air lugubre. « Encore un refus », marmonna Katie. « Comment je vais devenir Maude Adams à ce compte ? »

« Oh, je suis désolée. La même chose vient de m'arriver. »

« C'est New York. L'irrespect a été inventé ici. Mais pourquoi faut-il qu'ils se préoccupent de l'âge ? »

« Donc… tu es actrice. »

« Je suis serveuse au restau végétarien de Schultz, le Brauhaus, qu'est-ce que tu voudrais que je sois d'autre ? »

Deux jours plus tard, elles étaient attablées dans un établissement chinois de Pell Street, et parlaient boutique.

« Modèle pour artiste », s'écria Dally, « vraiment ? C'est si romantique, Katie ! Pourquoi ne pas avoir accepté ? »

« Je sais que c'est du travail et que j'aurais dû sauter dessus, mais mon rêve c'est les planches. » Il y avait pire pour gagner sa vie dans cette ville misérable, pire que ce que pouvaient imaginer les gens, lui assura Katie.

Hormis le chop suey, qui était surtout prisé des bourgeois, l'endroit sentait la cuisine sérieuse. Les ventilateurs en bois au plafond tournaient lentement, brassant les fumées de tabac, d'huile d'arachide et probablement d'opium, faisant onduler les rubans de papier rouge qui annonçaient le menu du jour en caractères chinois. Il y avait de la sciure par terre et de la nacre incrustée dans le mobilier d'ébène. Des lanternes, des étendards en soie, des dragons dorés et des images de chauves-souris partout dans la salle. Les habitués mangeaient des ailerons de requin, des vers marins et du jambon parfumé, buvaient du vin de poire, au milieu de dizaines de Blancs bien habillés qui enfournaient d'énormes platées de chop suey et exigeaient du rabiot, souvent grossièrement.

Une bande de jeunes Chinois entra alors, tous au pas, silencieux, vêtus de complets américains sombres, les cheveux pommadés, avec des favoris allant de courts à inexistants, et se dirigea vers le fond de l'établissement tandis que les clients chics continuaient de bavarder, insouciants.

« Les Macrobates », murmura Katie. « Du sérieux. Rien à voir avec les rigolos que tu rencontreras d'habitude. »

« Si je décroche le boulot », lui rappela Dally. « T'es sûre que tu veux pas plutôt le prendre ? Même s'il n'y a pas de planches ? »

« Chérie, tu es exactement ce qu'ils cherchent. »

« C'est pas pour me rassurer, Kate. Tu leur as dit quoi ? »

« Oh… j'ai laissé entendre que t'avais déjà joué la comédie. »

« Ah. Avec les shérifs et les inspecteurs des impôts, peut-être. »

« C'est la plus dure des écoles. »

Comme la foule commençait à se clairsemer, « La séance va commencer dans deux minutes », dit Katie. « Viens, on va prendre le raccourci. »

Elle saisit Dally par le bras et l'entraîna vers la sortie du fond. Les Macrobates avaient tous disparu. Une fois dehors, les deux filles empruntèrent des rues étroites grouillantes de commerçants chinois et de coursiers, guidées bientôt par les cris que poussait, un peu plus loin, une jeune blonde américaine avenante en déshabillé, laquelle se débattait avec deux brutes du coin qui souhaitaient apparemment l'entraîner dans une bouche d'égout. « C'est Modestine. Elle doit prendre, disons, *un bref congé*, et c'est toi qui vas la remplacer. »

« Mais ils la — »

« Ce sont des acteurs. La traite des Blanches comme véritable commerce n'est conseillée qu'à ceux qui recherchent les ennuis permanents. Allez. Dis bonjour à Mr Hop Fung. »

Hop Fung, tout de noir vêtu, les fusilla du regard et baragouina en chinois. « Ça veut dire bonjour », murmura Katie. Le hardi Fils du Ciel avait commencé sa carrière comme garçon de course ou guide touristique, mais Chinatown était trop proche du Bowery pour le tenir longtemps à l'écart des attraits du *show business*, et il imagina bientôt — littéralement, car son bureau à cette époque était une fumerie d'opium près de Pell Street — de courts mélodrames manifestant un sens aigu des fantasmes du gogo occidental. « Histoires chop suey ! » dit-il à Dally et Katie. « On leur donne plein ! Relevé et épicé ! O.K. ? Commencer demain ! »

« Pas d'audition ? » s'étonna Dally, qui s'aperçut que Katie la tirait par la manche.

« Un petit tuyau », dit-elle tout bas, « si tu veux vraiment te lancer dans cette carrière — »

«Cheveux roux! Taches de rousseur! Audition assez O.K.!»

Et c'est ainsi que Dally s'engagea dans l'industrie de la traite des Blanches simulée et les tunnels de Chinatown, qu'elle apprit quelques-uns des signes et codes quasi impénétrables, une région reculée de la vie, cette vie secrète des villes que toutes ses années gitanes avec Merle lui avaient toujours refusée... Chaque matin, elle prenait le métro jusqu'à la Troisième Avenue, achetait un café à un vendeur garé sous les rails, et se rendait tranquillement au bureau de Hop Fung pour faire le point sur les horaires des *comediettas*, horaires qui changeaient d'un jour à l'autre, et quand elle approchait du croisement de Mott et Canal elle prenait soin de regarder devant, derrière et sur les côtés, car c'était ici le quartier général du tong de Tom Lee, les On Leong – et elle essayait d'éviter complètement Doyers Street, qui était une sorte de no man's land entre les On Leong et le tong rival, les Hip Sing, une bande basée au croisement de Doyers et Pell. Les deux organisations se battaient sérieusement depuis 1900, quand le méchant bandit Macro arriva en ville et rallia les Hip Sing, incendiant le dortoir On Leong du 18 Mott et s'emparant de Pell Street. Il était impossible de savoir à l'avance quand éclateraient des batailles rangées ni où, même si Doyers semblait le terrain de combat de prédilection, la courbe décrite par la rue en son milieu répondant au nom d'«angle sanglant».

Entre-temps, Dally avait emménagé avec Katie, qui vivait en plein quartier irlandais dans le centre-ville, entre la Troisième et la Sixième Avenue. Au bout de quinze jours, elle eut comme public des visiteurs huppés qui l'admiraient bouche bée, installés dans des chars à bancs touristiques, en compagnie de dames de la campagne qui se cramponnaient à leur chapeau comme si leur épingle allait faillir dans la tâche qui lui était assignée. Les passants qui faisaient ou ne faisaient pas partie du spectacle prenaient la pose comme dans un tableau vivant, ne cherchant pas à intervenir. Dally criait: «Ah, bande de scélérats!», «Épargnez-moi!» et «Si seulement vos mères savaient!», ne récoltant de la part de ses ravisseurs que des rictus et des ricanements encore plus hideux, tandis qu'ils l'entraînaient vers l'inéluctable trou métallique dans la rue, en veillant à ramasser en vue d'un usage ultérieur tous les articles vesti-mentaires «arrachés» à sa personne, qui étaient en fait précairement fau-filés ensemble avant chaque spectacle, afin de les détacher exprès et d'ajouter un élément «piquant» à la scène.

La rumeur se répandit. Toutes sortes d'employés du monde du spec-tacle vinrent voir Dally à l'œuvre, y compris l'infatigable imprésario R. Wilshire Vibe, toujours à l'affût d'un nouveau talent, et qui écumait

Chinatown depuis des semaines. Il était parfois déguisé en ouvrier, ce qui pour lui consistait à porter des demi-guêtres et des cravates sur mesure venues directement de Londres, même s'il opta bientôt pour la simplicité, et l'éclat atténué, sans doute à dessein, de son couvre-chef bleu pâle fit que Dally elle-même s'emmêla dans une réplique ou deux, ce que personne ne remarqua. Après ça, il se présenta avec une timidité inhabituelle tandis que les machinistes chinois s'impatientaient près d'eux, pressés d'installer le nouveau décor.

«J'envisage de mettre quelque chose de ce genre dans mon prochain projet, *Pagaille à Shanghai*, et il y aurait peut-être un rôle pour vous.»

«Uh, huh.» Elle regarda autour d'elle pour voir qui pourrait l'aider au cas où ce pékin se révélerait un de ces enquiquineurs sur lesquels une fille tombait, à New York, toutes les deux minutes.

«C'est tout ce qu'il y a de sérieux», lui tendant sa carte. «Demandez à n'importe qui dans le milieu. Ou venez vous balader dans Broadway, et vous verrez deux ou trois spectacles de mon cru qui se jouent à guichets fermés. Mais la question importante dans l'immédiat c'est: Êtes-vous liée par contrat?»

«J'ai signé quelque chose. Mais c'était en chinois.»

«Ah, mais c'est souvent le cas. La langue chinoise est d'une simplicité déconcertante à côté d'un contrat standard en anglais. Pas d'inquiétude, ma chère, nous allons régler ça.»

«Oui, et voici mon associé, Mr Hop Fung, et je dois filer, ce fut un plaisir de parler avec vous.» Elle tendit sa main un peu comme l'aurait fait, pensa-t-elle, une actrice, mais eut la surprise d'entendre ce beau parleur passer sans heurt à ce qui ressemblait à de l'authentique chinois. Hop Fung, qui ne se départait quasiment jamais de son air renfrogné multi-usage, se fendit d'un sourire si étincelant qu'elle se demanda un instant si c'était bien lui.

Peu de temps après, l'argent de la production commença à arriver mystérieusement, des sommes importantes, en général sous forme de lingots. La distribution fut agrandie et on ajouta d'autres effets de scène fantaisie. Soudain, des scélérats entraient et sortaient par les portes et les bouches d'égout plus vite qu'on peut dire «chop suey», en jacassant à toute vitesse dans leur impénétrable jargon. De sinistres et jeunes soldats tong vêtus d'une cotte de mailles sous leur complet occidental arrivaient en courant, esquivant et tirant des balles de .44, tandis que la fumée conférait vite à la scène un flou pittoresque. Des chevaux, qu'on avait dressés à cette intention, se cabraient et hennissaient. Une petite escouade de police fonçait dans Pell Street jusqu'à la scène, pendant que d'autres policiers, dont on comprenait qu'ils étaient à la solde du tong rival, remontaient Mott en chargeant et en agitant leur matraque, puis les deux groupes se heurtaient au croisement et, à coups de bâton, se disputaient pour savoir à qui revenait la juridiction de l'outrage, lequel bien sûr se poursuivait. Des casques en forme de gland étaient délogés et roulaient dans le caniveau.

Il se produisit alors une chose étrange. Comme si ce coûteux simulacre avait fini par basculer dans la «vraie vie», la guerre des tong reprit de plus belle dans le quartier, on entendit des coups de feu la nuit. Macro lui-même apparut dans la rue, accroupi dans sa célèbre posture pivotante, tirant avec deux revolvers à la fois dans toutes les directions tandis que les charrettes à bras étaient détruites et que les piétons plongeaient à couvert. Les riches visiteurs étaient mis en garde contre les coins de Chinatown qu'il valait mieux éviter sauf s'ils recherchaient les désagréments. Le rôle de Dally dans la traite des Blanches semblait de plus en plus précaire. Des collègues qu'elle avait pris pour les pires voyous qui soient se révélaient des artistes sensibles craignant pour leur propre sécurité. On vit Hop Fung avaler des cachets d'opium par pleines poignées. Doyers Street baignait dans des miasmes sinistres de silence.

«Je devrais peut-être chercher un autre boulot. Katie, t'en penses quoi?»

«Et ton vieux pote R. Wilshire Vibe?»

«J'arrive pas à savoir si c'est du sérieux.»

«Oh. R.W. est aussi sérieux qu'eux», lui assura Katie, «mais c'est un milieu changeant, pour ne pas dire impie, et je connais personnellement plus d'une fille qui a connu quelques déconvenues, dont notre Modestine chérie.»

«Son congé —»

«Oh, naïve enfant. Il existe des fermes dans le nord de l'État pour ce genre de choses, et ces salauds de richards trouvent ça parfois moins cher que d'engager un ruffian pour la dessaler. Moddie a eu de la chance.»

«Eh bien, merci de m'avoir embringuée là-dedans, Katie.»

«Je ne parle pas des Chinois, qui sont de bout en bout des gentilshommes, leurs arrangements ne valent que pour leur race. Il se trouve que Moddie a voulu quitter ce respectable environnement pour les jungles cruelles des Blancs aisés.»

«Bon, je crois que je vais mettre mon casque colonial et partir à l'autre bout de la ville.»

«Si tu entends parler de *deux* boulots…»

Dally trouva R. Wilshire dans ses bureaux de la Vingt-Huitième Rue

Ouest. Un peu partout au-dehors, par les fenêtres ouvertes, montait une clameur évoquant un orchestre uniquement composé de pianos de bastringue. «Horrible, n'est-ce pas?» R. Wilshire l'accueillit gaiement. «Nuit et jour, et pas un de ces beaux instruments n'est accordé. On appelle ça Tin Pan Alley.»

«Je vous imaginais davantage dans un décor de marbre.»

«Je dois rester proche des sources de mon inspiration.»

«Il veut dire "voler tout ce qu'il peut"», dit en souriant un monsieur corpulent aux cheveux blancs en costume à carreaux magenta et safran, qui tenait à la main ce qui se révéla être un sac rempli d'os à moelle.

«Il est à la recherche de numéros canins libres de droits», expliqua R.W. «Con McVeety, dis bonjour à Miss Rideout.»

«Je cherche également quelqu'un pour les cartons», dit McVeety.

«Pour les quoi?»

«Je suis dans le vaudeville.» Derrière McVeety, R.W. pointait frénétiquement le pouce vers le bas. «Faites pas attention à lui, il est juste jaloux. J'ai besoin de quelqu'un de présentable qui ne boit pas et puisse présenter les cartons avant chaque numéro. Dans le bon sens, si possible.»

«McVeety», dit tout bas R.W. «Tu veux lui dire, ou je m'en charge?»

Il se trouvait que McVeety avait le chic pour dénicher les pires numéros qui soient en ville, des numéros qui se soldaient invariablement non seulement par des sifflets mais aussi par un bannissement définitif, et ce même lors des Nuits Amateurs du Bowery les moins reluisantes – spectacles que McVeety avait pris depuis longtemps l'habitude de lorgner des coulisses, attendant la fatale venue du Crochet, capable souvent de signer avec des artistes avant même que la gaffe n'entre en contact avec leurs personnes, les engageant séance tenante dans des endroits aussi douteux que des toilettes publiques, des pas-de-porte de bouges vendant illégalement de l'alcool et, un temps, des fumeries d'opium de Mott Street, jusqu'à ce que quelqu'un lui fasse remarquer que les opiomanes ont leurs propres distractions.

«J'ai cru comprendre que la situation à Chinatown était devenue de plus en plus dangereuse», dit R.W. «Il faut que vous soyez franchement aux abois pour travailler pour cette pègre.»

«Ces tenants du drame à la sauvette ne sont plus dans le coup», feignit de confier Con. «Le Bowery est le véritable cœur du show-biz américain.»

«Je regrette de n'avoir rien à vous proposer», dit R.W. en haussant les épaules. «Dès que les finances se seront améliorées, peut-être —»

«Il veut dire dès qu'il trouvera un bookmaker qui aura laissé la caisse sans surveillance», dit en ricanant McVeety. «Je paierai sept dollars cinquante la semaine, en liquide et à l'avance.»

«C'est ce qu'un cogne débutant touche comme pot-de-vin», dit Dally. «Je croyais qu'on parlait art ici.»

Les deux autres paires de sourcils dans la pièce se haussèrent et s'abaissèrent, et il s'ensuivit peut-être une discussion silencieuse. Quoi qu'il en soit, McVeety proposa: «Dix?» et l'affaire fut conclue.

À ce stade de sa carrière, McVeety parvenait tout juste à réunir chaque semaine le loyer d'un *dime museum* qui lui avait coûté une chanson, et qu'une enseigne criarde avait rebaptisé THÉÂTRE DE MCVEETY. Les précédents propriétaires ayant mis un certain empressement à lever les voiles, divers articles avaient été oubliés, les habituels dogues bicéphales en bocaux et les cervelles de personnalités historiques en saumure, certaines ayant déjà macéré bien avant l'invention de ladite saumure, un Bébé Venu de Mars, le Scalp du Général Custer, certifié authentique, quoique ayant transité après Little Big Horn par une théorie de marchés parallèles au nombre desquels le Mexique et le Lower East Side, une Blatte Sauvage Australienne en cage de la taille d'un rat d'égout dont personne n'avait envie de s'approcher, et cætera. McVeety réorganisa tout ce capharnaüm en une élégante exposition qu'il intitula *Ripopée de curiosités* et exposa dans le foyer de son théâtre. «Ça les met dans l'ambiance avant le début du spectacle.»

À son grand désarroi, Dally dut reconnaître qu'il fallait bel et bien *motiver les troupes*. Sa prestation était rendue difficile par un public peu habitué, voire rétif, aux textes écrits, et très vite McVeety lui permit d'annoncer oralement et brièvement, du mieux qu'elle pouvait, les divers numéros. Parmi ceux-ci figurait celui du Pr Bogoslaw Borowicz, qui présentait ce qu'il appelait un «Spectacle au Sol», spectacle qui, suite à sa compréhension erronée de l'idiome local, était constitué littéralement de *sols*, et plus généralement de fragments de sols, détachés et volés en divers lieux de par la ville – à Steeplechase Park, dans la gare de Grand Central, à McGurk sur le Bowery («... vous remarquerez d'intéressantes textures de jus de chique et de sciure...») –, d'étranges carrelages provenant de chantiers qui soulevaient des questions de mathématiques avancées sur lesquelles le Professeur s'étendait alors de façon stupéfiante, ainsi que des «dompteurs» d'animaux empaillés dont le répertoire de «tours» tendait vers le rudimentaire, des sujets narcoleptiques qui avaient maîtrisé l'art subtil mais guère prisé de *s'endormir debout*, ce qui au bout de trois minutes, voire moins, obligeait le public, pourtant passablement opiacé, à se battre pour sortir, et des savants fous aux folles inventions, chaussures lévitantes, duplicateurs de billets de banque, machines à mouvement perpétuel dont même les spectateurs les plus zinzin comprenaient qu'elles ne pourraient jamais fonctionner sur une durée aussi longue que l'éternité, et, très souvent, en fait, des chapeaux – en particulier Le Phénoménal Dr Ictibus et Son Chapeau Auto-Déflecteur. Cet ingénieux couvre-chef avait été inventé afin de parer à la classique éventualité urbaine d'un lourd coffre métallique chutant depuis une fenêtre située en hauteur sur la tête d'un piéton infortuné.

« Partant du fait que toute masse concentrée est en réalité une distorsion locale de l'espace en soi, il existe exactement une seule surface, définie par un tenseur métrique ou disons une équation, enregistrée au Bureau américain des brevets, qui, incorporée à un modèle de chapeau adéquat, supportera la charge d'impact de n'importe quel coffre connu tombant d'une altitude moyenne, ne transmettant au porteur que le plus trivial des vecteurs résultants, une brève tape sur la tête tout au plus, tout en propulsant le coffre vers le plus proche caniveau. Odo, mon assistant que voici, va se faire un plaisir de fixer, hisser et lâcher tout coffre que vous, mesdames et messieurs, souhaiterez lui indiquer, et ce directement sur le sommet de mon crâne, n'est-ce pas, Odo ? »

« Unnhhrrhhh ! » répondait Odo, avec un empressement que d'aucuns auraient jugé déplacé, bien qu'en coulisses Dally trouvât le jeune homme poli et doté d'une élocution soignée, s'efforçant de mettre de côté assez d'argent pour ouvrir son propre musée de curiosités, peut-être plus loin dans les quartiers chics, et tous deux prirent l'habitude d'aller boire un café ensemble après la dernière représentation.

De temps en temps, parmi les visages mal rasés et les têtes surmontées de casquettes, elle apercevait R. Wilshire Vibe, toujours en compagnie d'une jeune actrice aspirante, ou, comme préférait le dire R.W., d'une *figurante*, différente à chaque fois. « Je passais juste », disait-il à Dally, « je ne vous ai pas oubliée, vous avez pu voir *Frasques africaines* ? C'est en gros une revue exotique, avec deux gars qui seront bientôt les nouveaux Williams et Walker. Tenez, prenez quelques brochures. En ce qui concerne *Pagaille à Shanghai*, disons que c'est presque au point, la partition est écrite, le plus dur maintenant c'est de faire s'aligner tous les pigeons sur le rebord de la fenêtre, si je puis m'exprimer ainsi. »

Pendant ce temps, McVeety avait décidé de monter une version Bowery du *Jules César* de William Shakespeare, intitulée *Les métèques attaquent*, pour laquelle Dally fit un essai, décrochant, à sa grande surprise, le rôle de Calpurnia, que McVeety avait décidé de rebaptiser Madame César, les rivales pour ce rôle ayant été une habituée du marché noir du nom d'Elsie-N'a-Qu'Une-Dent et Liu Bing, la petite amie d'un guerrier tong qui cherchait un autre genre d'emploi, et dont la connaissance de l'anglais, à la fois élisabéthain et actuel, se révéla d'une fâcheuse imprécision. Après avoir refusé cette dernière, toutefois, McVeety reçut la visite de son galant et de quelques-uns de ses collègues, tous munis de .44 et de hachettes, ce qui ouvrit à l'imprésario de toutes nouvelles perspectives quant à la distribution. « Il ne s'agissait que de deux répliques », s'excusa-t-il auprès de Dally. « Vous vous en êtes bien mieux sortie, c'est certain, mais ainsi je sauve ma peau. Je suppose qu'on n'a qu'à faire comme si elle parlait latin. »

« Mouais. J'aimais bien cette histoire de pluie de sang sur le Capitole. »

« Bienvenue dans le métier », dit Katie quand Dally rentra en rouspétant. « *Courage*, Camille, ce n'est que le premier acte. »

« En attendant », délaçant son corset, « cet olibrius de Vibe organise une fête samedi soir prochain, et il m'a dit que je pouvais venir accompagnée. Ça ne t'intéresse sûrement pas, la dépravation des riches, tout ça... »

« Pourquoi ça ne m'intéresserait pas ? Est-ce que Lillian Russell porte un chapeau ? Aucun rapport, ma fille – voyons voir, Verbena me doit une faveur, je sais qu'on peut lui emprunter sa robe de bal rouge —»

« Katie, pour l'amour du Ciel. »

« Non, pas pour toi, tu seras mieux avec les cheveux dénoués, dans quelque chose d'un peu plus — ce qu'ils appellent "ingénu"... »

Elles se rendirent dans les beaux quartiers pour se trouver des robes de bal. Katie connaissait une couturière qui travaillait au second soussol du grand magasin I.J. & K. Smokefoot et avait une option sur les vêtements retournés ou à peine démodés qu'on pouvait récupérer pour une bouchée de pain. Smokefoot était situé sur l'Avenue des Dames, suffisamment au nord pour être encore au fait des modes, mais suffisamment proche d'autres magasins de son genre pour permettre aux clientes de passer leur journée à faire des emplettes. Avec sa façade quasiment dénuée d'ornements, dressant ses douze niveaux d'une grise modernité sur l'équivalent d'un pâté de maisons, il aurait pu passer, aux yeux d'un visiteur venu d'ailleurs et assez chanceux pour se trouver un poste d'observation tranquille, pour un monument destiné à être seulement admiré, plutôt que pour un temple du commerce. Les dimensions de l'endroit ne relevaient pas de la folie des grandeurs mais avaient plutôt été dictées par le besoin d'une superficie au sol permettant de maintenir rigoureusement en place un voile séparant deux mondes distincts – les espaces ingénieusement illusoires destinés à la clientèle, et la topographie plus ingrate que hantaient les vastes régiments silencieux de caissières, chauffeurs, emballeurs de colis, employés de livraison, couturières, créatrices de plumes, messagers en livrée, balayeurs et commis de toutes sortes qui circulaient, invisibles, partout, tels des spectres zélés, se frôlant parfois, de leur respiration prudente, dans l'agitation théâtrale des étages lumineux et froufroutants.

Telles deux statues s'animant brièvement et se mettant à échanger des plaisanteries, sans se soucier du grandiose spectacle qui se dressait face à elles, les deux jeunes femmes se dirigèrent vers l'entrée de la Sixième Avenue, flanquée de part et d'autre de deux portiers aux superbes uniformes, vivants piliers devant la sereine inertie desquels on était contraint de passer – ou pas. Que le «videur» aux cheveux gominés fasse son boulot dans le Bowery, que les grilles électriques des demeures de la Cinquième Avenue s'ouvrent et se ferment au lointain contact d'un bouton – ici, à I.J. & K. Smokefoot, sans un mot ni le moindre geste, à la seule vue de ces piliers, la visiteuse pouvait savoir assez vite à quel degré de l'échelle sociale elle se situait.

«Jachin et Boaz», dit Katie, en désignant les deux hommes d'un hochement de tête. «Les Gardiens du Temple, les Premiers Rois ici.»

«Mais ces deux-là vont-ils nous laisser entrer, à ton avis? Et s'ils refusent?»

Katie lui tapota l'épaule. «Plus facile ici que par l'entrée de service, ma fille. Regarde-les droit dans les yeux, esquisse un sourire et, en passant, continue de les regarder de biais, comme si tu flirtais.»

«Moi? Je suis qu'une gamine.»

L'intérieur était tout ce que l'extérieur n'était pas – lumineux, ornemental, impeccablement balayé, l'endroit embaumait le parfum et les fleurs coupées et vibrait d'un luxe intense, comme si les foules des avenues voisines avaient été écrémées pour n'en retenir que les femmes particulièrement à la mode, et que ces dernières avaient toutes été réunies là en cet instant. Dally s'imprégnait du spectacle quand Katie la prit vivement par le bras. «Non mais vise un peu ces vieilles rombières, je te jure.»

«Hein? Tu trouves?»

«Bon, allons jeter un œil, tant qu'on y est.»

Elles prirent l'Escalator Otis, un moyen de transport récemment mis au point que Dally trouva miraculeux, même quand elle eut vaguement deviné son fonctionnement. Katie, qui l'avait déjà emprunté, n'était plus impressionnée. «On a le droit de s'épater, mais avec modération, je te prie, on est à New York. Tout paraît beaucoup plus merveilleux que ça ne l'est.»

«C'est sûr qu'on est loin de Chillicothe.»

«Bon, ça va.»

Comme c'était sa première incursion dans un grand magasin, Dally dut passer par les habituelles humiliations : elle prit une ou deux fois un mannequin pour une vraie femme, ne parvint pas à dénicher l'étiquette d'un vêtement, vit avec inquiétude arriver deux jeunes clientes, bras dessus bras dessous, qui ressemblaient en tout point à Katie et elle, toutes deux observant Dally avec une étrange familiarité, de plus en plus proches jusqu'à ce que Katie la secoue en murmurant : «Seuls les rustres foncent dans les miroirs, petite.» Quand elles parvinrent au dernier étage, Dally baignait déjà dans une sorte d'hébétude.

Ce n'était rien, non, presque rien, ça aurait pu être un simple mannequin, posté sur l'autre versant du profond patio central qui s'élevait de façon vertigineuse sur douze niveaux, avec juste une rambarde en fer forgé et filigrané pour protéger les visiteurs d'une plongée vers le rez-de-chaussée, le long des diagonales tranquillement ascendantes de l'escalier mécanique et une réplique à échelle réduite des Yosemite Falls, jusqu'à la minuscule harpiste dissimulée par les ombres des palmiers qui, vue d'en haut, semblait appartenir au royaume de l'Au-Delà. Là, sur l'autre rive de ces grands fonds hypnotiques où s'envolaient des arpèges, une silhouette féminine dans un ensemble à carreaux gris et violets, la plume d'aigrette de son chapeau aussi souple qu'une main, requérait toute l'attention de Dally sans pour autant la regarder franchement. Devant la clarté de l'apparition, Dally sut qu'il lui fallait se reprendre au plus vite, car si elle n'en faisait rien, elle allait se précipiter de l'autre côté en hurlant pour serrer dans ses bras cette femme qui n'était bien sûr peut-être qu'une simple inconnue, la gêne serait immense, il s'ensuivrait éventuellement des poursuites judiciaires, car le mot qu'elle crierait serait : «Maman!»

Leur expédition se déroula alors dans une nébuleuse incohérence. Dally se rappelait un thé accompagné de sandwiches au concombre, une interprétation horriblement sirupeuse à la harpe de *Sa mère ne lui a jamais dit*, deux jeunes matrones huppées qui scandalisèrent le salon de thé en allumant des cigarettes – mais rien de tout cela ne se tenait, les détails étaient comme des cartes jetées sur la table de la journée qui, une fois examinées, ne pouvaient être ordonnées en une main satisfaisante.

Tout en se rendant au sous-sol, Dally scruta chaque niveau à la recherche de la femme, mais cette dernière, grande, blonde et, qui sait, irréelle, avait disparu. Par ailleurs, la harpiste n'était pas une jeune femme éthérée en robe de soirée mais un malabar qui mâchonnait un cigare, récemment sorti de prison, du nom de Chuck, et qui reluqua gentiment Katie et Dally quand elles passèrent devant lui.

Au sous-sol, Katie se renseigna, puis son amie Verbena émergea de coulisses invisibles et les entraîna dans une zone encore plus reculée, mal éclairée, où les conversations étaient inexistantes, soit qu'elles fussent interdites soit qu'il y eût trop de travail ; des tuyaux crasseux suspendus à des fixations corrodées couraient au plafond, l'odeur des dissolvants, des teintures et de la vapeur des fers à repasser envahissait tout l'espace, des midinettes glissaient en silence comme des spectres, des portes s'ouvraient sur d'autres salles grouillantes de femmes assises devant des machines à coudre, qui ne levaient pas les yeux de leur ouvrage sauf, furtivement, quand elles sentaient approcher leur chef.

Elles prirent le métro à la Sixième Avenue jusqu'à Bleecker Street. Une lueur rose abricot s'attardait dans le ciel, un vent du sud-est apportait l'arôme de café torréfié de South Street, et elles entendaient passer les bateaux sur le fleuve. C'était samedi soir à Kipperville. Des jeunes gens barbus couraient en tous sens, pourchassant des filles en robe teinte en rouge turc. Des jongleurs sur des monocycles faisaient leurs acrobaties sur le trottoir. Des Nègres accostaient les passants en brandissant de petits flacons de poudre blanche, interrogeant avec espoir les visages. Des camelots vendaient des épis de maïs et des pigeonneaux rôtis sur canapés. Des enfants braillaient sous les fenêtres ouvertes des appartements. Des bourgeois venus s'encanailler dans des endroits comme Chez Maria, sur MacDougal, se lançaient de joyeux : « Vous savez où nous allons ? »

R. Wilshire Vibe vivait dans une demeure italianisante à laquelle l'architecte n'avait pu s'empêcher d'ajouter des ornements de style Arts-Déco. Elle était située dans la partie nord de la rue, avec des ginkgos en façade, une pergola, et des écuries à l'arrière.

Des majordomes les accueillirent en s'inclinant, et elles gravirent un escalier donnant sur une salle de bal dominée par un énorme lustre en verre, d'un éclat aveuglant, à l'aplomb duquel trônait une sorte de canapé circulaire en peluche lie-de-vin à jupe de glands dorés, orné de coussins en satin aux nuances assorties, permettant d'accueillir entre huit et seize non-danseurs, chacun faisant face à l'extérieur radialement, en un dispositif qualifié avec un brin d'ironie d'anti-tapisserie, car les personnes qui s'y asseyaient entre deux danses se retrouvaient non sans gêne au centre du vaste salon tandis que la compagnie tournoyait autour d'elles sur un parquet rendu parfaitement lisse par des frictions répétées à la semoule de maïs et à la pierre ponce – les murs, eux, étaient réservés à la collection d'œuvres d'art de R.W., qui requérait un œil tolérant et, à l'occasion, un estomac plus que rompu aux divagations nauséeuses.

Il y avait des palmiers partout, des aréquiers, des palmiers nains et chinois, depuis les spécimens de serre trapus dans des pots recouverts d'osier jusqu'aux variétés de vestibule de trente centimètres de haut en passant par les majestueux cocotiers et dattiers aux racines profondes qui s'élançaient dans les hauteurs de la salle de bal par des ouvertures pratiquées spécialement pour eux dans les étages et plafonds intermédiaires, créant une sorte de jungle où des formes de vie exotiques glissaient, se pavanaient et de temps en temps ondulaient, demi-mondaines aux paupières fardées, hommes aux cheveux mi-longs, artistes de cirque, soubrettes en tenue délurée passant avec des plateaux de Perrier Jouët, dames de la haute arborant sur leur sein des broches orchidées Tiffany d'un orange aussi éclatant que des flammes, transfuges de Wall Street qui se réunissaient près des immenses salles de bains, où l'on disait que R. Wilshire avait fait installer des téléscripteurs dans chaque cabinet d'aisances.

À un bout de l'immense salle, sur une estrade, un petit orchestre jouait des morceaux choisis de diverses productions de R. Wilshire Vibe. Miss Oomie Vamplet chantait *Oh quand tu me parles ainsi*, un air qui l'avait rendue célèbre dans son rôle de Kate Chase Sprague dans *Roscoe Conkling*.

Abandonnée par Katie au profit d'un individu à la mise modeste qui se prétendait imprésario et qui n'aurait pas dupé votre grand-mère, Dally franchit des portes-fenêtres donnant sur l'extérieur. Vue depuis le jardin du toit, par-delà les masses confuses d'ombres grises et brunes, les fenêtres éclairées au gaz et les réverbères vigilants sous les rails surélevés, au loin, la ville illuminée se tendait vers un ciel indigo comme si la nuit avait plus ou moins oublié de tomber, et l'avait épargnée dans son rêve doré tout en façades éclairées.

Le jeune homme était accoudé à un parapet et observait la cité. Elle l'avait remarqué dès qu'elle était entrée. Il était plus grand que la plupart des convives, bien qu'encore «novice», habillé de façon presque trop discrète, comme pour exhiber son inexpérience. La cause en était probablement la fumée omniprésente, mais le fait est que ses traits lui parurent, même vus de près, inaltérés – et ce peut-être à jamais – par la dureté du monde telle qu'elle la connaissait. Du coup, elle pensa aux gamins avec lesquels elle jouait, brièvement, dans des villes qu'ils traversaient autrefois, à cette innocence ingrate des vendeurs de journaux qui promettaient aux foules du soir des braquages grandioses, des incendies, des meurtres et des guerres avec des voix aussi pures que devait l'être celle de ce jeunot – non, il n'était pas prêt, pas assez, pour ce qui l'attendait, tôt ou tard, qu'il soit riche ou autre, mais elle doutait qu'il le fût, elle connaissait à présent ces jeunes nantis, c'était le genre de gosse du Bowery qui avait besoin d'être affranchi, c'est tout.

Il se retourna alors et sourit, d'un air vaguement préoccupé, peut-être, et elle eut soudain conscience de ce chiffon juvénile que Katie l'avait presque forcée à acheter, avec son col montant et ses mètres de volants stupides pour danser dans les granges… et en violet congo! avec des parements écossais! Aaahhh! Mais à quoi pensait-elle? À rien? C'était la faute de ce moment quasi surnaturel à Smokefoot, supposa-t-elle, ce spectre maternel en gris et violet qui lui avait complètement faussé le jugement. Elle ne se rappelait même plus combien avait coûté la robe.

Il venait d'ouvrir un étui à cigarettes et lui en proposait une. Cela ne lui était encore jamais arrivé, et elle ne savait pas quoi faire. «Ça ne vous dérange pas si je…»

«Pas du tout», dit-elle, ou quelque chose d'à peu près aussi sophistiqué.

Dans la salle, un roulement de tambour, un coup de cymbales et un bref arrangement de *Funiculi, Funicula* retentirent, tandis que les lumières étaient mystérieusement tamisées en un frais crépuscule intérieur.

«Ça vous dit?» lui faisant signe de rentrer la première. Mais quand elle se retourna, il avait disparu.

Mazette, ça ne traînait pas.

Près de l'orchestre, un bel homme d'un certain âge en tenue de magicien donna un coup de baguette sur le verre de vin qu'il tenait, en déclarant: «Il n'est pas facile de boire une pierre semi-précieuse, mais dans un monde de pierre, boire quoi que ce soit d'autre est un luxe coûteux.» Il retourna le verre, libérant une pluie d'améthystes et de grenats. Quand il le redressa, il était à nouveau rempli de vin, qu'il but.

Dally sentit une pression inhabituelle contre sa jambe et baissa les yeux. «Charmante tenue», commenta une voix onctueuse qui semblait émaner, et émanait bel et bien, de la région du coude de Dally, appartenant à un dénommé Chinchito, un nain de cirque effronté qui se produisait actuellement dans le Bowery, et dont la présence dans ces réunions, d'après Katie, était liée à son appétit sexuel, sans parler d'un organe tout à fait disproportionné pour sa stature. «Et si tu allais voir ailleurs», suggéra Dally, sur un ton où affleurait néanmoins une once de fascination. Chinchito prit la chose avec une suavité façonnée par des années de rebuffades. «Tu sais pas ce que tu rates, poupée», dit-il avec un clin d'œil, et il s'éloigna d'un pas tranquille, vite englouti par la foule.

Mais Dally n'était pas au bout de ses peines. Elle fut ensuite abordée par un beau parleur aux cheveux gris d'un lustre aveuglant, arborant une énorme émeraude au petit doigt, qui l'obligea à accepter moult verres d'un étrange liquide incandescent puisé dans un bol à punch jusqu'à ce qu'elle voie des images de nickelodéon sur le papier peint.

«Je n'ai pas manqué de vous admirer à Chinatown. Et je pense n'avoir jamais raté un spectacle. Vous faites une captive si attrayante», et avant même qu'elle ait eu le temps de réagir il s'était apparemment emparé d'un de ses poignets sur lequel il refermait d'exquises menottes en argent.

«Je ne crois pas», dit une voix calme quelque part, et Dally fut entraînée vers une boîte ouvragée portant la mention MALLE MYSTÉ-RIEUSE par une haute silhouette en cape qui se révéla être l'assistante du magicien.

«Allez, vite. Entre là-dedans.» Dally n'était pas du genre à défaillir, mais les circonstances étaient idéales, car juste avant que la porte se ferme, l'air parut s'éclaircir et elle reconnut cette même femme qu'elle avait vue la veille à Smokefoot, et qui portait à présent un collant de danseuse et une cape en velours toute ruisselante de paillettes. S'insinua dans les narines de Dally, alors, quelque chose d'intemporel, d'avant le souvenir ou les premiers mots, le parfum entêtant du muguet.

Elle aurait presque eu le temps de bafouiller «Ben ça alors, mais qu'est-il arrivé à mon cerveau?» quand, à cause d'une sorte de sédatif dans le punch – si Katie avait raison concernant le clan Vibe, la chose était plus que probable –, Dally s'évanouit, ou plutôt éprouva une étrange éclipse de temps, à la fin de laquelle elle prit conscience d'une porte qu'elle aurait dû voir depuis le début mais qu'elle ne put ouvrir qu'à ce moment. Elle se retrouva dans le Lower West Side, au pied de son immeuble, Katie était assise sur le porche dans son costume écarlate, en train de fumer une Sweet Caporal. L'aube venait juste de se lever. Les magiciens qui l'avaient sauvée n'étaient nulle part, tout comme leur Malle Mysté-rieuse, que Dally chercha autour d'elle mais qui avait également disparu.

«Tu vas bien?» demanda Katie en bâillant et en s'étirant. «Je ne te demanderai pas si tu t'es bien amusée, parce que je sais que c'est le cas.»

«C'est très étrange, parce qu'il y a tout juste une minute —»

«Pas besoin de te justifier, il était absolument charmant.»

«Qui ça?»

«Comment ça, "qui?", pas besoin de jouer les timides avec moi. Je t'avais dit que cette robe ferait des miracles.»

«Katie.» Elle s'assit à côté de son amie, dans un frou-frou de taffetas. «Je ne me rappelle absolument que couic.»

«Pas même le *nom* de ce tour de magie, je parie.» Avec une telle nuance de regret dans le ton que Dally, interloquée, voulut lui tapoter l'épaule quand elle se souvint soudain de la femme à la cape pailletée.

«Tu vas t'en aller maintenant», dit Katie en soupirant, «et sûrement pour de bon.»

«Jamais de la vie.»

«Oh, Dahlia. Tu l'as toujours su.»

«C'est bizarre. Oui. Mais je ne savais pas que je savais. Pas avant qu'elle...», secouant la tête d'étonnement, «... vienne me chercher?»

La résidence Zombini, que Dally reconnut pour l'avoir vue sur son numéro désormais corné du *Dishforth's Illustrated Weekly*, était une sorte de «pension» agrandie au sein d'un immeuble récemment élevé dans le haut de Broadway, que Luca avait choisi pour sa ressemblance avec le Palais Pitti à Florence, et qu'il qualifiait de *grattacielo* ou gratte-ciel, car le bâtiment comportait douze étages, tous hauts de plafond. Les pièces semblaient se succéder sans fin, on y trouvait quantité d'automates humains et animaux, assemblés et démontés, de cabinets d'escamotage, de tables qui flottaient en l'air et autres mobiliers truqués, de mannequins de Davenport aux yeux cernés et aux traits sinistres, de longueurs de velours d'un noir parfait et de brocart de soie multicolore fourmillant de scènes orientales, de miroirs, de cristaux, de pompes pneumatiques et de valves, d'électro-aimants, de porte-voix, de bouteilles qui ne se vidaient jamais et de bougies qui s'allumaient toutes seules, de pianos mécaniques, de zoétropes, de couteaux, d'épées, de revolvers et de canons, plus quelques cages pleines de colombes blanches sur le toit...

«Ce qu'on pourrait qualifier de maison de magicien», dit Bria, qui lui avait fait visiter l'endroit. Sortant juste d'une représentation, encore vêtue de son costume rouge à paillettes de lanceuse de couteaux, elle ressemblait à une nonne méditant un mauvais tour, dans la mesure où la chose était envisageable. Elle ne cessait de décocher des sourires asymétriques à Dally, qui devaient sûrement avoir un sens mais qu'elle n'arrivait pas à décrypter.

Elle trouva que ses nouveaux frères et sœurs formaient une petite troupe avertie et prévenante, sauf quand ils se montraient horriblement impossibles à vivre. Les plus grands travaillaient sur scène avec leurs parents, allaient à l'école, avaient des mi-temps en ville, et savaient aussi bien frapper le tapis avec une tête qui n'était pas la leur que s'asseoir ensemble paisiblement le dimanche matin, certains assis sur les genoux d'un autre, pour lire *Little Nemo* dans le *Journal*. Au nombre de leurs habitudes les plus répugnantes figurait celle consistant à boire l'eau fondue de la glacière. Les plus jeunes – Dominic, Lucia et le bébé Concetta – vivaient dans un gai capharnaüm de poupées et de maisons de poupées, de jouets sonnants et roulants, de tambours, de canons et de cubes alphabet, de crachoirs en majolique et de flacons vides de laxatifs Castoria.

Dally n'était pas dans la maison depuis dix minutes que Nunzi et Cici l'abordèrent.

«T'as besoin de monnaie sur un *quarter*?» demanda Cici.

«Et comment!»

«Deux *dimes* et un *nickel*, ça te va?»

Elle vit Nunzi rouler des yeux, et quand elle regarda dans sa main, ô surprise, Cici, l'expert ès pièces de la famille, avait empoché et échangé les *dimes* contre des pièces de trois *cents*, augmentant ainsi sa petite fortune.

«Bien joué», dit Dally, «mais regarde bien ce *quarter*.»

«Un instant, où est-il? Je viens juste de — »

«Hé, hé, hé», Dally faisant rouler la pièce entre ses phalanges, opérant deux ou trois passes, puis l'extirpant au final du nez de Cici.

«Hé – ça te dit le numéro de La Corde Indienne?» demanda Nunzi en sortant de sa poche un bout de corde et une énorme paire de ciseaux, tandis que Cici et lui fredonnaient en chœur le thème familier de *La Forza del Destino*, enroulant la corde d'une façon alambiquée, la découpant en plusieurs tronçons, agitant un carré de soie, puis restituant la corde en un seul morceau, intact.

Reconnaissant là un tour élémentaire, «C'est fastoche», dit Dally, «mais attends un peu, je croyais que le coup de la Corde Indienne c'était quand on grimpait le long d'une corde tendue toute seule verticalement et qu'on disparaissait.»

«Non», dit Cici, «ça, c'est le "Numéro Indien de la Corde", là on parle du numéro de "La Corde Indienne", d'accord? Vu qu'on a acheté la corde dans le Bowery, à un Indien, du coup c'est une corde indienne, ce qui — »

«Elle a pigé, *cretino*», dit son frère en lui assenant une tape sur le crâne.

Concetta arriva à quatre pattes, aperçut Cici et leva les yeux vers lui, deux billes énormes brillant d'impatience. «Ah, la petite Concertina!» s'écria Cici, en prenant sa sœur dans ses bras comme si c'était un accordéon et feignant d'en jouer, tout en chantant une chanson extraite de son vaste répertoire signé Luigi Denza, pendant que l'enfançon couinait en chœur sans faire de véritables efforts pour se dégager.

Dally s'était toujours dit que si jamais elle retrouvait Erlys, elle en aurait le souffle coupé ou quelque chose de ce genre. Mais ayant été intégrée dans le chaos familial sans guère de formalités, telle une aimable inconnue, elle recherchait juste des occasions de les étudier toutes les deux – Erlys quand celle-ci, apparemment, ne la regardait pas, puis elle-même dans l'un des miroirs en pied ou accrochés un peu partout dans les pièces –, guettant des ressemblances.

Même sans ses chaussures de scène, Erlys était plus grande que Luca Zombini, et nouait ses cheveux blonds en macarons, desquels les tresses les moins dociles continuaient, au fil du jour, à s'échapper. Dally, estimant que la façon dont une femme s'occupe, dans son continuum de soins, de ses caprices capillaires permet d'entrapercevoir une autre facette de sa personnalité, découvrit, à son grand soulagement, qu'Erlys laissait très souvent s'écouler des journées entières sans se soucier des mèches rebelles, bien qu'elle fût réputée pour souffler sur les plus obstinées à entraver sa vision.

Erlys était partout, déambulant dans les pièces éloignées, se dépensant sans qu'on la voie ou presque, souriant, parlant peu, même si ses enfants semblaient connaître et respecter ses attentes mieux que celles de leur père. Dahlia en vint à se demander si ce n'était pas là un «tour» de plus, accompli au moyen d'une assistante passablement jumelle qui aurait remplacé depuis longtemps la véritable Erlys, laquelle serait entrée au préalable dans ce Cabinet de l'Ultime Illusion qu'on appelle également New York City, y trouvant la vraie disparition, la seule à laquelle les spectateurs les plus endurcis croiront. Dans cet appartement étrangement infini, le seul public semblait être Dahlia. Quelque chose, quelque chose comme le tain d'un miroir, demeurait entre elles. Si Dally voulait se jeter dans ces bras soigneusement protégés par des manches, elle ne serait pas repoussée, elle était sûre au moins de cela, mais à part ça, là où se trouvaient les seules choses qui auraient dû compter, elle ne voyait qu'une sombre et veloutée absence de signes. Lui jouait-on un sale tour? Ces gens étaient-ils vraiment sa famille, ou bien une troupe d'acteurs du Bowery feignant de l'être? Avec qui serait-il le plus judicieux d'aborder le sujet?

Sûrement pas Bria. Même quand elle se mit à servir de cible à cette dernière pour ses lancers de couteaux, Dally refusa de trop lui faire confiance. Elle remarqua l'air indifférent de la fille quand son père l'appelait «*bella*», même si ça n'empêchait pas Zombini de continuer à le faire. Il était visiblement enchanté par tous ses enfants, du futur délinquant le plus évident au saint le plus radieux.

«Ne me prends pas pour un de ces enrouleurs de spaghettis napolitains», fit Nunzi, imitant avec succès son père, «je viens du Nord, du Frioul. Nous sommes un peuple alpin.»

«Des baiseurs de chèvres», précisa Cici. «Là-haut, ils mangent du salami d'âne, c'est comme l'Autriche, avec les gestes en plus.»

Luca Zombini aimait à expliquer les arcanes du métier à ceux de ses enfants qu'il supposait avides d'apprendre, voire de reprendre, ses numéros. «Ceux qui se moquent de nous, et qui se moquent d'eux-mêmes en nous payant pour qu'on les berne, ce qu'ils ne voient jamais c'est l'*aspiration*. Si elle était religieuse, d'ordre divin, personne n'oserait s'en moquer. Mais parce que nous aspirons *seulement* au miracle, afin *seulement* de contredire le monde donné, ils refusent de respecter cette aspiration.

«Souvenez-vous, Dieu n'a pas dit: "Je vais faire la lumière maintenant", Il a dit: "Que la lumière soit." Son premier numéro a été de laisser entrer la lumière là où il n'y avait rien. À l'instar de Dieu, vous devez toujours travailler avec la lumière, lui faire faire ce que vous voulez.»

Il déroula une étendue d'obscurité d'une fluidité absolue. «Du velours de magicien, absorbant parfaitement la lumière. Importé d'Italie. Très cher. Teint, taillé et brossé à la main de nombreuses, très nombreuses fois. Fini avec une méthode secrète pour appliquer le noir platine. Les contrôles en atelier sont impitoyables. Pareil à des miroirs, mais à l'envers. Le miroir parfait doit tout renvoyer, même quantité de lumière, mêmes couleurs exactement – mais le velours parfait, lui, ne doit rien laisser échapper, il doit retenir jusqu'à la toute dernière goutte de lumière qui tombe dessus. Car si la plus infime quantité lumineuse qu'on peut concevoir rebondit sur un seul fil de sa texture, alors tout le numéro – *affondato, vero?* Tout est ici affaire de lumière, et si on contrôle la lumière, alors on contrôle le numéro, *capisci?*»

«Pigé, Papa.»

«Cici, un peu de respect, tu veux? Un de ces jours, c'est *toi* que je vais faire disparaître.»

«Maintenant!» s'écrièrent deux ou trois jeunes Zombini, en sautant sur le canapé. «Tout de suite!»

Luca s'intéressait depuis longtemps à la science moderne et aux ressources qu'elle offrait aux magiciens, au nombre desquelles le prisme de Nicol et les usages illusionnistes de la double réfraction. « N'importe qui peut scier en deux son assistante », dit-il. « C'est une des plus vieilles ficelles du métier. Le problème, c'est qu'elle ressort immanquablement en entier, il y a toujours un heureux dénouement. »

« "Le problème" ? Le dénouement devrait être malheureux ? » interrogea Bria. « Comme ces spectacles sanguinolents qu'ils montent à Paris ? »

« Pas exactement. Tu connais déjà un peu ce truc. » Sortant un petit cristal quasiment parfait de spath d'Islande. « Ça dédouble l'image, superpose les deux, avec la lumière adéquate, les bonnes lentilles, tu peux les séparer par étapes, un peu plus loin chaque fois, progressivement jusqu'à ce qu'il soit possible de couper quelqu'un en deux optiquement, et au lieu de deux morceaux distincts d'un même corps, on obtient alors deux individus complets qui se baladent, qui sont identiques en tout point, *capisci* ? »

« Pas vraiment. Mais... »

« Quoi ? » Peut-être un peu sur la défensive.

« C'est un dénouement heureux. Est-ce qu'ils redeviennent une unique et même personne ? »

Il contempla ses chaussures, et Bria comprit qu'elle était peut-être la seule dans la maison sur laquelle il pouvait compter pour poser la question.

« Non, et c'est là qu'on a affaire à un problème durable. Personne ne sait comment — »

« Oh, Papa. »

« — comment renverser le processus. Je suis allé partout, j'ai interrogé tout le monde, des professeurs, des gens du métier, même Harry Houdini en personne, peau de balle. Pendant ce temps... »

« Ne dis rien. »

« Si. »

« Alors, combien ? »

« Peut-être... deux ou trois ? »

« *Porca miseria*, donc ça veut dire quatre ou six, hein ? Tu te rends compte qu'on pourrait te traîner en justice pour ça ? »

« C'était un problème optique, du coup j'ai cru qu'il serait complètement réversible. Mais d'après le Pr Vanderjuice à Yale, j'ai négligé le facteur temps, ça ne s'est pas produit en une seule fois, et il y a eu deux brèves secondes pendant lesquelles le temps s'est écoulé, des processus irréversibles d'une sorte ou d'une autre, une espèce de faille s'est ouverte, et ça a suffi pour qu'il soit impossible de revenir exactement là où nous en étions.»

«Et moi qui te croyais parfait. Imagine ma déception. Donc, tes sujets sont en train de mener des vies doubles. Ça ne doit pas trop leur plaire.»

«Des avocats, du chahut pendant les spectacles, des menaces de voies de fait. La routine.»

«Et on fait quoi?»

«Il n'y a qu'un seul endroit au monde qui fabrique ces choses. L'île des Miroirs dans la lagune de Venise, peut-être juste le nom d'un holding maintenant, mais ils continuent à fabriquer et commercialiser les meilleurs miroirs pour magiciens au monde. Quelqu'un là-bas doit bien avoir une idée.»

«Et il se trouve que nous devons nous produire au Teatro Malibran à Venise dans quinze jours.»

Oui, Luca Zombini était rentré à la maison ce matin-là en les informant, ô surprise, que leur numéro était retenu pour une tournée en Europe, et que toute la famille, y compris Dally, devait embarquer à bord du paquebot à vapeur *Stupendica* dans deux semaines! Comme si une soupape venait d'être ouverte dans un coin reculé du sous-sol, tout l'appartement bouillonna soudain des préparatifs du voyage.

Dally trouva enfin une minute pour parler à Erlys: «Vous êtes sûrs que vous voulez que je vienne?»

«Dahlia.» Se figeant sur place, un chiffon à poussière sur le point de glisser d'entre ses doigts.

«Enfin quoi, j'ai débarqué telle —»

«Non... non, en fait, nous comptions, je crois, sur toi. Dally, bon sang, tu viens juste d'arriver – et puis, hein, le Tour du Gong Chinois...?»

«Oh, Bria est capable de le faire en dormant.»

«Je ne sais pas si t'auras envie de rester ici, on va sous-louer à ces acrobates ruméliens, ça ne sera pas forcément une compagnie idéale pour toi.»

«Je me débrouillerai. Je trouverai un endroit. Chez Katie, ailleurs.»

«Dahlia, regarde-moi.» Plus facile à dire qu'à faire, mais la fille obéit. «Je sais que tu n'as jamais voulu rester. Cela aurait été trop espérer. Pour l'une de nous deux.»

Un léger haussement d'épaules. «Jamais été très sûre que tu m'accepterais.»

«Mais te voilà ici, et peut-être es-tu, qui sait, censée vivre avec nous? D'une manière...»

Un silence, grave et artificiel, s'était emparé de l'immense appartement, comme pour suggérer, sans autre Zombini dans les parages, que le moment était choisi pour tout se dire, à voix basse et d'un seul trait.

« Je n'étais qu'une petite fille – comment as-tu pu t'en aller ainsi ? »

Une sorte de sourire, presque reconnaissant.

« Me demandais quand ça sortirait. »

« Je ne cherche rien ici. »

« Bien sûr que non. » N'y avait-il pas une intonation new-yorkaise cassante dans sa voix ? « Bon. Qu'est-ce que Merle t'a dit exactement ? »

« Rien de méchant sur toi. Seulement que tu nous as abandonnés. »

« Bien assez grave, je dirais. »

« Il savait que j'allais revenir ici. Il ne m'en a jamais empêchée. »

« Mais pas de message pour moi ? Pas de "le passé est le passé", rien de ce genre ? »

« S'il y a eu quelque chose de ce genre, je ne l'ai jamais entendu. Peut-être… » Elle leva les yeux vers Erlys, hésita.

« Peut-être qu'il s'est dit que tu devais entendre ma version », suggéra celle-ci.

« Eh bien ? Ça veut dire qu'il te fait confiance pour me dire la vérité. »

Erlys se rappela qu'elles tenaient chacune une extrémité d'un drap de lit. Aussi gracieusement que si elles faisaient des pas de danse, elles se rapprochèrent l'une de l'autre, achevèrent le pliage, joignant les angles du drap, s'éloignèrent d'un pas égal. « Je ne suis pas sûre que le moment soit bien choisi pour parler de tout ça… »

Dally haussa les épaules. « Quand sera-t-il mieux choisi ? »

« Entendu. » Un dernier regard circulaire en quête d'un petit Zombini, n'importe quel Zombini, venu interrompre ce déballage — « Quand Merle et moi nous nous sommes rencontrés, j'étais déjà enceinte de toi. Donc… »

Voilà. Dally se retrouva subitement assise sur le canapé. De la poussière s'éleva, les coussins sifflèrent, et ses jupons soupirèrent autour d'elle. Deux ou trois remarques cinglantes traversèrent son esprit. « Bien, dans ce cas », sa bouche inexplicablement sèche, « mon véritable père – où est-il ? »

« Dahlia », hochant vigoureusement la tête, comme pour ne pas s'abandonner à une distance facile, « il est mort. Juste un peu avant ta naissance. Un accident de tram à Cleveland. Aussi simple. Il s'appelait Bert Snidell. C'est à lui que tu dois tes cheveux roux. Sa famille m'a pour ainsi dire mise à la porte. Merle nous a donné un foyer. Et ton "vrai" père, eh bien c'est Merle, beaucoup plus que ce que l'autre aurait jamais été. Si ça peut t'aider. »

Pas vraiment. «Tu crois que c'est ce que j'ai envie d'entendre? Un foyer? Tu me parles d'un foyer. Tu t'es éclipsée dès que tu as pu, pourquoi tu ne m'as pas laissée à la décharge de cette foutue ville en partant?» D'où cela venait-il? Pas exactement de nulle part, mais d'un endroit situé plus loin que tout ce qu'elle avait ressenti jusqu'à présent…

Mais avant même qu'elle ait le temps de se mettre dans tous ses états, les petits dieux *ex machina* qui semblaient diriger cette maison décidèrent alors d'entrer en scène, sous la forme de Nunzi et Cici vêtus de costumes en peau de requin blanc assortis, qui s'entraînaient au brassage hindou et à l'escamotage, joyeusement imperméables à la rage et à la consternation qui régnaient dans la pièce, grisés par la récente nouvelle du départ en mer. Aussi Dally et Erlys durent-elles en rester là un temps. Et ce, vu l'ampleur des préparatifs, jusqu'à ce qu'elles soient à bord du *Stupendica* et en haute mer.

La seule fois où Mayva et Stray se rencontrèrent, ce fut une pure coïncidence, dans la ville de Durango.

« Z'êtes pas mariés tous les deux, par hasard ? »

« Marrant que tu poses la question », commença Reef, mais Stray prit les devants : « Pas récemment, m'dame Traverse. »

Mayva éclata de rire et lui prit la main. « J'aimerais pouvoir t'expliquer le genre d'affaire que tu ferais, mais ça me prendrait un certain temps. »

« Oh, ce n'est pas à vous que je ferais des reproches », dit Stray, « toute bonne éducation a ses limites. »

« Il y avait des Briggs dans le comté d'Ouray, ils seraient pas de ta famille, non ? Travaillaient au camp Bird, peut-être ? »

« J'pense qu'il y a eu des cousins du côté de tante Adelina pas loin de Lake City, à une époque... » Et Reef se retourna juste à temps pour voir les deux femmes disparaître dans une cour, jacassant comme deux oiseaux sur un toit.

Le lendemain, Reef et Stray embarquèrent à bord du *Denver & Rio Grande* à destination de l'Arizona, au début ensemble, mais pas pour longtemps. Archie Dipple, l'ami de Stray, avait un plan, pas plus dingue qu'un autre, consistant à réunir l'immense troupeau de chameaux importés des années plus tôt à Virginia City, Nevada. Ils étaient au début censés transporter du sel, mais on les avait par la suite envoyés en Arizona pour des tâches relatives au minerai. Finalement, jugés peu rentables, on leur avait rendu la liberté et, revenus à l'état sauvage, ils erraient sur des milliers de kilomètres carrés dans le désert de Sonora, où pour des raisons biologiques assez nébuleuses ils s'étaient, paraît-il, reproduits à une vitesse étonnante : « Même à un demi-dollar la tête, disons, ça vous permettra de vous retirer et d'aller vivre dans l'Est aussi longtemps que vous le voudrez – au Ritz Hotel, où des gamins avec des chapeaux cylindriques vous apportent tout ce que vous voulez, de jour comme de nuit — » Reef n'avait qu'à s'occuper de l'arnaque, tandis qu'Archie rassemblerait le troupeau et prendrait tous les risques : « Des tâches ingrates, certes, mais qui ne risque rien n'a rien, c'est-y pas comme ça que ça marche ? »

« Il en a toujours été ainsi dans le monde des affaires », reconnut Reef, s'efforçant de paraître suffisamment intrigué sans être pour autant provocateur – ces bi-bosses étant d'après l'expérience de Reef moins reposants qu'il y paraissait, voire franchement susceptibles, en fait.

Alors que les « amis » de Reef, dans le négoce comme dans la vie privée, n'étaient pas du genre qu'on asticote, ni très compliqués à comprendre, ceux de Stray, en adeptes de l'ombre, préféraient l'approche oblique – étant pour la plupart des espèces d'entremetteurs. Des organisateurs, des intermédiaires, si on préférait, mais pas tous, bien sûr. En fait, les « amis » de Stray ne cessaient d'attirer à Reef plus d'ennuis qu'aucun de ses « amis » à lui n'en avait causé à Stray. Mais il aurait été trop simple que tout ça se solde uniquement par des poursuites judiciaires, ou la recherche de juridictions plus sûres, et les étranges visages qui resurgissaient du passé de Stray comptaient bel et bien prendre Reef comme associé dans toutes sortes d'entreprises, dont fort peu étaient engageantes.

Lors des conciliabules, Stray se contentait en général de regarder, elle restait près de la balustrade dans la salle de jeu d'un saloon, ou les observait par le panneau en verre dépoli d'une porte de bureau, comme si seule une curiosité enfantine la poussait à vérifier que ces deux parties distinctes de son existence pouvaient vraiment s'entendre, bien qu'elle n'hésitât pas à réclamer une commission, en général cinq pour cent, sur tous les coups qui rapportaient. Elle taxait le mac, pour ainsi dire.

Voilà comment pendant des années, sur tout ce quart du continent, ils avaient lutté, fui, tenu bon, recommencé... Si vous preniez une carte et tentiez de les suivre dessus, zigzaguant de ville en ville, en tous sens, ça n'aurait pas été si facile que ça, même en se rappelant à quel point c'était risqué, voire plus que « risqué », il n'y a encore pas si longtemps, là-bas, malgré des journées de travail qui vous faisaient aspirer au confort d'une prison territoriale, oui, aussi pénible que ça, quand tout ce qui était sur le point de vous appartenir – votre terre, votre troupeau, votre famille, votre nom, peu importe, que vous en ayez peu ou beaucoup –, vous l'aviez mérité, sans jamais hésiter avant de tuer quelqu'un, du moment que vous aviez eu ne serait-ce que *l'impression* qu'on voulait vous le prendre. Peut-être un chien qui avait surpris leur odeur dans le vent, ou la façon dont un inconnu portait son manteau, ça pouvait suffire – quelle importance, quand tout changeait tout le temps et qu'il fallait s'accrocher, qu'on se réveillait chaque matin sans jamais savoir comment on finirait, l'échéance finale toujours présente à la pensée, quand une maladie, une bête sauvage ou enragée, une balle perdue pouvait à elle seule vous expédier dans l'Au-Delà... du coup, bien sûr, le moindre boulot que vous pouviez dégoter n'allait pas sans ce furieux sentiment de trouille – Karl Marx et compagnie, bien joli tout ça, mais fallait voir ce qu'était le Capital pour ces gens, autrefois, tout là-bas – pas d'outils à crédit, ni d'apports financiers accordés par la banque, juste ce fonds d'effroi commun que suffisait à alimenter un simple regard porté sur le jour naissant. Ça jetait comme une ombre sur des choses que la vie de salon ne connaîtrait jamais, et chaque fois que Reef ou elle s'arrêtait quelque part, ou, plus simple encore, s'éclipsait rapidement, c'était que l'un d'eux avait entendu parler d'un endroit, un endroit en particulier, encore un autre avant le prochain, qui était libre pour le moment, où il était possible de vivre quelque temps dans les marges du provisoire, en tout cas jusqu'à ce que les samedis soir fussent assez calmes pour qu'on pût entendre l'horloge du village sonner le compte à rebours avant de se retrouver un beau dimanche sans la moindre envie de dégriser... Aussi atterrissait-on au milieu d'une population interlope, des sortes d'ambassadeurs en cavale venus de lieux encore indomptés, qui partout où ils se posaient apportaient avec eux une petite part souveraine de ce lointain territoire, et leur foyer n'excédait pas la taille de leur ombre.

La première chose que recherchait Reef en arrivant dans un nouvel endroit, c'était les bringueurs. Bien qu'il affirmât ne prendre aucun plaisir à, comme il le disait, « rentrer les moutons », Stray le vit s'y adonner une ou deux fois, en général au moment où l'un et l'autre s'apprêtaient à quitter la ville. « Laisse-nous deux petites heures pour se rincer le gosier », disait-il alors, « on y a bien droit, non ? » Où qu'il se rendît, on ne savait jamais qui allait sortir son revolver, qui son couteau. Ce genre de quincaillerie n'était pas remisé au fond d'un tiroir de rond-de-cuir, mais toujours à portée de main.

S'il dit jamais : « S'il te plaît » ? Non, c'était plutôt du genre « Tous les gars doivent être à Butte maintenant » – un gros soupir – « en train d'écluser des Sean O'Farrell sans moi », ou « J'avais comme qui dirait envie d'aller taquiner le *burro* au bord de l'Uncompahgre », et Stray avait le droit de l'accompagner, bien sûr, pourquoi pas ? Mais très souvent elle préférait le laisser partir seul. Elle ne se sentait tout simplement pas la force de l'accompagner à la gare pour lui dire au revoir, et ajouter ses propres petits sanglots aux pleurnicheries des autres sur le quai, non merci, non.

Ils avaient dormi dans des écuries, sous des tentes militaires encore maculées d'anciennes taches de sang, dans des hôtels à lits à baldaquin, s'étaient réveillés dans les arrière-salles d'assommoirs où le comptoir présentait des empreintes de dents sur toute sa longueur. Ça sentait parfois la poussière et les bêtes, parfois la graisse pour machine, rarement les fleurs de jardin ou la cuisine maison. Mais, ces temps-ci, ils habitaient dans une chouette petite cabane juste au-dessus de l'Uncompahgre. Jesse était confortablement allongé dans une caisse à dynamite, au milieu d'oreillers de plume et de capitonnages de fortune – parfait pour un bébé vu qu'il n'y avait pas de clous avec lesquels il aurait pu se blesser, les clous étant réputés pour attirer l'électricité, laquelle visitait souvent ce flanc de montagne orageux, aussi le berceau improvisé tenait-il uniquement grâce à des chevilles en bois et de la colle. Quand elle regardait Jesse, Stray avait une drôle d'expression, un sourire prêt à rallumer le bon vieux chaudron de la complicité, comme sur le point de dire : « Ma foi, il semblerait qu'on va arrêter un temps de battre la campagne », sauf que Reef aurait très probablement répondu : « Regarde, ma belle, il crève d'envie de sentir le vent sur son visage, hein, Toto ? », prenant le bébé dans ses mains et le faisant cavaler dans l'air suffisamment vite pour que ses fins cheveux se soulèvent de son front. « C'est un bébé de la route, pas vrai, Jesse, un véritable bébé de la route ! » Aussi ses parents ne disaient-ils rien, même avec cet indéniable miracle dans la pièce, chacun abîmé dans des pensées séparées par des kilomètres.

Reef n'avait jamais eu l'intention de s'inscrire dans une quelconque dynastie de hors-la-loi. « J'croyais avoir droit à une vie normale comme tout le monde », voilà ce qu'il disait. Ça lui valut quelques pénibles journées, car jamais il ne pardonna la mauvaise main qu'on lui avait distribuée. Il était disposé à filer doux, mais ça ne donnait jamais rien, du coup il devait procéder autrement, que ça lui plaise ou non, et la tentation était là...

Il fit croire un temps à Stray qu'il partait bambocher avec ses amis, rien de bien grave, juste histoire de la contrarier un peu, mais pas suffisamment pour qu'elle ait envie d'aller le chercher ou envoie quelqu'un le faire à sa place.

Mais un jour, moins d'un an après avoir repiqué, alors qu'il faisait un essai un peu trop près de chez lui, elle apparut au détour du chemin en se rendant chez sa sœur Willow, et vit Reef en train d'allumer une mèche – rien de bien méchant, un bâton ou deux, juste de quoi faire sauter une boîte de dérivation appartenant à une centrale électrique qui alimentait un des chantiers près d'Ophir –, l'air enfariné, le sourire stupide. Elle resta là, avec Jesse suspendu dans son dos qui essayait de voir par-dessus l'épaule de sa mère, les bras croisés, attendant quelque chose, et il comprit au bout d'un moment que ce devait être une explication. Que ça lui plaise ou non, il allait devoir jouer franc jeu avec elle.

« Et quand est-ce que tu comptais me mettre au courant ? Une fois la corde au cou ? »

Il feignit de s'énerver. « Ça te regarde pas, Stray. »

« Chéri, c'est moi. »

« Je sais, c'est bien ça le problème. »

« Voilà qui est parler comme un vrai dur. »

Il n'y avait pas que la fuite, la potence, Pinkerton et les autres, toutes ces choses à ses trousses, tous ces poursuivants invisibles, dont certains encore inconnus de lui, non, c'était surtout cet ennemi intérieur et inaccessible, que rien n'apaisait, et qui croyait mordicus, le pauvre petit, à la lutte des classes à venir, au grand partage, comme disait la chanson, « Je le sens dans le vent », aimait-il à se répéter tout bas, « Je suis comme un de ces fichus chrétiens qui croient au Salut. Mes frères, le jour approche. Ça saute aux yeux. »

La plupart du temps, en tout cas. Parfois, seul comptait le bruit de l'explosion, une façon de leur dire haut et fort d'aller se faire foutre. Et d'autres fois c'était pour tenir à distance cette histoire en suspens avec Deuce et Sloat. Si les registres du Capital présentaient un solde nettement positif en faveur de la damnation, si ces ploutocrates étaient vraiment aussi vicieux que ça, alors que penser de ceux qui réglaient les problèmes à leur place, sans se soucier du pourquoi, et dont les visages ne figuraient pas tous sur les avis de recherche, sur ces affiches à la texture sombre qui en disaient long sur le souvenir et les viles aspirations, sans trop se préoccuper d'une quelconque ressemblance… ?

Oui, bon, ils pouvaient parler de tout ça, Stray et lui. Un peu. Ou croire que la chose était possible, même si ce n'était pas le cas.

Webb n'était plus son unique souci, maintenant. La chaîne des San Juan était devenue un vrai champ de bataille – mineurs syndiqués, miliciens, tueurs à gages à la solde des proprios, tous se canardaient et, de temps en temps, expédiaient un type dans cette sombre contrée où tous émargeaient. Tous ceux qui étaient morts, ici ou là-bas, à Coeur d'Alene, à Cripple Creek, et même, plus à l'est, à Homestead, requéraient son attention, toujours plus nombreux, plus insistants. C'étaient les morts de Reef maintenant, oh oui, et ils mettaient le paquet pour qu'il ne l'oublie pas. Bon sang. Il ne pouvait pas les laisser tomber, c'était comme une bande d'orphelins qu'on lui aurait confiés sans prévenir. Ces morts, ces cavaliers blancs de la marge, en agents impassibles de forces invisibles, pouvaient encore, tels des enfants, garder leur innocence – celle des morts novices, des pieds tendres qui avaient besoin qu'on les protège des outrages du cru au-delà. Ils comptaient sur lui – comme s'il en savait plus qu'eux ! – pour les accompagner… se fiaient au lien qui les unissait, et il ne pouvait pas plus abuser de leur confiance que remettre en question la sienne…

Il commit plusieurs fois l'erreur d'en parler à voix haute, quand Stray pouvait l'entendre. Elle regardait alors le bébé, comme si Reef venait juste de le mettre en danger, puis disait :

« C'est pas ça, fleurir une tombe, Reef. »

« Ah bon ? Je croyais que chaque mort était différent. Bien sûr, certains aiment bien les fleurs, mais il y en a d'autres qui préfèrent le sang, je pensais que tu le savais. »

« C'est le boulot du Shérif, ça. »

Non. C'était leur boulot, à ceux qui étaient de l'autre côté, ça n'avait rien à voir avec l'État ou la justice, et surtout pas avec un salopard de Shérif.

« Mon boulot, c'est d'empêcher que les gens s'étripent entre eux », tenta un jour d'expliquer un de ces shérifs à Reef.

« Non, votre boulot c'est de veiller à ce qu'ils continuent de zigouiller les syndicalistes, sans qu'on puisse jamais riposter. »

« Reef, s'ils ont enfreint la loi — »

« Me faites pas rire. La loi. Vous êtes qu'un mendigot dans leur somptueux palais, Shérif. Vous croyez que si quelqu'un vous descend, là, maintenant, ça va les déranger ? Qu'ils enverront des fleurs à Laureen et aux *chavalitos* ? Ils balancent un pneumatique, et hop, le tour est joué, une nouvelle recrue sort de la chaîne, on lui colle une étoile, même pas de formulaire à remplir, pas besoin d'annonce dans les journaux. Appelez ça la loi, faire respecter la loi, si ça vous chante. »

Mais à Stray, il dit : « C'est trop grave pour qu'on délègue ça à des clowns en costard. »

« Grave. Jésus Marie Joseph. »

« Inutile de pleurnicher, Stray. »

« Je ne pleurniche pas. »

« T'as le visage tout rouge. »

« Tu ne sais pas ce que c'est que pleurer. »

« Chérie, je sais que tu penses sans arrêt à la potence, mais désolé, je connais cette vieille rengaine, "Oh, chéri, je veux pas qu'ils te pendent", c'est gentil et je te remercie beaucoup, mais à part ça?»

«À part ça? T'es de bonne humeur aujourd'hui, tu veux vraiment savoir ce qu'il y a d'autre? Écoute-moi, tranche de lard – qu'ils te mettent la corde au cou, ça je peux comprendre, mais si jamais il leur venait l'idée de *me pendre, moi aussi?*»

Ce qu'il ne sut pas entendre, bien sûr, ce fut la promesse que Stray lui faisait, à savoir de rester à ses côtés, jusqu'au bout, si jamais les choses tournaient mal. Mais il n'avait aucune envie d'entendre quoi que ce soit de ce genre, oh non, et il réagit aussitôt comme s'il ne s'agissait que de leur sécurité. «Chérie, ils ne voudront pas te pendre. Ils voudront te baiser.»

«Bien sûr. *Puis* me pendre.»

«Non, parce que tu leur auras jeté un sort et qu'ils penseront plus qu'à se prosterner à tes charmants petits pieds.»

«Oh. Tu n'es qu'un enfant.»

«Ne t'inquiète pas pour moi.»

«D'accord. Mais grandis un peu, Reef.»

«Quoi, pour devenir comme toi? J'crois pas.»

Qu'on l'y reprenne, à ouvrir son cœur et à se confier. Reef savait que ses jours dans l'entreprise familiale de dynamitage étaient à présent comptés, mais il y avait forcément d'autres moyens de lutter que de déclencher des explosions. La seule chose dont il était sûr, c'était qu'il devait continuer dans cette voie s'il voulait rétablir l'équilibre. Mais il était grand temps que Frank reprenne le flambeau.

«Je vais aller à Denver, voir si je peux mettre la main sur ce vieux Frank.»

Elle comprit plus ou moins ce qu'il avait dans l'idée, et pour une fois elle s'abstint de toute remarque, elle hocha juste la tête et lui fit signe de sortir, non sans avoir pensé à prendre Jesse dans ses bras.

Il s'enfonça dans l'hiver imminent, longeant les tuniques et capuchons des spectres montagneux, qui ne s'arrêtaient que pour élever des congères ou se réunir sous forme d'avalanches prêtes à se déchaîner et à tout emporter sur leur passage. Les coulées de gel sur les parois évoquaient des peupliers ou des bouleaux écorchés. Les couchers de soleil étaient le plus souvent des incendies pourpres, traversés d'aveuglantes traînées orange. Les cavaliers qu'il croisait étaient sympathiques, comme des soldats qui refusaient l'ordre des supérieurs de descendre dans la vallée, vers les prairies du Sud, et qui préféraient rester là-haut, comme s'ils mettaient un point d'honneur à endurer quelque épreuve mystérieuse, dans ces blanches verticalités. Qui accrochaient leurs misérables cabanes à la montagne avec des câbles et des boulons et laissaient le vent rugir et le diable faire le reste. Et qui le lendemain matin sortaient pour ramasser des morceaux de toit et des tuyaux de poêle et tout ce qui n'avait pas encore été emporté vers le Mexique.

Quand ces altitudes s'aventurèrent dans le royaume du surnaturel, les chances de survie parurent trop minces pour qu'on les prenne en compte. La neige s'amoncelait dans les villes, occultant les fenêtres du bas puis celles du haut, les vents déboulaient du nord encore plus férocement, et rien ici, ni les maisons ni le tracé des rues, ne semblait plus résistant qu'un bivouac – au printemps, tout ne serait plus que fantômes et désolation, ruines de bois noirci et pierres renversées. Bien sûr, tout ça correspondait en bonne partie à l'idée qu'on pouvait se faire de ce qui était possible – qu'on fût originaire du Texas ou du Nouveau-Mexique ou même de Denver, on avait l'impression que rien ne pouvait survivre et on se demandait à quoi pouvaient bien penser les gens qui venaient s'installer ici.

Reef montait un poulain du nom de Borrasca, plutôt petit mais aussi rapide que malin et entraîné comme la plupart des chevaux dans ce pays – le terrain étant ce qu'il était – à se laisser chevaucher, que ce soit en montée ou en descente, du côté qui lui permettait de mieux conserver son équilibre. Ils longèrent une vallée bordée de part et d'autre d'avalanches impatientes.

Comme les montagnes, les cours d'eau et divers traits permanents du paysage, chaque glissement de terrain dans les San Juan portait un nom, qu'il se soit produit récemment ou pas. Certains aimaient survenir plusieurs fois par jour, d'autres presque jamais, mais tous étaient comme des réservoirs de pure énergie potentielle, postés là-haut et attendant leur heure. La coulée sous laquelle Reef passait en ce moment avait été baptisée la Bridget McGonigal par un propriétaire de mine qui depuis était retourné dans l'Est, en hommage à sa femme, suite à l'habitude similaire qu'avait cette dernière de se déchaîner à des moments on ne peut plus imprévisibles.

Reef entendit une explosion dans les sommets, qui se répercuta d'une pente à l'autre, et son oreille de dynamiteur sut tout de suite que ce n'était pas de la dynamite, le bruit n'était pas assez net – cette secousse évoquait davantage la déflagration confuse de la poudre noire, même si on recourait en général à ce type de charges plutôt pour déplacer un énorme volume de neige que pour creuser des trous dedans, or pourquoi par une journée aussi grise et déserte la chose serait-elle nécessaire, surtout à cette hauteur sur le versant, avec le risque de déclencher une avalanche… ?

Oh, mais qu'est-ce que — *eh merde!*

Et soudain elle apparut, comme par magie, dans un rugissement à vous glacer les sangs, s'étendant aux dimensions du jour, nuage brillant envahissant le peu de ciel qu'il pouvait encore voir dans cette direction, tout le reste brutalement plongé dans un crépuscule, lui et sa monture pris au piège. Nulle part où s'abriter. Borrasca, qui était une bête fort sensée, poussa un hennissement qui devait signifier quelque chose comme «bon sang de bon sang» et entreprit de détaler. Estimant que le poulain s'en sortirait mieux sans la charge d'un cavalier, Reef se dégagea des étriers et mit pied à terre, puis glissa sur la neige, tomba et se releva alors juste à temps pour pivoter et affronter l'immense mur descendant.

Il se demanderait plus tard pourquoi il n'avait pas dévalé la colline le plus vite possible en réfléchissant à un moyen de s'en sortir, s'il restait vivant assez longtemps. Il avait dû vouloir, certainement, jeter un dernier coup d'œil. Et il remarqua tout de suite que l'avalanche, en fait, se déplaçait dans une direction légèrement différente, obliquant davantage vers sa gauche, moins vite d'ailleurs qu'il l'avait cru au début. Il en déduisit que ce qui l'avait sauvé, c'était le temps, inhabituellement clément cette semaine-là, quasi printanier, rendant la coulée suffisamment humide et lente pour former à un moment une sorte de digue de neige, sur quelque saillie providentielle du terrain, laquelle détourna le gigantesque péril juste ce qu'il fallait de sa personne. Ça arrivait. Tout le monde dans cette contrée avait une histoire d'avalanche, le récit d'un ensevelissement suivi d'une résurrection, un miracle parmi tant d'autres par ici…

L'immense nuage, tel un voile de miséricorde, se dressait désormais entre Reef et le reste de la paroi, ce qui allait lui laisser le temps de se mettre à couvert, en espérant que son agresseur s'imaginerait avoir réussi son coup. Il détala au pas de course, ou autant que faire se pouvait dans cette neige mouillée, en direction de l'endroit où le chemin repartait dans l'autre sens, et la première chose qu'il vit quand il eut passé, indemne, le tournant ce fut Borrasca, qui avançait sans se presser, déjà sur l'autre tronçon de piste un peu plus bas, et qui s'en retournait à la grange d'Ouray. N'ayant aucun moyen d'estimer la profondeur de la neige, et nul souvenir de s'être livré, enfant, à des frasques inconsidérées dans ces montagnes, Reef ôta son imperméable, le plia en une sorte de luge grossière, grimpa dessus, maintint son chapeau et, s'efforçant de ne pas crier, se laissa glisser par-dessus le rebord, dans l'inconnu blanc et escarpé, en envisageant de vaguement braquer pour croiser le chemin de Borrasca, en priant du mieux qu'il savait pour qu'aucun rocher ne se trouve sur son chemin. Alors qu'il approchait de la piste en contrebas, il se dit qu'il allait peut-être un peu trop vite, et il dut freiner avec le pied, avec les deux, même, versant carrément sur le côté pour ralentir, et, ce faisant, faillit continuer sur sa lancée et passer par-dessus la corniche suivante, qui était vraiment escarpée, pour ne pas dire verticale. Mais il parvint à s'immobiliser avant et fit quelques roulades le long d'un talus jusqu'à la piste. Il resta allongé sur le dos une minute en regardant le ciel. Borrasca, qui arrivait, l'observa avec curiosité, point trop surpris de le voir.

« Me rappelle pas t'avoir dit que je te rejoignais », lui dit Reef, « mais c'est quand même chouette de te revoir. »

Le poulain ne fit aucun commentaire, resta là à rouler des yeux jusqu'à ce que Reef remonte en selle, et ils reprirent leur voyage.

Ils réussirent à atteindre Ouray sans rencontrer d'autres cavaliers, même s'il était fort possible qu'on les observât aux jumelles. Reef essaya de voir le bon côté des choses en se disant qu'aux yeux des propriétaires (qui d'autre cela pouvait-il être ?) il devait maintenant être bel et bien mort, et par conséquent ressuscité. « Et en toi je renaîtrai », murmura-t-il au cheval, qui, si l'on se fiait à son comportement nettement humain, avait peut-être compris, au sens hindou, ce que voulait dire Reef.

« T'es rentré bien vite. »

Il lui raconta ce qui s'était passé. « J'ai plus le choix. »

« Tiens donc. Et c'est, je suppose, me laisser seule ici, avec l'hiver qui approche, et le bébé qui pleure ? »

Il sentit vibrer au fond de lui un vide familier qui répandit la peur jusque dans ses paumes et ses doigts. C'était cette façon qu'elle avait de le regarder. Il ne s'en sortirait pas, ce coup-ci. Mais il dit : « Nous avons toujours réussi à nous retrouver. Pas vrai ? »

Elle continua de le fixer de la même façon.

« Qu'est-ce qui a changé ? Le bébé, c'est sûr, mais sinon ? »

« Ai-je dit quoi que ce soit, Reef ? » Elle n'allait pas élever la voix. Plus jamais. Ça non, bordel, et elle fut alors à deux doigts de tout laisser tomber, et l'autre continua de déblatérer.

« J'ai pas envie qu'il vous arrive quelque chose, crois-moi, et autant que je le sache, ces types sont là-haut sur cette corniche en ce moment même, et ils attendent juste que cette porte s'ouvre. Alors s'il te plaît, tu veux bien m'épargner ton discours cette fois-ci ? Le garder pour la prochaine fois où on se verra ? »

Mais elle n'en avait pas l'intention, non. «Willow peut s'occuper de Jesse un temps, il sera en sécurité avec Holt et elle, mais en ce qui te concerne, pauvre lourdaud, je sais pas trop, tu vas avoir besoin de quelqu'un pour protéger tes arrières…» Voilà où elle en était, après des années passées à jurer qu'elle ne s'abaisserait jamais à cela. L'implorant, lâchement, telle une midinette. Sachant qu'il avait déjà franchi le seuil, en ombre fugitive, lui et sa maudite carcasse qu'elle aimait, et tant pis s'il avait une bedaine de buveur de bière. Et elle qui ne priait jamais le faisait maintenant pour qu'il n'y ait encore personne sur la corniche, car elle voulait qu'il ait au moins la chance d'aller ailleurs, vivant.

«Au premier roulement de tonnerre à l'est, chérie. Les Zuñis disent que ça marque la fin de l'hiver, alors je reviendrai…»

Jesse dormait, et Reef l'embrassa tout doucement sur la tête avant de passer la porte.

Et c'est ainsi que Reef endossa l'identité de Thrapston Cheesely III, grand malade des nerfs de la côte Est, apprit à paraître plus mal en point qu'il l'était, à s'habiller comme un gommeux incapable de tenir en selle sur un cheval de manège, et se rendit furtivement à Denver pour prendre des leçons de danse chez une certaine Madame Aubergine, dont il s'assura la discrétion en la menaçant d'un sort ancien de chaman ute. Il se mit de l'eau de Cologne et utilisa la même marque de pommade capillaire que le kaiser Wilhelm, et conserva sa dynamite, ses détonateurs et divers accessoires explosifs dans les bagages monogrammés et assortis en peau d'alligator que lui avait donnés la provocante et vorace Ruperta Chirpingdon-Groin, une touriste anglaise fascinée par ce qu'elle prit chez lui pour des contradictions, et que ne rebutèrent pas les quelques signaux de danger qui parvinrent jusqu'à elle.

«Chère, *chère* mam'zelle Chirpingdon-Groin, ne m'en veuillez pas trop même si je reconnais avoir frayé dans la cuisine avec la petite Jou-Jou, mais vous devez me pardonner, car que signifie un bourgeon de lotus encore vert aux yeux de qui a passé ne serait-ce qu'une minute en votre compagnie, ravissante, *désirable* mam'zelle Chirpingdon-Groin…?»

Quant à Jou-Jou, qui attendait près d'une énorme glacière en compagnie d'Orientales en lingerie à paillettes, le visage figé en un masque de porcelaine dans la lueur naphtée qui montait par en dessous, elle restait là à suçoter un ongle écarlate, insaisissable uniquement aux yeux des personnes dédaigneuses, telles que Ruperta. Ceux auxquels n'échappaient pas ses atouts lisaient en elle comme dans un livre ouvert et souvent l'évitaient, conscients d'ennuis imminents. Dans les obscurs abîmes de l'imposante machine, un marteau fracassait sans relâche des blocs de glace bruts, des vapeurs montaient et se dispersaient, l'eau présente sous toutes ses formes chahutées, enveloppant le ballet des filles que dirigeait un serveur muni de castagnettes, lesquelles se faufilaient entre les tables en patins à roulettes, apportant des seaux galvanisés estampillés au nom de cet établissement et débordant du solide porté à basse température.

Reef intégra la congrégation de neurasthéniques de Ruperta qui écumaient les sources chaudes en quête de la jeunesse éternelle ou fuyaient le poids mort du temps. Il croisait assez de joueurs de cartes impulsifs ou inattentifs pour l'approvisionner en havanes et bouteilles de champagne à trois dollars cinquante, et offrait à Ruperta suffisamment de breloques indiennes en argent et lapis et de bouquets de fleurs pour qu'elle reste dans le doute, car elle l'avait pris pour un sauvage blanc déguisé en élégant. Ce qui ne les empêchait pas de se crêper le chignon une fois par semaine, des disputes mémorables que tous fuyaient sans trop savoir à quelle distance s'estimer en sécurité. Entre deux altercations, Reef avait de longues conversations décousues avec son pénis, et il en déduisait qu'il ne servait pas à grand-chose de regretter Stray pour l'instant, n'est-ce pas, car cela n'aurait fait qu'émousser son désir, au détriment non seulement de Ruperta mais de quiconque, Jou-Jou y comprise, pouvait se présenter au cours de leurs déplacements.

Ils finirent par se séparer à La Nouvelle-Orléans après une soirée longue et chargée qui débuta dans l'établissement de Monsieur Peychaud, où les *sazeracs*, bien qu'on prétendît qu'ils avaient été inventés là, n'arrivaient pas à la cheville, d'après Reef, de ceux qu'on trouvait dans le bar de Bob Stockton à Denver, même si ces absinthes frappées étaient une autre affaire. Après avoir fait le plein, le petit groupe se rendit dans le Quartier français en quête de poisons «plus exotiques», c'est-à-dire, pour être franc, d'une forme de poudre zombie. Ruperta portait ce soir-là un ensemble moulant noir en bengaline avec un col Médicis et des manchettes en faux chinchilla. Rien en dessous hormis un corset et des bas, ainsi que Reef avait pu s'en rendre compte un peu plus tôt, lors d'une de leurs habituelles entrevues en fin d'après-midi.

Il était vite apparu que ce qu'on pouvait voir depuis la rue n'était en rien «la vraie vie» de la ville, et encore moins sa façade prometteuse. La vraie vie de cet endroit se dissimulait dans des recoins protégés, derrière les grilles ouvragées et au bout des passages carrelés qui semblaient s'étendre sur des kilomètres. On distinguait de vagues effluves de musique, des trucs fous, des banjos et des clairons, des *glissandi* de ιrombones, des pianos qui, sous les mains de professeurs de bordel, sonnaient comme s'il y avait des touches entre les touches. Était-ce le vaudou ? Le vaudou n'était qu'un composant, le vaudou était partout. D'invisibles sentinelles se chargeaient de vous le rappeler et, ici, les nuques les plus épaisses n'étaient pas à l'abri des picotements monitoires de l'Invisible. De l'Interdit. Dans le même temps, des relents de la cuisine locale, chorizo, soupe au gombo, écrevisses à l'étouffée et crevettes au sassafras, vous assaillaient de partout et achevaient de brouiller ce qui restait en vous de bon sens. On croisait des Nègres partout, qui faisaient les fous dans la rue. Les troubles dits italiens, nés du prétendu meurtre du chef de la police par la mafia, étant ici encore dans toutes les mémoires citadines, les enfants n'hésitaient pas à accoster les étrangers, italiens ou non, avec un « Ma qui a toué le boss ? », ou l'inévitable « *Va fangool-a* ta sœur ».

Ils finirent au Maman Tant Gras Hall, un saloon de concerts de Perdido Street, au cœur du quartier des bordels.

« Une guinguette assurément charmante », s'écria Ruperta, « mais, mes amis, quelle musique ! »

« Dope » Breedlove et ses Gais Moricauds jouaient régulièrement ici, et il n'était pas question qu'on laisse Ruperta et ses semblables gâter l'ambiance. Quelques clients vinrent même l'inviter à danser, ce qui suffit à la plonger dans une étrange cataplexie narquoise, qui les fit reculer avec des mines interloquées, sur quoi elle se tourna vers Reef tout indignée, voire franchement paniquée. « Vous avez l'intention de rester assis comme ça, pendant que ces noirpiots hilares nous humilient tous deux ? »

« Comment ça ? » Reef assez innocemment. « Écoutez — vous ne voyez pas ce que font les gens ici ? Ça s'appelle danser. Je sais que vous dansez, je vous ai déjà vue le faire. »

« Cette musique », dit tout bas Ruperta, « ne sied qu'à la copulation de la plus vile espèce qui soit. »

Il haussa les épaules. « Ça aussi je vous ai vue le faire. »

« Mon Dieu, vous êtes ignoble. Mais qu'est-ce qui m'a pris ? Pour la première fois, mes yeux s'ouvrent et vous m'êtes révélé – vous et votre pays de dingues, qui se sont étripés pendant cinq ans pour cette race de résidus de jungle. Algernon, partons, je vous prie, et rapidement. »

« On se retrouve à l'hôtel ? »

« Oh, j'en doute fort. Vos affaires, pour rester polie, seront quelque part dans le hall. » Et sans plus tarder, elle s'en alla.

Reef alluma une cigarette chanvre-tabac et réexamina sa situation, tandis qu'autour de lui des airs et des rythmes infectieux se chargeaient de refaçonner la nuit. Au bout d'un moment, haussant les épaules, il aborda une jeune femme avenante qui portait un incroyable chapeau à plumes et l'invita à danser. Il vit qu'elle le jaugeait du regard, mais c'était toujours plus de considération en une seconde et demie que ne lui en avait jamais accordé Ruperta.

Quand Dope et son orchestre firent une pause, Reef lui demanda : « C'était quoi, ce truc que tout le monde buvait à votre table ? Je peux vous en offrir un ? »

« Ramos gin-fizz. Et joignez-vous à nous. »

Le barman prépara longuement les cocktails dans un grand shaker en argent, bercé par une lente syncope intérieure. Quand Reef arriva avec les verres, la tablée était plongée dans une discussion sur la théorie anarchiste.

« Votre fameux Benjamin Tucker a parlé de la Ligue agraire », disait un jeune homme d'une voix indubitablement irlandaise, « en termes si élogieux : jamais le monde n'a été aussi proche de l'organisation anarchiste parfaite. »

« Dommage que la phrase soit contradictoire en soi », commenta Dope Breedlove.

« J'ai cependant remarqué la chose quand votre orchestre jouait – une cohérence sociale des plus étonnantes, comme si vous n'aviez qu'un seul et même cerveau. »

« Ouais », admit Dope, « mais on peut pas appeler ça une organisation. »

« Et comment l'appelez-vous ? »

« Du *jass*. »

L'Irlandais se présenta. Il s'appelait Wolfe Tone O'Rooney, c'était un rebelle itinérant – mais non point, se hâta-t-il d'ajouter, un Fenian, une approche qui valait ce qu'elle valait, mais qui, à son avis, était insuffisante pour quelqu'un qui comme lui venait tout droit de la Ligue agraire, son père et ses oncles des deux côtés en ayant été des membres fondateurs.

« Les types qui ont inventé le boycott », sembla se rappeler Reef.

« Une bien jolie stratégie, si vous vous trouvez en pleine campagne, à Sligo et Tipperary et compagnie. Ça rend dingo ces foutus Angliches, en plus de les obliger de temps en temps à cesser leurs vicieuses exactions. Mais en ville, eh bien... » Après un court silence, Wolfe Tone parut retrouver sa bonne humeur — « Remercions en tout cas ce grand et bon pays, avec sa profusion de *pennies, nickels* et *dimes* qui coulent à flots, car sans eux nous gèlerions et déclinerions comme des patates en plein hiver. » Il revenait juste d'une tournée dans les grandes villes américaines où il avait cherché à réunir des fonds pour la Ligue, et il avait été particulièrement impressionné par la lutte des mineurs dans le Colorado.

«J'espérais qu'en arrivant là-bas j'aurais la chance de rencontrer le grand dynamiteur de l'Ouest, le Kieselguhr Kid, mais ça fait malheureusement un bout de temps qu'on n'a plus entendu parler de lui.»

Reef, ne sachant pas trop comment répondre mais comprenant que détourner le regard en cet instant serait une mauvaise idée, resta sans rien dire à scruter l'Irlandais, dont il lui sembla que le visage s'illuminait. Mais Wolfe Tone retomba bientôt dans son état préféré, une asthénie prononcée, en laquelle Reef reconnaîtrait un dispositif métaphorique qui finissait toujours par recourir à un expédient mortel.

«Ces Blancs sont de vrais rabat-joie», fit remarquer Dope Breedlove.

«C'est vrai que vous souriez beaucoup, vous autres», rétorqua Wolfe. «Je comprends pas qu'on puisse être aussi jovial.»

«Ce soir», dit Dope, «c'est parce que nous avons joué à l'Oignon Rouge, dans Rampart», un bref roulement d'yeux en mentionnant ce synonyme de *péril* dans toute la confrérie musicale, «et que nous sommes encore tous en vie pour le raconter. En outre, nous ne voulons pas décevoir les nombreux mélomanes caucasiens qui viennent ici et s'attendent à un certain éclat dentaire. Ah ça oui bien sû', j'ado' les côtelettes!» ajouta-t-il en élevant le ton, ayant aperçu le propriétaire qui approchait, pressé de voir les Gais Moricauds se remettre au travail.

Quand l'orchestre se fut remis à jouer, «J't'ai pris au début pour un de ces stupides Anglais comme ceux avec lesquels t'es arrivé», dit Wolfe Tone O'Rooney.

«Elle m'a mis à la porte», confia Reef.

«Tu cherches un endroit où dormir? Peut-être pas aussi chic que ce dont t'as l'habitude —»

«Ce qui était pas le cas de cet Hôtel St. Charles, maintenant que j'y pense.»

Wolfe Tone créchait aux Deux Espèces, un ranch routier de style Louisiane au cœur du quartier chaud, rempli de desperados de toutes espèces qui, pour la plupart, attendaient que des bateaux les sortent du pays.

«Je te présente Flaco, qui a la même passion que toi, comme tu le verras.»

«Il veut parler de la chimie», dit Flaco, qui prit un air aussi renfrogné qu'entendu.

Reef jeta un coup d'œil à l'Irlandais, qui se désigna avec une innocence offensée.

«Il existe une sorte de communauté», dit Flaco, «et tous les gars finissent par se connaître au bout d'un moment.»

«Je suis davantage un apprenti», avança Reef.

«Pour l'instant, on ne parle que de l'Europe. Les Puissances cherchent toutes la meilleure façon de déplacer leurs troupes, et le chemin de fer est ce qui vient naturellement à l'idée, mais on trouve des montagnes partout, qui ralentissent tout, alors ça veut dire des tunnels. Subitement, aux quatre coins de l'Europe, voilà qu'il faut percer des tunnels de toutes tailles à l'explosif. T'as déjà fait ça?»

«Un peu», dit Reef. «Peut-être.»

«Il est —», commença Wolfe Tone.

«Oui, Frère Rooney. Je suis…?»

«… pas politique comme nous, Flaco.»

«J'sais pas», dit Reef. «Mais vous non plus, d'ailleurs. Faut que j'y réfléchisse.»

«Idem pour nous», dit Wolfe Tone O'Rooney. Avec la même lueur dans les yeux que le soir où on avait évoqué le Kieselguhr Kid.

C'était désormais une vieille ruse, aussi naturelle que déglutir. Quelque part au fond de lui, il haussa les épaules. S'empêchant de repenser à Stray et Jesse.

«Nous observons le monde, les gouvernements, dans leur diversité, certains plus indépendants que d'autres. Et nous remarquons que plus un État est répressif, plus la vie y ressemble à la Mort. Si mourir c'est parvenir à un point de non-indépendance absolue, alors l'État tend, à la limite, vers la Mort. La seule façon de régler la question de l'État c'est de recourir à une contre-Mort, qu'on appelle également "Chimie"», dit Flaco.

C'était un survivant des luttes anarchistes qui s'étaient déroulées dans pas mal d'endroits des deux côtés de l'Atlantique, en particulier à Barcelone dans les années 90. Provoquée par une explosion dans le Teatro Liceo lors d'une représentation de l'opéra de Rossini, *Guillaume Tell*, la police avait non seulement coffré les anarchistes mais également tous les opposants au régime, réels ou supposés. Des milliers de personnes furent arrêtées et déplacées «dans la montagne», dans la forteresse de Montjuich qui s'accroupissait tel un brigand au-dessus de la ville, comme si elle venait de l'attaquer, et quand les donjons furent pleins, on parqua les prisonniers dans des navires de guerre reconvertis en bateaux-prisons, mouillant dans le port.

«Saloperie de police espagnole», dit Flaco. «En Catalogne, elle forme une armée d'occupation. Tous les prisonniers de 93 qui n'étaient pas anarchistes avant d'aller à Montjuich ont vite été acquis à la cause. C'était comme de retrouver une foi ancienne, qu'on avait presque oubliée. L'État est mauvais, son droit divin vient de l'Enfer, et l'Enfer est là où nous allions tous. Certains sortaient de Montjuich brisés, à l'agonie, sans organes génitaux dignes de ce nom, contraints au silence. Les fouets et les fers rougis sont certainement très efficaces. Mais tous autant que nous étions, même si on avait voté et payé nos impôts comme de bons bourgeois, on en ressortait avec la haine de l'État. Et dans ce mot obscène j'inclus l'Église, les *latifundia*, les banques et les corporations, bien sûr. »

Chacun, aux Deux Espèces, attendait son bateau allié et clandestin, une denrée assez répandue sur les voies maritimes... comme si s'était développée autrefois une joyeuse ère anarchiste, qui vivait désormais ses derniers jours depuis que Czolgosz avait assassiné le président McKinley – ce n'était partout qu'anarchistes en cavale, le pays connaissant de nouveau un cycle de Délire anti-Rouges comme cela avait été le cas dans les années 70 en réaction à la Commune de Paris. Mais comme si, également, il pouvait exister un lieu sûr, dans les airs, en mer, un endroit où tous les anarchistes pouvaient se réfugier maintenant que le danger était omniprésent, un endroit facile à situer sur les cartes ordinaires du Monde, un groupe d'îles volcaniques vertes, chacune dotée d'un dialecte propre, bien trop éloignées des voies maritimes pour être utilisées comme dépôts de charbon, n'ayant ni source de nitrate, ni gisement de carburants, ni minerai désirable, précieux ou pratique, et donc à jamais à l'abri de la poisse liée aux politiques des Continents – une Terre promise, non par Dieu, ce qui serait trop demander à l'anarchiste de base, mais par certaines géométries cachées de l'Histoire, et devant comporter, quelque part, au moins en un lieu unique, un agrégat composé de tous les méridiens maudits, se succédant, solitaires, l'un après l'autre.

Wolfe Tone O'Rooney se rendait au Mexique, où il espérait retrouver la trace d'« engins agricoles » qui avaient apparemment disparu pendant le transport, et destinés à des membres de la Ligue qu'il ne décrivit pas de façon détaillée. Tous les matins, Flaco recherchait dans le journal des nouvelles du tramp *Despedida*, un vapeur à destination de la Méditerranée, où une de ses escales serait probablement Gênes, un endroit qui en valait bien un autre pour ce qui était de participer au creusement de tunnels. Il avait convaincu Reef de l'accompagner. Ils prirent l'habitude de se retrouver dans un café non loin du Maman Tant Gras, que Dope Breedlove et ses musiciens de *jass* fréquentaient le matin après avoir passé la nuit à jouer dans la fumée et les brumes du fleuve qui entraient par les portes et les fenêtres… Dans les odeurs du marché qui dressait ses étals, ils mangeaient des beignets et buvaient du café à la chicorée en évoquant Bakounine et Kropotkine, et ce plutôt benoîtement, ainsi que Reef le remarqua, quels que soient les désaccords qui ne manquaient pas de survenir, car il importait de ne pas attirer l'attention. On était aux États-Unis, après tout, et la peur était partout.

Un après-midi, Reef tomba sur Wolfe Tone O'Rooney occupé à couper une pomme de terre en deux, l'air aussi coupable que si on l'avait surpris en train d'assembler une bombe. « Les Voies de la Patate sont multiples et mystérieuses », déclara Wolfe Tone. Il appuya la surface fraîchement mise à nu sur un document qui se trouvait sur la table, et obtint ainsi un timbre encré impeccable, qu'il appliqua alors sur un passeport qu'il semblait être en train de contrefaire.

« Ton bateau est arrivé », devina Reef.

Wolfe agita le document. « Eusebio Gómez, *a sus órdenes*. »

La veille du départ de Wolfe, Reef et Flaco se rendirent le soir sur les berges du fleuve, pour boire des bières au goulot et regarder la nuit tomber, « aussi légère qu'un voile de veuve », estima le jeune Irlandais, « et n'est-ce pas là la malédiction de celui qui erre sans but, cette désolation que nous éprouvons dans notre cœur à chaque coucher du soleil, quand la boucle du fleuve, là-bas, retient encore pendant une trentaine de secondes les dernières lueurs, grosse de la ville dans toute sa densité et sa splendeur, toutes ses possibilités que jamais ne compteront, et encore moins vivront, les gens comme nous, n'est-ce pas, car nous ne faisons que passer, nous sommes déjà des fantômes ? »

Frank passa des mois qui lui parurent des années à déambuler sans but dans un décor fantôme, un roman à quatre sous du Vieux-Mexique, avec d'infâmes gringos en exil, des morts brutales, un gouvernement qui était déjà tombé mais l'ignorait, une révolution qui ne commencerait jamais même si des milliers de gens mouraient et souffraient déjà en son nom.

Il rencontra Ewball Oust un soir dans un saloon, alors qu'il était en tournée avec Gastón Villa et ses Bandoleros Barjos – une tournée qu'on qualifiera d'imparfaitement heureuse, à défaut de malheureuse. Pour les Bandoleros, la frontière était en quelque sorte asymptotique – ils pouvaient s'en approcher autant qu'ils le souhaitaient, mais sans jamais la franchir. Comme si le numéro de *charro* de son père avait jeté une interdiction sur la lignée, Gastón comprit qu'entrer au Vieux-Mexique exigerait de lui quelque chose comme une grâce dont il doutait que son âme fût capable.

Ewball était un jeune homme originaire de Lake County, qui se rendait dans la Veta Madre. Sa famille, une des plus riches de Leadville, avait accepté de lui envoyer deux cents dollars chaque mois, des dollars américains, pas des pesos, pour qu'il reste là-bas et mette à profit ses talents d'ingénieur des Mines. S'il survivait à l'eau potable et aux bandits, ma foi, il serait peut-être autorisé un jour à retourner aux États-Unis, et pourrait même faire une carrière marginale dans le monde des affaires.

«Plus un métallurgiste qu'un ingénieur des Mines», avoua Ewball.

Frank avait déjà traité à Leadville avec un Toplady Oust, croyait-il se rappeler.

«Oncle Top. Conçu dans la galerie d'un chœur pendant qu'on chantait l'hymne *Rock of Ages*. Tu ne serais pas le type aux aimants, par hasard?»

«Je l'étais. Contraint récemment de me chercher un nouveau boulot.»

Ewball examina le galandronome, voulut dire quelque chose, se ravisa. «Vous connaissez le procédé Patio?»

«J'en ai entendu parler. Traitement mexicain de l'argent. Ce que nous autres gringos appelons "l'amalgamation à l'américaine". Censée être un peu lente.»

«D'ordinaire, un affinage à cent pour cent prend environ un mois. Ma famille dirige une ou deux mines à Guanajuato, et elle m'envoie là-bas pour que j'étudie la chose, ils aimeraient moderniser, accélérer un tantinet le mouvement.»

«Tu crois que les Mexicains vont vouloir goûter aux joies du procédé Washoe?»

«Ils ont l'habitude de prendre leur temps, et ici à Guanajuato le procédé Patio est traditionnel – le vif-argent coûte pas cher, le minerai est souvent à l'état libre, guère de raisons de changer sauf pour le facteur temps. Du coup, j'en déduis que mes parents veulent juste que je reste loin du pays.»

Il paraissait plus dérouté qu'en colère, mais Frank sentit que ça pouvait changer. «Peut-être qu'ils aimeraient un retour sur investissement plus rapide», dit-il prudemment. «C'est compréhensible.»

«Tu connais cette région?»

«Non, mais ça me démange ces derniers temps, et je vais te dire pourquoi, vu que tu apprécieras la métallurgie.»

Il commença à parler de l'argentaurum, mais Ewball avait pris de l'avance sur lui.

«M'est avis que ce qui t'intéresse vraiment, c'est le spath d'Islande», dit ce dernier.

Frank haussa les épaules, comme si trop en dire était gênant.

«*Espato*: c'est comme ça qu'ils l'appellent là-bas. On entend parfois *espanto*, qui veut dire quelque chose d'effrayant ou d'étonnant, ça dépend.»

«Comme de regarder quelqu'un à travers un spécimen suffisamment pur pour qu'on voie non seulement l'homme mais aussi son fantôme?»

Ewball examina Frank avec une certaine curiosité. «Des tas d'occasions d'avoir la chair de poule là-bas parmi ces roches détritiques. *Espantoso, hombre.*»

«À vrai dire, la calcite est un minerai intéressant, mais travailler me ferait pas de mal.»

«Ça oui, ils engagent toujours. Viens avec moi.»

«Pas envie de laisser mon instrument», s'emparant du galandronome, «juste quand je viens d'apprendre – Tiens, écoute ça.» C'était une chanson qui avait quelque chose de mexicain, avec en filigrane une rythmique de marche militaire, mais jalonnée de ces hésitations et de ces soubresauts typiques du sud de la frontière. Deux Bandoleros s'avancèrent avec leurs guitares et commencèrent à gratter quelques accords, et au bout d'un moment Paco le trompettiste reprit le solo de Frank.

Ewball était amusé. « Il y a des coins au Mexique où on t'enverra au gnouf juste parce que tu siffles cet air. »

« *La Cucaracha*? C'est la petite amie d'un type, elle aime fumer de la *grifa*, où est le mal? »

« C'est le général Huerta », l'informa Ewball, « un cœur de brute, un esprit sanguinaire, et même s'il préfère assassiner son propre peuple tu n'as pas intérêt à croiser son chemin, parce qu'il se contentera sûrement d'un gringo qui sifflote. Tu n'auras pas droit au bandeau et encore moins à une dernière cigarette. »

Et voilà Frank et Ewball transportés tout feu tout flammes dans le Bajío, à la veille d'un bouleversement historique. Ils franchirent la frontière à El Paso, arrivèrent en train à Guanajuato, Torreón, Zacatecas, León, et changèrent finalement à Silao, épuisés par le manque de sommeil, sur les nerfs, leurs chemises maculées du jus inquiétant des fraises locales. Des étendues de *mesquite*, les faucons tournoyant dans le ciel de la Sierra Madre, les arroyos, les terrils, les peupliers, les champs noirs à perte de vue, où les *tlachiqueros* apportaient des gourdes en peau de mouton remplies de jus de maguey frais pour qu'il soit mis à fermenter, et où les *campesinos* tout de blanc vêtus se tenaient le long des rails, certains armés, d'autres observant, les mains vides, le simple passage du train, « impassibles », comme aimaient à dire les gringos, sous leur chapeau à large bord, attendant un éventuel jour de congé, un message décisif venu de la Capitale, ou le retour du Christ, ou son départ, pour de bon.

À la gare de Guanajuato, les Nord-Américains descendirent du wagon sous une pluie battante en tirant sur des *puros* veracruz, foncèrent s'abriter en sautillant sous la tôle non galvanisée d'une remise que l'averse martelait tellement que personne ne pouvait ni s'entendre ni parler. Là où la rouille avait rongé le toit, l'eau cascadait presque avec courroux. « Deux pesos de zinc auraient pu éviter ça, c'est sûr », commenta Frank, et Ewball, incapable de saisir ses paroles, haussa les épaules.

Ils furent abordés par des pourvoyeurs de chewing-gums, de lunettes de soleil, de chapeaux de paille, d'opales de feu, et de femmes scandaleusement jeunes, par des enfants qui se proposaient de porter leurs affaires et de cirer leurs bottes, par des chauffeurs en maraude espérant les convaincre de dormir à tel ou tel endroit, tous services qu'ils refusèrent poliment en agitant le doigt.

La vieille ville de pierre sentait le bétail, l'eau de puits, les égouts, le soufre et autres dérivés de l'extraction et de la fusion de l'argent... Ils entendirent des bruits dans tous les coins invisibles de la ville – des voix, des bocards en action, les cloches des églises sonnant les heures. Les sons se répercutaient sur les façades des bâtisses, et les rues étroites les amplifiaient.

Frank alla travailler chez Empresas Oustianas, S.A., et comprit assez rapidement le procédé d'amalgamation. Ewball et lui s'habituèrent vite à la vie de la *cantina*, même si Frank trouva pénible le fait que les gens lui décochent de temps en temps des regards qu'il jugeait étranges, comme s'ils croyaient le reconnaître, alors que c'était dû sans doute au *pulque* ou à l'absence de sommeil. Quand il put enfin dormir, il fit des rêves brefs et intenses dans lesquels revenait presque toujours Deuce Kindred. « J'suis pas là », disait sans cesse Deuce. « Je suis à des bornes d'ici, pauvre idiot. Non, ne va pas dans ce *callejón*. Tu m'y trouveras pas. Ne remonte pas cette *subida*, pas la peine. Ta vie vaut pas la peine, en fait. Le Mexique est l'endroit idéal pour toi. Encore un gringo de foutu. » Mais au fil des rêves, assez bizarrement, c'était toujours le même chemin tarabiscoté, grimpant à flanc de colline, tout d'abord des allées pavées, puis en terre battue, qui tortillaient, se dotant de-ci de-là et brièvement de toits et devenant d'étroits passages – avec des escaliers entre les habitations délabrées, dont de nombreuses à l'abandon, petites, grises, poussiéreuses, en ruine, les toits pressés contre les pas-de-porte à même la paroi montagneuse. Frank se réveillait à chaque fois convaincu qu'il y avait une contrepartie réelle dans cette ville diurne.

Ce fut bientôt la *Semana Santa* et personne ne travailla pendant quelques jours. Frank et Ewball purent alors se promener en ville en quête de déconvenues inédites. Les rues étant aussi étroites que des ruelles et courant entre de hauts murs, presque toute la ville gisait dans l'ombre. Avides de soleil, ils escaladèrent la colline quand, au détour d'un chemin, Frank fut saisi par le sentiment étrange d'avoir déjà été là. « J'ai rêvé ça », dit-il.

Ewball plissa les yeux légèrement. « Y a quoi là-haut ? »

« Ça a un rapport avec Deuce. »

« Il est là-haut ? »

« Mince, c'est qu'un rêve, Ewb. Viens. »

Ils gravirent le versant rouge et brun, trouvèrent le soleil et l'armoise violette où des chiens sauvages erraient parmi les ruines sans toit, puis parvinrent assez haut pour distinguer, sous l'âpre éclat du ciel, où des cirrus s'étiraient en longues traînées impeccables et parallèles, la ville en contrebas, s'étendant d'est en ouest, comme réduite au silence par de mystérieux rayons que même Frank et Ewball se devaient d'honorer – la Passion du Christ, l'air immobile... Les bocards s'étaient tus, l'Argent aussi prenait son jour de congé, comme en reconnaissance de la somme perçue par Judas Iscariote. Le soleil taquinait les arbres.

Alors qu'il semblait qu'une révélation allait jaillir du ciel tendu et lumineux, ils furent arrêtés par des hommes sales et d'aspect vaguement officiel, aux uniformes usés, chacun armé du même modèle de Mauser – et qui parurent vouloir éviter leurs regards, comme s'ils n'étaient pas sûrs d'être protégés par l'opacité des leurs.

«Qu'est-ce que —», commença Ewball, mais les *rurales* lui firent signe de la boucler et Frank se rappela la pratique catholique consistant à faire le mort le vendredi saint entre midi et quinze heures, car c'étaient les heures pendant lesquelles Jésus était resté sur la Croix. Dans un silence fervent, ils prirent le revolver de Frank et le fusil automatique allemand de Ewball, et les conduisirent dans une sainteté impénétrable jusqu'au *juzgado*, non loin de Calle Juárez, où on les jeta ensemble dans une cellule bien en dessous du niveau du sol, creusée à même la roche primitive. De l'eau gouttait et des rats prenaient leur temps pour traverser les zones à découvert.

«Problèmes de *mordida*», supposa Ewball.

«Pas l'impression que les types de la Compagnie vont venir nous chercher, non?»

«M'étonnerait. Le fait d'être un gringo par ici n'est pas toujours un avantage comme tu pourrais le croire.»

«Dis donc, c'est moi qui dis ça tout le temps.»

«Oui. Et c'est peut-être moi qui descends la route en sifflotant gaiement, en croyant qu'il ne va jamais rien se passer.»

«Moi, au moins, Ewb, je sais où est la sûreté sur ce manche à balai.»

«Où "était", tu veux dire. T'as peut-être pas remarqué, mais on les a plus, ces *pistoles*.»

«Peut-être que ces jeunots vont pas savoir quoi faire du tien et qu'ils vont te le rendre.»

À un moment donné, en pleine nuit, on les réveilla et on les fit passer brutalement par une suite de couloirs puis monter quelques marches donnant dans une rue qu'aucun d'eux n'avait remarquée avant. «Ça ne me plaît pas trop», marmonna Ewball, qui marchait bizarrement à cause d'un tremblement dans les genoux.

Frank sortit de ses poches ses mains désentravées et leva le pouce. «Pas d'*esposas*, je crois qu'on risque rien.»

Ils s'engagèrent dans la rue la plus large de la ville, qui menait, ainsi que le savaient très bien les deux Nord-Américains, directement au *Panteón*, le cimetière municipal. «Tu appelles ça "ne rien risquer", hein?» dit Ewball, l'air abattu.

«Hé, on n'a qu'à parier.»

«T'as raison, t'es sûr de gagner, vu que tu pourras pas payer.»

«De toute façon, j'ai pas d'argent. Pour ça que j'ai proposé.»

Une fois au pied du Cerro del Trozado, d'où ils distinguèrent presque les murs du cimetière qui se dressaient dans le clair de lune partiel, ils s'engouffrèrent dans une ouverture à flanc de colline, quasi invisible derrière un écran de cactus. «*¿Dónde estamos?*» demanda Frank.

«*El Palacio de Cristal.*»

«J'ai entendu parler de cet endroit», dit Ewball. «Quelles que soient les accusations qui pèsent contre nous, c'est politique.»

«Vous devez vous tromper de cow-boy», dit Frank. «Je ne vote même pas.»

«*La política*», acquiesça l'un des *rurales* avec un sourire.

«*Felicitaciones*», ajouta son compagnon.

La cellule était à peine plus spacieuse que celle du *juzgado*, avec deux matelas en feuilles de maïs, un seau hygiénique et un énorme dessin peu flatteur de Don Porfirio Díaz tracé au charbon sur le mur. «Vu qu'ils vont apparemment attendre le matin pour nous fusiller», dit Frank, «je crois que je vais aller roupiller un moment avec les *chinches*.»

«À quoi bon?» objecta Ewball. «Si nous sommes voués au sommeil éternel? Parce que…» Mais Frank ronflait déjà.

Ewball était toujours éveillé une heure plus tard quand ils furent rejoints par un autre Nord-Américain, un dénommé Dwayne Provecho, soûl mais très remonté, qui se lança dans un monologue et attira à plusieurs reprises l'attention de Ewball sur sa connaissance des tunnels secrets, qui existaient depuis qu'on cherchait de l'argent sous Guanajuato, et qui à tous les coups menaient hors de cet endroit. «La fin du monde approche, vous savez. La dernière fois, en sortant de Tucson, on pouvait l'entendre dans l'air, et ce jusqu'à Nogales et de l'autre côté de la *frontera*, ça ne cessait jamais. Une sorte de rugissement, des bêtes dans les airs, plus grosses que tout ce que vous avez déjà vu, leurs ailes se détachant sur la lune comme des nuages, avec tout qui devient sombre soudain et vous qui êtes pas sûr de vouloir que ça cesse, parce que, quand il y aura de nouveau de la lumière, qui sait ce que vous verrez alors au loin?»

«Merci beaucoup», Frank ouvrant un œil, «mais peut-être que si nous réussissions tous à dormir un peu —»

«Oh — non non non, pas une minute à perdre, car le Seigneur arrive, faut que vous voyiez ça, il a commencé à s'éloigner, puis il a ralenti, comme s'il pensait à quelque chose, il s'est arrêté, il a fait demi-tour, et maintenant il vient nous chercher, vous ne voyez pas cette lumière, vous ne sentez pas cette chaleur qui émane de lui à mesure qu'il se rapproche?», et cætera.

Malgré la présence d'un nombre inattendu de casse-pieds religieux, leur geôle mexicaine finit par n'être plus trop le légendaire enfer frontalier qu'on disait mais une sympathique communauté, assez coulante à certains égards, et Ewball se retrouva vite avec les poches mystérieusement pleines d'argent. «D'où est-ce que ça vient? Ewb, ça commence à m'inquiéter...»

«No sai prai-okou-pè, *compadre*!»

«Ben voyons, n'empêche que quelqu'un en ramène sans arrêt, *quelqu'un que tu connais.*»

«Ponctuel comme un jour de paie et sûr comme la Banque Morgan.»

Ewball essayait de paraître insouciant, mais Frank semblait moins guilleret. «Mouais. Et quand est-ce qu'ils voudront qu'on le leur rende?»

«Un de ces quatre, peut-être, quand on sera sortis d'ici, mais personne n'est vraiment pressé, non?»

Personne, effectivement. Cet endroit était juste un rêve, et fort paisible, comparé à ce à quoi on les avait arrachés, tout comme la ville qui, vue de très loin, mais jamais de près, semblait paisible – pas de mineurs ivres ou d'explosions imprévues, le martèlement des bocards toute la nuit parvenant jusqu'ici, derrière la roche, assourdi, en polyrythmes aussi lénifiants que l'est la houle aux hommes d'équipage allongés sur leur couchette au-dessous de la ligne de flottaison, à l'orée du bienheureux potager du sommeil... Ici, dans ces profondeurs, balayés le monde du travail et ses affres, les occasions de s'amuser paraissaient infinies, se déclinant sous forme d'attractions souterraines – une *cantina* avec musique et danseuses de fandango, petit théâtre de nickelodéon, ou plutôt *centavodeón*, roulette et faro, revendeurs de *grifa* et fumeries d'opium tenues par des membres haut placés de la communauté chinoise, suites de chambres d'hôte aussi luxueuses qu'en ville, avec l'équivalent souterrain d'un balcon depuis lequel on pouvait voir, sur des kilomètres semblait-il, les parois noircies par la fumée, les tours de guet rivetées de fer, les couloirs marron, souvent sans toit, de cette prison de plus en plus confortable, d'où étaient absents la racaille et les habituels surineurs et poivrots qu'on trouve dans toute ville minière – non, eu égard à la politique nationale actuellement à l'œuvre, les détenus ici semblaient davantage, comment dire, d'honnêtes travailleurs avec une lueur dangereuse dans les yeux. Des professeurs francs du collier, des fripouilles *científicas*, également. Et certains passe-temps carcéraux, comme ceux ayant trait à l'intégrité rectale, ne semblaient même pas prisés ici, ce qui facilitait les choses aux deux Nord-Américains.

Une nouvelle surprise les attendait. Le geôlier de nuit n'était autre qu'une jolie jeune femme vêtue d'un uniforme inhabituellement coquet, du nom d'Amparo, bien qu'elle préférât qu'on l'appelle Sergent Vásquez. Une relation proche de quelqu'un de haut placé, imagina Frank. On la voyait rarement sourire, certes, mais elle ne manifestait pas non plus une attitude à cent pour cent carcérale. «Gaffe, hein», marmonna Frank, et pas uniquement pour lui-même.

«Oh, je sais pas trop», dit Ewball. «Je crois qu'elle nous aime bien.»

«Elle aime surtout tous ces jolis *hidalgos* que tu distribues, je crois.»

«Bon sang. C'est plus fort que toi.»

«Merci. Ou plutôt: comment ça?»

«Les femmes. T'en as déjà rencontré une que l'argent intéressait pas?»

«Donne-moi un ou deux mois, et j'en trouverai peut-être une qui sait pas compter.»

Le Sergent établit d'emblée et très clairement qu'ils pouvaient faire tout ce que leurs finances leur permettaient, tant qu'ils n'oubliaient pas de lui demander l'autorisation. À part sortir, bien sûr, même si elle leur promettait chaque jour que leur cas serait vite résolu.

«Bon, sauriez-vous par hasard pour quelle raison nous sommes ici, vu que, à nous, on nous dit rien?»

«Vous êtes adorable aujourd'hui, au fait, avec vos cheveux noués avec ce truc argenté.»

«*Ay, lisonjeros.* Ils disent que c'est quelque chose qu'un de vous a fait il y a longtemps, de l'Autre Côté.»

«Mais pourquoi alors nous arrêter tous les deux?»

«Ouais et c'est lequel des deux?»

Elle se contenta de les regarder l'un après l'autre, avec assurance et plutôt bien disposée, apparemment, comme le font parfois les femmes dans la Capitale.

«Ça doit être moi qu'ils veulent», supposa Frank. «Ça peut pas être toi, Ewball, tu es trop jeune pour avoir eu des démêlés avec la justice.»

«Eh bien, j'ai trempé dans quelques histoires de corruption…»

«Tu ne serais pas ici pour ça.»

«Ne devrais-tu pas dans ce cas avoir l'air un peu plus inquiet?»

Frank se réveilla tôt, après avoir rêvé qu'il voyageait dans les airs, très haut dans le ciel, à bord d'un engin dont le principe de fonctionnement lui était mystérieux, et surprit alors le sergent Vásquez au regard de braise sur le seuil, avec un plateau chargé de papayes et de citrons verts givrés, déjà tranchés afin d'éviter toute turpitude liée à l'usage d'une lame, de *bolillos* encore chauds, émincés et recouverts de haricots et de fromage chihuahua puis mis au four le temps que le fromage fonde, une salade maison comportant le revigorant chili local connu sous le nom d'*el chinganáriz*, un plein pichet de jus d'orange, de mangue et de fraise, et du café de Veracruz avec du lait chaud et des morceaux de sucre non raffiné.

« Vous vous embêtez pas », commenta Dwayne Provecho, qui choisit ce moment pour passer la tête par la porte, un filet de bave dégoulinant le long de son menton et sur sa chemise.

« Mais bien sûr, Dwayne, vous pouvez goûter. » Frank aperçut le Sergent qui lui décochait un héliographe oculaire depuis le couloir. « J'reviens… »

« Vous ne devriez peut-être pas trop copiner », conseilla-t-elle. « Ce type évolue dans l'ombre du *paredón*. »

« Pourquoi, qu'est-ce qu'il a fait ? »

Elle attendit une minute. « Des livraisons au nord de la frontière. Travaille pour des… des gens dangereux. Vous avez entendu parler du » – baissant la voix et posant sur lui un regard dénué de toute naïveté – « P.L.M. ? »

Oh-oh. « Voyons voir, il s'agit des frères Flores Magón, *¿ verdad ?*… et de Camilo Arriaga, aussi, un type du coin si je ne m'abuse… ? »

« Camilo ? C'est un *potosino*. Et les employeurs d'*el señor* Provecho – il se peut qu'ils trouvent les Flores Magón un peu trop… comment vous dites ? délicats. »

« Oui mais regardez-le. Il bâfre de bon cœur – n'est-ce pas réjouissant chez un type sur le point d'être fusillé ? »

« Il existe deux écoles de pensée. Certains aimeraient le relâcher, le filer, en savoir un peu plus. D'autres souhaitent juste éliminer un élément perturbateur, et le plus tôt sera le mieux. »

« Oui mais on trouve ici des types mille fois plus dangereux que le vieux Dwayne, *muñeca*, des gars qui ont déjà purgé cinquante ans ici. Pourquoi le facteur temps est-il soudain si important ? Il se prépare quelque chose de grave, peut-être ? »

« Vos yeux », ainsi qu'elle avait coutume de murmurer quand ils étaient seuls, « je n'ai jamais vu des yeux pareils. »

Allons bon. « Sergent, voilà que vous m'annoncez à présent que vous n'avez jamais eu le loisir de regarder de près les yeux d'un gringo ? »

Elle ne dit rien, prenant avec ses yeux mystérieux aux iris noirs cet air qui à tous les coups lui donnait à réfléchir. Elle l'avait averti aujourd'hui, elle ne pouvait en faire davantage – et quand Dwayne s'adressa à lui étourdiment, Frank ne fut pas étonné.

Dwayne sentait les *caldereros y sus macheteros* tequila-bière en quantité inconnue, même si Frank ignorait quelle quantité il avait réussi à absorber – ses yeux, qui étaient devenus incandescents, baignaient dans une trop grande clarté. « Suis ici en mission » – c'est ainsi qu'il décrivit les choses – « pour vous proposer un emploi rémunéré, vu qu'il se raconte, ici comme de l'Autre Côté, que vous êtes, désolé si je suis trop direct, le Kieselguhr Kid de la légende de l'Ouest. »

« Une sacrée supposition, Dwayne, on aurait pu vous croire plus malin, pour un type qui a sillonné le pays et tout ça. »

« Vous n'êtes… qu'un ingénieur des Mines et c'est tout. »

« Ouais, mais y a plein de types qui manient les substances dange-reuses auxquelles vous pensez et qu'un peu d'action réjouirait, alors, quand vous sortirez d'ici, ce que vous devez faire, c'est vous rendre dans n'importe quelle mine de la Veta Madre, trouver la *cantina*, et vous dégo-terez des tombereaux de bonshommes spécialisés dans la démolition avant même d'avoir deviné qui paiera la prochaine tournée. »

« Et vu que la moitié d'entre eux, frangin, doivent leur boulot à ce vieux porfiriato qui est increvable, tout ce que j'ai à faire, c'est de me tromper une seule fois. »

« Vous venez peut-être de le faire. »

« En ce cas, je suis à votre merci, c'est cela ? »

« Je me demande si vous plaisanteriez autant avec le véritable Kieselguhr Kid… Vous ne seriez pas un peu plus respectueux avec lui, vous n'auriez pas, comment dire, un peu *peur* ? »

« Kid, si je puis vous appeler ainsi, j'ai tout le temps peur. »

« Ce que je voulais dire, c'est qu'il doit bien y avoir un peu de place dans votre cervelle pour l'éventualité d'une erreur sur la personne ? »

« Les *federales* ont des photos, je les ai vues. »

« Personne ne ressemble jamais à leurs "trombines", vous devriez le savoir à présent. »

« J'ai aussi causé à Frère Disco, à Telluride. Il a prédit que vous échoueriez ici, et avec qui vous seriez, aussi. »

« Ellmore croit que je suis le Kid ? »

« Ellmore dit que c'est la seule raison pour laquelle Bob Meldrum vous a pas zigouillé la première fois qu'il vous a vu. »

« J'ai fait *peur* à Bob le Retors ? »

«Plutôt une courtoisie professionnelle», estima Dwayne Provecho sur un ton avunculaire. «Et juste pour vous montrer que tout va de mieux en mieux, ce soir nous nous évadons.»

«Juste quand ça commençait à me plaire. Et si vous partiez seul?»

«Parce que tous ici pensent que vous êtes le Kieselguhr Kid et qu'ils attendent une évasion.»

«Mais je ne suis pas le Kid.»

«Mais un jour un voyou du coin qui croit que vous l'êtes ne pourra pas résister à l'envie de vous plonger dans le cœur son *cuchillo*, juste pour la gloire que ça lui apportera.»

«C'est dit avec tact», fit Ewball, qui se joignit à la conversation, «mais il est vraiment temps qu'on reprenne la route, Frank.»

«Toi aussi? J'croyais que ton peuple allait acheter ta libération.»

«Moi aussi, pendant un temps.»

«Oh-oh.»

Équipés de lanternes sourdes, ils s'engagèrent dans une galerie voûtée aux parois lisses. Des ombres dansaient, des formes blanches apparaissaient plus loin. «Allons bon», dit Ewball.

«Z'allez pas être malades, hein?» demanda Dwayne, prévenant. «Les gars, je vous présente les *momias*.»

Elles étaient une trentaine, suspendues à des piquets, s'étendant sur deux longues rangées entre lesquelles il allait falloir passer. Les corps étaient recouverts de draps – seules les têtes émergeaient, inclinées vers le bas, les visages à différents états de momification, certains impavides à la lueur des lanternes, d'autres tordus dans d'horribles souffrances. Tous semblaient attendre quelque chose, avec une patience surnaturelle, leurs pieds à quelques centimètres du sol, minces et torturés, conservant leur dignité et leurs distances, tranquillement persuadés d'être, mais non sans espoir d'évasion, au Mexique.

«Le *Panteón* manque de place», crut bon d'expliquer Dwayne, «alors du coup on met ces gars à sécher sous terre pendant cinq ans, puis si les familles ne paient pas ce qu'on appelle des taxes tombales, on les déterre et on les suspend ici jusqu'à ce que quelqu'un casque.»

«Je croyais que c'était un truc religieux», dit Ewball.

«Ça l'est d'une certaine façon, tout est changé en pesos et en centavos – l'eau en vin, on pourrait dire – pendant la journée les visites sont payantes, là on bénéficie des tarifs de trois heures du matin, même si, vu leurs expressions, on a dû… *interrompre quelque chose*.»

«C'est bon, Dwayne», marmonna Frank.

Ils arrivèrent devant un escalier en colimaçon en bout de crypte et émergèrent dans le clair de lune.

Ils traversèrent le défilé jusqu'à la vieille gare de Marfil, prirent un train peu après le lever du soleil et roulèrent toute la journée. Frank, profondément mutique, refusa de boire, de payer son coup, de fumer, ou même de distribuer les cigarillos qu'il ne fumait pas avec ses compagnons de cellule, lesquels commencèrent à s'inquiéter.

«J'espère que t'es pas amoureux, *compinche*.»

«Vous m'avez plutôt l'air hanté», commenta Dwayne. «Vous en présentez tous les signes. Un événement dans votre célèbre passé, dont il faudrait s'occuper.»

«Vous savez, Frère Provecho, en prison cette histoire de Kid était bien jolie, mais dehors ça devient lassant, c'est tout. Désolé de ne pas être votre bonhomme, le vrai Kid. Vous feriez mieux d'aller harceler un gringo à qui ça plairait.»

«Trop tard.» Dwayne regardait par la vitre. «D'ici cinq minutes vous allez devoir réactiver vos dons légendaires de dynamiteur… Kid.»

Le train freina et s'arrêta, et Frank perçut une certaine agitation. Il regarda à l'extérieur et vit, montés à cheval, une vingtaine de types qui semblaient avoir fait vœu de sobriété en ce qui concerne l'apparence – lèvres supérieures rasées, chapeau au bord modeste que n'aurait jamais coiffé un *charro*, chemise en coton et pantalon de travail dans les nuances brunes, pas d'insigne, aucune marque d'affiliation à quoi que ce soit.

«Tous là pour moi, hein?» dit Frank.

«Je reste avec toi», annonça Ewball.

«Je voyais pas les choses autrement.» Dwayne s'était apparemment procuré un pistolet au cours des dernières heures.

Au bout de quelques secondes, Ewball dit: «Oh. Une rançon? C'est là-dessus que tu comptes, la légendaire fortune des Oust? Pas très fructueux comme plan, *vaquero*.»

«Mince, ils se contenteront de ce qu'ils pourront glaner. Un rien les réjouit. Ce que vous voyez là n'est pour l'instant qu'une opération à petite échelle, de l'improvisé, pas d'otage trop important, tant qu'il y a des bourgeois pour payer.»

«*Ay, Jalisco*», marmonna Frank.

«Oh, que je vous présente El Ñato.» Une présence dynamique venait d'apparaître dans le wagon – veste d'officier datant de l'armée défunte d'un pays pas forcément limitrophe, verres fumés, de l'acier là où on se serait attendu à de l'argent et, perché sur une des épaulettes, un énorme perroquet tropical, tellement disproportionné en fait que, pour converser avec son propriétaire, il devait se pencher pour hurler à son oreille.

« Et voici Joaquín », déclara El Ñato en souriant à l'oiseau. « Parle-leur en ton nom, *m'hijo.* »

« J'aime fourrer la chatte gringa », confia le perroquet.

« Ça alors ! » s'exclama Ewball, qui tiqua devant l'accent d'acteur britannique de l'oiseau, qui évoquait du Shakespeare de vaudeville et des nuits de débauche.

Un rire hideux. « Ça te pose un problème, *pendejo* ? »

El Ñato, ravi, s'énerva. « Allons, allons, Joaquín, nous ne devons pas induire nos hôtes en erreur – ça n'est arrivé qu'une fois, avec une chatte domestique, à Corpus Christi, il y a très, très longtemps. »

« *Sin embargo, mi Capitán,* l'aventure m'a hanté. »

« Bien sûr, Joaquín, et maintenant, messieurs, si ça ne vous dérange pas... »

Des chevaux sellés attendaient Ewball et Frank, et on leur fit signe de monter dessus. « Vous ne venez pas avec nous, Dwayne ? » Frank se hissa sur une selle en cuir noir, façonnée, remarqua-t-il, à partir d'un arçon militaire, à laquelle on ne s'attendait guère si loin de la ville, sans autre ornement que des petites boucles mexicaines aux étriers. « Soyez prudents, les gars », lança Dwayne depuis la porte du wagon, « et peut-être que nous vous reverrons un jour sur ces rails. » Comme le train repartait, El Ñato lui lança un sac en cuir, modeste de taille mais d'un certain poids, fit se cabrer son cheval de façon théâtrale, se retourna et lança « ¡ *Vámonos !* » à ses acolytes. Le perroquet battit des ailes comme s'il adressait un signe à un complice au loin. Encadrant les Américains, les guérilleros se mirent en branle, alertes, silencieux, adoptant une allure militaire, et bientôt le train derrière eux n'évoqua plus qu'un insecte de plus crissant dans la plaine aride.

« On se retrouve avec des anars maintenant, putain, j'aurais jamais cru en arriver là... »

« C'est quoi ton problème ? » l'asticota Ewball. « Tu te sentirais plus à l'aise avec de simples bandits ordinaires ? »

« Les bandits, ça tire au pistolet, ça donne des coups de couteau, mais au moins ça ne fait pas exploser tout ce qui passe à portée de main. »

« On n'a jamais rien dynamité ! » protesta El Ñato. « Personne ici connaît que dalle aux explosifs ! Bon, d'accord, m'est arrivé de voler de la dynamite dans les mines, j'ai peut-être même balancé un bâton ici ou là, mais maintenant tout ça c'est fini, maintenant vous nous accompagnez, ¡el *Famoso Chavalito del Quiselgúr!* – maintenant on nous respecte!»

Ils chevauchèrent jusque tard dans la nuit, mangèrent, dormirent, établirent un campement, repartirent avant l'aube. L'escorte n'était pas d'humeur joviale, et la simple idée d'une sympathique *copa* de temps en temps fut vite abandonnée. Des jours s'écoulèrent ainsi, tandis qu'ils s'enfonçaient dans le Mexique plus profondément que Frank aurait jamais cru qu'on pût le faire sans tomber sur un littoral, Ewball se comportant de moins en moins comme un otage et de plus en plus comme un frère perdu de vue depuis longtemps qui essayait de séduire à nouveau une famille qu'il croyait sienne. Plus étrange encore, El Ñato et ses lieutenants semblaient tomber dans le panneau, et ils encouragèrent bientôt Ewball à se joindre à eux. «Il va falloir aller vite, nous suivre. On n'a pas toujours le temps de manger, ou de trouver une ville à piller, et la règle ici c'est que tout ce qu'on trouve on l'apprécie, *pues...* tu suivras le rythme, je crois.»

Ils empruntèrent les avenues de bourgades bordées d'anciens palmiers, s'enfoncèrent dans des cañons abrupts, les montagnes indigo silhouettées sur des kilomètres de brume. Un jour qu'il se penchait au-dessus d'une corniche, Frank distingua une ville couleur rouille accrochée aux versants d'un profond ravin. Des terrils se dressaient partout, et Frank en déduisit l'existence de mines d'argent. Sinuant entre les hauts murs non infléchis de la ville, des ruelles se changeaient parfois en escaliers.

Ils établirent leur campement loin des habitations, près d'un pont qui enjambait un arroyo. Le vent qui s'engouffrait dans le ravin ne cessa de souffler tout le temps qu'ils restèrent là. Les réverbères s'allumaient tôt dans le jour marronnasse et restaient parfois ainsi toute la journée suivante. Frank, comme happé par un vide partiel dans le passage du temps, trouva trente secondes pour se demander si sa place était vraiment là. La question le prit tellement au dépourvu qu'il décida de consulter Ewball, lequel était accroupi sous une tente, devant un fusil Maxim démonté sur une couverture, essayant de se rappeler comment le remonter.

«Vieux *compinche* – dis-moi, tu m'as l'air différent. Attends, que je devine. Le chapeau? Peut-être toutes ces cartouchières truffées de balles de mitraillette que tu trimballes sur toi? Ce tatouage? Laisse-moi regarder – *Qué guapa, qué tetas fantásticas ¿verdad?*»

«Ces types ont tout compris depuis le début», dit Ewball. «Ça m'a pris juste un peu de temps pour m'en rendre compte, c'est tout.»

«Hé! Tu sais quoi? Pas de précipitation. Échangeons nos rôles. Ouais!

Tu seras le Kid, et moi ton acolyte. D'accord? Ils ne croient jamais ce que je leur dis, mais peut-être que toi ils te croiront.»

«Qui? Moi? Être le Kid? Ben, je sais pas trop, Frank…»

«Cinq minutes, et je peux tout t'apprendre, cours d'explosifs en accéléré pour pas cher, les toutes dernières avancées – tiens, par exemple, tu t'es jamais demandé laquelle des extrémités de ces trucs il fallait allumer?»

«Bon sang, Frank, éloigne ça de moi —»

«Eh bien c'est celle-ci, tu vois —»

«Ahhh!» Ewball jaillit hors de la tente plus vite que la vitesse initiale de n'importe quelle arme à feu connue. Frank plaça entre ses dents le cylindre fumant qui, à y regarder de plus près, n'était sans doute qu'un imposant claro cubain dans un emballage Partidos, et sortit se promener parmi la *tropa*, qui, croyant qu'il fumait bel et bien un bâton de dynamite, s'égailla avec des murmures admiratifs. Seul le perroquet Joaquín parut disposé à faire la conversation.

«Tu t'es jamais demandé pourquoi on dit Zacatecas, Zacatecas? Ou Guanajuato, Guanajuato?»

Frank, qui avait désormais contracté la douteuse manie de converser avec un perroquet, haussa les épaules, agacé. «L'une est une ville, l'autre un État.»

«¡*Pendejo!*» s'écria le perroquet. «Réfléchis! Double réfraction! Ta propriété optique préférée! Des mines d'argent, pleines d'*espato* qui se réfracte deux fois en permanence, et pas seulement des rayons lumineux, nan, ah ah! Des villes, aussi! Des gens! Des perroquets! Tu te contentes de te laisser porter par ton nuage de fumée, gringo, en te disant que toute chose n'existe qu'en un seul exemplaire, *huevón*, tu ne vois pas ces drôles de lumières tout autour de toi. *Ay, Chihuahua.* Ou plutôt, *Ay, Chihuahua, Chihuahua.* Ces jeunes ingénieurs! Tous les mêmes. Des esprits bornés. Toujours été ton problème.» S'abandonnant au final à l'hystérie du perroquet, sinistre par son indifférence prolongée.

«Le voilà *ton* problème», Frank s'avançant vers Joaquín les deux mains tendues en position strangulatoire.

Le Commandante, sentant qu'il y avait du psittacide dans l'air, accourut aussitôt.

«Mes excuses, señor Chavalito, mais d'ici seulement quelques heures —»

«Quelques heures, hum, avant quoi, Ñato?»

«¡*Caray!* Je vous ai pas dit? Je me demande parfois pourquoi on me laisse diriger une unité. Eh bien, avant votre première mission, bien sûr!

Nous voulons que vous fassiez sauter le Palacio del Gobierno ce soir, O.K. ? Lui porter, vous savez, ce fameux coup du Chavalito ? »

« Et vous comptez m'aider ? »

El Ñato se montra évasif, ou, comme il l'aurait exprimé, *gêné*. « Pour être honnête, ce n'est pas vraiment la cible principale. »

« Mais encore ? »

« Vous savez garder un secret ? »

« Ñato — »

« D'accord, d'accord, c'est la Monnaie. Pendant que vous créerez une diversion — »

Plus tard, Frank fut incapable de se rappeler si le mot *loco* avait été prononcé pendant la discussion, même si ça avait été peut-être le cas de son euphémisme mexicain, *lucas*. Le problème était très simple, en fait. Les pièces d'argent représenteraient une charge colossale. À vingt-cinq grammes le peso, une robuste mule pourrait porter cinq mille pesos, un âne peut-être trois mille cinq cents, mais la question c'était jusqu'où avant que la mule s'écroule et doive être remplacée. Même avec assez de mules pour que ça vaille la peine de cambrioler la Monnaie, ils feraient des cibles de fête foraine pour n'importe quel groupe de *federales*. »

« Je m'en doutais », dit El Ñato. Mais Frank vit bien qu'il était vexé.

L'opération se limita, en fait, à voler la dynamite nécessaire dans une des mines d'argent sur les pentes du Monte El Refugío, au sud-est de la ville. Avant que quiconque ait pu donner l'alarme, ils se retrouvèrent au milieu d'un feu nourri, peut-être avec des gardiens de la mine, peut-être des *rurales*, difficile de savoir dans l'obscurité.

« On peut pas dire qu'on soit entrés en ville sans faire de bruit », murmura Ewball entre deux coups de feu. « Il s'attend à quoi ? »

Ils revinrent au campement où une autre fusillade faisait rage, avec El Ñato quelque part sur un flanc, contenant ce qui semblait être une tiède offensive. Personne n'avait envie de tirer en pleine nuit, même s'il était évident que ça changerait avec le jour et qu'il serait bien avisé d'être partis d'ici là.

« ¡Ay, Chavalito! » hurla le perroquet Joaquín dans sa cage, pris d'une rage sombre et inaccessible, et qu'on chargeait sur une mule de bât. « Nous sommes dans *la mierda, pendejo*. »

« Des huertistas », dit le Commandante. « Je les sens. » Frank dut avoir un air intrigué, car El Ñato s'énerva et ajouta : « Comme le sang indien. Comme les récoltes brûlées et la terre volée. Comme l'argent gringo. »

Ils quittèrent les lieux avant l'aube, s'éloignant de la voie ferrée et s'engageant dans un plateau désolé et crevassé, en direction de Sombrérete et de la Sierra. Chaque fois qu'ils parvenaient en haut d'une éminence, les oreilles dressées des chevaux se profilant contre le ciel, tout le monde guettait des coups de fusil. Derrière eux, un nuage de poussière apparut au bout d'un moment.

On débattit pour savoir s'il fallait s'arrêter à Durango, Durango, mais il paraissait plus sage de continuer en direction des montagnes. Le lendemain, vers midi, Ewball vint chevaucher au côté de Frank et attira son attention sur un petit arroyo.

Frank crut au début que c'étaient des antilopes, mais elles couraient plus vite que tout ce qu'il avait jamais vu courir. Elles disparurent dans une grotte au pied d'une petite falaise, et Frank, Ewball et El Ñato s'approchèrent pour voir de quoi il s'agissait. Trois personnes nues étaient accroupies devant l'entrée de la grotte, et les regardaient, sans manifester la moindre peur ou attente, elles les regardaient, c'est tout.

« Ce sont des Tarahumaras », dit El Ñato. « Ils vivent dans les grottes au nord de la Sierra Madre – allez savoir ce qu'ils fabriquent ici, loin de chez eux. »

« Les hommes de Huerta ne sont pas très loin. Vous pensez que ça peut être eux qu'ils fuient ? »

El Ñato haussa les épaules. « Huerta s'en prend d'ordinaire aux Yaquis ou aux Mayas. »

« Ben, ils sont fichus s'ils les attrapent », dit Frank.

« Sauver des Indiens est vraiment le cadet de mes soucis pour l'instant. Je dois penser à mes propres hommes. »

Ewball fit signe aux trois Indiens de rentrer dans la grotte et de ne pas se montrer. « Vous devriez continuer, Ñato, je vais voir ce que je peux faire, j'vous rejoindrai dans pas longtemps. »

« Enculé de cinglé de gringo », acquiesça le perroquet Joaquín.

Frank et Ewball escaladèrent une éminence rocheuse qui dominait la vallée. Moins de dix minutes plus tard, une colonne de soldats apparut en dessous, se resserrant, se dépliant, s'étirant, répétant la manœuvre, telle une aile désincarnée contre un ciel cendré s'efforçant de se rappeler le protocole de vol.

Ewball les visa dans sa ligne de mire, en fredonnant *La Cucaracha*.

« Mieux vaut économiser les munitions », estima Frank, « on peut rien faire à cette distance. »

« Regarde. »

Une détonation, suivie d'une seconde de calme, puis il vit, au fond de la vallée, une minuscule silhouette à cheval qui plongeait en arrière sur sa selle, en essayant d'attraper le sombrero qui venait de déserter son crâne.

« Ça pourrait passer pour un coup de vent. »

« Tu veux quoi ? Que je commence à les descendre un par un, histoire qu'ils me prennent au sérieux ? »

« S'ils se rapprochent assez, notre compte est bon. »

Le détachement parut troublé, les cavaliers allaient dans tous les sens, changeant d'avis toutes les trois secondes. « Des fourmis dans une fourmilière », ricana Ewball. « Tiens, voyons voir si je peux déloger ce fusil de sa main maintenant… » Il chargea une nouvelle balle et tira.

« Dis donc, pas mal. T'as appris quand ? Ça t'embête si je — »

« Essaie un autre angle, qu'ils se posent des questions. »

Frank alla se placer le plus loin qu'il put dans la direction qu'ils avaient prise afin de mettre en place un chouette petit tir croisé, suite à quoi, laissant deux ou trois mausers derrière eux, leurs poursuivants rebroussèrent chemin et préférèrent aller passer la soirée en ville, avec un peu de chance dans un saloon de fandango.

« J'crois que je vais aller voir ces Indiens », dit Frank. Il y avait autre chose. Ewball, serviable, patienta. « Après je file vers le nord, je retourne de l'Autre Côté. *Adiós* le Mexique en ce qui me concerne. Ça te dit ? Ou… »

Ewball sourit, renifla, désigna de la tête les cavaliers qui l'attendaient, essayant de donner l'impression qu'il n'avait pas le choix. « *Es mi destino, Pancho.* » Son cheval, impatient, avait déjà commencé à s'éloigner.

« Entendu », dit Frank comme s'il se parlait à lui-même, « *vaya con Dios.* »

« *Hasta lueguito* », dit Ewball.

Ils hochèrent la tête, chacun touchant le bord de son chapeau, puis se quittèrent.

Frank retourna auprès des Indiens, qu'il trouva dans une grotte peu profonde à environ un kilomètre plus loin dans la vallée. Il y avait un homme et deux femmes, dont la garde-robe se résumait en gros à des bandanas rouges autour de la tête.

« Tu nous as sauvé la vie », dit l'homme avec un accent mexicain.

« Moi ? non », dit Frank en désignant vaguement les *anarquistas* partis depuis longtemps. « Je voulais juste m'assurer que vous alliez bien, et après je m'en vais. »

« Quelqu'un nous a sauvé la vie », dit l'Indien.

« Oui, mais ils sont partis à présent. »

« Mais tu es ici. »

« Mais — »

« Toi aller nord. Nous aussi. Faisons chemin ensemble. Avec permission. Toi trouver peut-être chose que toi chercher. »

Il se faisait appeler El Espinero. « Pas mon vrai nom – c'est un nom que m'a donné le *shabótshi*. » Très jeune, il s'était révélé doué pour trouver de l'eau en examinant un tas d'épines de cactus, et il devint bientôt un *brujo* très demandé, qui observait les épines et disait aux gens ce qui leur arriverait dans un futur proche, le seul temps grammatical qui comptait vraiment ces temps-ci dans la Sierra.

Une des femmes était son épouse, et l'autre la sœur cadette de celle-ci, dont le mari avait été emmené et probablement assassiné par les huertistas.

« Son nom *shabótshi* est Estrella », dit le chaman. Il hocha la tête, sourit presque. « Le nom a un sens pour toi. Elle chercher nouveau mari. Tu as sauvé sa vie. »

Frank la regarda. C'était un endroit étrange pour se voir rappeler aussi abruptement l'autre Estrella, la chérie de Reef à Nochecita, qui devait aujourd'hui être la mère d'un enfant qui parlait et marchait. Cette Tarahumara était très jeune, avec une abondante et remarquable chevelure noire, de grands yeux expressifs, qu'elle dardait sur vous avec fougue. Vêtue pour la route, c'est-à-dire quasiment pas, on ne pouvait pas dire que la regarder était une corvée. Mais ce n'était pas non plus Estrella Briggs.

« Je ne lui ai pas sauvé la vie », dit Frank, « le jeune homme qui l'a fait est parti il y a un moment, et je ne suis pas sûr qu'on puisse le retrouver. »

« *Qué toza tienes allá* », dit la fille en désignant le pénis de Frank, lequel pénis ressemblait effectivement en cet instant même à une sorte de petite – enfin, de moyenne – bûche. C'était la première fois qu'elle parlait ouvertement de lui. Sa sœur et El Espinero examinèrent également le membre, puis s'entretinrent tous les trois dans leur langue, bien que leurs rires fussent faciles à traduire.

Après une journée et demie de voyage, El Espinero et Frank arrivèrent à une mine d'argent abandonnée depuis longtemps, qui dominait la plaine où poussaient des figuiers de Barbarie et où les lézards se prélassaient au soleil.

Frank comprit qu'il avait attendu le visage indéchiffrable du seul *duende* ou kobold mexicain à pouvoir le conduire ainsi en haut d'une montée, au-dessus des derniers murs sans toit, dans une montagne livrée aux aigles et aux faucons, par-delà son besoin de lumière ou de salaires, jusque dans une sorte de bouche gardée par des épines, nichée sous des plates-formes cassées et des étais tordus, acceptant enfin d'être avalé par, plutôt que de pénétrer activement, le mystère immémorial de ces montagnes – et maintenant que le moment de subduction était arrivé, il ne ferait rien pour l'éviter.

Frank avait déjà eu plus d'une fois l'occasion d'étudier des cristaux de calcite, avec les prismes de Nicol des instruments de labo dont il avait oublié les noms, parmi les scories de zinc des mines de Lake County, ici même dans les veines d'argent de la Veta Madre, et cætera, et il doutait fort qu'un morceau de spath tel que celui-ci eût déjà été aperçu sur Terre, peut-être depuis les premiers temps en Islande, oui, un sacré spécimen, un cristal jumeau, pur, incolore, sans un seul défaut, chaque moitié parfaitement en miroir, de la taille environ d'un crâne humain et de ce que Ewball aurait appelé un « habitus scalénoèdre ». Et puis il y avait cette palpitation lumineuse, que la faible lumière présente ne pouvait expliquer – comme si une âme était nichée au sein de la calcite.

« Sois prudent. Regarde dedans, vois des choses. »

Ils se trouvaient au fin fond d'une grotte, mais une étrange luminescence lui permettait de voir tout – ne put s'empêcher de penser Frank – tout ce qu'il devait voir.

Dans les profondeurs de la calcite, après une attente assez brève, il vit, ou crut voir, ainsi qu'il le déclara plus tard, Sloat Fresno, et l'endroit exact où celui-ci devait se trouver. Toutefois, nul message comparable concernant Deuce. Deux ans plus tard, quand il revit Ewball et lui raconta l'incident, ce dernier fronça les sourcils d'une façon légèrement espiègle. « On se serait attendu à quelque chose d'un peu plus, comment dire, plus *spirituel*, non ? Une sagesse profonde, une vérité ancienne, une lumière venue d'ailleurs, et il s'agit d'une vulgaire fusillade de *cantina* ? Pas très folichon pour une boule de cristal de magicien, non ? »

« Ce que l'Indien a dit, c'est que sa vie et celle de ses femmes avaient été sauvées, peu importe qui les avait sauvées – dans le cas précis, toi, *compinche* –, et que c'était moins un véritable morceau de spath que l'idée de deux moitiés jumelles, d'un équilibre entre les vies et les morts. »

« Du coup, t'as encore deux morts à venir, d'abord celle de Deuce, et si je peux faire une suggestion, ça serait bien que l'autre soit celle du vieux Huerta, parce que cet enfoiré continue à pourrir la vie des gens. »

« Faim ? » dit El Espinero.

Frank regarda autour de lui et, comme d'habitude, ne vit rien de comestible sur un rayon de trois cents kilomètres.

« Tu vois ce lapin ? »

« Non. »

El Espinero sortit de son sac un bâton décoloré par le soleil et présentant une torsion élégante, scruta l'horizon et le jeta. «Tu le vois maintenant?»

«Il est là. Comment t'as fait?»

«Tu as pris habitude de voir plus les choses mortes que les vivantes. Comme tous les *shabótshi*. T'as besoin de t'entraîner à voir.»

Après qu'ils eurent mangé, Frank distribua ses derniers cigarillos. Les femmes allèrent fumer en privé. El Espinero fouilla dans ses affaires et sortit une sorte de snack végétarien. «Mange ça.»

«C'est quoi?»

«*Hikuli.*»

Ça ressemblait à ce que dans le Nord ils appelaient des cactus globes. D'après El Espinero, la plante était encore vivante. Frank n'avait pas souvenir d'avoir jamais mangé quelque chose de vivant.

«C'est pour quoi?»

«Médicament. Remède.»

«Pour quoi?»

«Pour ça», dit El Espinero, qui indiqua d'un sobre glissé de la main toute la circonférence visible du cruel *llano*.

L'effet ne fut pas immédiat, mais quand il se fit sentir, Frank fut arraché à lui-même, pas seulement à son corps par un vomissement spectaculaire mais du fait d'autre chose, hors de son esprit, de son pays et de sa famille, de son âme.

À un moment donné, il se retrouva en l'air, tenant la main de la jeune Estrella, volant assez rapidement, à basse altitude, par-dessus le paysage parsemé d'étoiles. Les cheveux d'Estrella fusaient en droite ligne derrière elle. Frank, qui n'avait encore jamais volé, voulait sans cesse tourner à droite ou à gauche pour explorer des arroyos remplis d'une obscurité liquide et frissonnante, ainsi que de hauts cactus et de prédateurs en maraude qui de temps en temps paraissaient également palpiter de couleurs étranges, mais la fille, qui avait souvent volé, savait où ils devaient aller, et il comprit au bout d'un temps qu'elle le guidait, aussi se détendit-il et se laissa-t-il entraîner par elle.

Plus tard, sur terre, ou plutôt, bizarrement, sous terre, il erra dans un labyrinthe de pierre d'une grotte à l'autre, oppressé par le sentiment d'un danger imminent – chaque fois qu'il s'engageait dans une galerie, en pensant qu'elle le conduirait à l'air libre, il ne faisait que s'enfoncer plus profondément, et il fut bientôt au bord de la panique. «N'aie pas peur», dit la fille, dont le contact inexplicablement distinct le calma, «n'aie pas peur. Ils veulent que tu aies peur, mais tu n'es pas obligé de leur donner ce qu'ils veulent. Tu as le pouvoir de ne pas avoir peur.

Trouve-le, et quand tu l'auras trouvé, essaie de te rappeler où il est.» Tout en restant l'Estrella tarahumara, elle était devenue Estrella Briggs.

Ils arrivèrent dans une grotte où il pleuvait, doucement mais régulièrement. À l'intérieur de cette grotte, expliqua-t-elle, s'écoulait sans répit depuis des milliers d'années toute la pluie qui aurait dû tomber dans le désert au sud-ouest – une eau vaporeuse et grise, ne provenant pas d'une source intérieure de montagne, ni de nuages situés directement au-dessus, mais la conséquence du Péché originel, du crime, ou de l'erreur qui était la cause du désert même...

«J'crois pas», objecta Frank. «Le désert est quelque chose qui a évolué au fil du temps géologique. Pas le châtiment personnel de quelqu'un.»

«Bien avant le commencement de tout ça, quand ils ont conçu le monde —»

« "Ils".»

« "Ils". L'idée, c'était que l'eau devrait être partout, accessible à tous. C'était la vie. Mais certains sont devenus cupides.» Elle raconta alors à Frank comment le désert avait été créé, pour leur servir de pénitence. Et donc, en contrepartie, quelque part, cachée au sein de l'immense étendue désertique, se trouverait cette grotte-ci, dense d'une eau qui à jamais tombait. Si des gens voulaient la chercher, eh bien, qu'ils ne se gênent surtout pas, même s'il y avait de fortes chances pour qu'ils errent à jamais sans la découvrir. Les histoires de mines d'or et d'argent hantées renvoyaient une fois sur deux à cette grotte pluvieuse, inestimable, mais les vieux timbrés du désert se croyaient obligés d'en parler à mots couverts, ils pensaient qu'on les écoutait, et que tout ce qu'ils dévoileraient rendrait l'endroit encore plus distant, plus dangereux...

À aucun moment de ce récit Frank ne pensa qu'il rêvait, probablement parce qu'il se souvenait rarement de ses rêves, ou ne faisait guère attention à eux même s'il se les rappelait. Et bien que tout cela eût l'immédiateté du Mexique diurne dans sa querelle perpétuelle avec l'Histoire, cela finirait un jour dans le registre des expériences dont il n'avait pas su quoi faire.

Ils retournèrent au campement dans un tourbillon de couleurs comportant du magenta, du turquoise feutré, et un violet étrangement pâle et frétillant non seulement à la périphérie mais s'épanchant également à l'intérieur, laissant voir de temps à autre un groupe isolé de silhouettes seules sur la prairie et se dirigeant vers le soleil couchant, dont les profondeurs intactes s'étendaient sur des centaines de kilomètres, et l'air, quoique pur, commençait dans cette lumière déclinante née de sa propre épaisseur figée à brouiller les montagnes lointaines en une esquisse suggestive d'autres mondes, de cités mythiques à l'horizon...

Frank savait que l'épouse d'El Espinero n'était ni muette ni timide, car il avait surpris plus d'une conversation animée dans ce qu'il supposait être la langue tarahumara, mais elle n'adressait jamais la parole à Frank, se contentant de le regarder avec compassion et franchise, comme s'il y avait quelque chose de très évident qu'il aurait dû voir, dont elle voulait lui parler mais qu'elle ne pouvait, pour une raison inconnue, un impératif de l'esprit, aborder. Il avait la certitude innée qu'elle était le cœur invisible et battant de ce qui avait conduit la famille dans le Sud, pour fuir l'armée mexicaine, mais aucun d'eux ne semblait disposé à le lui confirmer.

Ils atteignirent un embranchement quasi invisible, et les Tarahumaras obliquèrent vers l'ouest, en direction de la Sierra Madre.

Frank sourit à Estrella. « J'espère que tu trouveras le bon *hombre*. »

« Ravie que c'était pas toi », dit-elle. « Tu es un homme bon, mais plutôt dégoûtant avec tous ces poils qui poussent sur ton visage, et tu sens toujours le café. » Quand ils se séparèrent, El Espinero lui offrit un collier fait de graines d'une transparence bleu pâle dans lesquelles Frank reconnut des larmes-de-Job. « Ça ne te mettra pas hors de danger, mais tu seras en meilleure santé. Bon pour ta respiration. »

« Oh, à ce propos, ce *hikuli*, il t'en reste un peu ? »

El Espinero désigna en riant un cactus près du pied de Frank, et il s'éloigna avec les femmes, dans un rire qui perdura un bon bout de temps, d'ailleurs, jusqu'à ce qu'ils eussent franchi la crête et fussent hors de portée de voix. Présentant des excuses au cactus comme le lui avait enseigné le *brujo*, Frank le détacha encore vivant de sa terre-maison et le fourra dans sa sacoche de selle. Les jours suivants, il le sortirait pour le grignoter, ou parfois seulement pour le regarder et attendre des instructions. Mais jamais il n'éprouverait tout à fait la même certitude qu'il avait ressentie en volant avec Estrella / Estrella par-dessus le désert grouillant ou en affrontant la sinistre roche souterraine.

Il se fraya un chemin vers le nord parmi les hauts cactus et les sarcobates, en restant hors de vue de la route, jusqu'à ce qu'un jour il s'aperçoive que les montagnes étaient devenues des imitations géométriques d'elles-mêmes, incroyablement pointues et hostiles, guère plus faciles à admettre que cette plaine disproportionnée qu'il venait de traverser. Que faire d'autre ici sinon fuir et poursuivre ? Rester immobile, sous ce ciel si vaste ? Se dessécher, s'immobiliser, comme la broussaille, les cactus, continuer de ralentir jusqu'à expérimenter un état minéral... ?

Mais un jour Frank émergea d'une série de champs de coton irrigués à la limite du Bolsón de Mapimí, descendit l'unique rue éclairée d'un petit *pueblo* dont il devait bientôt oublier le nom, entra dans une *cantina* comme s'il avait été un habitué de longue date (murs d'adobe, pénombre perpétuelle de quatre heures du matin, vapeurs éternelles de *pulque* dans la salle, pas de panoramas Budweiser Little Big Horn ici, non, au lieu de ça une fresque décrépite représentant l'ancien mythe aztèque de fondation, avec l'aigle et le serpent, ce dernier enroulé autour du rapace et sur le point d'en finir avec lui et, posant élégamment dans ce paysage ancestral, observant la lutte, plusieurs señoritas séduisantes avec des coiffures du dix-neuvième siècle et des tenues aztèques conformes à l'idée que s'en faisait le peintre – les autres murs nus, la peinture écaillée ici et là par les coups de feu ou les lancers de mobilier), et se retrouva face à face avec Sloat Fresno, avachi sur une chaise, le visage bouffi, l'air presque d'attendre, avec son pistolet déjà dans la main, ne laissant à Frank que la possibilité de sortir le sien et de tirer à bout portant, sans avoir le temps d'éprouver aucune émotion, rien de tout ça – le vieux Sloat, qui peut-être ne le reconnut pas, n'eut même pas l'occasion de presser la détente –, aussitôt expédié en arrière, un des pieds de la chaise se brisant sous son poids déjà mort si bien qu'il exécuta une demi-pirouette, projetant une sombre giclée de sang qui s'étira dans l'air et se déploya en un arc sonore, qu'on n'entendit pas à cause des détonations, avant de retomber sur la crasse ancienne du sol *pulquería*. *Fín.* Un calme haletant de poudre brûlée, de la fumée qui s'élève, les oreilles qui bourdonnent, les yeux noirs des Mexicains apparemment rivés sur ce nouveau membre de la confrérie des défunts, même si tous reconnaîtraient Frank si jamais ils le revoyaient et qu'on les interrogeât de façon appropriée.

Frank, qui aussitôt s'était imaginé Deuce Kindred dans les parages et le visant, éleva la voix plus que nécessaire et demanda à personne en particulier, comme pour jauger la nervosité ambiante : « *¿Y el otro?* »

« *Él se fué, jefe.* » Un vieux du coin, qui tenait un *jarrito* en terre cuite, et commençait tôt la journée.

« *¿Y cuando vuelva?* »

Une moue d'ignorance plutôt qu'un sourire. « *Nunca me dijo nada, mi jefe.* »

Et impossible de dire ces jours-ci qui pouvait être cet *otro*, Deuce ou Machin-Chose. Les nerfs toujours à vif, Frank demeura tendu comme un ressort, sans se résoudre à commander un verre ou même rengainer le maudit pistolet, qui semblait désormais connecté à sa paume. On vit apparaître un peu partout dans la rue des piliers de saloon qui s'interrogeaient avec les badauds sur le sort à réserver à la dépouille de Sloat, plusieurs groupes ayant déjà manifesté un certain intérêt pour le contenu de ses poches, même si Frank, ça allait de soi, avait le droit de se servir en premier.

« Si el caballero quisiera algún recuerdo... »

Ouais, s'il voulait garder un souvenir – les pistoleros de la région aimaient conserver des morceaux de leurs victimes, des scalps, des oreilles, parfois des pénis, qu'ils comptaient ressortir à l'heure de leur retraite dorée, et exhiber fièrement.

Eh merde.

Tout s'était passé si vite, et même, peut-on dire, si facilement. En apparence. Il n'allait pas tarder à envisager les conséquences de son geste et, déjà, avant même de laisser derrière lui cette maudite petite ville, commençait à éprouver des regrets.

À New York pour quelques semaines de permission, les Casse-Cou avaient établi leur camp dans Central Park. De temps en temps, la Hiérarchie leur adressait des messages en recourant aux pigeons et aux spirites, au moyen de pierres lancées par les fenêtres, de messagers aux yeux bandés qui récitaient leur texte de mémoire, de câbles sous-marins, du télégraphe terrestre, puis plus tard du sans-fil syntone, signés, quand ils l'étaient, d'un chiffre prudemment crypté – et jamais aucun d'eux n'avait été, ni ne serait, aussi proche de la pyramide de bureaux qui se dressait dans les brumes supérieures. Apparemment peu désireux de rencontrer les C.C. en personne, leurs employeurs leur restaient de parfaits inconnus, et les contrats qu'ils n'avaient même pas le loisir de parapher étaient simplement distribués, sans prévenir et souvent, semblait-il, à l'aveuglette. «Ben quoi, on est leur prolétariat, non?» lâcha Darby, hargneux. «Les andouilles qui font leur "sale boulot" pour trois fois rien, et s'ils n'iront pas s'abaisser jusqu'à le faire, pourquoi s'abaisseraient-ils donc jusqu'à nous rencontrer, hein?»

Une nuit, sans cérémonie comme d'habitude, un jeune messager arabe coiffé d'un chapeau melon et arborant divers tatouages apparut et, le regard doucereux, tendit une enveloppe maculée de taches de gras. «Tenez, mon brave», Lindsay déposant une piécette en argent dans la main de l'envoyé.

«Oy! C'est quoi ça? C't'une image de *bateau à voiles* qu'y a d'ssus? Ça vient d'quel pays, non mais je te l'demande?»

«Permettez que je vous lise ce qu'il y a d'écrit: "Exposition universelle de Chicago 1893". Et ici, côté face, vous serez rassuré de voir: "Demi-dollar de l'Exposition". En fait, ils se vendaient au début un dollar pièce.»

«Alors comme ça t'as payé le double pour un jeton qu'avait cours qu'à Chicago y a dix ans. Super. M'faut juste la machine à voyager dans l'temps, hein?» Le gamin, faisant passer avec habileté la pièce d'une main à l'autre, haussa les épaules et s'apprêta à prendre congé.

Sa remarque, toutefois, avait plongé les Casse-Cou dans un mutisme quasi paralytique, on ne peut plus disproportionné avec ce qui n'avait été somme toute qu'un ingrat quolibet, et ce pour une raison qu'aucun d'entre eux n'aurait su expliquer. Le messager avait déjà parcouru la moitié d'un pont d'agrément quand Chick Counterfly se ressaisit et lui lança : « Ohé, attendez un peu ! »

« J'ai du taf », répondit le jeune. « Fais vite. »

« Vous avez parlé de "machine à voyager dans le temps". Que vouliez-vous dire par là ? »

« Rien. » Mais ses pieds disaient tout autre chose.

« Nous devons reparler de tout ça. Où peut-on vous trouver ? »

« Là j'ai kéke courses à faire. Je repass'rai. » Avant que Chick puisse protester, l'impertinent nonce s'était fondu dans les environs sylvestres.

« Il nous a *tendu une perche*, croyez-moi, je sais reconnaître une perche quand j'en vois une », s'enflamma plus tard Darby Suckling, pendant la réunion plénière qui suivit les Quartiers du Soir. Le jeune querelleur, qui avait récemment été promu Officier juridique de l'aéronef, était avide ces jours-ci de faire valoir ses prérogatives et, quand la chose était possible, d'en abuser. « Nous devrions nous dégoter un juge, obtenir un mandat et faire cracher au gamin tout ce qu'il sait. »

« Gageons plutôt », suggéra Lindsay, « que les spéculations spirituelles de Mr H.G. Wells sur le sujet auront été reprises à profit par les "romans de gare" dont notre visiteur, à supposer qu'il lise, est certainement un fervent consommateur. »

« Et pourtant, ceci », Randolph agitant la feuille que le gamin leur avait remise, « a été signé par le Commandement supérieur des Casse-Cou. Au sujet duquel, par ailleurs, courent depuis des années d'insistantes rumeurs concernant un programme archi-secret, lié d'une certaine façon aux voyages dans le temps. Ce garçon peut fort bien, pour autant que nous le sachions, être un de leurs employés, régulier mais pas forcément satisfait, et du coup son étrange remarque pourrait être une invitation cryptée à poursuivre la discussion avec lui. »

« Si ses boissons de prédilection se révèlent aussi bon marché que ses habitudes de lecture », admit Lindsay, qui était Trésorier de l'Unité, « nous pouvons prélever dans notre caisse noire de quoi lui payer un godet de bière en échange de certaines informations. »

« Eehhnnyyhh, y a qu'à tirer un chèque sur la Caisse des Dépenses courantes », railla Darby avec désinvolture. « Les Huiles y apposeront leur tampon comme d'habitude et nous aideront peut-être à découvrir ce qu'elles ne veulent pas qu'on sache. » Dans les jours qui suivraient, il se rappellerait ces paroles avec une certaine amertume, le petit groupe s'étant entre-temps embarqué dans une fatale expédition à laquelle chacun, à sa façon, finirait par regretter d'avoir pris part.

Fidèle à sa parole, le messager, un certain «Plug» Loafsley, revint le lendemain avec de longues instructions détaillées pour se rendre à son quartier général personnel, le Lollipop Lounge, qui se révéla être un bordel pour enfants dans le quartier chaud, et dont Plug s'occupait au sein d'un ignoble empire comprenant également des fumeries d'opium et des loteries clandestines. Lindsay Noseworth, apprenant la chose, «sauta au plafond», bien sûr. «Nous devons immédiatement rompre tout lien avec ce petit monstre. Il en va tout bonnement de notre survie morale.»

«D'un point de vue scientifique», estima calmement Chick Counterfly, «je n'ai personnellement pas d'objection – si répugnante que soit la chose – à ce qu'on aille voir le jeune Loafsley, dans le bouge infâme qu'il a tout loisir d'appeler son bureau.»

«Je ferais peut-être mieux de jouer les chaperons», suggéra Darby Suckling. Des regards furtifs et complices furent-ils échangés? Les récits divergent. Quoi qu'il en soit, plus tard au cours de cette même soirée, les deux camarades de bord, vêtus d'ensembles assortis à carreaux indigo et jaune moutarde, coiffés d'un chapeau melon gris perle, se dirigèrent vers le quartier chaud en suivant les indications fournies par Loafsley et s'enfoncèrent dans cette sombre topographie du Vice plus profondément qu'aucun d'eux ne l'aurait cru possible – jusqu'à ce qu'ils arrivent, aux alentours de minuit, dans un épais brouillard de front de mer, devant une porte métallique toute rouillée, gardée par un individu qui aurait pu être un petit garçon, s'il n'avait mesuré deux mètres trente, avec une carrure en proportion, voire une certaine corpulence. Un problème glandulaire, assurément.

L'homme inclina de façon plus autoritaire sa casquette grande comme une baignoire. «M'ssieurs, on m'appelle Minus, quèque j'peux faire pour zigues?»

«Essayer de ne pas nous marcher dessus», marmonna Darby.

«On a rendez-vous avec Plug», dit Chick d'un ton lénifiant.

«Z'êtes les Casse-Cou!» s'écria l'énorme «videur». «Hé, c't'un honneur que de vous rencontrer, j'avions lu tous vos trucs, c'est vraiment bath – sauf peut-être l'aut' Noseworth, lui je sais pas trop.»

«Nous le lui dirons», fit Darby.

À peine entrés, ils furent assaillis par une intense bouffée polyaromatique, qui semblait exhalée par les poumons viciés de la Dépravation elle-même, composée en partie de vapeurs d'alcool, de fumée de tabac et de chanvre, de toute une gamme d'odeurs bon marché au sein de laquelle l'opopanax et la verveine occupaient une place importante, avec des nuances plus sourdes de déjections corporelles, d'alliages métalliques surchauffés, et de poudre récemment brûlée. Un petit orchestre, mené par un saxophone-contrebasse et comportant également un cornet à coulisse, une mandoline et un piano de bastringue, jouait quelque part sans relâche derrière un écran protecteur de fumée. Des houris prépubères déambulaient partout dans la pénombre, plus ou moins vêtues, dansant seules ou avec des clients, ou entre elles, s'attirant les regards admiratifs, voire hypnotiques, de Darby.

Une chanteuse potelée et énergique, âgée d'à peine dix printemps et d'une blondeur incandescente, émergea soudain d'un recoin sombre, vêtue d'une robe longue à paillettes dorées, cousues non sur quelque sous-vêtement, mais uniquement – et de façon précaire – *entre elles*, présentant un aspect louche, plus racoleur que la franche nudité, et, accompagnée du petit orchestre de « jazz », se mit à chanter :

> Les rupins nous traitent de haut,
> Les bourgeois nous ont sur le dos,
> On est connues de tous ces oiseaux
> Comme les gars de la Nuit —
> Les gerces du Bowery
> Sont des saintes-nitouches
> À côté de nous, mazette !
> V'nez donc vous rincer la bouche
> Ou tricoter des pincettes,
> Et tant pis si Miss Grundy pavoise
> Et vous r'ga'd' comme y faut pas,
> Ram'nez donc vot' bourgeoise
> Vos mioches, tontons et tatas
> Et pis v'nez un de ces soirs
> Dans not' chouette assommoir !

« S'y en a kék'z'une qui vous botte, z'avez qu'à dire laquelle, on verra c'qu'on peut faire », proposa Plug.

« Eh bien — », commença Darby, qui reluquait la pubescente chanteuse, mais il fut interrompu par Chick Counterfly.

« Vous avez fait l'autre jour une allusion — »

« Ah bon ? J'suis qu'un môme, j'peux pas tout me rappeler, non ? »

« Vous disiez qu'il vous fallait juste une "machine à voyager dans le temps"… »

«Et alors? Z'en connaissez des zigues qu'en voudraient pas?»

«En fait», développa Darby, «c'est la façon dont vous avez dit "*la machine à voyager dans le temps*". Presque comme si vous en connaissiez une *en particulier*, quelque part.»

«Vous bossez pour les rouscailles ou quoi?»

«Il pourrait y avoir une jolie récompense à l'appui dans cette affaire, Plug», signala Chick, l'air de rien.

«Ah oui? Jolie comment?»

Chick sortit une enveloppe bourrée de dollars, que le jeune voyou se retint de toucher mais qu'il soupesa à distance en dardant dessus des rayons oculaires aussi sensibles qu'une balance de laboratoire. «Ram'neurs!» lança-t-il. Une demi-douzaine de gamins se matérialisèrent devant leur table. «Toi! Cheezy! Tu peux aller chez le Prof, et rapidos?»

«Du tout cuit, boss!»

«Alors trisse, et dis-y qu'il a d'la visite!!»

«C'est pigé, boss!»

«Il sera là dans une minute. Buvez un coup, c'est la maison qui régale. Euh, et pareil pour Angela Grace, hein.»

«Bonsoir les garçons.» C'était la chanteuse dans l'habit étoilé sur laquelle, ou peut-être lequel, Darby avait porté toute son attention un peu plus tôt.

«On va s'calter du territoche des Gophers pour entôler çui des Hudson Dusters... en tout cas, ce qui l'était avant qu'tous ces foutus bourges s'mettent à débouler», expliqua Plug aux garçons alors que leur groupe se dirigeait vers le sud-ouest de la ville, en plein brouillard. On entendait au loin le lugubre tintement des bouées à cloche, la grossière fanfare des cornes de brume et des sirènes de steamers. «On voit que dalle», se plaignit Plug. «Faut se servir de son pif. Dites, les gars, z'avez déjà senti c't'odeur d'ozone?»

Chick acquiesça. «J'en déduis que nous cherchons une centrale électrique, c'est bien cela?»

«Ça vient du "El" d'la Neuvième Av'nue», dit Plug, «mais le Prof et eux, genre ils s'la partagent. Un accord avec Mr Morgan. C'te bécane, elle suce pas mal de jus, hein.»

On entendit un bruit métallique assourdi par le brouillard. «Ça doit être votre "El"», lança Darby d'un ton chagrin. «Je viens de me cogner contre une saleté d'étai.»

«Oh, pauvre chéri!» s'écria Angela Grace, «où c'est qu't'as mal?»

«J'te laisse chercher», marmonna Darby.

« Et maint'nant on va suivre la voie ferrée vers l'sud », annonça Plug, « jusqu'à c'que not' pif nous dise qu'on est arrivés. »

Ils parvinrent au pied d'une arche commémorative, grise et rongée par le temps, qui semblait dater d'une ancienne catastrophe, bien plus vieille que la ville. Les brumes se dissipèrent suffisamment longtemps pour que Chick puisse lire la légende sur l'entablement : PAR MOI ON VA DANS LA CITÉ DOLENTE – DANTE. Ils s'avancèrent sous l'arche colossale et progressèrent à tâtons sur des pavés rendus glissants par le brouillard, parmi des animaux en décomposition, des tas de déchets, et les feux des sans-abri du quartier, jusqu'à ce que, l'âcre signature triatomique étant devenue éprouvante, et s'accompagnant d'un bourdonnement rauque qui résonnait partout, ils se retrouvent devant une entrée de pierre dégoulinante d'humidité, et distinguent seulement quelques lumières électriques bleuâtres qui s'épanouissaient dans l'obscurité vaporeuse, sans qu'aucun des aéronautes puisse en déterminer l'éloignement ou la hauteur. Plug pressa un bouton sur le montant de la porte, et une voix métallique venue d'on ne sait où répondit : « Il est plus tard que vous ne le croyez, Mr Loafsley. » Un relais solénoïdal claqua et la porte s'ouvrit en grinçant.

À l'intérieur, dans une écurie transformée en laboratoire, ils rencontrèrent un personnage aux traits délicats, que Plug leur présenta comme étant le Dr Zoot, vêtu d'un treillis d'ouvrier, en chaussons, avec des lunettes de protection à verres fumés, et un étrange casque hérissé sur toute sa surface d'éléments électriques pas vraiment familiers.

« Bien ! Je parie qu'on vient de faire la tournée des basses-cours et qu'on cherche un peu de *distraction citadine* pour avoir quelque chose à raconter aux copains quand on sera retourné au pays ! Eh bien, ma foi, on devrait pouvoir vous satisfaire. Nos clients, par milliers, sont enchantés, tous des plus convenables, et Mr Loafsley ne m'a encore jamais déçu, pas vrai, mon garçon ? »

Comme s'il avait perçu derrière l'opacité des verres fumés du Dr Zoot quelque chose d'insupportablement sinistre, Plug, soudain tout pâle dans l'éclairage déjà cru du laboratoire, agrippa fermement Angela Grace, et tous deux franchirent à reculons le seuil comme s'ils prenaient congé d'une majesté.

« Merci, Plug ! » lancèrent les Casse-Cou. « Au revoir, Angela Grace », mais les deux enfants des bas-fonds avaient déjà disparu.

« Venez donc. »

« Nous ne vous dérangeons pas, Docteur, j'espère », dit Chick.

« Mieux vaut tard que tôt », dit le Dr Zoot. « Moins de trains qui circulent à cette heure de la nuit, du coup le courant est plus fiable, bon, rien de comparable avec un produit allemand, c'est sûr... Bien, messieurs, voici la chose – dites-moi ce que vous en pensez.»

Aucun des garçons ne trouva la machine particulièrement impressionnante. Dans un ronronnement rauque, de violentes étincelles bleues crépitaient entre des électrodes encombrantes qui n'auraient pas choqué sur une dynamo de l'époque de mémé. Le revêtement extérieur, naguère impeccable, était depuis longtemps crevassé et taché par les déchets électrolytiques. Les quelques chiffres visibles sur les cadrans poussiéreux en disaient long sur les préférences graphiques de la génération précédente, tout comme les ajours style Breguet des indicateurs. Il y avait plus inquiétant. Même l'œil le moins exercé aurait pu repérer un peu partout des soudures de fortune, des réglages négligents, des fermoirs dépareillés, des taches d'une première couche de peinture jamais recouverte, et autres indices de rafistolage. On avait l'impression qu'aucune somme n'avait été attribuée à l'entretien le plus élémentaire.

«C'est ça?» demanda Darby en clignant des yeux.

«Problème?»

«Peux pas parler pour mon collègue», fit l'adolescent caustique en haussant les épaules, «mais elle me paraît un peu déglinguée votre machine à voyager dans le temps, non?»

«Vous savez quoi, ça vous dirait un petit voyage dans le futur, un aller-retour? Je vous fais le demi-tarif, et si ça vous plaît, on essaiera quelque chose de plus audacieux.»

Avec un certain panache, qui fut légèrement gâté par le hurlement hideux des gonds et un affaissement notoire de la garniture en gutta-percha autour de l'hiloire, le Dr Zoot ouvrit l'écoutille et leur fit signe d'entrer. À l'intérieur, les garçons sentirent une odeur de whiskey renversé, d'une médiocre qualité pour qui avait l'odorat fin. Les sièges passagers semblaient avoir été achetés aux enchères il y a longtemps. Les revêtements en cuir étaient dépareillés, tachés et usés, et les finitions en bois rayées et piquetées de brûlures de cigarette.

«On va se marrer», dit Darby.

Par l'unique fenêtre en verre quartzeux et toute maculée de l'habitacle, les garçons virent le Dr Zoot s'agiter frénétiquement dans la salle, avancer les aiguilles de toutes les horloges qu'il rencontrait, y compris celles de sa montre de gousset. «Oh par pitié», gémit Darby, «trouvez pas ça un peu insultant? Comment est-ce qu'on débloque cette écoutille pour sortir de là?»

«On ne peut pas», répondit Chick, en indiquant l'absence de poignée ou de loquet avec davantage de curiosité érudite que d'inquiétude, ce qu'on lui aurait pardonné, au vu des circonstances – «pas plus qu'on a des chances de trouver ici le moindre moyen de contrôler notre "voyage". Il semble que nous soyons à la merci de ce Dr Zoot, et nous devons maintenant espérer que l'homme ne se révélera pas complètement diabolique. »

«Super. Un peu de changement ne fera pas de mal aux Casse-Cou. Un de ces jours, Counterfly, notre chance va tourner —»

«Suckling, regardez — la fenêtre! »

«J'vois rien. »

«Justement! »

«Il a peut-être éteint les lumières. »

«Non — non, il y a de la lumière. Peut-être pas de la lumière comme celle que nous connaissons, mais... »

Les deux jeunes hommes scrutèrent l'endroit où se trouvait la transparence quartzeuse, s'efforçant de comprendre ce qui se passait. Une espèce de vibration, provenant moins de l'habitacle lui-même que du tréfonds insoupçonné de leurs propres systèmes nerveux, se mit alors à gagner en intensité.

Il leur sembla qu'ils étaient au sein d'une grande tempête dans la pénombre de laquelle ils distinguèrent bientôt, traversant sans relâche leur champ de vision, inclinées au même angle que la pluie, s'il s'agissait bien de pluie – une bruine concrète, grise et accentuée par le vent –, des silhouettes indubitablement humaines, des millions d'âmes, à cheval, en croupe, à pied, progressant en compagnie d'un troupeau tout aussi incommensurable de chevaux. La multitude s'étendait du plus loin qu'ils pouvaient voir – une cavalerie fantomatique, les visages d'une imprécision inquiétante, les yeux réduits à des orbites floues, le drapé des vêtements se fondant constamment en un flot invisible qui n'était peut-être que le vent. Des groupes de points lumineux et métalliques apparaissaient et filaient, en trois dimensions, voire davantage, telles des étoiles bousculées par les ondes de choc de la Création. Les voix qu'on entendait poussaient-elles des cris de douleur? On aurait presque dit des chants. Parfois, un mot ou deux, dans une langue quasi identifiable, leur parvenaient. Galopant toujours de l'avant en un flux incessant, se voyant refuser tout contrôle sur son destin, l'inconsolable cohorte était entraînée horriblement vers le rebord du monde visible...

L'habitacle trembla, comme en plein ouragan. L'ozone s'épancha à l'intérieur tel du musc accompagnant quelque danse nuptiale d'automates, et les garçons furent encore plus désorientés. Bientôt, même les confins cylindriques où ils se trouvaient parurent se dissiper, les laissant dans un espace illimité dans toutes les directions. Un rugissement continu se fit alors entendre, pareil à celui de l'océan – mais ce n'était pas l'océan –, vite suivi de cris évoquant des bêtes à découvert, des feulements stridents qui résonnaient au-dessus de leur tête, si proches parfois que les garçons en éprouvaient quelque gêne – mais ce n'étaient pas des bêtes. Et partout une odeur d'excrément et de peau en décomposition.

Les jeunes hommes se regardaient avec intensité dans l'obscurité, comme s'ils se demandaient à quel moment il serait judicieux de hurler.

«Si c'est là l'idée que se fait notre hôte du futur…», commença Chick, mais il fut brusquement interrompu par l'émergence, hors du sinistre périmètre d'ombre qui les entourait, d'un long poteau muni d'un gros *crochet métallique* à une extrémité, comme ceux dont on se sert d'ordinaire pour écarter des acteurs médiocres de la scène d'un théâtre, et qui, après s'être fermement refermé autour du cou de Chick, l'avait alors arraché à ces régions cryptiques. Avant que Darby ait eu le temps de crier, le Crochet réapparut et procéda sur sa personne à une extraction similaire, à la suite de quoi les deux jeunes gens se retrouvèrent dans le laboratoire du Dr Zoot. L'infernale «machine à voyager dans le temps», toujours intacte, frissonnait à sa place habituelle, comme en proie à l'hilarité.

«J'ai un ami qui travaille dans un théâtre du Bowery», expliqua Zoot. «Ce Crochet est parfois sacrément pratique, surtout quand la visibilité n'est pas très bonne.»

«C'est quoi ce qu'on vient de voir?» demanda Chick du ton le plus doucereux qu'il put.

«C'est différent pour chacun, mais de grâce ne me dites rien, j'en ai déjà trop entendu, plus qu'il n'en faut, franchement, et ne serait-ce qu'aborder le sujet pourrait également vous nuire.»

«Et vous êtes sûr que votre… machine… accomplit correctement ce pour quoi elle a été conçue?»

«Eh bien…»

«Je le savais!» hurla Darby, «sinistre psychopathe, vous avez manqué nous faire tuer, nom de Dieu!»

«Allons, les amis, je ne vais rien vous demander pour ce voyage, d'accord? La vérité, c'est que ce maudit bidule n'est même pas de ma conception, je l'ai récupéré moyennant une somme assez modique il y a deux ans, dans le Middle West, lors d'une de ces… je crois que vous appelez ça une convention… Le propriétaire, je m'en souviens maintenant, semblait pressé de s'en débarrasser…»

«Et vous l'avez *acheté d'occase*?» hurla Darby.

«"De seconde main", pour reprendre leurs termes.»

«Je doute», dit Chick, en s'efforçant de conserver son ton suave, «que vous ayez récupéré les plans du montage, les modes d'emploi et d'entretien, tout ça?»

«Exact, mais je me suis dit que, puisque je savais comment démonter la toute dernière Oldsmobile, et la remonter les yeux bandés, alors ce bidule pouvait pas être très compliqué.»

«Et vos avocats vous soutiendront, bien sûr», lâcha Darby.

«Allons, les amis…»

«Exactement où et à qui, Dr Zoot», le pressa Chick, «avez-vous acheté cet engin?»

«Je sais pas si vous avez entendu parler de l'Université de Candlebrow, c'est un institut de hautes études tout là-bas au fin fond de la République – une fois par an, chaque été, ils organisent un grand rassemblement pour discuter des voyages dans le temps – plus d'excentriques, de mégacerveaux et de surdoués que vous ne pouvez en effrayer avec une arme connue. Il se trouve que j'étais là-bas, juste, vous savez, pour vendre ma came, les toniques pour les nerfs, tout ça, et je suis tombé sur ce drôle de zozo dans une guinguette qui s'appelait le Ball in Hand, et qui prétendait s'appeler Alonzo Meatman, même s'il a pu changer de nom depuis. Tenez, c'est là sur la facture — mais bon, si vous voulez vraiment le retrouver… eh bien, j'espère qu'il ne sera pas nécessaire de prononcer mon nom.»

«Pourquoi pas?» Darby toujours sur les nerfs, «il est dangereux, c'est ça? Vous nous envoyez encore dans un autre piège mortel, hein?»

«Pas tellement lui», dit le Dr Zoot qui donna des signes d'impatience et évita leur regard, «que ses… associés. Bon, bref, vous feriez mieux d'ouvrir l'œil.»

«Une bande de criminels. Super. Merci.»

«Disons que j'ai été ravi de repartir le plus vite possible, et même alors je ne me suis pas senti tranquille avant que la rivière soit entre nous.»

«Oh, ils n'aiment pas traverser les cours d'eau», railla Darby.

«Vous verrez, jeunes gens. Et il se peut que vous le regrettiez.»

À l'Université de Candlebrow, les membres du *Désagrément* allaient trouver le mélange idéal de nostalgie et d'amnésie pour leur offrir une honnête contrefaçon de l'Intemporel. Ce serait également ici qu'ils feraient, peut-être à point nommé, la découverte fatale qui les conduirait, aussi inexorablement que la roue du zodiaque, à leur *Imum Cœli*...

Au fil des ans, l'Université s'était agrandie bien au-delà du souvenir qu'en avaient gardé les anciens élèves, et ces derniers, à leur retour, trouvèrent des ferronneries dans le style de l'École de Chicago et des structures modernes cintrées qui n'y étaient pas avant, voire, en place de celles dont ils se souvenaient, ces hommages architecturaux aux modèles européens, très souvent édifiés par des immigrants venus de villes du Vieux Continent célèbres pour leur université ou leur cathédrale. La Porte Ouest, destinée à encadrer des couchers de soleil équinoxiaux, avait conservé de part et d'autre ses deux tours en pierre rustique d'aspect gothique, que rendaient curieusement toutes petites désormais les imposants dortoirs cubiques situés tout de suite à l'intérieur, et qui parvenait, bien qu'étant âgée d'à peine une génération, à offrir un aspect terriblement antique, évoquant une ère lointaine, d'avant les premiers explorateurs européens, d'avant les Indiens des Plaines qu'ils avaient trouvés là, d'avant ceux que les Indiens représentaient dans leurs légendes comme des géants et des demi-dieux.

Les conférences de Candlebrow, désormais célèbres et annuelles, tout comme l'institution elle-même, étaient financées par la vaste fortune de Mr Gideon Candlebrow, de Grossdale, Illinois, qui s'était enrichi à l'époque du Grand Scandale du Lard dans les années 1880, au cours duquel, avant que le Congrès ne mette un terme à cette pratique, d'innombrables tonnes gâtées de ce comestible furent exportées en Grande-Bretagne, compromettant encore plus une cuisine nationale déjà fort dégradée, et donnant lieu partout dans l'île, entre autres choses, à une controverse sur le pudding de Noël au sujet de laquelle, encore à ce jour, les familles demeurent divisées, et ce souvent violemment. Dans l'effervescence qui s'ensuivit pour mettre au point des sources de profit plus légales, un des laborantins de Mr Candlebrow inventa le « Smegmo », un produit de substitution artificiel pour tout ce qui entrait dans la catégorie des graisses comestibles, y compris la margarine, que nombre de gens trouvaient déjà pas si réelle que ça. Un éminent rabbin de la capitale mondiale du porc, Cincinnati, Ohio, en vint à déclarer ce produit kascher, ajoutant que « cela fait quatre mille ans que le peuple hébreu attendait ça. Le Smegmo est le Messie des graisses culinaires ». Avec une rapidité étonnante, le Smegmo en vint à représenter la majorité des profits annuels de Candlebrow Entreprise. Le secret de sa formule était gardé avec un acharnement qui aurait troublé le Tsar de Russie, et à l'Université de Candlebrow, où le produit figurait dans tous les plats et parmi les condiments de table de la cafétéria des étudiants, on entendait sans cesse toutes sortes d'histoires sur la nature exacte de ses ingrédients.

Les bénéfices générés par le Smegmo permirent de financer, à une échelle qu'on pourrait presque qualifier de gigantesque, la Première Conférence internationale sur le Voyage dans le Temps, un sujet désormais respectable après le succès du roman de Mr H.G. Wells, *La Machine à explorer le temps*, publié pour la première fois en 1895, une année souvent citée comme celle de la toute première conférence, même si personne ne s'était encore accordé sur la façon d'attribuer des nombres ordinaux à aucune des réunions, « parce qu'une fois qu'on a inventé le voyage dans le temps, n'est-ce pas », déclara le Pr Heino Vanderjuice qui, ainsi que les garçons furent ravis de l'apprendre, était présent cette année en tant que conférencier invité, « rien ne nous empêche de remonter aussi loin qu'on le veut, et de tenir la conférence *plus tôt*, à l'époque même où tout était encore préhistorique par ici, des dinosaures, des fougères géantes, des sommets flammivomes partout, ce genre de choses… ».

« Malgré tout le respect dû au Professeur », protesta Lindsay Noseworth lors de la réunion nocturne de l'Unité, « est-ce vraiment cela que nous sommes en droit d'escompter de cet endroit, ces laborieuses et prétentieuses traversées des infinis bourbiers de la métaphysique? Franchement, j'ignore si je vais supporter ça longtemps. »

« Cela dit, ça grouille d'étudiantes "mettables" ici », commenta Darby sur un ton lubrique.

« Encore un gros mot, Suckling, dont je dois l'avouer, et c'est sans doute fort heureux, j'ignorais jusqu'à l'existence. »

« Une lacune pas près d'être comblée », prophétisa Miles Blundell, « en tout cas pas avant l'an 1925. »

« Et voilà ! » s'écria Lindsay un peu plus fort que nécessaire. « Ça recommence ! J'imaginais, non sans naïveté apparemment, que nous étions venus ici pour découvrir, si possible, la raison de ces expéditions toujours plus dangereuses qu'on nous confie, et auxquelles notre participation irréfléchie se soldera sûrement un jour, à moins que nous ne prenions des mesures pour assurer notre sécurité, par notre dissolution. »

« À supposer que ce Dr Zoot ne nous ait pas envoyés ici pour rien », leur rappela Randolph St. Cosmo, « poussé par des mobiles peu respectables. »

« Ce foutu cinglé », rouspéta Darby.

Au sein du pavillon athlétique du campus, un immense dortoir avait été créé, doté d'ailes et de numéros, accessible par des procédures d'inscription complexes et des tickets d'identification obéissant à un code couleur… Après l'extinction des feux, un espace nettement moins déchiffrable, peuplé d'ombres, plein de manchons de lampe tout susurrant et palpitant près des lits d'ukulélistes qui jouaient et chantaient dans le noir… Des pages aux voix douces, recrutés parmi les enfants de la ville, circulaient au milieu des dormeurs durant les veilles de nuit, apportant des messages télégraphiques des parents, des petites amies, des sociétés de voyage dans le temps sises dans d'autres villes…

Les repas étaient servis de jour comme de nuit, selon un horaire et un système de renouvellement des menus assez mystérieux, dans le réfectoire des gigantesques communs estudiantins, auquel on n'accédait pas par le vestibule cérémoniel et bureau d'accueil mais au moyen d'escaliers à demi secrets au fond d'obscures régions, des conduites dotées d'épais tapis qui descendaient vers la file d'attente, où des employés de cuisine impatients obligeaient les retardataires à emprunter un certain itinéraire, leur laissant au mieux une crêpe indigeste ou la lie d'un café, pour les punir d'être arrivés « trop » tard – concept assez flexible ici –, voire rien du tout.

Les garçons, après avoir consciencieusement maîtrisé les arcanes des divers accès et horaires, entrèrent alors avec leurs plateaux chargés d'un petit déjeuner dans une cafétéria baignant dans un éclairage marron foncé, meublée de chaises et de tables en bois, si lustrées qu'elles brillaient presque.

Miles, ayant repéré le pot de Smegmo orné des couleurs patriotiques parmi le sel, le poivre, le ketchup, la moutarde, la sauce barbecue, le sucre et la mélasse, l'ouvrit et en huma le contenu d'un air intrigué. « Dites, c'est quoi ce truc ? »

« Ça va avec tout », l'informa un étudiant à une table voisine. « On peut en mettre dans la soupe, l'étaler sur du pain, le mélanger aux navets! Mes camarades de dortoir se peignent les cheveux avec! Il existe un *million* d'usages pour le Smegmo!»

«Je connais cette odeur», dit Miles, songeur, «mais... pas dans cette vie. C'est... un peu comme certaines odeurs qui nous ramènent instantanément à nos premières années...»

«Transit nasotemporel», acquiesça le jeune futé. «Il y a un séminaire là-dessus demain, à Finney Hall. Ou était-ce avant-hier?»

«Eh bien, monsieur, ce Smegmo me ramène encore *plus loin* que l'enfance, en fait carrément dans une vie antérieure, *avant même que je sois conçu —*»

«Bon sang, Miles», marmonna Lindsay, tout rouge, et il flanqua un coup de pied sous la table à son camarade de bord, «Y.A.D.D.I.!», ce qui était le code des Casse-Cou pour «Y-A-Des-Dames-Ici». Effectivement, une tablée de jeunes étudiantes en fleur avaient suivi cet échange non sans intérêt.

«Allons, allons», Darby donnant un coup de coude à Chick Counterfly, depuis longtemps son complice en espièglerie. «Ça, c'est pas des filles de Gibson, oh que non! Regarde un peu la coiffure de cette blonde, là! You-hou!»

«Suckling», Lindsay d'un ton cassant, «bien que, dans une carrière de plus en plus axée sur le sordide, d'autres énormités nous soient certainement réservées, je n'en conçois aucune de plus discutable, d'un point de vue moral, que ces manifestations d'une adolescence viciée.»

«Si jamais ça t'arrive d'en choper une, fais-le-moi savoir», répondit Darby, sur un ton qui laissait deviner une intention de mordre. «Je pourrai te filer quelques tuyaux.»

«Non mais, espèce d'insupportable petit —»

«Messieurs», Randolph se serrant l'abdomen en grimaçant, «vous serez peut-être en mesure de continuer ce colloque sans nul doute fascinant lors d'une occasion moins publique. Et, pourrais-je ajouter, Mr Noseworth, vos incessantes tentatives pour étrangler Suckling sont préjudiciables à notre réputation.»

Plus tard ce matin-là, ils s'entassèrent avec le Pr Vanderjuice dans une automobile et se rendirent à la décharge municipale en bordure de ville, enveloppée d'une éternelle fumée grise, ses limites indéfinies. «Wellsianisme tout-puissant!» s'écria le Professeur, «mais c'est un vrai entrepôt de ferrailleur!» Des carcasses de machines à voyager dans le temps s'entassaient contre les parois abruptes d'un ravin – Chronoclipses, Transéculaires d'Asimov, Tempomorphe Q-98 –, cassées, défectueuses, calcinées par des flammèches catastrophiques d'électricité mal dirigée, rouillées et rendues méconnaissables par l'immersion involontaire dans le terrible flux pour lequel elles avaient été conçues et construites, dans le but de le vaincre... Un amoncellement de conjecture, de superstition, de foi aveugle, et de mauvaise ingénierie, exprimée sous forme d'alliages d'aluminium, vulcanite, alliage de Heusler, bonzoline, électrum, lignum vitae, platinoïde, magnalium et maillechort, en grande partie récupérés par des pilleurs au fil des ans. Où donc était ce refuge dans le Temps que recherchaient les pilotes de ces engins, et qui leur aurait évité un sort aussi infâme?

Ils eurent beau procéder à un inventaire minutieux, ni Chick ni Darby ne purent trouver, assemblé ou en morceaux, le modèle de machine au moyen duquel le Dr Zoot les avait expédiés dans ces multitudes apocalyptiques qui troublaient encore leurs rêveries.

«Nous devons entrer en contact avec ce Meatman, que le "Docteur" a mentionné», déclara Chick. «Une visite à sa taverne locale me semble appropriée.»

«Le Ball in Hand», se souvint Darby. «Bon, qu'est-ce qu'on attend?»

Avec le passage des ans, la Terre accomplissant inlassablement son périple automorphique autour du Soleil, les conférences de Candlebrow avaient fini par converger vers une forme d'Éternel Retour. Personne, par exemple, ne semblait jamais vieillir. Ceux qui, entre deux conférences, auraient pu, au sens technique, «mourir» hors des limites de ce campus enchanté, étaient promptement «ressuscités» dès qu'ils en repassaient les portes. Ils apportaient parfois avec eux leur notice nécrologique, qu'ils lisaient en gloussant à leurs collègues. Et il s'agissait, précisons-le, de «revenants» tout ce qu'il y a de plus concret, rien de figuratif ou de plasmique chez eux. Les sceptiques qui avaient penché pour cette dernière possibilité s'étaient souvent vu gratifier d'un «ramponneau en pleine poire». Les avantages de cette authentique reviviscence étaient évidents, comme par exemple le plaisir d'ignorer les conseils médicaux, de s'adonner aux alcools forts et aux aliments dangereusement gras, de rester jusque tard dans la nuit en compagnie d'individus louches et de criminels avérés, de prendre des paris dont l'amplitude aurait déclenché des apoplexies même chez des étudiants ès temps plus jeunes et plus résistants. Et toutes ces diversions et davantage étaient disponibles à profusion tout le long du fleuve, dans le bas de Symmes Street et les ruelles adjacentes, là où on trouvait les désespérés, où des têtes étaient régulièrement fracassées par les gardiens casqués de la nuit, tandis qu'à quelques mètres seulement coulait le fleuve, aussi propre qu'un bureau, les troncs ballottant tranquillement sur son sein éclairé au gaz... Des conférenciers de Candlebrow avaient prétendu voir là-dedans une parabole de ce flux détaché des contingences, isolé des maux séculaires, que nous appelons le Fleuve du Temps.

Les garçons finirent par trouver West Symmes Street et poussèrent la porte du Ball in Hand, un bouge peu recommandable et fort mal famé. Des foraines en rupture de ban, certaines en compagnie de Pygmées échappés de la Kermesse de St. Louis, dansaient sur les tables, dans une scandaleuse éruption de jupons. Une troupe de comédiens polonais, chacun armé d'une gigantesque *kielbasa*, couraient en se donnant des coups de saucisse, principalement sur la tête, avec un entrain sans bornes. Des quatuors de Nègres chantaient de vieux standards harmonisés en accords de septième. Il était possible de jouer au faro et au fantan dans les salles du fond.

Un jeune homme à l'aspect négligé, qui tenait à la main une bouteille remplie d'un liquide rougeâtre, accosta les garçons. «C'est vous qui cherchez Alonzo Meatman, je parierais.»

«Possible», répondit Darby, s'emparant de sa «matraque» réglementaire. «Et vous êtes qui?»

Leur interlocuteur se mit à trembler et jeta des coups d'œil autour de lui en secouant la tête de plus en plus violemment.

«Ils… ils…»

«Allons, l'ami, reprenez-vous», l'admonesta Lindsay. «Qui sont ces "ils" dont vous parlez?»

Mais le garçon tremblait furieusement et ses globes oculaires dansaient dans leurs orbites, affolés par la peur. Une étrange aura magenta et verte avait commencé à se former à la périphérie de sa silhouette, comme émanant d'une source située quelque part derrière lui, et qui gagnait en intensité à mesure qu'il s'estompait. Après quelques secondes, il ne resta plus rien qu'une espèce de tache dans l'air là où il s'était trouvé, un gauchissement de la lumière comme vue derrière une vitre ancienne. La bouteille qu'il tenait l'instant d'avant tomba par terre dans un fracas qui parut se prolonger bizarrement.

«Les salauds», marmonna Darby en regardant la sciure absorber le liquide, «et moi qui rêvais de m'enfiler un gorgeon de ce machin.»

Personne hormis les Casse-Cou, dans la salle bondée de fêtards, ne semblait avoir remarqué l'incident. Lindsay, étrangement perturbé, tâtonnait dans l'espace vide récemment occupé par le jeune homme, comme s'il avait simplement décidé de devenir invisible.

«Je propose», dit Miles, se dirigeant vers la porte, «de quitter les lieux avant de connaître un sort similaire.»

Une fois dehors, Chick, qui était resté silencieux pendant tout l'incident, s'adressa à Randolph en ces termes : «Professeur, sachez que j'invoque à présent la Clause Optionnelle Neutralisante de Retrait Immédiat, ou C.O.N.R.I., telle qu'elle figure dans notre Charte.»

«Encore, Mr Counterfly? Je suppose que vous vous êtes procuré la Dispense Ascensionniste Unifiée de Bienséance Élémentaire?»

Chick lui tendit un document portant des gravures élaborées. «Tout est en ordre, j'espère —»

«Écoutez-moi, Chick, avez-vous mûrement réfléchi? Vous vous rappelez, la dernière fois, au-dessus de ce volcan hawaïen —»

«C'était de la mutinerie pure et simple», intervint Lindsay, «tout comme aujourd'hui.»

«Pas selon mon opinion légale», gazouilla Darby, qui avait observé le gamin, «La C.O.N.R.I. de Chick est aussi kascher que le Smegmo.»

«Une affirmation sans grande valeur, étant donné le degré accablant de collusion entre vous et Counterfly.»

«Tu veux de la collusion», gronda Darby, «je vais t'en donner, va.»

«L'altitude à laquelle nous opérions alors», tenta d'expliquer Chick, «et la présence de gaz volcaniques inconnus ont pu altérer à l'époque mon jugement, c'est vrai. Mais cette fois-ci, j'entends demeurer sur Terre, hors de toute question de dimensions.»

«Hormis la Quatrième, bien sûr», l'avertit Miles Blundell, d'une voix solennelle qui semblait émaner d'inquiétants confins. «La Cinquième, et ainsi de suite.»

Quand ses camarades de bord furent partis, Chick retourna dans l'obscur boui-boui, commanda une bière, s'assit à une table d'où il pouvait surveiller l'entrée et attendit, une technique mise au point des années plus tôt au Japon par les mystiques zen de ce pays (cf. *Les Casse-Cou et les Femmes en cage de Yokohama*), connue sous le nom de «pied de grue». Ce fut au cours de ce même voyage que Pugnax avait confondu un monastère zen en répondant au koan classique : «Un chien est-il doté d'une nature bouddhique?» non par «*Mu!*» mais par «Oui, visiblement – autre chose?»

Le temps, plutôt que de simplement s'écouler, perdit de sa pertinence. Enfin, Chick vit le «contact» récemment disparu réapparaître dans l'espace vide, désormais entouré d'un halo abricot et aigue-marine.

«Encore vous.»

«Une petite ruse du métier. Devais vérifier si vous étiez sérieux», dit Alonzo Meatman (car c'était lui).

«Un brin plus paresseux que mes collègues, peut-être. Ils voulaient passer une soirée de patachons, alors que j'ai préféré rester ici et me détendre.»

«Je vois que vous n'avez pas touché à votre bière.»

«Ça vous dit?»

«Gagné! Laissez-moi vous offrir un verre – Horst peut vous préparer ce que vous voulez, il est incollable depuis la T.R.I.P.O.T., et même alors c'était contestable.»

«Depuis la…?»

«La Table Ronde Internationale sur la Pérambulation Objective Temporelle, bon sang, quel sacré raout c'était.» Tout ce qui comptait dans les milieux scientifiques et philosophiques était venu – il y avait Niels Bohr, Ernst Mach, le jeune Einstein, le Dr Spengler, Mr Wells en personne. Le Pr J.M.E. McTaggart de Cambridge, Angleterre, avait donné une brève allocution dans laquelle il rejetait complètement l'*existence* du Temps, comme étant par trop ridicule en soi, et ce, indépendamment de son statut de phénomène accrédité.

Un brillant rassemblement, en quelque sorte, une collaboration des plus grands esprits sur un sujet délicat, et pour le moins paradoxal, avec la certitude d'aboutir à une Machine à Voyager dans le Temps en état de marche (car tel était l'optimisme wellsien à cette époque), avant même la fin du siècle… sauf que ce ne fut pas ainsi que se déroula le déroulement des débats. Après s'être chamaillés sur des questions que des non-spécialistes auraient jugées triviales, les participants en étaient venus avec une étonnante rapidité à un état de guerre universitaire déclarée. Les groupes dissidents avaient proliféré. Les célébrités en lesquelles on avait placé tant d'espoir repartirent vite, qui en train à vapeur, qui par interurbain électrique, qui à cheval ou en aérostat, en bougonnant en général dans leur barbe. Des duels furent proposés, arrangés et résolus, pour la plupart sans effusion de sang – sauf dans le cas malheureux du mctaggartite, du néo-augustinien et du fatal pudding à vapeur. «Les différends concernant la nature de la réalité dont les issues dépendent de paris», pour citer le coroner du comté, «connaissent rarement un heureux dénouement, surtout ici, eu égard à la distance verticale existante…» Pendant des jours, tandis que l'infortuné conclave alimentait les ragots, les conférenciers veillèrent à éviter les abords du vieux clocher de la stéarinerie, inspiré du Campanile de la place Saint-Marc à Venise, et qui, avec ses quatre-vingt-dix-huit mètres, était la plus haute structure visible sur la courbe terrestre dans toutes les directions, qui exerçait par ailleurs une fascination certaine sur les esprits sains aussi bien que sur les détraqués.

«Vous avez évolué parmi eux à votre insu depuis que vous êtes arrivé», expliqua Alonzo Meatman. «Il est impossible de les repérer tant qu'ils ne l'ont pas décidé.»

«Mais en ce qui vous concerne, ils ont décidé de —»

«Oui, et "décident", et "décideront" – même pour vous, si vous avez de la chance – et alors?»

Chick examina le jeune Meatman. Clairement, classiquement, ce qu'un homéopathe qualifierait de «type lycopodium». Pour une raison inconnue, l'organisation des Casse-Cou attirait un grand nombre d'individus appartenant à cette catégorie. La peur inscrite dans chaque cellule. La peur de la nuit, d'être hanté, d'échouer, de certaines choses qu'on ne saurait nommer à la légère. Les premiers à escalader les gréements en pleine tempête, non par courage mais par désespoir, comme l'unique remède à cette lâcheté dont ils redoutaient l'emprise. Ce Meatman, en tout état de cause, s'était hissé très haut dans la nuit, dans une vulnérabilité aux périls de la tempête qui n'était guère enviable. «Repos, céleste collègue», répondit Chick, «je sais seulement ce que ça me coûte ce soir de vous aborder – mon budget ne va pas au-delà.»

Meatman parut rasséréné. «Vous ne devez pas considérer la chose, vous savez, comme une trahison… ou, disons, *pas seulement* comme une trahison.»

«Oh? Mais encore?»

Il marqua peut-être une hésitation, mais pas assez longtemps pour paraître inexpérimenté. «La proposition de Délivrance la plus extraordinaire qui nous ait été faite depuis – cette autre Promesse qui remonte à si longtemps…»

Chick eut la vision fugace d'une coursive de bateau quelque part, peut-être à l'intérieur d'un gigantesque aéronef du futur, grouillant de corps ressuscités de tous âges, des sourires ébahis et des membres nus enchevêtrés, une foultitude de visiteurs récemment débarqués de toutes les périodes du passé sur deux millénaires, et qu'il fallait nourrir, vêtir, loger et renseigner – un cauchemar administratif qu'il lui incombait largement de résoudre. Il tenait à la main une sorte de porte-voix ultramoderne. «C'en est donc à ce point?» Sa voix ne lui paraissait pas familière. Il ne trouvait rien d'autre à dire. Tout le monde le regardait, dans l'expectative.

Présentement, dans le Ball in the Hand, il se contenta de hausser les épaules. «Je crois que je suis prêt.»

«Venez.» Alonzo sortit de la taverne avec Chick et tous deux traversèrent le campus avant de passer sous une imposante arche gothique, puis redescendirent la colline et arrivèrent dans la partie nord de l'Université, où des logements estudiantins bon marché jouxtaient une sombre étendue de prairie aborigène. Les rues qu'ils empruntaient se firent plus étroites, et l'éclairage au gaz remplaça bientôt les lumières électriques des régions plus « respectables » de la ville, laquelle paraissait s'éloigner bizarrement à chaque pas que faisaient les jeunes hommes. Ils arrivèrent enfin dans une rue bordée de maisons disgracieuses, en partie déjà écroulées sur elles-mêmes, et dont la menuiserie intérieure délabrée témoignait de la précipitation et de la cupidité ayant présidé à leur érection quelques années plus tôt. Des bardeaux d'asphalte gisaient à terre, en morceaux. Des éclats de vitre étincelaient dans la nuit. Non loin, des lignes d'alimentation bourdonnaient et crachotaient, tandis que, plus haut dans la rue, une meute de chiens errait sous la pénombre humide des lampadaires.

Alonzo semblait attendre une remarque sur le quartier. « Nous n'avons pas envie de nous faire remarquer, n'est-ce pas, pas encore. Quand il y aura suffisamment de personnes qui auront besoin de nous et viendront nous chercher, alors peut-être emménagerons-nous dans un endroit plus vaste, plus proche de la ville. En attendant — »

« Discrétion », supposa Chick.

Le visage de Meatman reprit son expression chagrine. « Pas vraiment utile. Ils n'ont pas peur de ce que "ce monde-ci" peut leur opposer. Vous verrez. »

Par la suite, Chick ne put se débarrasser de l'impression, ancrée plus profondément qu'il ne l'aurait souhaité, d'avoir été parasité au niveau psychique. C'était comme si des *expressions positives* de silence et d'absence étaient déployées contre lui, et il ne pouvait s'empêcher d'en déduire que, malgré des signes conventionnels d'occupation, ces pièces étaient toutes, en fait, vides. Il se sentait oppressé par un vernis on ne peut plus visible d'abandon, non seulement composé de poussière, laquelle recouvrait toutes choses, mais aussi d'une longue quiétude, datant peut-être de plusieurs années, sans que résonne jamais une seule voix, un seul accord musical, un seul bruit de pas, si irrégulier soit-il. Il soupçonna même ce qui semblait ici la lumière d'une lampe d'être *autre chose* – comme si, par quelque truchement surnaturel, ses sens optiques étaient localement sollicités et systématiquement trompés, sans jamais perturber le règne d'une obscurité impassible. Il y avait encore plus dérangeant : le changement qui s'était opéré chez son compagnon dès qu'ils avaient franchi le seuil – une décontraction que le jeune Meatman ne prenait pas la peine de dissimuler, comme si,

maintenant qu'il avait livré Chick, il pouvait enfin retrouver sans encombre la quiétude d'un outil qu'on a reposé après usage sur son étagère, un état qu'il semblait préférer aux pénibles exigences du quotidien.

Soudain, débarquant sur scène tel un chanteur d'opéra venu pousser son aria, «Mr Ace» fit son entrée. Les yeux noirs et luisants, comme pour un duel. Ce regard vaguement chagrin qui ne s'en laisse pas conter, typique des revenants. Quand il souriait, ou tentait de sourire, ce n'était guère rassurant.

Il se dispensa de tout propos phatique et entreprit de conter directement l'histoire de son «peuple».

«Nous sommes venus parmi vous afin d'échapper à notre présent – votre avenir: la famine mondiale, des réserves d'énergie épuisées, la pauvreté définitive – la fin de l'expérience capitaliste. Le jour où nous avons enfin compris la vérité thermodynamique, à savoir que les ressources de la Terre étaient limitées, sur le point, en fait, de manquer, toute l'illusion capitaliste s'est effondrée. Ceux d'entre nous qui ont colporté tout haut cette vérité ont été dénoncés comme hérétiques, hostiles à la croyance économique prédominante. Tels des dissidents religieux d'un autrefois, nous avons été contraints de migrer, sans d'autre choix que celui d'affronter cette sombre et houleuse quatrième dimension qu'on appelle le Temps.

«La plupart de ceux qui ont entrepris cette traversée s'en sont sortis – certains y sont restés. La procédure est encore risquée. Les niveaux d'énergie requis pour remonter ce courant, franchir l'intervalle interdit, ne sont pas disponibles ici pour le moment, même si plusieurs de vos grandes dynamos approchent de la quantité d'énergie nécessaire. Nous avons appris à vivre avec ce danger, nous avons été formés dans ce but. Ce que nous n'avions pas prévu, c'était votre détermination à nous empêcher de nous installer ici.»

«J'ignorais tout ça», dit enfin Chick, avec le plus de compassion possible.

«La Fratrie des Aventuriers —»

«Vous demande pardon?»

Un étrange bourdonnement électrique envahit et brouilla un instant la voix de Mr Ace. «La Confré *nzzt* des Casse-Cou? Vous ignorez que chacune de vos missions a pour but de rendre vains nos efforts pour pénétrer votre régime de temps?

«Je vous assure que jamais —»

«Vous avez juré obéissance, bien sûr.» Un combat intense, silencieux,

comme pour retenir un rire, comme si le rire était un vice étrange et susceptible de l'ébranler, dont il ne pouvait se payer le luxe.

«Tout ça est nouveau pour moi, je vous assure», dit Chick. «Et même si ce que vous dites est vrai, comment pourrions-nous vous aider en quoi que ce soit?»

Ses grands yeux parurent briller de pitié. «Par exemple, laissez-nous mener à bien une mission de temps en temps – mais, malheureusement, nous ne vous donnerons guère plus d'explications détaillées que ne vous en donne actuellement votre propre Hiérarchie.»

Chick dut rester silencieux un certain temps.

«*ZZnrrt* compensation...»

«Oh. Désolé!»

«Mr Meatman ne vous a pas parlé des dimensions de notre gratitude?»

«Il n'a pas été clair. Cela paraissait plutôt religieux.»

«Pardon?»

«La vie éternelle.»

«Mieux. La jeunesse éternelle.»

«Oh, mazette. On fait pas mieux, c'est sûr.»

Mr Ace expliqua alors – ou, en tout cas, prétendit – que les savants de son temps avaient découvert, au cours de leurs recherches poussées sur le voyage dans le temps, tel un bonus involontaire, comment transformer la catégorie des réactions thermodynamiques connues naguère sous l'appellation de «processus irréversibles», parmi lesquels le vieillissement humain et la mort, et ce afin de *les inverser*. «Une fois que nous avons acquis la *technique*, tout ça est devenu banal.»

«Facile à dire pour vous, je suppose.»

«Il ne s'agit plus à présent que d'une forme de marchandise, comme les perles et les miroirs que vos propres intrus sur les rives américaines ont donnés aux Indiens. Un cadeau de peu de valeur, mais offert avec une grande sincérité.»

«Ça ressemble assez à l'histoire de l'Indien Squanto et des premiers colons», expliqua Chick lors de la séance plénière qui fut convoquée en hâte le lendemain matin. «Nous les aidons à passer leur premier hiver, un truc de ce genre.»

«Mais s'il s'agit d'autre chose?» dit Randolph. «S'ils ne sont pas des colons mais des pilleurs, et qu'il existe ici une ressource particulière, qui leur manque désormais et qu'ils veulent nous ravir pour l'emporter avec eux?»

«De la nourriture», dit Miles.

«Des femmes», avança Darby.

«Une entropie réduite», spécula Chick. «En tant que simple fonction du Temps, leur niveau d'entropie doit être élevé. Comme des riches prenant des eaux minérales dans un établissement thermal.»

«Il s'agit de notre innocence», proclama Lindsay d'une voix inhabituellement paniquée. «Ils ont débarqué sur nos rives pour nous traquer, capturer notre innocence, et l'emporter avec eux dans le futur.»

«Je pensais à quelque chose d'un peu plus tangible», Randolph abîmé dans ses pensées. «De négociable.»

«Tiens donc et depuis quand on est "innocents"?» lâcha Darby.

«Mais imaginez-*les*», Lindsay sur un ton fiévreux, comme à la veille d'une illumination insupportable, «si déchus, si corrompus, que nous – que même nous –, nous leur paraissons aussi purs que des agneaux. Et l'époque où ils vivent est si terrible qu'elle les a envoyés dans le passé – jusqu'à nous. Jusqu'à ces quelques années pathétiques qui nous restent, avant... ce qui va arriver...»

«Allons, Lindsay.» C'était Darby, qui pour la première fois se préoccupait de son puritain camarade de bord.

Après une certaine paralysie dans la discussion : «Il y a toujours la possibilité», fit remarquer Chick, «qu'il s'agisse d'aigrefins, de complices du Dr Zoot – ou, de façon encore plus sournoise, que tout ça ne soit qu'un exercice théâtral, une sorte de manœuvre morale, mise au point par la Hiérarchie pour détecter une rébellion potentielle et étouffer la sédition. Je l'en crois capable.»

«Mais dans les deux cas», dit Darby, «nous sommes complètement —»

«Ne dites rien», l'avertit Lindsay.

Comprenant qu'il ne tirerait de Mr Ace rien de plus que les récits que le sinistre voyageur voudrait bien lui faire, Chick se rendit à leur prochain rendez-vous avec Miles, celui-ci étant le seul membre de l'équipage à posséder la clairvoyance qu'exigeait la situation. Dès qu'il vit Mr Ace, Miles perdit tous ses moyens et se mit à pleurer, tel un ecclésiastique de haut rang qui aurait reçu un message direct de Dieu... Chick l'observa avec étonnement, car les larmes étaient quasiment inconnues dans leur Unité.

«Je l'ai reconnu, Chick», dit Miles quand ils furent retournés à bord du vaisseau. «Je l'ai déjà vu. Je savais qu'il était réel et qu'on ne pouvait le chasser. Il n'est pas ce qu'il prétend être. Il est certain qu'il ne nous veut pas du bien.»

«Miles, racontez, je vous en prie. Où l'avez-vous vu?»

«Au moyen de ces *conduits visuels* qui semblent de plus en plus me trouver ces temps-ci. Pendant un moment, il m'a été donné de les voir, lui et les autres Intrus, comme par des "fenêtres" donnant sur leur demeure. J'ai peut-être été invisible à leurs yeux au début, mais c'est fini – ils savent désormais me détecter chaque fois que je les observe... et depuis peu, dès qu'ils sentent que je les regarde, je les vois braquer quelque chose sur moi – pas vraiment une arme – un objet énigmatique...

«C'est en passant par ces "fenêtres" qu'ils se rendent, pour de brèves périodes, dans notre temps et notre espace. C'est ainsi que ce "Mr Ace" vient jusqu'à nous.» Miles frissonna. «Vous avez vu comment il m'a regardé? Il savait. Et il voulait que je me sente coupable, et ce de façon disproportionnée par rapport à mon délit, lequel se limite somme toute à les observer en douce. Je crois que depuis le jour où nous sommes arrivés ici à Candlebrow, une de leurs "agences" a reçu l'ordre exprès de s'occuper de nous. Ce qui devrait rendre immédiatement suspect tout inconnu parmi nous, même – surtout – le plus innocent en apparence.»

Devant la vive inquiétude qui se peignait sur les traits de Chick, Miles secoua la tête et tendit une main apaisante. «Pas d'inquiétude – nous ne risquons rien. Si quelqu'un voulait nous "doubler", Pugnax le saurait et se délecterait aussi sec de ses entrailles. Pour ce qui est de mesures immédiates, je propose qu'on décampe, et le plus tôt sera le mieux.»

L'équipage découvrit rapidement des traces d'intrusion un peu partout, un récit invisible qui accompagnait, quand il ne le définissait pas, le passage du jour. Il apparut très vite qu'à tous les niveaux, du local à l'international, un névropathe s'était emparé de l'organisation des Casse-Cou. Les Intrus avaient étudié de près leurs cibles, ils savaient que les Casse-Cou étaient intimement persuadés qu'aucun d'entre eux, sauf accident, ne vieillirait jamais ni ne mourrait, une croyance que plusieurs parmi eux avaient fini par considérer au fil des ans comme une garantie. En apprenant qu'ils n'étaient sans doute pas plus à l'abri que les figurants humains qu'ils avaient survolés avec tant d'insouciance durant toutes ces années, certains Casse-Cou, paniqués, aspirèrent à l'étreinte corrompue des Intrus, prêts à traiter avec l'Enfer lui-même, à trahir toute cause et quiconque du moment qu'on les renverrait à l'époque où ils étaient jeunes, leur permettant de recouvrer l'innocence de leurs débuts romanesques qu'ils étaient à présent si pressés de brader pour complaire à leurs insidieux bienfaiteurs.

On découvrit rapidement que les traîtres de ce genre abondaient, bien qu'on ignorât encore leur identité. Maintenant que chacun était un candidat potentiel, il s'ensuivit une vague sans précédent, et fortement destructrice, de calomnie, de paranoïa et de meurtres, qui perdura jusqu'à l'époque actuelle. On se battait en duel, on intentait des procès, tout cela en vain. Les Intrus persistaient sans ambages dans leur sombre complot, même si certaines de leurs victimes cherchaient, pour des raisons morales ou contingentes, à se libérer des sinistres contrats qu'elles avaient signés à peine dupées, au risque de devoir renoncer à leur immunité devant la mort.

D'autres Unités des Casse-Cou choisirent alors des solutions latérales, évitant la crise en adoptant des identités métaphoriques, comme celles d'escouades policières, compagnies théâtrales itinérantes, gouvernements en exil de pays imaginaires qu'ils pouvaient néanmoins décrire de façon exhaustive, voire obsessionnelle selon certains, y compris leurs langues et leurs règles de syntaxe et d'usage – ou, dans le cas de l'équipage du *Désagrément*, en s'immergeant à Candlebrow dans les mystères du Temps, et en s'adonnant à cette brève aberration dans leur histoire connue sous le nom de l'Académie de Fanfare Section Harmonica.

Comme dans un rêve, ils se souviendraient d'avoir fréquenté Candlebrow non comme des participants à une conférence estivale mais en qualité d'élèves musiciens à plein temps, en train d'attendre sur un quai de gare avec leurs affaires et leurs instruments un interurbain qui ne venait jamais. Le train qui finit par entrer en gare et s'arrêter devant eux fut un train spécial, rutilant et fringant, portant les insignes de l'Académie de Fanfare Section Harmonica et bondé de garçons de leur âge en uniforme de voyage rouge chinois et indigo.

« Mais oui, montez, y a plein de place. »

« Vous nous acceptez ? »

« On prend tout le monde. Gîte et couvert offerts, du moment que vous jouez de l'harmonica. »

Aussi, sans faire de façons, ils montèrent à bord et, avant même d'arriver à Decatur, surent jouer les parties rythmiques d'*El Capitán* et de *Whistling Rufus*. Quand ils descendirent du train, ce fut pour se joindre aux élèves musiciens de l'Académie d'Harmonica Section Fanfare, célèbre dans le monde entier, où on leur donna bientôt des uniformes, leur assigna des quartiers, et les réprimanda comme tous les autres quand ils improvisaient pendant des morceaux aux arrangements très précis tels que *My Country 'Tis of Thee*.

L'institution puisait ses origines, de même que Candlebrow, dans les arcanes de la cupidité telle que celle-ci était alors pratiquée par le capitalisme mondial. Les facteurs d'harmonicas allemands, leaders planétaires en ce domaine, avaient inondé un temps le marché américain de leurs surplus, et le résultat fut que bientôt chaque communauté se trouva dotée de sa Société Musicale Section Harmonica, ce qui représentait des centaines, qui se produisaient à chaque défilé de fête nationale, cérémonie de remise de diplômes, pique-nique annuel, inauguration d'éclairage des rues ou de canalisation d'égouts. Il s'écoula peu de temps avant que cette conséquence imprévue de la Loi de l'offre et de la demande fût consacrée par l'Académie de Fanfare Section Harmonica, une belle suite de bâtiments dans le style richardsonien romanesque situés au « Cœur de la ligne de partage des eaux du Mississippi », ainsi que l'annonçaient les réclames. Chaque année, des jeunes gens venus de toute la République allaient étudier là, pour en ressortir, quatre ans plus tard, avec la qualification de Maîtres Harmonicistes assurés de se faire une belle place dans la profession, certains allant même jusqu'à fonder leur propre école.

Un soir, au tout début de leur premier semestre de printemps, Randolph, Lindsay, Darby, Miles et Chick se trouvaient dans le dortoir avec quelques camarades de classe, où ils se reposaient après avoir préparé un examen en théorie modale prévu le lendemain.

« J'aurais jamais cru que ça serait comme ça », déclara l'un des harmonicanistes de troisième année, dont les verres de lunettes reflétaient l'éclairage au gaz. « J'imaginais plutôt de l'action, de la vraie, une bringue du tonnerre, jouer sans se préoccuper d'autre chose, tout ça. »

Un condisciple, allongé les mains derrière la tête, tirait sur une cigarette illicite dont le parfum, incommodant pour certains, emplissait la pièce. « Rédige un mémo, mec, ils seront ravis de t'avoir. »

« Des temps sacrément dangereux, les amis, laissez tomber la parade, c'est le moment de se rendre utiles — », interrompu par l'arrivée précipitée du jeune harmonicaïste apprenti Bing Spooninger, la mascotte de la Fanfare, qui s'écria : « Personne n'a vu 'Zo Meatman ? Il est pas dans son plumard, le couvre-feu a commencé et c'est presque le black-out ! »

Tumulte. Têtes qui surgissent au-dessus des rebords des couchettes supérieures. On se leva, on bondit à terre, on courut partout en se cognant les uns aux autres, on regarda sous les meubles, dans les placards, partout en quête de l'introuvable harmoniciste. Les Casse-Cou comprirent qu'il s'agissait de l'« intro » d'un numéro musical. Les élèves se mirent à s'accorder sur tous les harmonicas à portée de main, et bon sang il y en avait, ça oui, allant des harmonicas chromatiques d'un mètre quatre-vingts de long – de gigantesques *tubas* d'harmonicas – jusqu'au plus petit microharmonica possible en argent et perles à deux trous, avec chaque note de l'Univers entre. Puis, sur un hochement de tête quasi imperceptible, les garçons se mirent à aspirer, souffler et chanter :

> L'ami Meat-man a dis-pa-ru.
> Yippy dippy dippy, doo !
> Franchement, c'était couru —
> Faut vraiment pas être dou-
> Ééééé !
> [*Basse comique*]
> Moi je ferais tout bien pareil mais j'en ferai rien
> Vu que c'est pareil si je fais tout et rien !
> [*Tous en chœur :*] Et-et-et
> L'ami Meatman a dis-pa-ru.

[*Bing en soliste soprano :*] Dis... pa... ru... [*Tout le monde se regardant comme totalement fasciné par le complexe exploit vocal dont la conclusion réussie leur permettait enfin, en pouffant, de se détendre. Et de chanter :*]

> Yippy dippy dippy,
> Flippy zippy zippy
> Smippy gdippy gdippy, yo !

enchaînant par un cake-walk enlevé offrant l'occasion de brèves hardiesses, accompagnées de bruits de locomotives, d'animaux de ferme – Alonzo Meatman, le mystérieux disparu, s'étant par exemple spécialisé dans le jeu nasal, mettant systématiquement de la morve dans les trous numéros trois et quatre et très souvent une « roupie » suffisamment conséquente pour boucher complètement le numéro deux, créant ainsi, et ce n'était d'ailleurs pas la première fois, un problème vibratoire à quiconque était assez imprudent pour lui emprunter l'instrument, problème se traduisant par une certaine hostilité qui avait l'heur d'accroître le ressentiment couvant depuis longtemps chez Alonzo envers tout comportement *hétérodoxe*, qui lui valut plus d'une fois de se retrouver, d'abord furtivement mais ensuite avec une assurance croissante, dans le bureau du directeur de l'Académie de Fanfare Section Harmonica.

La pratique du mouchardage, considérée avec horreur par des institutions plus traditionnelles, avait fini ici par susciter un curieux respect, même de la part de ceux qui étaient susceptibles d'en souffrir le plus. Le fait qu'un « cafteur » comme le jeune Meatman fût absent n'éveilla donc pas immédiatement de soupçons comme c'eût été le cas dans une autre école. Le fait est que le « cafteur », étant grassement payé pour ses rapportages, jouissait en temps normal d'une popularité considérable auprès des autres garçons, surtout lors des week-ends chômés. N'étant pas contrainte de se créer et d'assurer une fausse identité, la petite balance pouvait consacrer davantage d'énergie aux activités normales de la Fanfare des Harmonicistes. Ne subissant pas les châtiments que pouvaient subir à tout moment les caftés entre les mains capricieuses du vieux Commandant, les cafteurs, nécessairement moins inquiets, dormaient mieux et menaient en général des existences plus saines que leurs camarades de classe plus vulnérables.

Un peu plus tôt ce même jour, et ce comme chaque semaine, Alonzo était allé voir le «Vieux». C'était un après-midi de printemps, le campus palpitait d'un éclat vert-de-gris, protégé en contrebas par un bouclier de peupliers de Lombardie qui à cette distance se fondaient tous dans une brume verte et bourgeonnante, tandis que, devant la fenêtre, le visage sage et ridé, la moustache blanche et entretenue, les dents en or étincelantes, du moins quand il souriait – d'un sourire lent et affable qui évoquait celui de l'opiomane, alors qu'il s'agissait en fait d'un rejet quasi nihiliste de tout ce que le monde avait à offrir –, le Vieux expliquait au jeune informateur, comme il l'avait déjà fait des dizaines de fois, tout, absolument tout : les règles de sécurité concernant l'Harmonica Chromatique ; la nécessité d'entretenir soigneusement les poils du nez afin d'éviter qu'un ou deux se coincent entre anche et lamelle et soient alors arrachés, ce qui, en plus de la douleur et de l'humiliation, comportait également le risque d'une infection cérébrale ; où et quand les unités dormaient et qui prenait les différents quarts de veille telle la Brigade d'Intégrité Tonale, chargée de protéger pendant la nuit le célèbre Harmonica Réverbérant en *ré* bémol contre le Limeur Fantôme, réputé pour s'infiltrer avec toute une batterie de limes spéciales afin de modifier les notes et de causer des difficultés aux solistes, obligeant parfois ces derniers à aspirer les accords toniques et à souffler les sous-dominants, produisant ainsi un son vaguement négroïde – même si l'intrus devait prendre soin d'éviter également la Veille Provisoire Anti-Miction, contre les visites tardives aux latrines, où avaient été récemment signalées des choses «excrêmement» bizarres… Par la fenêtre, on distinguait de temps en temps des harmonicistes en pleine «Éducation physique», mais pas les habituels Rugby Union ou Lacrosse, non, c'était plutôt un horrible Combat-Sur-Dix-Mètres… non réglementaire, avec les musiciens, de minuscules silhouettes en pull rouge portant les armoiries dorées de l'Académie, qui tentaient d'étrangler, de donner des coups de pied, ou, si des pierres convenables se trouvaient à portée de main, de se frapper entre eux, apparemment, jusqu'à s'estourbir sinon davantage… D'ailleurs, des corps avaient commencé à tomber, et des cris retardés par la distance montaient enfin des pelouses et parvenaient jusqu'à la fenêtre du Vieux, accompagnant son long laïus ponctué de citations mélodieuses sur son «Little Giant» I.G. Mundharfwerke personnel plaqué or, derrière un bureau jonché d'un chaos de livres, de documents et (ce qui était plus gênant) de déchets, tels que pelures d'orange, noyaux de pêche et mégots de cigare, tous égarés en des endroits et sur des épaisseurs de soixante centimètres et plus, dégoûtant assez Meatman, lequel après tout n'était venu que pour «cafter» ses camarades de classe, qui allaient bientôt revenir des terrains de sport en portant les blessés et défiler entre les magnolias sur l'air enlevé d'Offenbach *Halls of Montezoo-Hoo-ma!* tandis que le Vieux continuait tranquillement sa digression avec une lenteur sirupeuse, se diluant dans l'après-midi en allégations épouvantablement détaillées sur les étranges comportements dans les latrines, évoquant en brefs flashes des installations de porcelaine blanche aux formes voluptueuses, pas nécessairement des toilettes, mais plutôt des véhicules pour des «menées mictiérieuses» mais encore vagues, offrant bientôt une image assez nette de la chose, un rapide piqué entre les rangées de sièges blancs, entourés d'un halo humide et violet aux entournures, jusque dans les latrines elles-mêmes, dans de sombres proximités comprenant – inévitablement – la corruption et la mort, les séries de miroirs qui se faisaient face séparées par un brouillard d'usage séculaire, d'haleine, de dentifrice pulvérisé et les préparatifs au rasage, les vapeurs d'eau montant des robinets comportant des traces de minéraux locaux, chaque enchâssement d'images s'éloignant sur des lieues et des lieues, toutes reflétées, convergeant vers le Point d'Infini au terme d'une immense et lente courbe...

Après cette entrevue, on n'entendit curieusement plus parler d'Alonzo. L'aide de camp du Commandant lui donna congé, lui remit son pactole hebdomadaire pour services rendus à l'institution, puis le regarda s'éloigner d'un pas nonchalant entre les rangées symétriques d'arbres avant de retourner à sa paperasserie...

Pendant ce temps, dans les interstices de ce qui, après tout, n'était pas des vacances perpétuelles dans le Midwest, l'ancien équipage du *Désagrément* était la proie de doutes insidieux. Et s'ils *n'étaient pas vraiment* des harmonicistes? S'il s'agissait juste d'un canular alambiqué qu'ils avaient décidé de s'infliger à eux-mêmes, afin de détourner leur attention d'une réalité trop effrayante pour recevoir la vaste lumière aveugle du Ciel, de la trahison tacite désormais fermement installée au cœur de... de l'Organisation dont le nom, curieusement, avait commencé à leur échapper... un marché secret, d'une nature non précisée, passé avec un ancien ennemi… Mais ils ne trouvaient aucun article dans leurs journaux de bord pour raviver leur mémoire…

Subissaient-ils eux-mêmes quelque mutation, devenant les répliques imparfaites de ce qu'ils avaient été autrefois ? Destinés à revisiter les scènes de conflits non résolus, à la façon dont on dit que les fantômes retournent aux endroits où les destins ont pris un mauvais virage, ou revisitent en rêve le corps qui rêve d'une personne plus aimée qu'il n'y paraissait, comme si ce qui s'était passé entre les deux pouvait de la sorte être rectifié. N'étaient-ils plus désormais que les fragiles échos d'identités clandestines requises pour une mission accomplie depuis longtemps, oubliée, mais n'ayant ni l'envie ni la capacité de s'en affranchir ? Voire des remplaçants recrutés pour rester au sol, laissant les « véritables » Casse-Cou s'envoler dans le ciel et échapper ainsi à une situation intolérable ? Peut-être n'étaient-ils jamais montés dans un aéronef, n'avaient-ils jamais arpenté de rues exotiques ou été charmés par les indigènes d'une base lointaine. Peut-être n'avaient-ils été autrefois que les lecteurs d'une série de romans pour la jeunesse mettant en scène les Casse-Cou, autorisés à servir de leurres volontaires. Jadis, il y a longtemps, au sein de douces collines, dans des villes bâties près d'un cours d'eau, dans la fraîcheur de bibliothèques où les enfants avaient le droit de s'allonger par terre pour lire pendant tout un après-midi d'été, les Casse-Cou avaient eu besoin d'eux… ils étaient apparus.

> **ON RECHERCHE** Jeunes garçons pour missions audacieuses, bonne condition physique, consciencieux, disponibles, sachant jouer de l'harmonica (*At a Georgia Camp Meeting* dans toutes les tonalités, modestes amendes si fausses notes), et désireux de consacrer de longues heures à maîtriser l'instrument… Aventure garantie !

Si bien que, quand les « véritables » Casse-Cou s'étaient envolés, les garçons s'étaient retrouvés dans le douteux sanctuaire du Centre de Formation des Fanfares d'Harmonicas… Mais la vie sur terre continuait bon an mal an à prélever sa dîme habituelle, tandis que les autres Casse-Cou restaient gaiement dans les airs, échappant aux diverses taxes pour accomplir des missions un peu partout dans le monde, oubliant peut-être même jusqu'à l'existence de leurs « homologues » tant leur esprit aventureux était sollicité, et les autres – les « marmottes » en jargon Casse-Cou – connaissaient, forcément, les risques et les coûts de cette substitution. Certains finiraient par partir d'ici tout comme, il y a déjà longtemps, ils avaient quitté leurs saines villes natales pour la fumée et la confusion de densités urbaines au début inconcevables, ils iraient intégrer d'autres ensembles jouant la musique des nouvelles races, des arrangements de blues nègres, des polkas polonaises, du klezmer juif, tandis que d'autres, incapables de trouver une issue franche hors du passé, reviendraient sans cesse sur les scènes anciennes, à Venise et Paris, dans les luxueux palais mexicains, pour jouer les mêmes pots-pourris de cake-walks, de ragtimes et d'airs patriotiques, s'asseoir aux mêmes tables des mêmes cafés, hanter les mêmes dédales de rues étroites, regarder tristement le samedi soir les jeunes du coin qui déambulaient et flirtaient sur les petites places, sans trop savoir si leur propre jeunesse était derrière eux ou encore à venir. Attendant comme toujours que les «véritables» Casse-Cou reviennent, pressés de s'entendre dire : «Vous avez été superbes, les gars. Nous aimerions bien vous parler de tout ce qui s'est passé, mais ce n'est pas encore fini, on est à un stade critique, et pour le moment moins on en dira, mieux ce sera. Mais un jour... »

« Vous allez repartir ? »

« Déjà ? »

« Nous n'avons pas le choix. Nous sommes vraiment désolés. Le banquet de retrouvailles était délicieux et fort bienvenu, le récital d'harmonicas proprement inoubliable, surtout les parties moricaudes. Mais maintenant... »

Et, une fois de plus, ce point familier diminuant dans le ciel.

« Ne sois pas triste, l'ami, ça devait être important, ils voulaient vraiment rester cette fois-ci, ça se voyait. »

« Qu'est-ce qu'on va faire de toute cette bouffe en trop ? »

« Et de toute la bière que personne n'a bue ! »

« Franchement, je crois pas que ça sera *ça* notre problème. »

Mais ce fut le début d'un certain relâchement dans l'attente, comme s'ils avaient vécu dans une vallée retirée, à l'écart de toute grand-route, et s'étaient aperçus un jour que juste derrière l'une des lignes de crête se trouvait depuis toujours une route, et en bas de cette route, quand ils regardèrent, ils virent approcher un chariot, puis deux cavaliers, puis une diligence, et encore un chariot, dans une lumière qui perdait lentement de son austère isotropie et où s'amoncelaient des nuages et de la fumée de cheminée et même quelques incidents climatiques, jusqu'à ce qu'apparaisse bientôt un flux de circulation régulier, audible de jour comme de nuit, les gens venant visiter leur vallée, proposant des excursions dans des villes voisines dont les jeunes hommes ignoraient jusqu'à l'existence, et en un rien de temps ils évoluèrent de nouveau dans un monde à peine différent de celui qu'ils avaient quitté. Et un jour, alors qu'ils approchaient d'une de ces villes, prêt à décoller, tout rutilant, repeint à neuf et remis en état, au détour d'un gigantesque hangar, les attendant comme s'ils n'étaient jamais partis, se dressait leur vaisseau ce bon vieux *Désagrément*. Avec Pugnax, ses pattes de devant posées sur le bastingage du gaillard d'arrière, en train de remuer la queue comme un fou et d'aboyer d'une joie non retenue.

Quelque part, les Intrus vaquaient à leurs affaires courantes et délétères, mais l'équipage du *Désagrément*, désormais rompu à leur présence et ne croyant plus depuis longtemps qu'ils fussent aptes à faire des miracles, parvenait à les éviter, mettant en garde les autres contre d'éventuels mauvais coups, allant même jusqu'à envisager des ripostes. Certains ragoûts expérimentaux, ratés par Miles, et largués depuis des altitudes suffisamment modestes pour garder leur cohésion, firent leur petit effet, ainsi que de facétieux coups de fil passés à des entreprises de construction pour que celles-ci livrent et coulent de larges volumes de ciment sur des lieux stratégiques occupés par les Intrus.

Cela va sans dire, les divergences d'opinion au sein du petit groupe quant à la meilleure façon de procéder étaient perceptibles, et la chose s'en ressentait linguistiquement lors de leur réunion. Leur politique ne fut guère simplifiée par la réapparition soudaine du cafteur de la Fanfare Section Harmonica, Alonzo Meatman, qui débarqua un jour en sifflotant *After the Ball* au rythme d'un cake-walk comme s'il ne s'était jamais rien passé entre eux.

Il avait apporté avec lui, soigneusement scellé, un exemplaire de la carte énigmatique qu'ils étaient allés autrefois chercher à Venise, au risque de finir en fumée au-dessus de la place Saint-Marc.

«On était là, aussi», dit Meatman avec un sourire désagréable, «sauf que vous nous avez pas vus, je crois.»

«Et maintenant, vous essayez de nous la vendre», supposa Randolph.

«Aujourd'hui, pour vous, c'est gratis.»

«Et d'où vous vient cet étrange sentiment», demanda Lindsay, «que, ayant évité de peu la dissolution en tentant de nous procurer si maladroitement ce document maléfique, nous pourrions manifester à présent envers lui ne serait-ce que la moindre once d'intérêt?»

Le traître Meatman haussa les épaules. «Posez la question à votre machine Tesla.»

Et bien sûr, comme ayant surpris leurs propos dans le cadre d'une surveillance détaillée des Casse-Cou, menée depuis quelques confins bureaucratiques, l'Autorité supérieure décida une fois de plus d'insérer son *extrémité pesante* dans leurs vies.

Un jour, après les Quartiers du Soir, la machine Tesla se réveilla brusquement en gloussant, et les garçons s'attroupèrent pour l'écouter. «Ayant pris livraison», annonça une voix profonde et retentissante, «par l'agent dûment assermenté Alonzo R. Meatman de la carte informellement connue sous le nom d'Itinéraire de Sfinciuno, et signé comme il se doit tous les reçus, vous avez pour ordre de mettre immédiatement le cap sur Boukhara en Asie intérieure, où vous serez temporairement affectés à la frégate sous-désertique *Saksaoul* de Sa Majesté, sous le commandement du capitaine Q. Zane Toadflax. Il va de soi que le *Désagrément* possède à bord un Appareil de Survie Hypopsammotique modèle courant, car aucun défraiement supplémentaire ne sera accordé.»

La machine se tut et les aiguilles de sa dizaine de cadrans retournèrent se poser sur leurs goupilles. «Mais de quoi est-ce qu'ils causent, bon Dieu?» demanda Darby.

«Le Pr Vanderjuice saura», dit Randolph.

«Ça alors, par les saintes dunes!» s'exclama le Professeur. «Il se trouve que je connais l'homme qu'il vous faut, il s'appelle Roswell Bounce, et c'est lui qui a inventé l'Hypops, mais j'ai bien peur que la société Vibe, qui prétend en avoir le monopole, se montre inflexible quant au prix de l'engin.»

Ils trouvèrent Roswell Bounce en train de reluquer gaiement des jeunes filles sur la petite place attenante au Local des Étudiants. Roswell avait compris dès 1899 les principes de ce qui deviendrait l'Appareil de Survie Hypopsammotique standard, ou «Hypops», révolutionnant le voyage dans le désert en mettant au point une méthode pour évoluer sous les sables tout en continuant de respirer.

«Il s'agit en gros de contrôler ses fréquences de résonance moléculaires», expliqua Roswell. «L'engin comporte un bouton de réglage permettant de compenser la dérive paramétrique, afin que tout conserve un aspect solide mais suffisamment dispersé pour que vous soyez capables d'avancer sans plus d'efforts que si vous nagiez dans une mare. Ces fumiers de la Vibe Corp. me l'ont piqué, et je n'ai aucun scrupule à casser leurs prix. Vous en voulez combien?»

Ils convinrent d'une demi-douzaine d'équipements, Roswell acceptant volontiers d'en modifier un pour Pugnax, le tout à un tarif étonnamment raisonnable, qui incluait une livraison expresse avec règlement à la réception, et une ristourne supplémentaire en cas de paiement en liquide.

«Génial ce truc!» s'épata Chick, qui en sa qualité d'Officier scientifique fut particulièrement intrigué.

«Puisqu'il nous est possible aujourd'hui d'évoluer sous les mers à notre guise», estima le Pr Vanderjuice, «alors l'étape suivante consiste à s'occuper de ce médium qui se meut par vagues telle la mer, et est lui aussi composé de particules. »

« Il veut parler du sable », dit Roswell, « mais on pourrait croire qu'il s'agit de la lumière, non ? »

« Mais hormis la densité, l'inertie et l'abrasion constante des surfaces, comment peut-on voyager sous le sable tout en surveillant sa route ? » demanda Randolph.

« En redéployant l'énergie en fonction de ce qu'il faudrait pour changer le sable déplacé en quelque chose de transparent – du quartz ou du verre, disons. Il est clair », expliqua le Professeur, « que personne n'a envie de se retrouver au milieu d'une telle chaleur, aussi faut-il s'arranger pour se *translater* dans le Temps, en compensant la vitesse de la lumière dans le médium transparent. Tant que le sable a été déposé par le vent sans obstacle notable, on peut supposer que la mécanique des flux est ici valide, et si l'on veut s'enfoncer plus profondément, par exemple à bord d'un vaisseau sous-sableux, de nouveaux éléments analogues aux formations des tourbillons modifieraient alors l'historique des ondes – rien qui ne puisse s'exprimer par des fonctions d'ondes. »

« Lesquelles tiennent toujours compte du Temps », dit Chick. « De sorte que si vous cherchiez la façon de renverser ou d'inverser ces courbes, cela impliquerait-il une forme de passage à rebours dans le Temps ? »

« Eh bien, c'est précisément ce que j'ai passé l'été à rechercher ici », dit Roswell. « On m'a convié à diriger un séminaire. Vous pouvez m'appeler "Professeur". Vous aussi, les filles ! » lança-t-il à un groupe de jeunes femmes avenantes, qui pique-niquaient non loin sur l'herbe, certaines tête nue et les cheveux dénoués.

Les équipements Hypops devant être livrés d'ici quelques jours, les Casse-Cou se préparèrent au départ en proie à un vif regret, incapables qu'ils étaient de se défaire de l'impression d'avoir, quelque part dans l'affairement des conférences, expositions, pique-niques et fêtes diverses, manqué quelque chose d'essentiel, qui ne serait sans doute jamais recouvré, même au moyen d'une machine à voyager dans le temps en bon état de marche.

« Il était question de vol », théorisa Miles, en recourant momentanément à sa langue natale, « de vol dans la prochaine dimension. Nous étions toujours à la merci du Temps, comme n'importe quelle "marmotte" civile. Nous sommes passés de deux dimensions, de l'espace au ras du sol de l'enfançon à celui de la ville et de la carte, et avons continué d'avancer à tâtons dans la Troisième Dimension, jusqu'à ce que, en qualité de Casse-Cou, nous fussions en mesure de faire le grand saut dans le ciel… et maintenant, après toutes ces années d'aéro-vagabondage, peut-être que certains d'entre nous sont prêts à faire un pas "de côté", dans la prochaine dimension : le Temps – notre destin, notre seigneur, notre destructeur. »

« Merci beaucoup, espèce de buse », dit Darby. « Y a quoi à manger ? »

« De la buse », répondit Miles en souriant. « En fricassée, je crois. »

La transmission Tesla suivante leur précisa le moment exact du départ, mais sans donner davantage de détails concernant leur mission. Après des semaines consacrées aux mystères du Temps, les garçons s'étaient enfin heurtés au mur uniforme de son expression la plus littérale, l'horaire.

« Bon voyage », dit la voix. « Vous recevrez d'autres instructions quand vous serez arrivés à Boukhara. »

Darby balança son aéro-sac dans son casier, complètement hors de lui. « Et combien de temps encore », cria-t-il à l'instrument, « sommes-nous censés supporter votre satané irrespect ? »

« Jusqu'à ce que la mutinerie soit légalisée », l'avertit sèchement Lindsay.

« Autant dire jusqu'à ce que les buses aient des dents, non ? » Darby avec un regard appuyé et sournois à l'Officier supérieur.

« Va au diable, présomptueux petit — »

« Ils ne supportent pas qu'on s'amuse, c'est tout », affirma Darby. « Tout ce qu'ils ne peuvent pas contrôler équivaut à du chahut aux yeux de ces saletés d'autocrates. »

« Suckling ! » Le visage de Lindsay se vidant rapidement de sa couleur. « C'est bien ce que je craignais depuis le début — »

« Hé oh, pas de panique, Monique, je pensais juste aux aspects tsaristes, mais clairement illégitimes, de leur comportement. »

« Oh. Oh, eh bien… », balbutia Lindsay, vaguement pris de court, en observant un Darby désormais juriste, mais sans prolonger sa réprimande.

« Si j'étais vous, les gars », fit la voix traînante de l'engin Tesla, « je tarderais pas trop à décoller. Ça serait dommage de déroger à votre légendaire obéissance, non ? Les moutons volent, eux aussi, après tout. Pas vrai ? »

Et peu après, tandis qu'Alonzo Meatman observait la scène avec des jumelles depuis le fatal clocheton, le *Désagrément* s'éleva au-dessus de Candlebrow, on ne peut plus cafardeux, dans un jour humide et sans vent, laissant les Mystères du Temps à ceux qui possédaient suffisamment de cette denrée pour se consacrer à son étude.

Bilocations

Pendant que le *Désagrément* était à New York, Lindsay avait eu vent d'un «Coin turc» censé offrir, d'une façon qui n'était pas strictement métaphorique, un «point d'évasion vers l'Asie». Exemple: «Vous êtes dans un horrible salon bourgeois new-yorkais, et juste après vous vous retrouvez en plein désert asiatique, perché sur un chameau, en quête d'une cité souterraine perdue.»

«Après une escale à Chinatown pour inhaler quelques vapeurs, vous voulez dire.»

«Pas exactement. Pas aussi subjectif que ça.»

«Pas seulement un transport mental, selon vous, mais réel, physique —»

«Une translation corporelle, une sorte de résurrection latérale, si vous voulez.»

«Ben ça, qui ne le voudrait pas? Où se trouve ce Coin miraculeux?»

«Oui, où? Derrière laquelle de ces milliers de fenêtres entassées les unes sur les autres, sombres ou éclairées? Une quête formidable, convenez-en.»

Ma foi, la semaine précédente s'était, à sa façon, déroulée au moins aussi soudainement.

Alors qu'il voyageait de nuit à dos de chameau, Lindsay Noseworth s'aperçut qu'il appréciait bel et bien sa solitude, loin du chaos permanent qu'était un quart normal sur le pont – le champ de vision saturé d'étoiles, l'espace à quatre dimensions à son niveau le plus pur, davantage d'étoiles qu'il ne se souvenait en avoir jamais vu, mais qui avait du temps à leur consacrer avec toutes ces petites corvées qui vous obligeaient à garder les yeux baissés sur le quotidien? À vrai dire, il avait fini par douter des astres d'un point de vue pratique, ayant récemment étudié les grands conflits mondiaux, s'efforçant d'apprendre quelles étaient les conditions lumineuses pendant les combats, en venant même à soupçonner la lumière d'être un *facteur déterminant et secret de l'Histoire* – sans compter la façon dont elle avait éclairé un champ de bataille ou une flotte ennemie, s'était déformée devant une fenêtre précise lors d'une réunion d'urgence du gouvernement, ou comportée alors que le soleil se couchait derrière un fleuve important, ou avait rehaussé telle chevelure, et par conséquent repoussé l'exécution d'une épouse politiquement dangereuse dont on avait décidé de se débarrasser —

« Ahh... » Eh m... e ! Voilà que ça recommençait, ce mot fatal ! Le mot que les médecins lui avaient interdit ne serait-ce que de labialiser...

La C.A.C.A. des Casse-Cou, ou Convention Annuelle de Check-up Automatique, exigeait des examens médicaux trimestriels dans les Centres d'Examen Officiels, par des toubibs travaillant pour des compagnies d'assurances. La dernière fois que Lindsay s'y était rendu, dans la ville de Medicine Hat, Alberta, ils avaient fait quelques examens et trouvé des signes de gamomanie naissante. « Plus simplement, le désir anormal de se marier. »

« Anormal ? Qu'est-ce qu'il y a d'anormal à cela ? Ai-je jamais caché le fait que mon désir premier dans l'existence est de ne plus être un, mais deux, un deux qui soit, en outre, un — c'est-à-dire, *dénombrablement* deux, mais — »

« Voilà. C'est exactement ce qu'on disait. »

Dehors, c'était l'été, et dans la lumière déclinante les villageois jouaient aux boules sur le gazon. Rires, cris des enfants, applaudissements feutrés et sporadiques, toutes choses qui firent que Lindsay, à qui était interdit à jamais ce genre de tranquille communauté, craignit brièvement pour l'intégrité structurelle de son cœur. Il avait reçu après ça, à un rythme quelque peu inquiétant, des questionnaires à en-tête officiel, des demandes à peine déguisées d'échantillons de ses fluides corporels, des visites imprévues de barbus à lunettes *en blouse blanche* qui s'exprimaient dans divers accents européens et souhaitaient l'examiner. Le *Désagrément* était finalement reparti sans lui, Chick Counterfly assumant provisoirement les devoirs de commandant en second, afin que Lindsay puisse entrer à la Fondation pour l'Analyse des Données Anormales des C.C., pour subir une « batterie » d'examens psychiatriques, en suite de quoi il devait se rendre au plus vite dans une certaine oasis de l'Asie intérieure ne figurant sur aucune carte et servant de base au véhicule sous-désertique, pour rejoindre le H.M.S.F. *Saksaoul*.

Telle l'ânesse de Balaam, ce fut le chameau ce soir-là qui le premier sentit que quelque chose clochait. Il se figea, une patte levée, contracta violemment chaque muscle de son corps et tenta de pousser des cris non caméliques dans l'espoir que son cavalier serait au moins troublé par leur étrangeté.

Bientôt, de derrière la dune située juste sur sa gauche, Lindsay entendit quelqu'un l'appeler par son nom.

«Oui, arrête-toi un moment, Lindsay», ajouta une voix venue de l'autre côté du chemin, dont la source demeura également invisible.

«Nous avons des messages pour toi», siffla un chœur de voix.

«Tout doux, vieil éclaireur», dit Lindsay au chameau pour le rassurer, «c'est très courant par ici, ça remonte même à Marco Polo, j'ai déjà vu la chose dans le Grand Nord, oh oui des tas de fois.» Puis, plus fort, comme s'il anticipait le désagrément imminent: «L'ivresse des sables, l'absence de lumière, l'ouïe se fait plus fine, l'énergie est redirigée via le sensorium —»

«LINDSAY*Lindsay*Lindsaylindsay…»

Le chameau jeta autour de lui un long roulement d'yeux censé exprimer, *mutatis mutandis*, le scepticisme.

«Tu dois quitter ce chemin dont on t'a dit de ne jamais t'écarter, et venir jusqu'à nous, là, derrière cette dune —»

«Je vais attendre ici», les informa l'aéronaute, d'un ton aussi guindé que la situation le permettait. «Si ça vous dit, rejoignez-moi.»

«Des tas d'*épouses* par ici», firent les voix. «N'oublie pas que c'est le désert…»

«Connu pour le stress qu'il impose à l'esprit…»

«… stress qui très souvent peut être résolu par la *polygamie*.»

«Hé, hé…»

«Des *épouses* en fleur, des champs panspectraux grouillants d'épouses, Lindsay, tu trouveras ici le Grand Bazar aux Épouses de l'Île-Monde…»

Et pas seulement des paroles sifflantes mais également des sons liquides, des baisers, des succions, mélangés à l'incessante friction du sable dans ses déplacements. Une insulte obscure dirigée contre lui? Ou était-ce le chameau que les voix essayaient d'attirer?

Puis chaque étoile grimpa l'une après l'autre jusqu'à son méridien, et le chameau continua d'avancer pas à pas, et tout fut saturé d'attente…

À l'aube, un vent de courte durée se manifesta, venu de quelque part devant eux. Lindsay reconnut l'odeur des peupliers sauvages de l'«Euphrate» en fleur. Une oasis, une vraie, avait attendu là toute la nuit, hors de sa portée, dans laquelle, parmi les redispositions du matin, il trouva alors le reste de l'équipage allongé et testant les effets de l'eau, une eau dotée d'un goût quelque peu étrange mais loin d'être réellement empoisonnée, et que la vaste population des voyageurs du coin préférait largement à l'aryq et au haschisch, afin de faciliter le passage entre deux mondes.

Lindsay secoua la tête devant le spectacle de débauche chimique qui s'offrait lui. Il eut pendant un terrible moment la certitude, irrationnelle, que ces individus n'étaient pas ses vrais camarades de vol, mais plutôt les membres d'une *Unité fantôme*, venus de quelque séjour qu'il souhaitait ne jamais visiter, et décidés à lui jouer un sale tour, tant bien que mal déguisés en Casse-Cou.

Mais soudain Darby Suckling l'aperçut, et ce moment passa. «Eeyynnhh, non mais regardez qui voilà. Hé, Barjo! Quand c'est qu'ils t'ont laissé sortir de la F.A.D.A.? J'croyais qu't'étais interné pour de bon.»

Soulagé, Lindsay se borna à répondre par une menace de représailles physiques composée de dix-sept syllabes, omettant même de mentionner la mère de Suckling.

«Bien, chacun à son poste… Fermez les écoutilles avant et arrière… Tous les membres parés à plonger…»

L'excitation propre au voyage sous-sableux était tangible alors que l'équipage s'activait à la proue et à la poupe dans les recoins mal éclairés de la frégate sous-désertique *Saksaoul*. Les tarières à sable diamantées se mirent en branle, entamant quasiment sans friction les sables du désert de l'Asie intérieure, tandis que les lames du gouvernail entraient en action sans à-coups, augmentant l'angle de pénétration. Un observateur posté sur une dune voisine aurait pu voir, non sans peut-être une terreur superstitieuse, le vaisseau en train de poursuivre tranquillement sa plongée dans le monde obscur et disparaître sous les sables, ne laissant à la place de sa voûte qu'un éphémère tourbillon de poussière.

Quand il eut atteint une profondeur standard opérationnelle, le vaisseau se redressa et revint à sa vitesse de croisière. Dans la salle des machines, le Groupe de Viscosité actionna des commandes servant à coupler le moteur principal à leurs Transformateurs Eta/Nu, faisant trembler les hublots d'observation sur le pont telles des peaux de tambour, et défiler une suite de couleurs derrière les surfaces polies, tandis que le monde extérieur, *pari passu*, gagnait en netteté.

«Allumez les lampes de croisière», ordonna le capitaine Toadflax. Tandis que les filaments des torches, réalisés dans un alliage spécial, chauffaient à la température opérationnelle et à la longueur d'onde requises, la vie sous les dunes s'anima et se précisa progressivement.

Cela ressemblait aussi peu à la surface du désert que des abysses à celle de l'océan. D'énormes bancs de ce qui aurait pu être des espèces de scarabées se pressaient, comme animés par la curiosité, dans les faisceaux des projecteurs, tandis que, à une distance défiant tout examen approfondi, des formes plus sombres suivaient la progression du navire, décochant de temps à autre un éclat aussi vif qu'une lame dégainée. Bientôt, à en croire les cartes, on sentit plus qu'on ne vit, à bâbord et tribord, des chaînes montagneuses aux reliefs déchiquetés, connues des chiens de sable de l'Asie intérieure comme les Grands Fonds Blavatsky.

«Pour garder la tête froide, il n'y a qu'une chose à faire», expliqua gaiement le capitaine Toadflax à ses hôtes, «c'est de ne pas s'éloigner de l'instrument dont on a la charge. Ces hublots sont réservés à l'amusement des marins d'eau douce dans votre genre, cela dit sans vouloir vous vexer.»

«Ça va de soi!» répondirent les Casse-Cou, comme ils avaient appris à le faire depuis longtemps, en un joyeux unisson. Et le fait est que leur comportement frappait plus d'un observateur comme étant d'une suffisance quasi arrogante. Leur colossal aéronef était resté au campement de l'oasis, sous la garde de Gurkhas réputés pour leur dévouement impitoyable au périmètre de défense. Miles Blundell, en sa qualité d'Intendant, avait préparé un certain nombre de paniers-repas appétissants, suffisamment conséquents pour satisfaire tout membre du *Saksaoul* dont l'engouement pour la cuisine des sables aurait décliné, même légèrement. Les aventures qui les attendaient répondaient parfaitement à leur goût souvent mal interprété pour l'histrionique, voire le vain.

«C'est ici même», déclara le capitaine Toadflax, «que se trouve, encore intact et, ne vous y trompez pas, également habité, le véritable Shambhala, et ce dernier est bel et bien réel. Quant aux savants allemands», pointant avec irritation un pouce vers le haut, «qui n'arrêtent pas de venir parader ici par wagons entiers, ils peuvent creuser jusqu'à ce que des ampoules les empêchent de creuser plus, ils ne le trouveront jamais, en tout cas pas sans l'équipement idoine – la carte que vous avez apportée, plus le paramorphoscope de notre vaisseau. Et sans, comme vous le dira n'importe quel lama tibétain, l'attitude qui s'impose.»

«Votre mission, donc —»

«Comme d'habitude – découvrir la Ville sainte nous-mêmes, être là "le plus vite et le plus nombreux possible", comme disait votre général Forrest – j'vois pas pourquoi on vous le cacherait.»

«Bien sûr, nous ne voulons pas nous immiscer —»

«Oh, vous êtes réglo, les gars. Je veux dire, si vous l'êtes pas, qui c'est qui l'est, alors?»

«Vous nous faites honte, monsieur. Pour tout vous dire, nous sommes la lie de la lie.»

«Hmm. J'aurais préféré quelqu'un d'un peu plus avancé sur le plan karmique, mais bon — À bord de ce vaisseau, nous nous efforçons d'ignorer les rivalités en surface chaque fois que c'est possible, et quiconque s'intéresse à nos résultats peut y avoir accès – ils pourront lire toute l'histoire, dans les journaux, quand nous rentrerons enfin chez nous, "Des héros du sable découvrent la cité perdue!" Discours ministériels et homélies archiépiscopales, sans parler d'une danseuse à chaque bras, des tonnes de glace pilée, des fontaines inépuisables de champagne millésimé, des Croix de Victoria incrustées de pierres précieuses conçues par Monsieur Fabergé lui-même – sauf que... sauf que, bien sûr, s'il arrivait vraiment qu'une personne découvre une cité aussi sacrée, elle n'aurait peut-être pas envie de se vautrer dans les plaisirs séculaires, si séduisants soient-ils ou, plutôt, fussent-ils. »

S'il y avait là un sens sinistre et caché, soit il échappa à la vigilance des Casse-Cou, soit ils le reçurent cinq sur cinq mais dissimulèrent habilement la chose.

La frégate futuriste glissait de l'avant, s'enfonçant dans le monde sous-arenacé, ses pales de gouvernail aux formes exotiques tendues vers l'arrière, ses tarières tournant en permanence dans le sens des aiguilles d'une montre puis inversement, à intervalles soigneusement calibrés, parmi des pics menaçants et des grottes inquiétantes que n'éclairaient jamais complètement les faisceaux des projecteurs. C'est ainsi que devait apparaître aux yeux des morts le monde des vivants – chargé d'informations, de sens, mais néanmoins toujours situé au-delà de ce seuil fatal que ne pouvait éclairer la compréhension. Le bourdonnement de l'Unité de Viscosité croissait et décroissait en volume, composant une sorte de mélodie entêtée, qui rappelait aux vétérans les escales dans l'Himalaya, cette mélodie transmondaine jouée sur d'anciennes cornes fabriquées avec les os de cuisse de prêtres morts depuis longtemps, dans des lamaseries battues par le vent des kilomètres au-dessus du niveau de la mer dans ces confins relevant plus de la légende que de la géographie.

Randolph St. Cosmo, qui avait observé ce spectacle dans un état quasi hypnotique, lâcha alors une espèce de cri étouffé: «Hé! N'est-ce pas une... tour de guet? Aurions-nous été repérés?»

«Inclusion turriforme», gloussa le capitaine Toadflax avec un rire apaisant, «l'erreur est courante. Il convient ici d'apprendre à distinguer l'œuvre des hommes de celle de Dieu. Ceci», ajouta-t-il, «plus une tête pour la dimension supplémentaire. Les mots "zone urbaine" ne désignent pas tout à fait la même chose que là-haut – surtout si nous approchons une ville par-dessous. Les fondations, par exemple, deviennent davantage des passages d'entrée. Mais j'imagine que vous devez avoir hâte de regarder la carte que vous nous avez si gentiment apportée. Le moins qu'on puisse faire dans notre gratitude quasi illimitée, n'est-ce pas ? »

Un des rares paramorphoscopes encore existants au monde se trouvait dans la salle de navigation – un espace si secret que la moitié de l'équipage ignorait son emplacement sans parler de la façon d'y accéder.

Toutes les activités paramorphoscopicales à bord du *Saksaoul* avaient été confiées à un civil, Stilton Gaspereaux, qui était en fait un aventurier érudit dans la tradition de Sven Hedin et d'Aurel Stein, même si en dehors de ces tâches son statut sur le navire n'était pas clair. Très discret quant à lui-même, il paraissait fort désireux d'évoquer Shambhala, ainsi que l'Itinéraire de Sfinciuno.

« Vous trouverez chez les historiens la théorie selon laquelle les Croisades étaient au départ des pèlerinages. On établit une destination, on s'y rend au moyen d'une suite de stations – dont les diagrammes figurent parmi les premières cartes connues, comme vous pouvez le constater sur ce document de Sfinciuno devant vous – et enfin, après des actes de pénitence et des désagréments personnels, on arrive, on accomplit là ce que la foi vous somme de faire, puis on rentre.

« Mais introduisez la notion d'armement dans votre pèlerinage et tout change. Il vous faut maintenant non seulement une destination, mais également un ennemi. Les Croisés européens qui sont allés en Terre sainte pour combattre les Sarrasins ont fini, quand ils n'ont plus eu de Sarrasins sous la main, par se battre entre eux.

« Par conséquent, nous ne devons pas exclure de notre quête de Shambhala un inévitable élément militaire. D'où un vif intérêt de toutes les Puissances. Les enjeux sont trop élevés. »

Le civil cryptique avait disposé l'Itinéraire sous une feuille de spath d'Islande, d'une grande perfection optique, puis sorti diverses lentilles et procédé à quelques réglages sur les lampes Nernst. « Et voilà, les gars. Jetez un coup d'œil. »

Le seul à ne pas être sidéré, bien sûr, ce fut Miles. Il vit immédiatement dans l'appareil une application aérospatiale, à la fois comme aide de navigation et comme télémètre. En regardant ainsi le document bizarrement déformé et visible seulement en partie, on avait l'impression de faire un piqué à basse altitude – en procédant à certains réglages sur l'appareil de visionnage, on obtenait une longue et effrayante plongée directement *dans la carte*, qui révélait le terrain à des échelles de plus en plus distinctes, peut-être de façon asymptotique, comme dans des rêves de chute, quand le rêveur s'éveille juste avant l'impact.

«Et ça va nous mener droit à Shambhala», dit Randolph.

«Eh bien…» Gaspereaux parut gêné. «Oui, je l'ai cru aussi, au début. Mais il semble y avoir quelques complications.»

«Je le savais!» explosa Darby. «Ce Meatman nous fait passer pour des jobards depuis le début!»

«C'est étrange, vraiment. Les distances, si on prend comme point de départ Venise, sont rigoureusement exactes en ce qui concerne la surface de la terre et les diverses profondeurs. Mais ces trois coordonnées n'ont pas suffi. Plus on suit l'Itinéraire, plus… comment dire… les détails semblent devenir flous, si bien qu'au final», secouant la tête de perplexité, «ils deviennent bel et bien invisibles. Presque comme s'il y avait un… niveau supplémentaire de cryptage.»

«Peut-être qu'un quatrième axe de coordonnées est nécessaire», suggéra Chick.

«À mon avis, le problème se situe ici», dirigeant leur attention vers le centre de la projection, où, visible seulement à intervalles, se dressait un pic montagneux, d'une blancheur aveuglante, apparemment éclairé de l'intérieur, et d'où jaillissait continuellement de la lumière, éclairant les nuages passagers et même le ciel vide…

«J'ai cru au début que c'était le mont Kailash au Tibet», dit Gaspereaux, «une destination pour les pèlerins hindous qui y voient le paradis de Shiva, leur lieu le plus sacré, ainsi que le point de départ traditionnel de ceux qui cherchent Shambhala. Mais je suis allé au Kailash et sur quelques autres monts, et je ne suis pas sûr que celui sur la carte soit du même ordre. Il peut être vu aussi à une distance considérable, mais pas tout le temps. Comme s'il était fait d'une variété de spath d'Islande qui réussit à polariser la lumière non seulement dans l'espace mais également dans le temps.

«Les anciens Manichéens adoraient la lumière, ils l'aimaient comme les Croisés prétendaient aimer Dieu, de façon désintéressée, et à son service aucun crime n'était trop extrême. Ce fut leur anti-Croisade. Peu importent les transformations susceptibles de se produire – et ils s'attendaient à tout, voyages dans le temps, sauts latéraux d'un continuum à l'autre, métamorphoses d'une forme de matière, vivante ou pas, en une différente –, le seul invariant dans tous ces cas reste la lumière, la lumière que l'on voit aussi bien que la lumière au sens large telle que l'a prophétisée Maxwell, et confirmée par Hertz. Ça s'accompagnait d'un refus systématique de ce qu'ils définissaient comme l'"obscurité".

«Tout ce que vous appréciez avec vos sens, tout ce qu'on peut chérir ici-bas, les visages de vos enfants, les couchers de soleil, la pluie, les parfums de la terre, un fou rire, le contact d'un être aimé, le sang d'un ennemi, la cuisine de votre mère, le vin, la musique, les victoires athlétiques, les étrangers désirables, le corps dans lequel vous vous sentez chez vous, une brise marine passant sur une peau dénudée – toutes ces choses sont mauvaises aux yeux des Manichéens fanatiques, ce sont des créations d'une divinité maléfique, des fantômes et des masques ayant de tout temps appartenu à l'ère des excréments et des ténèbres. »

«Mais c'est tout ce qui est important», protesta Chick Counterfly.

«Et un véritable disciple de cette religion se devait de renoncer à tout cela. Pas de relations sexuelles, pas même de mariage, pas d'enfants, pas de liens familiaux. Ce n'étaient là que des ruses des ténèbres, visant à nous distraire et nous empêcher de rechercher l'union avec la Lumière. »

«C'est ça le choix? La Lumière ou le trou-madame? Quel genre de choix est-ce là? »

«Suckling! »

«Désolé, Lindsay, je voulais dire le "vagin", bien sûr! »

«J'trouve ça un peu…», Chick se grattant la barbe, «je sais pas, comme qui dirait puritain, non? »

«C'est ce à quoi ils croyaient. »

«Et comment faisaient-ils pour ne pas s'éteindre après la première génération? »

«La plupart d'entre eux continuaient de mener ce qu'on appellerait une vie normale, continuaient d'avoir des enfants, et cætera, ça dépendait du niveau d'imperfection qu'ils pouvaient tolérer. Ceux qui s'en tenaient strictement à la discipline étaient appelés les "Parfaits". Les autres étaient conviés à étudier les Mystères et à rejoindre la petite confrérie des Élus. Mais si jamais ils décidaient que c'était ça qu'ils voulaient, alors ils devaient renoncer à tout. »

«Et on peut voir ici leurs descendants? »

«Oh, je suis sûr que vous trouverez l'endroit fort peuplé, effectivement. »

Les capteurs optiques du *Saksaoul* révélèrent non loin de là des ruines éparses dans les styles gréco-bouddhiste et italo-islamique et, se déplaçant parmi elles, d'autres véhicules sous-désertiques, dont les trajectoires, une fois grossièrement établies, paraissaient converger avec celle du *Saksaoul*, un peu plus loin dans l'obscurité. D'en haut, par-dessous et des deux côtés, des structures plus complexes que ne pouvait expliquer la simple géologie commencèrent à se rapprocher – des dômes et des minarets, des arches à colonnes, des statues, des balustrades délicatement filigranées, des tours sans fenêtres, des ruines portant la trace de combats anciens et modernes.

« Nous allons accoster à Nuovo Rialto », annonça le Capitaine. « Les Unités bâbord et tribord descendent. »

Cette nouvelle fut reçue non sans ambiguïté par l'équipage, « N.R. » étant une escale agréable pour certains besoins mais pas pour d'autres. Le port, submergé depuis longtemps, avait été construit aux alentours de 1300 sur l'emplacement des ruines, déjà à moitié englouties sous les sables insatiables, d'une ville manichéenne, qui datait du troisième siècle et qui, à en croire la tradition, avait été fondée par Mani lui-même lors de ses errances au-delà des lointains rivages de l'Oxus. Elle perdura et prospéra pendant presque mille ans jusqu'à ce que Gengis Khan et ses armées envahissent cette région de l'Asie intérieure, laissant le moins de choses possible debout ou en vie. Le temps que les Vénitiens la découvrent, presque tout avait succombé au vent, à la gravité et à une érosion atroce de la foi. Dans le bref intervalle pendant lequel ils occupèrent Nuovo Rialto, les Occidentaux réussirent à installer un réseau de citernes afin de récupérer l'eau de pluie qui arrivait jusque-là, ils aménagèrent quelques canalisations, et creusèrent même des puits. Inexplicablement, paraissant obéir à des voix anciennes préservées on ne sait comment dans la cristallographie du médium siliceux qui engloutissait leur ville de façon si impitoyable – comme si un savoir secret avait été gravé autrefois de façon permanente dans sa substance même –, ils commencèrent à subir au fil des ans l'influence des doctrines parachrétiennes. Les premiers explorateurs sous-sableux estimèrent que les tombes manichéennes remontaient au quatorzième siècle, et qu'elles étaient donc plus jeunes de mille ans que ce qu'elles auraient dû être.

Pendant ce temps, l'équipage s'adonnait à l'Échange de remarques, une activité traditionnelle dès lors que l'on faisait escale.

« "Sur la terre comme au ciel", c'est ça ? »

« À tous les coups. »

« Tu parles de caravansérails déglingués ! »

« Pas mal de lessive à faire, je crois que je vais rester à bord... »

« Ça sent Coney Island, ici. »

« Quoi, la plage ? »

« Nan — Steeplechase Park, le spectacle de vaudeville ! »

« Paré à accoster, par tribord toute », ordonna le Capitaine.

Non loin se dressait une haute structure en ruine, d'une couleur brun-rouge évoquant un sang versé dans des temps reculés, dont les piliers de soutènement étaient des statues masculines et féminines portant des torches, avec sur le fronton une formule écrite dans un alphabet inventé, selon Gaspereaux, par Mani en personne, le même que celui utilisé pour *Le Livre des secrets* et d'autres textes sacrés manichéens.

C'était là, de toute évidence, que la frégate sous-désertique comptait accoster. Après avoir «cassé la croûte» et savouré un cigare sur la voûte du vaisseau, Chick entendit un hurlement haut perché, qui lui parut presque articulé. Il dénicha une paire de lunettes sous-sableuses et scruta l'obscurité au-delà des murailles. Quelque chose de gros et de lourd approchait dans un bruit de tonnerre, procédant par bonds et par piqués, et Chick crut reconnaître l'odeur du sang. «Mais qu'est-ce que c'est, bon Dieu?»

Gaspereaux jeta un coup d'œil. «Oh. Des puces de sable. Viennent toujours voir ce qui se passe quand un nouveau vaisseau arrive.»

«Qu'est-ce que vous racontez? Ce qui vient de passer avait la taille d'un chameau.»

Gaspereaux haussa les épaules. «Ici-bas, on les appelle des *chong pir*, des gros poux. Depuis l'arrivée des premiers Vénitiens, ces créatures, qui se nourrissent exclusivement de sang humain, sont devenues au fil des générations plus grosses, plus intelligentes, on pourrait dire plus ingénieuses. Se nourrir de l'hôte n'est plus une opération facile se résumant à un assaut mandibulaire, c'est désormais une négociation consciente, voire carrément un échange de vues —»

«Les gens ici parlent à des puces géantes?» demanda Darby avec son franc-parler habituel.

«Effectivement. D'ordinaire dans un dialecte ouïgour ancien, mais parfois, du fait de la structure buccale unique du *Pulex*, on éprouve certaines difficultés phonologiques, notamment la fricative interdentale sonore —»

«Oui… tiens, v'là le pompiste. Ici? On doit remettre le tuyau, c'est ça?»

«Cela dit, mon garçon, une ou deux expressions utiles ne seront pas superflues en cas de rencontre.»

Darby tapota son calibre sous son revers gauche et haussa les sourcils puis les abaissa de façon éloquente.

«Peur que non», objecta Gaspereaux, «ça serait du pulicide. Relève ici des mêmes lois pénales qui s'appliquent là-haut aux homicides.»

Darby conserva néanmoins son Browning sur lui, en proie à un sentiment d'attente et de terreur mêlées. Les Casse-Cou enfilèrent leur équipement Hypops et partirent visiter Nuovo Rialto. Se mouvoir dans le sable nécessitait une certaine habitude, les tâches motrices les plus simples prenant un certain temps, mais ils acquirent bientôt un amble tranquille, progressant dans un sifflement dû au caractère siliceux du médium.

Des cris leur parvenaient de directions différentes, ils pouvaient voir du sang sous forme de globules irréguliers en trois dimensions, le plus souvent dans le voisinage des tavernes et autres bouges.

S'il n'avait pas surpris quelques bribes de conversation, Chick n'aurait jamais senti qu'un autre mobile présidait à l'expédition actuelle, pour laquelle Shambhala n'était sans doute qu'un prétexte. Il se trouvait au Saloon des Sables quand il rencontra Leonard et Lyle, deux prospecteurs de pétrole qui se rendaient sur un nouveau gisement prometteur.

«Ouaip, on était sur le coup bien avant que les Suédois débarquent, on a foré partout…»

«Sodome et Gomorrhe ça sera une cour de récré en comparaison de cet endroit.»

«Comment ça?»

«Ben, on se rend en Terre sainte.»

«Ou impie, si on en croit les Évangiles.»

Apparemment, un soir à Bakou, dans un *teke* du front de mer ou dans une fumerie de haschisch, comme guidé par une main surnaturelle, un pauvre type venu d'Amérique et n'ayant rien d'autre à miser qu'une bible de poche se l'était fait rafler par Lyle, et le livre s'était ouvert sous ses yeux au chapitre 14, verset 10 de la Genèse à la phrase «la vallée de Siddim était couverte de puits de bitume».

«La région de la mer Morte, vu que les "puits de bitume" désignent dans l'anglais du roi Jacques les dépôts bitumineux», expliqua Leonard.

«Comme une lumière soudaine. Du coup, on se précipite vers la porte en croyant que c'était une sorte de gaz qui brûlait. Non, c'était le Seigneur qui attirait notre attention sur une de ces villes des plaines naguère réservées aux bastringues et qui ont l'intention d'être le prochain Spindletop, ça fait pas un pli.»

«Plus important que l'autre puits là-bas à Groznyï qu'ils arrivaient pas à arrêter», déclara Leonard.

«Dans ce cas, qu'est-ce que vous fabriquez là?» demanda Darby Suckling qui ne mâchait pas ses mots.

«En gros, on réunit des fonds. C'est facile de se faire du fric ici, pas de démarches interminables ni de paperasses à remplir, si vous voyez ce que je veux dire.»

«Il y a du pétrole dans les parages?» demanda Chick, dont la voix se teinta malgré lui d'une légère nuance fourbe.

Les deux prospecteurs s'esclaffèrent longuement et payèrent aux garçons une autre tournée de l'aryq local avant que Lyle réponde : « Jetez un coup d'œil dans la cale de cette frégate à bord de laquelle vous êtes arrivés, et on verra si vous trouvez pas quelques tiges, tubes et dents d'acier. »

« Mince, on devrait savoir à quoi ressemble un prospecteur maintenant, même après avoir vu certains visages de ces garçons à Bakou. »

Darby trouva ça amusant, une preuve supplémentaire du fait qu'on ne pouvait guère faire confiance aux adultes. « Toute cette histoire de Shambhala n'est qu'un prétexte, alors. »

« Oh c't'endroit est sûrement réel », dit Leonard en haussant les épaules. « Mais je parierais que si votre Capitaine tombait dessus, il dirait peut-être *Ässalamu äläykum* mais il aurait à tous les coups les yeux braqués sur le prochain anticlinal. »

« C'est déprimant », marmonna Randolph. « Une fois de plus, on nous manipule pour mener à bien des plans secrets. »

Chick vit les deux vieux brisquards échanger un regard.

« On vient de penser à un truc, tout d'un coup », Lyle rapprochant sa chaise de la table et baissant la voix, « si quelqu'un sur cette frégate conserve des registres de tous les sites bitumineux qu'ils rencontrent dans ces strates – emplacements, profondeurs, volumes estimés –, il est clair que certaines personnes seraient prêtes à payer cher pour une info aussi jalousement gardée que ça. »

« N'y songez même pas », protesta Lindsay depuis une certaine *hauteur équestre*, « car nous ne vaudrions alors guère mieux que de vulgaires voleurs. »

« Mais si la somme était assez coquette », aventura Randolph, « cela ferait sans doute de nous des voleurs hors du commun. »

Ce fut un week-end de permission assez étrange à Nuovo Rialto. Le vaisseau avait « mouillé » à un quai appartenant à un affréteur d'aryq, sur lequel on découvrait chaque matin de nombreux marins à moitié paralysés, qui n'étaient pas allés très loin dans leur quête de loisirs, leurs équipements Hypops bourdonnant en mode veille. Une partie de l'équipage avait été attaquée par des puces de sable, les files d'attente devant l'infirmerie se prolongeaient jusque dans les coursives et sur les échelles. Certains, qui avaient apparemment fort apprécié ces accostages, ne les signalaient pas du tout. Le gaillard d'arrière était le théâtre de vitupérations, de tentatives de contrebande avortées et réussies, de mélodrames romantiques, tandis que les membres de l'équipage les plus aventureux découvraient les charmes complexes des femmes vénito-ouïgoures, devenues synonymes de volatilité affective pour toute l'Unité sous-désertique. Quand le moment fut enfin venu de larguer les amarres, environ deux pour cent de l'équipage avaient annoncé leur intention de rester ici et de se marier. Le capitaine Toadflax accueillit la chose avec la sérénité d'un soldat aguerri de la région, en se disant qu'il en récupérerait la plupart quand il repasserait en ville à la fin de la croisière. « Se marier ou servir sous le sable », secouant la tête comme en proie à une tristesse cosmique. « Parlez d'un choix ! »

Alors que le *Saksaoul* s'enfonçait une fois de plus avec un joyeux bourdonnement sous le désert, allant d'une oasis paléo-vénitienne à une autre – Marco Querini, Terrenascondite, Pozzo San Vito –, l'équipage continua de feindre que la quête de pétrole était le cadet de ses soucis. Très vite, Randolph fut obsédé, assez imprudemment, par les registres pétro-géologiques qu'avaient mentionnés Lyle et Leonard, soigneusement entreposés, autant qu'il le savait, avec les documents de mission, dans le coffre-fort du capitaine Toadflax. Passablement ébranlé, il alla demander conseil à Darby.

« En tant que conseiller juridique », dit Darby, « je ne suis pas sûr du degré de loyauté que nous leur devons, d'autant qu'ils nous cachent pas mal de choses. Moi-même, je serais partant pour percer le coffre – le genre de coffre que Counterfly saurait faire bâiller, à mon avis. »

Aussi, et bien qu'il n'ait pas eu, comme il le prétendit par la suite, l'intention de voler ni même d'examiner sans autorisation les documents, ce fut un moment délicat quand Q. Zane Toadflax entra un soir dans sa cabine et trouva Randolph en train d'étudier le coffre, avec sur lui plusieurs bâtons de dynamite et des détonateurs.

Dès lors et ce jusqu'au départ des garçons, des capitaines d'armes restèrent postés devant la cabine de Toadflax vingt-quatre heures sur vingt-quatre. Quand ils refirent enfin surface près de l'endroit où était ancré le *Désagrément*, les adieux furent plutôt sommaires.

Les Casse-Cou eurent la surprise de trouver leur garde-manger décimé, les ponts non entretenus, et tous les Gurkhas disparus – *Obligés de s'absenter pour une affaire urgente*, si l'on en croyait le message laissé dans la cabine de Randolph –, la sécurité du vaisseau entièrement livrée à Pugnax. Bien qu'on eût rarement observé chez ce dernier cette servile gratitude que manifestent de temps à autre les spécimens de sa race, il fut ce jour-là clairement transporté de joie en revoyant les garçons. « Rr rr-rf rr-rf-rff rr rr-rrf rf rr rff rff rr-rf rrf rr-rff, rr rff ! » s'exclamat-il, ce que les Casse-Cou traduisirent par : « J'ai été infoutu de dormir plus de deux heures depuis votre départ, les gars ! » Miles se rendit aussitôt dans la coquerie et, en deux coups de cuiller à pot, prépara à Pugnax un somptueux « festin » composé de : consommé impérial, timbales de suprêmes de volaille, gigot grillé à la sauce piquante et aubergines à la sauce mousseline. Le cellier avait été pillé sans trop de vergogne par les Gurkhas, mais Miles réussit à dénicher un pouilly-fuissé 1900 et un graves 1898 qui convinrent à Pugnax, lequel ne tarda pas, rassasié, à s'endormir.

Ce soir-là, alors que le *Désagrément* survolait le vaste et silencieux désert, Chick et Darby arpentèrent les ponts supérieurs, en observant les fronts d'ondes circulaires dans le sable, rehaussés par les rayons rasants du soleil couchant qui fuyait vers les limites de ce monde inconnu. Miles les rejoignit et ressentit presque aussitôt une de ses absences extra-temporelles.

« Ce qui va se produire », leur expliqua-t-il à son retour, « va commencer ici, avec un engagement de cavalerie à une échelle dont aucun être vivant n'a idée, aucun mort non plus d'ailleurs, un déluge de chevaux, occupant tout l'horizon, leurs flancs d'un vert irréel, éclairés par la tempête, implacables, toujours plus nombreux, s'ébrouant violemment hors de la substance même du désert et des steppes. Cette incarnation et ce massacre se dérouleront dans le silence, partout sur ce vaste charnier planétaire, absorbant le vent, l'acier, les sabots choquant la terre, les vociférations des chevaux, les cris des hommes. Des millions d'âmes vont venir et s'en aller. Il faudra peut-être attendre des années avant que la nouvelle parvienne à des individus susceptibles de la comprendre… »

« J'ai comme l'impression que Darby et moi avons déjà vu quelque chose de ce genre », dit Chick d'un ton songeur, qui se rappela leur brève et désagréable expérience dans l'« habitacle temporel » du Dr Zoot. Mais le sens de cette expérience, même au simple niveau prophétique, lui demeurait tout aussi obscur maintenant.

Peu après avoir dépassé l'oasis Marco Querini, le H.M.S.F. *Saksaoul* eut un accident. Les survivants furent peu nombreux, les récits sommaires et incohérents. La première salve arriva sans prévenir, précise, assourdissante, plongeant la passerelle dans un état de cataplexie effrayant. Les opérateurs restaient stupéfiés devant leurs écrans de contrôle, s'efforçant de recalibrer les images qui défilaient devant eux, procédant à des grossissements et vérifiant tous les circuits possibles afin de repérer ces agresseurs invisibles qui semblaient utiliser un engin de brouillage de fréquences puissant et sophistiqué, capable de dissimuler un bâtiment de guerre sous-sableux aux yeux les plus experts.

L'Itinéraire de Sfinciuno que les Casse-Cou avaient, dans leur naïveté, apporté à bord avait jeté le *Saksaoul* dans la gueule du loup.

« Qui sont-ils ? »

« Des Allemands ou des Autrichiens, à tous les coups, même s'il ne faut pas écarter la Standard Oil, ou les frères Nobel. Gaspereaux, nous sommes dans une situation désespérée. Le moment que vous attendiez est arrivé. Allez dans le tunnel d'arbre et enfilez l'équipement Hypops qui se trouve dans le vestiaire, prenez également un bidon d'eau, les cartes des oasis et quelques biscuits à la viande. Remontez à la surface et retournez à tout prix en Angleterre. Il faut avertir Whitehall qu'il y a de l'eau dans le gaz. »

« Mais vous aurez besoin de tous les hommes que vous pouvez — »

« Partez ! Contactez les Renseignements aux Affaires étrangères. C'est notre seul espoir ! »

« Je proteste, Capitaine. »

« Saisissez l'Amirauté. Si je suis encore vivant, vous pourrez me traîner en justice. »

Tandis que les journées passaient ici dans cette vaste ambiguïté du Temps et de l'Espace, il ne devait s'écouler guère de temps en fait avant que Gaspereaux atteigne Londres et cherche à entrer en contact avec le légendaire Capitaine – et désormais Inspecteur – Sable, lequel serait bientôt connu de tout Whitehall – ainsi que des lecteurs du *Daily Mail* – comme « le Sable de l'Asie intérieure ».

Pendant des jours, des semaines en certains endroits, les combats de la guerre du Takla-Makan firent rage. La terre tremblait. De temps en temps une embarcation sous-désertique perçait la surface sans crier gare, mortellement touchée, son équipage agonisant ou mort... Des dépôts de pétrole souterrains étaient pris d'assaut, des lacs noirs se formaient en une nuit et de vastes colonnes de feu montaient dans les cieux. De Kachgar à Urumchi, les bazars grouillaient d'armes, d'équipements respiratoires, de matériel de navigation, d'engins que personne ne pouvait identifier, présentant d'étranges jauges, prismes et câbles électriques qu'on reconnut plus tard comme étant des armes lançant des rayons quaternions, déployées par toutes les Puissances. Ces armes tombèrent alors entre les mains de bergers, de fauconniers, de chamans, qui les emportèrent dans le désert, les démontèrent, les étudièrent, les détournèrent pour des usages religieux et pratiques, infléchissant finalement l'histoire de l'Île-Monde au-delà même des prévisions les plus folles établies par les Puissances, qui croyaient encore pouvoir prétendre, en cette heure cruciale, à sa domination.

Passant alors pour un nom de code passe-partout dans la science encore balbutiante du contre-terrorisme, pour le type qu'on contactait discrètement quand on souhaitait mettre son propre état-major au fait d'une crise, le véritable «Inspecteur Sable», sans cesse en difficulté, luttant ferme pour assurer un degré de comportement professionnel, sans se douter qu'il devenait une légende, vieilli prématurément et suintant une tristesse qui ne pouvait que déteindre sur sa femme et ses enfants, ne trouvait même plus à ce stade de sa carrière ne serait-ce que le temps d'ôter son chapeau, toujours sollicité par quelque affaire urgente – «Ah, Sable, vous voilà, pas trop tôt. Nous avons un individu suspect – juste à côté au dernier guichet, vous le voyez? Personne n'arrive à identifier vraiment son accent, certains penchent pour irlandais, d'autres pour italien, et je ne vous parle pas du sac bizarroïde qu'il trimballe – nous le "filons", bien sûr, mais s'il y a une *bombe à retardement*, n'est-ce pas, eh bien ça ne servira pas à grand-chose, non?»

«Le type en costume vert brillant, avec une sorte de chapeau de gondolier, sauf qu'il… eh bien, ce n'est pas un ruban, non —»

«Plutôt une plume, presque un panache, en fait – un peu extrême, vous ne trouvez pas?»

«*Pourrait* être italien, je suppose.»

«Un métèque, de toute évidence. Mais la question, c'est comment percer à jour ses intentions à court terme. Pas dû venir ici pour piquer un tampon officiel, quand même?»

«Le sac ne contient peut-être que son déjeuner.»

«Typique de ces gens-là. Qui d'autre songerait à manger une substance explosive?»

«Ce que je voulais dire, en fait, c'est… *en lieu* d'explosifs.»

«Exactement, je le savais, mais ça peut être n'importe quoi, alors, non? Son linge par exemple.»

«Effectivement. Mais que pourrait-on faire exploser avec un sac de linge, je me le demande bien.»

«*Eh* zut alors, voilà qu'il sort quelque chose de sa poche, *je le savais!*»

Des gardes en uniforme convergèrent aussitôt sur l'intrus, tandis que dehors des policiers surgissaient partout dans St. Martin le Grand et jusque dans Angel Street, s'insinuant entre les véhicules automobiles et hippomobiles, faisant ici et là des remarques aux conducteurs les mieux situés afin de créer une paralysie véhiculaire générale, au cas où la chose serait utile. L'employé du guichet s'étant jeté de lui-même en pleurnichant sous une table, l'individu en question s'empara promptement de son sac, s'éclipsa par la porte principale et traversa la rue en direction du Bureau de Poste Ouest, où se faisait tout le boulot télégraphique. Il s'agissait là d'un lieu vaste et, pour beaucoup de personnes, intimidant, au centre duquel, en dessous du niveau de la rue, quatre énormes moteurs à vapeur fournissaient les pressions et les vides nécessaires pour propulser dans la ville et le Strand des milliers de dépêches pneumatiques par jour, distribuées par une équipe assez considérable de chauffeurs et régulées vingt-quatre heures sur vingt-quatre par des ingénieurs en treillis gris et casquette anthracite afin de parer aux fluctuations entropiques et aux pannes de tubes.

Des cris de «Le voilà!» et «Plus un geste, maudit anarchiste!» furent absorbés dans les polyrythmes incessants de la machinerie à vapeur. Contre l'entrelacs graisseux de ces sombres structures métalliques, un réseau d'attaches et d'arrimages en cuivre, lustrés la nuit par une armée de femmes de ménage invisibles, palpitaient comme les nimbes de saints industrieux en perpétuel mouvement périodique. Des centaines de télégraphistes, répartis sur tout le vaste étage, levaient rarement les yeux de leur univers cliquetant – de jeunes coursiers allaient et venaient dans le labyrinthe en bois verni des bureaux et tables de tri, les clients se penchaient ou faisaient les cent pas ou lisaient, intrigués, les messages qu'ils venaient de recevoir, ou devaient envoyer, tandis que la triste lumière londonienne tombait par les fenêtres et que les montées de vapeur créaient une humidité quasi tropicale dans ce Temple Septentrional de la Connexion...

«Dis donc, Luigi, où c'est-y qu'on va de si bon pas?» alors qu'un policier, émergeant sans prévenir du dédale de marbre, tentait un plaquage footballistique sur l'agile Méditerranéen, qui ralentit suffisamment pour pester.

«Bon Dieu, Bloggins, c'est moi, Gaspereaux, alors ayez la bonté de ne pas —»

«Oh. Désolé, patron, j'avais pas —»

«Non, non, *ne saluez pas*, Bloggins, je suis *déguisé*, vous le voyez bien, oui, et ce que je vous demande de faire, maintenant, le plus vite possible, c'est de *feindre* de m'arrêter – conduisez-moi à l'étage, en évitant de me donner d'*amicaux coups de coude* si possible —»

«(Pigé, boss.) Allons-y, allegro vivatché, mon brave, si vous voulez bien enfiler ces charmantes menottes, une simple formalité bien sûr, oh voici mon jeune collègue, l'agent qui va s'occuper de votre intéressant sac dès qu'il aura fini de le regarder aussi fixement, n'est-ce pas collègue, oui voilà un gentil garçon...» Conduisant le prisonnier, dont les entraves ne gênèrent guère les gesticulations ethniques, vers un escalier latéral menant à un couloir grouillant de gardes en uniforme, puis le long d'un imposant passage voûté aboutissant aux bureaux de la Sécurité intérieure.

«Mais c'est ce vieux Gaspereaux! Qu'est-ce que vous fichez avec ce fard de pacotille sur le visage? Sans parler de ce couvre-chef bestial!»

«La seule façon que j'ai pu trouver pour discuter avec vous, Sable, des yeux et des oreilles partout —»

À l'autre bout de la salle, un cylindre en gutta-percha contenant un message pneumatique arriva alors dans sa boîte «D» avec un tintement mat.

«Sûrement pour moi —», extrayant le document et le parcourant. «Ben voyons... Encore ces maudites suffragettes, ça m'étonne pas, tiens. Oh, désolé, Gasper, vous disiez?»

«Sable, vous me connaissez. Le sens de ce que j'ai vu, si j'en parlais, je ne le comprendrais pas, et si je le comprenais, je ne pourrais —»

«Parlez, ouioui mais bien sûr si ça ne vous dérange pas de partager une voiture jusqu'à Holborn —»

«Pas du tout, de toute façon ils vont vouloir récupérer ce costume à Saffron Hill.»

«Peut-être trouverons-nous même le temps de boire une pinte en chemin.»

«Je connais un endroit.»

L'endroit en question était le Haddock Fumé, un des nombreux antres de Gaspereaux, où il était connu à chaque fois sous une identité différente.

«'Soir, Professeur, tout va bien j'espère?»

«Pas si je m'en mêle», répondit cordialement Gaspereaux, d'une voix plus haut perchée et d'une nuance plus faubourienne que celle que Sable lui connaissait pour l'instant.

«Bon eh bien à quoi rime tout ceci, fiston, rien à voir, j'ose croire, avec notre ancienne grandeur coloniale —»

«Sable, j'ai désespérément besoin de —»

«Pas de prologues entre nous, Gasper, *tantum dic verbo*, n'est-ce pas?»

«En ce cas.» Il relata le plus impartialement possible ce à quoi il avait échappé et ce qui était arrivé, craignait-il, au *Saksaoul*. «C'est encore cette vieille histoire de Shambhala. Quelqu'un, peut-être même un des nôtres, l'a enfin trouvé.»

«Comment ça?»

Gaspereaux rapporta les propos qu'il avait surpris. «Et l'endroit est... *intact*. D'autres ruines souterraines sont remplies de sable, bien sûr, mais à Shambhala le sable est *maintenu à distance*, si l'on veut, par une sphère invisible, comme une gigantesque bulle d'air —»

«Et donc quiconque sait où se trouve cette cité —»

«Peut y entrer et l'occuper, sans le recours à un équipement spécial.»

«Eh bien ma foi, c'est une merveilleuse nouvelle, Gasper.» Gaspereaux le regarda d'un air atterré. «Je voulais dire, un... un moment exceptionnel pour l'Angleterre, du moins je l'aurais pensé —»

«Nous ne sommes pas les seuls là-bas, Sable. En ce moment même, toutes les Puissances présentes dans la région sont en train d'envoyer leurs armées. Des attaques de frégate comme celles du *Saksaoul* ne sont que des feintes d'ouverture. Chaque jour voit grandir les risques d'un conflit soutenu en vue de s'emparer de la ville, et de taille régimentaire, voire plus.»

«Mais je suis en contact téléphonique permanent avec Whitehall – pourquoi personne ne m'en a-t-il jamais parlé?»

«Oh parce que je suis fou, je suppose, et qu'il ne s'agit là que d'une fable conçue par un dément.»

«Précisément, mon garçon, je sais désormais que vos propos les plus dérangés ne sont que de l'histoire conventionnelle lâchée à l'étourdie.» Il sortit un demi-souverain de la forme de la tête de Mr Campbell-Bannerman. «Je dois trouver une cabine téléphonique, je crois. Ohbonsangdebonsang.» Et il fila.

Le pub du coin, sur lequel Gaspereaux avait presque fait une croix en traversant le désert, lentement, miséricordieusement, l'aida à ne plus concevoir clairement ce qui pouvait se trouver au-delà de Douvres.

Le jour où Dally partit pour New York, Merle, feignant d'avoir perdu ses lunettes, se mit à farfouiller un peu partout, il ouvrit des boîtes, souleva les dessus-de-lit et inspecta le chariot, jusqu'à ce qu'il retrouve une vieille poupée de chiffon, Clarabella, celle qui s'était jointe à eux, comme aimait à le dire Dally, il y a des années de cela au Kansas, et qui reposait désormais dans la poussière domestique, et il fut surpris d'éprouver des émotions qui ne lui appartenaient pour ainsi dire pas, comme si l'abandon était incarné par Clarabella, gisant en pleine lumière, sans une petite fille pour la ramasser. Un seul regard à ce visage, à la façon dont était écaillée la peinture, et voilà que les robinets lacrymaux se mettaient à fuir.

Il attendit encore la prochaine paie puis quitta son poste d'amalgameur à Little Hellkite, emballa ses produits chimiques, ses plaques photographiques et les quelques clichés auxquels il tenait après s'être délesté de tout le reste. Il y avait peut-être des photos de Dally dans le lot. Il se trouva deux robustes chevaux, s'enfonça dans les San Miguel et escalada la Dallas Divide puis traversa Gunnison et redescendit par le versant est jusqu'à Pueblo, tandis qu'une zone reculée de son esprit restait persuadée qu'il avait raté quelque chose d'essentiel il y a des années en se rendant au Colorado, une ville qu'il n'avait pas vue, un élément important sans lequel sa vie risquait de perdre une bonne partie de son sens. Comme il s'enfonçait dans l'Est, il comprit que Dally se trouvait quelque part à plus de mille kilomètres devant lui, mais bon, il n'était pas dans ses intentions d'aller aussi loin. Il aviserait en chemin.

Merle arriva un samedi soir à Audacity, dans l'Iowa. L'heure du souper était passée, quelques lueurs s'attardaient dans le ciel, des chariots de fermiers quittaient la ville dans un nuage de poussière qui donnait aux petits chênes l'allure ronde et plate de sucettes ; il aperçut un petit groupe de villageois qui s'énervaient et rouspétaient de plus en plus devant un bâtiment en bardeaux et à toit plat dont les lampes à gaz multicolores, allumées avant les lampadaires, permettaient de lire dans le jour déclinant le nom d'un cinéma, L'ONIRICQUE. Merle descendit de son chariot et alla se joindre à la foule.

«On dirait qu'il y a de l'animation.» Il remarqua que, comme pas mal d'autres cinémas de campagne, celui-ci avait été autrefois une église dont les fidèles, trop rares, n'avaient pu retenir leur prêtre. Une reconversion naturelle, selon Merle, qui ne voyait guère de différences entre un public de film et la foule amassée sous la tente d'un prédicateur – on retrouvait dans les deux cas un empressement à se laisser mener en bateau.

«Ça fait trois fois en trois semaines», l'informa-t-on aussitôt, «que cette foutue bécane tombe en panne, et on attend tous que Fisk sorte et nous débite ses conneries habituelles.»

«Ça pouvait pas tomber plus mal, pile au moment où elle s'agrippe à un tronc dans le fleuve —»

«... entraînée vers une chute d'eau au sommet de cette grosse falaise...»

«... le courant trop fort pour qu'elle puisse nager, c'est ce qu'il comprend alors qu'il vient juste d'arriver...»

«Et voilà que tout se détraque d'un coup! Fisk se rend pas compte qu'on est à deux doigts de l'expulser de la ville.»

«Tiens, voilà l'autre vieux chnoque.»

Merle s'avança afin de mettre un peu d'espace entre un Fisk visiblement affligé et la foule énervée. «Comment va, collègue? C'est quoi, le problème? La pelloche qu'a cassé? Les carbones qu'ont cramé?»

«Le film se décale tout le temps. Ça vient des pignons et de l'engrenage, à mon avis.»

«J'ai déjà fait marcher un ou deux de ces bidules, ça vous embête si je jette un coup d'œil? Vous avez quoi, un mouvement Powers?»

«Juste un Geneva ordinaire.» Il conduisit Merle au fond de la petite et sombre ex-église et ils montèrent ensemble quelques marches donnant sur ce qui avait été la galerie du chœur. «C'est tout juste si je sais m'en servir, d'habitude c'est Wilt Flambo, l'horloger local, qui s'en occupe, il connaît parfaitement ce bidule, moi j'assure la permanence depuis que Wilt s'est enfui avec la femme de l'épicier, à l'heure qu'il est il doit être à Des Moines ou je ne sais où, d'où il envoie des cartes postales à tout le monde pour qu'on sache à quel point il s'amuse.»

Merle examina l'engin. «Ma foi, ce mouvement Geneva fonctionne très bien, c'est juste la tension du pignon qui est un peu bizarre, c'est tout, sans doute le sabot qui a besoin de... et voilà, c'est bon, remettez-le en marche. C'est quoi ça, des brûleurs à gaz?»

«Acétylène.» Le projecteur ronronna, et les deux hommes restèrent une minute à regarder l'écran tandis que le précipice se rapprochait inexorablement. «J'crois que je ferais mieux de rembobiner jusqu'au début. Vous m'avez sauvé la mise, l'ami. Je vous laisse l'honneur de leur annoncer la bonne nouvelle.»

«Pour être franc», admit Fisk un peu plus tard devant un sympathique verre de bière, «ça m'a toujours fichu une trouille d'enfer, trop d'énergie libérée dans cette petite salle, trop de chaleur, la nitro dans la pelloche, l'impression que tout va exploser d'une minute à l'autre, les rumeurs qu'on entend, s'il y avait que la lumière ça serait déjà beaucoup, mais ces autres forces...»

Ils échangèrent ce sourire contrarié et crispé des professionnels qui savent le prix à payer pour que la magie puisse garantir la bienheureuse stupeur des spectateurs – en l'espèce, le pur effort physique de tourner la manivelle du projecteur et les énergies démoniaques dont il était déconseillé de trop s'approcher.

Merle s'occupa des projections pendant une semaine ou deux tandis que Fisk repartait s'occuper de sa boutique de pièces détachées pour chariots et se reposer un peu. Très vite, comme déjà par le passé, Merle prit ses distances avec l'intrigue du film, actionnant la manivelle et contemplant l'étrange rapport que ces images animées entretenaient avec le Temps, sans doute moins étrange que truqué, d'ailleurs, car il s'agissait avant tout d'abuser l'œil, et c'était sans doute la raison pour laquelle on rencontrait pas mal de magiciens dans le métier. Mais si le principe consistait à animer des images fixes, eh bien il devait y avoir plus simple que ce complexe assemblage de trains d'engrenage, d'objectifs multiples, de déroulements à caler et d'ouvrages d'horloger pour faire que chaque image s'arrête seulement une fraction de seconde. Il devait exister quelque chose de plus direct, quelque chose qu'on pouvait réaliser avec la lumière elle-même...

Un jour sous un ciel d'une nuance jaune presque familière, il arriva au bord d'une rivière sur laquelle des jeunes gens faisaient du canoë, non dans l'excitation ou le flirt insouciant mais abîmés dans une sombre perplexité, comme s'ils étaient ici pour des raisons plus profondes qu'ils n'arrivaient pas à se rappeler. Il reconnut cet état d'esprit comme on reconnaît un paysage particulier, comme un explorateur découvre une montagne ou un lac, après avoir franchi un simple col – une évidence, s'offrant au regard telle une carte ne renvoyant à rien d'autre qu'elle-même. Il venait de tomber sur Candlebrow, à moins que ce ne fût l'inverse – il franchit les grilles délabrées du campus, reconnut l'endroit qu'il avait cherché, celui qu'il avait raté la première fois, des rues bordées de librairies, des endroits où s'asseoir et parler, ou ne pas parler, des cafés, des escaliers en bois, des balcons, des galeries, des banquets en terrasse, des auvents à rayures, des attroupements, la nuit qui tombait, un petit spectacle cinématographique, un néon jaunâtre dehors…

Le paysage ici était doucement vallonné. Aucune voix, hormis sur un terrain de sport, n'excédait jamais le niveau sonore qui sied aux conversations. Les chevaux paissaient dans la cour. Des senteurs champêtres filtraient partout – trèfle violet, chèvrefeuille, reine-des-prés. Les gens venaient pique-niquer avec leurs fers à cheval et leurs ukulélés, des paniers remplis de sandwiches, d'œufs durs, de pickles et de bouteilles de bière, ils s'installaient sur les rives de la Sempitern, la paisible rivière de Candlebrow, haut lieu du canoë. Un après-midi sur deux, des têtes de cumulo-nimbus surgissaient à l'ouest et commençaient à s'amonceler, le ciel se parait alors d'une nuance gris-jaune mâtinée de rougeoiements bibliques, les premiers vents soufflaient et les premières gouttes tombaient.

Les conférenciers réunis ici venaient du monde entier, on trouvait des nihilistes russes avec d'étranges conceptions des lois historiques et des processus réversibles, des swamis indiens préoccupés par les conséquences du voyage dans le temps sur les lois karmiques, des Siciliens inquiets quant au statut menacé de la vendetta, des bricoleurs américains tels que Merle ayant des problèmes particuliers d'électrochimie à résoudre. Tous leurs esprits étaient accaparés, d'une façon ou d'une autre, par l'art de circonvenir le Temps et ses mystères.

«En fait, notre temporalité soi-disant linéaire se fonde sur un phénomène circulaire ou, si vous préférez, périodique – la rotation même de la Terre. Tout tourne, jusqu'à et y compris, probablement, l'univers entier. Nous pouvons donc consulter la prairie, le ciel qui se couvre, la naissance d'une tornade et voir dans son tourbillon la structure fondamentale de toutes choses —»

«Hum, Professeur —»

«— le mot *tornade* est bien sûr trompeur, puisque la pression dans le tourbillon n'est pas distribuée dans un simple cône aux parois verticales —»

«Monsieur, excusez-moi, mais —»

«— mais plutôt un quasi-hyperboloïde de révolution que — Ben ça alors, où est-ce qu'ils vont tous?»

Les personnes présentes, certaines à une vitesse assez remarquable, avaient commencé à se disperser, et un bref coup d'œil au ciel suffit à expliquer pareille débandade. Comme si le Professeur avait provoqué la chose par sa seule conférence, voici qu'à l'ouest, se balançant sous des nuages bouffis et gorgés de lumière, s'avançait une tornade classique des prairies, qui s'allongeait et se fuselait, sur le point de toucher le sol, se dirigeant, quasi consciemment, vers le campus qui se trouvait sur sa route, et ce à une vitesse que même le cheval le plus rapide ne pouvait espérer égaler.

« Vite – par ici ! » Tous convergèrent sur McTaggart Hall, le quartier général du Département de métaphysique, dont la cave anticyclone était célèbre dans toute la région pour être l'abri le plus spacieux et le mieux indiqué entre Cleveland et Denver. Les mathématiciens et les ingénieurs allumèrent des manchons à gaz et des lampes tempête, en attendant l'inévitable coupure de courant.

Puis, tout en buvant un café semi-liquide et en grignotant des beignets maison datant de la dernière tornade, ils revinrent sur la question des fonctions périodiques, et sur leur forme généralisée, les fonctions automorphiques.

« L'Éternel Retour, pour commencer. Si nous parvenons à élaborer de telles fonctions à un niveau abstrait, alors il doit être possible d'élaborer des expressions plus séculaires, plus concrètes. »

« Comme une machine à voyager dans le temps. »

« Je ne l'aurais pas formulé ainsi, mais, si ça vous dit, pourquoi pas. »

Les Vectoristes et les Quaternionistes présents rappelèrent à tous la fonction qu'ils avaient récemment mise au point, connue sous le nom de fonction lobatchevskienne, abrégée en Lob, comme dans « Lob **a** », au moyen de laquelle, de façon presque annexe, l'espace euclidien ordinaire est transformé en espace lobatchevskien.

« Nous pénétrons ainsi dans le vortex. Il devient l'essence même d'une vie remodelée, et fournit les axes auxquels toute chose sera rapportée. Le temps ne "s'écoule" plus avec une vélocité linéaire, mais "revient" avec une vélocité angulaire. Tout est réglementé par la Dispensation automorphique. Nous sommes ramenés à nous-mêmes éternellement, ou, si vous préférez, intemporellement. »

« Une renaissance ! » s'exclama un chrétien dans l'assemblée, comme sous le coup d'une révélation.

À la surface, la dévastation avait commencé. Et c'est alors qu'on aurait pu remarquer une chose étrange chez cette tornade. Ce n'était pas simplement « une » tornade qui s'abattait sur Candlebrow avec une pénible régularité mais, indiscutablement, *toujours la même tornade*. Elle avait été plusieurs fois photographiée, mesurée afin d'en connaître la vitesse angulaire et celle du vent, la circonférence et aussi les formes qu'elle prenait au fil de sa progression, et d'un passage sur l'autre tous ces relevés étaient demeurés étrangement cohérents. Très vite, la chose reçut un nom : Thorvald, et des offrandes propitiatoires commencèrent à s'amasser devant les grilles de l'Université, en général des morceaux de tôle, réputés pour être un des aliments préférés de Thorvald. La nourriture humaine, bien que plus rare, était présente sous forme d'animaux de ferme, vivants ou abattus, même si parfois des *banquets entiers* avaient été, paraît-il, installés sur de longues tables de pique-nique, et il fallait alors un niveau d'indifférence au sort bien supérieur à celui de cet insouciant corps estudiantin pour oser y chaparder des mets, encore plus pour s'en empiffrer.

« Superstition ! » s'écrièrent certains professeurs. « Comment voulez-vous qu'on maintienne la moindre objectivité scientifique ici ? »

« Mais supposez qu'on ait bel et bien tenté de communiquer avec Thorvald — »

« Ah, c'est "Thorvald" maintenant, ben dites donc quelle familiarité. »

« Eh bien, après tout, il est cyclique, donc il devrait être possible de faire des signaux au moyen d'une modulation d'ondes — »

Il existait en fait deux modèles distincts de Télégraphe thorvaldique qu'on pouvait se procurer à West Symmes, où Merle avait commencé à traîner une bonne heure par jour. Ici, chaque été à Candlebrow, sur des kilomètres le long de la rivière, une énorme population d'escrocs en tout genre venaient bonimenter dans une foire au Temps, proposant des montres gousset et des pendules murales, des potions de jouvence, de faux certificats de naissance certifiés conformes, des systèmes de pré-diction boursière, des résultats de courses sur de lointains hippodromes avec une avance considérable, ainsi que des installations télégraphiques pour miser sur les sorts de ces animaux encore-à-l'arrêt, des artefacts élec-tromécaniques étrangement rutilants censés venir du « futur » — « Alors voilà, le poulet vivant passe par ce bout-là » — et surtout des cours sur les nombreuses formes de la transcendance temporelle, l'intemporalité, le contretemps, les échappées et émancipations hors du Temps telles qu'elles étaient pratiquées par des populations dans tous les coins du monde, tous sujets qu'on estimait susceptibles d'attirer les foules par ici. Comme on pouvait s'y attendre, un grand nombre de ces programmes de types spirituels étaient organisés par des charlatans et des escrocs, qui portaient souvent des turbans, des tuniques, des souliers dont les pointes dissimulaient un « truc », ainsi que des chapeaux étrangement modifiés servant le même dessein, et, à part quelques inévitables et fieffés filous, Merle prenait plaisir à discuter avec la plupart d'entre eux, surtout ceux qui avaient une carte de visite.

Très vite, plus vite qu'il ne l'aurait cru, il participa à ces raouts estivaux. Le reste de l'année, les journées de travail se suivaient et se ressemblaient jusqu'à ce que l'été il puisse, ne serait-ce qu'un mois durant, s'adonner à son obsession du Temps et la partager avec d'autres de son acabit. Il ne lui vint jamais à l'esprit de s'interroger sur l'origine de cette préoccupation, si elle provenait de la photographie et de sa façon de combiner l'argent, le temps et la lumière ou si elle était simplement due au fait que, depuis le départ de Dally, il trouvait le temps si pesant qu'il était obligé de l'examiner sous différents angles, se demandant si on pouvait le démonter pour mieux comprendre son réel fonctionnement. Désormais, l'alchimie, le rétamage et la photographie allaient occuper ses journées, tandis que les nuits seraient consacrées aux Mystères du Temps.

Un soir après le crépuscule, Merle crut apercevoir, du coin de l'œil, voguant dans le ciel tel un des fameux Aéronefs Géants de 1896 et 1897, le *Désagrément*, et comme par hasard, peu après, dans West Symmes —

«Ça alors, comment allez-vous, monsieur, j'ai souvent pensé à vous, et bien sûr à votre charmante fille, Miss Dahlia.»

Merle dut faire abstraction de la moustache pour reconnaître Chick Counterfly. «Elle est partie faire l'actrice dans l'Est», dit Merle, «si vous voulez tout savoir. Que faites-vous ces jours-ci? À en croire vos récits, vous étiez à Venise, en Italie, en train de renverser le Campanile qui, je le ferai remarquer, a servi de modèle à celui du campus ici, enfin je dis ça au cas où vous chercheriez d'autres clochers à démolir…»

«Ces temps-ci, on essaie de se familiariser avec l'équipement Hypops. Au fait, vous connaissez Roswell Bounce? Le père de l'Appareil Hypops?»

«C'est moi, approchez-vous à moins de trois mètres de ces équipements, et vous entendrez des petites voix, "Papa, Papa!" – ça alors mais c'est Merle Rideout!»

«Bon sang, Roswell, ça fait un sacré bail depuis Cleveland», dit Merle. «J'ai suivi le procès avec grand intérêt.»

«Oh, j'ai porté l'affaire en justice, pas eu le choix, mais je vous laisse imaginer le genre d'avocats que j'ai eu les moyens de me payer, tandis que ce fumier de Vibe a lancé sur moi tous ses larbins de Wall Street, Somble, Strool & Fleshway.»

Le procès intenté par Bounce contre Vibe s'était révélé une source de divertissement public et avait même fait de Roswell une sorte de célébrité. Les inventeurs excentriques jouissaient alors en Amérique d'une certaine vogue, et on voyait en eux d'improbables opposants aux menées du Capital. On s'attendait à ce qu'ils perdent, de la façon la plus poignante, même si ça pouvait parfois rapporter gros de parier sur la victoire de l'un d'eux.

«Les années passent, aucun résultat, et me voilà atteint de la manie litigieuse, "paranoïa *querulans*", comme disent les toubibs des nerfs, j'ai même essayé de traîner le vieux Vibe en justice pour ça, au moins pour éponger les frais de psy, mais comme d'habitude, nib de nib.»

«Vous m'avez l'air bien joyeux», trouva Merle, «pour quelqu'un affligé d'une P.Q. chronique.»

Roswell cligna des yeux. «Il y en a qui trouvent Jésus, non? Eh bien ça m'est arrivé à moi, également, sauf que mon Sauveur s'est révélé être un demi-dieu classique, à savoir», feignant de jeter des regards furtifs à droite et à gauche, et baissant la voix, «Hercule.»

Merle, reconnaissant le nom d'une marque populaire d'agent explosif, lui rendit discrètement son clin d'œil. «Un type puissant. Douze Travaux au lieu de Douze Apôtres, dans mon souvenir...»

«Exactement» acquiesça Roswell. «Alors maintenant c'est plutôt de la "paranoïa *detonans*". Vibe m'a peut-être volé mes brevets, mais je sais encore comment construire mon propre équipement. Je me harnache le Hypops, me déplace sous terre aussi tranquillement qu'une taupe dans un jardin et un jour je finirai par avoir ce salaud juste au-dessus de moi et alors – bon, pas la peine de faire un dessin...»

«Boum-badaboum, c'est ça que vous voulez dire?»

«Oh, c'est *vous* qui le dites, moi je ne suis qu'un savant fou, aussi inoffensif qu'une mamie.»

Le lendemain après-midi, la lumière vira au jaunâtre foncé, et l'ami Thorvald revint. Merle était en train de farfouiller dans son chariot à la recherche de ses antiques paratonnerres quand Roswell débarqua et l'observa avec intérêt. «Vous seriez pas un de ces partisans du Crayon Anharmonique?»

«Je pige pas.»

«Qu'est-ce que vous fabriquez avec ce bidule?» Désignant une série de pieux métalliques, dirigés vers le haut dans différentes directions, convergeant vers une unique pointe commune à la base, reliés à des fils et des pinces.

«Ça s'installe sur le toit d'une grange, ça se branche au paratonnerre – ce qu'on appelle dans le métier une aigrette», dit Merle.

«Vous voulez dire que la foudre la frappe —»

«Un truc infernal. Ça dégage une de ces lueurs. Et ça dure un temps. La première fois, vous pensez avoir rêvé.»

«Les professeurs de géométrie appellent ça un Crayon. Si vous glissez un plan transversal au milieu, comme pour couper ces piquets à différentes longueurs? Ajoutez des isolateurs, et vous obtiendrez différents courants selon les segments, dont les ratios pourront être harmoniques ou anharmoniques selon —»

«La façon dont vous déplacez votre plan. Bien sûr. Vous le rendez mobile —»

«En gros, vous l'accordez —»

Ils continuèrent dans cette veine, oubliant l'imminent cyclone.

Thorvald plana au-dessus d'eux un moment, comme s'il essayait de jauger ses tendances assassines du jour, puis, ralentissant brièvement et reprenant de la vitesse – l'équivalent tornadique d'un haussement d'épaules –, il se déplaça vers une proie plus prometteuse.

«Je veux connaître la lumière», lui confia Roswell, «je veux pénétrer la lumière et trouver son cœur, toucher son âme, en prendre un peu dans mes mains quelle que soit sa nature, la ramener, comme au temps de la Ruée vers l'or même si l'enjeu est sans doute plus important, vu que ça peut vous faire perdre la tête très facilement, le danger est partout, plus mortel que des serpents ou la fièvre ou les pilleurs de mines —»

«Et quelles mesures prenez-vous», demanda Merle, «pour ne pas vous retrouver en train d'errer dans l'arrière-pays de notre belle république en divaguant sur les mines perdues et tout ça?»

«Je me rends en Californie», répondit Roswell.

«C'est une solution, effectivement.»

«Je suis sérieux. C'est là qu'est l'avenir de la lumière, en particulier les images animées. Le public adore les films, il ne s'en lasse pas, c'est peut-être une nouvelle maladie mentale, mais tant qu'on n'aura pas trouvé de remède à ça, le Shérif devra se contenter de me suivre à la trace.»

«C'est pas les boulots de projectionniste qui manquent», dit Merle, «mais cet engin, c'est du sérieux, et comment dire, je sais pas trop pourquoi mais — bon, c'est plus compliqué que ça en a l'air.»

«Oui, j'avoue que ça continue de m'intriguer», reconnut Roswell, «ce culte irrationnel du mouvement Geneva, et toute cette histoire de projo avec un mécanisme horloger – comme si c'était le seul modèle possible. C'est bien joli, les horloges et les montres, je ne dis pas le contraire, mais ce sont pour ainsi dire des constats d'échec, elles sont là pour glorifier et célébrer un type de temps particulier, le tic-tac unidirectionnel du temps sans jamais la possibilité de faire machine arrière.

Le seul genre de films qu'on verra jamais avec une telle machine, ça sera des films horlogers, s'écoulant du début de la bobine à la fin, une image après l'autre.

«Un des problèmes qu'ont rencontrés les premiers horlogers, c'était le poids des parties mobiles, qui affecte la façon dont fonctionne l'horloge. Le Temps restait soumis à la force de la gravité. Breguet a donc mis au point le tourbillon, qui isole le balancier et l'échappement sur une petite plate-forme distincte, adaptée à la troisième roue, et tournant environ une fois par minute, adoptant au cours de la journée la plupart des positions dans un espace en 3D indexé sur la gravité terrestre, de sorte que les erreurs s'annulent et rendent le Temps imperméable à la gravité. Mais supposons maintenant qu'on veuille inverser cela.»

«Rendre la gravité imperméable au Temps? Pourquoi?»

Roswell haussa les épaules. «Une fois de plus, cette histoire de sens unique. Il s'agit de deux des forces qui agissent dans une seule direction. La gravité obéit à une troisième dimension, de haut en bas, et le Temps définit la quatrième, de la naissance à la mort.»

«Faire tourner quelque chose dans l'espace-temps pour qu'il adopte toutes les positions relatives au vecteur unidirectionnel "temps".»

«Exactement.»

«Me demande ce qu'on obtiendrait.»

Ils sortirent alors les crayons brevetés et… eh bien, l'imperméabilité aux temps étant ce qu'elle est… – ils remontèrent sans s'en apercevoir la rivière sur plusieurs kilomètres puis s'arrêtèrent près d'un antique sycomore. Au-dessus d'eux, ses feuilles abruptement retournées, le tronc tout entier illuminé, comme si une autre tempête s'apprêtait à éclater – comme si l'arbre adressait un geste, davantage à l'intention du ciel vigilant qu'à celle des minuscules silhouettes en dessous, qui sautaient à présent sur place en se criant des choses dans un étrange patois technique. Les pêcheurs abandonnèrent leurs coins d'eau pour s'éloigner de ce raffut. Des étudiantes aux cheveux ramassés et tire-bouchonnés en macarons, dans de longues robes à motifs fleuris en vichy zéphyr, batiste et pongé, interrompirent leur balade pour les regarder.

La routine. L'esprit de cette conférence était tel qu'un exposé basique de l'histoire balkanique aurait paru aussi primaire qu'une blague racontée dans un saloon. Au pays des théoriciens, personne, même les plus sages en apparence, n'était à l'abri des complots, coups, schismes, trahisons, dissolutions, intentions mal interprétées, messages perdus, qui se tortillaient et rampaient à l'ombre bon enfant de ce campus du Midwest. Mais les mécaniciens se comprenaient entre eux. À la fin de l'été, ce seraient ces rétameurs têtus avec leurs fractures inégalement réduites, leurs cicatrices et leurs sourcils roussis, leurs colères chroniques devant l'irréductible esprit de contradiction de la nature, qui sortiraient de ces festivités temporelles en proie à une dynamique d'ordre pratique, et quand les professeurs s'en seraient tous retournés à leurs étagères, leurs protégés et leurs intrigues après telle ou telle récompense en latin, ce seraient les ingénieurs qui trouveraient le moyen de rester en contact, sauraient à quels télégraphistes et quels coursiers motorisés ils pouvaient avoir confiance, sans parler des shérifs qui ne poseraient pas trop de questions, des pyrotechniciens italiens qui viendraient et les couvriraient quand les villageois s'inquiéteraient de certains ciels nocturnes, eux qui sauraient où trouver telle pièce détachée, tel minerai exotique, l'endroit sur Terre capable de leur fournir du courant avec la phase ou la fréquence exactes ou parfois juste la pureté qui répondraient à leurs besoins de plus en plus impénétrables.

Un jour, des rumeurs coururent comme quoi le célèbre mathématicien Hermann Minkowski allait venir d'Allemagne pour donner une conférence sur l'Espace et le Temps. Des salles de conférences étaient sans cesse annoncées puis abandonnées pour de plus vastes, à mesure qu'augmentait le nombre de gens apprenant la nouvelle et décidant d'assister à l'événement.

Minkowski était un jeune homme à la moustache pointue et aux cheveux noirs et bouclés ramassés en Pompadour. Il portait un complet noir, un col montant et un pince-nez, et ressemblait à un homme d'affaires venu prendre du bon temps. Il donna sa conférence en allemand mais écrivit suffisamment d'équations pour que son auditoire puisse le suivre plus ou moins.

Quand tout le monde eut quitté la salle, Roswell et Merle restèrent à contempler le tableau noir dont s'était servi Minkowski.

«Trois fois deux au cinquième de kilomètre», lut Roswell, «égale la racine carrée de moins une seconde. Enfin, si on veut que l'expression là-bas soit symétrique dans les quatre dimensions.»

«Ne me regardez pas comme ça», protesta Merle, «c'est *lui* qui a dit ça, moi je n'ai aucune idée de ce que ça signifie.»

«Eh bien, on *dirait* qu'on a là une distance, disons, astronomique, relative à une unité imaginaire de temps. Je crois qu'il a qualifié l'équation de "prégnante".»

«Pige pas. Il a dit aussi "mystique".»

Ils se roulèrent des cigarettes et fumèrent en examinant les symboles tracés à la craie. Un étudiant traînait dans le fond de la salle, une éponge à la main, attendant pour effacer le tableau.

«Z'avez remarqué comme il a pas cessé de parler de la vitesse de la lumière?» dit Roswell.

«Comme d'être de retour à Cleveland, chez tous ces fanas de l'Éther. On devait sûrement tous brûler à l'époque, sans le savoir. »

«Si vous voulez mon avis, y a qu'à juste traduire tout ça de façon concrète, puis on soude le tout, et en avant les affaires. »

«Ou les ennuis. »

«Au fait, c'est qui l'esprit pratique ici et c'est qui déjà le rêveur fou? J'oublie tout le temps. »

Frank pénétra un jour à nouveau par l'ouest dans le Texas, arrachant au fleuve boueux des gouttelettes qui se modifièrent brièvement à la lumière d'un soleil ne trouvant plus guère d'écho dans son cœur.

Il remonta le fleuve et traversa le Nouveau-Mexique jusqu'à San Gabriel, en empruntant la vieille Piste espagnole qui s'élançait vers l'ouest, désormais visité chaque soir par des rêves aux contours étrangement nets dans lesquels figurait Estrella Briggs. Quand il finit par arriver dans les McElmo, ce fut presque comme s'il émergeait d'une stupeur dans laquelle il pataugeait depuis des années. Il se rendait à Nochecita, où son destin avait bifurqué. Quel autre endroit? Comme de demander à une saleté d'avalanche de remonter la pente.

À Nochecita, du fait sans doute des troubles au sud de la frontière, il découvrit une nouvelle population de durs à cuire. Pas des types dangereux, non, même si certains vivaient dans l'illégalité – plutôt sociables, mais n'ayant pas plus que ça envie de s'embarrasser des marioles. De nouvelles bâtisses se dressaient près de l'ancienne piaule de Stray, au point qu'il ne restait parfois qu'une étroite goulée entre elles, par laquelle le vent s'engouffrait, prenait de la vitesse, puis la pression diminuait et tandis que les vents venus du plateau déferlaient dans la ville, la fragile structure était carrément aspirée d'un côté, puis de l'autre, toute la nuit durant, ballottée comme un navire, ses vieux clous crissaient, le plâtre s'écaillait sous le simple regard, les murs perdaient leur peau par bribes blanches, l'effondrement semblait imminent. Les fondations ne cessaient de s'effriter en caillasses et en poussière, et la pluie s'infiltrait quasiment partout. Peu ou pas de source de chaleur ici, le parquet pas vraiment de niveau. Et pourtant les gens se plaignaient que les loyers ne cessaient d'augmenter chaque mois, de nouveaux locataires emménageaient, qui gagnaient plus et mangeaient mieux, on voyait affluer les contremaîtres d'usine, les agents immobiliers, les représentants en armes et médicaments, les ouvriers du rail, les ingénieurs des eaux et de la route, et pas un seul d'entre eux ne semblait très désireux de croiser le regard de

Frank, de répondre quand il leur adressait la parole, réagissant à sa présence de la façon la plus évasive et mutique qui soit. Il se demanda s'il n'était pas son propre fantôme, en train de hanter ces pièces et ces couloirs, à croire que le peu de temps qu'il avait passé ici demeurait et perdurait, mais dans l'invisible – Stray, Cooper et Sage, Linnet, Reef resté le même jeune fêtard, ils étaient juste «ailleurs», quelque part dans le monde, ayant cessé d'être ce qu'ils étaient autrefois, de plus en plus en proie aux épreuves du quotidien, et évoluaient pour certains dans des lieux plus froids et en des temps plus durs, en taule, dans la rue, attirés par l'Ouest et les promesses du Pacifique, victimes de leur mauvais jugement... et Frank sut que sa place n'était pas ici.

Les nouveaux venus qu'il interrogeait essayaient parfois de lui dire où était Stray, mais il avait du mal à les comprendre, les mots prononcés se vidaient aussitôt de leur sens. La ville devint soudain une carte illisible à ses yeux. Depuis le Mexique, il ressentait avec une acuité douloureuse les frontières autorisées et celles interdites, et avait l'impression de vivre en marge de ce qu'il croyait être sa vraie vie.

Il croyait la voir en permanence : Stray, les cheveux dénoués, son bébé dans les bras, venue faire des courses en ville ou repartant à cheval, loin, très loin, dans les collines. Mais vers trois ou quatre heures de l'après-midi, quand tout le monde sauf Stray et le petit, ou leurs ombres, s'était retiré – quand, seul, il pouvait retourner dans les pièces vides, il savait que bientôt, venant de l'autre côté de cette chose qui les séparait, il l'entendrait «préparer le souper». Frank restait devant la porte de la cuisine, devant le verre recouvert de papier, puis la lumière se faisait, il écoutait, respirait, attendait. Il se demandait si Stray, de «son côté», dans la tristesse prégnante du jour finissant, avait elle aussi pu entendre dans d'autres parties de la maison des bruits coutumiers de sa propre présence – des pas, de l'eau qui coule ou gargouille –, dans des pièces fantômes amputées du reste de la maison, occupées, que ça plaise ou non, par les morts...

Frank craqua au bout du troisième soir, mais quand il partit, on aurait dit que cela faisait des semaines. En quittant les lieux, à la dernière minute, il tomba sur Linnet Dawes, à qui il fallut une minute ou deux pour remettre Frank. Elle était toujours aussi belle, toujours maîtresse d'école, mais semblait pour ainsi dire *vernissée*, comme si elle évoluait désormais dans des régions plus matures.

«Laisse-moi deviner qui tu cherches», fit Linnet d'un ton que Frank jugea assez froid.

«Reef.»

«Oh. Ton frère, il est passé il y a un an, peut-être deux, il est venu chercher Mrs Traverse» – même Frank sentit une pointe de sarcasme – «et le petit Jesse, mais ils ne sont pas restés plus d'une nuit. Il m'a semblé qu'il était question du Nouveau-Mexique, mais on peut pas dire qu'ils se soient vraiment confiés à moi.»

«C'est étrange, je crois tout le temps voir Estrella en ville, mon imagination, je suppose...» Oh, mais quel était ce regard? «Quoi? J'ai dit quelque chose qu'il ne fallait pas?»

«Cette jeune femme», en secouant la tête, «a continué de faire des siennes ici. À quoi bon aller au théâtre vu la façon dont *elle* se donnait en spectacle? On croyait avoir affaire à un de ces sages orientaux, très au-dessus de la mesquinerie et des chichis, qui nous contemplait depuis ses hauteurs – alors imagine notre surprise quand on a fini par comprendre que c'était une égoïste de première, à tel point d'ailleurs que personne ne s'en était rendu compte. Une grossière erreur, et on s'est tous fait avoir.»

«Alors c'est elle que je vois sans cesse? Ou c'est-y pas elle – pardon, ou ce *n'est pas* elle?»

«Tu n'es plus le jeune ingénieur des Mines que j'ai connu, visiblement tu as suivi quelques cours pas inutiles, du coup j'ai peut-être pas besoin de trop te ménager. Ton frère a quitté la région, ou plus exactement il a quitté femme et enfant. Estrella s'en sort plutôt bien avec le petit Jesse, elle paie ses dettes quand il faut, et heureusement que sa sœur et le mari de sa sœur étaient à un ou deux jours de cheval de chez elle. C'est un petit ranch pas loin de Fickle Creek, au Nouveau-Mexique. Elle y est parfois.»

«Pour quelqu'un qui ne l'aime pas, t'es pas mal renseignée.»

«Simples réflexes professionnels. Ton neveu est un chouette petit bonhomme, tu verras.»

«Si je vais là-bas.»

Elle hocha la tête, un côté de son sourire plus accentué que l'autre. «Exact. Salue-les de ma part.»

Il arriva au sommet du col un samedi alors que la nuit tombait sur Fickle Creek, et entendit très nettement les coups de feu et les cris de liesse. Depuis le sommet, à travers les cristaux glacés qui pleuvaient, marinant dans une lumière verte et froide tout en bas, Frank distingua une petite ville bâtie autour d'une place. Il commanda un verre de whiskey rouge, acheta une poignée de cigares et descendit.

Il trouva un vieil hôtel délabré occupant tout un pâté de maisons, le Noctámbulo, où régnait l'insomnie. Dans chaque chambre, quelqu'un travaillait la nuit sur un impossible projet – un inventeur fou, un joueur avec un système, un prédicateur avec une vision partiellement communicable. Les portes n'étaient jamais verrouillées, les inconnus se comportaient pour la plupart comme des voisins, chacun était libre d'aller faire un tour chez l'autre. Même aux toutes petites heures du matin, Frank s'aperçut qu'il pouvait toujours venir taper une cigarette ou faire la conversation. Dans la cour, une foule festive allait et venait la nuit durant. Tout le monde se piquait des clopes.

D'étranges motocyclettes, très souvent bricolées, sillonnaient bruyamment la ville. Des poètes cow-boys auraient pu décrire la façon dont le bruit « se répercutait sur les flancs escarpés de la montagne » avant de redescendre dans la vallée, mais en l'état, eh bien le bruit était un peu trop exotique pour véhiculer le moindre message, du moins pour la majorité, même si certaines tavernes à l'extérieur de la ville avaient déjà accueilli ces bandes de motards.

Frank comprit qu'il ne trouverait pas le sommeil et il se dirigea vers le plus proche saloon. Devant, là où on ne trouvait autrefois que des chevaux, étaient à présent garées des Silent Gray Fellows et des Indian V. Twins, trafiquées expressément pour ces montagnes, avec embrayages, courroies, chaînes et boîtes de vitesses à usage intensif. Dans tous les saloons pour motards de Main Street, on trouvait des as de la bécane qui avaient quitté le cirque de la prairie pour un petit changement de ventilation, des desperados boutonneux chantant l'harmonie du *Pie in the Sky* de Joe Hill pour de vieux nihilistes endurcis dont les lignes de cœur, de vie, les ceintures de Vénus et autres avaient fini au fil des ans par se chevaucher et former des inscriptions blanches et irrégulières qu'aucun gitan n'aurait osé déchiffrer, à force de préparer des feux de camp, grimper des parois rocheuses, manipuler des barbelés rebelles, jouer de la baïonnette dans les taules de Cœur d'Alene... Des motards du célèbre Gang des Quatre Coins, basé à Cortez, payaient des doubles doses de Taos Lightning à des fans fervents venus d'aussi loin que le Kansas, ayant quitté parfois de leur plein gré une tournée motorisée, et passant leur nuit dehors à causer embrayages et carters jusqu'à ce que le soleil pointe ses rayons.

Un individu pâle en cape noire entra sans rien dire et s'assit tout au bout du comptoir. Comme le barman déposait bouteille et verre devant lui, en croisant les poignets afin de déposer la bouteille à la droite du client, l'homme poussa soudain un hurlement à vous glacer le sang, se protégea les yeux avec sa cape, et recula si violemment qu'il tomba de son tabouret et s'étala par terre en tapant des pieds dans la sciure.

« C'est quoi ça ? »

«Oh ça, c'est Zoltan, il roule en Werner, il a sillonné toutes les collines de sa Hongrie natale et maintenant il est en tournée mondiale en quête de nouveaux défis. Il a gagné des trophées qui ont pas encore reçu de noms, il a peur d'aucune montagne quelle que soit sa taille, mais montrez-lui un seul truc qui ressemble à un X et il se retrouve dans l'état où vous le voyez là.»

«Il aime pas trop non plus les miroirs de saloon, pour ça qu'il s'assied toujours à l'autre bout...»

«Ça se produit chaque fois qu'il vient?» demanda Frank. «Pourquoi ne pas juste... poser d'abord la bouteille, puis apporter le verre, puis —»

«Merci pour la suggestion, même si c'est pas la première fois qu'on la fait, mais franchement ici c'est pas Denver, les occasions de se distraire sont pas légion, et ce vieux Zolly met vraiment de l'ambiance. Alors on s'en contente.»

Au matin, Frank alla prendre un petit déjeuner au Palais de la Crêpe en haut de la rue, où il comprit assez vite que Stray était *dans une chambre du haut depuis le début*, avec un motard hors la loi dont la fameuse Excelsior bleue était garée dehors, et, ma foi, la satisfaction qui se lisait sur son visage quand elle redescendit dans ce minuscule rade, son maintien, ses *cheveux*, bon sang, suffisaient à diviser un type en deux, avec l'un qui disait calmement: Non mais regarde-la, comment un homme peut-il lui en vouloir, et cætera, tandis que l'autre se répandait sur la nappe en un flot de morve, au vu et au su de tous. Quand, féline, elle s'avança dans la salle, les serveuses aux atours aguichants (plus nombreuses, franchement, que les dimensions de la salle et l'heure du jour ne pouvaient l'expliquer) la regardèrent *d'une certaine façon...*

Oh mais ça alors, voici l'autre joli cœur, Vang Feeley, célèbre dans toute la région, l'air un peu trop légendaire, d'après Frank, pour vraiment dégager une aura sexuelle – en tenue de motard noire, austère, impeccable. Il passa sans un mot devant Frank, qui se rendit compte alors qu'il n'avait cessé de fixer l'entrejambe de Vang, à peu de chose près... Ah hum. Son comportement dut échapper à l'attention de Vang, mais pas à celle des serveuses goguenardes qui grouillaient ici, dont les remarques semblaient le concerner de plus en plus, et le temps que ça se calme, eh bien Vang était sorti depuis un bon bout de temps et discutait avec un Zoltan désormais remis de sa crise de problèmes techniques comme la dérivation silencieuse, dans la mesure où, étant donné les complexités de la vie de Vang à ce moment-là et le fait que les options nocturnes pouvaient se réduire à une seule en un clin d'œil, la bonne tenue du moteur pouvait se révéler primordiale.

Stray finissait tranquillement sa demi-tasse de café, en souriant distraitement aux clients alentour, y compris à Frank qu'elle ne reconnut pas, si tant est qu'elle le vit, et quand elle eut fini de boire elle se pencha pour déposer sa tasse sur le tas de vaisselle en attente et, une main vaguement dans une poche de sa gabardine, sortit du saloon avec une nonchalance admirable pour aller prendre place derrière ce maudit Vang, ramassant et répartissant dans le même mouvement gabardine et jupe avec un naturel aussi étudié que les révérences d'antan, les soulevant, en fait, pour le plus grand plaisir des voyeurs, suffisamment haut pour qu'elles ne s'enflamment pas quand le pot d'échappement entrerait en action. Alors, rejoignant la file des autres badauds aussi attentifs que des bouviers regardant passer un train, Frank sortit également, agitant la main en guise d'*adiós*.

Quand il retourna à Denver, c'était encore la ville d'Ed Chase, et Frank reprit vite l'habitude de dilapider temps et argent, jusqu'à ce qu'un soir, alors qu'il arpentait Arapahoe quelque part entre le Tortoni et le Bill Jones, où il avait été déclaré Nègre honoraire, une plaisanterie dont l'humour lui échappait, Frank croisa le Révérend Moss Gatlin au volant d'un étrange tram sans cheval, avec à l'arrière un clocher miniature et sur la vitre avant, là où se trouvait d'ordinaire le panonceau indiquant la destination, les mots PARADIS ANARCHISTE. Moss faisait sa tournée et ramassait vagabonds, gamins, opiomanes, fauchés, clochards – quiconque en fait avait l'air un tant soit peu perdu –, et les entassait à bord de son A.H. Express. Frank devait avoir le profil, car le Révérend le repéra immédiatement et souleva son chapeau. « 'Soir, Frank », comme s'ils s'étaient vus la veille. Il tira sur un levier et le véhicule ralentit suffisamment pour que Frank puisse se hisser à bord.

« Ça vous arrive jamais d'oublier des visages ? » s'émerveilla ce dernier.

« Une ou deux épouses, peut-être », dit Moss Gatlin. « Dites donc, Frank, je n'ai jamais eu l'occasion de vous faire part de mon horreur après ce qui est arrivé à votre père. Vous avez pu découvrir quelles étaient les immondes pustules qui ont fait ça ? »

« J'y travaille », dit Frank, qui depuis cette demi-seconde surnaturelle à Coahuila n'avait trouvé personne à qui parler vraiment.

« Entendu une histoire ou deux, mais je dirais pas qu'on en causait véritablement. »

« À ce propos, j'ai croisé ces derniers temps des journaleux qui m'ont décoché de drôles de regards, comme s'ils étaient sur le point de dire quelque chose. »

« J'espère que vous n'avez pas d'arrière-pensées susceptibles de vous valoir un plongeon dans la sciure. »

«Pas une», répondit Frank en haussant les épaules, «ni même deux. C'est réglé, sûr.»

«Comment votre mère a-t-elle pris la chose?»

«Bien.»

«Oh allons, il faut le dire à Mrs Traverse. Elle est la seule personne sur Terre qui doit entendre ça, et de votre bouche.»

«J'ai honte de vous l'avouer, Rév, mais je ne sais même pas où elle est en ce moment.»

«Elle a pas mal bougé, mais aux dernières nouvelles elle habite à Cripple. Et Dieu a voulu, Frank, que ce soit aujourd'hui ma destination, alors si vous voulez de la compagnie...»

«Vous ne comptez pas aller là-haut avec cet engin?»

«Ça? Je l'ai juste emprunté pour la soirée. En fait —»

Un individu aux cheveux blancs, visiblement très agité, les suivait en braillant dans son buggy, et ce depuis apparemment un bon bout de temps.

«Par les forges infernales», marmonna le Rév, «je savais qu'il le prendrait mal.»

«La mention "anarchiste"», se rappela alors Frank, «m'a donné l'impression d'avoir été écrite à la main, assez grossièrement, à contrecœur dirais-je.»

«Jephthah dirige un ranch chrétien en bord de route, près de Cherry Creek, et c'est comme ça qu'il trouve ses ouailles. J'ai cru qu'il était de relâche ce soir, alors j'ai — Tout va bien, Jeff!» Ralentissant. «Ne tire pas!»

«Ces âmes sont à moi, Moss.»

«Qui a fait tout le boulot? Je prendrai cinquante *cents* par tête.»

«Que je sois défroqué si je te consens plus de vingt-cinq.»

«Quarante», dit Moss Gatlin.

Les passagers observaient la scène avec intérêt.

«Rév», dit Frank, «pour ce qui est de ma religion —»

«On peut en parler plus tard?»

Ils roulèrent jusqu'à Divide puis montèrent à bord d'un train adapté à l'écartement réduit des rails, et le Révérend raconta des anecdotes sur Webb, dont certaines plus ou moins connues de Frank, et d'autres qu'il ignorait.

«Parfois», admit Frank, «je m'interroge sur Sloat. Ça aurait dû être l'autre, vu que Papa n'était pas le genre de type auquel Sloat se serait frotté.»

«Sloat était un traître à sa classe, Frank, le pire genre de laquais au service des riches, et vous nous avez rendu service à tous, peut-être encore plus à Sloat qu'à quiconque. Au cas où vous vous feriez du souci pour lui. Il n'ira pas au Paradis des anarchistes, mais là où il ira, ça fera du bien à son âme. »

« L'Enfer capitaliste ? »

« Ça ne m'étonnerait pas. »

En arrivant à Cripple Creek, Frank vit à quel point ce récent champ de bataille avait été dévasté. Les propriétaires avaient dû gagner. Le Syndicat avait disparu, s'il avait jamais existé, mais aux yeux de Moss Gatlin ils étaient tous partis en laissant derrière eux une population d'honorables combattants au chômage, et prêts à ramper comme il se doit pour se faire réembaucher, même comme trieurs, ou plus vraisemblablement à aller voir ailleurs. Il y avait des jaunes partout, avec leurs étranges casquettes slaves tricotées. Des vigiles arpentaient les rues qui leur appartenaient désormais, ramassant les étrangers qui ne parlaient pas leur langue et les chassant, testant le niveau de docilité générale en ville.

« Mon ministère. » D'un mouvement de tête, il désigna la population sans travail. « Ces petits Autrichiens qui ont l'air si amènes et si attachants pour l'instant reviendront hanter le Colorado tels des spectres vengeurs, c'est là une loi aussi universelle que celle de la gravité, aussi inéluctable que celle qui veut que le jaune d'aujourd'hui devienne le gréviste de demain. Rien de mystique. Juste ce qui se passe. Vous verrez bien. »

« Où allez-vous vous installer, Révérend ? »

« Là où je suis sûr de ne rester qu'un soir. Ça simplifie les choses. En ce qui vous concerne, eh bien – cette maison, là, de l'autre côté de la rue est paraît-il très bien. À moins que vous ne préfériez l'Hôtel National ou je ne sais quoi. »

« On va se revoir ? »

« Quand vous en éprouverez le besoin. Le reste du temps, je suis invisible. Soyez prudent, Frank. Et saluez votre mère de ma part. »

Frank prit une chambre, se rendit à l'Old Yellowstone Saloon, se mit à boire, rapporta la bouteille dans sa chambre, fut vite soûl et triste, puis sombra dans une sorte de stupeur, d'où il fut arraché au beau milieu de la nuit par des cris retentissants émanant de la chambre adjacente.

« Tout va bien là-dedans ? »

Un gamin d'une quinzaine d'années était accroupi contre le mur, les yeux grands ouverts. « Oui, oui – je chassais juste quelques puces. » Il haussa énergiquement les sourcils et feignit de brandir une cravache. « Ouste ! Ouste, j'ai dit ! »

Frank sortit une blague à tabac et du papier à rouler. «Tu fumes?»
«Des havanes, surtout – mais je refuserais pas un de ces machins-là.»
Ils fumèrent un moment. Julius, car c'était ainsi que s'appelait l'adolescent, venait de New York, il faisait partie d'une troupe de chanteurs,
danseurs et comédiens en tournée dans tout le pays. Une fois à Denver,
la vedette du spectacle avait piqué tous les cachets et s'était éclipsée à
la faveur de la nuit. «La propriétaire est une amie de Mr Archer, et du
coup conduit son cametard.»

«Et je suppose que ces bêtes te donnent du fil à retordre, pas vrai?»

«Seulement quand j'essaie de dormir.» Le jeune garçon feignit de
jeter autour de lui un regard apeuré, les yeux roulant à un kilomètre par
minute. «C'est la faute au show-biz. Vous cherchez du travail, le premier
truc qu'on vous propose, vous dites oui. J'ai été assez dingue pour dire
à Mr Archer que je savais conduire un cametard. Je sais toujours pas
comment on fait, et maintenant je suis vraiment dingue.»

«Les chevaux du coin connaissent très bien les routes. Je parie que le
tien pourrait se rendre à Victor et en revenir sans qu'on le conduise.»

«Super, ça m'épargnera pas mal de boulot lors de la prochaine
tournée.»

«Pourquoi ne pas lui demander de te confier une autre tâche?»

«J'ai besoin d'argent. Assez pour retourner sur cette bonne vieille
Quatre-Vingt-Treizième Rue Est.»

«C'est pas tout près.»

«Bien assez loin. Et vous?»

«Je cherche ma mère, aux dernières nouvelles elle est ici, à Cripple,
et je comptais m'en occuper demain. Enfin, je veux dire aujourd'hui.»

«C'est quoi son nom?»

«Mrs Traverse.»

«Mayva? Mince alors, elle habite à quelques rues d'ici, elle tient une
boutique de crèmes glacées, Cone Amor, juste derrière Myers.»

«Tu te moques de moi? Une dame d'environ cette taille, avec de très
beaux yeux, qui fume la pipe de temps en temps?»

«Ouais! Elle vient à la boutique pour acheter du sel gemme, du chocolat à cuire, des trucs comme ça. Les meilleurs sodas à la glace de ce
côté-ci des Rocheuses. Mince. C'est votre maman, hein? Z'avez dû avoir
une enfance extra.»

«Ça. Elle était tout le temps en cuisine, elle savait tout faire, m'étonne
pas qu'elle ait appris à faire des glaces aussi. Pas de mon temps, bien
sûr.»

«Alors vous allez bientôt vous régaler, monsieur.»

Avant même qu'il l'ait embrassée, elle lui faisait actionner la machine. «Cerise-abricot, le parfum du jour, peut paraître bizarre, mais le camion arrive de chez Fruita tous les deux jours, et on fait avec ce qu'il livre.»

Ils poussèrent une porte donnant dans une allée, et Mayva sortit sa pipe en épi de maïs qu'elle bourra de Prince Albert.

«Tu dis toujours tes prières, Frankie?»

«Pas tous les soirs. Pas toujours à genoux.»

«J'imaginais pire. Bien sûr je prie pour chacun de vous tout le temps.»

Kit était en Allemagne et donnait régulièrement de ses nouvelles par courrier. Reef n'avait jamais été doué côté écriture, mais elle supposait qu'il était lui aussi en Europe, quelque part. Avant que le nom de Lake pût être prononcé, un tintement retentit à la porte d'entrée et une cliente cossue flanquée de deux gamines d'environ huit et dix ans entra. Mayva mit la pipe en lieu sûr et alla les servir.

«Les enfants prendront des cornets, Mrs Traverse.»

«Ça vient tout de suite, m'dame. Loïs, c'est une bien jolie robe en vichy que tu as là, elle est neuve?»

La fille prit le cornet et lui consacra toute son attention.

«Tiens, Poutine, voilà le tien, la spécialité du jour, qui se trouve être ma préférée, aussi.»

La cadette se fendit d'un bref sourire d'excuse et murmura: «Nous ne sommes pas censées —»

«Poutine.» Des pièces tintèrent sur le comptoir de marbre. La femme prit ses filles par la main et sortit sèchement, laissant derrière elle un nuage de parfum embaumant le pommier.

«J'ai peur d'avoir dit un truc pas républicain.»

«Tu en as beaucoup des comme ça, Maman?»

«Bien assez. Fais comme moi, laisse glisser.»

«Que se passe-t-il?»

«Tu n'iras pas mieux en le sachant.»

S'imaginant le pire: «Les proprios t'ont soudoyée. Une compensation de veuve, un chèque mensuel qui fera tout rentrer dans l'ordre.»

«Ça fait un moment que je l'ai touché, Frankie.»

«Tu laisses ces —»

«C'est pas le grand luxe ici, au cas où t'aurais pas remarqué.» Quand elle rit, il vit qu'il lui manquait une ou deux dents. «Les temps sont durs pour tout le monde, tu sais, même pour eux.»

Il eut une vague idée de l'ampleur de l'insulte qu'elle avait dû essuyer de la part de personnes respectables comme celle qui venait de sortir, du nombre de villes et de mines en fin d'exploitation par lesquelles elle avait dû passer, et du nombre d'épouses amères qu'elle avait dû croiser en chemin et dont elle avait dû écouter les plaintes —

Elle le regarda droit dans les yeux, avec ce regard d'autrefois, pur comme la fumée. «On m'a dit que t'avais réglé son compte à Sloat Fresno.»

«J'aurais dû me douter que t'étais au courant. Un truc dingue, Maman, je le cherchais même pas et le voilà qui surgit d'un coup.»

«Quelque chose te guide, mon fils. C'est ces prières que tu fais pas assez souvent.»

Elle allait peut-être lui demander: «Bon, et l'autre?» Mais elle détourna le regard et alla déloger le chat qui était sur le point de tomber une fois de plus dans la glacière, et Frank en déduisit qu'elle préférait ne pas parler de Lake. Toute tentative, si maladroite fût-elle, pour aborder le sujet lui vaudrait de la part de Mayva d'étranges regards et une mine attristée qu'il ne supportait pas de voir ainsi exposée au grand jour.

La seule fois où elle parla de Lake, ce fut le dernier soir qu'il passa à Cripple Creek. Ils étaient allés dîner au National, Mayva portait une fleur et un chapeau pimpant comme Frank ne lui en avait jamais connu, et ils avaient parlé de Webb.

«Oh on pensait tous les deux que j'allais le sauver. J'ai cru ça si long-temps… qu'il voulait que je le sauve, et Dieu sait si les femmes adorent ces fadaises. Des anges corvéables, voilà ce qu'on est — on ne s'en lasse jamais. Alors les hommes finissent par se persuader qu'ils peuvent s'en sortir à chaque fois, pour ça qu'ils en rajoutent, juste pour voir ce qu'il faudra faire à la fin pour qu'on craque…»

«Peut-être qu'il voulait vraiment t'épargner cette corvée», dit Frank. «Le sauver.»

«Il était dans une telle fureur», dit Mayva. «Toujours à rouspéter.»

«Comme tous les autres là-haut», estima Frank.

«Tu es loin d'avoir tout vu. Il évitait de vous parler du reste, à moi aussi d'ailleurs, même si on jouait de temps en temps au chat et à la souris autour du poêle. Il essayait de nous protéger, et du coup il oubliait de se protéger, lui. J'y ai réfléchi depuis, j'ai même pas fait grand-chose d'autre certains jours. Il a peut-être voulu utiliser cette colère, la diriger là où elle ferait du bien, mais parfois…»

«Tu crois que —»

«Que quoi, Frankie?»

Sans rien dire, ils échangèrent un sacré long regard, pas vraiment pesant, juste agacé, et qu'un rien pouvait interrompre — un de ces rares moments où tous deux surent qu'ils n'étaient pas loin de penser la même chose, à savoir que Webb avait été depuis le début le légendaire Dynamiteur Fantôme des San Juan – que les petites femmes et les partenaires au poker, invoqués pour expliquer ses absences au fil des ans, étaient une fiction, et auraient mieux fait d'emballer leurs bengalines brillantes et leurs liasses de billets et de s'entasser dans le prochain train pour les côtes de Barbarie ou Dieu sait où, vu la différence que ça aurait fait. Et que dans chaque explosion, quelle qu'en fût l'issue, avait résonné la voix avec laquelle Webb ne pouvait pas parler dans ce monde de tous ceux qu'il voulait – voulait désespérément, ainsi que le comprenait aujourd'hui Frank – ne jamais blesser.

« Maman. » Il regarda son assiette pleine et essaya de ne pas laisser sa voix trop se déliter. « Si je persiste dans cette direction, si j'essaie de trouver ce Deuce Kindred pour lui régler son compte... comme je l'ai fait avec Sloat... »

Mayva eut un sourire amer. « Et si jamais elle est là quand tu le trouves. »

« Je veux dire, c'est pas comme de rafistoler un porche — »

« Ce qu'il faudra faire pour qu'on puisse tous dormir, eh bien ma foi », lui tapotant la main, « je dors bien, Frankie. Parfois un peu d'opium de laitue pour m'aider à trouver le sommeil, mais ne te sens pas obligé de m'offrir un heureux dénouement. Sloat a suffi amplement et je serais toujours fière de ça. »

« C'est juste que quand j'ai su pour elle, je l'ai tellement détestée — »

« Elle a eu au moins le cran de me regarder droit dans les yeux et de me dire qu'elle épousait ce petit salopard. J'aurais pu alors intervenir mais j'étais trop secouée pour le faire, je crois, et elle a franchi le seuil, et maintenant c'est du passé. »

« Je vais reprendre un peu de tarte », dit Frank. « Et toi ? »

« Oh que oui. Vous autres, les garçons, vous m'avez donné du fil à retordre, mais sans plus. Une fille, ça fait semblant d'être facile, ça joue les petites dames, ça danse tout le temps et ça guette le moment idéal pour faire le plus de mal. Et bon Dieu, elle a réussi son coup. » Avec une lueur dans les yeux pour informer Frank qu'elle n'avait rien d'autre à ajouter, du moins à lui.

Frank prit le train qui partait de Cripple, et ce ne fut qu'au bout d'un certain temps qu'il s'aperçut qu'il roulait vers le sud. Une espèce de voile de désarroi se déposa sur son âme, utile à la façon d'un long manteau sur la piste. Il ne comprit pas tout de suite à quel point il l'endurcissait et l'imperméabilisait à la pitié. Il regarda autour de lui dans le wagon, comme si le Révérend, en pleine tournée, allait surgir avec quelques conseils pratiques. Mais soit Moss Gatlin n'était pas là, soit il avait décidé de rester invisible.

« J'ai toujours rêvé de m'enfuir avec des forains », avait dit un soir Mayva à Frank à la lumière de la lampe qui les rapprochait. « Depuis l'été de mes douze ans, quand je suis allée au cirque à Olathe. Ils étaient en train d'installer leurs tentes près de la rivière, et j'ai causé un jour avec un type qui s'occupait de ces courses de chevaux qu'ils appelaient l'Hippodrome, il devait avoir de bons arguments, il arrêtait pas de me demander pourquoi je venais pas avec eux, il disait qu'il avait parlé de moi au directeur, et qu'on pouvait voyager ensemble dans tout le pays, voire dans le monde, j'avais selon lui des dons naturels, et cætera... »

« Tout ce temps où on a grandi », dit Frank, « toi tu voulais partir et travailler dans un cirque ? »

« Oui, et pourtant j'étais là, avec vous, en plein cirque, et je le savais même pas. » Et il espéra ne jamais oublier la façon dont elle rit alors.

Ils descendirent donc, laissant les montagnes derrière eux, ne se retournant que rarement, s'enfonçant dans les benoîtes des prairies du Colorado oriental, et arrivèrent dans une plaine qui semblait attendre le retour de forces anciennes et néfastes... Les palpes criminels de Deuce sentaient sur chaque visage une imminence quasi douloureuse, des agents d'une infiltration secrète précédant l'événement.

Pendant un temps, ce fut comme si les seules villes où ils parvenaient à se reposer étaient celles qui avaient acquis une mauvaise réputation auprès des voyageurs contraints de les visiter régulièrement – vendeurs d'engins agricoles, musiciens de saloons, représentants en pharmacie porteurs de gigantesques valises d'échantillons remplies de toniques pour les nerfs et de cachets contre la gale censés favoriser la repousse des cheveux. «Oh, ce genre d'endroit.» Un peu partout dans la région, on trouvait ces villes qu'il valait mieux éviter, sauf si on s'était habitué à un désespoir qui n'avait d'autre ambition que son propre nom, et qu'évoquaient à leur manière les voyageurs à faible budget. Il n'y avait ni blanchisserie, ni établissement de bains, ni gargote où que ce soit près de la gare. Alors bienvenue dans notre petite ville, étranger, tu comptes rester longtemps ? C'était en général dans les toilettes de la gare qu'on pouvait lire cet ultime constat :

> Les roses sont rouges
> La merde est marron
> Seuls les trous du cul
> Habitent dans cette ville.

Chaque rivière sinueuse offrait un contraste entre les deux camps, prospérité ou pénurie, probité ou immoralité, vert paradis ou maudite Sodome, vêtu de certitude ou exposé dans toute sa vulnérabilité au ciel et à un destin tragique.

Quand Deuce avait quitté cette partie du monde, encore adolescent, la géographie favorisait l'absence de vecteurs. Depuis n'importe quel point de ces plaines, il y avait plus qu'assez de directions pour disparaître, des lignes de fuite aux multiples destinations, vers des terres qui étaient loin d'être cartographiées, l'Ouest sauvage ou l'Est décadent, le Nord des champs d'or, le cœur du Vieux-Mexique, et toutes les régions intermédiaires.

D'anciens employés de banque dont les têtes somnolaient sur des sacs de dollars U.S. en guise d'oreillers, des prospecteurs d'or de quinze ans qui étaient déjà vieux et fous à l'intérieur, des jeunes filles qui avaient «des ennuis» et des jeunes hommes qui en étaient la cause, des femmes mariées amoureuses de pasteurs, des pasteurs amoureux de pasteurs, des voleurs de chevaux et des tricheurs professionnels – tous ces fugitifs et ces hors-la-loi avaient quitté un foyer, s'absentant volontairement plus que s'en allant vraiment, entrant dans la légende familiale. «Et puis un beau jour ils ont tous refait surface comme par magie, moins d'une heure après être partis, et d'expliquer qu'il l'avait rencontrée dans un drugstore, là-bas à Rockford, et deux jours plus tard ils étaient mariés —» «Non, non, ça c'est Oneida la cousine de Crystal, avec une ribambelle de marmots comme des éléphanteaux dans un cirque —» «Non, maintenant je suis sûr que c'était Myrna —»

Plus ils s'enfonçaient, plus Deuce sentait qu'il descendait de nouveau dans tout ce au-dessus de quoi il avait toujours voulu s'élever, retrouvant ceux qu'il avait vilainement quittés ou espéré ne jamais revoir. C'était la lumière qui le lui rappelait sans cesse, un jaune virant au rouge puis se fondant dans le noir de la tornade qui s'abattait sur les lumineux prés de fleurs sauvages, le tonnerre qui évoquait au début le grondement des contrepoids de fenêtre à guillotine qu'on fermait sur les vieux et horribles secrets d'une maison ancienne derrière le châssis du ciel qui pétaradait bientôt comme des feux d'artillerie.

«Et pendant ce temps dans la vieille et stupide "Égypte"», disait sa sœur Hope à Lake devant une salade de pommes de terre, la même depuis des générations, des chaussons, du maïs et un poulet rôti issu de la basse-cour, «nous vivions nos petites vies, enfants d'une captivité à laquelle certains comme Deuce s'étaient dérobés, tandis que nous autres ne le ferions jamais. Car il faut bien qu'il y en ait des comme nous, aussi.»

«Bien sûr», dit Levi, son mari, alors qu'ils fumaient une cigarette derrière la maison, «mais bon sang, Deuce, qu'est-ce qui t'a pris de partir comme ça?»

«J'ai regardé à l'ouest, j'ai vu ces montagnes…»

«Pas depuis Decatur, ça m'étonnerait.»

«La plupart du temps, c'étaient des nuages, des nuages de tempête, tout ça... Mais parfois quand le ciel était dégagé.»

«On a repiqué au laudanum de Maman Kindred, à ce que je vois —»

«Laisse-la en dehors si ça ne te dérange pas.»

«Le prends pas mal, juste que les gens avec ce genre d'histoires finissent souvent en Californie s'ils font pas gaffe.»

«C'est une éventualité.»

«Tiens-nous au courant.»

Et merci et patati, mais ils préféraient dormir en ville. Il lui serait impossible de jamais redormir dans cette maison, jamais plus...

Pendant un jour ou deux après qu'ils se furent mariés, Deuce n'avait cessé de se répéter : Je ne suis plus seul. Cela devint une formule, quelque chose à quoi se raccrocher, impossible pour lui sinon de croire qu'elle était là, lovée dans la saignée de son coude, aussi légitime qu'une autre merci bien. Bon, d'accord, il y avait l'ami Sloat, alors c'est vrai que, d'une certaine façon, il n'avait pas été si seul que ça, non... Et le ménage à trois qu'ils formaient, après des mois d'apprentissage domestique, la formule qu'il marmonnait, pas toujours en silence, était devenue : Eh merde mais ai-je jamais été *pas seul*?

En outre, comme le temps passait, il s'était mis à rechercher son pardon, comme si c'était un trophée soigneusement gardé telle une virginité – y rêvant comme un vacher resté trop longtemps sur la route aspire à l'objet intact de son désir. Deuce, qui éprouvait en lui le lent et vorace progrès de ce besoin jusqu'ici insoupçonné, se mit à accumuler les bévues, cassant le pot de fleurs mexicain, oubliant de réparer le toit avant l'arrivée de la prochaine tempête, passant la nuit dehors à claquer l'argent du loyer, si bien qu'il avait toujours quelque chose à se faire pardonner.

Mais il ne se rendait pas compte à quel point Lake s'en fichait désormais. Puisque leur mariage ressemblait de plus en plus à une partie de poker dans la cuisine, elle n'accordait à son pardon guère plus de valeur qu'à un simple jeton de relance. Elle avait laissé l'urgence de la mort de Webb – de la vie de Webb – s'estomper telle de la fumée dans la pénombre qui s'amassait entre eux. À mille et un petits détails par lesquels il se trahissait, n'ayant jamais excellé dans l'art de la dissimulation, Lake en avait appris, ou soupçonné, bien assez pour continuer de se voiler la face. Mais il reviendrait à Deuce de retourner toutes les cartes. Et ce jour-là arrivait sur eux à la vitesse de l'avalanche.

Avec sa façon de savoir et ne pas savoir, elle disait quelque chose du genre : «Ton père est toujours vivant, Deuce?»

« Quelque part là-bas. Aux dernières nouvelles. » Il attendit qu'elle continue sur sa lancée, mais n'eut droit qu'à un regard circonspect. « Quant à ma mère, elle est morte pendant les grands froids de 1900. On n'a pas pu lui creuser de tombe avant le printemps. »

« Elle te manque ? »

« Je suppose. Bien sûr. »

« Elle a jamais pleuré à cause de toi ? »

« Pas devant moi, en tout cas. »

« T'as jamais fait pleurer *personne*, Deuce ? » Elle attendit qu'il hausse les épaules, puis : « Alors j'espère que t'as pas trop d'espoir de ce côté-là avec moi, parce que j'en ai fini avec les larmes. Sans doute que mon père m'a fait verser les dernières, qu'est-ce que t'en penses ? Le fait est qu'elles ont toutes coulé et que la sécheresse s'est installée. Il peut t'arriver n'importe quoi, je crois pas que je pleurerai. Ça te gêne pas ? »

Il la regarda bizarrement.

« Quoi ? » dit-elle.

« Ça m'étonne, c'est tout. Les larmes et tout ça, j'croyais que vous vous entendiez pas tous les deux. »

« Je t'ai dit ça ? »

« Ben non, pas avec autant de mots. »

« T'as aucune idée de ce que j'éprouvais pour lui ni d'ailleurs de ce que j'éprouve encore. »

Il comprit alors qu'il avait intérêt à sauver les meubles et à faire le gros dos, mais il n'en fit rien, il obéissait à quelque chose de plus fort que le simple intérêt personnel, il ne savait pas ce que c'était mais ça lui faisait peur parce qu'il n'avait aucun contrôle dessus. « Tu te rappelles comment c'était là-haut. Pas seulement les chemins de montagne où on est toujours à ça du précipice. Ces types de l'Association, c'est pas comme si une fois qu'ils t'ont embauché t'avais le choix. J'y étais pour rien, il se trouvait juste que j'étais disponible. Ils auraient pu prendre n'importe qui d'autre. » Voilà. C'était beaucoup trop.

Mais à quel point était-elle prête à dire « Tu aurais pu refuser » ?

« Comment ça ? »

« Te comporter en homme au lieu de ramper comme un serpent. »

Il aurait pu alors soupirer un petit coup et pas plus. « Ouaip, c'est ce que ton père a essayé de faire, et regarde ce qu'ils lui ont fait. »

« Excuse-moi, "ils", c'était qui ce "ils" déjà, Deuce ? »

« Qu'est-ce que tu veux dire, Lake ? »

« Qu'est-ce que tu essaies de taire ? »

Ayant peur des fantômes, Deuce s'était attendu à la visite de Webb. Dans des rêves guère différents de ceux qu'il faisait du temps de sa jeunesse maudite, il quittait Lake en pleine nuit, allait interpeller les ombres immenses des granges hantées, défiant ce qui s'y trouvait de s'avancer à découvert, dans un paysage désormais malveillant. Il guettait sans relâche des montagnes hautes de plusieurs kilomètres qui ne sortaient qu'à la nuit tombée, attendant de se rendre à bord d'un chariot sans conducteur jusqu'en haut de la colline dans un cimetière automnal où l'attendait l'homme qu'il avait tué. Des moustiques gros comme des bêtes de ferme, aux yeux aussi réincarnés et expressifs que ceux d'un chien, aux corps tièdes et souples comme ceux d'un lapin, se cognaient lentement contre lui…

Deuce avait parfois l'impression d'avoir passé la tête dans une toute petite pièce, à peine plus grande, en fait, qu'une tête humaine, une pièce proche et silencieuse. «Oui… pourquoi pas» – c'est tout juste s'il entendait sa propre voix – «je pourrais aller tuer *des tas* d'autres types? Et du coup j'arrêterais de m'en vouloir à ce point pour celui-ci…»

Comme cela arrive à tous les méchants tôt ou tard, Deuce finit par épingler sur lui l'étoile de shérif adjoint. Avant, dans les montagnes, et ce jusqu'à ce que les proprios viennent le chercher, il avait moins eu l'impression de travailler d'un côté ou l'autre de la Loi que d'être à l'abri d'un tel choix. Maintenant qu'il fuyait et n'était en sécurité que tant qu'il allait de l'avant, la décision lui paraissait si facile qu'une nuit où il n'arrivait pas à dormir il fut certain d'avoir perdu la tête, pendant une minute et demie.

Un jour, dans une prairie cernée à l'horizon par la brume, Deuce et Lake aperçurent un peu plus loin dans la circonférence verte une bande de terre couleur fumée. Étrangement attirés, ils décidèrent d'aller y voir de plus près. À mesure qu'ils s'approchaient, des détails architecturaux émergeaient de la laîche et du ciel éblouissant, et ils pénétrèrent bientôt dans le Mur de la Mort, Missouri, construit autour des vestiges d'une fête foraine, une des nombreuses inspirées par l'Expo de Chicago. Les forains avaient fini par lever le camp, laissant des ruines qui allaient être adaptées aux usages locaux, des éléments de la Grand-Roue ayant été depuis longtemps incorporés aux clôtures, fortifications, et chevalets de chariot, les poules dormant dans l'ancien dortoir, des étoiles muettes tournant au-dessus de la baraque à ciel ouvert de la diseuse de bonne aventure. La seule structure encore debout était le Mur de la Mort, une paroi de bois cylindrique, d'aspect fragile mais destinée à être démontée en dernier, décolorée par les intempéries, comportant un guichet, des gradins tout autour, un grillage séparant naguère les rangs estomaqués du spectacle endiablé.

La fête foraine était visitée par des pèlerins à moto, comme s'il s'agissait d'une ruine sacrée, scène de légendaires acrobaties, et vue d'en haut rappelait aux aéronautes les amphithéâtres romains dispersés sur l'ancien Empire, des ellipses vides au cœur d'anciennes villes fortifiées, des bribes d'une fatalité faubourienne apparaissant assez vite autour d'elle au gré des caprices humains, des périmètres nus devenant des boulevards ombragés grouillant de motards et de badauds venus piqueniquer, tandis qu'au centre obscur, sous les nouveaux viaducs, dans les passages suintant de nuit, le mur gris, le Mur de la Mort, persistait dans le silence et engloutissait les dernières énigmes…

« Il y a peut-être une entrée de service quelque part derrière », dit Lake. Ils imprimèrent une allure neutre à leurs montures.

Bizarrement, les gens à l'intérieur semblaient les attendre – ils arrivèrent chargés de ragoûts, de tartes, des poulets plumés ou non, les membres choisis du chœur méthodiste entonnant en rang : « Car c'est Toi, ô Seigneur » ; le Shérif, Eugene Boilster, qui était resté sur le seuil de son bureau toute la matinée à scruter la prairie, et probablement aussi le ciel, s'avança vers eux d'un pas décidé, les mains écartées en signe de bienvenue.

« Content que vous vous soyez pas perdus. Les deux d'avant, ou plutôt les trois, se sont perdus. »

Deuce et Lake comprirent en une fraction de seconde qu'on les prenait pour l'adjoint et sa dame censés arriver ce jour-là, et qui n'en feraient jamais rien, et peut-être échangèrent-ils un rapide regard. « Chouette petite communauté », dit Deuce. « Facile de la rater si on oublie d'ajuster son viseur. »

« On s'y connaît en armes, hein ? »

« Le dernier recours quand la raison et la persuasion échouent, bien sûr. »

« À vous de voir. »

Mais ce n'étaient pas les menus détails des délits quotidiens, les pénis coincés sous couvert d'expérience dans les essoreuses, les vols répétés de l'unique automobile en ville, les victimes consentantes des ordonnances de Happy Jack La Foam, le pharmacien local, qu'il fallait aller récupérer jusqu'en haut des poteaux télégraphiques et des beffrois, protéger des réunions de tempérance et des armes d'épouses à cran, non, ce n'était pas le tissu social que devait surveiller Deuce, ainsi qu'il s'en aperçut très vite, on attendait plutôt de lui qu'il soit d'astreinte vingt-quatre heures sur vingt-quatre dans l'éventualité d'une tout autre urgence, la prophétie embusquée derrière l'horizon sensé des crimes bénins, ce pour quoi on l'avait embauché tacitement, et qui ne pouvait être appréhendé, il en avait bien peur – comme on a besoin d'un télescope pour regarder une autre planète –, à l'aide du téléscripteur de police installé dans l'arrière-salle du poste du Shérif. Un engin professionnel, la prochaine étape dans le vingtième siècle après les têtes mises à prix sur les cartes postales.

Le dôme en verre de ladite machine recracha un jour des nouvelles désagréables, venant du Mexique via Eagle Pass. L'officier de service C. Marín, après avoir eu vent d'une fusillade dans l'enceinte de la ville, avait découvert, dans la *cantina* Flor de Coahuila, un Nord-Américain âgé d'environ vingt-cinq ans, répondant au nom (qui apparut inexorablement lettre après lettre sous le regard de Deuce) de Sloat Eddie Fresno, mort des suites de blessures par balle infligées selon des témoins par un autre Nord-Américain, pas de signalement précis, qui avait alors quitté les lieux et qu'on n'avait pas revu depuis.

Les yeux de Deuce se remplirent sans prévenir d'eau salée, une montée humide d'émotion picotante juste sous le nez, tandis qu'il s'imaginait devant une tombe balayée pittoresquement par le vent, tête baissée, chapeau à la main, « Pauvre vieux balourd, tu te gênais toi-même, c'était couru qu'ils te trouveraient, t'avais même rien à faire là, tu faisais juste ton boulot, couvrais les arrières de ton acolyte, méritais peut-être les travaux forcés mais pas d'être abattu dans une *cantina* entouré par une langue dont tu ne savais pas grand-chose à part *señorita chinga chinga* et *más cerveza*, pauvre idiot – bon sang, Sloat, tu fichais quoi là-bas ? » Tandis qu'il comprenait par voie rectale que quelqu'un avait l'intention de lui faire la peau, sentant son pouls s'accélérer sous l'effet de la haine, un témoin de leur passé commun violé et les barbelés souverains de la mort carrément défoncés. Deuce allait devoir foutre le camp de ce bureau, sauter en selle et détaler, puis dénicher et zigouiller l'enfoiré qui avait tué son poteau, le trouer jusqu'à ce qu'il y ait plus de merde que de sang sur les murs… Lake arriva au beau milieu de ces réflexions les bras chargés de linge ensoleillé et sentant l'aube du premier jour, indice fragile que rien de tout cela n'avait besoin de se produire…
« Qu'est-ce qui se passe, monsieur mon gardien de la Loi ? »

« Ce vieux Sloat. » Il tremblait. « Tu te souviens de lui ? Mon partenaire ? Le tien aussi si je me trompe pas. Descendu près de la frontière. Peut-être même par un de tes salopards de frangins. »

«Oh, Deuce, je suis désolée.» Elle voulut poser une main sur son épaule, se ravisa. Elle savait qu'elle n'aurait pas dû être ravie par cette nouvelle, mais sentit bien que c'était le cas. Devant le regard fixe et reptilien de Deuce, elle opta pour le bon sens. «Il avait le chic pour s'attirer les ennuis, tu sais, ça n'a peut-être rien à voir avec —»

«Tu restes fidèle à cette merde anarchiste dans laquelle t'as grandi», et là-dessus il s'en alla, sans un tendre baiser, sans porter la main à son chapeau, sans je-reviens-vite-chérie, juste le claquement étonnamment retenu du loquet derrière lui.

Les journées allaient désormais traîner leur misérable carcasse sur le chemin du Temps sans la moindre nouvelle de Deuce. Tant qu'elle ne gambergeait pas trop sur ce qu'il était censé fabriquer là-bas, son départ était presque un soulagement.

Plus tard, seule, alors qu'elle s'endormait, elle fut réveillée brutalement par un souvenir familier, vif, anal, et crut pendant une minute, se redressant d'un bond avec sa chemise de nuit autour des hanches, que Sloat était revenu d'entre les morts uniquement pour la baiser dans sa position de prédilection. Ce n'était pas la façon la plus tendre dont elle aurait pu se rappeler un être chéri – disons plutôt: désiré –, mais il est vrai que c'était Sloat qui avait surgi de la gueule même du néant pour venir jusqu'à elle, Sloat dont le sexe, ainsi qu'elle l'avait soupçonné un temps, pouvait se révéler plus résistant que la mort et ses solides murailles.

Tace Boilster passa la voir, histoire de fumer tranquillement des cigarettes sans avoir à se faire chapitrer à la maison.

«J'ai une idée de l'endroit où il va», dit Lake. «Au Texas. Pas forcément là où il se trouve, cela dit.»

«Quelqu'un le cherche, Lake?»

«Ça m'étonnerait pas, mais cette fois-ci il croit que c'est lui qui traque l'autre.»

«Zut. J'en déduis que c'est pas la première fois, alors?»

«Il va revenir. Dans tous les cas, qu'il se trouve un adversaire à tuer ou pas, ça va pas arranger son affaire ici.»

«Il a intérêt à faire attention en ma présence», dit Tace. Mais elle s'était départie de son visage d'épouse de shérif tel un adjoint qui ôterait son insigne. «T'as envie de m'en dire un peu plus sur ce qui se passe?»

«Tu les aimes roulées?»

«Ça oui. J'en fumerais bien une avec toi.»

«T'en as déjà une au bec, Tace.»

«Ah bon.»

Lake l'alluma et raconta à Tace toute la triste histoire. Pas très à l'aise au début, sa voix se changeant parfois en murmure, voire s'étranglant carrément. Au bout d'un moment, elle remarqua l'expression alerte et attentive de Tace derrière le rideau de fumée : « Je crois qu'y a vraiment quelque chose qui cloche chez moi. »

« Quoi ? T'as épousé quelqu'un qui a descendu ton père. » Elle haussa les épaules et écarquilla les yeux, d'un air mi-interrogateur mi-interloqué.

« T'en vois beaucoup des comme moi par ici ? »

Tace s'autorisa un bref soupir nasal. « Bon an mal an, je vois de tout. De jeunes élégants, des pères courroucés, la routine. Vous êtes peut-être allés un peu plus loin tous les deux, c'est tout. »

« Le vieux m'a virée de la maison. M'a jetée – j'aurais pu me retrouver dans un bouge mexicain ou morte, pour ce qu'il en avait à faire. C'est moi qui aurais dû le tuer. »

« Mais c'est Deuce qui s'en est chargé. Puis tu l'as rencontré. Et alors ? On peut pas dire que vous avez manigancé la chose à deux, non ? »

« Mais c'est moche, quand même. Papa est mort et je continue à le détester. Ça doit faire de moi un monstre, non ? Une fille est censée aimer son père. »

« Bien sûr », dit Tace, « dans les récits d'Elsie Dinsmore, ce genre. On a tous grandi avec ce genre d'histoires, et elles nous ont empoisonné l'âme. » Elle coinça sa cigarette entre ses lèvres et posa gravement une main sur celle de Lake. « Dis-moi un peu. Est-ce qu'il a jamais essayé de... »

« Quoi ? Oh — »

« D'abuser de toi. »

« Webb ? Webb était capable d'être un beau salopard, mais il n'était pas stupide. »

« Le mien, si. »

« Ton père ? Il — »

« Lui, et mon frère Roy Mickey par-dessus le marché. » Avec un étrange sourire, plissant les yeux dans la fumée, comme défiant Lake de faire le moindre commentaire.

« Tace. Oh, ma pauvre. »

« Ça fait un bail, c'est pas la fin du monde. Et j'étais plus inquiète pour Maman, à vrai dire. Mais ça n'a pas duré longtemps, ils se sont tous crêpé le chignon, et juste après Eugene est arrivé et j'ai vidé les lieux sans demander mon reste. »

« Ça n'aurait jamais pu arriver dans notre famille. »

« Oui, ben prends pas cet air triste, tu rates pas grand-chose. »

Elle rêva de Mayva.

Un écureuil sur un piquet de clôture. «Qu'est-ce que tu regardes, les yeux brillants?» Le rongeur, se redressant, inclina la tête, sans bouger. «Ouais, pour toi c'est facile, mais attends un peu que le vent change.» Tout en étendant la lessive sur la clôture, et en veillant à ne pas déloger l'écureuil. «Tous cinglés, tous autant que vous êtes.» C'était Mayva tout craché, car elle aimait s'adresser aux animaux, avoir presque des conversations avec eux. Un écureuil ou un oiseau restait là pendant ce qui semblait des heures, et elle lui parlait, s'arrêtant de temps en temps au cas où il aurait eu quelque chose à répondre, ce qui parfois semblait le cas. Lake jurait avoir entendu des animaux répondre dans leur propre langue et sa mère opiner gravement, comme si elle comprenait.

«Qu'est-ce que t'a raconté ce faucon, Ma?»

«Incendie de montagne près de Salida. Certains des siens ont été séparés. Cette femelle s'inquiète juste, c'est naturel.»

«Et un peu plus tard», les yeux de la fille grands ouverts comme des ancolies bleues en juillet, «quelqu'un est venu nous informer qu'il y avait vraiment un incendie là-bas.»

«Bien sûr, Lake», les garçons faisant avec leurs doigts le signe mexicain qui signifie *atole con el dedo*, «mais Maman a pu en entendre parler par n'importe qui. Elle sait que tu crois tout ce qu'elle raconte.»

«Impossible qu'elle l'ait appris avant que la malle-poste arrive.» Et eux d'éclater de rire.

«Ce n'était que la fille d'un dynamiteur», chantonnait Mayva dans son rêve, «mais les amorces sautaient, partout où elle passait...»

«Tu fais tout ton possible», lança-t-elle à sa mère, «pour nous détruire, et après tu t'enfuis, tu te caches, derrière le Mur de la Mort.»

«Tu veux nous rejoindre, là-bas près de la vieille rivière sombre, pour nous débiter ta liste de récriminations? Tôt ou tard quelqu'un sera ravi de t'aider à le faire. Franchement, Lake, t'es devenue aigrie en vieillissant.»

Lake se réveilla, mais si lentement qu'elle eut un moment l'impression que Mayva était vraiment dans sa chambre.

«Tu pourrais attendre qu'il revienne», conseilla Tace. «Ça arrive parfois. En revanche, t'attends pas à retrouver la bonne vieille paix des ménages.»

«Tu veux dire supporter de nouveau ce fils de pute, et pour un bon bout de temps si ça se trouve, vu que j'ai pas vraiment d'autres choix.»

«En plus, Eugene commence à râler à cause de toutes ces corvées supplémentaires.»

«Oh alors, dans ce cas, je crois que j'ai intérêt à prier super fort.»

Et puis un jour le vent hurla dans les fils télégraphiques et Deuce revint au Mur de la Mort. Ne sachant toujours pas – peu étonnant… – qui avait abattu Sloat. Il n'était parti qu'une semaine, peut-être dix jours, mais on aurait dit qu'il avait trimé pendant un an, la tête penchée, tout pâle comme s'il avait gardé la chambre.

Les choses ne changèrent pas, bien sûr. Sloat commença à lui apparaître à la fenêtre, il surgissait de la plaine nocturne déserte et disait: «Whoo-oo-ou, eh dis donc, minus, comment ça se fait que tu l'aies pas vu venir? Y a que moi qui étais censé te protéger?» Ce à quoi Deuce, s'il n'était pas alors trop paralysé par la peur, répondait: «Eh bien, je croyais que ça marchait comme ça, non? Tu disais toujours que —» Et ça continuait sur ce ton-là jusqu'à ce que Lake refasse surface dans l'aube claire mais guère prometteuse d'une nouvelle journée, en marmonnant: «Personne arrive à dormir correctement ici, bon sang…»

«Toujours cru qu'il y avait un grand secret. La façon dont ils se regardaient quand ils disaient certaines choses d'une certaine façon… Et maintenant voilà que j'apprends le fond de l'affaire.»

«Oh ma chérie», dit Tace Boilster. «Tu en es sûre, maintenant.»

Lake regarda l'épouse du Shérif. À leurs pieds, les bébés Boilster rampaient et trébuchaient, lâchaient, ramassaient et lâchaient de nouveau les objets.

«Bon, ce qu'il faut que tu fasses», continua Tace, «c'est te détendre un peu, laisser la chose te porter et t'emporter, et tout deviendra très clair parce que tu ne résisteras plus, les nuages de colère se dissiperont, tu verras loin et plus nettement que tu ne le croyais possible…»

«Oui.»

«Gaffe où tu mets les pieds, Lake, y a des trous d'eau par ici.»

«Il peut changer, Tace.»

«Et tu es l'ange de la commisération venu le changer?»

«Je sais que je peux.»

«Bien sûr.» Elle acquiesça en souriant, jusqu'à ce que Lake se détende, puis lâcha: «Et en quoi tu vas le changer?»

Lake pencha à peine la tête en avant, feignant l'humilité tout en gardant les yeux fixés sur ceux de Tace.

«Laisse-moi deviner. En quelqu'un de *tellement mieux* que ce qu'il est maintenant que t'auras plus besoin de penser à ce qu'il a fait. Ça t'évitera tous ces ennuis.»

«Pourquoi pas?» dit Lake, tout bas. «Quel mal y a-t-il à vouloir cela?»

«Vouloir? Eh bien, vouloir… si c'était moi, n'est-ce pas, j'essaierais de le changer en quelque chose de *pire*. De plus faible, de plus lent, avec pas trop de jugeote afin que je puisse me venger sur lui chaque fois que j'en ai envie.»

Lake secoua la tête. «Tss. Une femme de policier, digne de ce nom. Ne crois pas que j'y ai pas pensé – aller chercher son pistolet un soir, appuyer le canon sur sa petite tête ronflante», frappant ses paumes l'une contre l'autre, «amen. Même avec tout ce sang et le reste à nettoyer après, et ton Mr B. pour m'arrêter, oui – mais je ne le fais pas, hein?»

Tace crut avoir surpris une expression, une ombre se déplacer sur le visage de la femme, mais si vite, et émanant d'une source de chagrin si profonde qu'elle ne put jurer l'avoir vue. Et Lake pendant ce temps, sans doute un peu trop gaiement, reprit: «Mais supposons… que ce qu'il a fait… était une sorte d'erreur, tu vois, juste une erreur, Tace, t'en as jamais fait toi?»

«Se faire payer pour tuer ton père, tu parles d'une erreur.»

Oui, une grande question, qui planait en permanence, et elle ne la posait pas, et Deuce n'allait pas l'aborder, c'est sûr – à savoir: que savait exactement Deuce avant de passer à l'acte? Avait-il juste accepté d'être leur tueur à gages? ou de s'occuper particulièrement de Webb?

«Tu trouves qu'il est *profondément* bon», continua Tace, «juste un gosse qui s'est fourvoyé, c'est ça? Et tu te dis que tu vas le sauver, qu'il te suffira de l'aimer assez, d'aimer ton ennemi pour connaître une sorte de grâce rédemptrice valable pour tous les deux? Foutaises, ma petite dame.»

«Tace, si t'avais vécu dans ces saletés de montagnes, tu comprendrais, c'était tellement dur, fallait s'accrocher, et si jamais tu bossais, eh bien c'était pour eux. Eux – y avait qu'eux. Ils te disaient de t'en remettre à leur jugement, et tu crois qu'on avait le choix? Même si c'était pas joli, les gens acceptaient ce qu'on leur proposait. Deuce était partant, j'étais pas là et toi non plus, peut-être qu'il a cru voir Papa avec quelque chose dans la main, c'était une époque horrible, les mineurs se faisaient abattre tout le temps, si on te nommait adjoint, tu avais les coudées libres.»

Bon, elle n'était pas dans un tribunal dont Tace aurait été le juge. Aucune raison pour que Lake se donne autant de mal pour convaincre quelqu'un. Webb était-il armé ce jour-là? Était-il possible qu'il ait voulu descendre Deuce en premier et que Deuce se soit juste défendu?

La mort de Webb était déjà dure à encaisser, mais le pire c'était cette étrange froideur, ce chemin perdu menant à ce qui aurait dû être des souvenirs intacts, à son enfance achevée si brutalement, pour être obligée de vivre avec quelqu'un dont elle ne supportait plus rien, sauf quand il posait les mains sur elle, car alors. Oh, alors.

Et je n'arrive pas à le quitter, écrivit-elle dans le petit cahier d'écolière qui lui servait de journal intime, il peut me faire ce qu'il veut, je dois rester, ça fait partie de notre accord. Je peux pas fuir… parfois c'est comme si j'essayais de me réveiller mais j'y arrive pas… or je savais déjà n'est-ce pas, bien avant qu'on se marie, qui il était, et ce qu'il avait fait, et pourtant j'ai franchi le pas et je l'ai épousé. Je ne savais pas, mais je savais… peut-être depuis la première fois où j'ai vu qu'il me regardait, avec son beau sourire en guise d'excuse, comme si on était tous deux des célébrités et que chacun de nous était censé savoir qui était l'autre, sans lever le petit doigt, lui comme moi, même avec tout ce qu'on savait. Un marché qu'on a passé. Avec en permanence un fossé entre ce que j'aurais dû ressentir et ce que je manigançais, c'était comme un retour à la case Silverton, et personne ne s'en rendait compte, ils croyaient que je pleurais juste Papa ou que j'essayais de me changer les idées, ils me disaient qu'avec le temps je retrouverais le goût de vivre… mais je crois que je rêve et que j'arrive pas à m'éveiller…

Ah, si on était à Denver… si j'étais une fille de saloon… Elle raya les mots, mais rêva néanmoins à la chose, des romans de gare remplis d'activités louches. Lustres et champagne. Des hommes aux traits toujours indistincts. Des souffrances exquises, imaginées jusque dans le moindre détail. Des filles qui se prélassaient dans du linge de luxe en se passant un flacon de laudanum pendant les interminables nuits d'hiver. Une solitude que rien ne pouvait entamer. Une enfilade de chambres vides, lointaines, balayées par le vent qui sans cesse les traversait. Un dépouillement de cimes ensoleillées, une maison au cadre d'une pureté rectiligne absolue, sèche, blanchie, silencieuse hormis le vent. Et son visage encore jeune et délicat, connu de tous les bons à rien dans les San Juan, livré aux quatre vents des jours et de leur œuvre.

Quand il comprit qu'elle savait, et qu'elle comprit qu'il savait qu'elle savait, et cætera, quand ils surent qu'ils avaient franchi ces grilles fatidiques dont tous deux avaient eu peur, ouvertes comme par d'invisibles gardiens et refermées derrière eux, et qu'elle continua comme avant sans paraître vouloir l'abattre, Deuce put enfin cesser de jouer les durs et passer son temps à l'implorer, comme une femmelette, l'abreuvant d'explications, même si ça n'intéressait pas Lake, en tout cas de moins en moins. « Ils m'ont dit qu'il posait des explosifs pour le compte du Syndicat. J'aurais dû lui demander s'ils avaient raison ? Ils m'ont dit qu'ils avaient des preuves, qu'il menait une vie secrète dont personne ne savait rien. Bien sûr que j'y ai cru. Un anarchiste, dépourvu de la moindre conscience. Tuant femmes, enfants, mineurs innocents, qu'importe. Ils m'ont dit —»

«Je ne peux rien pour toi, Deuce, je n'ai jamais trop su ce qu'il fabriquait. Va plutôt voir un avocat.» Était-ce bien là sa voix à elle?

Mais même quand elle ne disait rien, il croyait entendre quelque chose. «C'était pour sauver des vies, voilà comment ils voyaient les choses. Je n'étais que leur instrument —»

«Oh – arrête tes jérémiades.»

«Lake... je t'en prie pardonne-moi...»

Une fois de plus à genoux pour faire une démonstration d'hydraulique oculaire, qui n'était pas aussi seyante chez un homme, ainsi qu'elle l'avait découvert, que le laissaient entendre les récits à l'eau de rose qu'on trouvait dans les revues pour dames. En fait, c'était même parfois franchement répugnant.

«J'avais peut-être la tête ailleurs à ce moment-là, mais je me rappelle pas que le pasteur ait dit "Aime, honore et *pardonne*". Relève-toi, Deuce, ça marche pas.» De toute façon, elle avait du travail – et ça ne pouvait pas attendre.

Mais le plus étrange, c'est qu'avec toutes les raisons qu'ils avaient de diverger pour de bon, il continuait de la désirer, autant – non, plus que jamais maintenant –, et Lake finit par être intriguée quand elle comprit que ça tournait en sa faveur, que ça provenait des fonds insondables de la nature masculine pour être versé sur un compte à son nom dont elle ignorait jusqu'ici l'existence, tels des intérêts réguliers – elle découvrit avec quelle facilité elle pouvait ignorer son regard ardent à l'autre bout de la pièce, se soustraire à ses caresses, choisir elle-même les bons moments et ne pas trop répondre à sa gratitude par un sourire narquois, sans jamais s'attirer les moindres représailles. En revanche, il était difficile de savoir si et quand il se réveillerait de ce rêve d'opium forcément provisoire, jusqu'où elle pouvait pousser sans risque le bouchon avant qu'il se réveille et se révèle trop rapide soudain pour qu'elle puisse se mettre à couvert... il convenait d'agir avec prudence et doigté – elle ne pouvait se permettre de se relâcher, car un mot de travers, un mouvement oculaire, une simple poussée de jalousie risquait d'actionner la trappe et de faire réapparaître le bon vieux Deuce, tout écumant de rage et prêt pour la curée.

Après toutes ces années d'esquives, de fausses déclarations et d'immenses efforts pour y échapper, Deuce renaissait impitoyablement à lui-même, et ça s'annonçait plutôt pathétique.

Contraint d'obéir aux exigences du quotidien, il comprit un beau jour dont il oublia la date que les Furies n'étaient plus à ses trousses, utahiennes ou autres, qu'une sorte de clause de péremption jouait et qu'il était «libre», même si ce n'est pas franchement l'impression que ça donnait.

Avec Lake, ils avaient voulu des enfants, mais tandis que les jours s'ajoutaient aux jours en un cycle ininterrompu, que les saisons se répétaient et qu'aucun petit n'apparaissait, ils finirent par craindre que ce ne soit dû à cette chose empoisonnée qui les séparait, et que s'ils ne prenaient pas de mesures nulle vie nouvelle jamais ne serait possible. Ils se rendirent donc en pleine nuit dans une lointaine masure au bord du fleuve, Lake s'allongeant à même le sol en terre battue tandis qu'un chaman sioux avec une incurable expression mélancolique chantait, en agitant des plumes et des ossements au-dessus de son ventre, Deuce s'obligeant à rester accroupi, humilié à répétition – un autre homme, un Indien, son échec personnel. Ils dépensèrent des sommes déraisonnables en produits pharmaceutiques allant de l'inefficace au dangereux, et Lake dut demander plus d'une fois un antidote à Happy Jack La Foam. Ils consultèrent des herboristes, des homéopathes et des magnétiseurs, et la plupart finirent par leur conseiller de prier, et les divers chrétiens du voisinage étaient toujours ravis de les éclairer sur la teneur exacte de la prière. Leur réputation finit par se bonifier, les murmures cessèrent au bout d'un temps, et ils n'eurent plus qu'à s'inquiéter de la condescendance locale.

«Tu ne dois pas te laisser abattre par les autres femmes, chérie», dit Tace. «Tu leur dois que dalle, et sûrement pas des enfants. Vis ta vie en espérant qu'elles s'occuperont assez de la leur pour ne pas trop se mêler de la tienne.»

«Mais —»

«Oh je sais, bien sûr —» Elle tendit le bras et rattrapa la petite Chloe, qui était sur le point de tomber du porche dans le massif de pétunias. Elle la souleva et feignit de l'examiner, comme un commis voyageur le ferait d'un échantillon. «Ils ont leur charme, peux pas dire le contraire. Et le Seigneur, dans Ses voies mystérieuses, compte sur certaines d'entre nous pour veiller sur eux au moins jusqu'à ce qu'ils fondent à leur tour une famille, bien sûr. Mais ça ne nous concerne pas toutes, Lake. D'autres ont d'autres chats à fouetter ici-bas. Mince, je voulais dévaliser des trains quand j'étais gamine – et pas seulement voulais, je savais que c'était mon destin. Avec Phoebe Sloper, on grimpait là-haut au-dessus du fleuve, on nouait de grands bandanas sur nos visages, et on passait la journée à se demander comment on allait s'y prendre. On avait fait un pacte.»

«Qu'est-ce qui s'est passé?»

«À ton avis?»

Cela débuta donc par une de ces petites discussions banales sur l'univers conjugal comme en avaient les couples quand ils trouvaient le temps, c'est-à-dire rarement, et son sujet porta presque immédiatement sur le fait d'avoir – ou, plutôt, de ne pas avoir – des enfants. Avant, ils mettaient la chose sur le compte des crises extérieures et des tensions – un gang se livrant à des déprédations dans le comté voisin, des accusations portées par des groupes de réforme dans le style de Kansas City –, mais ça prenait parfois un tour plus personnel, ils échangeaient des plaisanteries comme ta bite est trop petite ou peut-être que t'as chopé la chtouille quand t'es allé faire le mariole, ces débats s'achevant toujours prématurément par les larmes de l'autre, et la décision de persévérer.

Elle commit ce soir-là l'imprudence de lui demander pourquoi tout ça le rendait aussi triste, et il eut la sottise de bafouiller: «J'ai juste l'impression que c'est peut-être quelque chose qu'on lui doit.»

Pendant une seconde, elle eut du mal à croire qu'il parlait de Webb.

«Mon père.»

«Que si on —»

«Un bébé. *Nous* devons à Webb Traverse, décédé, un bébé. Tu crois qu'un seul suffira, ou est-ce qu'on devrait en ajouter deux ou trois tant qu'on y est histoire d'être vraiment sûr?»

Deuce se braqua lentement. «Je voulais juste —»

«Te contenter de m'épouser n'a pas marché, c'est bien ça? Tu as cru qu'en renonçant à ta merveilleuse liberté de tueur à gages tout rentrerait dans l'ordre. T'as vraiment perdu la tête. Tu te fourres carrément le doigt dans l'œil si tu crois qu'avoir un enfant peut annuler un meurtre. Il y a un prix à payer, c'est certain, mais je doute que la devise soit en bébés. Jamais.»

«Y a pas que moi.» Quelque chose dans sa voix l'incitant à plus de prudence.

Elle n'avait pas envie d'être prudente.

«Comment ça, Deuce?»

«Vers la fin, au Torpedo, il causait que de toi. Il aurait encaissé n'importe quel départ, mais toi, vraiment, ça a été le dernier coup de pied dans les dents. Un vrai cadavre avec une pioche à la main – une mise en scène, juste Sloat et moi, des détails, pour que ça ait l'air justifié. Tu ferais mieux de penser à ça avant de me tomber dessus. »

Elle renifla, en feignant de sourire comme s'il avait voulu la mettre mal à l'aise en public. « Un récit commode, des années plus tard, pas de témoins. »

« Il a beaucoup pleuré, plus que tu ne l'as jamais vu faire. Disait sans cesse "Fille de la tempête". Ça devait être un truc sur toi, tu l'as déjà entendu dire ça ? "Fille de la tempête". » Pas juste cette phrase, mais une imitation troublante de la voix de Webb.

Deuce était un petit gabarit et ne s'attendait pas au choc, n'eut pas le temps de parer, fut carrément renversé. Et en voyant à quel point c'était net et facile, elle se dit qu'elle devait lui en filer quelques autres avant qu'il se relève et se mette à rendre les coups. Deuce laissait toujours ses flingues au bureau, et Lake, comme la plupart des femmes de la ville, s'en remettait pour se défendre à des articles domestiques, tels que le rouleau à pâtisserie, la louche à potage, le crochet de foyer, et bien sûr la très populaire poêle à frire, qui avait figuré dans plus d'une plainte pour agression dans le comté du Mur de la Mort au cours de l'année précédente. D'ordinaire, les juges recouraient à la différence entre un manche de poêlon et une queue de poêle à frire pour estimer la gravité de la préméditation. Ce soir-là, Lake se dit qu'une poêle à frire en fonte Acme d'un diamètre de trente centimètres ferait parfaitement l'affaire, elle la dégagea à deux mains du crochet mural de la cuisine et s'apprêta à frapper Deuce avec. « Eh merde, Lake, non », d'une voix trop lente en regard de ce qui allait se produire. Il s'était cogné la tête contre quelque chose. Il était une cible idéale.

Elle se demanderait plus tard si c'était pour ça qu'elle avait hésité et regardé autour d'elle en quête d'une arme plus clémente. Mais quand Deuce se redressa en fixant avec intérêt le couteau à découper, Lake se décida pour la pelle à fourneau. Cela marcha à merveille, et la rage froide qui s'était entre-temps emparée d'elle facilita les choses. Deuce retourna à la position horizontale.

Tace et Eugene vinrent frapper chez elle, le Shérif encore à moitié endormi et préoccupé par ses bretelles. Tace avait les paupières sombres et tenait un fusil Greener, chargé et prêt.

« Il faut que ça cesse », dit-elle, puis elle vit Deuce à terre qui se vidait de son sang sur la toile cirée à motifs. « Eh zut. » Elle alluma une cigarette et se mit à fumer devant son mari, qui feignit de ne rien voir.

Plus tard, quand les garçons furent allés chercher du whiskey médicinal, Lake fit remarquer : « Bon au moins, c'était pas mortel. »

«Et alors? Où aurait été le mal? La seule raison pour laquelle ça l'a pas été, c'est que t'as frappé avec cette pelle en fer-blanc. Est-ce que ce petit fumier s'est racheté? Et si oui, quand?»

Tace faisait les cent pas.

«On pourrait croire», fit-elle au bout d'un moment, non pas à contrecœur mais comme si elle s'accordait un plaisir longtemps interdit, «que tu vaux pas mieux que ton petit mari. Que vous étiez de mèche depuis le début, que ton seul boulot c'était de nettoyer derrière lui et de veiller à ce que personne vienne le trouver pour se venger, surtout pas tes frères.»

Lake ne répondit rien, et après ça plus personne ne se parla pendant un bon moment à moins d'y être obligé.

«Bon d'accord, tu l'as peut-être vu, mais moi j'ai vu le gauche, non?»
déclara Neville.

«Je n'en doute pas», railla Nigel. «Mais tu parles du côté cour ou du
côté jardin?» Il baissa les yeux. «Celui-ci», désignant un téton. «Exact?»

Les deux jeunes hommes se trouvaient aux bains de Great Courts
et discutaient de Miss Halfcourt, leurs soupirs désolés se mêlant au
sifflement de la vapeur.

«On raconte qu'elle sort avec une espèce d'aspirant Apostelet du nom
de Cyprian Latewood.»

«Comme le Latewood du papier peint breveté? Sûrement pas.»

«Son descendant écervelé en personne.»

«Ces gonzesses mahométanes aiment vraiment s'enfiler», estima
Neville. «C'est la mentalité du harem, accorder ses faveurs aux eunuques,
tout ça. Tant qu'il s'agit d'un objet impossible.»

«Mais je doute qu'elle soit… mahométane?» protesta Nigel.

«Alors une sorte de métèque orientale, Nigel.»

«Pardon?»

«Allons, cher ami», dit Neville, mielleux, «tout ça reste entre nous.»

«C'est toujours mieux que de l'étaler au grand jour.» Faisant allusion
aux soliloques lacrymaux de Neville au German Sea ainsi que dans des
débits de boissons situés plus loin, après que Yasmina lui eut rendu une
breloque d'un goût on ne peut plus douteux, acquise chèrement par le
jeune homme temporairement dérangé.

Ils se prélassaient, en fumant comme des puddings, chacun observant
le pénis de l'autre avec un mol agacement. Leur débat sur la nudité de
Miss Halfcourt était motivé par une furtive excursion datant de la veille
au soir. À l'heure déprimante où tout le monde dort sauf les gitans et les
mathématiciens, la tradition voulait que les filles les plus effrontées
aillent se baigner en catimini dans la rivière, au-dessus de Byron's Pool,
et plus la lune brillait plus l'audace était de mise. La chose parvint on ne
sait comment aux oreilles d'un groupe de jeunes hommes, lesquels se

rendirent sur les lieux, poussés autant par la luxure que par la curiosité. Yasmina Halfcourt leur apparut alors dans le clair de lune, au milieu de ses servantes. Déclenchant une salve de remarques, allant d'expressions passe-partout telles que «D'enf!», «Chouettos!» ou «C'est de ça que je cause!» à des éloges dithyrambiques se prolongeant la nuit durant dans les chambres, s'achevant parfois par des sonnets, écrits quand l'excitation était suffisamment retombée pour permettre l'usage d'une plume, ou par un bref épisode de paralysie après l'avoir vue, elle ou quelqu'un qui était peut-être elle, à Cloisters Court.

Ainsi exposés, les deux N – soi-disant venus à King's College pour étudier la philosophie et les classiques, mais s'étant vu confier la mission de garder un œil sur Yasmina, non seulement pour le compte des S.O.T., mais aussi pour certains Bureaux de Queen Anne's Gate – éprouvaient une gêne étrange. À Newnham et Girton, on s'attendait à des mathématiciennes dans le style de la légendaire Philippa Fawcett, voire à des idylles avec des tuteurs dans la lignée de Grace Chisholm et Will Young, idylles qui, avec un peu de chance, pourraient évoluer en collaborations conjugales – mais certainement pas à cette extravagance de bayadère dont faisait preuve Yasmina. Ça choquait la bourgeoisie, sans parler des mathématiciens, à une échelle encore jamais vue. Et voilà que débarquait ce Latewood, dont la famille ne devait sa renommée qu'à de récentes acrobaties sociales, en tout état de cause une tante et, fort étrangement, l'objet des attentions de Yasmina.

«J'ai découvert l'autre jour la recette la plus effroyablement prometteuse de *bière à l'opium*, Nigel. On fait fermenter l'opium avec de la levure de bière, comme si on concoctait du malt ou de la cervoise. Et bien sûr on ajoute du sucre.»

«Sans blague. M'a l'air plutôt dégénéré, Neville.»

«Tout à fait, Nigel, vu que c'est une invention du duc de Richelieu en personne.»

«Çui des bonbons à la cantharide?»

«Lui-même.»

Ce qui suffit à les arracher à leur lassitude humide et les renvoyer à leur édifiante mission consistant à obtenir assez de drogues pour tenir jusqu'à la fin du trimestre.

Cyprian Latewood se rappelait avoir entendu son père dire aux enfants: «Branle-bas de combat. Au Q.G. et au poste de commande, avec l'ennemi à peu près partout.»

«Sommes-nous en guerre, Père?»

«Effectivement.»

«Vous êtes général?»

«Plutôt colonel. Oui, pour l'instant, au moins, tout à fait régimentaire.»

«Vous avez des uniformes, vos hommes et vous?»

«Viens un jour à la City, et tu verras nos uniformes.»

«Et l'ennemi —»

«L'ennemi, et c'est triste à dire, porte très souvent le même uniforme que nous.»

«De sorte que vous n'êtes pas toujours sûr —»

«On n'est *jamais* sûr. Un des nombreux aspects cruels de ce monde cruel, mais il vaut mieux que tu le découvres aujourd'hui, par moi, plutôt que de l'apprendre lors d'une expérience possiblement préjudiciable.»

«Et naturellement tu t'es plié à tout ça», jugea Reginald «Ratty» McHugh, agacé mais compatissant, environ quinze ans plus tard.

«Oui et non», supposa Cyprian. «J'ai eu le sentiment distinct de me retrouver avec un nouvel étendard à déshonorer.»

Les jeunes gens se prélassaient dans l'appartement de Ratty, ils buvaient de l'ale, fumaient des sobranies des Balkans, s'efforçant sans grand succès de se morfondre dans le plus pur style décadent des années 1890.

Quand le sujet de Yasmina Halfcourt fut abordé, avec l'inéluctabilité de certaines convergences mathématiques, tout le monde eut son mot à dire, jusqu'à ce que Cyprian lâche étourdiment: «Je crois que je suis amoureux d'elle.»

«Sans vouloir vous brusquer, Latewood... Vous. *Idiot.* Benêt. Elle, préfère, son, propre, sexe.»

«Zut, alors je *sais* que je suis amoureux d'elle.»

«C'est lamentablement voué à l'échec, Cyps.»

«Quand ai-je jamais eu le choix? Il faut bien qu'il y ait des types comme nous, c'est tout, sans quoi le banquet serait incomplet.»

«Z'avez pas choisi la facilité, l'ami. L'adjectif "limité" est faible en regard du succès à escompter auprès du genre de femmes —»

«Oui, bon, "le genre", c'est bien ça, si c'était seulement "le genre", ma foi, j'irais tenter la chance, n'est-ce pas, aussi maigre fût-elle. Et je me sentirais peut-être moins déprimé que je ne le suis.»

«Donc c'est cette Yasmina —»

«C'est Miss Halfcourt, plus précisément.»

«Mais Latewood, vous êtes une tante. N'est-ce pas. À moins que vous n'ayez feint depuis le début, comme c'est la règle ici?»

« Bien sûr bien sûr, mais je suis aussi… *amoureux* » – comme si c'était là un idiome étranger qu'il devait sans cesse vérifier dans un guide de conversation – « d'elle. Est-ce que je me contredis ? Soit, je me contredis. »

« Tout ça est bien joli, si on est le divin Walt, à qui le monde autorise un peu plus de manœuvre en manière d'antinomie qu'il ne le fera avec un individu aussi tristement prosaïque que vous. Comment comptez-vous, disons physiquement, exprimer votre désir ? À moins que – oh mon Dieu – vous ne cherchiez, comment dire, à passer, peut-être, pour un de ses admirateurs girtoniens, un xanthochroïde béat attifé comme un joueur de cricket ? »

« Je vous confie les plus profonds secrets de mon cœur, Capsheaf, et à quoi ai-je droit en retour ? À une salve laborieuse. »

« Oh mais c'est qu'on est méchant avec le monsieur. Vous pouvez utiliser mon mouchoir, si — »

« Peut-être pas après l'usage que vous en avez fait, Capsheaf, merci. »

« Quel amour, n'oubliez pas que ça peut toujours être pire, vous auriez pu finir comme le vieux Crayke, porté un peu plus qu'il n'aurait convenu, sur, heum, enfin… » Essayant de prendre la tangente.

« Porté sur… ? »

« Eh bien je croyais que vous saviez, comme tout le monde. Tenez, un peu d'ale, peut-être — »

« Capsheaf ? »

Un soupir. « Les shetland… Mais comment peut-on… ? Bon, plus précisément, les poneys shetland. Satisfait ? Maintenant vous savez. »

« Crayke et… »

« Oh, et aussi les femelles, apparemment. »

« Cette race n'a-t-elle pas la réputation… d'être vicelarde ? »

« Oui bon toi aussi tu serais aigri », intervint Ratty McHugh. « Rêver de l'affection d'un Arabe ou d'un pur-sang, et se retrouver au lieu de ça avec le vieux Crayke ? Franchement. »

« Il est encore… ici, à Cambridge ? »

« S'est retiré dans le Nord, en fait, avec son compagnon, dans une petite exploitation agricole tout à fait charmante, qui appartient à la famille depuis des siècles, sur l'île de Mainland, près de Mavis Grind… On parle d'eux, assez régulièrement, dans les journaux orthopédiques… Il dépense des sommes considérables en juristes bien sûr – même à supposer qu'ils puissent dégoter un officier de l'état civil disposé à légitimer –, eh bien ce que je veux dire, c'est que ça reviendrait très cher, hein. »

« Il — veut… *épouser*… »

«Oui, je suppose que ça peut paraître bizarre… sauf bien sûr quand on a déjà vu Dymphna, et qu'on a compris à quel point, du moins la plupart du temps, elle sait être charmante —»

«Excusez-moi, Capsheaf, mais est-ce là tout ce que je puis espérer en manière de compassion?»

«Tout à fait. Écoutez-moi, Cyps. Votre Halfcourt, si bref fût son séjour ici, a tout bonnement brisé une flopée de cœurs. Votre meilleur recours, le peu de temps que *vous* resterez, consiste à trouver un objet sain qui accaparera toute votre attention, comme, oh, disons, les études? On pourrait commencer par Thucydide, en fait.»

«Inutile. Je suis sûr d'y trouver quelque chose qui me la rappellera.»

Capsheaf leva les mains au ciel puis quitta la pièce en marmonnant. «Non mais franchement, McHugh, on se demande bien pourquoi tu portes cette fragrance bestiale d'héliotrope?»

Pendant ce temps…

«Hééé les fiiiilllles, r'gardez, c'est Piiiinky!»

«Sâââââ-lut, Pinnn-ky!»

«Tu sais quouâ, on va faire une tite fiestâ à Honeysuckle Walk, satt'di d'venir avec nous?»

«Dis-nous un peu, Piiinky, est-ce que tu es une gentille mathématicienne?»

«Ou plutôt une coquine?»

Lorelei, Noellyn et Faun – toutes trois blondes, bien sûr, la blondeur étant à cette époque devenue davantage qu'une simple affaire de pigment à Newnham et Girton: une idéologie à part entière. Le fait de se promener tête nue était également important, tout comme se faire photographier, le plus souvent possible, et par tous les moyens à leur disposition. «Vous êtes d'un albédo très élevé», leur avait-on expliqué, «vous êtes le sombre argent du négatif, l'or brillant du tirage…»

La blondeur locale menaçait de rendre dingue Yasmina. Un admirateur porté sur le poétique l'avait qualifiée de «noir rocher sur notre rive septentrionale, dont la lisse indifférence résiste aux assauts tumultueux et incessants de blondes vêtues de voiles blancs.»

«Suis-je donc si —»

«Le mot t'échappe, Pinky? Essaie "cruelle".»

«Essaie "sans-gêne".»

«Essaie *"sans merci"*.»

«Essaie de pas trop nous courir», marmonnèrent Neville et Nigel qui, sans vraiment espionner la scène, surprirent l'échange.

Cyprian était fasciné par les yeux, mais seulement par ceux qui se détournaient, soit par indifférence soit par dégoût manifeste. Il ne suffisait pas qu'elle lui rende son regard. Il fallait alors qu'elle le porte sur d'autres choses. Ça le faisait se pâmer. Ça l'aidait à tenir toute la journée et une partie du lendemain, parfois. Quel que fût le sentiment éprouvé par Yasmina, ce n'était pas de la fascination, mais ils prirent bientôt l'habitude de discuter ensemble, en général entre deux obligations universitaires.

« Non mais, franchement, Pinky — »

« Tu ne vois donc pas à quel point je déteste ce nom ? Je vais finir par penser que tu es comme toutes ces idiotes. »

L'expression qu'il prit alors pour la regarder aurait pu trahir quelque optimisme imparfaitement dissimulé. Fort heureusement, elle ne rit pas – mais elle aurait pu, songea plus tard Cyprian, se fendre d'un sourire un peu moins, disons, affligé.

« Tu brûles de l'encens sur le mauvais autel », murmura-t-elle, consciente de l'effet qu'avait sur lui sa voix basse. « Quelle bande d'idiots vous faites. »

Il n'aurait jamais cru qu'une voix de femme, rien que cela, quel que fût son propos, pût produire une érection. Or c'était, sans conteste, le cas. « Eh zut… » Mais elle avait obliqué et disparu en direction de Girton Gatehouse, et il se retrouva avec une gêne inélastique qui ne donnait guère signe de déclin. Même en conjuguant des verbes grecs dans d'obscurs temps gnomiques, une technique efficace en d'autres circonstances, ça ne marcha pas.

« Quoi. Il ne sait pas danser ? »

« Il en est incapable. »

« Largue-le », conseillèrent à l'unisson Lorelei, Noellyn et Faun.

« Vraiment, je ne vois pas ce que Pinky lui trouve ! » se récria Faun. « Et toi, Lorelei ? »

« "Si pour elle l'amour doit croître lentement"… », trilla Lorelei avec un joli haussement d'épaules.

« Tout dépend de la taille », supposa Noellyn, la plus réfléchie des trois.

« Oh, l'ami Cyps est bien doté », objecta Yasmina.

« Pour un sodomite au teint terreux incapable de contrôler ses pulsions publiques, tu veux dire », désapprouva Faun.

« Il a une ombrelle », ajouta Lorelei.

« Et une innommable tenue bleu foncé. »

«Mais il me fait rire.»

«Oui ils *sont* forts pour ça», concéda, sérieuse, Noellyn, «même si on entend, un peu trop souvent, la parade: "Il me fait rire." Or il y a rire et rire.»

«Et si c'est rire qui t'intéresse…» Lorelei tendit une des bouteilles de mâconnais qu'elles avaient apportées.

«Et cependant», dit Yasmina, «il n'y en a pas une d'entre nous, même pas toi, Noellyn, avec ton nez charmant toujours plongé dans quelque bouquin, qui n'irait pas courir après… je ne sais pas, George Grossmith, s'il nous adressait seulement un petit clin d'œil.»

«Hmm. Junior ou Senior?»

«Et n'oublions pas ce jovial Weedon», feignit de soupirer Lorelei.

Cyprian fit la connaissance du Pr Renfrew par l'entremise de Ratty McHugh. «Encore une de ces existences envenimées», avait conclu Ratty, «qui rêve de méfaits à une échelle internationale, mais n'en a pas les moyens – et qui, par conséquent, confinée entre les murs anciens de cet endroit riquiqui, est dangereuse, extrêmement dangereuse.»

Renfrew, en parfait omniscient, comprit immédiatement ce qui se passait entre Yasmina et Cyprian, et rédigea un rapport qui vint grossir la pile de dossiers qu'il tenait sur quiconque avait jamais croisé son chemin, y compris les serveurs, laveurs de carreaux, arbitres de cricket, jusqu'aux Huiles du ministère des Affaires étrangères et même les chefs d'État – bien que la présence de ces derniers se limitât bien souvent à de simples poignées de main distraites dans des queues lors des réceptions, accompagnées néanmoins de mentions telles que «Rechignant à regarder en face quiconque dans les occasions officielles», ou «Petites mains, signes de trauma, cf. dossier Guillaume II». Toutes ces données remplissaient désormais plusieurs pièces qu'il était obligé de louer à cet effet, ainsi que des meubles, des placards et des malles, ce qu'en privé il appelait sa «Carte du Monde». Les espaces vierges restants lui causaient une horreur subtile qu'on pardonnerait à un géographe sensible, et il nourrissait l'espoir que d'intrépides et jeunes explorateurs iraient sous ses ordres réunir assez d'informations pour combler de façon acceptable la tache blanche et aveuglante de l'Inconnu.

Pour une raison ou une autre, Renfrew s'était entiché de Ratty, et les deux hommes se rendaient même de temps en temps à Newmarket pendant la saison hippique.

«Et moi qui croyais être obsédé», plaisanta Cyprian en découvrant Ratty le nez plongé, contrairement à sa réputation louche, dans un pesant volume de rapports gouvernementaux ou, muni des huit volumes du *Dictionnaire bulgare-anglais* de Morse et Vassilev, s'efforçant de pénétrer les subtilités de la tenure foncière en Roumélie orientale depuis le traité de Berlin, en particulier l'impact de l'agriculture communale sur l'ancienne tradition *zadruga*.

«Uniquement parce que ça fait partie d'un ensemble», expliqua alors Ratty, «et ce depuis que les vieux *tchifliks* turcs ont été morcelés, n'est-ce pas, et surtout en vue de la tendance récente à la mobilité dans leur système de *gradinarski druzhini* —», puis, remarquant l'expression de Cyprian, «et je ne vois pas non plus de problème à te balancer ce volume, Latewood, dans la mesure où, vu ta nature gazeuse, cela ne devrait endommager ni le projectile ni la cible.»

Les paumes levées en gage d'ingénuité: «Je regrette juste parfois que mes professeurs n'aient pas été aussi exigeants, ça m'éviterait pas mal de déconvenues.»

«Nous ne sommes pas tous des créatures de Renfrew, tu sais.»

«Pourquoi est-ce qu'il regarde Yasmina de cette façon?»

«C'est-à-dire? Simple intérêt sexuel, je suppose, tous les membres de cette institution ne sont pas des sodomites, excuse-moi, tu es susceptible, je voulais dire "tapette" bien sûr.»

«Non, non, il y a autre chose.»

C'était bel et bien le cas. Ratty avait déjà plus ou moins entendu parler de la Carte du Monde de Renfrew, mais ne voyait pas l'intérêt d'en informer Latewood, qui à ce stade des choses était désespérément insensible à l'attrait de l'information et de ses usages. Ratty n'avait pas de dossier en cours sur elle, car il était plutôt quelqu'un de délicat, mais si l'on en croyait tous les baratins, échos et ragots déplaisants qui lui parvenaient, Miss Halfcourt avait *des liens avec l'Orient*, une expression à laquelle Renfrew était habitué, et qui suscitait assurément sa curiosité.

Les mois passèrent, il y eut Carême et Pâques, puis les grandes vacances. Yasmina retourna dans sa minuscule mansarde de Chunxton Crescent et remarqua immédiatement, à défaut d'une véritable divergence entre les S.O.T. et elle, du moins une impatience croissante concernant ce que leur «protection» avait fini par signifier – une surveillance incessante, qui ne se bornait pas au Bureau colonial et à la brigade de Queen Anne's Gate mais englobait les attentions moins visibles de l'Okhrana, Ballhausplatz et Wilhelmstraße, nécessitant des visites régulières à Whitehall afin d'accomplir les mêmes démarches vaines et lassantes devant des sous-fifres très souvent éblouis mais incapables, parfois, ne serait-ce que de localiser le dossier idoine. Lew Basnight était dans les parages, mais, les agissements de l'Icosadyade faisant de lui un cavalier imprévisible en société, il ne restait que les interminables raouts d'été infestés d'idiots. Pour échapper à ce désœuvrement, tel un rejeton jaillissant de quelque invisible bulbe ou graine profondément enfouis, vert, étonnant, surgit cet engouement quasi érotique pour la pensée de l'ancienne éminence grise de Göttingen, G.F.B. Riemann. Elle s'enferma dans la chambre du haut avec plusieurs ouvrages de mathématiques et entama, comme beaucoup d'autres à cette époque, une traversée précaire de la fonction *zêta* de Riemann et de sa célèbre hypothèse – presque négligemment donnée dans un article de 1859 sur le nombre de nombres premiers inférieurs à une grandeur donnée – stipulant que tous les zéros non triviaux avaient pour partie réelle un demi.

Neville et Nigel passèrent l'été à mettre au point leur propre hypothèse selon laquelle on pouvait s'en remettre à tous les membres de la race chinoise sans exception pour se procurer des produits à base d'opium. « Il suffit qu'un Chinetoque se pointe », comme l'expliqua Nigel, « et tôt ou tard il te conduira dans une "fumerie" et le tour est joué. » Ils se rendirent si souvent à Limehouse qu'à la fin ils y louèrent des chambres.

Cyprian fut accueilli avec méfiance quand il retourna au domicile familial de Knightsbridge, à défaut de chez lui. Il avait été initié très tôt aux activités sodomites par un oncle qui l'emmena avec lui à Paris pour vendre du papier peint. Un jour, désireux de célébrer un contrat juteux passé avec l'Hôtel d'Alsace, sur la rive gauche entre la rue Jacob et la Seine, Oncle Griswold avait conduit le jeune garçon dans une maison mal famée réservée aux hommes. « Comme un poisson dans l'eau », rapporta Griswold au père de Cyprian, qui fut déçu non par son frère mais par Cyprian. « On a voulu éprouver ton caractère », informa-t-il son fils. « Tu as échoué. Peut-être que finalement ta place est à Cambridge. »

Bien que Cyprian eût une vague idée de l'adresse de Yasmina, il ne lui rendit pas visite cet été-là. Très vite, au grand soulagement de tous, il prit le train puis le ferry pour se rendre sur le Continent, et il échoua à Berlin où il passa plusieurs semaines remarquables par leurs excès.

Tout le monde fut de nouveau d'attaque quand revint l'air vivifiant de l'automne. De nouvelles couleurs vestimentaires étaient à la mode, en particulier le cramoisi. De jeunes privilégiées arboraient des franges d'ouvrière. Le milieu du cricket s'emballait pour Ranji et C.B. Fry, et bien sûr pour l'imminente saison australienne. Des étudiants en ingénierie se réunissaient à New Court en plein midi sous prétexte de faux duels afin de découvrir qui savait dessiner et calculer le plus vite avec les règles à calcul Tavernier-Gravet qu'il était de bon ton cette saison-là de porter sur soi dans des fourreaux en cuir attachés à la ceinture. New Court était encore à cette époque un lieu turbulent, et l'intérêt pour le calcul céda vite la place à la consommation de bière, le plus abondamment et le plus rapidement possible.

Cyprian, tout en rejetant la foi anglicane de sa famille, sentit bizarrement, surtout quand résonnaient les répons graduels, nocturnes et brefs de Trinity et de King's College, qu'il était envisageable – précisément à cause de ses impossibilités, du chaos des carriéristes arrogants et des fonctionnaires obsédés par la hiérarchie, des jeunes choristes las et nerveux et des sermons narcotiques – d'espérer, non pas tant en dépit de, mais, paradoxalement, grâce à ce réseau confus d'imperfections humaines, l'avènement de l'incommensurable mystère, du Christ inconnaissable, dense, le seul à savoir comment, un jour sur une colline qui n'était pas Sion, il avait vaincu la mort. Cyprian attendait le soir à l'heure des complies, un peu à l'écart de la lumière tombant des fenêtres de la chapelle, se demandant où était passé son scepticisme, rarement sollicité ces jours-ci hormis par des spécimens vraiment horribles comme le *Te Deum de la Commémoration de l'élection kaki* par Filtham, un Te Deum qui – même si bâcler un Te Deum était considéré comme quasi impossible, les formules psalmodiques étant bien établies, même en ce qui concerne les notes sur lesquelles finir – néanmoins, par sa longueur abrutissante, sa violation discutable des lois régissant le travail des enfants, ainsi que son chromatisme implacable qui aurait rendu même Richard Strauss mal à l'aise, trop «moderne» pour être en mesure de captiver, était déjà connu parmi les jeunes choristes depuis Staindrop jusqu'à St. Paul sous le nom de «Fastideum de Filtham».

Pendant ce temps, Yasmina supportait de moins en moins Girton, l'idiotie épidémique, les exécrables règles vestimentaires, sans parler de la nourriture, que n'améliorait guère la lumière blonde et saturée qui tombait dans le réfectoire par la grande arche des panneaux supérieurs, éclaboussant les tables gigognes, les nappes et les filles bavardes. Elle se réfugia de plus en plus dans le problème de la fonction *zêta*, à laquelle elle se référait même quand la camarade de classe dont elle avait croisé et soutenu le regard pendant la journée arrivait sur la pointe des pieds après le couvre-feu, se glissait nue dans le lit étroit de Yasmina, oui, même dans ce moment rare et silencieux, elle continuait à s'interroger, se demandant pourquoi Riemann avait simplement avancé le chiffre d'un demi dès le début au lieu de l'inférer par la suite… «On aimerait bien sûr avoir une preuve rigoureuse de ceci», écrivit-il, «mais j'ai mis de côté cette recherche… après quelques vaines et brèves tentatives parce qu'elle ne sert pas immédiatement mon but. »

Mais alors cela n'impliquait-il pas…? La possibilité fascinante semblait à portée de main…

… et supposons qu'à Göttingen, quelque part parmi ses papiers, dans une de ses notes en attente de classement, il avait en fait été incapable de ne pas revenir là-dessus, hanté comme quiconque à dater de ce jour, de ne pas réexaminer la série d'une simplicité exaspérante qu'il avait trouvée chez Gauss et étendue afin de tenir compte de la totalité du monde-miroir «imaginaire» que même Ramanujan ici à Trinity avait ignorée jusqu'à ce que Hardy la lui fasse remarquer – revisitant, en quelque sorte rééclairant la scène, rendant possible la démonstration de l'hypothèse aussi rigoureusement que tout un chacun pourrait le souhaiter…

«Dis donc, Pinky, t'es là ou quoi?»

«Et tu es où, toi ma coquine, pas plus bas où tu devrais être, il me semble, nous devons arranger ça, n'est-ce pas…» Prenant la fille par ses cheveux blonds, assez brusquement et, d'un mouvement simple et gracieux, soulevant sa propre chemise de nuit pour chevaucher l'impertinent petit visage…

«Alors comme ça tu t'en vas au pays des Lederhosen?» dit Cyprian en cachant le plus possible sa mauvaise humeur.

L'étalage des petites vexations n'était pas au programme de leurs rapports.

«C'est mesquin de ma part, apparemment, mais je ne me connaissais pas moi-même avant de —»

«Dieu merci, tu ne t'excuses pas. Tu te sens bien?»

«Cyprian, je ne m'y attendais pas. On nous envoie ici, n'est-ce pas, pour qu'on reste dans notre coin, et qu'on ne gêne personne – les livres, les cours particuliers, l'enseignement, tout ça c'est secondaire. Pour que quelque chose, vraiment, se… s'éclaire il faut que… Personne ne me croirait si je… Oh, un ou deux types dans les classes de Hardy, mais certainement aucun à Chunxton Crescent. Hardy sait vaguement ce qu'il en est des zéros dans la fonction ζ mais il n'en raffole pas, tandis que Hilbert ne pense à rien d'autre, or il est à Göttingen, et j'éprouve aussi le même besoin obsessionnel, donc je vais à Göttingen.»

«C'est donc... mathématique», dit-il en clignant des yeux. Elle s'apprêtait à le fusiller du regard mais comprit alors où il voulait en venir. «Je savais que je le regretterais un jour. À part calculer des moyennes au cricket, je suis vraiment incompétent dans cette partie...»

«Tu penses que je suis folle.»

«Qu'est-ce que ça peut te faire maintenant ce que... ce que je pense?» Oh, Cyprian, se gifla-t-il aussitôt mentalement, s'il te plaît, pas ça, pas maintenant.

Elle était patiente aujourd'hui. «Ce que tu penses de moi, Cyprian? Mais ton avis a été ma lumière de scène – menaçant parfois de me consumer –, me changeant en *idéal de beauté*... Qui ne souhaiterait devenir, ne serait-ce qu'un instant, cette créature lumineuse... même avec les cendres pour destin?» Elle posa sa main sur la sienne, et il sentit juste en dessous de ses oreilles et sur sa nuque un frisson délicat qu'il ne put contrôler.

«Bien sûr.» Il prit une cigarette et l'alluma, lui en proposa une avec un temps de retard, qu'elle accepta en disant qu'elle la fumerait une autre fois. «Tu n'as guère d'avenir ici à part être un objet d'adoration. Je ne connais rien à Riemann, mais je sais au moins ce qu'est une obsession. Oh que oui.» Et cependant il n'arrivait pas à détourner les yeux de la longue courbe fascinante de son cou dénudé. Elle était obligée de le reconnaître, c'était bel et bien du désir – mais d'un genre plutôt spécialisé, de l'aveu même de Cyprian.

On aurait eu tort d'attendre du Pr Renfrew qu'il résiste à sa tentation de se mêler des affaires d'autrui: à la seconde où il apprit le départ imminent de Yasmina pour Göttingen, il se lança dans une campagne de subornation, voire de séduction – elle n'était pas encore fixée là-dessus.

«Pas un projet d'assassinat», lui assura le Grand Cohen lors d'une de ses nombreuses visites à Chunxton Crescent afin de le consulter. «Ça pourrait signifier tout aussi bien sa propre destruction. Je pense plutôt qu'il veut que vous portiez un coup fatal à la santé mentale de son homologue, Werfner. C'est un fantasme universitaire qui remonte au moins à l'époque de Weierstrass et de Sofia Kovalevskaya, quand il est apparu dans le folklore académique. Les années n'ont rien changé à son postulat de départ, qui demeure plus méprisable que jamais.»

Elle fit la grimace.

«Bon, vous présentez bien, c'est indéniable. Quand vous transmigrerez dans un autre corps, n'hésitez pas à en faire un peu moins au niveau attrayant. Un sujet du royaume végétal est souvent moins risqué.»

«Vous voulez que je renaisse sous forme de légume?»

«Il n'y a rien dans la doctrine pythagoricienne qui l'interdise.»

«Vous êtes d'un sacré réconfort, Grand Cohen.»

«Ce que je veux dire, c'est: soyez prudente. Ces deux-là ont beau être désespérément charnels, leur allégeance ne concerne pas ce monde-ci.»

«Charnels mais non séculaires? Très étrange. Comment est-ce possible? On dirait des maths, mais en plus pratique.»

«Vous avez reçu ça, au fait.»

Il lui tendit un paquet qui semblait avoir subi quelque irascible manipulation entre les mains de la Poste. Elle dénoua un bout de ficelle, défit l'emballage déjà déchiré et découvrit un volume in-folio grossièrement relié avec en couverture une chromolithographie en quadrichromie montrant une jeune femme dans une de ces poses assez suggestives comme on en voit sur les cartes postales balnéaires, un doigt posé sur ses lèvres charnues et luisantes.

«"La redingote silencieuse de Snazzbury"», lut tout haut Yasmina. «"fonctionne sur le principe de l'interférence, le son annulant le son, l'acte de marcher étant en gros un *phénomène périodique*, et le *froissement* caractéristique d'une redingote ordinaire une complication aisément calculable de la *fréquence ambulatoire* sous-jacente... Ce n'est que récemment qu'on a découvert, dans le laboratoire scientifique du Dr Snazzbury à Oxford, que chaque toilette individuelle pouvait être *accordée avec elle-même* au moyen de certains réglages structurels dans la coupe —"»

«On l'a trouvé dans le réfectoire», dit le Cohen avec un haussement d'épaules, «ou c'est ce qu'on a voulu faire croire. Un coup de Renfrew. Ça pue la farce à cent mètres.»

«Il y a un mot: "Indispensable pour les jeunes femmes. On ne sait jamais quand on en aura besoin. On vous a pris un rendez-vous. Amenez vos charmantes amies." Une adresse, une date et une heure.»

Elle lui passa le bout de papier.

«C'est peut-être dangereux.»

Mais Yasmina s'intéressait au problème dans son ensemble. «Si nous supposons que ce dispositif silencieux n'a de sens qu'en intérieur, est-ce pour la discrétion, la méditation, des moyens en vue d'une fin, une fin en soi – dans quelles circonstances une femme souhaitera-t-elle qu'on n'entende pas le frou-frou de sa robe? Pourquoi ne pas porter tout simplement un pantalon et une chemise?»

«Quand il faut également afficher une plausible féminité en public», supposa le Grand Cohen, «tout en accomplissant, en privé, quelque mission clandestine.»

« Espionnage. »

« Il doit savoir que vous nous direz tout. »

« Le ferai-je ? »

« Miss Halfcourt, essaieriez-vous de me séduire ? Renoncez. Les Grands Cohens sont à l'épreuve du flirt. Ça fait partie du Serment. Je reconnais que je suis curieux, tout comme vous, je n'en doute pas. Voilà mon conseil : faites un essayage et ouvrez l'œil, si possible. Puis écrivez-nous un rapport à votre guise. »

C'était en réalité un peu plus sinistre que ça. Ceux dont le boulot consistait à traquer les inventions récentes dotées d'un potentiel létal, même vague, et à établir des liens, éventuellement, avec des événements militaires et politiques survenus en Europe, assistaient avec une alarme légitime au ballet des Redingotes Silencieuses, qui s'était intensifié ces jours-ci, et rédigeaient de très longs rapports, mentionnant à peu près tout depuis les mouvements de troupes dans les Balkans jusqu'au prix des diamants en Belgique.

« Oui, très joli effectivement, nous en prendrons une centaine. »

Pause. « Cela nécessiterait un premier versement. Messieurs, vous êtes… eh bien… » Le regard retenu par l'énorme liasse de billets que l'émissaire avait sortie d'un portefeuille en cuir foncé frappé d'un sceau adéquat.

« Ceci fera-t-il l'affaire ? »

Et quand ils eurent quitté les lieux :

« Une centaine de femmes en mission, toutes silencieuses ? Pour combien de temps ? Permettez que je fasse preuve d'un certain scepticisme. Avec des rayures vertes, blanches et mauves, je suppose. »

« Non, ce ne sont pas des suffragettes. Elles veulent du crépon noir et une doublure en tissu d'Italie. Nous ne savons rien, nous sommes de simples intermédiaires dans cette affaire. »

Néanmoins, leurs voix tremblaient légèrement sous le coup de la gynécophobie, ou peur des femmes, des femmes silencieuses, dans leurs longues robes noires absolument silencieuses, traversant de longs couloirs qui semblaient s'étendre à l'infini derrière elles, la peur peut-être aussi de ces couloirs où ne résonnait aucun écho féminin, surtout quand l'éclairage était feutré… sans la moindre bribe de musique, sans les réconforts du commentaire, leurs mains libres de toute ombrelle ou tout éventail, lampe ou arme… Convenait-il d'attendre, de se retirer, de faire demi-tour, paniqué, et de fuir ? Quel dessein clandestin ? Et, plus troublant encore, quel soutien officiel ?

Yasmina, Lorelei, Noellyn et Faun, séchant les cours pour aller essayer les Snazzbury à Londres, avaient rendez-vous dans un atelier situé dans un lugubre immeuble industriel, plus près sans doute de Charing Cross Road que de Regent Street, après un carrefour à jamais noyé par les ombres des hauts immeubles qui l'entouraient. L'enseigne, en caractères modernes qui rappelaient les bouches de métro parisiennes, proclamait : L'ARIMEAUX ET QUEURLIS, TAILLEURS POUR DAMES.

« Voici les modèles de base… Mesdemoiselles ? S'il vous plaît. » On vit alors apparaître, glissant le long d'une rampe hélicoïdale – la géométrie exacte était difficile à déchiffrer dans l'ingénieuse structure d'ombre dont elle semblait faire partie –, une théorie de jeunes femmes, toutes de noir vêtues, dans un silence tel qu'on entendait même leurs respirations mesurées, têtes nues, sans maquillage, les cheveux tirés en arrière et maintenus si près du crâne par des épingles qu'il aurait pu s'agir de garçons ambigus, les yeux énormes et énigmatiques, les lèvres figées dans ce que nos étudiantes auraient qualifié de *sourires cruels* non dépourvus d'une once d'érotisme.

« Ça alors », murmura Lorelei en frissonnant un peu. « Celle-ci me plaît assez. »

« La parure ou la fille ? » demanda Noellyn.

« Suis pas trop emballée par les deux », renifla Faun.

« Oh Faun, il faut toujours que tu juges les gens. Et celle-ci, qui arrive juste derrière, elle t'a décoché des regards enflammés, tu n'as pas remarqué ? »

Si, et plus tard dans les salons d'essayage – ces mannequins hautains officiaient également comme essayeuses dans l'établissement. Yasmina, Faun, Noellyn et Lorelei, en corset, bas et sous-vêtements, se retrouvèrent à la merci du régiment de Silencieuses, qui s'approchèrent d'elles à pas feutrés, armées de mètres à ruban et d'étranges et gigantesques compas, et entreprirent sans préambule de prendre les mensurations les plus intimes qui soient. Protester fut inutile. « Excusez-moi, mais je connais quand même mes mensurations, et mes hanches ne sont certainement pas aussi larges que ce que vous êtes en train de noter là, même si c'est en centimètres… » « Oh, de grâce, est-il vraiment nécessaire de mesurer l'intérieur de mes membres, alors que l'extérieur devrait franchement suffire… ? Et, et voilà que vous me chatouillez, enfin, "chatouiller" n'est peut-être pas le mot, mais… hmm… » Malgré tout, leurs tourmenteuses œuvraient dans un silence têtu, échangeant des regards lourds de sens et croisant parfois celui des filles, les faisant alors rougir et se troubler, même si un observateur accidentel – ou, disons, clandestin – eût éprouvé quelques difficultés à jauger le niveau de naïveté ambiant.

Yasmina eut l'impression que le secret du Snazzbury résidait *dans la doublure*, la trame quasi microscopique du côtelé, qui après examen parut loin d'être uniforme par sa façon d'enchevêtrer les fils, variant plutôt, d'un point à l'autre, sur la surface donnée – une matrice étendue, chacune de ses entrées correspondant à un coefficient décrivant ce qui s'accomplissait sur le métier… Ces pensées en étaient venues à l'accaparer à tel point qu'elle eut l'impression de se réveiller quand elle s'aperçut, non sans perplexité, qu'elle se trouvait avec ses amies au sommet de la Grand-Roue d'Earl's Court, à quatre-vingt-dix mètres au-dessus de Londres, dans une cabine grande comme un bus, avec trente ou quarante autres passagers, qui devaient être des touristes anglais, tous occupés à s'empiffrer de hot dogs, de bulots et de pâté en croûte.

«Nous ne bougeons pas», dit tout bas Faun au bout d'un moment.

«Une révolution complète dure vingt minutes», fit remarquer Yasmina. «Afin que chaque cabine puisse s'immobiliser au sommet.»

«Oui, mais la nôtre est déjà là depuis au moins cinq minutes —»

«Un jour, elle est restée coincée pendant quatre heures», déclara une personne à la mise indubitablement faubourienne. «Pour dédommagement, mon oncle et ma tante, qui à l'époque se faisaient la cour, reçurent chacun un billet de cinq livres, comme dans la chanson – du coup, ayant à eux deux une jolie fortune, ils se précipitèrent chez le premier magistrat qu'ils purent trouver, après quoi ils achetèrent des parts de chemins de fer Chine-Turkestan et tout alla ensuite de mieux en mieux pour eux.»

«Ça vous dirait, un peu d'anguille en gelée?» fit un des vacanciers, agitant une portion sous le nez de Noellyn.

«Je ne crois pas», dit-elle, sur le point d'ajouter: «Vous êtes cinglé ou quoi?» avant de se rappeler où elles étaient, et qu'elles n'allaient pas tarder à revenir sur la terre ferme.

«Regardez, on voit West Ham!»

«Et là-bas c'est le parc, et Upton Lane!»

«Il y a plein de gars en bordeaux et en bleu!»

«Qui tapent dans quelque chose!»

Le monde, depuis l'Exposition universelle de Chicago, s'était soudain entiché de la rotation verticale à grande échelle. Le cycle, supposait Yasmina, n'avait peut-être que les apparences de la réversibilité, car, une fois en haut puis de nouveau en bas, on était «à jamais» changé. *A priori.* Elle passa ensuite à des questions d'arithmétique modulaire, en rapport avec le problème de Riemann, puis conçut les prémices d'un système de roulette qui lui vaudrait un jour d'être entourée de maîtres d'hôtel, de sommeliers et autres spécimens de liminalité lupine, et de devenir la merveille et le désespoir des gérants de casino sur tout le Continent.

Le groupe qui vint dire au revoir à Yasmina à la gare de Liverpool Street était composé de Cyprian, Lorelei, Noellyn et Faun, de plusieurs jeunes hommes énamourés, que personne ne semblait connaître, et de l'envahissant et toxique Pr Renfrew, qui lui offrit un bouquet d'hortensias. Il y avait des télégrammes, y compris un de Hardy, fantasque au point d'en être illisible, même si, quand elle se retrouva seule, elle le glissa en lieu sûr parmi ses bagages. Les hortensias, elle les jeta par la fenêtre.

Elle devait prendre le train de 8 h 40, arriver à Parkeston Quay à Harwich vers 10 h 10, et de là traverser en vapeur la mer du Nord, toujours noire et agitée, se réveillant à chaque violent ressac, interceptant dans une diaphonie onirique les rêves fragmentés des autres, égarant les siens, oubliant tout dans les striations froides et cruelles de l'aube, alors que le bateau atteignait Hoek van Holland.

« Dis donc, Cyprian, je te trouve bien vert ! »

« Sans parler de toutes ces *taches*. »

« Je crois que je vais le tâter juste pour voir s'il est mûr », et autres plaisanteries légumières de ce genre, Cyprian fournissant ainsi à Lorelei, Noellyn et Faun une utile distraction à leur mélancolie, laquelle aurait été sinon, supposait-on, sûrement insupportable. Mais en raison du départ, et comme obéissant à une inflexible tradition dynamique, il fallait que le silence se fasse à un moment ou à un autre.

Cyprian attendit d'éprouver la certitude intestinale qu'il ne la reverrait jamais. Il retarderait alors la rechute tragique, le temps de rentrer chez lui, puis s'abandonnerait aux larmes, et ça durerait indéfiniment, voire éternellement, ça raserait tout le monde sur un rayon de plusieurs kilomètres, l'impression de domestiques passant leur temps à essorer des serpillières – mais bien qu'il attendît, toute cette nuit, puis le lendemain (tandis que le train de Yasmina enjambait des canaux, longeait des coteaux boisés et l'asile de fous à Osnabrück, arrivait à Hanovre où elle dut changer de train pour se rendre à Göttingen), puis encore une nuit et un jour, bien qu'il attendît longtemps après qu'elle eut quitté Cambridge, en fait, aucune vague de tristesse ne s'abattit sur lui, et il comprit bientôt qu'une variété perverse de Destin, qui lui était déjà familière, qui ne promettait rien mais plutôt retenait tout, lui donnait l'assurance que rien de tout « cela » – faute de désignation plus précise – n'était vraiment une affaire classée.

La haute coque noire s'élevait au-dessus d'eux tel un monument aux périls marins, indifférente en apparence aux vagues de gaieté qui chahutaient sous elle. Les taxis s'amassaient par dizaines sur le quai, leurs chauffeurs à haut-de-forme noir et luisant attendant que la foule ait fini de souhaiter bon voyage et que chaque visage se tourne une fois de plus vers l'intérieur des terres, prêt à rentrer dans ce jour auquel tous avaient arraché quelques fugaces minutes.

« Je ne pars pas longtemps, Kate, je serai rentrée en un rien de temps. »

« Ton ami R. Wilshire Vibe m'a gentiment proposé une audition, j'y suis allée, et là on vient juste de me rappeler, alors peut-être — »

« Ne dis rien ! Quelle horrible nouvelle ! »

Katie rougit un peu. « Allons, ce vieux R.W. n'est pas si… »

« Katie McDivott. Ce qui arrive à nos jeunes est choquant, non — »

Mais la sirène du bateau poussa un mugissement sépulcral qui mit fin à toutes les conversations précédant le départ.

Katie resta jusqu'à ce que le paquebot ait reculé, avalé dans les méandres du port. Elle imagina des heures passées parmi les gigantesques balises, les bateaux administratifs, les postes de contrôle à mi-fleuve. Comme tout le monde, ses parents avaient quitté Cobh en bateau, mais elle était née plus tard et n'avait jamais été en mer. S'ils avaient vogué vers le futur, vers une forme inconnaissable de l'au-delà, que penser de ce voyage de Dally dans l'autre sens ? Une façon de s'affranchir de la mort et du jugement pour retourner à l'enfance ? Songeuse, elle fit tourner son ombrelle. Un ou deux chauffeurs de taxi lui jetèrent un regard admiratif.

Erlys et Dally attendirent d'être vraiment en haute mer pour oser parler ou écouter, comme si l'immensité inhumaine où elles se trouvaient le leur permettait enfin. Elles déambulèrent lentement sur la promenade du pont, bras dessus bras dessous, saluant de temps en temps d'un hochement de tête les passagères dont les chapeaux à plume frissonnaient dans la brise océane, évitant les stewards aux plateaux chargés… Les cheminées se dressaient dans le vent, les câbles d'antenne chantaient…

«Je sais que ça a dû être dur.»

«Eh bien, oui et non. Peut-être pas tant que ça.»

«Merle est toujours la même personne, tu sais.»

«Mouais. Ça a toujours eu du bon et du mauvais, bien sûr.»

«Allons, Dahlia —»

«Voilà que tu parles comme lui.»

Sa mère se tut un instant. «On ne sait jamais ce que l'avenir nous réserve. Je revenais du cimetière avec quelques dollars en poche, et voici que ce Merle apparaît au croisement d'Euclid, à bord d'un vieux chariot déglingué, et qu'il me propose de me déposer. Comme s'il avait attendu dans cette rue latérale que je passe.»

«Z'avez un faible pour les femmes en deuil?» ne put s'empêcher de demander Erlys tout haut.

«Il fait presque nuit et vous êtes à pied. Tout ce que je voulais dire.»

L'odeur âcre du pétrole imprégnait l'air. Les premiers cyclistes de l'été – pull clair, casquette et chaussettes rayées – filaient gaiement en escadrons bourdonnants le long du viaduc sur des tandems très en vogue cette année-là en ville. Les sonnettes des vélos tintaient sans relâche, par grappes entières, dans toutes sortes d'harmonies criardes, sonores comme des cloches d'église le dimanche mais peut-être plus fines de timbre. Des vauriens sortaient des saloons par les portes et parfois par les fenêtres. Les ormes jetaient une ombre profonde sur les cours et les rues, des forêts d'ormes à l'époque où il y avait encore des ormes à Cleveland, rendant visible le flot des brises, des balustrades métalliques entourant les villas des nantis, les fossés d'accotement remplis de trèfle blanc, un soleil qui se couchait tôt mais prenait son temps, d'une splendeur telle que Merle et Erlys le contemplèrent avec incrédulité avant de se regarder.

«Vous avez vu ça!» Elle tendit une manche de crêpe noire vers l'ouest. «Comme ces couchers de soleil quand j'étais gamine.»

«Je me souviens. Un volcan est entré en éruption, quelque part dans les Indes orientales, il y a eu de la poussière et des cendres dans l'atmosphère, toutes les couleurs ont changé, ça a duré des années.»

«Le Krakatoa», acquiesça-t-elle, comme s'il s'agissait d'une créature de livre pour enfants.

«Le cuistot du navire avec qui j'ai voyagé un temps, Shorty, il était là-bas – en fait à plus de trois cents kilomètres sous le vent, mais ça changeait pas grand-chose, c'était comme la fin du monde d'après lui.»

«Je croyais alors que tous les couchers de soleil étaient censés ressembler à ça. Tous les gosses que je connaissais. On y a tous cru un temps jusqu'à ce qu'ils redeviennent peu à peu normaux, alors on s'est dit que c'était notre faute, que c'était lié au fait de grandir, peut-être que tout le reste devait s'assagir de cette façon, aussi… et quand Bert m'a demandée en mariage, je n'ai guère été étonnée ou déçue de découvrir à quel point ça m'indifférait. Mais bon, on devrait pas causer ainsi d'un défunt.»

«Mais vous êtes encore toute jeune.»

«Devriez vous racheter des lunettes, l'ancien.»

«Oh, vous avez le droit de vous sentir aussi âgée que vous voulez.»

Quand elle prit place à son côté, sa tenue de veuve flottante révéla son ventre joliment bombé, et il hocha la tête.

«Elle doit naître quand?»

«Vers le 1er janvier, peut-être. Pourquoi, ça serait une fille?»

«Montrez-moi votre main.»

Elle la lui tendit, paume vers le haut.

«Ouaip. C'est bien une fille. La paume vers le bas, c'est pour les garçons.»

«Du baratin de romano. J'aurais dû le deviner à l'allure de ce chariot.»

«Oh, on verra bien. Pariez une petite somme si ça vous dit.»

«Vous comptez rester dans le coin aussi longtemps?»

Et la chose fut entendue, plus rapidement qu'aucun des deux ne s'en rendit compte vraiment à l'époque. Il ne lui avait jamais demandé ce qu'elle faisait seule à pied à une heure aussi inhabituelle, mais elle finit par le lui dire tout de même – les dettes de faro, le laudanum, le laudanum qu'on faisait passer avec des verres de whiskey, les emprunts catastrophiques et les créditeurs pires encore, la famille de Bert, les Snidell de Prospect Avenue, les sœurs en particulier, qui la détestaient cordialement, toutes sortes de turpitudes villageoises à l'échelle de Cleveland comme Merle avait dû en rencontrer au fil des ans mais qu'il lui laissa débiter gentiment en détail, jusqu'à ce qu'elle se soit suffisamment calmée pour ne pas prendre mal ce qu'il lui proposa.

«C'est pas une belle demeure d'Euclid Avenue, vous l'aurez peut-être déjà remarqué, mais c'est chaleureux et solidement bâti, il y a une suspension à lattes en métal de ma propre conception qui vous donne l'impression de voyager sur un nuage.»

«Bien sûr, et vu que je suis un ange j'ai l'habitude.»

Mais la partie la plus lumineuse de ce ciel tapageur venu de l'enfance était à présent juste derrière la tête d'Erlys, des mèches voletaient, et elle devina dans son regard ce qu'il croyait voir, et tous deux se turent.

Il louait un emplacement dans le West Side. Il leur fit réchauffer de la soupe sur un petit poêle à pétrole qui utilisait l'excédent de kérosène des usines Standard. Après le souper, ils restèrent un moment face à la plaine, à regarder au loin le fleuve sur lequel se reflétaient les lumières des vapeurs, des lampes à gaz et des feux de fonderie sur des kilomètres de méandres, le long de la Cuyahoga. « C'est comme de plonger son regard dans le ciel », dit-elle, fatiguée par la longue journée.

« Devriez dormir un peu », dit Merle, « vous et la petite. »

Il avait raison pour le chariot. Plus tard, elle se ferait la réflexion qu'elle n'avait jamais aussi bien dormi que cette nuit-là. L'air était encore suffisamment doux pour que Merle puisse dormir dehors enveloppé dans une couverture, sous un ciré monté sur des piquets, même si certaines nuits il allait en ville pour faire la bringue, ce dont elle ne voulait rien savoir, et ne rentrait pas avant le lever du jour... Puis l'automne se fit sentir, et ils partirent vers le sud, traversèrent le Kentucky jusqu'au Tennessee, conservant une longueur d'avance sur l'année changeante, s'arrêtant dans des villes dont elle n'avait jamais entendu parler, où il y avait toujours quelqu'un qu'il connaissait, un collègue pour lui indiquer où trouver du travail, ça pouvait être à peu près n'importe quoi, tendre des câbles de tram ou creuser un puits, et dès qu'elle comprit que même dans les temps difficiles il y aurait toujours du travail, elle réussit enfin à se détendre, à laisser ses soucis s'en aller ailleurs, et à concentrer toute son attention sur le bébé à venir, jusqu'au jour où elle sut avec certitude que « bien sûr ce ne serait pas juste une "fille", mais toi, Dally, c'est de toi que je rêvais, toutes les nuits, je rêvais de ton petit visage, tes traits précis, et quand tu es enfin venue au monde, je te connaissais déjà, tu étais le bébé de mes rêves... ».

Avec une patience exagérée, après un moment de réflexion : « Ouaip, mais juste après, à la première occasion, tu as — »

« Non. Non, Dally, je comptais revenir te chercher. Je pensais que je trouverais le temps, mais apparemment Merle n'a pas attendu, il est parti avec toi, sans me dire où. »

« Rien que sa faute, hein. »

« Non, Luca se faisait tirer l'oreille aussi... Il disait : "Oui, c'est envisageable", et "Non, allons-y", mais — »

« Oh, donc c'était rien que sa faute à lui. »

Un sourire ténu, suivi d'un hochement de tête. « Pas de quartier, non, pas de quartier cette fois-ci. »

Dally parut jubiler, mais sans plus de malice que ça, et laissa Erlys deviner toute seule ce que sa fille ne pouvait toujours pas lui pardonner.

«Je ne te mentirai pas. Luca Zombini a été le premier vrai amour de ma vie – pourquoi aurais-je fermé les yeux là-dessus? Avec Merle, oui, il est arrivé qu'on se laisse emporter par le désir, même s'il n'était, pour être franche, guère pressé comme qui dirait d'honorer une jeune veuve enceinte, moins par manque de raffinement courtois que par expérience – pour tout te dire sans trop d'illusions.»

«Et ça a été l'amour fou entre Luca et toi à la seconde où vous vous êtes vus.»

«Et ça continue, d'ailleurs —»

«Quoi? Vous deux —»

«Hmmm, hmmm, hmmm», chantonna Erlys, le regard profond et désarmant, en un vague accord mineur descendant.

«Mais je suppose que les bébés, ça a tendance à vous calmer un peu de ce côté-là.»

«Eh bien, comme nous l'avons découvert assez tôt, ça n'a pas été le cas. Et tu me manquais de plus en plus à mesure que les années passaient, et qu'arrivaient ces frères et sœurs que tu aurais dû avoir près de toi, et moi j'avais si peur —»

«De quoi?»

«De toi, Dahlia. Je n'aurais pas supporté que tu —»

«Je t'en prie. J'allais faire quoi, sortir un flingue?»

«Oh, mon bébé.» Dally n'était pas prête pour le trémolo étranglé qu'elle entendit alors, et qui trahissait – mieux vaut tard que jamais, supposa Dally – une culpabilité, voire de la peine. «Tu sais que tu peux tout me demander, je ne suis pas en position de —»

«Je sais. Mais Merle m'a dit que je ne devais pas en profiter. C'est pour ça que je n'ai jamais eu l'intention de faire plus que passer, dire bonjour et repartir.»

«Bien sûr. Me retrouver pour me quitter comme je l'ai fait. Oh, Dally.»

La jeune fille haussa les épaules, la tête penchée, les cheveux lui caressant les joues. «Mais ça s'est passé très différemment.»

«Pire que ce que tu pensais.»

«Tu sais, je m'attendais… à une sorte de Svengali, un bonhomme en cape, avec toi tout embobinée par son pouvoir hypnotique et —»

«Luca?» Dally avait déjà entendu ricaner sa mère, mais pas au point de se donner en spectacle. Des passagers se retournèrent et continuèrent leur promenade dans l'autre sens juste pour se régaler. Quand Erlys eut retrouvé son souffle: «À mon tour de te mettre mal à l'aise, Dally.»

«Je trouve juste très étrange la façon dont il me rappelle sans cesse Papa. Merle.»

«Tu peux dire "Papa".» Les joues encore rouges et les yeux tout brillants. «Peut-être que je ne suis qu'une assistante en paillettes – tu crois? – condamnée à tomber dans les bras du premier illusionniste venu?»

L'heure du dîner approchait. Des escouades de chefs de rang quittaient précipitamment la serre du bateau chargés de brassées d'œillets, de roses thé et de cosmos. Les stewards arpentaient les ponts en frappant des gongs miniatures avec des marteaux enveloppés de velours. Des odeurs de cuisine sourdaient déjà des ventilateurs de la coquerie. Mère et fille se tenaient par la taille sur le bastingage arrière. «Plutôt sympa, le coucher de soleil ici», dit Erlys.

«Oui, très joli. Peut-être qu'un autre volcan est entré en éruption quelque part.»

Avant le dîner, alors que Dally l'aidait à se coiffer, Erlys lui demanda d'un ton anodin : «Et qu'en est-il de ce jeune homme qui te regardait dans la salle à manger?»

«Quand donc?»

«Chère oie blanche.»

«Comment veux-tu que je sache? T'es sûre que c'est pas Bria qu'il reluquait?»

«Tu n'as pas envie de le savoir?»

«Pourquoi? Une semaine sur ce chaland et c'est fini.»

«Une seule façon de s'en assurer, je suppose.»

Dally feignit d'être fascinée par l'aspect métallique de l'horizon. Bien sûr, sa mère avait tapé dans le mille. Comment aurait-elle pu l'oublier? Quand était-elle censée commencer à l'oublier? Questions pièges, parce que c'était comme si elle s'était retrouvée dans la salle de bal de R. Wilshire Vibe, lors de ce premier regard fondateur.

Erlys dit : «Il vient de Yale. Se rend en Allemagne pour étudier les mathématiques.»

«Ça alors, juste mon genre.»

«Il croit que tu le snobes.»

«Alors là, c'est la meilleure, c'est à Yale qu'on a *inventé* cette attitude – attends, attends, comment sais-tu ce qu'il — Maman? Aurais-tu parlé de moi? Avec un…»

«Oui.»

«Et moi qui commençais à me dire que je pouvais te faire confiance.»

C'était davantage qu'une simple boutade. Non? Erlys posa un œil perlé sur sa fille, s'interrogea.

La salle à manger de première classe était pleine de palmiers, de fougères, de cognassiers en fleur. De lustres en cristal taillé. Un orchestre de vingt instruments jouait des airs d'opérette. Chaque verre à eau était soigneusement accordé à 440 Hz, les verres à champagne une octave au-dessus. L'orchestre, quand il s'accordait, encourageait les hôtes à faire tinter les bords de leurs verres vides, si bien qu'avant chaque repas un agréable carillon résonnait ici en se répercutant dans les coursives.

Les quatrième classe n'étaient séparées du pont extérieur que par des vitres à guillotine extrêmement minces, un espace aussi long et étroit qu'un compartiment de train, composé de banquettes et de porte-bagages en hauteur. On y trouvait des stewards tout comme dans les autres classes, qui apportaient des couvertures avec l'insigne du *Stupendica* brodé dessus, du café triestin dans des tasses, des journaux dans diverses langues, des pâtisseries viennoises, des poches pleines de glace pour les gueules de bois. Un groupe d'étudiants américains se rendant en Europe pour étudier voyageait en quatrième classe et allait régulièrement au bar pour fumer des cigarettes et s'insulter, et Kit en vint vite à préférer l'ambiance d'ici à son somptueux appartement deux ou trois ponts au-dessus, à l'avant du bateau.

Le seul autre mathématicien à bord s'appelait Root Tubsmith, et il était attendu à l'Université de Berlin pour étudier avec Fuchs, Schwarz et le légendaire Frobenius, l'inventeur de la formule du groupe symétrique qui portait son nom, connu pour ses impeccables conférences en Allemagne. Root avait décidé de se spécialiser dans la géométrie quadridimensionnelle, après avoir étudié avec le Pr Manning, à Brown. Contrairement au Département de mathématiques de Yale, celui de Brown enseignait les quaternions, mais malgré la différence de langage, Kit trouva Root fort enjoué, bien qu'un peu trop porté sur la bouteille, et apprit qu'il projetait, comme lui, de débarquer à Marseille.

Root fut son hôte ce soir-là en première classe et, dès qu'ils furent assis et que Root examina la carte des vins, Kit se surprit en train d'observer, à l'autre bout de la salle, une jeune femme à l'étonnante chevelure rousse, qui venait juste d'entrer avec une troupe d'Italiens. Certains enfants jonglaient déjà avec l'argenterie, réussissant on ne sait comment à ne pas se blesser avec les lames et les pointes scintillantes, tandis que d'autres parvenaient à faire tourner des assiettes au bout de baguettes flexibles, comme dans les Indes orientales. Serveurs, sommeliers et autres employés, loin de désapprouver, les encouragèrent et applaudirent bientôt les divers exploits, lesquels, on s'en rendit vite compte, témoignaient d'un professionnalisme certain. Rien n'était renversé, lâché ou brisé, les fleurs, les oiseaux et les écharpes en soie jaillis-saient comme par magie. Le Capitaine se leva de sa propre table pour aller s'asseoir avec la famille, et le patriarche passa une main derrière son oreille, faisant apparaître une coupe pleine de champagne à la mousse encore pétillante, tandis que l'orchestre jouait une espèce de tarentelle. La jeune femme était à la fois ici et ailleurs. Kit savait qu'il l'avait déjà vue quelque part. Ça le démangeait aux commissures de sa mémoire. Non, c'était un peu plus surnaturel que ça. Ils se connaissaient, c'est presque comme s'il avait rêvé un jour de cette rencontre…

Après le dîner, tandis que les messieurs se retiraient dans le fumoir, Kit se faufila à travers une grappe de Zombini de diverses tailles, et Erlys le présenta de façon assez vague, épargnant à Dally les bavardages inutiles. Cette dernière fut ravie de ne pas avoir à faire tout de suite la conversation.

À la différence des autres filles de Gibson, qui aimaient détourner le regard, sans parler du nez, comme si elles souhaitaient afficher leur indifférence non seulement oculaire mais également olfactive, Dally ne pouvait s'empêcher de dévisager la personne qui se trouvait en face d'elle, même si celle-ci ne l'intéressait nullement, ce qui était par ailleurs loin d'être le cas en cet instant précis.

Il l'observait en plissant les yeux comme s'il l'implorait.

«J'vous ai déjà vu», dit-elle, «à la résidence de R. Wilshire Vibe à Greenwich Village si je ne me trompe pas, lors d'une de ces étranges fêtes crépusculaires.»

«Je savais que c'était un endroit de ce genre. Vous étiez avec une fille en robe rouge.»

«Toujours agréable d'apprendre qu'on a marqué les esprits. Mon amie s'appelle Katie, un peu tard pour vous l'annoncer, mais je suppose que vous pourriez sauter par-dessus bord, nager jusqu'à New York, et aller à sa recherche…»

Kit se balançait légèrement au rythme de la musique et clignait poliment des yeux.

«Oui, et maintenant concernant cette Université de Yale, si ma question n'est pas trop indiscrète – y a-t-il d'autres Traverse dans votre classe?»

«Je pensais être le seul.»

«Vous n'auriez pas par hasard un frère dans le sud-ouest du Colorado? Frank?»

Le regard qu'il lui lança était moins étonné que circonspect. «Vous… vous venez de quelque part là-bas?»

« J'y suis passée, y a environ deux mois, ça semble deux ans, je regrette pas trop, et vous ? »

Il haussa les épaules. « Moi, c'est l'endroit qui ne me regrette pas trop. » Personne n'abusait personne. « Comment va ce vieux Frank ? »

« La dernière fois que je l'ai vu, il quittait Telluride, mais je suis pas sûre que c'était uniquement de son plein gré. »

Un reniflement compréhensif. « Ça se comprend. »

« Il m'a dit de passer vous voir. »

Soulevant un chapeau invisible : « On dirait que c'est chose faite. » Puis il retomba dans un silence qui perdura un peu trop.

Plutôt bien de sa personne, quand il n'était pas absorbé dans ses pensées. « Hum, Mr Traverse ? Monsieur ? Si je piquais une crise, ce genre, ça vous aiderait ? »

Ce qui lui valut avec un temps de retard ce regard de cow-boy auquel elle était habituée, suffisamment appuyé pour qu'elle remarque, ainsi que tous les autres, combien ses yeux étaient d'une agréable nuance bleue. Encore ces fichus lobélies.

Il regarda autour de lui. Les Zombini avaient fini de souper depuis longtemps et quitté la table. L'orchestre avait embrayé sur Victor Herbert et Wolf-Ferrari, et les danseurs occupaient la piste. « Venez. »

Il l'emmena sur le pont-promenade du *Stupendica*, sous la voûte étoilée, avec assez de lune pour distinguer les contours imposants des nuages, les couples installés au bastingage occupés à flirter, la lumière électrique déversée par les hublots changeant ses traits en un mirage indéchiffrable. Un autre jeune homme, en un autre endroit et avec d'autres soucis en tête, aurait sans doute concocté une déclaration ou au moins tenté un baiser. Dally avait l'impression d'être une bouteille d'eau de Seltz sur le point de jouer un rôle dans un interlude de vaudeville. Sûrement pas ce qu'on appelait le Coup de Foudre. Au mieux, une petite décharge électrique.

« Dites, est-ce que Frank vous a parlé de la situation familiale ? »

« Des types qu'ils recherchaient, son frère et lui, l'autre, le joueur de faro, il était venu à Telluride et en était déjà reparti, mais personne ne savait où, et Frank était très inquiet parce que quelqu'un le cherchait. »

« Bien. Frank est rarement aussi bavard, il devait vous faire confiance. »

Elle se força à sourire. Les gens qui avaient des ennuis n'étaient pas ceux qu'elle choisissait en premier pour lui tenir compagnie après le souper, mais à bien y réfléchir, qui d'autre connaissait-elle ?

« J'adore ces deux têtes brûlées », sa voix basse s'enflammant, « ce sont mes frères, ils croient me protéger mais ils ignorent que je suis dedans jusqu'au cou, dans tout ça —», englobant d'un geste le bateau, l'orchestre, la nuit, «le costard que je porte, acheté et payé en puisant dans le même compte bancaire que —»

«Vous êtes sûr de vouloir me parler de ça?» Ouvrant grands les yeux comme elle l'avait souvent fait à New York, quand elle voulait gagner du temps.

«Vous avez raison. Peut-être un chouïa trop sérieux pour une jeunette —»

«Une jeunette?» Feignant un intérêt poli. «Et quel âge avez-vous, morveux, pour me qualifier ainsi? Je suis étonnée qu'on vous ait laissé sortir de la crèche.»

«Oh, ne vous laissez pas abuser par mon visage. J'ai le nez creux, vous savez.»

«Suffirait de le presser pour qu'en sorte du lait.»

«Il y a encore vingt minutes je faisais une agréable croisière, loin de tout ça. Et puis vous surgissez, mon frère Frank, tout ça, alors si ça devait mal tourner je préférerais que vous restiez en dehors.»

«Vous préféreriez vous en occuper tout seul. Une histoire d'hommes.»

«Ne vous méprenez pas, mademoiselle. Un seul faux pas suffirait.» Il toucha un bord de chapeau imaginaire et tourna les talons.

«On aurait dit Luca quand il agite sa baguette», dit-elle à Erlys. «Pas exactement des manières de soupirant, Maman.»

«Propension à la morosité, semblerait-il.»

«Je n'ai aucune idée de ce que trafiquent ces types, pas plus qu'au Colorado. Sauf que ça sent le grabuge, et à plein nez.»

«Mouais. T'as le chic pour les dénicher.»

«Moi! C'est toi qui m'as *jetée* dans ses —»

Mais Erlys éclata de rire en écartant les longs cheveux de sa fille de son visage, une mèche à la fois, recommençant plusieurs fois, une tâche qui paraissait infinie, comme si l'acte en soi lui plaisait, sentir les cheveux de Dally entre ses doigts, la répétition, comme de tricoter... Dally semblait abasourdie, écoutant, n'écoutant pas, voulant que ça dure éternellement, désireuse d'être ailleurs...

«Tu es toujours une révélation, Dally», dit-elle au bout d'un moment. «Finalement, je crois que je peux remercier Merle pour quelque chose.»

«Comment ça?»

«Te voir enfin.» Lentement, d'un air pensif, elle prit la jeune fille dans ses bras.

«Encore les grandes eaux, ou quoi?»

« J'crois que ça pourra attendre. »

« Sacrifices maternels. Ça me dit quelque chose. »

« Dis donc, ça t'a tourné la tête », fit remarquer Bria.

« J'croyais le cacher plutôt bien. »

« T'es pas un peu jeune pour un étudiant, non ? »

Dally regarda ses genoux, puis par le hublot, et décocha enfin un bref coup d'œil au visage amusé de Bria. « Je ne sais pas ce qui se passe, Brì, je l'ai vu juste une fois à cette fête à New York, tu étais là toi aussi d'ailleurs, à lancer des couteaux, et je n'arrivais déjà pas à me le sortir de la tête, et maintenant le revoilà. Ça veut dire quelque chose, non ? »

« Certainement. Ça veut dire que tu l'as vu deux fois. »

« Oh, Brì, c'est sans espoir. »

« Écoute. Renseigne-toi sur son ami, l'espèce de blondinet qui picole pendant tout le dîner sans jamais s'écrouler. »

« Root Tubsmith, tout frais émoulu de Brown. »

« Il purgeait une peine pour quoi ? »

« Pas la prison, l'université, et lui aussi est un petit génie des maths. »

« Quelqu'un qui sait compter, ça peut toujours servir quand on fait du lèche-vitrines, hein – exactement mon genre de mec. »

« Bria Zombini. Honte à toi. »

« Une autre fois. Et si tu m'arrangeais un rancard ? »

« Ha. J'ai pigé. T'es censée me chaperonner. »

« M'a tout l'air d'être le contraire. »

On aurait dit que Kit et elle se trouvaient sur des vaisseaux distincts, des versions différentes du *Stupendica*, chacun s'éloignant sur sa propre trajectoire, chacun voué à un destin différent.

« Vous me snobez une fois de plus », le tança Dally.

Pas « nous autres les Zombini » – le singulier s'imposait désormais. Kit l'examina un long moment. « Je rêvassais. »

Nombre d'entre nous, la plupart peut-être, placent les croisières transatlantiques, surtout celles effectuées en première classe, en tête de la liste des plaisirs humains. Mais Kit, qui n'avait jamais quitté le plancher des vaches avant d'arriver à New Haven et d'admirer les merveilles du Détroit de Long Island, ne partageait pas cet engouement pour l'élément aquatique. L'isolement, la répétition des visages quotidiens, les petits tracas habituels intensifiés ici par l'inaccessibilité de la terre ferme, tout cela renforçait assez naturellement l'impression de malveillance, de conspiration, de traque... Plus ils s'éloignaient de la côte, plus l'horizon s'affirmait, et moins Kit était capable, ni d'ailleurs désireux, de résister à l'inévitable, à savoir accepter l'incroyable escamotage, l'absence de Webb.

Il s'enfonça dans le mutisme, la torpeur, longuement visité par des souvenirs de plateau désertique, de pics montagneux, de prairies pleines de pinceaux indiens et de primeroses sauvages, une rivière inattendue en contrebas de la piste – puis repartait à la vitesse de vingt nœuds dans l'incréé. Il ne savait pas trop ce qu'il éprouvait. Si quelqu'un avait prononcé le mot *désarroi*, il aurait haussé les épaules et allumé une cigarette, en secouant la tête. Pas ça. Pas exactement.

Le S.S. *Stupendica* n'était pas non plus ce qu'il paraissait. Il portait un autre nom, un nom secret, qui serait rendu public en temps voulu, une identité secrète, latente dans sa conformation actuelle, bien qu'invisible aux yeux du simple passager. Ce qu'il se révélerait être, en fait, c'était un élément de la future guerre européenne sur mer dont tout le monde attendait le déclenchement. Certains transatlantiques, après 1914, seraient convertis en transports de troupes, d'autres en hôpitaux flottants. Le destin du *Stupendica* était de rendosser son identité latente sous le nom d'*Empereur Maximilien* – un des nombreux cuirassés de vingt-cinq mille tonnes projetés par les chantiers navals autrichiens, mais, en ce qui concerne l'histoire officielle, jamais construits. La compagnie slavonne qui le possédait et l'exploitait semblait avoir jailli mystérieusement, en une nuit, de nulle part. Le simple fait de s'interroger sur les membres de sa direction était source de vives querelles dans tous les ministères européens. Au sein des cercles maritimes, personne n'avait jamais entendu parler d'eux. Le Service de renseignement naval britannique était dépassé. Bien que ses chaudières parussent de conception Schulz-Thorneycroft, un modèle qu'affectionnait l'Autriche-Hongrie, les moteurs étaient des cousins modifiés de ces mêmes turbines Parsons qu'on trouvait ces temps-ci dans les grands bâtiments de guerre britanniques, capables de filer à vingt-cinq nœuds et plus, quand les circonstances l'exigeaient, et tant que les réserves de charbon le permettaient.

Root Tubsmith avait découvert tout cela à force de fouiner dans les espaces inférieurs du navire, malgré des panneaux rédigés dans toutes les langues principales qui mettaient en garde contre le sinistre sort réservé à tout contrevenant. Il trouva de futures salles à obus et d'énormes magasins de poudre à l'avant et à l'arrière, des *cabines circulaires* fort curieuses, qui semblaient destinées aux tourelles – maintenues rentrées juste sous le pont principal pour l'instant mais prêtes, en cas de besoin, à être élevées hydrauliquement à une hauteur opérationnelle, leurs canons de trente centimètres entreposés tout en bas, qu'on hisserait au moyen de treuils et assemblerait en quelques minutes.

Le pont de franc-bord dissimulait quant à lui une salle pleine de torpilles. D'autres espaces situés au-dessus étaient conçus pour se replier vers le haut et dans d'autres directions grâce à des articulations complexes, afin de se changer en blindages et en casemates pour les armes de moindre calibre. Par ailleurs, le *Stupendica* était également en mesure de se transformer, en sacrifiant ses niveaux supérieurs, en un navire de guerre classique, plat, large, prêt à en découdre. Les matelots répétaient sans relâche le déroulement des différentes étapes, se familiarisant avec les bastingages par-dessus lesquels, sur ordre, ils devaient sauter aussi lestement que des trapézistes, pour commencer à peindre rapidement les flancs du bateau en camouflage «aveuglant» aux couleurs de la mer, du ciel et des nuages orageux, en faux dièdres dans deux tons d'ombre afin qu'ils ressemblent à des proues de bateaux, filant à des angles proches de l'inclinaison des vagues, pour se fondre à volonté dans l'invisibilité selon que les motifs se mêlaient ou s'arrachaient au fouillis des vagues. «Y a quelque chose là-bas, Fangsley, je le *sens*.» «Distingue pas grand-chose, chef…» «Oh ben, bordel! Qu'est-ce que c'est ça alors?» «Ah. Dirait une torpille, en fait, et qui trace droit par le milieu, aussi.» «Je le vois bien, espèce d'idiot. Je sais à quoi ressemble une torpille» – sur quoi cet échange intéressant est abruptement écourté.

En descendant échelle après échelle jusque dans les salles des moteurs du *Stupendica*, Kit et Root s'aperçurent que le bateau était plus profond qu'ils l'imaginaient, et de facture nettement plus horizontale qu'il n'y paraissait. Des visages se tournaient vers eux. Des yeux aussi brillants que les flammes des fournaises se fermaient puis s'ouvraient. Les jeunes gens furent en nage avant même d'être en dessous de la ligne de flottaison. Dans les soutes du bateau, des hommes poussaient des berlines remplies de charbon qu'ils allaient vider au pied des chaudières. Des vibrations lumineuses aux couleurs infernales éclairaient les corps noircis des chauffeurs chaque fois que les portes coupe-feu béaient.

D'après ce que Root avait été en mesure d'apprendre, le transatlantique *Stupendica*, cette paisible expression du luxe bourgeois, avait été construit à Trieste, à l'arsenal de la Lloyd autrichienne. Dans le même temps, parallèlement, également à Trieste, au Stabilimento Tecnico, la Marine autrichienne était en train de construire le cuirassé *Empereur Maximilien*. À un certain moment, dans le calendrier des constructions, les deux projets – les informateurs de Root avaient du mal à l'expliquer –

s'étaient *fondus*. Comment? Sur ordre de qui? Personne ne savait grand-chose avec certitude, sinon qu'un jour il n'y avait eu qu'un seul et unique navire. Mais dans quel chantier? Différents témoins se rappelaient différents chantiers, d'autres juraient que le bateau ne se trouvait plus «dans» aucun, mais qu'il apparut simplement sans prévenir un beau matin au large du Promontorio, tout frais jailli de quelque baptême nocturne, sans âme qui vive sur le pont, silencieux, imposant, nimbé d'un halo lumineux pour le moins anormal.

«Ça commence à ressembler à un récit en mer», fit remarquer un chauffeur américain du nom de Bodine, qui se prélassait contre une cloison en buvant une horrible pâtée de patates fermentées avant de quitter son poste et d'aller se coucher. «Quatre hélices, hein. Même le *Mauretania* se contente de trois. Pas un dispositif civil, ça. Ce sont des turbines de croisière. Oh oh, voici Gerhardt – *Zu befehl, Herr Hauptheizer!*»

Le Maître Chauffeur lâcha une impressionnante bordée de jurons. «S'énerve facilement», confia Bodine. «Un fort en gueule. Il vient juste d'avoir l'impression que le télégraphe allait bouger. Imaginez dans quel état il est quand cet engin bouge *vraiment*. Mais on devrait toujours voir le bon côté des choses.»

«Donc, c'est quelqu'un de bien.»

«Sûrement pas, z'avez qu'à l'accompagner en perm. Il est encore pire sur terre.»

On eût dit soudain que la Bande des Chauffeurs connaissait un violent paroxysme. Le télégraphe du pont se mit à tinter comme si toutes les cathédrales de l'Enfer célébraient une fête particulièrement importante. Les turbines de croisière furent éteintes, la pression en carburant et en vapeur augmenta, l'Oberhauptheizer, ayant sorti d'on ne sait où un Mannlicher à huit coups, mit en joue les jauges de pression, en proie à une grande irritation, comme s'il comptait les abattre au cas où elles ne fourniraient pas les indications correctes. Des cris de «*Dampf mehr!*» montèrent de toutes parts. Kit chercha la plus proche échelle menant à l'air libre, mais tout n'était plus que confusion et babélisme. Sa tête se retrouva enserrée dans une énorme main bitumineuse, qui le propulsa rapidement à travers les féroces palpitations lumineuses et l'infernal vacarme métallique jusqu'aux soutes latérales du navire, où des hommes chargeaient du charbon dans des berlines qu'on halait vers les fournaises des chaudières.

«Pas de problème», marmonna Kit, «il suffisait de demander.» Pendant ce qui parut des heures, il refit sans cesse le même trajet, perdant progressivement sa chemise et son débardeur, se faisant insulter dans des langues qu'il ne parlait pas mais comprenait. Tout le monde trimait. Il sentit qu'il perdait une partie de son ouïe.

L'Enfer s'était également déclenché en haut. Comme si des messages syntones, voyageant dans l'Éther, pouvaient être sujets à des influences dont nous ignorons actuellement tout, ou du fait peut-être de la qualité inhabituellement vibratoire de la réalité présente, les récepteurs qui crépitaient dans la salle Marconi du navire captèrent une activité située dans un endroit pas tout à fait de «ce» monde, plutôt d'un continuum latéral au nôtre... En milieu d'après-midi, le *Stupendica* avait reçu un message codé, l'informant que des unités de combat anglaises et allemandes se battaient au large des côtes marocaines, et qu'il fallait s'attendre à une guerre européenne à vaste échelle.

Des voix inquiètes jaillirent de mégaphones jusqu'ici passés inaperçus, enjoignant chacun à rejoindre son poste. Les systèmes hydrauliques entrèrent en action, tandis que des ponts entiers se mettaient à coulisser laborieusement, se pliant et pivotant, et les passagers se retrouvèrent coincés, souvent au péril de leur vie, dans cette retentissante métamorphose métallique. Cloches, gongs, sifflets et sirènes se joignirent à la cacophonie. Les stewards se dépouillèrent de leur livrée blanche, révélant des uniformes austro-hongrois bleu foncé, et se mirent à lancer des ordres aux civils qui quelques instants plus tôt leur en donnaient, et qui maintenant pour la plupart erraient dans les couloirs, désorientés et de plus en plus effrayés. «Barre à droite toute!» s'écria le Capitaine, et un peu partout le gigantesque navire, alors que la barre virait et que le bateau commençait à gîter abruptement, frôlant dangereusement son inclinaison maximale de neuf degrés, des centaines de petits désagréments se produisaient, les flacons de parfum glissaient sur le plateau des coiffeuses, les verres de vin basculaient et trempaient les nappes du restaurant, les danseurs qui auraient préféré conserver une distance appropriée avec leurs partenaires les étreignaient en titubant, occasionnant des blessures aux pieds et des dégâts vestimentaires, divers objets dans les quartiers de l'équipage tombaient des barres en U servant d'étagères le long des couchettes supérieures, une averse de pipes, blagues à tabac, cartes à jouer, flasques de gnôle, souvenirs vulgaires d'escales exotiques, qui achevaient de temps en temps leur trajectoire sur la tête des officiers – «En avant toute!» Alors que les tasses de café oubliées réapparaissaient uniquement pour se briser sur les ponts métalliques, que les sandwiches et les pâtisseries abandonnés envers lesquels l'entropie avait été particulièrement cruelle se manifestaient parmi des cris de dégoût multilingues, que des nuages de poussière et de suie s'abattaient à travers tout le vaisseau, et que la population des cafards, nouveau-nés, nymphes, et vieux de la vieille grisonnants confondus, s'imaginant un désastre planétaire, se carapataient comme ils pouvaient dans la confusion générale.

Dally tomba de sa couchette, roula et se retrouva sur le pont, suivie une seconde plus tard par Bria, qui atterrit sur elle en s'exclamant : « *Porca miseria!* C'est quoi cette histoire ? »

Cici arriva en courant. « Ce doit être Papa, qui pique encore sa crise ! »

« Ben voyons, toujours la faute du magicien », remarqua le vieux Zombini qui apparut sur le seuil en cape, « c'est le fameux numéro du Transatlantique Devenu Cuirassé. Personne n'a rien ? »

Bizarrement, c'était pour Kit que Dally s'inquiétait.

Après avoir viré follement et à grande vitesse un certain nombre de fois selon le même arc serré, le navire parut se ressaisir, ralentit finalement, retrouvant son assiette et se stabilisant sur une nouvelle trajectoire sud-est par est. Un coup d'œil à l'énorme boussole magnétique suspendue dans le salon pour distraire les passagers permit bientôt à tous de connaître le changement de cap. « Mais où diable allons-nous, alors ? » Les mini-atlas sortirent des poches. « Voyons voir, si nous avons viré à peu près ici… » La côte la plus proche semblait être celle du Maroc.

Dans les quartiers des ingénieurs, la situation revint lentement à la normale, pour autant que ce mot eût un sens ici-bas. Le télégraphe cessa d'exiger des vitesses insensées, chacun put enfin quitter son poste, les veilles de bâbord et tribord reprirent. La paix était de retour.

Quand les insultes se furent trouvé d'autres cibles et que Kit eut atteint une sorte d'invisibilité : « Bon, tout cela était extrêmement instructif », annonça-t-il, « et je crois que je vais retourner dans ma cabine de luxe, merci pour tout, et surtout à vous, chef Oberhauptheizer, hein… »

« Non, monsieur, non non – il ne comprend pas –, il n'y a pas de cabines de luxe, ce n'est plus le *Stupendica* là-haut. Cet admirable vaisseau vogue vers son destin. Au-dessus, désormais, vous ne trouverez que le cuirassé de Sa Majesté, l'*Empereur Maximilien*. Il est vrai que pendant un temps les deux navires ont bel et bien partagé une salle des machines commune. Un "niveau plus profond" où sont résolues les dualités. Une situation un peu chinoise, *nicht wahr?* »

Kit crut d'abord qu'il s'agissait là d'une farce que lui jouaient les Chauffeurs, et escalada furtivement les échelles dès qu'il le put. Des sentinelles armées de Mannlicher se tenaient devant le passage d'écoutille. « Je suis un passager », protesta Kit. « Je viens d'Amérique. »

« Ça me dit quelque chose. Moi-même je suis de Graz. Retournez en bas. »

Il essaya d'autres échelles, d'autres écoutilles. Il se glissa dans des puits de ventilation et se dissimula dans la blanchisserie, mais après cinq minutes tout cela n'eut plus de sens dans ce nouveau monde militaire, gris et sinistre, dépouillé de tout confort civil – plus de femmes, d'arrangements floraux, d'orchestre de danse, de grande cuisine – même s'il avala avec soulagement une ou deux goulées d'air pur. « Non, non, crabe de sentine, pas pour ton espèce. Retourne tout au fond, allez. »

Kit se vit attribuer une couchette dans les quartiers de l'équipage, qui étaient nichés dans la proue, et Bodine vint s'assurer qu'il allait bien. Il devint le Fantôme des Ponts Inférieurs, apprenant à se cacher dès que quelqu'un descendait, travaillant le reste du temps comme chauffeur régulier.

Pour un officier teuton, le Capitaine de ce vaisseau paraissait inhabituellement indécis, changeant d'avis toutes les deux minutes. Pendant plusieurs jours l'*Empereur Maximilien* courut la côte, cap au nord, puis de nouveau sud, aller et retour, de plus en plus désespéré, comme s'il cherchait la bataille navale épique qui selon le Capitaine faisait toujours rage… La première escale aurait dû être Tanger – actuellement, à en croire les rumeurs, sous le contrôle du chef de guerre local Mulai Ahmed el-Raisuli –, mais le Capitaine avait préféré pousser plus au sud, jusqu'à Agadir, la Reine de la Côte de Fer.

Kit finit par en comprendre la raison quand il remarqua une pile d'assiettes et de plats sales, provenant de la salle à manger de première classe, posée devant l'une des soutes à charbon vides. Intrigué, il passa la tête par la porte et découvrit à sa grande surprise un groupe d'individus qui vivaient ici, se cachant depuis le début, et parlant allemand pour la plupart. Ils devaient apparemment être débarqués sur la côte atlantique du Maroc en qualité de « colons » afin de justifier les intérêts allemands dans la région. Pour des raisons diplomatiques, on les séquestrait ici dans la salle des machines, à l'insu de tous sauf du Capitaine, dont les ordres cryptés comportaient quelques clauses concernant leur implantation forcée, à visée agraire, bien que le coin fût peu propice à l'agriculture, la côte étant autant battue par les vents que ses terres intérieures étaient à la merci des tribus soussis, lesquelles n'appréciaient guère la présence d'Européens en ces lieux. La côte était en fait fermée à tout commerce étranger par décision du jeune sultan Abd al-Aziz, bien que la France, l'Espagne et l'Angleterre eussent passé un marché accordant à la France le droit d'« ingérence pacifique » partout ailleurs au Maroc.

Comme dans un rêve, au-delà de la grise et implacable avancée des rouleaux, les colons en venaient à distinguer, à l'horizon, voire à sentir dans le vent, les légendaires Canaries, qui incarneraient bientôt leur unique espoir de délivrance. Nombre d'entre eux perdaient la tête et s'en allaient à bord de petites embarcations ou même nageaient vers l'ouest, sans qu'on entendît plus jamais reparler d'eux.

«Que s'est-il passé? On s'est endormis à Lubeck et on s'est réveillés ici.»

«Je vais à Göttingen», dit Kit, «si je peux transmettre le moindre message, ça sera avec plaisir.»

«Quelles sont vos chances d'y parvenir si vous vous cachez ici avec nous?»

«Échec momentané», marmonna Kit.

Des villageois, des commerçants soussis, des Berbères venus de la vallée, des marchands arrivés en caravane des montagnes et du désert délaissèrent leurs affaires quotidiennes pour aller sur la plage et observer, se demandant ce qu'ils risquaient. Rares étaient ceux à avoir vu un bateau plus grand qu'un navire de pêche, hormis quelques formes fugitives en haute mer, aux dimensions indéchiffrables. Des chèvres, perchées dans les branches des arganiers, s'arrêtaient de mastiquer les fruits oblongs pour contempler l'apparition métallique. Des musiciens gnaoua invoquaient le *mlouk gnaoui*, priant le gardien des Seigneurs Noirs pour qu'il ouvre les portes du Bien et du Mal. Tout le monde s'accordait pour dire que le bateau devait venir de très loin – on l'associait à l'une des «Grandes Puissances» mais sans que ça éclaircisse vraiment la question, car l'expression, ici sur cette côte isolée, recouvrait des possibilités qui dépassaient la géographie séculaire.

Les murs blancs et éclatants de la ville s'offraient au grand prédateur qui allait et venait, ouvertement et avec arrogance, dans les interstices tranquilles du quotidien, projetant des ombres acérées dans une brume de combustion qui émanait à la fois de ses cheminées et des feux allumés précipitamment sur la rive, en signe d'amitié ou de peur, on ne savait trop...

Ce fut par une nuit sans lune, comme réincarnés après une phase intermédiaire ou Bardo, que les passagers civils, au nombre desquels se trouvait Kit, se glissèrent par une ouverture dans le flanc de l'*Empereur Maximilien*, destinée à l'origine au lancement des sous-marins nains, et furent secrètement acheminés en canot jusqu'à la côte, après quoi le cuirassé reprit la mer. Kit, doutant fort d'avoir le moindre avenir dans la Marine des Habsbourg, avait décidé de débarquer ici, et il se trouva rapidement une chambre entre le port et la route de Mogador puis prit ses quartiers dans un bar du front de mer, le Tawil Balak.

«En ville ici, on est très cosmopolites», lui dit Rahman, le barman, «mais vaut mieux éviter de trop s'aventurer dans la vallée.» Un soir, un pêcheur descendit d'un chalutier à vapeur, le *Fomalhaut*, qui opérait indépendamment depuis Ostende, après avoir «perdu» plusieurs membres d'équipage à Tanger. «Il nous manque des hommes», dit le skipper à Kit. «T'es embauché.»

Le reste de la soirée fut assez nébuleux. Kit se rappelait avoir discuté du phénomène du double *Stupendica* avec Moïsés, un juif mystique qui habitait ici. «Pas inhabituel dans le coin, en fait. Jonas est un cas d'école. N'oubliez pas qu'il se rendait à Tarsis, dont le port, situé à huit cents kilomètres au nord d'ici, s'appelle aujourd'hui Cadix, mais dont un des autres noms est Agadir. La tradition dans cet Agadir-ci veut que Jonas ait accosté juste au sud d'ici, à Massa. Une mosquée commémore l'événement.»

«Deux Agadir», dit Kit, intrigué. «Il s'est aventuré dans l'Atlantique? Il a accosté à deux endroits à la fois, distants de huit cents kilomètres?»

«Comme si le Détroit de Gibraltar jouait le rôle de jonction métaphysique entre les mondes. À cette époque, passer par cette étroite brèche pour s'aventurer dans le vaste et incertain champ de l'Océan, c'était laisser derrière soi le monde connu, et peut-être ses conventions qui veulent qu'on ne peut se trouver que dans un seul endroit à la fois… Passé ce point, le bateau prit-il deux routes en même temps? Le vent souffla-t-il dans deux directions? Ou était-ce le gigantesque poisson qui possédait le pouvoir de bilocation? Deux poissons, deux Jonas, deux Agadir?»

«Cette fumée que je viens de respirer», dit Kit, «ça ne serait pas… euh, du haschisch?»

«Connais pas cette substance» dit le mystique, visiblement offensé.

L'établissement baignait dans la pénombre. Comme l'éclairage ordinaire était jugé inutile, une unique lampe brûlait, alimentée par de la graisse de mouton nauséabonde. Dans la Casbah, les gens chantaient pour entrer en transe. Quelque part dans la rue, les musiciens gnaoua jouaient du luth et marquaient la mesure avec des percussions métalliques, et seuls les voyaient ceux pour qui ils jouaient.

Ils avaient quitté la baie d'Agadir, contournant Ighir Ufrani alors que le soleil caressait à peine les cimes des montagnes et entamait sa course vers le nord-est, en direction de la Manche, hors de vue du littoral. À part quelques espèces locales comme le hareng de Mogador, l'*alimzah* et le *tasargelt*, les poissons qu'ils pêchaient à mesure qu'ils faisaient route vers le nord allaient du mauvais à l'insipide, et l'équipage estima que Kit était responsable de cet état de fait, jusqu'à ce que soudain, un matin, dans la baie de Biscaye, le *Fomalhaut* heurte pour ainsi dire un gigantesque banc de poissons composé de plusieurs espèces, d'une abondance telle qu'ils mirent à rude épreuve les treuils et les torons. «Ça devait arriver un jour», dit le skipper. «Saleté de Jonas à rebours, voilà ce que c'est. Regardez-moi ça.» Effectivement, plusieurs sortes de poissons figuraient dans le scintillement argenté qui se déversait dans les cales, sur les ponts et par-dessus le bastingage chaque fois que les culs des chaluts étaient ouverts. Kit fut affecté au tri des prises, et si au début on le jugea seulement capable de distinguer le poisson comestible du fretin, il réussit assez vite à faire la différence entre turbot et barbue, morue et colin, sole, plie et pagre.

Dès que le chalut de tribord était vide, ils sondaient à nouveau à bâbord. Le banc, vaste comme un continent, dans lequel ils voguaient à présent semblait infini. Kit s'aperçut qu'on le regardait encore plus bizarrement qu'avant.

Cela dura un jour et une nuit, puis il n'y eut plus de place à bord, pas même pour une petite sardine, et ils arrivèrent en cahotant à Ostende, s'engagèrent dans le Staketsel et descendirent le canal, les plats-bords quasi inondés. Il y avait des poissons dans les lazarets et les puits aux bouts, des poissons qui passaient par les sabords et bondissaient hors des cartes à mesure qu'on déroulait ces dernières sur la table, des heures plus tard, des marins trouvaient des poissons dans leurs poches, ainsi que dans leurs – «Ah, désolé, mon chou, ce n'est pas ce que tu crois —»

Pendant ce temps, laissant son double militaire errer dans les brumes, le *Stupendica* continuait son périple civil.

Bria essaya de remonter le moral à Dally. «Hé, tu sais ce qu'on dit des idylles en mer. »

«Parce que c'en était une, c'est ça? »

«Tu dois mieux le savoir que moi, c'est toi l'aventurière. »

«Et son ami? »

«Le vieux Rooty-Toot? Je me suis renseignée, il a dit qu'ils avaient été séparés dans la salle des machines et depuis personne n'a revu Kit. »

Dans quelle mesure devait-elle s'affoler? Dally passa le *Stupendica* au peigne fin, du pont supérieur aux recoins les plus profonds, demandant aux passagers, stewards, chauffeurs, matelots, officiers s'ils avaient vu Kit. En vain. Au dîner, elle avisa le Capitaine.

«Il a pu débarquer à Agadir, mais je vais envoyer un télégramme», promit-il.

Ben voyons. Tout ce qu'elle espérait à ce stade c'était que ce maudit lâcheur n'était pas passé par-dessus bord. Elle fouilla les espaces les moins peuplés du bateau puis s'allongea sur une chaise longue et contempla les vagues qui viraient obligeamment au foncé, volontaires, pentues, moutonneuses, tandis que le ciel se couvrait et qu'une tempête fondait sur eux par tribord avant.

À Gibraltar, le bateau parut s'arrêter, comme s'il attendait une autorisation. Dally rêva que les passagers avaient eu le droit de se rendre à terre pour un petit moment, et qu'elle contemplait depuis une aire nocturne, perchée dans les hauteurs orageuses, l'impitoyable et noir «Atlantique». Où donc était passé ce damné Kit? Elle eut brièvement une image nette de lui, quelque part au pied de la paroi rocheuse abrupte, il semblait pousser un petit bateau de fortune dans les immensités grises, sur le point d'embarquer pour quelque impossible traversée...

Le *Stupendica* repartit, longeant la côte méditerranéenne, dépassant des ports, des maisons et des falaises pâles parsemées de feuillages, les habitants vaquant à leurs affaires dans les rues pentues des villages, de petits caboteurs s'aventurant en mer mais tournant en rond telles des phalènes.

Erlys gardait une distance considérable, peu désireuse de s'appesantir sur ce revers romantique de Dally, d'autant plus que ni l'une ni l'autre ne semblaient avoir une idée très claire de l'importance que l'événement pouvait recouvrir. Dally s'était attendue à ce que Bria soit la première à se lancer, sauf que, bizarrement, sans bruit et sans aucun effort dont sa mère eût pu se rendre compte, Bria s'en était allée folâtrer à mille lieues de tout conseil avisé, jouant non seulement avec Root Tubsmith mais avec une bonne partie des passagers de quatrième classe comme avec des poissons dans un bassin artificiel.

Comme si elle s'était brièvement absentée de sa vie et s'était vu offrir la possibilité de voyager sur une trajectoire parallèle, suffisamment «proche» pour qu'elle puisse se regarder agir, Dally découvrit une route alternative sur terre, allant de port en port, se déplaçant plus vite que le bateau... Elle filait, légèrement au-dessus du niveau du sol, dans le crépuscule embaumé de la fin d'été, parallèlement au bateau... peut-être, de temps en temps, par une trouée dans les dunes, les broussailles et les murs de béton bas, entrapercevant le *Stupendica*, qui longeait la côte éternelle, tenace et lent, tous les détails, plis et projections devenus gris comme le corps d'une mouche vu à travers ses ailes... tandis que la nuit tombait et que le bateau, dépassé, peinait en retrait... Elle retournait alors sur sa chaise longue, essoufflée, en nage, euphorique sans la moindre raison, comme si elle venait d'échapper à une menace secrète.

Ils firent escale à Venise en pleine nuit et dans un épais brouillard afin de permettre une brève et spectrale transaction. Dally se réveilla, scruta les ombres par le hublot et vit une flottille de gondoles noires, chacune dotée d'une unique lanterne et ayant à son bord un unique passager enveloppé dans son manteau, solidement campé et regardant droit devant lui quelque chose que lui seul paraissait comprendre. C'est ça Venise ? se rappelait-elle avoir pensé, avant de retourner se coucher. Au matin, ils atteignirent enfin la destination du *Stupendica*, Trieste. Des foules s'étaient amassées sur la grand-place pour l'accueillir. Des dames avec d'énormes chapeaux, au bras d'officiers de l'armée austro-hongroise en uniforme bleu, écarlate et or, se promenaient le long de la Riva avec l'assurance que confère le rêve. Une fanfare militaire jouait des pots-pourris de Verdi, de Denza et de la coqueluche du coin, Antonio Smareglia.

Dally s'abandonna doucement à la cohue du débarquement. On eût dit qu'elle restait immobile. Elle n'avait même jamais entendu parler de cet endroit. Pour Kit, on verrait plus tard – où donc était-elle ?

Suivi par les regards équivoques de l'équipage du *Fomalhaut*, Kit toucha sa paie à Ostende, s'avança d'une démarche chancelante sur le quai des Pêcheurs, monta à bord du tram électrique et se rendit jusqu'au Continental où, pour une raison inconnue, il supposait qu'une chambre lui avait été réservée. Mais on n'avait jamais entendu parler de lui. Presque vexé, il était sur le point d'invoquer le nom de Vibe quand il aperçut son reflet dans l'un des miroirs à cadre doré de l'entrée, et la raison reprit le dessus. Nom d'un chien. On aurait dit un débris rejeté par la mer. Et dégageant la même odeur, d'ailleurs. Il ressortit, prit un autre tram, qui l'emmena en ville par le boulevard Van Iseghem avant de prendre plusieurs fois à gauche et de repartir en direction des bassins. Les foules qu'il croisa avaient une allure nettement plus urbaine que la sienne. Parvenu sur le quai de l'Empereur, autrement dit presque d'où il était parti, Kit descendit sans trop savoir quoi faire, entra dans un estaminet et s'assit dans un coin devant un verre de bière à douze centimes, puis considéra sa situation. Il avait assez d'argent pour se payer une chambre au moins pour la nuit, avant de trouver le moyen de se rendre à Göttingen.

Ses ruminations furent interrompues par une violente dispute à l'autre bout de la salle, au sein d'un petit groupe aux mises négligées, voire miteuses, de nationalités et d'âges divers, dont l'unique langue commune, comme s'en rendit bientôt compte Kit, était celle des Quaternions, même s'il ne se rappelait pas avoir jamais vu dans un même endroit autant de membres de cette religion menacée. Plus étrange encore, il s'aperçut que ces derniers semblaient le reconnaître – non que des signes et des codes maçonniques fussent échangés, pas exactement, quoique —

«Par ici, Kellner! Un demi de lambic pour le gars avec des algues sur son costume», lança un énergumène enjoué qui portait un chapeau de paille tout cabossé qu'il semblait avoir ramassé sur la plage.

Kit fit ce qu'il espérait être le signe universel pour indiquer de maigres ressources en retournant une paire de poches imaginaires, le tout accompagné d'un haussement d'épaules en guise d'excuse.

«Pas d'inquiétude, cette semaine c'est le Département de mathématiques de Trinity qui régale, de vrais sorciers pour ce qui est de résoudre des équations de biquaternions, mais montrez-leur une note de frais et heureusement pour nous ils ont un passage à vide.» Il se présenta: Barry Nebulay, de l'Université de Dublin, on fit de la place, et Kit se joignit au groupe polyglotte.

Toute la semaine précédente et celle-ci, les Quaternionniers avaient convergé sur Ostende pour participer à une de ces Conventions mondiales qui se tenaient un peu partout à un rythme irrégulier. Dans le sillage de la friction transatlantique des années 90 connue sous le nom de guerres des Quaternions – dans lesquelles Kit sentit que Yale, patrie des vecteurs gibbsiens, avait été un belligérant de premier plan –, les vrais Quaternionistes, battus à plate couture ou, au mieux, se sentant tout à fait incongrus, erraient de nos jours de par le monde en ordre dispersé, sous les cieux jaunes de Tasmanie, au fin fond du désert américain, dans les hauteurs alpines de la Suisse, se réunissant furtivement dans les hôtels des villes frontières, pour déjeuner dans des salons loués, dans des halls d'hôtel dont les murs, recouverts de velours français ou dans le style aborigène, brassaient mille échos – ils étaient surveillés par des serveurs suspicieux qui apportaient dans de gigantesques marmites en alliage d'acier des légumes cultivés localement dont les noms ne venaient pas facilement à l'esprit, ou des parties d'animaux dissimulées sous des sauces opaques – particulièrement, ici en Belgique, des variétés de mayonnaise – dont les combinaisons de couleurs allaient jusqu'à l'indigo et au cyan, dans des tonalités souvent très vives par ailleurs... oui mais quelles autres options, si options il y avait, leur restait-il? Liés à l'essor de l'électromagnétique dans les affaires humaines, les adeptes hamiltoniens en étaient venus désormais, après être tombés en disgrâce, à incarner, aux yeux de la religion scientifique établie, une foi subversive, bel et bien hérétique, qu'il aurait été trop doux de punir par la proscription et l'exil.

Le Grand Hôtel de la Nouvelle Digue était niché tout au bout du boulevard Van Iseghem, loin de la digue dont il portait le nom, et attirait principalement les clients parcimonieux, au nombre desquels la clique habituelle de touristes hors saison, de fugitifs, de pensionnaires, d'amants abandonnés s'imaginant avoir découvert les antichambres de la mort. En fait, les apparences étaient trompeuses. Les chambres étaient implacablement meublées d'éléments en pin imitant le bambou, peints dans des couleurs exotiques comme le rouge chinois, avec des plateaux de table en marbre ordinaire, voire synthétique. S'efforçant de saisir les nuances de l'art nouveau belge dans toute sa modernité, des motifs d'hybrides femme/animal envahissaient les installations sanitaires, les couvre-lits, les tentures et les abat-jour.

Kit admira le décor. «Très chic.»

«Actuellement», dit Barry Nebulay, «personne ne tient de comptes très serrés sur la clientèle. Vous ne seriez pas le seul à pioncer gratis ici.» Kit, qui avait décidé de tenter sa chance au Casino pour pouvoir se rendre à Göttingen, en vint vite à dormir dans un coin parmi des tas de débris quaternionistes, ainsi qu'un assortiment fluctuant de réfugiés dont il oubliait rapidement les noms, si tant est qu'il les entendait.

Un groupuscule de nihilistes belges vivait au bout du couloir – Eugénie, Fatou, Denis et Policarpe, qui s'étaient baptisés «Jeune Congo» –, des individus suscitant l'intarissable intérêt de la Garde civique ainsi que des membres du Second Bureau français qui se rendaient régulièrement à Bruxelles. Chaque fois que Kit tombait sur l'un de ces jeunes éléments – avec une fréquence que n'expliquait pas le seul hasard –, il se produisait toujours un moment d'intense reconnaissance, presque comme s'il avait fait, bizarrement, partie de la petite cellule, avant qu'il se produise quelque chose, quelque chose de trop épouvantable pour qu'on s'en souvienne, au moins aussi important que le désastre du *Stupendica*, ensuite de quoi tout, jusqu'au souvenir, s'était dissipé de façon vertigineuse, sombrant non seulement dans l'oubli mais également le long d'autres axes de l'espace-temps. Cela lui arrivait sans cesse ces derniers temps. Bien que ce fût certainement un soulagement de n'avoir d'autre souci pour l'instant que ses vêtements – et bien qu'il fût presque possible de croire qu'il avait échappé à la malédiction des Vibe et repartait maintenant de zéro –, l'état d'apesanteur dans lequel il évoluait était suffisamment bizarre pour présenter un danger à n'importe quel moment. Quand il put enfin contempler la Digue, haute de huit mètres et bordée d'hôtels luxueux, avec la mer juste de l'autre côté, qui tambourinait, plus haute que la ville, il ne put s'empêcher d'imaginer une force consciente, cherchant un point faible, désireuse d'envahir la Promenade et de dévaster Ostende.

«Soit. Les hordes noires du Congo», médita Policarpe. «Que les Belges, en craintifs névropathes vivant au-dessous du niveau de la mer, s'imaginent comme une houle inlassable, s'élevant, toujours plus haut, derrière un mur puissant et mortel que personne ne parvient à consolider suffisamment pour les empêcher de tout envahir —»

«Leur souffrance imméritée», suggéra Denis, «leur supériorité morale.»

«À peine. Ils sont aussi sauvages et dégénérés que des Européens. Et ce n'est pas juste une affaire de nombre, car ici en Belgique on trouve la plus forte densité de population au monde, et personne ne peut vraiment être pris au dépourvu à cet égard. Non, nous créons cela – je pense –, le projetons depuis la co-conscience, à partir de la vase halluci-natoire que redouble l'inlassable et l'infatigable enfer de notre domi-nation ici-bas. Chaque fois qu'un représentant de l'ordre public frappe un travailleur du caoutchouc, voire profère l'insulte la plus banale, les forces de marée s'intensifient, et la digue de la contradiction interne s'affaiblit d'autant.»

C'était comme de retourner en khâgne. Tous se prélassaient dans une sorte d'inertie active, les cigarettes circulaient, on oubliait de qui, et même si, on était censé être romantiquement obsédé. Denis et Eugénie avaient étudié la géographie avec Reclus à l'Université de Bruxelles, Fatou et Policarpe fuyaient des mandats d'arrêt émis par Paris, où même l'intention de défendre l'anarchisme était un crime. «Comme les nihi-listes russes», expliqua Denis, «nous sommes finalement des métaphy-siciens. Nous courons le risque d'un excès de logique. Au final, on ne peut consulter que son propre cœur.»

«N'écoutez pas Denis, c'est un stirnérien.»

«Un anarcho-individualiste, même si tu es trop bête pour apprécier la nuance.»

Bien qu'il existât au sein de la phalange mille occasions de faire de tels distinguos, l'Afrique demeurait le terme tabou et tacite qui assurait leur cohérence et leur détermination. Ça, plus l'obligation morale, que d'aucuns auraient qualifiée d'obsession, d'assassiner Léopold, le roi des Belges.

«Quelqu'un a-t-il remarqué», fit Denis, «combien de figures hétéro-gènes du pouvoir en Europe – rois, reines, grands-ducs, ministres – ont subi récemment l'implacable Jagannath de l'Histoire? Les cadavres des puissants s'effondrant un peu partout, bien trop souvent pour qu'il s'agisse d'un pur hasard?»

«Es-tu autorisé à parler pour les dieux du Hasard?» demanda Eugé-nie. «Qui peut dire ce qu'est censé être un taux d'assassinats "normal"»?

«Oui», intervint Policarpe, «peut-être qu'il n'est pas encore assez élevé. Eu égard à l'inéluctabilité scientifique du fait.»

Le groupe puisait son courage dans l'exemple de Sipido, un anar-chiste de quinze ans qui, par solidarité avec les Boers d'Afrique du Sud, avait tenté d'assassiner le prince et la princesse de Galles, à la gare du Nord. Quatre coups tirés à bout portant qui ratèrent leur cible. Sipido et sa bande furent arrêtés puis plus tard acquittés, et le Prince était aujourd'hui roi d'Angleterre. «Quant aux Rosbifs», dit Policarpe en haussant les épaules, le réaliste du groupe, «ils traitent toujours les Boers comme de la merde. Sipido aurait dû faire plus attention aux outils de notre métier. La discrétion c'est bien joli, mais quand on s'en prend au Prince héritier, on a besoin d'un bon calibre, sans parler d'un plus gros chargeur.»

«Admettons que nous ayons placé une bombe à l'Hippodrome», avança Fatou, fardée, tête nue, et vêtue d'une jupe plus courte que celle d'une artiste de cirque, même si tous hormis Kit feignaient de ne pas le remarquer.

«Ou dans la cabine de bain royale», dit Policarpe. «N'importe qui peut la louer pour vingt francs.»

«Qui a vingt francs?»

«Un truc d'ordre picrique pourrait être sympa», continua Fatou, qui déploya des cartes et des diagrammes dans la minuscule pièce. «De la poudre de Brugère, disons.»

«Toujours été partisan moi aussi des substances Désignole», marmonna Denis.

«Ou on pourrait embaucher un tueur à gages américain», dit Eugénie en jetant un regard éloquent à Kit.

«Diable, mademoiselle, si vous comptez me laisser approcher d'une arme, prêtez-moi des chaussures de sécurité pour protéger mes pieds.»

«Allons, Kit, vous pouvez nous le dire. Combien de desperados avez-vous... *refroidis* à ce jour?»

«Difficile à dire, on attend d'avoir dépassé la douzaine pour tenir des comptes.»

Au crépuscule, des lampes furent allumées partout dans la rue, pour repousser l'ombre envahissante de forces semi-visibles... Derrière la Digue, les vagues martelaient la grève invisible. Policarpe avait apporté de l'absinthe, du sucre et tout un attirail. C'était le dandy du groupe, et il arborait, à la manière du sieur Santos-Dumont, un panama dont il triturait le bord avec le même zèle que mettent certains jeunes hommes à entretenir leur moustache. Ses amis et lui étaient des *absintheurs* et des *absintheuses*, et ils passaient pas mal de temps à se livrer à de complexes rituels alcoolisés. *L'heure verte* perdurait parfois jusqu'à minuit.

«Ou, comme nous aimons à le dire, l'*heure vertigineuse*.»

Vers minuit, deux voix se disputant en italien furent entendues derrière la porte, et l'échange se prolongea. Récemment, les «Jeune Congo» avaient fait alliance avec deux renégats italiens, Rocco et Pino, lesquels avaient dérobé aux usines Whitehead de Fiume les plans archi-secrets d'une chaloupe-torpille qu'ils comptaient assembler ici en Belgique puis utiliser pour attaquer le yacht du roi Léopold, l'*Alberta*. Rocco, d'un sérieux imperturbable, manquait peut-être seulement d'imagination – tandis que Pino, qui semblait exprimer tout ce qui est immodéré dans le tempérament italien du Sud, était régulièrement rendu fou furieux par le flegme mental de son partenaire. En théorie, ils formaient un duo idéal pour une opération de torpillage, l'incapacité de Rocco à concevoir la non-régulation sous toutes ses formes permettant – et étant même parfois susceptible – de modérer les extravagances souvent stériles de Pino.

Le Siluro Dirigibile a Lenta Corsa représentait un chapitre bref mais romantique dans l'histoire des torpilles. Ses cibles se limitant à des objets stationnaires tels que des bateaux à l'ancre, les calculs de trajectoire et de visée étaient énormément simplifiés, même si l'élément de *virtù* personnelle finit par acquérir une importance notoire, le duo devant d'abord faire franchir à l'engin mortel des défenses portuaires trop souvent inconnues jusqu'à ce qu'il entre directement en contact avec la coque de sa victime désignée – sur quoi, ayant lancé une séquence de déclenchement minuté, les Italiens devaient alors *s'exfiltrer* aussi loin et aussi vite qu'ils le pouvaient avant que la charge n'explose. La tenue de travail était d'ordinaire un costume de plongeur en caoutchouc vulcanisé permettant de rester au chaud pendant parfois des heures dans des eaux glaciales, la torpille voyageant essentiellement juste en dessous de la surface, tout comme, par conséquent, Rocco et Pino.

«Quelle nuit!» s'exclama Pino. «La Garde civique est partout.»

«Hauts-de-forme et uniformes, où qu'on regarde», ajouta Rocco.

«Tenez, si vous n'êtes pas encore allergiques au vert», dit Policarpe en tendant la bouteille d'absinthe.

«Combien de navires avez-vous réellement… fait sauter, Pino?» roucoula bientôt Fatou, tandis que Rocco, qui lui décochait des regards apeurés, marmonnait quelque chose à l'oreille de son partenaire:

«… pile le genre de questions que pourrait poser une *espionne autrichienne* – réfléchis, Pino, réfléchis.»

«Pino, qu'est-ce qu'il dit?» Fatou taquinant une oreille dont le lobe était étonnamment dépourvu d'ornement. «Est-ce que Rocco pense que je suis une espionne, vraiment?»

«Nous avons déjà eu affaire, n'est-ce pas, à une ou deux espionnes», susurra Pino, en affichant un air de chaste admiration qui n'abusa personne, ses récentes incursions dans le suave étant contredites par un fouillis de boucles aplati pendant la nuit, un vieux treillis de la Marine royale italienne plein de taches de vin et d'huile de moteur, et un regard vague qui ne se posait jamais nulle part, surtout pas sur le visage de qui que ce soit. «Alors que je peux très bien considérer ces épisodes comme faisant partie de la vie et passer à autre chose, le pauvre Rocco, lui, ne saurait les oublier. Avec son obsession des espionnes dangereuses, il a plongé dans une profonde narcose toutes sortes d'assemblées, même des gitans disposés à faire la fête toute la nuit.»

«*Macchè*, Pino! Elles... elles m'intéressent, c'est tout. En tant que catégorie.»

«*Ehi, stu gazz', categoria.*»

«Vous ne risquez rien avec moi, Lieutenant», lui assura Fatou. «Un gouvernement qui m'engagerait comme espionne ne pourrait qu'être composé d'incorrigibles idiots...»

«Exactement ce que je voulais dire!» s'exclama Rocco, le regard fixe et vertueux.

Elle le scruta, se demandant si, tel l'insouciant *mezzogiornismo* de son compagnon Pino, c'était là la façon qu'avait Rocco de flirter timidement avec elle.

«Comme d'habitude», l'avait prévenue Eugénie, «tu es trop soupçonneuse. Tu dois apprendre à écouter davantage ton cœur.»

«Mon cœur.» Fatou secoua la tête. «Mon cœur a vu en lui un coquin, bien avant qu'il s'en approche assez pour l'entendre battre. Bien sûr c'est un parti dangereux, mais quel rapport?»

Eugénie toucha ingénument la manche de son amie. «En fait, il se trouve que j'apprécie... assez... Rocco.»

«Aahh!» Fatou s'effondra sur le lit, qu'elle martela de ses pieds et de ses poings.

Eugénie attendit qu'elle ait tout à fait terminé. «Je suis sérieuse.»

«On peut aller danser ensemble, dîner, au théâtre! Exactement comme le feraient des jeunes gens des deux sexes! Je sais que tu es "sérieuse", Génie – c'est bien ça qui m'inquiète!»

Les deux jeunes femmes ressentaient un certain désarroi chaque fois que le duo italien était obligé de passer du temps à Bruges, la Venise des Pays-Bas, rapidement accessible par le canal, réputée pour ses jolies filles depuis le Moyen Âge. Cela comptait moins, ne cessaient d'affirmer Rocco et Pino, que le besoin de procéder à de nombreux exercices nocturnes avec la Torpille, dont le moteur à combustion interne était modifié par l'équipe de l'Atelier de la Vitesse de Raoul, dont les mécaniciens, principalement des Rouges, venaient de Gand. Une fois qu'ils furent tous satisfaits par les performances de l'arme, Rocco et Pino décidèrent de la piloter de nuit et à l'insu de tous dans ces canaux fantômes, jusqu'au rivage et un certain rendez-vous royal.

«Ils ont mis un six-cylindres de Daimler», expliqua Rocco, «avec un carburateur militaire autrichien, encore très secret-secret, et un collecteur d'échappement modifié, ce qui signifie qu'on atteint déjà les cent chevaux, et encore juste en vitesse de croisière, *guaglion*.»

«Pourquoi n'avez-vous pas vendu les plans aux Anglais?» avait demandé l'un des mécaniciens de Gand. «Pourquoi les refiler à une bande d'anarchistes apatrides?»

Rocco était perplexe. «Voler un gouvernement pour vendre à un autre?»

Pino et lui se regardèrent.

«Tuons-le», suggéra gaiement Pino. «J'ai tué le précédent, Rocco, alors c'est ton tour.»

«Pourquoi est-ce qu'il s'enfuit?» demanda Rocco.

«Reviens, reviens!» s'écria Pino. «Ils ont aucun humour ici.»

Le personnel hôtelier, dont la tenue était moins soignée que ce qu'on aurait attendu de lui en plein jour, parvenait à assurer un bel équilibre entre effroi et agacement devant le spectacle de ces saltimbanques de Quaternionistes, qui avaient renoncé depuis des années à leur grande lutte pour s'imposer, mais restaient déterminés et insomniaques. S'il s'était agi de limbes, alors seuls quelques employés portant la livrée du Grand Hôtel de la Nouvelle Digue auraient pu être catalogués comme anges gardiens – les autres étaient davantage d'ingénieux et malveillants lutins.

«C'est un truc entre hommes, ou il y aura une ou deux Quaternionistes du beau sexe?» demanda Kit, sur un ton qu'on aurait dit plaintif.

«Des oiseaux rares», dit Barry Nebulay, «même si bien sûr il y a Miss Umeki Tsurigane, de l'Université impériale du Japon, une ancienne élève du Pr Knott à l'époque où il enseignait là-bas. Une jeune femme étonnante. Elle a publié autant que les autres disciples – comptes rendus, monographies, livres – et Kimura en a, je crois, traduit quelques-uns en anglais — Ah. Justement la voici», désignant le bar.

«C'est elle?»

«Oui. Plutôt attirante, non? Vous devriez bien vous entendre, elle revient juste d'Amérique. Venez, je vais vous présenter.»

Pantalon noir, sombrero de bouvier… pantalon de *cuir* noir, en fait du cuir de *gant*.

«Vous êtes sûr que le moment est bien choisi pour —»

«Trop tard. Miss Tsurigane, Mr Traverse, de New Haven. »

Autour de son cou gracile, la beauté asiatique portait également un *furoshiki* présentant des motifs sylvestres bleu paon, taupe et rouge chinois, plié en triangle pour imiter un bandana de cow-boy, et elle s'enfilait coup sur coup verre de whiskey et chope de bière à un rythme étonnant. Un modeste groupe de parieurs spéculait déjà sur le temps qu'elle tiendrait avant que survienne la paralysie, sous quelque forme que ce soit.

« "Quelques schémas quaternioniques pour représenter le Crayon anharmonique et ses formes connexes" », se souvint Kit. «J'ai lu un résumé dans *Comptes Rendus*. »

«Pitié, pas encore un Crayoniste anharmonique», dit-elle en guise d'accueil, calme et jusqu'ici lucide. « Il existe désormais un certain culte, m'a-t-on dit. Qui s'attend à toutes sortes de… choses étranges ! »

«Hum… »

«Le Symposium sur la Géométrie projective – vous devez y parler, peut-être ? »

«Hum… »

«Comptez-vous parler ? Dans un avenir proche ? »

«Eh bien, laissez-moi vous offrir une nouvelle tournée», proposa Barry Nebulay qui, alors, tel l'ange de la soûlographie, s'en alla faire le bien ailleurs.

«Yale – vous avez étudié là-bas ? Kimura-san, il enseigne aujourd'hui dans notre Université de la Marine – vous l'avez déjà rencontré ? »

«Je suis trop jeune pour l'avoir connu, mais on se souvient de lui avec un grand respect. »

«Lui et son camarade de classe, De Forest-san, ont tous deux continué à contribuer de façon très concrète au champ de la communication sans fil syntonique. Le système de Kimura-san – ce soir, quelque part, il est utilisé par la Marine japonaise, en guerre contre les Russes. Ces deux messieurs ont étudié les vecteurs avec l'éminent Gibbs Sensei. Dans quelle mesure parler de — de coïncidence ? »

«Avec les Équations de Maxwell au cœur du problème… »

«Exactement. » Elle se leva et le regarda, d'un air plus ou moins ravageur, les yeux protégés par son chapeau de cow-boy. «Les festivités là-bas – ça vous ennuie de m'escorter ? »

«Mais pas du tout, miss. » Le seul problème c'était qu'après avoir fait deux pas dans le grand salon elle s'éclipsa, ou le contraire, et il s'écoulerait plusieurs jours avant qu'ils se revoient. Il avait deux choix, soit partir et aller bouder quelque part, soit rester et profiter de l'occasion. En fait, plutôt un seul choix.

Kit se fraya un chemin jusque dans le grand salon, au papier peint dans les verts bleuâtres et les orange vifs mais acides, d'inspiration apparemment florale, bien que ce ne fût en rien une évidence, éclairé par des centaines d'appliques d'aspect moderne, les abat-jour en ivoire congolais ultrafin pour qu'on puisse voir briller en transparence l'ampoule électrique, fourmillant de Q, Quaternionnaires venus du monde entier, de toutes les obédiences sans parler d'apostats, quasi-gibbsites, pseudo-heavisidiens et ardents grassmanniaques, d'humeur plus que conviviale, vêtus de façon excentrique, d'une propreté médiocre voire douteuse, avec le quota habituel d'aboiements et de radotages, chacun commentant en haletant les postes vacants, les mariages compulsifs, les collègues crétins, et l'immobilier surcoté, griffonnant sur les habits du voisin, accomplissant avec des cigarettes et des billets de banque des escamotages et des réapparitions sous le nez d'autrui, buvant la Cuvée maison, dansant sur les tables, épuisant la patience des épouses, vomissant dans les poches d'inconnus, se lançant dans de longues et rauques disputes dans un espéranto et un idiome neutre fluides, les discussions techniques étant en grande partie incompréhensibles, et seul le bavardage phatique ou sociable étant un tout petit peu moins problématique.

« ... la tentative maladroite de Heaviside pour déquaternioniser les Équations de Champ de Maxwell – même ces dernières n'ont pas été épargnées — »

« Reconnaissons-le. La *Kampf ums Dasein* est finie, et nous avons perdu. »

« Cela signifie-t-il que nous imaginons seulement maintenant que nous existons ? »

« Des axes imaginaires, une existence imaginaire. »

« Fantômes. Fantômes. »

« Oui, Frère Q, votre cas est particulièrement déprimant. À en juger par les erreurs dans votre dernier article, votre lutte devrait s'intituler *Kampf* hum *Dasein*. »

« Nous sommes les Juifs des mathématiques, et nous errons dans ces régions, telle une diaspora – certains sont destinés au passé, d'autres au futur, tandis que quelques autres parviennent à diverger à des angles inconnus de la simple ligne du Temps, pour accomplir des périples que nul ne saurait prédire... »

«Bien sûr qu'on a perdu. Les anarchistes perdent toujours, tandis que les bolcheviques Gibbs-Heaviside, qui ne perdent jamais de vue le long terme, poursuivaient sinistrement leur but, certains d'être l'avenir iné-vitable, le peuple *xyz*, le groupe d'un unique Système de Coordonnées Établies, présent partout dans l'Univers, et gouvernant de façon absolue. Nous n'étions qu'une bande de *ijk*, des nomades ayant dressé leurs tentes d'études le temps qu'il fallait pour s'attaquer au problème, avant de plier bagage et de partir, toujours ad hoc et local, non mais vous espériez quoi?»

«En fait, les Quaternions ont échoué parce qu'ils ont dénaturé ce que les Vectoristes croyaient connaître des intentions divines – à savoir que l'espace est simple, tridimensionnel et réel, et que s'il doit exister un quatrième terme, imaginaire, alors il convient de l'assigner au Temps. Mais les Quaternions ont débarqué et ont renversé la question, ils ont défini les axes de l'espace comme étant imaginaires et n'ont gardé comme terme réel que le Temps, et qui plus est une grandeur scalaire – sim-plement inadmissible. Bien sûr, les Vectoristes sont entrés en guerre. Rien de ce qu'ils savaient du Temps ne permettait que ce soit aussi simple, pas plus qu'ils ne pouvaient accepter que l'espace fût compromis par des nombres impossibles, un espace terrestre pour lequel ils s'étaient battus pendant d'innombrables générations, afin de le pénétrer, l'oc-cuper, le défendre.»

Une musique inadéquatement guillerette accompagnait ces jérémiades, et Kit était désormais assez près pour l'entendre. Ce qui ressemblait à une contralto de music-hall dans une espèce de robe Poiret se tenait assise à un piano, assistée d'un petit ensemble des rues avec accordéon, glockenspiel, saxophone baryton et percussions, et chantait, en un six-huit entraînant:

Oh,
    Le,
        Curieux et capricieux Quater-nionnier,
Cette créature de i-j-k,
Pourquoi faut-il qu'il sourie si comiquement
Et se recroqueville de cette façon? De
Waterloo jusqu'à Tombouctou, ils sont
Légion ma foi —
On en trouve dit-on en Tas-ma-
Niie, et on en voit
Perchés dans les arbres! – et si vous
En trouvez un dans votre salon
Quand la lune est pleine,
Vous éviterez une certaine gêne

En chantant ce petit air… [*et 2 et 3 et —*]
Un jour j'ai vu un Quater-mignon
Qui se comportait très bizarrement —
Et puis y avait ce truc plutôt *vert et long* qu'il
Se mettait dans l'oreille…
C'était peut-être un cornichon, paraît-il,
Et si ça n'en était pas un – oh là là!
Quel curieux et capricieux Quater-nionnier!

Chanson que l'assemblée enthousiaste avait entonnée en chœur, et ce inlassablement, depuis que la chanteuse était arrivée, sa structure rythmique opérant un effet magique et d'essence tarentellienne, donnant à toutes et tous l'envie irrésistible de s'abandonner follement à la danse, avec les conséquences que ça pouvait avoir ici. Les collisions étaient fréquentes, souvent violentes, et Kit réussit à en éviter une après avoir identifié, au dernier moment, une voix de basse familière. Difficile de ne pas reconnaître le sociable et turbulent Root Tubsmith…

«J'croyais que tu t'étais éclipsé avec cette rouquine!» dit-il à Kit.

«J'ai été incorporé dans la Marine», dit celui-ci. «Enfin, je crois. Rien n'a été rigoureusement "réel" ces derniers temps. Te voir dans cet état signifie-t-il que tout est redevenu normal?»

«Bien sûr», lui tendant une bouteille de vin anonyme, «question suivante.»

«T'aurais pas une veste de complet que je pourrais t'emprunter?»

«Suis-moi.» Ils trouvèrent la piaule de Root, qu'il semblait partager, tout comme Kit, avec une douzaine environ d'autres disciples hamiltoniens. Des habits de toutes les couleurs, de toutes les tailles et adaptés à toutes les circonstances jonchaient l'espace au sol encore disponible. «T'as qu'à choisir. On n'a jamais été aussi proches de l'anarchisme.»

Dans le salon, les bruits et les réjouissances centrifuges s'étaient sensiblement intensifiés.

«Des fous», s'écria Root, «tous autant que nous sommes! Moins qu'il y a cinquante ans, bien sûr, aujourd'hui les vrais fous se sont attelés aux travaux de fondations, à la théorie des ensembles, l'abstraction absolue, c'est à qui s'aventurera le plus loin dans les terres limitrophes du non-existant. Pas une "folie" au sens strict, non, pas telle qu'on l'a connue. Ah, le bon vieux temps! Grassmann était allemand et, du coup, automatiquement parmi les possédés, Hamilton était accablé d'un génie précoce et esclave d'un premier amour qu'il ne pouvait surmonter. La dipsomanie n'arrangeait rien, même si je suis mal placé pour critiquer. On a dit de Heaviside qu'il était le "Walt Whitman de la Physique anglaise" —»

«Ça… excuse-moi… *veut dire quoi?*»

«La question reste ouverte. Certains ont repéré chez Heaviside un niveau de passion, ou peut-être juste d'énergie, sans rapport aucun avec l'agressivité qui prévalait à l'époque dans les différents camps.»

«Eh bien, si Heaviside est le Whitman», demanda un Anglais vêtu d'un ensemble jaune superbe, «qui est le Tennyson, alors?»

«Clerk Maxwell, non?» suggéra quelqu'un d'autre, bientôt rejoint par toute une bande.

«Ce qui fait, j'imagine, de Hamilton le Swinburne.»

«Oui, et qui serait alors Wordsworth?»

«Grassmann!»

«Dites donc, très amusant votre jeu. Et Gibbs? Le Longfellow?»

«Y a-t-il par hasard un Oscar Wilde?»

«Allons tous au Casino!» cria quelqu'un d'invisible. Kit se demanda comment quiconque dans cette foule parviendrait ne serait-ce qu'à la porte – mais la tribu des Quaternionniers bénéficiait d'un accès privilégié au Kursaal, et donc aussi au Casino.

«Un nouveau domaine fascinant s'ouvre à nous», confia en chemin Root. «Les quaternions appliqués aux probabilités. Si l'on prend une partie de baccara, eh bien il semble qu'on puisse décrire chaque *coup* comme une séquence de, disons, de vecteurs – de différentes longueurs, tous divergents —»

«Un peu comme tes cheveux, Root.»

«Mais au lieu de trouver une unique résultante», continua Root, «nous nous occupons ici des taux de change, des rotations, des différentielles partielles, des gradients, des laplaciens, à trois dimensions et parfois davantage —»

«Root, j'ai ma paie de pêcheur et c'est à peu près tout.»

«Bouge pas, fiston, et tu te vautreras bientôt dans les francs.»

«Ben voyons. Je crois que je vais juste faire un petit tour.»

Étant plus habitué aux ambiances des saloons, Kit trouva les manières européennes oppressantes, on ne trouvait guère ici de bluff, calomnie, triche, échange de coups de poing. Pas très amusant. À part de temps en temps un hurlement dont la polarité était difficile à définir, les émotions fortes étaient soit reléguées à plus tard, soit circonscrites dans une autre pièce à l'écart réservée aux douleurs, âmes perdues et avenirs caducs, à tout ce qui ne pouvait s'épanouir ici, car c'était le temple de l'argent, n'est-ce pas, même si à la source c'était lié à son propre Inexprimé, à des personnages comme Fleetwood Vibe, au caoutchouc, à l'ivoire, à la fièvre et à la misère de l'Afrique noire dont les épouvantables abîmes commençaient tout juste à consterner l'opinion publique un peu partout ailleurs dans le monde civilisé.

Des serveurs à semelles feutrées allaient et venaient avec du champagne, des cigares, des poudres opiacées, du courrier interne scellé dans de petites enveloppes pesantes. Les maquillages étaient lentement brouillés par la sueur et les larmes, les barbes s'ébouriffaient, les mouchoirs se maculaient assez fréquemment de sang, coulant des lèvres mordues. Les billets de banque débordaient des hauts-de-forme. Des têtes gagnées par la somnolence rencontraient des surfaces rembourrées dans un choc sourd. Les tirades staccato proférées par les roulettes, les sabots, les souliers, les dés, emplissaient la salle et un silence qui, sinon, aurait été intolérable. L'éclairage électrique imposait une netteté rassurante, changeant chaque geste en variable, ne laissant guère d'ambiguïté dans les espaces interstitiels. Et quelque part, cette incontestable fonction d'onde qu'était la mer.

Bizarrement, ainsi que put s'en rendre compte Kit, la plupart des maquillages péchaient ici par leur asymétrie, et cela ne se bornait pas aux éléments féminins – ce n'était partout qu'équilibres rompus, comme si chacun, dans un moment d'inattention ou d'excessive assurance, avait laissé entrer dans le cadre du miroir quelque chose qu'il n'aurait pas dû voir, et qui avait eu la malchance de gâcher l'effet général. Quand enfin Kit aperçut un visage symétrique, ce fut à une table de roulette, et sous les traits d'une personne répondant dans les parages au nom de *sphinge khnopffienne*. La femme qui était penchée au-dessus de la roulette fixa Kit droit dans les yeux, excluant d'emblée toutes sortes de présentations oiseuses, avec un regard animal, intemporel, comme déjà attaché à tout ce qu'il croyait comprendre maintenant – ou même comprendrait plus tard, si des questions plus impératives ne le sollicitaient pas –, indifférent à la plupart des formes de terreur, y compris celles que les anarchistes de l'époque trouvaient souvent utile de répandre. Seuls ses iris ambrés d'une pâleur extraordinaire posaient un problème – bien trop pâles pour être rassurants, et d'une nuance inquiétante qui les empêchait de se fondre dans le blanc de titane les entourant. En d'autres termes, supposa-t-il – si des yeux aussi incolores avaient été ceux d'un chien, vous auriez rapidement senti que ce n'était pas un chien qui vous regardait.

Cette seyante énigme le dévisageait à travers la fumée d'un fin cigare. « Vous goûtez un moment d'indépendance hors du groupe avec lequel vous êtes venu ici ? »

Kit sourit. « On a tous l'air un peu louches, non ? Voilà ce qui arrive quand on passe son temps chez soi à contempler des chiffres. »

« Vous êtes un de ces matheux descendus à la Nouvelle Digue ? *Mon Dieu.* »

« Et vous devez loger au Continental ? »

Elle haussa un sourcil.

« Je disais ça à cause du "diam" que vous portez. »

« Ça ? C'est du strass. Il faut bien sûr savoir faire la différence —»

« Dans les deux cas je vous pardonnerai. »

« Voilà qui est parlé comme un vrai monte-en-l'air. Je suis certaine maintenant de ne pas pouvoir vous faire confiance.

« Il ne sert donc à rien de vous proposer mes services, je suppose. »

« Vous êtes américain. »

« Ça ne veut pas dire que je n'aie pas arpenté quelques boulevards », déclara Kit. « Ni traversé certaines allées. »

« Oh l'adorable Yankee. » Et elle tendit, comme sorti de nulle part, un petit rectangle couleur ivoire portant un dessin au trait à l'encre violette, représentant un rai de lumière traversant quelques panneaux de verrière et illuminant un segment de poutre métallique, avec, en bas dans un coin, en caractères sans serif moderne, le nom de Pléiade Lafrisée, assorti d'une adresse parisienne. « Ma carte de visite. »

« Je ne vous demanderai pas ce que vous faites, ça ne regarde que vous. »

Elle haussa les épaules. « *Conseilleuse.* »

« J'ai gagné ! J'ai gagné ! » brailla quelqu'un à l'autre bout de la pièce.

« Venez », dit Kit en désignant d'un mouvement de tête une table de chemin de fer, « je vais vous montrer quelque chose. Félicitations, Root. Tu t'amuses bien, hein ? »

« Ahhh ! mais j'ai oublié de prendre des notes. » Les yeux de Root Tubsmith tourbillonnaient dans leurs orbites, il débordait de jetons, et en avait même négligemment coincé un derrière chaque oreille. « La valeur des cartes, l'heure de la journée, j'aurais dû noter ces choses, si ça se trouve, c'est juste de la chance. »

Il sortit de sa poche un bout de papier tout chiffonné, recouvert de formules pleines de triangles inversées, de S majuscules, et de q minuscules qu'il examina en fronçant les sourcils. « Je crois que je devrais corriger quelques paramètres ici, la température de la pièce, l'indice d'irrationalité, un ou deux coefficients dans la matrice de rétroversion —»

« Ma foi. »

« Si ça vous tente, mademoiselle », proposa Kit, « nous pourrions parier une petite somme pour vous... »

« Je vous laisse régler les détails, messieurs, c'est vous les matheux. »

« Absolument. »

Avant de comprendre ce qui se passait, Pléiade se retrouva en possession d'environ dix mille francs.

« C'est l'instant où les inspecteurs du Casino déboulent et m'obligent à tout restituer. »

« Pas d'inquiétude », la rassura Root, « ils cherchent des systèmes récents, des prismes de Nicol, des monocles stroboscopiques et des télégraphes sans fil nichés dans la chaussure. Notre magie à nous est plus ancienne, et le gros avantage d'être à ce point démodé c'est que personne ne voit ce qui est évident. »

« Je dois donc remercier – comment les appelez-vous ? – les quaternions. »

« La chose risque d'être délicate – mais vous pouvez nous remercier *nous*, si vous voulez. »

« Allez, venez, je vous invite tous à dîner. »

Après un rapide bras de fer entre l'étiquette et la possibilité d'un repas gratuit, le gros de la troupe accepta son offre, et tous se rendirent dans le restaurant attenant à la salle de jeu.

La donzelle avait peut-être des idées derrière la tête, mais elle était tout sauf rapiat. À chaque commande que passaient les Q, elle redemandait une part. Le vin avait des noms et des millésimes sur les étiquettes. À un moment, peu après le consommé, Pléiade demanda à la cantonade : « Oui mais qu'est-ce qu'un quaternion ? »

L'hilarité à table fut générale et prolongée. « Ce qu'un quaternion "*est*" ? Ha, hahahaha ! » Les talons martelèrent follement le tapis, du vin fut renversé un peu partout, des frites volèrent dans les airs.

« Le cambridgien Bertie ("L'Enragé") Russell a fait observer », souligna Barry Nebulay, « que la plupart des arguments de Hegel se résument à des jeux de mots sur le verbe "être". En ce qui concerne "l'être" d'un quaternion, il vaudrait mieux parler du "paraître", car il sait prendre de nombreuses formes. Tantôt c'est un quotient vectoriel, tantôt une façon de déterminer des nombres complexes le long de trois axes au lieu de deux. Tantôt c'est une liste d'instructions pour changer un vecteur en un autre. »

« Et d'un point de vue subjectif », ajouta le Dr V. Ganesh Rao de l'Université de Calcutta, « ce peut être le fait de s'allonger ou de se raccourcir, tout en tournant dans le même temps, parmi des axes dont le vecteur d'unité n'est pas le "un" familier et rassurant mais la très perturbante *racine carrée de moins un*. Si vous étiez un vecteur, mademoiselle, vous commenceriez dans le monde "réel", changeriez de longueur, intégreriez un système de références imaginaire, tourneriez de trois façons différentes, et reviendriez à la "réalité" complètement changée. Ou sous forme de vecteur. »

« Fascinant. Mais… les êtres humains ne sont pas des vecteurs. Non ? »

« Discutable, jeune dame. En fait, en Inde, les quaternions sont désormais le fondement d'une école moderne de yoga, une discipline qui a toujours reposé sur des opérations telles que l'étirement et la rotation. Dans le traditionnel "Triangle Asana", par exemple » – il se leva et fit une démonstration –, « la géométrie est on ne peut plus directe. Mais on passe bientôt à des formes plus avancées, dans les espaces complexes des quaternions… » Il poussa quelques plats, grimpa sur la table, annonça : « Le "Versor Asana Quadrantal" », puis se lança dans un numéro très vite digne d'un contorsionniste, avec une tendance à l'improbable, attirant l'attention des dîneurs et finalement celle du maître d'hôtel, qui déboula en agitant un doigt véhément et était à deux pas de la table quand le Dr Rao disparut brusquement.

« *Uwe moer !* » dit l'homme, tripotant sa boutonnière.

« Bien joué, Doc ! » gloussa Root.

Pléiade alluma un cigare, Barry Nebulay regarda sous la table s'il y avait des compartiments secrets. Hormis les voisins de table du Dr Rao, qui en profitèrent pour chiper de la nourriture dans son assiette, l'étonnement fut général. On entendit bientôt le Docteur qui lançait depuis la cuisine : « Par ici, tout le monde – venez voir ! » car il venait de réapparaître le pied dans une bassine de mayonnaise, même si, curieusement, il n'était plus la même personne qu'il était avant d'accomplir l'Asana. Plus grand, pour commencer.

« Et blond par-dessus le marché », s'étonna Pléiade. « Pouvez-vous le faire dans l'autre sens et redevenir celui que vous étiez ? »

« Je n'ai toujours pas trouvé le moyen. On prétend que certains maîtres yogi connaissent la technique, mais dans mon cas elle demeure non communicative – et puis, surtout, j'aime me balader. Je deviens chaque fois quelqu'un d'autre. C'est une forme de réincarnation à discrétion, sans avoir à s'inquiéter de l'élément karmique. »

Pléiade, dont Kit avait décidé qu'il valait mieux se méfier, resta encore le temps d'une autre bouteille de vin avant de sortir de son réticule une montre Vacheron & Constantin, qu'elle entrouvrit avant de se fendre d'un sourire aussi navré qu'éblouissant. « Je dois filer, toutes mes excuses, messieurs. »

Sûrement une consultation, supposa Kit.

Root appela le serveur, et fit de grands gestes dans la direction de Pléiade. « L'addition est pour elle – *haar rekening, ja ?* »

Pléiade avait rendez-vous avec un certain Piet Woevre, un ancien membre de la Force publique, dont le penchant pour la brutalité, mis au point au Congo, avait été jugé inestimable ici par les services de la sûreté. Ses cibles en Belgique n'étaient pas tant, comme le laissaient entendre les chroniqueurs politiques, allemandes que « socialistes », c'est-à-dire slaves et juives. Le seul fait de voir dans la rue une redingote plus longue et plus ample que celle que porte d'ordinaire un Gentil l'amenait à brandir son pistolet. Il semblait lui-même être blond, bien que sa couleur générale parût contredire cette teinte. On devinait à certains détails une toilette quotidienne prolongée, recourant au rouge à lèvres et à une eau de Cologne non dénuée d'ambiguïté. Mais Woevre était hermétique à la plupart des présomptions et codes de la sexualité ordinaire. Il avait laissé ces choses loin derrière lui. Dans les forêts de l'indicible. Que chacun pense ce qu'il voulait – si jamais le besoin de s'exprimer physiquement se faisait sentir, il était capable de mutiler ou de tuer, et il avait cessé de tenir le compte des fois où il l'avait fait, sans hésitation ni peur des conséquences.

Il appartenait au royaume du continu – cours d'eau, lumière et pas de lumière, transactions en sang. En Europe, la mémoire était trop souvent sollicitée et il fallait sans cesse redoubler de prudence et d'ingéniosité. Ici, il n'avait même pas besoin d'un nom.

À première vue, choisir entre la Légion étrangère française ou la Force publique belge ne changeait pas grand-chose. Dans les deux cas, on fuyait les ennuis pour servir en Afrique. Mais là où les uns envisageaient de faire pénitence sous le soleil accablant du désert, dans une absolution radieuse, les autres cherchaient, dans l'obscurité de la forêt fétide, à connaître l'inverse de l'expiation – affirmant que la somme des péchés d'un Européen, bien qu'inquiétante, était la condition *sine qua non* pour intégrer la confrérie des déchus volontaires. Dont les visages, par la suite, se révélaient aussi interchangeables que ceux des indigènes.

Il suffit à Woevre d'apercevoir les Q, déambulant en ville avec des miettes de tabac sur leurs chemises et de petits billets de banque dépassant de leurs poches, pour devenir ce que les adjoints du Mal appellent « mordu ». Autrement dit, pour laisser tomber la surveillance et remiser les dossiers en cours, afin de se concentrer sur ce groupe de *rastaquouères* qui venaient de débarquer en ville. Et c'était sans parler de la présence des « Jeune Congo » dans le même hôtel.

« Ce sont peut-être seulement d'innocents mathématiciens », marmonna le chef de section de Woevre, un certain De Decker.

«"Seulement".» Woevre trouva le mot amusant. «Vous m'expliquerez un jour comment la chose est possible. Dans la mesure où toutes les mathématiques aboutissent, n'est-ce pas, tôt ou tard, à une sorte de souffrance humaine.»

«Ma foi, c'est votre spécialité, Woevre. On pourrait les considérer comme des compagnons d'armes.»

«Pas si cette souffrance devient la mienne, sans parler de la leur. Vu qu'ils ne font pas la différence.»

De Decker, qui n'était pas philosophe, paniquant vaguement dès qu'il rencontrait cette tendance chez le personnel de terrain, parut reporter son attention sur les documents posés devant lui.

L'homme était un *bobbejaan*. Woevre sentit une démangeaison familière dans les phalanges, mais la discussion n'était pas tout à fait finie. «Cet échange de télégrammes entre Anvers et Bruxelles.» De Decker ne releva pas la tête. «Un groupe en particulier, "MKIV/ODC", que personne n'arrive vraiment à identifier, à moins que vos hommes...?»

«Oui, nos décrypteurs y voient une sorte d'armement – du style torpille? Qui, aujourd'hui, pourrait le dire? "Un Marque IV machinchose ou je ne sais quoi." Peut-être cela vous intéresserait-il d'enquêter. Je comprends que ça ne fait pas partie de vos attributions» – le fait est que Woevre s'apprêtait à protester – «mais une autre série d'*antennes* serait la bienvenue.»

«C'est joliment dit. Considérez-moi comme un fidèle *gatkruiper*.» Sentant baisser le niveau de gratitude, Woevre fila sans plus tarder.

«Comme si vous n'aviez pas assez de boulot comme ça», fit remarquer par la suite Pléiade Lafrisée.

«C'est toute la compassion que j'attire?»

«Oh... il y avait une quantité requise? Ça figure également dans notre accord?»

«Avec de l'encre sympathique. Mais ce que nous aimerions, ce soir, c'est jeter un œil dans sa chambre. Pourriez-vous l'occuper une heure ou deux?»

Elle n'avait cessé de promener ses mains sur le corps de Woevre. Elle hésita, d'un air songeur, sentit alors une brutale imminence puis continua. Plus tard, dans son bain, elle remarqua sur sa peau les marques de diverses contusions, qu'elle trouva toutes charmantes sauf une au poignet, dans laquelle un connaisseur aurait stigmatisé l'absence d'imagination.

Woevre la regarda quitter la chambre. Les femmes étaient plus agréables vues de dos, mais on ne les voyait ainsi que lorsqu'elles partaient après qu'on en eut terminé avec elles, alors quel intérêt ? Pourquoi cette société insistait-elle pour qu'une femme entre dans une pièce de face et non le cul en premier ? Encore une de ces finasseries civilisées qui lui faisaient regretter la vie dans les bois. Depuis qu'il était revenu en Belgique, il n'avait fait qu'en rencontrer toujours plus, déployées autour de lui tels des pièges ou des mines. Il fallait veiller à ne pas offenser le Roi, tenir compte des rivalités entre les services et de leurs desseins cachés, tout peser à l'aune de la masse mortelle de l'Allemagne, de plus en plus imposante chaque jour.

Qu'importe, franchement, qui espionnait qui ? Les familles régnantes d'Europe, liées par le sang et le mariage, vivaient dans leur unique et vaste parodie de pouvoir incestueuse, se chamaillant sans relâche – les bureaucraties, les armées, les Églises, la bourgeoisie, les travailleurs, tous étaient pris en otages dans ce jeu... Mais si, comme Woevre, on avait percé à jour la farce qu'était la puissance européenne, il n'y avait alors aucune raison, dans la terrible lumière transhorizontale de ce qui approchait, pour ne pas multiplier les maîtres, ainsi que les axes, tant qu'on pouvait éviter de les confondre.

Et que faire, en outre, de cette récente rumeur, se déplaçant juste en dessous de la zone de réceptivité de Woevre – un bruit non identifiable dans la nuit qui fait que le dormeur se réveille brutalement, le cœur battant et l'estomac noué –, l'existence d'une « arme quaternionique », permettant de lâcher sur le monde des énergies jusqu'alors insoupçonnées – dissimulées, « innocemment », aurait sûrement dit De Decker, au sein de la fonction w ? Un exposé philosophique rédigé par l'Anglais Edmund Whittaker, dont peu de gens ici savaient quoi penser, était, paraît-il, crucial. Woevre avait remarqué que les participants à la conférence ne cessaient de se décocher des regards éloquents. Comme s'ils partageaient un secret dont la terrible puissance était, fort à propos, mise de côté – et ne pouvait être rencontrée que dans un monde parallèle dont ils ignoraient l'entrée ainsi que, une fois dedans, la sortie. Coincés qu'ils étaient sur ce lopin de terre stratégique situé au-dessous du niveau de la mer, pris en otages de tous côtés par les ambitions européennes, attendant, sans jamais trouver le sommeil, que pleuvent les coups. Quel meilleur point de ralliement pour les gardiens des sceaux et des codes ?

Le lendemain soir, Kit, qui avait commis l'imprudence d'accompagner Pléiade dans sa suite, éprouva une grande perplexité, car, à un moment donné dans la profonde malédiction de l'heure, Lafrisée avait mystérieusement disparu. L'instant d'avant, elle était devant la fenêtre donnant sur la mer, se détachant contre l'incertaine lumière océane, mélangeant soigneusement de l'absinthe et du champagne pour obtenir un étrange breuvage mousseux. Puis, sans passage sensible du temps, les pièces résonnèrent de son absence. À côté du miroir en pied, Kit remarqua une robe de soirée pâle, dans une mousseline quasi immatérielle, non pas pliée sur une chaise mais *se tenant toute droite*, et ondulant de temps en temps sous l'effet de courants d'air par ailleurs insensibles, comme si quelqu'un était dedans, mû peut-être par d'indicibles forces invisibles, ses mouvements, bizarrement, pas toujours assortis à ceux de son reflet dans le miroir.

On n'entendait pas un bruit dans la chambre, pas même la rumeur de l'océan, dont pourtant les vagues poussives et mouchetées de lune s'écrasaient en contrebas. Dans le clair de lune, défiant la gravité, la chose restait là, en suspens, sans visage, sans bras, l'observant, comme prête, d'un instant à l'autre, à parler. Dans le silence étrangement étanche de la pièce, ils attendirent ainsi, le Vectoriste perturbé et le spectre de Pléiade Lafrisée. Avait-il bu une boisson interlope? Devait-il engager la conversation avec ce négligé?

Dans les battements distants de la houle, parmi les ombres monitoires à hauts chapeaux, il retourna jusqu'à son hôtel pour y trouver sa couche fouillée de fond en comble, même si l'opération n'avait pas dû prendre plus d'une minute, et il songea aussitôt à Scarsdale Vibe ou un de ses agents.

«On les a vus», dit Eugénie. «C'était la police politique. Ils croient que tu es un des nôtres. Grâce à nous, te voilà maintenant un hors-la-loi nihiliste.»

«Pas de problème», dit Kit, «je comptais y venir un jour ou l'autre. L'un d'entre eux vous a-t-il causé des soucis?»

«On se connaît», dit Policarpe. «C'est un drôle de jeu auquel nous jouons tous. Vu ce qui se profile dans le crépuscule de l'avenir européen, on peut trouver absurde cette façon de continuer à vivre. Tout le monde attend.»

«En France», dit Denis, «ils parlent de Celui Qui Doit Venir. Ce n'est pas le Messie. Ce n'est pas le Christ ou Napoléon. Ce n'était pas le général Boulanger. Il n'a pas de nom. Néanmoins, il faudrait être isolé de façon peu commune, soit mentalement soit physiquement, pour ne pas sentir Sa venue. Et pour ignorer ce qu'Il apporte avec Lui. Quelle mort et quelle transfiguration.»

«Nous attendons ici, non pas, tels les Français, un nouveau Napoléon, rien d'aussi humain, non, car nous sommes plutôt les otages d'une certaine Heure militaire qui, au premier signal des états-majors, est prête à sonner. »

« La Belgique n'est-elle pas censée être neutre ? »

« *Zeker* » – un haussement d'épaules – « il existe même un traité qui affirme qu'on sera envahis par au moins un des signataires, c'est bien à ça que servent les traités de neutralité, non ? Chacune des Puissances a des projets nous concernant. Von Schlieffen, par exemple, veut envoyer trente-deux divisions allemandes contre nos, hum, six divisions. Guillaume a proposé à Léopold des territoires français, l'ancien duché de Bourgogne, si, une fois le moment mythique advenu, nous livrons nos fameux forts à l'épreuve des obus et laissons les voies ferrées intactes – la petite Belgique pourra alors se prêter à ce qu'elle sait faire de mieux, c'est-à-dire servir docilement de terrain de manœuvre aux bottes, sabots, roues d'acier, avant d'être la première à se faire broyer par un avenir que personne en Europe n'a la clairvoyance d'imaginer autrement que comme un exercice pour ronds-de-cuir.

« Considérez la Belgique comme un pion. Ce n'est pas un hasard si tant de tournois d'échecs internationaux se tiennent ici à Ostende. Si les échecs, c'est la guerre en miniature… alors peut-être faut-il voir dans la Belgique la première pièce sacrifiée dans un conflit général… mais pas nécessairement, comme dans un gambit, pour fournir une contre-offensive, car on peut toujours refuser un gambit – or, qui refuserait de prendre la Belgique ? »

« Donc… c'est comme le Colorado, mais en inversant les valeurs – l'altitude négative, le fait de vivre au-dessous du niveau de la mer, quelque chose dans ce genre ? »

Fatou s'approcha de lui et le regarda à travers ses cils. « C'est le chagrin de l'anticipation, Kit. »

Quand il revit Pléiade Lafrisée, ce fut dans un café-restaurant non loin de la place d'Armes. Il ne se demanderait que bien plus tard si elle avait arrangé la rencontre. Elle portait une robe de satin violet pâle, avec un chapeau si séduisant que Kit ne fut que momentanément surpris par son érection. L'étude de ces questions n'en était qu'à ses balbutiements, et seuls quelques courageux pionniers comme le baron von Krafft-Ebing avaient osé jeter un coup d'œil dans l'étrange contrée crépusculaire du fétichisme du chapeau – non que Kit remarquât d'ordinaire ce genre de choses, mais il s'agissait là d'une toque en velours grise, ornée d'antiques guipures, avec une grande plume d'autruche teinte dans la même nuance de violet que sa robe…

«Ça? On en trouve dans n'importe quelle boutique pour midinettes, et pour trois fois rien.»

«Oh. Je devais la regarder avec insistance. Que vous est-il arrivé l'autre soir?»

«Venez. Payez-moi un lambic.»

L'endroit ressemblait à un musée de la Mayonnaise. On était au plus fort du culte de la mayonnaise qui avait déferlé sur la Belgique, et on trouvait à tous les coins de rue de gigantesques spécimens d'émulsion ovo-oléagineuse. Des montagnes de mayonnaise grenache, entourées d'assiettes de dinde et de langues fumées, rougeoyaient intérieurement, tandis qu'indépendamment de la vraie nourriture qu'elles étaient censées accommoder, des montagnes de mayonnaise chantilly, dirigées vers le ciel tels des pics défiant la gravité et aussi immatériels que des nuages, ainsi que d'imposantes masses de mayonnaise verte, des bassines de mayonnaise bouillie, des soufflés de mayonnaise, sans parler de plusieurs mayonnaises moyennement réussies, en instance de défaite, ou se faisant passer pour autre chose, trônaient à tous les carrefours.

«Que savez-vous exactement de la mayonnaise?» demanda-t-elle.

Il haussa les épaules. «Guère plus je crois que le couplet qui commence par "Aux armes, citoyens" —»

Mais elle le fusilla du regard, avec un sérieux qu'il ne lui connaissait pas. «La mayonnaise», expliqua Pléiade, «a ses origines dans la décadence de la cour de Louis XV – ici, en Belgique, l'affinité ne devrait pas être trop surprenante. Les cours de Léopold et de Louis ne sont pas si différentes malgré le temps qui les sépare. Or qu'est-ce que le temps? Deux hommes vivant dans une prodigieuse illusion, affirmant leur pouvoir en opprimant l'innocent. On pourrait comparer utilement Cléo de Mérode et la marquise de Pompadour. Les neuropathistes ont signalé chez les deux rois un même désir de bâtir un monde autonome, afin de continuer à ravager celui dans lequel nous autres devons vivre.

«La sauce fut inventée par le duc de Richelieu pour régaler les palais fatigués de la Cour, et on l'appela au début *mahonnaise*, en hommage à Mahon, le principal port de Minorque, théâtre de la "victoire" discutable du duc en 1756 contre l'infortuné amiral Byng. Richelieu, en gros le pourvoyeur de drogues et de femmes de Louis, célèbre pour ses recettes à base d'opium aux usages multiples, est également réputé pour son introduction en France des cantharides, ou mouches espagnoles.» Elle décocha au pantalon de Kit un regard éloquent. «Qu'est-ce que cet aphrodisiaque peut bien avoir en commun avec la mayonnaise? Le fait de prendre des scarabées et de les exposer à des vapeurs de vinaigre mortelles indique un certain rapport avec des créatures vivantes ou récemment décédées – le jaune d'œuf pouvant être considéré comme une entité consciente –, les cuisiniers parlent de fouetter, battre, lier, pénétrer, renverser, écraser. Il y a de toute évidence un aspect sadien dans l'élaboration de la mayonnaise. Impossible de le passer sous silence. »

Kit était quelque peu perdu. « Ça m'a toujours paru plutôt… comment dire ?… fade. »

« Avant d'en connaître les ingrédients. La moutarde, par exemple, la moutarde et les cantharides, *n'est-ce pas* ? Tous excitent le sang. Produisent des cloques sur la peau. La moutarde est l'élément par excellence qui permet de ressusciter une mayonnaise ratée, tout comme les cantharides parviennent à réanimer le désir vaincu. »

« Vous avez beaucoup réfléchi à la mayonnaise, mademoiselle. »

« Retrouvez-moi ce soir » – dans un murmure soudain fiévreux – « à l'Usine de la Mayonnaise, et vous comprendrez peut-être des choses qu'il n'est donné qu'à très peu de savoir. Une voiture vous attendra. » Elle serra sa main et disparut dans une brume de vétiver, aussi abruptement que l'autre soir.

« Trop prometteur pour se défiler », estima Root Tubsmith. « Cette fille est un sacré numéro. Tu veux qu'on t'accompagne ? »

« J'ai besoin de protection. Je ne lui fais pas confiance. Mais tu sais — »

« Oh, et comment ! Elle veut à tout prix que je lui explique les probabilités des quaternions. Et pour ce qui est de mettre le prix… Bon, je n'arrête pas de lui dire qu'elle doit d'abord comprendre les quaternions, et la bougresse ne cesse de venir prendre des cours particuliers. »

« Elle fait des progrès ? »

« Je sais que j'en fais. »

« Je vais prier pour ta sécurité. En attendant, si tu ne me revois pas — »

« Oh, un peu d'optimisme. C'est une professionnelle au grand cœur, c'est tout. »

L'Usine Régionale de la Mayonnaise, où toute la mayonnaise des Flandres occidentales était fabriquée puis envoyée sous diverses formes dans différents restaurants, que chacun présentait comme une « Spécialité unique de la maison », quoique très vaste, était rarement, voire jamais, signalée dans les guides, et n'était par conséquent que fort peu visitée hormis par ceux qui travaillaient sur place. Parmi les dunes situées à l'ouest de la ville, près d'un canal, visibles de jour sur des kilomètres derrière le sable, se dressaient des douzaines de cuves métalliques pleines d'huile d'olive, de sésame et de coton, acheminée par tout un réseau de tuyaux et de soupapes jusqu'à la grande Usine d'Assemblage, isolée électriquement afin d'empêcher une interruption de la production lors des effets disjonctifs des orages.

Après le coucher du soleil, toutefois, cet exemple joyeusement rationnel d'ingénierie du vingtième siècle se dissolvait dans des ombres plus précaires. « Y a quelqu'un ? » lança Kit, en errant dans les couloirs et sur les passerelles, vêtu d'un complet veston et de bottines chics se terminant en pointe. Quelque part dans l'obscurité, invisibles, des dynamos à vapeur sifflaient, d'énormes batteries de poules italiennes caquetaient, gloussaient et pondaient des œufs qui roulaient négligemment, apparemment de jour comme de nuit, en un grondement sourd, dans un dédale de toboggans capitonnés de gutta-percha, jusqu'à la Zone de Collecte des Œufs.

Bizarre, n'aurait-il pas dû y avoir un peu plus d'activité dans les lieux ? Il ne voyait aucune équipe d'ouvriers nulle part. L'ensemble semblait fonctionner sans la moindre intervention humaine – sauf à l'instant même, car une main invisible venait juste d'actionner un interrupteur qui mit tout en branle. En temps ordinaire, Kit aurait été fasciné par les détails techniques, les brûleurs à gaz qui s'épanouissaient bruyamment, les courroies et les poulies entrant sèchement en action, les becs d'écoulement qui pivotaient pour se mettre à l'aplomb des *cuves d'agitation*, les pompes à huile qui s'animaient, les batteurs élégamment concaves qui tournaient de plus en plus vite.

Mais pas une paire d'yeux, ni un seul bruit de pas, nulle part. Kit, qui paniquait rarement, était à deux doigts de le faire, même s'il ne s'agissait finalement de rien d'autre que de mayonnaise.

Il ne se mit pas exactement à courir, mais son allure s'accéléra sans doute un peu. C'est seulement quand il atteignit la Clinique d'Urgence pour le Sauvetage des Sauces, où était réanimée la mayonnaise potentiellement ratée, qu'il s'aperçut que le sol devenait vaguement glissant – et presque aussitôt il se retrouva sur le dos et les pieds en l'air, en moins de temps qu'il n'en faut pour deviner sur quoi il avait glissé. Son chapeau était tombé et était emporté au loin par une houle pâle et semi-liquide. Il sentit quelque chose de lourd et d'humide dans ses cheveux. De la mayonnaise ! Voilà qu'il était vautré dans la fameuse substance, laquelle atteignait une profondeur de quinze centimètres, ou plutôt, zut alors, *trente centimètres* ! Et qui, et qui ne cessait de monter ! Kit s'était retrouvé dans des arroyos en crue plus poussifs que ça. Il regarda autour de lui et vit que le niveau de la mayonnaise était déjà trop élevé pour qu'il puisse ouvrir la porte, à supposer qu'il parvienne jusqu'à celle-ci. Il pataugeait dans une mayonnaise épaisse, lisse et aigre.

Tout en ôtant la sauce de ses yeux, il se dirigea moitié en nageant moitié en dérapant vers l'endroit où il se rappelait avoir vu une fenêtre, et, parvenu là, il donna un coup de pied désespéré à l'aveuglette, ce qui bien sûr le fit tomber sur le cul une fois de plus. Cependant il eut le temps de sentir un fendillement encourageant dans le verre et le cadre, mais avant qu'il ait pu trouver une façon d'atteindre l'ouverture invisible et de passer dedans, la pression de la mayonnaise, telle une bête consciente cherchant à s'évader de sa captivité, l'avait projeté par la fenêtre brisée, l'expédiant dehors en un grand arc vomitif qui le déposa dans le canal en contrebas.

Il émergea pile pour entendre quelqu'un hurler « *Cazzo, cretino!* » par-dessus le crachat rythmique d'un moteur. Une ombre floue et humide apparut. C'étaient Rocco et Pino, dans leur torpille dirigeable.

« Par ici ! »

« *È il cowboy !* » Les Italiens, dans leur tenue de travail vulcanisée et rutilante, ralentirent pour repêcher Kit. Il remarqua qu'ils lançaient des regards inquiets vers l'amont du canal.

« Vous êtes poursuivis ? »

Rocco accéléra, et Pino expliqua : « On vient juste de la sortir de l'atelier et on a décidé d'aller jeter un œil à l'*Alberta*, en se disant, bon, ça peut pas être très dangereux, vu qu'il n'y a pas de Marine belge, *vero ?* Mais en fait il y a la Garde civique, et sur des bateaux ! On avait oublié ce détail ! Partout dans tous les canaux ! »

« *Tu* avais oublié », marmonna Rocco. « Mais peu importe. Avec ce moteur on peut distancer n'importe qui. »

« Montre-lui ! » cria Pino. Les jeunes hommes s'occupèrent des commandes d'étrangleur, des minuteries d'allumage et des leviers d'accélé-ration, et bientôt, avec aisance, dans une gerbe d'eau et de fumée noire, ils poussèrent l'embarcation dans le canal à une vitesse de quarante nœuds, voire plus. Leurs éventuels poursuivants durent renoncer.

« Nous allons nous arrêter pour faire une surprise aux filles », dit Rocco.

« Si elles ne nous en font pas une », dit Pino, en proie à une inquiétude que Kit trouva très romantique. « *Le bambole anarchiste, porca miseria.* »

Moins de deux kilomètres après avoir passé Oudenberg, ils virèrent à gauche dans le canal de Bruges et se faufilèrent dans Ostende, déposant Kit au quai de l'Entrepôt avant de repartir en quête d'un mouillage qui ne fût pas surveillé pas la Garde civique. « Merci, *ragazzi*, et à bientôt, j'espère… » Puis Kit jugea préférable de ne pas rester trop longtemps à observer ceux qui lui avaient épargné une mort par mayonnaise.

L'équipage du *Désagrément* avait été mandé à Bruxelles pour une messe du souvenir en l'honneur du général Boulanger, qui se tenait chaque 30 septembre, jour anniversaire de son suicide, une cérémonie non dépourvue d'arrière-pensées politiques dans la mesure où on trouvait encore au sein de la bureaucratie des Casse-Cou un résidu rebelle de boulangisme. Le courrier officiel de la branche française, par exemple, utilisait encore des timbres-poste jaunes et bleus, avec le portrait du Général imprimé en un brun tristounet – selon toute apparence des émissions françaises légales, allant de un centime à vingt francs, en réalité des *timbres fictifs*, prétendument d'origine allemande, œuvre d'un entrepreneur qui espérait les vendre après un coup d'État boulangiste, même s'il courait de sinistres rumeurs au sujet du «IIIb», les services d'espionnage de l'état-major allemand, reflétant une théorie répandue selon laquelle l'Allemagne avait plus de chances militairement parlant contre une action revancharde menée par un général pour le moins décomposé que contre n'importe quelle politique peut-être un peu plus avisée.

Ce séjour bruxellois fut si mélancolique que les Casse-Cou demandèrent – et à la surprise générale se virent accorder – une permission à Ostende, la plus proche escale accréditée. Là, très vite, apparemment par hasard, ils eurent vent de la convention des Quaternionistes en exil au Grand Hôtel de la Nouvelle Digue.

«Ai pas vu autant de ces gus en un seul endroit depuis Candlebrow», déclara Darby, l'œil rivé à la longue-vue.

«Pour cette discipline menacée», dit Chick, «à l'époque des guerres du Quaternion, Candlebrow était un des rares refuges.»

«On risque de voir quelques têtes connues.»

«Certes, mais nous reconnaîtront-ils?» Cela se passait juste à ce moment de la journée où le vent virait, quand la brise de terre devenait brise de mer. Au-dessous, des groupes quittaient la Digue et refluaient vers les hôtels, les thés mondains, les rendez-vous, les siestes.

«Autrefois», dit Randolph avec une mélancolie bien rodée, «ils se seraient arrêtés net et auraient tordu le cou pour nous admirer. Nous sommes désormais de plus en plus invisibles.»

«Eehhyyhh, j'parie que si j'agitais mon gros sauciflard sous leurs yeux, personne s'en apercevrait», caqueta Darby.

«Suckling!» lâcha Lindsay. «Même en tenant compte de certains paramètres dimensionnels, ce qui dans votre cas exigerait de ramener la métaphore salsicienne à des proportions plus modestes, le terme "saucisse" étant peut-être plus approprié, je vous rappelle que l'acte que vous envisagez est interdit par la loi dans la plupart des juridictions où nous nous aventurons, y compris en haute mer, et qu'il ne saurait être considéré que comme symptomatique d'une disposition de plus en plus psychopathique d'un point de vue criminel.»

«Dis donc, Noseworth», répondit Darby, «elle était bien assez grosse pour toi l'autre nuit.»

«Non mais, espèce de petit – et quand je dis petit, je —»

«Messieurs», les supplia leur Commandant.

Le *Désagrément* avait peut-être échappé à l'attention générale, mais en revanche il avait été immédiatement repéré par la cellule de De Decker, qui maintenait une station de repérage primitive dans les dunes, entre Nieuport et Dunkerque, station qui avait surpris récemment d'étranges transmissions à des niveaux inédits d'intensité de champ. Ces dernières étaient destinées au *Désagrément*, qui possédait un des nombreux capteurs Tesla alloués aux aéronefs de la planète pour leurs besoins en énergie auxiliaire. L'emplacement des transmetteurs était secret autant que faire se peut, car ils étaient la cible des compagnies électriques que menaçait la moindre concurrence. Ignorant tout du système Tesla et troublés par la force des champs électriques et magnétiques, les hommes de De Decker firent aussitôt le lien avec ces récentes rumeurs d'une arme quaternionique qui avaient intrigué Piet Woevre.

Woevre ne distinguait toujours pas le dirigeable, mais il savait qu'il était là. Quand le vent soufflait sur les dunes, il entendait les moteurs dans le ciel, voyait les étoiles soudain masquées par des formes massives et noires qui se détachaient dans l'obscurité... Il crut également entra-percevoir les membres de l'équipage sur la Digue, aussi désœuvrés que des étudiants en quête d'amusement, les mains dans les poches, admirant le panorama.

On était alors en octobre, la basse saison commençait, et les vents qui soufflaient, bien que vivifiants, n'empêchaient pas encore les promeneurs de s'aventurer sur la Digue, même si Lindsay n'appréciait guère l'endroit – «C'est beaucoup trop désert, le sel vous irrite la peau du visage, on a l'impression d'être la femme de Lot.» La lumière marine, combinée à certaines illusions optiques et aux nombreux travaux de construction et de démolition, faisait que les jeunes gens étaient souvent incapables d'identifier avec précision les masses se profilant au loin – nuage, navire de guerre, brise-lames, ou simple projection sur un ciel peut-être un peu trop réceptif de quelque désarroi spirituel et intime. Cela expliquait sans doute cette préférence pour les intérieurs qu'ils avaient déjà notée à Ostende – casinos, centres d'hydrothérapie, suites d'hôtel diversement déguisées : cabane de chasseurs, grotte à l'italienne, antre de débauche, selon les moyens dont disposait le locataire en quête d'abri.

«Dites donc, c'est qui ces drôles de civils qui se faufilent un peu partout tout d'un coup?» voulut savoir Darby.

«Les Autorités», dit Chick en haussant les épaules. «Et alors?»

«"Les Autorités"! La police de la surface, c'est tout. Ça ne nous concerne pas.»

«C'est toi l'Officier juridique», lui rappela Lindsay. «Quel est le problème?»

«"Le" problème, Noseworth, c'est toi, en ta qualité de Maître d'armes – on nage dans la plus grande confusion. À croire que des inconnus se sont introduits à bord et ont fouiné partout.»

«Mais la chose est inimaginable», fit remarquer Randolph St. Cosmo. «Pas avec Pugnax dans les parages.» Le fait est qu'au fil des ans Pugnax avait évolué, passant de simple chien de garde à celui de système défensif sophistiqué, avec une prédilection avancée, qui plus est, pour le sang humain. «Ça remonte à cette mission dans les Carpates», se rappela Randolph en fronçant légèrement les sourcils. «Quand il a repoussé cet escadron de uhlans à Temesvár, presque comme s'il hypnotisait les montures pour qu'elles désarçonnent leurs cavaliers...»

«Quelle fiesta!» caqueta Darby.

Mais leur admiration pour les talents martiaux de Pugnax était mêlée ces derniers temps d'une certaine inquiétude. Le fidèle canidé avait une étrange lueur dans les yeux, et le seul membre de l'équipage à communiquer encore avec lui était Miles Blundell. On avait pu les voir tous deux assis côte à côte sur la voûte, plongés dans le silence pendant les heures de quart, comme reliés par quelque contact télépathique.

Depuis leur mission en Asie intérieure, Miles était de plus en plus absorbé par un projet spirituel qu'il n'avait pu partager avec les autres membres de l'équipage, même s'il était clair aux yeux de tous que sa trajectoire actuelle risquait de l'entraîner si loin qu'il lui serait impossible de jamais revenir. Sous les sables du Takla-Makan, tandis que Chick et Darby profitaient de chaque escale pour se vautrer dans l'oisiveté, et que Lindsay et Randolph débattaient des heures durant avec le capitaine Toadflax sur la façon la plus efficace de trouver Shambhala, Miles était hanté par une vision, d'une netteté quasi intolérable, de la Ville sainte, séparée par une simple tranche de Temps, un fin voile, omniprésent, de plus en plus fragile et transparent... Incapable de dormir ou discuter, il égarait souvent ses recettes, oubliait de pétrir la pâte des chaussons, ratait l'aéro-café, tandis que les autres vaquaient tranquillement à leurs tâches quotidiennes. Comment pouvaient-ils ne pas sentir cette inestimable Venue? Aussi alla-t-il trouver Pugnax, dont le regard compréhensif était comme un phare dans ces cieux devenus soudain périlleux.

Car bizarrement la lumière d'avant, la grande lumière avait disparu, les certitudes s'effritant comme les promesses des simples Terriens – le temps retrouva son opacité, et un jour les Casse-Cou, transportés en Belgique comme par quelque maléfique truchement, commencèrent à descendre dans les odeurs de fumée de charbon et de fleurs hors saison, vers un littoral menacé, équivoque quant à la disposition de la terre et de la mer, jusque dans les ombres côtières se prolongeant dans l'obscurité grandissante, des ombres qu'on ne pouvait pas toujours associer à des bâtiments réels, qui se pliaient et se repliaient toujours plus sur elles-mêmes, une zone entière de parages extérieurs disséminés parmi les dunes et les villages...

Miles, qui contemplait ces lointains humides, scrutant l'obscurité hésitante dans laquelle on ne voyait pas grand-chose de ces basses terres livrées jadis au destin, voire à la malédiction, étudiait l'immensité blafarde du crépuscule, dans sa suspension, sa cryptique insinuation. Qu'allait-il émerger de la nuit, juste derrière la courbe du globe? La brume des canaux montait vers le vaisseau. Un massif isolé de saules indistincts émergea un instant... Des nuages surplombant l'horizon voilèrent le soleil, obligeant la lumière à se fragmenter en indices d'une ville cachée derrière ce qui était visible ici, esquissés en ombres taupe et rosâtres... rien d'aussi sacré ou ardemment recherché que Shambhala, la lumière mâtinée d'une noirceur tenace à l'heure d'éclairer ces basses terres, inondant les villes mortes, les canaux immobiles comme des miroirs... des ombres noires, une tempête et une visitation, une prophétie, une folie...

«Blundell», la voix de Lindsay aujourd'hui exempte de sa sécheresse habituelle, «le Commandant a demandé que chacun rejoigne son poste. Vous êtes prié d'obéir.»

«Bien sûr, Lindsay, j'ai eu un moment de distraction.»

Après s'être occupé du dîner, Miles alla trouver Chick Counterfly. «J'ai vu un des Intrus», dit-il. «En bas. Sur la Promenade.»

«Vous a-t-il reconnu?»

«Oui. Nous nous sommes abordés et nous avons parlé. Ryder Thorn. Il était à Candlebrow. À l'atelier d'ukulélé de cet été. Il donnait un cours sur l'accord de quatre notes dans le contexte de l'intemporel et se décrivait alors comme un Quaternioniste. Nous nous sommes rapidement découvert une passion commune pour cet instrument», se rappela Miles, «et nous avons parlé du mépris considérable dans lequel sont tenus les joueurs d'ukulélé – et qui vient, avons-nous conclu, du fait que l'uke sert presque exclusivement à jouer des accords – des événements uniques, intemporels, appréhendés tous en même temps et non à la suite. Les notes d'une mélodie linéaire, sur toute l'étendue de la gamme, représentant le ton en opposition au temps : interpréter une mélodie, c'est introduire l'élément du temps, et donc la mortalité. Notre répugnance manifeste à renoncer à l'intemporalité de l'accord joué a valu aux ukulélistes une réputation d'enfants maladroits et farceurs qui jamais ne grandiront.»

«Avais pas envisagé la chose sous cet angle», dit Chick, «tout ce que je sais, c'est que ça sonne quand même mieux que quand on chante *a cappella*.»

«Quoi qu'il en soit, Thorn et moi nous sommes aperçus que nous nous entendions mieux que jamais. C'était presque comme d'être de nouveau à Candlebrow, mais en moins dangereux.»

«Vous nous avez donc sauvés, Miles. Vous avez tout compris. Impossible de dire ce —»

«Vous auriez été sauvés par votre bon sens», déclara Miles. «Eussé-je été là ou pas.»

Mais Chick perçut dans sa voix une sorte de détachement qu'il avait appris à reconnaître. «Il y a autre chose, n'est-ce pas?»

«Ce n'est peut-être pas fini.»

Miles examinait son coup-de-poing réglementaire.

«Que comptez-vous faire, Miles?»

«Nous sommes convenus de nous revoir.»

«Cela peut comporter des risques.»

«Nous verrons.»

Et donc Miles, après avoir dûment soumis une requête spéciale et reçu l'approbation de Randolph, débarqua, seul et habillé en civil, en apparence un simple excursionniste parmi les foules saisonnières qui se pressaient dans la ville royale, éternel otage de la mer.

Le temps était radieux – Miles distingua vaguement la traînée charbonneuse d'un transatlantique à l'horizon. Ryder Thorn attendait à l'angle de la Digue près du Kursaal, avec deux bicyclettes.

«T'as pris ton uke, à ce que je vois.»

«J'ai appris un nouvel arrangement "percutant" d'un nocturne de Chopin qui pourrait t'intéresser.»

Ils s'arrêtèrent dans une pâtisserie pour acheter des petits pains et du café puis pédalèrent jusqu'à Diksmuide, l'air immobile se changeant progressivement en brise. La matinée sentait l'été finissant. La saison des moissons touchait à sa fin. On trouvait des jeunes touristes partout dans les allées et le long des canaux, qui goûtaient leur dernier répit et se préparaient à reprendre le travail ou les études.

Le terrain était plat, éminemment cyclable, autorisant des vitesses de trente kilomètres à l'heure. Ils dépassèrent d'autres cyclistes, évoluant seuls ou en groupes joyeux, mais ne s'arrêtèrent pas pour causer.

Miles regardait le paysage, s'efforçant de paraître moins troublé qu'il l'était. Car la lumière du soleil était dotée de la même obscurité intérieure que le crépuscule liquide de la nuit précédente – c'était comme de traverser un négatif photographique omniprésent –, la plaine presque silencieuse hormis le chant des parulines des ruisseaux, les prés fauchés, l'odeur du houblon séchant dans les fours, le lin arraché, entassé en liasses et mis à tremper jusqu'au printemps, les canaux brillants, les écluses, les digues et chemins de halage, les vaches laitières sous les arbres, les nuages détourés et paisibles. Argent terni. La demeure de Miles se trouvait quelque part dans le ciel, et tout ce qu'il savait de la vertu humaine, l'aéronef, quelque part en suspens, le surveillant peut-être en cet instant précis.

«Les nôtres savent ce qui se passera ici», dit Thorn, «et ma mission consiste à découvrir ce que savent les vôtres, s'ils savent quelque chose.»

«Je suis cuistot dans un club aérostatique», dit Miles. «Je connais une centaine de soupes différentes. Je peux regarder les yeux d'un poisson mort sur le marché et dire s'il est frais ou non. Je suis expert en pudding en larges quantités. Mais je ne prédis pas l'avenir.»

«Il faut que tu comprennes mon problème. Mes chefs pensent que vous savez. Que suis-je censé leur dire?»

Miles regarda autour de lui. «C'est un beau pays, mais il est marqué par l'inertie. Je ne dirais pas qu'il va se produire quelque chose.»

«Blundell, à l'époque de Candlebrow», dit Thorn, «tu étais en mesure de voir ce que tes compagnons ne pouvaient voir. Vous nous avez espionnés régulièrement jusqu'à ce qu'on s'en aperçoive.»

«Pas vraiment. Aucune raison à cela.»

«Vous avez obstinément refusé de coopérer à notre programme. »

«On a peut-être l'air de gars de la campagne, mais quand des inconnus déboulent de nulle part avec des offres trop belles pour être vraies... eh bien, le bon sens l'emporte, c'est tout. On ne peut pas nous le reprocher, et nous n'en avons certainement pas honte. »

Plus Miles était calme et plus Thorn s'échauffait. «Vous passez trop de temps là-haut, vous autres. Vous perdez de vue ce qui se passe vraiment dans ce monde que vous croyez comprendre. Vous savez pourquoi nous avions une base permanente à Candlebrow? Parce que toute enquête sur le Temps, si sophistiquée ou abstraite soit-elle, a pour réel fondement la peur humaine de la mort. Parce que nous avons la réponse à cela. Vous pensez planer au-dessus de tout, imperméables à tout, immortels. Êtes-vous stupides à ce point? Sais-tu où nous sommes, ici? »

«Sur la route entre Ypres et Menin, si j'en crois les panneaux», dit Miles.

«D'ici dix ans, sur des centaines et des milliers de kilomètres à la ronde, mais surtout ici —» Il parut se raviser, comme s'il avait failli révéler un secret.

Miles était intrigué, et savait désormais dans quel sens tourner les aiguilles. «Ne m'en dis pas trop, allons, je suis un espion, tu te rappelles? Je vais rapporter toute cette conversation au Q.G. national. »

«Allez au diable, toi et les tiens. Vous n'avez aucune idée de l'endroit où vous mettez les pieds. Ce monde que vous prenez pour "le" monde va mourir, et descendre en Enfer, et toute l'Histoire après ça appartiendra en propre à l'histoire de l'Enfer. »

«Ici», dit Miles en scrutant dans les deux sens la route tranquille qui menait à Menin.

«Les Flandres seront le charnier de l'Histoire. »

«Ah. »

«Et ce n'est pas le côté le plus affreux de cette histoire. Tous vont embrasser la mort. Passionnément. »

«Les Flamands. »

«Le monde. À une échelle qui n'a pas encore été imaginée. Pas une peinture religieuse dans une cathédrale, pas Bosch, pas Bruegel, mais ça, ce que tu vois, la grande plaine, retournée et hersée – tout ce qui gît en dessous ramené à la surface –, délibérément inondée, pas par la mer venue réclamer son dû mais par la contrepartie humaine de cette même absence profonde de pitié – et pas un village ne restera debout. Des lieues et des lieues de crasse, des cadavres par milliers, l'air qui vous semble naturel désormais corrosif et mortifère. »

«Plutôt désagréable», dit Miles.

«Tu ne me crois pas. Tu as tort.»

«Bien sûr que je te crois. Vous venez du futur, non? Z'êtes les mieux placés.»

«Je crois que tu sais de quoi je parle.»

«Il nous manque le savoir-faire technique», dit Miles, feignant une énorme patience. «Ne l'oublie pas. Nous ne sommes que des jockeys aériens, nous avons déjà des problèmes avec trois dimensions, que ferions-nous de quatre?»

«Tu crois qu'on est ici de notre plein gré, dans cet horrible endroit? Des touristes du désastre, hop, on monte dans une machine à voyager dans le temps, tiens, ça vous dirait Pompéi ce week-end, ou le Krakatoa peut-être, mais bon les volcans sont si ennuyeux, franchement, les éruptions, la lave, ça dure qu'une minute, essayons quelque chose de vraiment —»

«Thorn, pas besoin de —»

«Nous n'avons pas eu le choix», d'un ton féroce, ayant abandonné le débit mesuré que Miles avait fini par associer aux Intrus. «Pas plus que des fantômes ne peuvent choisir les endroits qu'ils doivent hanter… vous êtes des enfants perdus dans un rêve, tout est lisse pour vous, pas de brisures, pas de discontinuités, mais imaginez un peu la trame du Temps tout effilochée, et vous, avalés dans ses déchirures, sans espoir, des orphelins et des exilés prêts à tout, même si ce n'est guère reluisant, pour survivre à la rouille des jours.»

Miles, en proie à une désespérante illumination, tendit la main, et Thorn, devinant son intention, tressaillit puis recula, et Miles comprit alors qu'il n'y avait pas eu de miracle, aucun brillant coup de maître, aucun «voyage dans le temps» – la présence en ce monde de Thorn et des siens résultant d'un court-circuit aléatoire qui les avait projetés dans des topographies inconnues du Temps, rendu possible par ce qui allait se produire ici, dans cette région des Flandres occidentales où ils se trouvaient, par la terrible singularité dans le flux lisse du Temps qui s'ouvrait à eux.

«Vous n'êtes pas ici», murmura-t-il, en pleine extase spéculative. «Pas vraiment.»

«J'aimerais ne pas être ici», s'écria Ryder Thorn. «J'aimerais ne jamais avoir vu ces Vestibules de la Nuit, ne pas être condamné à revenir, et revenir encore. Vous avez été si faciles à duper – pour la plupart, en tout cas –, vous êtes de vrais gogos, à vous esbaudir devant vos Merveilles de la Science, à guetter comme s'il vous revenait de droit tous les

Bienfaits du Progrès, c'est votre religion, votre triste religion d'aéro-stiers. »

Miles et Thorn repartirent à vélo vers la mer. Comme la nuit tombait, Thorn, qui au moins honorait les promesses les plus simples, sortit son ukulélé et joua le *Nocturne en* mi *mineur* de Chopin, chaque note ténue acquérant, à mesure que la lumière déclinait, davantage de substance et de profondeur. Ils trouvèrent une auberge et soupèrent de bon appétit puis rentrèrent à Ostende dans la lumière crépusculaire.

« J'aurais pu passer mes mains à travers lui », expliqua Miles. « Comme s'il y avait eu un défaut de transfert physique... »

« Ce que les spirites appellent une "hystérésis plasmique" », fit Chick en opinant.

« Il n'y a rien d'immortel chez eux, Chick. Ils nous ont menti à tous, y compris aux Casse-Cou des autres Unités qui ont été assez stupides pour travailler pour eux, en échange d'une "éternelle jeunesse". Ils ne peuvent l'accorder. Ils ne l'ont jamais pu. »

« Vous vous souvenez, à Candlebrow, après la rencontre avec "Mr Ace", à quel point j'étais inconsolable ? Je n'arrêtais pas de pleurer des heures durant, car je savais alors – sans la moindre preuve, ni raison, je savais simplement, à la minute où je l'ai vu, que tout ça était bidon, que cette promesse n'était qu'un cruel abus de confiance. »

« Vous auriez dû m'en parler », dit Chick.

« Bien qu'abattu, Chick, je savais que je m'en remettrais. Mais vos amis – Lindsay est si fragile, n'est-ce pas, et Darby feint d'être un vieux nihiliste aguerri alors que c'est encore un gamin. Comment aurais-je pu être aussi cruel envers vous ? Mes frères ? »

« Mais je dois maintenant le leur dire. »

« J'espérais que vous trouveriez un moyen. »

Bien qu'il fût assez riche pour engager un sous-fifre, Viktor Mulciber – costume sur mesure, cheveux argentés et pommadés – débarqua lui-même au Kursaal dans un état d'excitation non déguisé, comme si cette mystérieuse arme Q n'était qu'une banale arme à feu et qu'il espérât pouvoir l'essayer gratuitement avant de l'acheter.

« Je suis celui qu'on délègue quand Basil Zaharov est trop occupé avec une nouvelle rouquine pour qu'on le dérange », dit-il en manière de présentations. « La gamme des demandes est vaste, elle va des matraques et des machettes aux sous-marins et aux gaz toxiques – trains de l'Histoire encore en marche, tong chinois, *komitadji* balkaniques, milices africaines, chacun avec sa population de futures veuves, souvent dans des régions tout juste esquissées au crayon au dos d'une enveloppe ou d'un récépissé. Un seul coup d'œil à n'importe quel budget gouvernemental où que ce soit dans le monde en dit assez long – l'argent est toujours sur place, déjà alloué, le motif est partout le même : la peur, et plus la peur est immédiate, plus les multiples sont élevés. »

« Zut alors, je me suis trompé de secteur ! » s'exclama gaiement Root.

Le magnat des armes se fendit d'un sourire distant. « Pas du tout. »

Désireux de mieux comprendre le fonctionnement de cette arme soudain désirable, l'affable marchand de mort s'entretenait dans un estaminet retiré avec une poignée de Quaternionniers, dont Barry Nebulay, le Dr V. Ganesh Rao, aujourd'hui métamorphosé en Nègre américain, et Umeki Tsurigane, que Kit avait suivie, de plus en plus fasciné par la beauté nippone.

« Personne ne semble savoir ce que sont ces ondes », dit Barry Nebulay. « On ne peut les qualifier strictement de hertziennes, car elles se comportent différemment avec l'Éther – le fait est qu'elles paraissent aussi bien longitudinales que transversales. Les Quaternionistes ont donc une chance de les comprendre un jour. »

« Sans compter les marchands de canons, je vous le rappelle », dit Mulciber en souriant. « On prétend que l'inventeur de cette arme a trouvé un moyen d'entrer dans la partie scalaire d'un quaternion, là où sont disponibles des Puissances invisibles. »

« Des quatre termes », acquiesça Nebulay, « le scalaire, ou terme w, tels le baryton dans un quatuor vocal ou l'alto dans un quatuor à cordes, a toujours fait figure d'excentrique. Si vous considériez les trois termes du vecteur comme des dimensions de l'espace, et le terme scalaire comme le Temps, alors toute énergie rencontrée au sein de ce terme pourrait être considérée comme relevant du Temps, une forme intensifiée du Temps lui-même. »

« Le Temps », expliqua le Dr Rao, « est le Terme Avancé, n'est-ce pas, transcendant et conditionnant i, j et k – l'obscur visiteur venu de l'Extérieur, le Destructeur, celui qui accomplit la Trinité. C'est l'impitoyable tic-tac que nous cherchons tous à fuir, dans l'absence de pulsation du salut. C'est tout cela et davantage. »

« Une arme fondée sur le Temps… », dit Viktor Mulciber d'un air songeur. « Ma foi, pourquoi pas ? La seule force que personne ne sait vaincre, contrer, ou inverser. Elle tue toutes les formes de vie tôt ou tard. Avec une Arme-Temps vous pourriez devenir la personne la plus redoutée de toute l'Histoire. »

« Je préférerais être aimé », dit Root.

Mulciber haussa les épaules. « Vous êtes encore jeune. »

Il n'était pas le seul représentant en armes dans la ville. La rumeur avait fini par parvenir jusqu'aux autres, s'insinuant dans les compartiments des trains, se glissant dans le lit des épouses des ministres chargés de l'acquisition de matériel militaire, jusqu'à la source des affluents inexplorés, dans l'ombre des taillis, étendant ses couvertures dans chacune des milliers de clairières désolées, à même la latérite brûlante et rouge où plus rien ne pousserait jamais, étalant aux yeux des blessés et des démunis son merveilleux inventaire – l'un après l'autre ils présentaient des excuses, reprogrammaient leurs voyages, et filaient à Ostende, comme s'ils se rendaient à un tournoi international d'échecs.

Mais ils arrivaient trop tard, parce que Piet Woevre avait depuis le début une longueur d'avance sur eux, et par un beau soir d'automne, parmi les boulevards intérieurs animés de Bruxelles, ce foyer criminel situé aux abords de la gare du Midi, Woevre finit par conclure un marché avec Édouard Gevaert, avec lequel il avait déjà eu une affaire par le passé, mais pas tout à fait de cette nature. Ils se retrouvèrent dans une taverne fréquentée par des receleurs, commandèrent chacun un verre de bière pour la forme et sortirent par-derrière afin de finaliser la transaction. Tout autour d'eux le monde était à vendre ou à troquer. Plus tard, Woevre apprit qu'il aurait pu obtenir cet article à Anvers pour une somme inférieure, mais il y avait trop de quartiers là-bas, en particulier près des quais, qu'il ne pouvait plus fréquenter sans se barder de précautions.

Quand il finit par rentrer en sa possession, Woevre, qui avait été incapable de l'imaginer autrement que comme une arme, fut étonné et un peu déçu de le trouver aussi petit. Il s'était attendu à une espèce de canon de campagne Krupp, assemblé peut-être à partir d'éléments distincts, nécessitant des chariots pour être déplacé d'un endroit à l'autre. Au lieu de ça, il se retrouva avec un étui en cuir lisse, délicatement façonné par des facteurs de masques italiens pour épouser les facettes exactes de l'objet contenu, une peau noire parfaitement ajustée, un déploiement de lumière parmi un écheveau d'angles minutieux, une multitude d'éclats changeants...

« Z'êtes sûr qu'y a que ça ? »

« J'ose croire que je n'irais pas vous tromper sur la marchandise, Woevre. »

« Mais l'énergie énorme... sans le moindre composant périphérique, une alimentation d'un genre, eh bien... »

Alors que Woevre tournait et retournait l'engin en tous sens dans la lumière incertaine du crépuscule et des lampadaires, Gevaert fut surpris par le désir ardent qui se fit jour sur les traits de l'espion. C'était un désir si immodéré... comme n'en avait jamais vu auparavant cet intermédiaire quelque peu irréel, comme de rares personnes ici-bas en connaissaient, le désir de posséder une arme unique capable de détruire le monde.

Chaque fois que Kit s'interrogeait sur ses plans, qui, croyait-il encore récemment, incluaient Göttingen, il se posait toujours la question intéressante de savoir pourquoi il devrait s'attarder sur cette forme vaguement glandulaire sur la carte, menacée, située à l'extrême bord de l'Histoire, moins un pays que la prophétie d'un destin que tous subiraient, un *ostinato* de peur quasi audible...

Il ne lui était pas venu à l'idée ces derniers temps qu'Umeki pût de quelque façon en faire partie. Chacun avait trouvé des prétextes pour tomber de plus en plus dans le champ affectif de l'autre, jusqu'à ce que, par un fatal après-midi dans la chambre d'Umeki, avec derrière la vitre quelque cataracte automnale, elle apparut sur le seuil, nue, le sang sous sa peau aussi fine qu'une feuille d'argent chantant presque son désir. Kit, qui s'était cru doté d'une certaine expérience, fut terrassé en comprenant qu'il ne saurait y avoir de femme autrement qu'ainsi. Il eut le sentiment profond d'avoir gâché jusqu'ici la plupart de ses heures de loisir. Ce diagnostic ne fut guère amendé par le fait qu'elle portait son fameux chapeau de cow-boy. Il sut, avec une certitude ancrée dans une vie antérieure, qu'il devait s'agenouiller pour adorer avec la langue et la bouche son con épanoui jusqu'à ce qu'elle échappe au silence, puis, comme s'il faisait cela tous les jours, sans cesser d'agripper ses fesses, avec les jambes exquises d'Umeki lui enserrant le cou, il se releva et la porta, légère, tendue, silencieuse, jusqu'au lit, pour confier ce qu'il restait alors de son esprit à ce miracle, à cette ensorceleuse venue de l'Est.

Kit continua d'apercevoir de temps à autre Pléiade Lafrisée, le long de la Digue, à l'autre bout des salles de jeu, dans les gradins de l'Hippodrome Wellington, veillant en général à l'entraînement capricieux de quelque sportif de passage. Tous ces visiteurs semblaient fortunés, mais ce n'était peut-être que de l'esbroufe. Mais bon, avec Umeki et tout ça, ce n'était pas comme s'il brûlait vraiment de renouer avec Lafrisée, il savait très bien qu'elle lui avait assigné un rôle très circonscrit, et après le malencontreux épisode dans la fabrique de mayonnaise il espérait seulement avoir vu le pire d'elle. Mais il se demandait quand même ce qu'elle faisait encore en ville.

Un jour, alors que Kit et Umeki revenaient à pied du café de l'Estacade, ils tombèrent sur Pléiade en pleine conversation avec Piet Woevre, arrivant en sens inverse.

«Salut, Kit.» Son regard traversa un moment Miss Tsurigane. «C'est qui cette *mousmé*?»

Kit, désignant Woevre en miroir: «C'est qui ce *mouchard*?»

Woevre sourit alors avec une sensualité franche et sinistre. Kit remarqua qu'il était armé. Soit. Si quelqu'un était capable de manigancer une mort par mayonnaise, Kit ne doutait pas que ce fût cette brute. Pléiade avait pris le bras de Woevre et tentait de l'entraîner.

«Une ancienne flamme!» spécula Umeki.

«Demande au Dr Rao, je crois qu'ils sont ensemble.»

«Oh, c'est donc *elle*.»

Kit roula des yeux. «Vous autres Quaternionniers, vous raffolez vraiment des ragots! Auriez-vous tous fait le serment de mener une vie dissolue?»

«La monotonie – c'est un sujet de fierté pour vous autres, les Vectoristes?»

Le 16 octobre, jour anniversaire de la découverte des quaternions en

1843 par Hamilton (ou, comme l'aurait dit un disciple, de la découverte de Hamilton par les quaternions), traditionnellement le jour clé de chaque Convention mondiale, tombait également le lendemain de la clôture de la saison officielle de la baignade à Ostende. Cette fois-ci, le Dr Rao se fendit d'un discours d'adieu. «Le moment, bien sûr, est intemporel. Pas de commencement, pas de fin, nulle durée, la lumière à jamais déclinante, non pas le fruit de pensées conscientes mais tombant sur Hamilton, pas forcément de source divine mais survenant alors que les chiens de garde du pessimisme victorien dormaient trop profondément pour percevoir, et encore moins effrayer, les pilleurs attentifs de l'Épiphanie.

«Nous connaissons tous cette histoire. Un lundi matin à Dublin, Hamilton et son épouse, Maria Bayley Hamilton, se promènent le long du canal en face de Trinity College, où Hamilton doit présider une réunion du conseil. Maria bavarde agréablement, Hamilton opine de temps en temps en murmurant "Oui, chérie" quand soudain, alors qu'ils approchent de Brougham Bridge, il pousse un cri et sort un couteau de sa poche. Mrs H. sursaute brusquement mais se ressaisit – ce n'est qu'un canif –, tandis que Hamilton fonce vers le pont et grave dans la pierre $i^2 = j^2 = k^2 = ijk = -1$», l'assemblée proférant alors comme une hymne assourdie, «et c'est à cet instant pentecôtiste que les quaternions descendent, pour élire leur domicile terrestre parmi les pensées des hommes.»

Au cours des festivités liées au départ, la romance, l'ivresse et la folie furent tellement de règle, tant de portes de couloirs s'ouvrirent et se fermèrent, tant d'hôtes se trompèrent de chambre, que le bureau de De Decker, subodorant une occasion de nuire officielle, envoya à l'hôtel le plus grand nombre d'agents qu'il put trouver, parmi lesquels Piet Woevre, qui aurait préféré travailler de nuit et à des fins plus sinistres. À l'instant où il aperçut Woevre, Kit, s'imaginant la cible d'une intention meurtrière, s'enfuit en courant dans le dédale hôtelier tout en escaliers et passages dérobés. Root Tubsmith, croyant que Kit essayait de se défiler suite à un pari perdu quelques soirées plus tôt au Casino, se lança à sa poursuite. Umeki, qui pensait que Kit et elle allaient passer ensemble le jour et la nuit, soupçonna immédiatement une autre femme, sûrement cette salope de Parisienne, et se joignit à la battue. Tandis que Pino et Rocco, craignant pour la sûreté de leur torpille, détalaient, Policarpe, Denis, Eugénie et Fatou, reconnaissant quantité de visages familiers parmi les agents de police qui grouillaient partout, en conclurent que l'opération prévue de longue date contre les «Jeune Congo» avait commencé, et sautèrent par diverses fenêtres du rez-de-chaussée dans les jardinets, puis, se rappelant les cuillers à absinthe, foulards, illustrés et autres objets qu'il était essentiel de sauver, retournèrent en douce dans l'hôtel, se trompèrent de couloir, ouvrirent la mauvaise porte, hurlèrent, ressortirent en courant. Ce genre de scène se produisit jusqu'après la tombée du jour. À l'époque, c'était le pain quotidien de la plupart des gens. Les productions théâtrales qui s'efforçaient de restituer ces scènes le plus fidèlement possible, au point d'en faire des équivalents mélodramatiques des peintures de genre, reçurent le nom de «farce à quatre portes» et connurent alors leur Âge d'Or.

Changeant sans cesse de lieu public, Kit sauta d'un tram à l'autre, s'assit à diverses terrasses, s'efforçant de s'en tenir aux endroits éclairés et peuplés. Il ne vit aucune trace d'un état d'urgence citadin, seulement les éléments de la Garde civique qui patrouillaient avec prévenance, et les Quaternionniers qu'il aperçut ne lui parurent pas plus cinglés que d'habitude – il lui fut cependant impossible de se départir de l'effrayante certitude qu'il était la cible de forces visant sa destruction. Il fut enfin arraché à ses déambulations frénétiques par Pino et Rocco, qui l'accostèrent vers minuit près de la Minque, où l'on vendait le poisson à la criée.

«Nous retournons à Bruges», dit Rocco. «Voire à Gand. Trop de policiers par ici.»

«On peut vous déposer quelque part?» proposa Pino.

Et c'est ainsi que Kit se retrouva, à une heure indue, dans une torpille qui remontait le canal jusqu'à Bruges.

À un moment donné, les jeunes gens enjoués se rendirent compte qu'il faisait nuit et qu'il n'y avait en outre aucun feu de navigation en vue.

«Je ne crois pas qu'on nous ait pris en chasse», dit Rocco.

«Tu veux ralentir?» dit Pino.

«On est pressé d'arriver à Bruges?»

«Y a quelque chose devant. Diminue un peu les gaz au cas où.»

«*Cazzo!*»

Ils avaient dû virer au mauvais endroit et n'étaient plus sur le canal principal, mais dans un passage fantôme, balayé par les brumes, quasi à l'abandon, pris entre des murs aveugles, enjambé par des passerelles qui semblaient relever moins du Nord chrétien que d'une foi un peu plus exotique, une conception collatérale de ce que pouvait signifier le passage d'un monde à l'autre. Au beau milieu de la nuit éblouissante, déguisés en échos et interférences de phases, des carillons s'étaient mis à tinter, un nocturne en mode mineur bien trop précis pour être imputable aux horaires humains et à la puissance musculaire, plus vraisemblablement dû aux carillons horlogers de cette partie de la Belgique, qui remplaçaient de plus en plus les carillonneurs, dont on disait que la corporation déclinait...

La cité était naguère un port hanséatique florissant, accessible depuis tous les coins de la Terre, où déambulaient et plastronnaient des bourgeois gentiment éméchés avec leurs épouses et leurs filles aux atours opulents, enrichie par l'industrie de la laine et le commerce avec des villes aussi éloignées que Venise, mais, depuis que son canal donnant dans la mer s'était ensablé dans les années 1400, elle était devenue comme Damme et Sluis un lieu silencieux et spectral, hanté par une lumière liquide, obscure même sous la pleine lune, sans jamais une seule embarcation pour perturber la quiétude fantomatique de ses canaux. Bizarrement, l'endroit semblait balayé et nettoyé. Non que le sable, le sel et les fantômes contribuassent beaucoup à la crasse citadine. Mais quelqu'un devait s'en occuper, aux heures les plus sombres, rejointoyant les pierres des murs, arrosant les rues étroites, remplaçant les boulons des chevalets. Des créatures qui ne correspondaient peut-être pas tout à fait à l'idée qu'on se fait de l'humain.

Errant, comme à jamais détachés du quotidien diurne, des insomniaques étaient sortis de chez eux, leurs orbites ourlées de noir alors que la brume se dissipait dans l'éclat lunaire quasi intolérable. Une ombre se détacha et s'avança, de plus en plus nette et solide à mesure qu'elle approchait. Kit regarda autour de lui. Rocco et Pino avaient disparu. «Mais bon sang qu'est-ce que — ?» L'ombre faisait quelque chose avec ses mains.

Woevre. Là, devant lui. Kit avait non pas fui mais couru vers sa probable destruction.

Une balle le frôla en sifflant, éclaboussant sa joue de minuscules fragments de pierre. Le bruit de la détonation se répercuta sur les surfaces anciennes. Il fonça vers le plus proche abri, un porche où pouvait être embusqué n'importe quoi, en s'écriant: «Vous vous trompez de bonhomme!»

«Tant pis. Vous ferez l'affaire.»

Quand le second coup retentit, Kit était accroupi, le cœur battant et, il l'espérait, à couvert. Il n'était peut-être pas la seule cible, ou alors Woevre tirait pour le plaisir. Les carillons mélancoliques continuaient.

Woevre se tenait à découvert dans la lumière nocturne, en proie à une exaltation qu'il ne se rappelait pas avoir jamais ressentie, même dans sa période africaine. Il ne savait plus trop sur qui il tirait, ni comment il était arrivé là. Cela devait avoir un rapport avec les Italiens dans leur torpille pilotée, ça figurait dans le rapport qui était arrivé au bureau un peu plus tôt dans la journée, mais rien de tel ne remuait à présent dans ces canaux très éclairés. L'activité intéressante semblait être dans le ciel.

Chaque fois qu'il risquait un regard vers les nues, elle était là, juste au-dessus de lui, cette chose qu'il voyait depuis des jours, émergeant à présent du ciel, de derrière le ciel, avec à son bord les visiteurs anonymes qu'il avait vus marcher le long de la Digue, comme s'ils étaient en ville en mission organisée.

Il savait qu'il devait essayer d'abattre le vaisseau volant. Il rempocha son Borchardt et voulut s'emparer de l'arme qu'il avait rapportée de Bruxelles, sans même savoir comment on ouvrait l'étui, et encore moins utiliser ce qu'il contenait. Il ne savait pas s'il fallait la charger ni avec quelles munitions. C'étaient des détails. Il était qui il était, et faisait confiance à son instinct dès qu'il s'agissait d'utiliser une arme dans l'urgence.

Mais Woevre ne l'avait jamais vue avant, du moins pas par une nuit comme celle-ci, dans l'impitoyable clair de lune. Il eut la certitude écrasante que l'arme était consciente et le regardait, pas franchement ravie de se retrouver entre ses mains. Sa surface était chaude, et il perçut une délicate vibration. Comment était-ce possible? Gevaert n'avait rien signalé. À moins que…

«*Jou moerskont!*» s'écria-t-il. L'arme se fichait pas mal qu'on l'invective en afrikaans, apparemment, elle avait été conçue bien trop loin de ces forêts-là, de ces rivières-là, lentes, fatales… Quelque chose luit, l'aveuglant un instant, irradiant son champ de vision d'un vert lumineux. Le bruit qui retentit n'était pas de ceux qu'il aurait envie de réentendre, et l'on aurait dit que les voix de tous ceux qu'il avait exécutés venaient d'être orchestrées précisément et diaboliquement pour quelque immense chœur.

Il leva les yeux. Il était tombé à la renverse sur la chaussée, tout haletant, et l'Américain était là, qui lui tendait la main pour l'aider à se relever.

«Que vous est-il arrivé, l'ami? Vous vous êtes tiré dessus? Sacrément vicelard, votre flingot —»

«Prenez-le. Prenez cette saloperie. Je ne supporte pas… cette terrible lumière… *Voetsak, voetsak!*»

Il s'éloigna en titubant, longea le canal, traversa un pont, s'enfonça dans le dédale de la ville morte. Kit entendit d'autres détonations venant de cette direction, puis les cloches se turent enfin, la fumée de cordite se dissipa, les badauds retournèrent l'un après l'autre dans les plis du sommeil, la lumière lunaire redevint oblique et métallique, et Kit se retrouva seul avec l'objet énigmatique, à l'abri dans son écrin de cuir. Il passa nonchalamment la sangle par-dessus son épaule, en se promettant de l'examiner plus tard.

Kit ne comprenait pas pourquoi on en faisait tout un plat. Mais Umeki passa bientôt des heures entières avec l'instrument, son front se plissant et se déplissant comme en proie au chagrin et au soulagement, comme si elle regardait par un œilleton un spectacle dramatique, très long, voire infini, venu de son propre pays. Chaque fois que ses yeux se détournaient brièvement de l'instrument, ils s'embuaient, la piquaient, comme soumis à deux lois distinctes. Chaque fois que Kit lui demandait ce qui se passait, elle répondait au début d'une voix basse marquée par le tabac, avec une lenteur émouvante, dans ce qu'il supposait être du japonais.

Finalement: «Bon. D'abord les miroirs – regarde, ici, semi-réfléchissants, pas sur du verre mais sur de la calcite, et ce spécimen – comme il est pur! Tout rayon de lumière entrant immédiatement se scinde en deux rayons – l'un "Ordinaire", l'autre "Extraordinaire". Parvenus à l'une de ces surfaces semi-réfléchissantes, ces rayons sont pour moitié réfléchis et réfractés – donc, quatre possibilités – deux rayons réfléchis, deux réfractés, un de chaque, et vice versa. Ce chiffre fatal de quatre – pour un esprit japonais, c'est littéralement fatal. Même idéogramme que la mort. Peut-être pour ça que les quaternions m'ont attirée. Disons que chacun des quatre états est associé à une des quatre "dimensions" de l'espace-temps minkowskien – ou, pour parler plus trivialement, aux quatre coins de la surface réciproque de celle de l'onde, ce que les Quaternionistes appellent la surface-index. Peut-être devrions-nous faire fi des lois de l'optique, comme si les rayons n'étaient plus doublement réfractés, mais doublement *émis*, depuis l'objet qu'on peut observer à travers ceci… comme s'il existait au niveau conscient une contrepartie au Rayon extraordinaire, et qu'on regarde avec l'œil de ce domaine inexploré.

«Et je ne parle que de l'œilleton.»

Elle ôta un panneau d'accès, fourra la main dans l'ouverture, parut accomplir quelques translations et rotations prestes et complexes, puis ressortit un cristal d'environ la taille d'un globe oculaire humain. Kit le prit et l'examina attentivement.

«Toutes ces facettes sont équilatérales.»

«Oui. C'est un véritable icosaèdre.»

«Le solide régulier, pas un 12 + 8 comme on en trouve dans les pyrites, mais — C'est impossible. Il n'existe pas de tel —»

«Pas impossible! À ce jour, non identifié! Et la sphère décrite par les douze sommets —»

«Attends. Ne dis rien. Pas une sphère ordinaire, hein?» L'objet scintillait devant ses yeux, comme s'il clignait. «Quelque chose comme... une sphère de Riemann.»

Elle sourit. «Le domaine de x + iy – nous y voilà! Que ça nous plaise ou non.»

«Un icosaèdre imaginaire. Génial.» S'efforçant de se rappeler ce qu'il pouvait du magistral *Vorlesungen über das Ikosaeder* de Felix Klein, dont la lecture avait été plus que conseillée à Göttingen, mais sans grand résultat.

«"Imaginaire"», dit-elle en riant, «pas le meilleur qualificatif!»

Elle prit le cristal, non sans un certain respect, et le remit dans l'appareil.

«À quoi ça sert?»

Une fine poignée d'ébène dépassait d'une rainure bordée de cuivre, décrivant une courbe compliquée. Quand Kit voulut la saisir, elle lui donna une tape sur la main.

«N'y touche pas! Le "Compensateur de Dérive Ohmique" régule la quantité de lumière pouvant traverser le tain du miroir! Un genre particulier de réfraction! Calculée pour contrer l'indice imaginaire! Dangereux!»

«Ce truc n'est pas plus gros qu'un pistolet-mitrailleur», dit Kit. «Quelle peut être sa puissance?»

«Ce n'est qu'une hypothèse, mais prends la vitesse de la Terre sur son orbite – imagine un peu! près de trente kilomètres par seconde! –, calcule la racine carrée, multiplie-la par la masse de la planète —»

«Une sacrée dose d'énergie cinétique, dis donc.»

«Récemment, depuis l'article de Lorentz paru dans *Proceedings*, la revue de l'Académie d'Amsterdam – Fitzgerald *et alii* –, ils ont conclu qu'un corps solide traversant l'Éther à une très grande vitesse peut devenir légèrement plus court le long de l'axe du mouvement. Et Lord Rayleigh, cherchant des effets secondaires, se demande si un tel mouvement ne pourrait pas faire qu'un corps cristallin devienne doublement réfringent. Jusqu'ici, ces expériences donnent des résultats négatifs. Mais ce principe – si nous l'inversions et *commencions* par un cristal dans lequel la double réfraction est causée par une série d'axes qui ne sont plus uniformes, avec des valeurs spatiales modifiées, du fait du mouvement de la Terre – alors déjà dans un tel cristal, on trouve, implicite, incarnée ici, cette grande vélocité planétaire, cette énergie incommensurable, qu'une personne a désormais réussi à associer à un…»

«Je n'aime vraiment pas penser à ça», dit Kit, en feignant de se boucher les oreilles.

Dans un rêve fait au petit matin, elle se tenait devant lui, l'objet entre les mains. Elle était nue et pleurait. «Dois-je donc prendre ce terrible instrument et fuir vers d'autres rives?» Sa voix, dépourvue de son habituelle nuance sarcastique, éperdue, lui communiquait sa tristesse. Ce rêve concernait Umeki, mais c'était également un de ces rêves de mathématiciens qui ponctuent le folklore. Il comprenait que si les ondes Q étaient longitudinales, si elles voyageaient dans l'Éther comme le son se propage dans l'air, alors parmi les autres analogies sonores, quelque part dans le régime, devait figurer la musique – qu'il entendit immédiatement, ou plutôt capta. Le message qu'elle semblait transmettre était le suivant: «Tout au fond des équations décrivant le comportement de la lumière, les équations de champ, les équations de vecteur et de quaternion, on trouve une suite de directions, un itinéraire, une carte permettant d'accéder à un espace caché. La double réfraction apparaît sans cesse comme un élément clé, elle permet de scruter une autre Création, si proche qu'elle empiète sur celle que nous connaissons, et la membrane entre ces deux mondes, en quantité d'endroits, est devenue trop fragile, trop perméable, un danger apparaît… Au sein du miroir, au sein du scalaire, au sein de la lumière du jour et de l'évidence et du allant-de-soi, on trouve, comme inscrit de toute éternité, le sombre itinéraire, le guide du pèlerin corrompu, l'indicible Station avant la première, dans l'incréé obscur, là où le salut n'existe pas encore.»

Il se réveilla en sachant pour la première fois depuis longtemps ce qu'il devait faire. C'était comme quand un sinus obstrué se débouche soudain. Tout était clair. Cet objet métallique était extrêmement dangereux et susceptible de nuire autant à son utilisateur qu'à sa cible. Si les Services secrets militaires belges le prenaient à tort pour une «arme quaternionique», mythique ou pas, il était évident que les autres Puissances lui accorderaient un immense intérêt. Causant à la vaste population des innocents de ce monde plus d'ennuis que n'en souhaite aucun gouvernement. D'un autre côté, si elle échouait entre les mains d'une personne qui comprenait et l'appréciait…

Umeki se retourna posément, tire-bouchonnant les draps, fredonnant un air de son invention, puis lui mordit le téton.

«*Konichiwa* à toi aussi, ma petite fleur de prunier.»

«J'ai rêvé que tu t'envolais à bord d'un aéronef.»

«Je ne partirai jamais. Si —»

«Tu partiras. Et je dois vivre sans toi.» Mais nulle trace de la tristesse qui avait étreint sa voix dans le rêve.

Ils étaient encore au lit, à fumer, sur le point de quitter cette pièce pour la dernière fois. «Il y a un nouvel opéra de Puccini», dit-elle. «Un Américain trahit une Japonaise. Butterfly. Il devrait mourir de honte, mais non – c'est Butterfly qui meurt. Qu'en conclure? Que les Japonais meurent de honte et de déshonneur mais pas les Américains? Que ces derniers *ne le peuvent jamais* parce qu'ils n'ont pas le bagage culturel pour cela? Comme si ton pays était juste destiné à aller de l'avant machinalement, sans se soucier de qui il rencontre ou piétine?»

Feignant de se rappeler quelque chose, il dit: «J'ai un cadeau pour toi.»

Elle le regarda par-dessus la crique d'un oreiller. «Tu ne peux pas me l'offrir parce qu'elle ne t'a jamais appartenu. Elle était à moi bien avant que je sache qu'elle existait.»

«Je sais que c'est juste ta façon de dire merci.»

«Je vais être obligée de la montrer à Kimura-san, afin de savoir ce qu'il peut en faire.»

«Bien sûr.»

«Le gouvernement japonais – j'ai des doutes à son sujet.»

«Tu rentres chez toi?»

Elle haussa les épaules. «J'ignore où ça se trouve. Et toi?»

À la gare d'Ostende-Ville, Kit connut une brève épiphanie – vite dissipée par le vacarme et la fumée de charbon, les bières éclusées gaiement, Root Tubsmith qui grattait énergiquement à l'ukulélé un pot-pourri dont le très populaire *La Matchiche* de Borel-Clerc – pendant laquelle il vit Ostende non comme un simple lieu de villégiature pour gens trop fortunés, mais comme le point d'ancrage occidental d'un réseau continental englobant l'Orient-Express, le Transsibérien, le Berlin-Bagdad, et cætera, une prolifération métallique qui s'étendait sur toute l'Île-Monde. Sans se douter qu'il deviendrait, au fil des saisons, un habitué de l'Imperium de la Vapeur, ni qu'il serait possible, depuis Ostende, grâce à la Compagnie Internationale des Wagons-Lits, de s'enfoncer dans l'Est, pour la somme plus que raisonnable de deux cents francs, et ce de façon vertigineuse et, qui sait, définitive. Il chercha Umeki dans la foule qui grouillait sur le quai, et même parmi des sous-ensembles qui ne pouvaient l'inclure, s'interrogeant sur les protocoles du destin, la façon de partir, de suivre, de fuir, de rester... Elle n'était pas là, n'y serait pas. Et plus elle n'y était pas, plus elle y était. Kit se dit qu'il y avait quelque chose dans la théorie des ensembles qui expliquait cela, mais le train s'ébranlait déjà, son esprit était tout engourdi, son cœur demeurait injoignable, les dunes défilèrent, puis soudain le canal de Bruges et les alouettes s'élancèrent par-dessus le chaume des champs, se rassemblant pour former un front défensif contre l'automne.

Dally aurait pu l'expliquer si quelqu'un avait insisté – l'Expo de Chicago appartenait au passé, mais elle avait gardé un ou deux souvenirs de bateaux glissant sans bruit sur des canaux, quelque chose s'anima quand le *vaporetto* s'éloigna de la gare et descendit le Grand Canal, jusqu'à ce que, au moment même où le soleil se couchait, parvenu à l'extrémité de Saint-Marc, surgisse le pur soir vénitien, les ombres bleues et vertes, les nuances lavande, ultramarines, terre de Sienne et ambrées du ciel, et l'air chargé de lumière qu'elle respirait, l'étonnant dynamisme du crépuscule quotidien, les lanternes à gaz s'allumant sur la Piazzetta, avec en face San Giorgio Maggiore baignant dans une clarté pâle et angélique, aussi lointaine que le ciel et pourtant, aurait-on dit, toute proche, comme si le souffle de Dally, son désir, pouvait franchir les eaux et l'atteindre – elle eut pour la première fois de sa vie d'errance la certitude que, quel que fût le sens du mot *casa*, ce qu'elle voyait était plus vieux que le souvenir, que l'histoire qu'elle croyait connaître. Son cœur commença alors à se dilater sous l'effet de ce qui menaçait d'être un regret lorsqu'un touriste, près d'elle, s'exprimant dans un anglais horriblement muqueux, déclara avec un sourire satisfait à un compagnon enthousiaste : « Oh, tout le monde dit ça, encore un jour ou deux et tu n'auras qu'un désir, partir. » Du coup Dally eut envie de s'emparer d'un aviron de gondole et de le frapper avec, peut-être plus d'une fois. Mais le soir, qui étendait miséricordieusement son vaste manteau, s'occuperait de cet enquiquineur et de ses milliers de répliques, qui étaient comme des moucherons formant des nuages à la nuit tombée, prêts à infester l'été vénitien, à rehausser sa splendeur de leur nuisance terrestre, à passer le plus rapidement possible, chassés, oubliés.

Elle, entre-temps, avait décidé de vivre ici à jamais.

La première tournée des Zombini, au Teatro Verdi de Trieste, avait été un triomphe. Ils eurent droit à des louanges extatiques non seulement dans la presse locale mais également dans les journaux de Rome et de Milan, et on les garda une semaine de plus, si bien qu'en arrivant à

Venise ils apprirent que le spectacle avait été prolongé et qu'on affichait complet sur plusieurs semaines.

« C'est donc ça le Malibran. »

« La maison de Marco Polo est juste au coin de la rue. »

« Hé, tu crois qu'il viendra si on lui donne des billets gratis ? »

« Cici, réflexe ! »

« Yaagghh ! »

Cici se rappela juste à temps qu'il ne s'agissait qu'*en apparence* d'un éléphant grandeur nature décrivant un arc dans l'air pour aller s'écraser sur lui. Il fit un pas de côté au dernier moment, exécuta une rapide passe dite de « pincette » et glissa l'animal dans l'une des poches secrètes de sa veste de scène, où il disparut promptement, bien qu'on raconte aujourd'hui qu'il déambule tranquillement dans les forêts de son Afrique natale. Encore un célèbre Tour du Pachyderme Volant accompli avec succès.

En coulisses, Vincenzo Miserere, le représentant de commerce travaillant pour la fabrique de miroirs d'Isola degli Specchi, suivait le spectacle avec admiration. Au fil des ans, il avait vu passer toutes sortes de numéros, et l'immense réputation des Zombini, qu'il était allé voir à Trieste en train, était plus que méritée.

« Il y avait autrefois des Zombini à Venise, je crois », dit-il à Luca. « Cela fait longtemps. Profitez de votre séjour pour visiter la fabrique, nous avons une bibliothèque pleine de documents anciens qu'on est en train d'indexer. Il Professore Svegli de l'Université de Pise nous donne un coup de main. Vous trouverez peut-être des traces. »

Bria avait entendu parler des Zombini de Venise depuis qu'elle était toute petite, quand son père lui avait fait signe un jour de le suivre dans son bureau et avait extirpé de son somptueux chaos un volume ancien, relié en peau de requin, *Les Voyages et Aventures de Niccolò dei Zombini, Specchiere*. Au dix-septième siècle, Niccolò avait été placé par sa famille en apprentissage chez les fabricants de miroirs de l'île qui, à l'instar des souffleurs de verre de Murano, protégeaient jalousement leurs secrets de fabrication. De nos jours, les corporations sont plutôt bienveillantes comparées à ces patrons d'autrefois, dont les penchants paranoïaques ne faisaient que s'aggraver au fil des ans et des générations. Ils confinaient leurs ouvriers sur cette petite île marécageuse, les retenant prisonniers – le châtiment pour ceux qu'on avait surpris en train de fuir était la mort. Mais Niccolò, lui, réussit à s'échapper, et le livre que Luca montra à Bria commençait par son départ de l'île, un *guaglion* chassant l'autre, à travers l'Europe et pendant la Renaissance, pas de télégraphes, pas de passeports, pas de réseaux d'espionnage internationaux, il suffisait pour conserver son avance d'avoir l'avantage en matière de célérité et d'imagination. Niccolò parvint à se fondre dans le bruit et le désordre, ce qu'était alors l'Europe.

«Dans une des versions», dit Luca, «il finit par embarquer pour l'Amérique, où il se maria, eut des enfants, inaugurant une nouvelle lignée, à laquelle nous appartenons, même si l'on n'a plus jamais vu de Zombini dans la miroiterie – nous avons exercé tous les métiers, maçons, patrons de saloon, cow-boys, joueurs professionnels, et tu sais quoi? dans le Sud avant la guerre de Sécession? deux ou trois d'entre nous ont été nègres.»

«Hein?»

«Quoi, tu n'as jamais vu notre arbre généalogique? Tiens, regarde, Elijah Zombini, un grand cuisinier, les premières lasagnes au sud de la ligne Mason-Dixon, il utilisait du gruau au lieu de ricotta. T'as jamais entendu parler de lui?» Et comme cela se produisait depuis que Bria était toute petite, Luca se lança dans un nouveau récit, et les enfants s'endormirent l'un après l'autre...

Isola degli Specchi apparaissait sur certaines cartes et ne figurait pas sur d'autres. Cela dépendait apparemment du niveau des eaux dans la Lagune. Ce devait être également une question de foi, car on trouvait des Vénitiens par ailleurs cultivés qui niaient catégoriquement son existence. Le jour où Luca et Bria s'y rendirent, l'île paraissait tout à fait normale, elle était desservie par des *vaporetti* ordinaires, avait une miroiterie ordinaire, des salles de fonte, des batteries de creusets, des ateliers de polissage, le seul élément étrange étant une aile entière dont l'accès était déconseillé aux visiteurs, et dont la porte portait l'inscription TERAPIA.

Le Pr Svegli se trouvait dans la salle des archives de la fabrique, entouré de documents anciens et de parchemins. «Les traces de votre ancêtre», dit-il en les accueillant, «sont aussi difficiles à découvrir que l'homme lui-même.»

«Surprenant qu'ils n'aient pas simplement détruit toutes celles qu'ils pouvaient trouver.»

«Pourquoi l'auraient-ils fait? Aujourd'hui, nous sommes habitués à considérer l'identité comme le simple contenu d'un dossier. À l'époque, une même personne pouvait avoir plusieurs identités, il était facile de forger ou d'inventer des "documents". Pour Niccolò dei Zombini, c'était particulièrement délicat, parce qu'il était également devenu fou, un risque du métier assez courant chez ces miroitiers perfectionnistes. Il aurait dû finir dans l'asile de San Servolo, mais, pour une raison mystérieuse – a-t-il feint la folie dans le but de s'enfuir? avait-il des amis au

Palais ducal ? –, il s'en est sorti malgré un comportement qui aurait valu à n'importe qui un séjour chez les *manicomii*, et il a eu l'autorisation de continuer à travailler. Il fut peut-être le seul à savoir pourquoi. »

Il Professore s'empara délicatement d'une feuille de vélin quasi transparente et la déposa sur la surface plate d'un celluloïd blanc. « On suppose qu'il s'agit du dessin original du prétendu *paramorfico*, c'est un vélin utérin très rare et très cher, qui n'est pas destiné à voir beaucoup la lumière du jour. Il semble également qu'il y a eu des gabarits encrés sur des parchemins de qualité inférieure, mais la plupart d'entre eux ont été abîmés par le temps, ainsi que par les produits servant au polissage, la poix, le rouge, et cætera. Niccolò s'est échappé d'ici, probablement en l'an 1660, emportant avec lui un *paramorfico*, et l'on n'a plus jamais entendu parler de l'un comme de l'autre. »

« Ça sert à quoi ? » demanda Luca à Vincenzo Miserere. « On en fabrique encore ? Pourrais-je m'en servir pour mon spectacle ? »

Miserere le regarda par-dessus son pince-nez. « Vous avez commandé quelque chose de ce genre l'an dernier », feuilletant une pile de doubles de commandes. « Verre, calcite, argenture. On l'appelle la Doppiatrice. »

« Exact. Exact. Pendant qu'on y est, j'aurais peut-être besoin de parler à vos agents de maintenance. » Et d'exposer à Miserere l'inexplicable défaillance, responsable d'une petite population de sujets optiquement scindés en deux qui se promenaient dans New York, tandis que Bria s'efforçait de ne pas rouler des yeux de façon trop ostentatoire.

L'homme décrocha un téléphone sur son bureau, s'entretint brièvement en dialecte vénitien et, quelques minutes plus tard, Ettore Sananzolo, le concepteur de l'engin, arriva avec une liasse de croquis techniques sous le bras.

« C'est juste une variante du classique cabinet de Maskelyne d'il y a quarante ans », expliqua-t-il, « où l'on dispose un miroir contre un pan du cabinet vide, incliné à quarante-cinq degrés, de sorte qu'il coupe parfaitement un des coins du fond en deux. Moyennant un miroir de bonne qualité et une doublure en velours, le public croit voir directement la paroi du fond du cabinet vide, alors que ce qu'il voit en fait c'est un reflet d'une des parois de côté. Pour disparaître, le sujet se contente de se glisser dans le cabinet et se cache dans l'angle à quarante-cinq degrés derrière le miroir.

« Pour obtenir un procédé analogue en quatre dimensions, nous avons dû laisser le miroir bidimensionnel pour un miroir tridimensionnel, et c'est là qu'intervient le *paramorfico*. Au lieu d'une simple rotation à quatre-vingt-dix degrés où un seul plan en représente un autre dans un espace à trois dimensions, nous devons alors remplacer un volume – l'intérieur du cabinet – par un autre, dans l'espace à quatre dimensions. Nous passons d'un système de trois axes purement spatiaux à un système à quatre axes – espace plus temps. De la sorte, le temps entre en jeu. Les doubles dont vous signalez l'apparition sont en fait les sujets originaux eux-mêmes, légèrement déplacés dans le temps.»

«Plus ou moins la façon dont le Pr Vanderjuice voit la chose. Mais bon, comment on répare ça?»

«Malheureusement, vous devrez d'abord retrouver toutes les paires et les convaincre de retourner dans le cabinet.»

Du coin de l'œil, il vit Bria qui se prenait la tête à deux mains en se retenant de faire une remarque, mais bizarrement Luca ressentit alors les premiers symptômes de l'espoir. Ce que demandait Ettore était évidemment impossible. Les sujets en question vivaient depuis trop longtemps leurs vies, moins jumeaux que divergents, un phénomène inévitable dans une ville aussi gigantesque que New York – ils avaient dû rencontrer des inconnus séduisants, faire la cour, se marier, avoir des enfants, changer de métier, déménager, si bien que les retrouver reviendrait à essayer de faire rentrer la fumée dans un cigare, et on ne pouvait guère s'attendre à ce qu'un seul d'entre eux ait envie de réintégrer la Doppiatrice de son plein gré. C'était un peu comme d'enfanter un grand nombre de véritables enfants, se dit-il, des jumeaux, sauf que ceux-ci arrivaient au monde déjà adultes, et il était peu probable qu'aucun d'eux revienne jamais le voir. Personne n'aurait trouvé ça rassurant, mais Luca fit un effort.

Ettore indiqua les croquis auxquels il conviendrait d'apporter des modifications, ainsi que les nouveaux éléments installés, afin d'empêcher que le problème se reproduise.

«Me voilà maintenant tranquillisé», murmura Luca. «Je ne sais comment vous remercier.»

«De l'argent?» suggéra Ettore. Vincenzo Miserere alluma un cigare noir et dur comme de la pierre. Bria scrutait son père comme s'il avait perdu la tête.

Ils retournèrent à Venise dans un *vaporetto* cahotant, parmi les spectres inquiets des miroitiers fous effectuant l'aller-retour avec la Lagune sur le *salso*, faisant la navette entre l'île et la ville, se greffant sur des bateaux de pêche nocturne, des vapeurs, des *sandoli*, en quête de leur foyer perdu, leur dernière chance… se glissant sous la surface pour déambuler parmi les anciens ateliers et même parfois de terribles reflets d'eux-mêmes dans quelque fragment de miroir ancien, car le tain là-dessous, survivant aux corrosions de la mer et du temps, avait toujours été particulièrement réceptif aux morts en errance… On les voyait aussi parfois à la périphérie de l'écran dans la salle de cinéma du Malibran, entre deux numéros. À l'époque où ils vivaient à New York, les petits Zombini avaient pris l'habitude de s'éclipser en ville pour voir le nickel-odéon, et ils se croyaient très avisés, mais ici ils étaient obligés de se cramponner les uns aux autres pour ne pas sombrer dans le rêve collectif ni filer en hurlant dans les coulisses afin d'échapper aux trains arrivant en gare de Santa Lucia, ou pour ne pas jeter des objets sur des infamies particulièrement monstrueuses dans de courts mélodrames, ou pour s'assurer qu'ils étaient bien sur leurs sièges et non à bord d'un bateau sillonnant le Grand Canal.

Ce soir-là, au théâtre, après le spectacle, Dally s'attarda dans le soudain ressac d'absences et d'échos afin d'aider à ranger le matériel et pour installer certains accessoires en vue de la représentation du lendemain. Erlys, qui envisageait depuis peu de se spécialiser dans la télépathie et aurait dû se montrer plus qu'ordinairement instinctive, ne cessait de lui décocher des regards, chacun lancé aussi judicieusement qu'un des couteaux de Bria. À un moment, elles se retrouvèrent face à face de part et d'autre d'une cage pleine de colombes. «Qu'y a-t-il?» demandèrent-elles toutes deux en même temps. Alors que Dally cherchait quoi répondre, Erlys ajouta: «T'inquiète, j'ai compris.»

«Je sais que je devrais expliquer», dit Dally. «J'aimerais bien. Tu sais comment c'est, on arrive dans un lieu, après une longue suite d'autres lieux, où on n'a pas eu envie de s'arrêter, encore moins de vivre, où on ne comprend même pas que quiconque puisse vouloir vivre, et peut-être est-ce dû au moment de la journée, au temps qu'il fait, à ce qu'on vient de manger, impossible de savoir, mais ce n'est pas qu'on s'y aventure, c'est plutôt comme si l'endroit s'avançait pour nous entourer, et on sait alors que notre place est là. Il n'existe aucun autre endroit semblable au monde, et je sais que ma place est ici.»

Plusieurs dizaines d'objections se brûlèrent la politesse dans l'esprit d'Erlys. Elle savait que Dally les avait déjà toutes passées en revue et repoussées. Elle acquiesça, lentement, une ou deux fois. «Laisse-moi en parler à Luca.»

«Il faudrait maintenant que je la laisse partir», dit Erlys. «Je ne vois pas comment.» Ils étaient dans leur hôtel à la pointe de San Polo, et regardaient Cannaregio, de l'autre côté du canal, tandis que derrière eux le soleil se fondait dans une de ces mixtures mélancoliques de lumière et de nébulosité qu'on ne trouvait qu'ici. «Enfin, le prix à payer pour ce que j'ai fait. Je la retrouve, je la perds à nouveau.»

«Rien de tout cela n'a jamais été de ta faute», dit Luca. «C'était la mienne. J'étais fou.»

«Je valais pas mieux, une simple gamine à l'époque, mais ça n'excuse rien, non? Je suis partie sans elle. Sans elle. Je ne pourrai jamais revenir là-dessus. Les sœurs Snidell, à Cleveland, avaient mon numéro. Elles me visitent encore en rêve et me disent que je ne mérite pas de vivre. Comment ai-je pu être aussi égoïste?»

«Hé. C'est pas comme si tu l'avais abandonnée», protesta-t-il. «Tu savais que l'endroit le plus sûr où la laisser c'était auprès de Merle, tu savais qu'elle aurait chaud, de quoi manger, de l'amour.»

Elle acquiesça, toute triste. «Je savais. Ça m'a aidée à partir.»

«On a essayé de les retrouver. Y a deux ans, si je me souviens bien.»

«Mais pas longtemps.»

«Il fallait qu'on travaille. On pouvait pas tout arrêter pour suivre Merle à la trace dans tout le pays. Et il aurait pu tenter de nous trouver, lui aussi, non?»

«Il a dû se sentir tellement trahi. Il ne voulait plus me revoir, il ne voulait même plus que je m'approche d'elle.»

«Tu n'en sais rien.»

«On est en train de se disputer?»

Il dégagea quelques mèches du visage d'Erlys. «J'avais peur. Je me disais qu'un jour tu t'en irais toute seule à sa recherche, et que je me retrouverais avec ma vie d'avant, sans toi. J'en étais au point d'envisager de t'enchaîner, mais tu étais passée maître en escapologie.»

«Je n'ai jamais songé à te fausser compagnie, Luca, ce n'est pas Merle que j'aimais, c'était toi.»

Ils étaient allongés côte à côte sur le lit et se sentaient plus vieux d'une trentaine d'années. La lumière se retirait de la chambre.

«Je suis rentré à l'appartement ce jour-là», dit Luca, «et il y avait cette — je ne sais pas, j'ai cru qu'elle était descendue d'une étoile.»

«C'est ce que j'ai ressenti à sa naissance.»

Il n'avait jamais de mouchoir sur lui mais il savait faire surgir de nulle part un foulard en soie de n'importe quelle couleur. Celui-ci était violet. Il le lui tendit d'un grand geste élégant. «Passe-le-moi quand tu auras fini.»

Elle se tapota les yeux et quand elle le lui rendit, le foulard avait viré au bleu canard. «*Stronzo*. Tu n'as pas plus envie que moi qu'elle parte.»

«Mais ce n'est plus à nous de décider. C'est dans le contrat.»

« Mais peut-on la laisser ainsi à Venise ? Comment savoir cette fois-ci si elle ne risque rien ? »

« Écoute, si elle était désemparée ou bien étourdie, ce serait une chose, mais cette gosse a traversé les guerres des tong sans anicroche. Elle a arpenté le Bowery. Nous l'avons vue tous deux à l'œuvre : si elle a su se débrouiller à New York avant de tomber sur nous, elle peut vivre à Venise les yeux fermés. Peut-être que quelques francs à son nom à la Banca Veneta ne seront pas de trop, tu sais, juste au cas où. Et je peux demander à des gens d'ici de veiller discrètement sur elle. »

Et c'est ainsi que Dally se retrouva seule à Venise. Un jour, le *vaporetto* s'éloigna de l'arrêt San Marco, et il y avait tellement de Zombini penchés au bastingage pour dire au revoir que l'embarcation gîtait. Plus tard, pour une raison inconnue, ce serait Bria dont Dally se souviendrait, mince, stable, agitant son chapeau à bout de bras, les cheveux emmêlés par le vent, s'écriant : « Le spectacle commence, *ragazza. In bocc' al lupo !* »

Elle gagna sa vie en un rien de temps, mettant à profit ses nombreux talents, mains souples et doigts agiles, sans compter le boniment qui allait avec et qu'elle tenait de Merle avant même de savoir marcher, de Merle et des marchands et aigrefins qui passaient en coup de vent dans les différentes villes depuis que ses paumes étaient assez larges pour cacher des cartes à jouer, et qu'elle avait perfectionné plus tard avec Luca Zombini, en passant au jonglage et aux tours de magie.

Elle adorait tout particulièrement se produire sur les petits *campielli* dont les églises n'abritaient que des peintures mineures, aux proportions parfaites pour les enfants et dédaignés des touristes qui se rendaient dans des lieux plus connus de la ville. Elle en vint très vite à détester les touristes et ce qu'ils infligeaient à Venise, changeant la ville réelle en une incarnation d'elle-même, vaine et parfois franchement ratée, des siècles d'ébullition historique réduits à quelques idées simples et échappant à l'entendement de ces marées humaines et saisonnières.

L'été s'installant, elle trouva ses marques. Elle regardait les jeunes Américaines flâner sur la Riva, insouciantes, proprettes, amidonnées, lumineuses, allègres, en chemisier d'aspirant et jupe de canotage, les yeux pétillants sous le rebord de leur chapeau de paille, feignant d'ignorer les regards concupiscents des officiers de marine, des guides et des serveurs, riant et parlant sans cesse, et elle se demandait si elle avait jamais eu la moindre chance de devenir l'une d'elles. Elle était désormais hâlée, svelte et agile, les cheveux coupés court, ses boucles dissimulées sous le bonnet de pêcheur en laine rouge qui lui servait également d'oreiller la nuit – elle s'habillait ces temps-ci en garçon, échappant ainsi aux sollicitations masculines, sauf quand celles-ci avaient précisément pour objet les garçons, mais elle prenait alors vite soin d'affranchir les intéressés, qui d'ailleurs ne restaient jamais plus d'une nuit ou deux.

Ce n'était pas tout à fait la Venise dont se souvenaient les personnes âgées. Le Campanile s'était écroulé quelques années plus tôt et n'avait pas encore été reconstruit, et les récits concernant sa chute s'étaient multipliés. On évoquait un engagement céleste, voire angélique. Les gamins des rues et les *lucciole* disaient avoir vu, parmi les touristes d'allure souvent très ordinaire, des jeunes hommes en uniforme dont la nationalité ne faisait pas l'unanimité, et qui erraient dans le dédale liquide tels des spectres d'autrefois ou, d'après certains, d'un temps encore à venir. «Vous avez vu les toiles anciennes. C'est une ville fréquentée par les anges. La bataille dans les cieux n'a pas pris fin quand Lucifer a été banni aux Enfers. Elle continue, elle dure encore.»

C'était du moins l'opinion d'un peintre anglais, sans doute authentique, du nom de Hunter Penhallow, qu'on pouvait apercevoir tous les matins sur la *fondamenta* de Dally avec un chevalet et un assortiment de tubes de peinture et de pinceaux, et qui tant que la lumière du jour le permettait, ne s'arrêtant que pour un peu d'*ombreta* et un café, s'efforçait de «rendre» Venise, comme il le disait.

«Il y a des kilomètres de rues et de canaux ici, monsieur», tenta-t-elle de lui expliquer, «des dizaines de milliers de personnes, chacune toute plus intéressante à regarder que l'autre, alors pourquoi vous borner à ce petit coin de ville?»

«La lumière est bonne, ici.»

«Mais —»

«Soit.» Crayonnant une minute ou deux. «Qu'importe l'endroit. Imaginez qu'à l'intérieur du labyrinthe que vous voyez se trouve un autre labyrinthe, mais à une plus petite échelle, réservé aux fourmis et aux mouches, puis aux microbes et au reste du monde invisible – on peut régresser ainsi à l'infini, car une fois admis le principe labyrinthique, n'est-ce pas, pourquoi s'arrêter à une échelle particulière? Le motif se répète de lui-même. L'endroit où nous nous trouvons actuellement est un microcosme de tout Venise.»

Il parlait calmement, comme si elle était capable de comprendre ce qu'il disait, et le fait est que, Merle ayant coutume de s'exprimer ainsi, elle n'était pas complètement perdue, et parvint même à réprimer un roulement d'yeux. Elle tira une dernière fois sur sa cigarette consumée, puis l'expédia ensuite avec emphase dans le *rio* : « Ça concerne aussi les Vénitiens ? »

Et bien sûr, ça lui valut un certain coup d'œil. « Ôtez ce bonnet, qu'on voie ça. » Quand elle secoua ses bouclettes : « Vous êtes une fille. »

« Plutôt une jeune femme, mais n'ergotons pas. »

« Et vous vous faites passer – à merveille – pour un gamin des rues. »

« Ça simplifie la vie, jusqu'à un certain point. »

« Vous devez poser pour moi. »

« En Angleterre – *signore* –, paraît-il, un modèle se fait payer un shilling de l'heure. »

Il haussa les épaules. « Je ne peux donner autant. »

« La moitié, alors. »

« Ça fait douze soldi. J'aurais de la chance si une seule de mes peintures me rapporte un franc. »

Malgré les traits jeunes, quasi adolescents, de Hunter, le peu de cheveux qu'elle pouvait distinguer sur son crâne étaient gris, presque blancs, sous un chapeau de paille élégamment tordu qui avait été un panama à la Santos-Dumont, et qui suggérait quelque séjour antérieur à Paris. Depuis combien de temps cet énergumène était-il à Venise ? se demanda-t-elle. Plissant les yeux, elle fit mine d'examiner ses toiles en connaisseur.

« Vous n'êtes pas Canaletto, mais ne vous dépréciez pas, j'ai vu partir pire que ça pour dix francs, voire plus, au pic de la saison touristique. »

Il finit par sourire, un moment fragile, comme un rideau de brume qui s'écarte. « Je pourrais aller jusqu'à six pence de l'heure, si… vous devenez mon agent ? »

« Bien sûr. Dix pour cent ? »

« C'est quoi votre nom ? »

« En général, on m'appelle Beppo. »

Ils installèrent leurs quartiers près du Bauer-Grünwald, dans l'étroit passage entre San Moise et la Piazza, car quiconque venait en ville s'y rendait tôt ou tard. Pendant ce temps, dans la *fondamenta*, il la dessinait ou la peignait dans diverses poses, en train de faire la roue le long du canal, de manger une tranche de pastèque sanguinolente, de dormir au soleil avec un chat sur les genoux, le paraphe écarlate d'un insecte sur le mur blanc-écru derrière elle, assise sur un perron, le visage éclairé uniquement par le soleil se reflétant sur les pavés, rêvassant entre des murs roses, des murs de briques rouges, des canaux verts, levant les yeux vers des fenêtres donnant sur des *calli* si étroites qu'on aurait pu tendre la main et toucher, ce qu'on ne faisait pas, les fleurs qui débordaient des balcons en fer forgé, posant pour lui d'abord en garçon, puis, ayant emprunté des habits, en fille. «Vous n'êtes pas mal à l'aise en jupe, j'espère.»

«Je m'y fais, merci.»

Hunter avait fini par trouver ses marques ici, après avoir été démobilisé d'une guerre dont personne ne savait rien, mystérieusement blessé, cherchant un refuge hors du temps, un abri derrière les manteaux, les masques et les brumes aux mille noms de Venise.

«Il y a eu une guerre? Où ça?»

«En Europe. Partout. Mais personne ne semble au courant... ici...» – il parut hésiter, l'air soucieux – «pour l'instant...»

«Et pourquoi? C'est si loin que la nouvelle n'est pas encore parvenue jusqu'ici, "pour l'instant"?» Elle marqua un temps, puis — «Ou bien n'a-t-elle "pour l'instant" pas eu lieu?»

Il la dévisagea, moins avec désarroi qu'avec une étrange clémence, comme s'il rechignait à lui reprocher son ignorance. Comment auraient-ils pu savoir?

«J'en déduis donc que vous venez du futur?» Sans se moquer, vraiment, ni non plus très étonnée.

«Je ne sais pas. Je ne vois pas comment ça serait possible.»

«Facile. Quelqu'un dans le futur invente une machine à voyager dans le temps, d'accord? Tous les promoteurs fous des deux côtés de l'Atlantique ont travaillé là-dessus, l'un d'eux finira bien par réussir, et quand ça sera le cas, ces engins seront comme de simples taxis. Donc, quel que soit l'endroit où vous étiez, vous avez dû en héler un. Z'êtes monté dedans, z'avez indiqué au chauffeur quand vous vouliez arriver, et *ehi presto!* Vous voici.»

«J'aimerais avoir des souvenirs. N'importe lesquels. Quel que soit l'inverse temporel du "souvenir"...»

«Eh bien, vous avez l'air d'avoir échappé à cette guerre, en tout cas. Vous êtes ici... en sécurité.» Elle cherchait seulement à le rassurer, mais vit qu'il paraissait encore plus abattu.

«"En sécurité"... en sécurité.» S'il s'adressait à quelqu'un, ce n'était pas à elle. «L'espace politique a son terrain neutre. Mais le Temps? Existe-t-il une *heure neutre*? Qui n'aille ni en avant ni en arrière? Est-ce trop espérer?»

Soudain, pouvant passer pour une réponse, venue d'un des navires de guerre royaux ancrés au large de Castello, la semonce du soir résonna, un carillon profond et non modulé dont l'avertissement se déploya le long de la Riva.

C'est à peu près à cette époque que Dally se mit à porter pour lui ses toiles, son chevalet et le reste de son matériel, chassant les gamins qui se montraient trop importuns.

«… Au cours de la nuit, pendant un match, le Dr Grace m'est apparu en rêve, me convoquant à Charing Cross puis sur le train-bateau…»

«Ouais, ouais.»

«… c'était si réel, il portait une tenue de cricket blanche et une de ces casquettes d'autrefois, et il connaissait mon nom, il m'a exposé mes fonctions, il y avait une… une guerre, me dit-il, en "Europe extérieure", c'est ce qu'il a dit, une étrange géographie, n'est-ce pas, même en rêve – et notre pays, notre civilisation, courait un danger. Je n'avais nulle envie de l'accompagner, n'éprouvais aucun engouement, bien au contraire. J'ai déjà vécu des "aventures", je connais cette euphorie, mais elle n'entrait pas du tout en jeu ici… pas disponible. Vous me voyez là tel que je suis, un autre athlète de foire, un barbouilleur amateur, sans la moindre profondeur. Mais voilà que je répondais à l'appel très extraordinaire de la tombe, au futur charnier que serait l'Europe, comme si quelque part au loin se dressait une grille en fer, légèrement entrouverte, menant dans une lugubre contrée, avec de tous côtés une foule innombrable avide de s'engouffrer elle aussi et de m'emporter dans son sillage. Bien malgré moi…»

Il résidait dans un hôtel du Dorsoduro, avec un restaurant au rez-de-chaussée. Des belles-de-jour festonnaient les ferronneries. «J'pensais que vous seriez dans une *pensione*, y en a une ou deux là-bas au bout du petit rio San Vio.»

«C'est moins cher ici, en fait – le déjeuner étant compris dans la *pensione*, je prendrais le temps d'y manger et je manquerais la plus belle des lumières, et sinon, je paierais un repas que je ne mangerais pas. Mais ici, à la Calcina, la cuisine est ouverte à toute heure et je peux commander presque tout ce que je veux. On jouit ici en outre de la compagnie d'éminents fantômes, Turner et Whistler, Ruskin, Browning, ce genre de bonshommes.»

«Ils sont morts ici? Et vous dites qu'on y mange bien?»

«Oh, en ce cas appelez-les des "traces de conscience". La recherche psychique a commencé à défricher ce champ. Les fantômes peuvent être… bon, eh bien, regardez-les.» Il désigna les Zattere d'un mouvement du bras. «Tous les touristes que vous voyez défiler ici, tous ceux qui projettent de dormir dans un lit inconnu, sont potentiellement des fantômes de ce genre. Les lits de passage sont, pour une raison mystérieuse, capables de saisir et de retenir les subtiles impulsions vibratoires de l'âme. Vous n'avez pas remarqué, dans les hôtels, que les rêves, et c'est inquiétant, ne sont pas les vôtres ? »

« Pas là où je dors. »

« Bon, c'est vrai – surtout dans ces petits endroits, où le châlit est souvent en acier ou en fer, émaillé afin de tenir à distance les *cimici*. Le cadre de métal agit également comme une antenne réceptrice, permettant aux rêveurs de capter les traces des rêves des personnes ayant dormi là juste avant eux, comme si, pendant le sommeil, nous émettions des fréquences qui restent à découvrir. »

« Merci, faudra que j'essaie un jour. »

Lits et chambres à coucher, hum. Elle risqua un rapide coup d'œil latéral. Jusqu'ici, il n'avait rien suggéré de déplacé, ni à Dally ni à quiconque d'autre. Non qu'elle fût intéressée par lui romantiquement parlant, bien sûr, ce n'était pas son genre, même s'il y avait certains jours, elle devait l'avouer, où *à peu près tout* était son genre, pêcheurs noueux, gigolos boutonneux, Autrichiens en culottes courtes, serveurs, *gondolieri*, une fringale qu'elle devait assumer seule, et de préférence les nuits où la lune était mince.

Elle se demanda si cette « guerre » dont il parlait expliquait en partie le fait que toute passion charnelle ait déserté sa vie. Combien de temps comptait-il rester à Venise ? Quand la bora soufflerait des montagnes, annonçant l'hiver, quitterait-il la ville ? Et elle ? En septembre, quand le *vino forte* arriverait de Brindisi, Squinzano et Barletta, serait-il parti lui aussi en l'espace de deux semaines ?

Un jour qu'ils se promenaient sur la Piazzetta, Hunter l'entraîna sous les arcades puis dans la bibliothèque, où il lui montra *La Translation du corps de saint Marc*. Elle l'examina un moment. « Mais c'est que ça flanque carrément la trouille », murmura-t-elle enfin. « Que se passe-t-il ? » Elle désigna nerveusement les vieilles ombres alexandrines, où des témoins fantomatiques se réfugiaient, mais bien trop tard, à tout jamais devant un outrage impie.

« À croire que ces peintres vénitiens voyaient des choses qu'on ne peut plus voir », dit Hunter. « Un monde de présences. De spectres. L'Histoire ne cesse de défiler, Napoléon, les Autrichiens, une centaine de versions du littéralisme bourgeois, menant à son ultime incarnation, le touriste – comme ils durent se sentir menacés. Mais restez quelque temps dans cette ville, ouvrez grands vos sens, ne rejetez rien, et de temps en temps vous les verrez. »

Quelques jours plus tard, à l'Accademia, comme prolongeant cette pensée, il dit : « Le corps, c'est une autre façon de dépasser le corps. »

«Pour atteindre l'esprit derrière —»

«Mais pas pour nier le corps, pour le ré-imaginer. Même» – désignant d'un mouvement de la tête le tableau de Titien sur le mur du fond – «si ce ne sont là "réellement" que différentes sortes de boue grasse étalée sur de la toile – le ré-imaginer en lumière.»

«Plus parfait.»

«Pas nécessairement. Parfois plus terrible – mortel, souffrant, difforme, voire démembré, fracturé en surfaces géométriques, mais chaque fois, quand le procédé fonctionne, *dans un ailleurs…*»

Qui la dépassait, supposa-t-elle. Elle s'efforçait de suivre les pensées de Hunter, mais ce dernier ne lui facilitait pas les choses. Il lui raconta un jour une histoire qu'elle avait déjà entendue, au moment de s'endormir, une histoire que racontait Merle, et qui d'après lui était une parabole, sans doute la toute première, sur l'alchimie. Elle était tirée de l'Évangile selon Thomas, un des nombreux évangiles que l'Église à ses débuts avait refusé d'inclure dans le Nouveau Testament.

«Enfant, Jésus était un vrai garnement», dans la version de Merle, «le genre de jeune indiscipliné avec qui tu fraies tout le temps, en fait, même si ça ne me dérange pas.» Alors elle s'était redressée dans son lit et avait cherché un objet avec lequel le frapper. «Il passait son temps en ville à jouer des tours, à fabriquer de petites créatures avec de la glaise, auxquelles il insufflait la vie, des oiseaux capables de voler, des lapins qui parlaient, tout ça, ça rendait fous ses parents, sans parler de la plupart des adultes du quartier, qui venaient régulièrement se plaindre : "Feriez mieux de dire à Jésus de se calmer." Un jour où il manigançait quelque chose avec des amis, les voilà qui passent devant la boutique du teinturier, avec tous ces pots de teinture de couleurs différentes et des tas de tissus à côté, tous rangés selon la taille, chaque pile prête à être teinte dans une nuance particulière, Jésus dit : "Regardez un peu", et il prend tous les tissus dans ses bras, en un gros paquet, tandis que le teinturier se met à brailler : "Hé, Jésus, qu'est-c'que j't'ai d'jà dit?" Et il interrompt ce qu'il était en train de faire pour lui courir après, mais Jésus est trop rapide pour lui, et avant que quiconque ait pu l'arrêter il se précipite vers le plus gros pot, celui avec de la teinture rouge, et il balance tous les tissus dedans et file en éclatant de rire. Le teinturier est fou furieux, il s'arrache la barbe, piétine le sol, il voit toute sa marchandise détruite, même les copains de Jésus se disent que cette fois-ci il est allé un peu trop loin, et soudain Jésus lève la main comme dans les tableaux, hyper-tranquille et tout – "Calmez-vous, tous", qu'il leur dit, et il commence à sortir les tissus du pot, et tu sais quoi? Chacun ressort exactement de la couleur qu'il est censé être, non seulement ça, mais de la nuance exacte de cette couleur aussi. Fini les ménagères qui hurlent, "Hé je voulais du vert citron pas du vert de Kelly, espèce de daltonien!" Non, cette fois-ci, chaque tissu est teint exactement dans la couleur demandée. »

« Pas franchement différent », selon Dally, « en fait, de cette histoire de Pentecôte qu'on trouve dans les Actes des Apôtres, et qui, elle, figure dans la Bible, sauf que c'étaient pas des couleurs mais des langues : les Apôtres se réunissent dans une maison de Jérusalem, rappelle-toi, le Saint-Esprit descend comme un vent puissant, y a des langues de feu et tout et tout, les apôtres sortent et s'adressent aux gens assemblés dehors, qui tous baragouinaient dans différentes langues, il y a des Romains et des Juifs, des Égyptiens et des Arabes, des Mésopotamiens et des Cappadociens et des gens de l'est du Texas, tous s'attendant à entendre le même vieux dialecte galiléen – mais au lieu de ça, cette fois-ci, ô surprise, les apôtres s'adressent à chacun dans sa propre langue. »

Hunter comprit où elle voulait en venir. « Oui, bon, c'est la Rédemption, n'est-ce pas, on s'attend au chaos, et à la place on a droit à l'ordre. Attentes déçues. Miracles. »

Hunter annonça un beau jour qu'il allait peindre des nocturnes. Désormais, au crépuscule, il quittait sa chambre et s'en allait avec son matériel. Dally changea elle aussi d'horaires pour s'adapter. « Et cette lumière vénitienne dont vous causez toujours — »

« Vous verrez. C'est la lumière nocturne, le genre qui nécessite un vernis bleu-vert. L'humidité de la nuit dans l'air, les voiles et les rayons et les cieux en déroute, la lueur des lampes reflétée dans les *rii*, surtout le parcours de la lune… »

Il arrivait à Dally de se demander comment il aurait traité la lumière américaine. Elle avait autrefois profité de ses insomnies pour regarder les étendues de fenêtres allumées et éteintes, les milliers de flammes vulnérables et de filaments qui tourbillonnaient, comme emportés par les vagues, les surfaces brisées et ondulantes des grandes villes, excitant son imagination, l'obligeant presque à renoncer à tout point d'attache, et ce depuis l'enfance, depuis que Merle et elle avaient traversé toutes ces petites villes parfaites, attirés par les lumières au bord des ruisseaux et les lumières révélant les formes des ponts au-dessus des grands fleuves, celles derrière les vitraux des églises ou les feuillages des arbres en été, qui jetaient de brillantes paraboles sur les murs de brique pâles ou auréolés d'insectes, les lanternes en haut des fermes, les bougies derrière les carreaux, chacune reliée à une vie ayant commencé bien avant et perdurant bien après le passage de Merle et Dally, la terre muette enflant à chaque fois pour cacher la brève révélation, l'offre tacite, la carte presque retournée...

Ici, dans cette ville ancienne devenue au cours du temps son propre masque, elle se mit à rechercher les instances de contre-lumière, des passages donnant sur des obscurités humides, des *sotopòrteghi* aux issues invisibles, des visages absents, des lampes inexistantes au fond des *calli*. Elle découvrit ainsi, au fil de nuits d'une netteté de plus en plus décourageante, une ville secrète et ténébreuse, dont les labyrinthes infestés de rats recélaient des enfants de son âge et d'autres plus jeunes qu'on embrigadait, infectait, corrompait et faisait trop souvent disparaître, telle une pièce ou une carte – une interchangeabilité prisée par ceux qui profitaient de l'appétit illimité pour les corps jeunes qui semblaient converger ici de tous les coins de l'Europe et au-delà.

Elle préférait de loin travailler la nuit et chercher le jour un endroit où dormir. Les nuits s'étaient révélées un peu trop dangereuses. Elle s'était bien entendu fait accoster, et par des oiseaux fort peu recommandables, au visage marqué par des cicatrices révélatrices d'un vécu agité, dont les complets noirs abritaient des pistolets Bodeo 10,4 mm comme preuve de leur dévouement professionnel. Les prédateurs nocturnes arrivaient, murmuraient, flirtaient, offraient des fleurs et des cigarettes, gardant respectueusement leurs distances, obéissant à un code strict, jusqu'à ce que la proie, toute tremblante sur la chaussée, se soumette. Puis l'arme qu'on n'avait pas vue clairement, qui n'était apparue que par intermittences aguichantes, jaillissait dans le célèbre clair de lune, et alors tous les doutes, et la plupart des espoirs, disparaissaient.

Dally faisait son possible pour ne pas céder, guettant leur défection, qui ne tardait jamais, le temps étant de leur côté, ils n'avaient qu'à attendre. L'un d'eux, Tonio, s'intéressait particulièrement à Dally – costume anglais, anglais presque sans accent. « J'en connais des comme toi, des Américaines qui s'amusent tous les soirs, sur leur trente et un, le Casino, les grands hôtels, les bals huppés dans les *palazzi*. Tu cherches quoi ici ? À dormir avec les rats ? Tu te gâches, ma beauté. »

Elle n'avait qu'à poser des questions d'ordre vestimentaire, ou demander quelle chambre était dans ses prix – elle connaissait la procédure – et sans prévenir les enchères concernaient la vie et la mort, et la jeune créature optimiste se retrouvait prise dans l'obscurité irréversible de la nuit sous la *foschetta*.

Elle en conçut un attachement étrange pour la ville, ses sentiments restant intacts mais désormais mâtinés d'une peur tenace, chaque nuit l'instruisant dans les arcanes de ce vice tapi au bout de n'importe quelle ruelle. Hunter lui expliqua que c'était pour ça que tant de gens en venaient à aimer Venise, à cause de son «*chiaroscuro*».

«Merci pour l'info, c'est facile pour vous, je suppose, mais les nuits sur les *masègni* ne sont pas aussi romantiques que pour les touristes.»

«Vous me traitez de touriste?»

«Vous partirez bien un jour. Comment appelez-vous ça?»

«En ce cas, quand je partirai, suivez-moi.»

Le canon de midi tonna. Un bateau rempli de cigarettes de contrebande jeta l'ancre le long du canal et entreprit de décharger rapidement sa cargaison. Des cloches se mirent à tinter à l'autre bout de la ville. «Oh, *patrone*», dit-elle enfin, «Beppo, vous savez, elle sait pas trop si...» Cela ajouta quelques nouvelles lignes à la biographie de Hunter, mais le temps se mit à s'écouler de nouveau comme à l'accoutumée, et un jour la bora souffla, les premiers convois de vin arrivèrent des Pouilles, et finalement il ne partit pas.

L'hiver se précisait, et Dally eut besoin d'un endroit sûr où dormir pendant la journée, la *fondamenta* étant exclue depuis longtemps. Elle s'accommodait de cours intérieures, de masures d'étudiants, d'arrière-salles d'*osterie*, déménageant sans cesse, mais elle finit, à contrecœur, par demander conseil à Hunter. «Pourquoi n'avez-vous pas demandé avant?» dit-il.

«Oui, pourquoi?»

Il détourna le regard. «Rien de plus simple.» Et sans plus tarder il l'installa dans une chambre du palais de la plus ou moins célèbre Principessa Spongiatosta, une de ses nombreuses relations dont Dally ignorait tout jusqu'ici.

Elle s'attendait à une femme âgée aux traits décatis, une sorte de *palazzo* humain. Au lieu de ça, elle trouva une perle aux yeux brillants sur laquelle le Temps ne semblait pas avoir de prise, ou peut-être, dans le cas du Temps, n'avait jamais eu de prise. Il y avait également un prince, mais il était rarement là. En voyage, selon Hunter, mais Hunter ne disait pas tout.

Profitant de ses loisirs pour déambuler dans les couloirs et les antichambres de la Ca' Spongiatosta, Dally fut particulièrement intriguée par les rapides changements d'échelle, lesquels rappelaient l'expansion quasi théâtrale partant des ruelles sombres et confortables, à taille humaine, pour aboutir à l'immensité lumineuse de la place Saint-Marc. Des carreaux rouge foncé, un portique d'ordre composite romain, d'énormes urnes décoratives, une lumière marron, des cognassiers, des myrtes, des géraniums, des fontaines, de hauts murs, d'étroites voies navigables, et des ponts miniatures incorporés à la structure du palais, des domestiques bien trop nombreux pour que Dally puisse les compter. Il y avait peut-être en fait plus d'une Princesse – elle semblait être partout, et de temps en temps Dally aurait juré que ses apparitions étaient simultanées et non consécutives, même si ce qui se passait à la périphérie de son champ de vision avait toujours eu pour Dally valeur de rêve. Un artifice dû aux miroirs? Seul Luca aurait su le dire. Ou Erlys.

Elle eut bientôt de leurs nouvelles. Un jour, un domestique lui apporta un message. Surprise! Bria Zombini venait de débouler en ville avec la bora. Elle était descendue dans un petit hôtel en face du Pont de Fer dans le Dorsoduro. Dally alla la voir vêtue d'une robe que la Princesse avait eu la bonté de lui prêter. Bria portait des souliers à talons hauts, rattrapant presque les deux centimètres d'avance que Dally avait sur elle depuis l'an dernier, et c'est donc sur un pied d'égalité qu'elles se revirent. Dally aperçut une jeune femme très sûre d'elle, ses cheveux rebiquant sous un chapeau parisien à large bord, essuyant de la sueur giclant de sa lèvre supérieure, et qui s'exclamait: «*Porca miseria!*» à tout bout de champ.

Elles se promenèrent bras dessus bras dessous dans les Zattere. «On est allés partout», dit Bria. «Retenus par la demande populaire, quelques têtes couronnées, bref, la routine. Ils rentrent tous par bateau, moi je suis censée les retrouver au Havre, et comme j'étais de ce côté-ci des Alpes, je me suis dit que j'allais passer te voir.»

«Oh, Bri, vous me manquez tous terriblement, tu sais…»

Bria plissa un peu les yeux, hocha la tête. «Mais Venise te tient, et tu as décidé d'y rester.»

«Télépathe, maintenant.»

«Toutes tes lettres… pas dur à voir.»

«Comment va notre Mamma?»

Bria haussa les épaules. «Je suppose qu'elle nous manque plus facilement quand on est loin d'elle.»

«Vous deux… vous vous êtes disputées?»

«Ah! Elle ne sera contente que quand je serai morte ou partie.»

«Et Luca?»

«Luca? Il est italien, c'est mon Papa. Il croit que je suis une jeune nonne qu'il faut enfermer à double tour. Du coup c'est deux contre un, super-situation, hein?»

Dally pencha la tête et la regarda au travers de ses cils. «Côté garçons…»

«Garçons, hommes, c'est du pareil au même, je suis censée ignorer toutes les attentions, *ma via*, tu sais comment ils sont là-bas.»

Bria eut ce sourire espiègle dont Dally se souvenait d'avoir hérité, et presque aussitôt leurs fronts se rapprochèrent, des mèches rebelles s'emmêlèrent, les troisièmes yeux se touchèrent, et elles rirent calmement ensemble, sans raison particulière.

«Bon. Je leur dis quoi, que tu restes là à leurs frais?»

Le rire de Dally s'estompa. «Euh… j'crois pas.»

«Pourquoi? Papa pense que tu veux rester. Il dit qu'on a les moyens.»

«Ce n'est pas le problème.»

«Ahh? Un petit ami, j'aurais dû m'en douter. Un rapport avec Spongiatosta.»

«Pas exactement.»

«Rien de, hum —», agitant les deux mains de façon expressive.

«Ha. Aucune chance.»

«Bon, profite tant que tu peux, t'es encore une gamine.»

«J'aimerais bien…»

Bria ne réfléchit pas longtemps avant d'ouvrir ses bras, et Dally se jeta contre elle, en réprimant un sanglot. Au bout d'un moment: «Allons, allons, tu ne fais pas un jour de plus que tes trente ans.»

«Besoin d'une cigarette c'est tout, t'aurais pas, euh…»

«Ça vient de suite.»

«Dis donc, joli étui.»

«Un courtier d'assurances suisse. Wolf. Non, Putzi.»

«Ouais, Wolf c'est celui avec femme et enfants.»

«Merci.»

Elles allumèrent leurs clopes.

Hunter arriva un jour avec des lunettes de soleil, un chapeau de paille à large bord et une blouse de pêcheur.

«Ça vous dit une petite balade sur l'eau?»

«J'emprunte un chapeau et j'arrive.»

Des amis artistes avaient fait appel pour la journée aux services d'un *topo*. L'eau des canaux était d'un vert opaque. À la pointe de la Dogana, où le Grand Canal et la Lagune se rejoignent, la couleur virait au bleu.

«Ça ne fait jamais ça», dit Hunter.

«Aujourd'hui, si», fit un jeune homme farouche assis à la barre.

Il s'appelait Andrea Tancredi. Hunter l'avait rencontré en ville dans le sillage des réunions anarchistes, dans des cafés lors d'expositions de peinture expérimentale. Après avoir vécu à Paris où il avait vu les œuvres de Seurat et Signac, Tancredi s'était converti au divisionnisme. Il sympathisa avec Marinetti et son entourage, des artistes qui se définissaient désormais comme des «futuristes», mais il ne réussit pas à partager leur attirance pour les types de brutalisme américain. Les Américains, en fait, semblaient l'agacer grandement, en particulier les millionnaires qui venaient ici pour piller l'art italien. Dally décida de ne pas préciser d'où elle venait.

Ils pique-niquèrent sur l'île de Torcello, dans un verger plein de grenadiers à l'abandon, burent du *primitivo*, et Dally s'aperçut qu'elle regardait Andrea Tancredi plus qu'elle ne pouvait se l'expliquer, et quand il la surprenait en train de le fixer, il soutenait son regard, sans colère mais sans fascination non plus. Quand ils rentrèrent à la tombée du jour, l'air marin résonnait du son des cloches, le ciel de traîne était lavande et gris, et la ville inversée dansait sous les eaux, réclamant une fois de plus son cœur. Elle s'aperçut que Tancredi était à son côté et jetait un œil courroucé à Venise.

« Regardez-moi ça. Un jour nous détruirons cet endroit, et nous nous servirons des ruines pour remblayer ces canaux. Nous démonterons les églises, pillerons l'or, vendrons ce qui reste aux collectionneurs. La nouvelle religion sera l'hygiène publique, dont les temples seront les systèmes hydrauliques et les usines de traitement des eaux usées. Les péchés mortels seront le choléra et la décadence. » Elle allait dire quelque chose, sûrement une pique, mais il reprenait déjà : « Toutes ces îles seront reliées par des autoroutes. De l'électricité partout, et quiconque recherchera encore un clair de lune vénitien devra se rendre dans un musée. Des grilles colossales là-bas, tout autour de la Lagune, contre le vent, pour retenir le sirocco et la bora. »

« Oh, je ne sais pas. » Hunter, qui avait déjà vu Dally s'emporter, s'était glissé sans bruit entre eux. « Je suis toujours venu ici pour les fantômes. »

« Du passé », dit avec mépris Tancredi. « San Michele. »

« Pas exactement. » Hunter aurait été bien en peine de s'expliquer.

Sauvé par la clémence aveugle de Dieu, ainsi qu'il l'expliqua à Dally quelques jours plus tard en se rendant à l'atelier de Tancredi dans Cannaregio, après avoir réchappé à la destruction et à la guerre dans des lieux dont il n'avait pas un souvenir très clair, il avait trouvé asile à Venise, pour tomber un jour sur une des visions de Tancredi, dans laquelle il avait reconnu le véhicule futuriste qui l'avait conduit loin de la Ville dévastée il y a si longtemps, et l'Anti-Ville souterraine qu'il avait traversée, cette fois pénible et glacée en la science et la rationalité qui avait aidé tous ses amis réfugiés lors de leur fuite, et la certitude qu'il avait d'avoir échoué dans son domaine, une de ces mascottes qui n'avaient apporté que la guigne à ceux qui leur faisaient confiance, destinées à finir dans des masures au fin fond des faubourgs, enfin indifférentes à leur propre sort, des légendes douteuses, contraintes d'accompagner seulement les voyageurs les moins recommandables et les plus suicidaires. Mais depuis peu – était-ce Venise? Était-ce Dahlia? –, il commençait à se sentir de moins en moins à l'aise dans le rôle de l'égaré.

Dally décida alors d'aller voir de quoi il retournait.

Les peintures de Tancredi ressemblaient à des explosions. L'incendie seyait à sa palette. Il travaillait rapidement. *Études préparatoires en vue d'une machine infernale.*

« Susceptible de fonctionner? » voulut savoir Dally.

« Bien sûr », répondit Tancredi, non sans impatience.

« C'est une sorte de spécialiste en machines infernales », fit remarquer Hunter. Mais Tancredi fit preuve d'une étrange réticence quand il s'agit d'expliquer les réelles applications de l'engin. La chaîne d'événements pouvant mener à son « usage ».

« Le terme "infernal" n'est pas appliqué à la légère ni même de façon métaphorique. Il faut d'abord accepter l'Enfer – et comprendre que l'Enfer est réel et qu'à sa surface évolue une armée silencieuse d'espions qui lui ont juré allégeance comme à une patrie bien-aimée. »

Dally acquiesça. « Comme ça que causent les chrétiens. »

« Ah, cette histoire de résurrection. Ça nous colle aux basques. Mais qu'en est-il de ceux qui meurent deux fois et sont allés en Enfer suite à un trépas ordinaire, en s'imaginant que le pire avait eu lieu et qu'à présent rien ne pouvait plus les terrifier? »

« Vous parlez bien d'un engin explosif, *vero*? »

« Pas à Venise, jamais. Un incendie ici serait de la folie suicidaire. Je n'apporterais pas le feu. Mais l'Enfer dans un petit espace circonscrit. »

« Et... plus précisément... »

Tancredi éclata d'un rire sinistre. « Vous êtes américaine, vous croyez qu'il vous faut tout savoir. D'autres préféreraient ne pas savoir. Certains définissent l'Enfer comme l'absence de Dieu, et c'est le moins qu'on puisse attendre de la machine infernale – que la bourgeoisie soit privée de ce qui la soutient le plus, son solutionneur personnel assis au bureau céleste, corrigeant les défauts de ce bas monde... Mais l'espace fini grandirait rapidement. Pour révéler l'avenir, nous devons contourner l'inertie de la peinture. La peinture souhaite demeurer telle qu'elle est. Nous désirons des transformations. Aussi n'est-ce pas tant une peinture qu'un argument dialectique. »

« Vous comprenez de quoi il parle? » demanda-t-elle à Hunter.

Ce dernier haussa les sourcils, pencha la tête comme pour réfléchir. « Parfois. »

Ça lui fit penser un peu à Merle, et à sa confrérie d'inventeurs fous dont les discussions collégiales sur les mystères de la science l'avaient escortée jusqu'aux portes du sommeil en guise de berceuses.

«Bien sûr c'est lié au Temps», dit Tancredi, le front plissé et concentré, excité malgré lui par la possibilité qu'elle ait vraiment réfléchi à la chose. «Tout ce que nous croyons réel, vivant et inerte, pensé et hallluciné, est en train de glisser d'un état à l'autre, du Passé au Futur, et notre défi consiste à montrer le plus possible de ce passage, eu égard à cette *fichue immobilité* de la peinture. C'est pourquoi —» Frottant le pouce sur un pinceau gorgé de jaune orpiment, il éclaboussa avec précision une de ses toiles, puis ajouta une giclée de vermillon écarlate et une troisième de violet de Nuremberg – le carré de toile pris pour cible parut s'éclairer tel un gâteau d'anniversaire, et avant que sèchent les projections il se saisit d'un pinceau d'une impossible finesse, à peine un poil ou deux, s'en servant pour planter de petits points parmi de plus gros. «Les énergies du mouvement, les tyrannies grammaticales du devenir, par le *divisionismo* nous découvrons comment les fracturer en leurs fréquences constituantes... nous définissons le plus petit élément pictural, un point de couleur qui devient l'unité de base de la réalité...»

«Ce n'est pas Seurat», estima Hunter, «rien de ce calme froid et statique, on a plutôt l'impression que ces points se comportent de façon dynamique, de violents ensembles d'états de l'énergie, un mouvement brownien...»

Et le fait est que, quand elle revint dans son atelier, Dally crut voir émerger du champ éclatant des particules, comme des tours de la *foschetta*, une ville, une Anti-Venise, la réalité quasi pré-visuelle derrière ce que tous les autres s'accordaient pour nommer «Venise».

«Pas comme Marinetti et son cercle», avoua Tancredi. «J'aime vraiment ce trou à rats. Venez.» Il la conduisit jusqu'à un tas de toiles dans un coin qu'elle n'avait pas encore remarqué. C'étaient toutes des représentations nocturnes, saturées de brume.

«À Venise nous avons près de deux mille mots pour désigner le brouillard – *nebbia, nebbietta, foschia, caligo, sfumato* – et la vitesse du son, étant une fonction de la densité, est différente à chaque fois. À Venise, l'espace et le temps, qui dépendent davantage de l'ouïe que de la vue, sont bel et bien modulés par le brouillard. Voici donc une série en rapport. *La Velocità del Suono*. Qu'en pensez-vous?»

C'était la première fois qu'elle venait ici sans Hunter. Elle en pensait que Tancredi ferait mieux de l'embrasser, et fissa.

«Ça sent la tannerie», trouva Kit.

«Peut-être… parce que Göttingen une tannerie *est*», souligna Gottlob.

«*En particulier* le Département de mathématiques», ajouta Humfried. «N'oubliez pas que c'est ici qu'est conservé le cerveau de Gauss. Qu'est-ce que le cortex d'un cerveau, après tout, sinon un morceau de cuir animal de plus? *Ja?* À Göttingen, ils mettront le vôtre en bocal, le traiteront pour lui donner une forme complètement différente, à l'abri du vent, de la décomposition, des offenses mineures, à la fois physiques et sociales. Un manteau d'immortalité… un avenir continué dans le temps présent —» Il s'interrompit et s'écria en regardant la porte : «*Heiliger Bimbam!*»

«Allons, Humfried, vous allez perdre votre monocle.»

«C'est elle!»

«Oui, tellement chic, n'est-ce pas, le montant est en écaille de tortue, mais —»

«Pas tel. "*Elle*", idiot», dit Gottlob. «Il veut parler de notre "Kovaleskaïa de Göttingen", qui vient juste, si improbable que soit la chose, de rejoindre notre *marais dégénéré*. Si vous étiez assis face à la porte, vous ne manqueriez pas autant de ces événements merveilleux.»

«Non mais regardez-la, sereine comme un cygne.»

«Impressionnante, hein?»

«Même en Russie ça n'arrive jamais.»

«Elle est russe?»

«On le dit.»

«Ces yeux —»

«Ces jambes.»

«Qu'en savez-vous?»

«Lunettes à rayons Roentgen, *natürlich*.»

«Ces courbes sont partout continues mais nulle part différenciables», soupira Humfried. «*Noli me tangere*, n'est-ce pas? Obéissant à des critères supérieurs, telle la fonction d'une variable complexe.»

«Pour être complexe, ça, elle l'est», dit Gottlob.

«Et variable.»

Ils éclatèrent d'un rire dont le niveau sonore et la puérilité auraient pu entamer l'assurance de n'importe quelle jeune femme de l'époque. Mais pas celle de la beauté sûre d'elle qui approchait maintenant. Non, même détaillée ouvertement – avec davantage d'admiration, notez bien, que d'indignation –, Yasmina Halfcourt continua de fendre la fumée turque et les vapeurs de bière, se dirigeant droit sur eux, son maintien laissant entendre qu'elle pourrait fort bien, avec ou sans partenaire, se lancer dans une polka. Et ce chapeau! Les toques en velours drapé avaient toujours été le faible de Kit.

«C'est chouette que vous soyez tous aussi proches d'elle – bon, qui c'est qui me présente?»

Dans un grand grincement et crissement de chaises de taverne, les compagnons de Kit avaient prestement disparu.

«Convergeant vers zéro», marmonna-t-il, «quelle surprise… Bonsoir, mademoiselle, recherchiez-vous un des jeunes hommes qui viennent de s'esbigner?»

Elle s'assit et le dévisagea. Les yeux orientaux, la tension des paupières avaient trouvé un équilibre parfait entre la chaleur et le jugement, et promettaient clairement quelque peine de cœur.

«Vous n'êtes pas anglais.» Sa voix inopinément un peu criarde.

«Américain.»

«Et est-ce là un revolver que vous portez?»

«Ça? Non, non c'est le, comment on appelle la *Hausknochen*? Pour la porte d'entrée et la montée des escaliers.» Il brandit une énorme clé dont la taille excessive, outrepassant tous les critères du bon goût, avait en son temps provoqué la gêne même chez les esprits les plus sereins. «Tout le monde ici en trimballe une.»

«Pas tout le monde. On ne m'a donné que ça.» Elle montra et fit tinter sous ses yeux un anneau argenté muni de deux petites clés. «Féminin, non? Ça, plus bien sûr une série de signes et de contresignes avant même que j'aie eu le droit de m'en servir, vu que je suis impitoyablement chaperonnée. Comment est-on censé prouver l'Hypothèse de Riemann quand on doit passer la moitié de son temps à entrer dans une pièce ou à en sortir?»

«Encore une de ces zêtamaniaques, hein? Vous vous pointez tous en ville, comme si c'était une mine d'argent du Colorado ici, et que z'alliez trouver la gloire éternelle dans ces collines, tout ça.»

Yasmina alluma une cigarette autrichienne, la tint entre ses dents, sourit. «Où étiez-vous passé? C'est comme ça partout, depuis que Hadamard – ou Poussin, si vous préférez – a prouvé le théorème des nombres premiers. La première pépite arrachée au sous-sol, pourrait-on dire. Est-ce le problème qui vous offense, ou ceux d'entre nous qui tentent de le résoudre?»

«Ni l'un ni les autres, c'est une quête honorable, juste que c'est évident, c'est tout.»

«Me prenez pas de haut.» Elle attendit une protestation, mais il se contenta de sourire. «"Évident"?»

Kit haussa les épaules. «Je pourrais vous le montrer.»

«Oh mais faites. Et pendant que nous y sommes, montrez-moi également comment marche votre *Hausknochen*...»

Il crut qu'il se faisait des idées, mais très vite, s'étant translatés sans encombre dehors, dans la rue puis en haut des marches, ils se retrouvèrent dans la chambre de Kit avec deux bouteilles de bière qu'il avait dénichées dans la *Kühlbox* en cuir. Il resta un moment à s'abreuver des traits de Yasmina, puis finit par se lancer:

«On me dit que vous êtes célèbre.»

«Les femmes de Göttingen forment un sous-ensemble très entouré.» Elle jeta un regard circulaire. «Et vous êtes ici pour faire quoi, déjà?»

«Boire de la bière, vivre de mon allocation sommeil, la routine.»

«Je vous croyais mathématicien.»

«Eh bien... pas forcément votre genre...»

«Oui? Allez, faites pas le malin.»

«Entendu.» Il redressa les épaules, essuya une mousse de bière imaginaire de sa moustache quasi mature, et, s'attendant à ce qu'elle disparaisse tout aussi rapidement, frissonna en signe d'excuse. «Je suis une sorte de, hum... Vectoriste?»

Malgré l'ombre d'un tressaillement imminent, elle le surprit par un sourire qui, en dépit de sa ressemblance avec ceux qu'on adresse aux malades, parvint néanmoins à changer en pierre certaines extrémités de Kit. Pour dire le genre de sourire que c'était. «Ils enseignent les vecteurs en Amérique. Vous m'étonnez.»

«Rien à voir avec ce qu'ils proposent ici.»

«Ne devriez-vous pas être en Angleterre?» Comme si elle parlait à un chenapan censé redoubler de malice.

«Rien que des quaternions ici.»

«Oh non, pas encore ces guerres des quaternions. Tout ça commence à devenir si obsolète, pour ne pas dire folklorique... Pourquoi faut-il que vous n'en démordiez pas, vous autres?»

«Ils croient – les Quaternionistes – que Hamilton n'a pas tant découvert le système qu'il l'a hérité d'un au-delà. Un peu comme les Mormons, mais différemment. »

Elle n'arrivait pas à savoir à quel point il était sérieux, mais après un intervalle décent elle se rapprocha. « Pardon? Il s'agit d'un système vectoriel, Mr Traverse, c'est destiné aux ingénieurs, afin d'aider les benêts à visualiser ce qu'ils ne peuvent manifestement comprendre en tant que *vraies mathématiques.* »

«Comme votre problème de Riemann. »

« *Die Nullstellen der ζ-Funktion.* » Disant cela comme une autre fille dirait « Paris » ou « Richard Harding Davis », mais avec une intonation l'avertissant que, bien qu'elle fût dotée d'un sens actif de l'humour, ce dernier ne s'étendait pas à Riemann. Kit avait rarement, voire jamais, au cours de ces années passées à faire la navette entre New York et New Haven, des débutantes aux nymphes du Tenderloin, rencontré quoi que ce soit d'aussi passionné que cet étirement de la nuque et cette tête maintenue bien droite. Un cou d'une sveltesse et d'une longueur inhabituelles.

« Ça me gêne de vous le dire, mais c'est pas si dur à prouver. »

« Oh, une preuve vectoriste, ben voyons. Et seul un excès de modestie vous aura empêché de la publier. »

Farfouillant dans son bazar domestique en quête d'un bout de papier avec encore assez d'espace blanc pour écrire dessus. « En fait, j'ai cherché une façon non tant de résoudre le problème de Riemann que d'appliquer la fonction ζ à des situations de type vectoriel, par exemple en prenant une certaine série de possibilités vectorielles comme si elle était applicable à la série des nombres complexes, puis en recherchant les propriétés, et tout ça, en commençant par les systèmes vectoriels dans les dimensions de nombres premiers – les fameux deux et trois bien sûr, mais ensuite cinq, sept, onze, et cætera, également. »

« Que les premiers. En sautant la quatrième dimension, donc. »

« En sautant quatre, désolé. Difficile d'imaginer un nombre aussi peu intéressant. »

« À moins de —»

« Quoi? »

« Désolée. Je pensais tout haut. »

« Ah. » Cette fille étonnante flirtait-elle? Pourquoi ne pouvait-il en être sûr?

« Impossible à révéler, j'en ai peur. »

« Vraiment? »

« Eh bien… »

Et c'est ainsi que Kit entendit pour la première fois parler des S.O.T. à Londres, et du culte spectral néo-pythagoricien de la tétralâtrie ou adoration du nombre quatre, «sans parler des ellipses et des hyperboles», qui faisait actuellement fureur dans certains cercles européens – plus ou moins liés, en fait, à la manière de correspondants, aux S.O.T. Ces temps-ci, parmi ceux qui prenaient la mystique pour sujet d'études, la quatrième dimension, suite aux travaux de Mr C. Howard Hinton, du Pr K.F. Zöllner, et de quelques autres, jouissait d'une certaine vogue. «Ou devrais-je dire "vague"?» demanda Yasmina.

«O.K. Voici la preuve de Riemann —» Il gribouilla, sans s'arrêter, pas plus d'une dizaine de lignes. «En laissant de côté toutes les transitions évidentes, bien sûr...»

«Bien sûr. Ça m'a tout l'air excentrique. C'est quoi déjà ces triangles à l'envers?»

On entendit alors des coups et des raclements horribles à la porte donnant sur la rue, accompagnés, sous les fenêtres, d'une chanson vulgaire braillée par quelques buveurs de bière. Elle regarda Kit fixement, lèvres serrées, hochant la tête, énergiquement. «Donc — tout ça n'était qu'une ruse. C'est cela, oui. Une ruse sordide.»

«Quoi?»

«Vous vous êtes arrangé pour que vos compagnons de beuveries se pointent juste quand j'allais dénoncer le sophisme criard dans cette... preuve —»

«C'est juste Humfried et ses potes, qui essaient de mettre une *Hausknochen* dans la serrure. Si vous voulez vous cacher quelque part, je vous suggère ce placard, là.»

«Ils... habitent ici?»

«Pas ici, mais tous à moins de deux ou trois rues de là. Ou, comme vous dites, vous autres riemanniens, à quelques "intervalles métriques"?»

«Mais pourquoi votre ami utiliserait-il *sa* clé —»

«Hum, en fait, il se trouve que toutes les *Hausknochen* vont dans à peu près toutes les serrures par ici.»

«Par conséquent —»

«Toute vie sociale est imprévisible.»

Secouant la tête, les yeux dirigés vers le sol: «*Auf wiedersehen, Herr Professor Traverse.*» Il se trouva que l'issue qu'elle choisit pour sortir n'était pas la porte de service, même si ça y ressemblait – et à en juger par son mouvement, ça aurait pu en être une –, étant par ailleurs située dans la même partie que la porte de service, mais n'étant pas, cependant, et bizarrement, la porte de service. Comment était-ce possible? En fait, ce n'était même pas une porte, mais quelque chose conçu pour que le cerveau humain l'interprète dans ce sens, car elle avait une fonction similaire.

Une fois de l'autre côté, elle se retrouva au croisement de Prinzenstraße et Weenderstraße, un croisement qui, selon les mathématiciens du coin, était l'origine du système de coordonnées de la ville de Göttingen. « Retour à la case départ », marmonna-t-elle. « Recommencez. » Elle ne trouva pas que ce genre d'excursion sorte particulièrement de l'ordinaire – ça s'était déjà produit, et une fois qu'elle se fut assurée que la chose était inoffensive, elle s'en accommoda très bien et continua à vivre comme si de rien n'était. Ce n'était guère plus troublant que de se réveiller d'un rêve lucide.

Resté dans son espace habituel, Kit, qui avait vu Yasmina traverser apparemment un mur solide, eut à peine le temps de paraître étonné car Humfried et sa créature, Gottlob, avaient déjà gravi les marches et frappé à sa porte. Le fait est qu'on les voyait rarement l'un sans l'autre, les deux hommes étant mus par une fascination commune pour les vies d'autrui, et ce dans leurs détails les plus triviaux. « Très bien, où est-elle ? »

« Où est qui ? Et puisqu'on parle de *où*, Gottlob, *où* sont ces vingt marks que tu me dois ? »

« *Ach, der Pistolenheld !* » s'écria Gottlob, qui essaya de se cacher derrière Humfried, lequel, comme à l'accoutumée, cherchait de quoi manger.

« Non, non, Gottlob, contrôle-toi, il ne va pas te tirer dessus… Tiens, tiens, quelle intéressante saucisse — » Saucisse dont il dévora immédiatement la moitié en en proposant le reste à Gottlob, qui secoua vigoureusement la tête en signe de refus.

Humfried était obsédé depuis maintenant un bon moment par un lien qu'il croyait avoir repéré entre les fonctions automorphiques et le Crayon Anharmonique, ou, comme il préférait le désigner, *das Nichtharmonischestrahlenbündel*, même s'il avait décidé d'écrire tous ses articles en latin, ce que personne ne faisait plus depuis Euler.

Gottlob, quant à lui, avait quitté Berlin pour Göttingen afin d'étudier avec Felix Klein, suite à la parution de sa magistrale *Théorie mathématique du sommet* (1897), envisagée au moyen de fonctions d'une variable complexe, et aussi afin de s'éloigner de la sinistre influence de feu Leopold Kronecker, dont les zélateurs considéraient le domaine des complexes avec suspicion pour ne pas dire une franche aversion – pour trouver à Göttingen une version réduite de la même dispute monumentale entre Kronecker et Cantor qui faisait alors rage dans la Capitale, sans parler du Monde. Les kroneckerites fondamentalistes faisaient régulièrement des descentes sur Göttingen, dont ils ne revenaient pas tous.

«*Ach, der Kronecker!*» s'écria Gottlob, «il lui suffisait de mettre un pied dans la rue, et les chiens enragés prenaient la fuite ou, comprenant leur intérêt, retrouvaient la raison. À peine un mètre cinquante, mais il jouissait de la force anormale du possédé. À chacune de ses apparitions, on pouvait s'attendre à des semaines de panique.»

«Mais… on prétend qu'il était très sociable et extraverti», dit Kit.

«Peut-être, pour un insensé persuadé que "les nombres entiers positifs sont l'œuvre de Dieu, et le reste celle de l'homme". Bien sûr, c'est une guerre religieuse. Kronecker ne croyait pas à *pi*, ni à la racine carrée de moins un —»

«Il ne croyait même pas à la racine carrée de *plus deux*», dit Humfried.

«En face, Cantor, avec son *Kontinuum*, professant une foi aussi forte dans ces mêmes régions, infiniment divisibles, figurant *entre* ces nombres entiers qui accaparaient tant Kronecker.»

«Et c'est ce qui fait que Cantor n'a cessé de retourner à la *Nervenklinik*», ajouta Humfried, «et encore, il ne s'intéressait qu'aux segments de ligne. Mais là-bas dans l'espace-temps à quatre dimensions du Dr Minkowski, dans le plus petit "intervalle", si petit qu'on le souhaite, au sein de chaque minuscule hypervolume du *Kontinuum* – devait également se cacher un nombre infini d'autres points, et si nous définissons un "monde" comme étant une série très étendue et finie de points, alors il doit exister plusieurs mondes. Des univers!»

Selon la rumeur, un culte cantorien et mystique du négligeable, cherchant refuge dans un monde epsilonique infini, tenait des réunions hebdomadaires au Finsterzwerg, une brasserie située juste derrière les vieux remparts de la ville, près de la gare. «Une sorte de Société géographique pour l'exploration illimitée des régions avoisinant le Zéro…»

Comme l'avait vite découvert Kit, ce type d'excentricité était monnaie courante à Göttingen. Les discussions se prolongeaient tard dans la nuit, l'insomnie était la règle, mais si l'on souhaitait dormir, il y avait toujours de l'hydrate de chloral, un produit très prisé. Il voyait Yasmina de temps en temps, en général dans les profondeurs enfumées d'une peu recommandable *Kneipe* près du fleuve, mais il lui parlait rarement. Un soir qu'il se promenait sur le chemin de ronde des vieilles fortifications et passait devant la statue de Gauss en train de glisser à Weber une remarque à jamais perdue dans les pages du silence, il la vit qui contemplait l'étendue de toits de tuiles rouges de la ville et les lumières qui s'allumaient peu à peu.

«Comment va cette vieille fonction ζ?»

«Quelque chose vous amuse, Kit?»

«Chaque fois que je vois un zêta, ça me fait penser à un cobra dressé sur sa queue qu'ensorcelle un charmeur de serpents, z'avez pas remarqué?»

«Ce sont là les réflexions qui occupent vos journées?»

«Laissez-moi m'exprimer autrement. Chaque fois que je vois un zêta, je pense à vous. Le côté "charmeur" en tout cas.»

«Aaah! Encore plus trivial. Ça ne vous arrive jamais de voir au-delà de ces murs? Une crise se déroule là-bas.» Elle fronça les sourcils dans l'éclat orange du soleil à peine disparu, de la fumée s'élevant de centaines de cheminées. «Et Göttingen n'est pas plus à l'abri qu'elle l'était du temps de Riemann, durant la guerre avec la Prusse. La crise politique en Europe recoupe la crise dans les mathématiques. Fonctions de Weierstrass, continuum de Cantor, capacité à nuire tout aussi inépuisable de Russell – autrefois, dans tous les pays, comme dans les échecs, le suicide était illégal. Autrefois, chez les mathématiciens, "l'infini" n'était qu'un truc de magicien. Les connexions sont ici, Kit – cachées et pernicieuses. Ceux d'entre nous qui doivent ramper parmi elles le font à leurs risques et périls.»

«Venez», dit Kit, «laissez un ami trivial vous payer une bière.»

Cet hiver-là, à Saint-Pétersbourg, les soldats du Palais d'Hiver tirèrent sur des milliers de grévistes désarmés, venus défiler ici dans le calme et le respect. Il y eut des centaines de morts et de blessés. Le grand-duc Sergeï fut assassiné à Moscou. D'autres grèves et combats suivirent, accompagnés d'insurrections paysannes et militaires, jusqu'à l'été. Les marins se mutinèrent à Kronstadt et à Sébastopol. Des combats de rues éclatèrent à Moscou. Les Centuries noires se livrèrent à des pogromes contre les Juifs. Le Japon remporta la guerre en Extrême-Orient, anéantissant toute la flotte de la Baltique, qui venait juste de parcourir la moitié du globe pour tenter de lever le siège de Port-Arthur. À l'automne, une grève générale isola pendant des semaines le pays du reste du monde et, comme s'en aperçurent progressivement les gens, interrompit le cours de l'Histoire. En décembre, l'armée mata un autre soulèvement majeur. À l'est, on se battait un peu partout le long des voies ferrées, le banditisme régnait et une révolte musulmane finit par éclater en Asie intérieure. Si Dieu n'avait pas oublié la Russie, Il avait reporté ailleurs Son attention.

Quant au reste de l'Europe, l'année qui suivit devait rester dans toutes les mémoires comme celle des Russes, qui s'exilèrent massivement à mesure que la Révolution écrasait tout derrière eux – la forteresse Pierre-et-Paul – ou qui, tôt ou tard, trouvèrent la mort. Qui aurait pu penser que le Tsar avait autant d'ennemis ?

Kit avait commencé à remarquer la présence de Russes dans la Weenderstraße. Yasmina était convaincue qu'ils étaient venus ici pour l'espionner, *elle*. Ils tentaient de se fondre dans la masse, mais certaines nuances révélatrices – toques fourrées, barbes rebelles, une tendance dans la rue à se baisser soudain pour danser le kazatchok au son d'une musique qu'eux seuls entendaient – les trahissaient sans cesse.

« Dites, Yasm, ils ont quoi tous ces Russes ? »

« Je vais éviter de le prendre pour moi. Mes parents étaient russes. Quand nous vivions à la frontière, nous avons été pris un jour dans un raid et vendus comme esclaves. Un peu plus tard, le major Halfcourt m'a trouvée dans un bazar du Waziristan et il est devenu mon père adoptif. »

Ne se sentant pas aussi surpris qu'il aurait pu l'être : « Et il est toujours là-bas quelque part ? »

« J'ignore ce qu'il fabrique, mais ce doit être suffisamment important au niveau politique pour qu'on envisage de se servir de moi. »

« Vous êtes en contact ? »

« Nous avons nos propres réseaux, que ne peuvent affecter ni le temps ni la distance. »

« La télépathie, ce genre. »

Elle le fusilla du regard. « Vous me prenez sans doute pour une donzelle avec de l'éther entre les oreilles, aisément influencée par les croyances des S.O.T. »

« Bon sang, Yasm, vous avez vraiment *lu dans mes pensées* ce coup-ci. » Avec dans les yeux suffisamment de malice pour que, il l'espérait, elle ne se vexe pas, car la férocité imprévisible de Yasmina, si espiègle fût-elle, ne cessait de dérouter Kit.

Elle tripotait ses cheveux toujours aussi transcendantalement intéressants, signe que ça allait barder. « Même avec la Révolution, des nouvelles parviennent jusqu'ici. Malgré des milliers de kilomètres, des multitudes de langues, des témoins douteux, une désinformation voulue, ça finit par arriver jusqu'aux S.O.T., à Chunxton Crescent, et ce qui sort de leur antre est souvent étonnamment fiable – même le ministère de la Guerre admet que leurs infos sont en général plus solides que les leurs. »

« Si je peux faire quoi que ce soit, dites-le. »

Elle le regarda bizarrement. « En ce monde, je jouis d'une réputation de franc-tireur… mais je reste liée… à *lui*. Mon autre famille s'en est allée vers des destins que je ne peux concevoir. Ce n'est qu'en rêve que je les aperçois, des moments si fugitifs, si ténus, que je ressens après une douleur ici, dans ma poitrine, une cruelle incomplétude. Mes véritables souvenirs datent du jour où il me vit pour la première fois au marché – j'étais une âme oscillant entre l'enfance et l'adolescence, une oscillation dont les vibrations me pénétraient, comme pour me diviser – j'espère que ce n'est pas un fard que vous piquez là, Kit. »

En fait, si, mais dû davantage à la perplexité qu'au désir. Ce jour-là, elle portait une pièce de monnaie ancienne, percée et suspendue simplement à une fine chaîne en argent autour de ce cou ô combien fascinant... « C'est un dirham afghan, qui date du tout début de l'empire des Ghaznévides. C'est lui qui m'a donné ce porte-bonheur. » Après avoir circulé plus de neuf cents ans, son argent usé à la périphérie par les voleurs, il n'en restait plus que le cercle intérieur, recouvert d'une écriture ancienne. C'était l'emblème d'une histoire secrète d'agression et de résistance, la véritable histoire d'une région et peut-être de cette jeune femme, dans cette existence et dans qui sait combien d'autres, antérieures. « Merci pour votre offre, Kit. Si l'occasion se présente, je vous demanderai certainement conseil. Vous avez toute ma gratitude », les yeux pétillants, s'offrant le luxe de croire dur comme fer qu'il la laisserait s'en sortir avec ces paroles, mais sans attendre aucune faveur en retour. Il goba tout comme un cône de crème glacée dans une fête foraine, bien qu'il dût feindre l'indifférence. On ne trouvait certainement pas ça à New Haven. Ils ne savaient même pas flirter ainsi à New York. C'est le monde, ici, se dit Kit, et deux jours plus tard, vers les trois heures du matin, tel un coup de bambou supplémentaire : *Elle* est le monde.

Pendant ce temps, Yasmina, bien placée pour railler le trivial, sortait avec un riche héritier du café, du nom de Günther von Quassel. Lors de leur premier rendez-vous, Günther, qui était un adepte du très contesté Ludwig Boltzmann, avait tenté de lui expliquer le problème de Riemann à l'aide de la mécanique statistique.

« Allez. Dis-moi, je te prie, si n croît à l'infini, quel est le N-ième nombre premier ? »

En soupirant, mais pas de désir : « Sa valeur – comme n'importe quel lycéen s'y connaissant en théorie des nombres premiers le sait – approche $n \log$ de n. »

« Bien. Prenons l'entropie d'un système — »

« Une sorte de... de mot à vapeur, non ? Suis-je ingénieur en chaudière, Günni ? »

« Sauf pour les constantes habituelles », écrivant tout en parlant, « on peut exprimer l'entropie comme étant... la somme de $p(E_k)$ fois log de $p(E_k)$. Tout roule jusqu'ici ?»

«Bien sûr, mais c'est juste de la statistique. Quand est-ce qu'on passe aux mathématiques ?»

«*Ach, die Zetamanie*... ta théorie des nombres premiers n'est pas de la statistique ?»

Elle regarda néanmoins ce qu'il venait de noter, les deux quelque chose-log-de-quelque chose. «Ce E_k... ?»

«L'énergie d'un système donné, on se sert du k pour indexer s'il y en a plus d'un, et c'est en général le cas.»

«Et y a-t-il des cas de démence dans ta famille, Günther ?»

«Tu ne trouves pas étrange que le N-ième nombre premier pour un très grand N puisse être exprimé sous la forme d'une mesure du chaos dans un système physique ?»

Sans que rien de tout cela empêche Yasmina de prolonger la liaison.

«De même qu'un crime», fit remarquer Humfried, «souvent de la pire espèce, commis dans un roman policier, n'est très souvent qu'un prétexte servant à poser et résoudre une énigme narrative, de même les idylles dans cette ville n'ont généralement d'autre but que celui de passer des seuils, sans parler de monter des escaliers, tout en parlant sans arrêt et, les jours propices, en hurlant.»

Yasmina surprit un jour Günther en train d'avouer à son cher Heinrich : «Il n'y a dans cette ville qu'une seule fille que j'ai toujours voulu embrasser.» C'étaient des paroles de candidat au doctorat, mais Yasmina, dans son obsession riemannienne, semblait tout ignorer de la tradition à Göttingen qui voulait qu'un diplômé en maths embrasse la statue d'une petite gardienne d'oies, située dans la fontaine du jardin Rathaus, en se trempant, voire en se mettant dans tous ses états.

Yasmina parut soucieuse. «Qui est cette personne ?» demanda-t-elle à Heinrich, qui crut qu'elle plaisantait.

«Tout ce que je sais, c'est qu'il dit qu'elle attend chaque jour près du Rathaus.»

«Attend qui ? Pas Günther ?»

Heinrich haussa les épaules. «Il a été question d'oies.»

«De vraies oies ou d'étudiantes ?» Tandis qu'elle se précipitait sur la place, où elle se mit à déambuler de façon menaçante. Pendant des jours. Günther vint parfois, ou ne vint pas, mais jamais en compagnie d'une possible rivale. Naturellement, elle ne prêta guère attention à la fontaine, ni à la petite statue. Un jour elle l'entendit qui chantait :

Il est vrai que sa candeur
Se moque bien de Cantor,
Et qu'elle ne pipe mot
Des axiomes de Zermelo,
Mais des génies l'ont embrassée,
Des Frobenius embarrassés,
Une vraie petite armée,
Fringante comme Poincaré
Et… sans faire plus de chichis
Que si c'était Cauchy,
Ou même ce Riemann,
Nous restons avec notre vague à l'âme…
Que
      la chose arrive un jour
Chez Whittaker et Watson —
Soudaines convergences,
Miracles de l'existence,
Epsiloniques danses,
Et pas des masses de chance
Pour l'amour…

Inquiets pour l'équilibre mental de Yasmina, tous se crurent obligés de donner leur avis, y compris Kit. «Yasm, vous devez oublier ce type, il n'est pas pour vous. Je veux dire, même s'il est grand, musclé, voire présentable à son étrange façon allemande —»

«Vous avez oublié brillant, amusant, romantique —»

«Mais vous êtes la dupe de votre mémoire raciale», déclara Humfried avec indignation, «vous recherchez un… Hun!»

«Insinueriez-vous que je désire être piétinée et conquise, Humfried?»

«Ai-je dit cela?»

«Eh bien… supposons que ça soit le cas, est-ce que, un, ça vous regarde le moins du monde, deux, je devrais présenter des excuses pour ça? Petit *a* de un —»

«Yasm, vous avez tout à fait raison», acquiesça Kit, «nous ne sommes que d'insupportables suprémacistes. On devrait nous abattre ou, disons, nous tirer dessus.»

«Günther est peut-être tout ce que vous prétendez, voire pire, mais tant que vous n'éprouverez pas d'émotions comme en éprouvent les femmes, vous rencontrerez dans vos rapports avec nous beaucoup d'obstacles et peu de succès.»

«Et si je ravalais quelques sanglots, ça ferait l'affaire?»

Elle avait déjà presque franchi le seuil, en lui jetant par-dessus l'épaule un regard noir, quand voilà que déboula athlétiquement dans l'escalier l'adonis même dont il était alors question, oui, Günther von Quassel en personne, brandissant une *Hausknochen* de façon menaçante, lancé, tandis que les marches le conduisaient à leur limite supérieure, dans une escalade de haine similaire. «Allons, Günni», dit-elle, «tu ne vas pas assassiner Kit, quand même?»

«Qu'est-ce qu'il *fabrique* ici?»

«Je vis ici, grosse bratwurst.»

«Oh. *Ja.* C'est vrai.» Il réfléchit. «Mais *Fräulein* Yasmina... elle ne vit pas ici.»

«Ça alors, Günther, mais c'est très intéressant.»

Günther le regarda, pendant un moment que quiconque hormis un amoureux transi aurait jugé bien trop long. Dans l'intervalle, Yasmina, soudain d'une humeur badine que Kit ne lui connaissait pas, ne cessait de retirer la casquette de Günther et de feindre de la jeter dans les escaliers. Il mettait chaque fois quelques secondes à réagir, mais avec un agacement subit, *comme si ça venait juste de se produire.* En fait, à en croire Humfried, un disciple du Pr Minkowski, chacun aurait dû se rendre compte que Günther habitait son propre «cadre de référence» idiomatique, dans lequel des hiatus temporels comme celui-ci étaient très importants, sinon essentiels. «Il n'est pas "ici"», expliqua Humfried, «pas complètement. Il est légèrement... ailleurs. Suffisamment pour embarrasser toute personne appréciant sa compagnie.»

«Ouais, ça doit pas faire beaucoup de monde.»

«Oh vous êtes tous odieux», dit Yasmina.

Pendant ce temps, Günther continuait d'affirmer que la présence de Yasmina ici était une affaire d'honneur. «Visiblement, nous devons en duel nous battre.»

«Comment ça?»

«Vous m'avez insulté, vous avez insulté ma fiancée —»

«Oh, Günni?»

«*Ja, Liebchen?*»

«Je ne suis pas ta fiancée? Tu te rappelles, on en a déjà parlé?»

«*Egal was, meine Schatze!* En attendant, Mr Traverse, en tant qu'offensé, vous avez le choix des armes – quelle chance d'avoir provoqué cette dispute ici, dans la capitale allemande du duel. À ma disposition, et à la vôtre, se trouvent des paires assorties du Schläger, du Krummsäbel, du Korbrapier, et même, si tel est votre vice, l'épée – une arme qui est, mais pas selon les critères allemands, très courue, m'a-t-on dit, en Angleterre —»

«En fait», dit Kit, «je préférerais, eh bien, des pistolets? Il se trouve que j'ai ici deux Colt à six coups qu'on pourrait prendre – mais pour ce qui est d'être "assortis", eh bien… »

« Des pistolets ! Oh, non, non, impulsif, violent Mr Traverse – ici nous ne nous battons pas en duel pour *tuer*, non ! même si bien sûr pour assurer l'honneur de la *Verbindung*, le but profond est, sur le visage de l'autre, d'*inscrire sa marque*, de sorte qu'il arbore alors aux yeux de tous la preuve de son courage personnel. »

« C'est donc ça que vous avez sur le visage ? On dirait un tilde mexicain. »

« Inhabituel, non ? Récemment nous avons établi la fréquence probable à laquelle la lame a vibré, eu égard au couple de redressement, les constantes élastiques, tout ça avec la plus grande élégance, dont vous autres flingueurs américains n'avez aucune idée, j'en suis sûr. Oh c'est vrai, *ja*, quelques *fous désespérés* se sont immiscés parmi nous, et se sont sortis d'affaire en exhibant de *vraies cicatrices* laissées par des balles sur leur visage, mais cela exige un degré d'indifférence à la mort dont peu d'entre nous sont dotés. »

« Êtes-vous en train de dire que les pistolets seraient trop dangereux pour vous, Günni ? D'où je viens, dès qu'il est question d'honneur, ma foi, un homme est plutôt obligé d'utiliser un pistolet. Les lames, ça serait tout simplement trop – comment dire ? – silencieux ? vicieux ?… voire sournois ? »

Les oreilles de Günther frétillèrent. « Suis-je censé comprendre, monsieur, que vous entendez ainsi qualifier les Allemands de sous-hommes d'une *race timorée*, c'est bien cela ? »

« Attendez – je vous ai de nouveau insulté ? Vous me… défiez deux fois à présent ? Bien ! Ça place un peu plus haut la barre, non ? Dites, si vous comptez être offensé à la moindre petite chose, peut-être qu'on devrait remplir nos barillets, six balles chacun, qu'en pensez-vous ? »

« Ce cow-boy », dit Günther d'une voix plaintive, « semble ignorer que les êtres civilisés ont l'odeur de poudre en horreur. »

« Écoutez, Panse de Porc, c'est à quel sujet, au fait ? Je vous ai dit que ça ne convergerait pas, et ça sera toujours le cas. »

« Voilà. Ça recommence. Trois fois, maintenant. »

« Il semblerait que vous ayez raté une étape à mi-parcours. Sans parler de la fois où, dans une de vos séries, vous avez groupé des termes ensemble de façon erronée, inversé le signe par deux fois, et êtes même allé jusqu'à *diviser par zéro*, oui, absolument, Günni, écoutez, ici même, alors vous avez de la chance que quelqu'un ait pris le temps de lire ça de près – des erreurs de base stupides — »

«Quatre!»

«— et au lieu de scarifier les gens, vous devriez vous demander si c'est vraiment le meilleur champ d'études pour vous, si tout ce que vous voulez sur votre visage c'est une carte postale-souvenir.»

«Voilà que vous insultez Geheimrat Hilbert!»

«Il ne met pas n'importe quel couvre-chef, lui.»

Après un examen poussé de la bible du duel prussien, un petit volume portant le titre d'*Ehrenkodex*, Kit, Günther et leurs seconds se retrouvèrent près du fleuve, dès qu'il fit assez clair pour y voir. C'était une de ces matinées de printemps profondément agréables, que des âmes plus rationnelles choisiraient pour faire la fête de façon moins mortelle. Les tanneries ne fonctionnaient pas encore à plein régime, et l'air sentait bon la campagne qu'il venait de traverser. Les saules se balançaient de manière exquise. Un peu plus loin, des tours de guet en ruine émergeaient du brouillard. Les premiers baigneurs passaient prestement, tels des spectres, fluides et intrigués. Des étudiants en robe de chambre, chapeau tyrolien, lunettes à verres colorés, pantoufles et pyjama exotique aux motifs orientaux, faisaient la queue tout endormis pour parier des sommes folles avec les bookmakers qu'on trouvait toujours dans ce genre de circonstances. De temps en temps quelqu'un, affleurant à la conscience, se rappelait qu'il portait encore son *Schnurrbartbinde*, ou protège-moustache de nuit. Ceux qui étaient principalement concernés formaient un petit groupe et ne cessaient de se saluer. Un vendeur apparut avec un chariot portant une bassine fumante pleine de saucisses bouillies, et de la bière arriva également, à la fois en tonneaux et en bouteilles. Un photographe installa son trépied et son Zeiss «Palmos Panoram» pour qui aimerait des souvenirs visuels de la rencontre.

«Très bien, j'ai effectivement divisé par zéro – seulement une fois, *mea maxima culpa*, sans incidence sur le résultat. Je n'ai sauté aucune étape là où vous le prétendiez. Vous, en revanche, incapable semblez, de suivre mon argument.»

«Inepte Günther, regardez, ici et ici, cette fonction du Temps, vous affirmez qu'elle est commutative, et vous la survolez tout bonnement, alors qu'en fait —»

«Eh bien?»

«Vous ne pouvez simplement pas affirmer ça.»

«Je fais comme je l'entends.»

«Pas quand ça nécessite un signe moins ici…» Ainsi, malgré l'agitation de la foule qui s'était mise à crier «*Auf die Mensur!*» depuis en fait pas mal de temps, les jeunes hommes s'embringuèrent une fois de plus dans une dispute mathématique, qui ennuya et fit bientôt fuir tout le monde, y compris Yasmina, laquelle était partie d'ailleurs bien plus tôt, au bras zélé d'un anthropologue diplômé venu de Berlin, qui espérait repérer parmi les clubs de duel de Göttingen un «groupe de contrôle» chargé d'examiner les profondes significations de l'inscription faciale, surtout telle qu'elle était pratiquée parmi les tribus du nord des îles Andaman – s'en allant, pour tout dire, sous les cris de «Stéphanie du Motel!» et autres grasses huées, tandis que la communauté, plus qu'affranchie quant aux détails de l'idylle, restait divisée sur la Question Yasmina, certains la considérant comme une jeune femme courageuse et moderne, à l'instar de Kovaleskaïa, d'autres voyant en elle une perfide catin dont la mission ici était de pousser des mathématiciens prometteurs à une mort prématurée par duel, comme la célèbre Mademoiselle du Motel l'avait fait en 1832 avec le parrain de la théorie des groupes, Évariste Galois.

Parmi les visiteurs russes présents à Göttingen, certains témoignaient d'une forte inclination mystique. Yasmina les reconnut d'emblée, ayant rencontré, et à certaines occasions esquivé, plusieurs d'entre eux à Chunxton Crescent, mais ici, aussi à l'est, il était impossible d'éviter les événements majeurs qui se déroulaient non loin. En 1906, il y avait des Russes partout, fuyant à l'ouest, et beaucoup possédaient des exemplaires de l'ouvrage d'Ouspenski, *La Quatrième Dimension*.

On vit un individu d'aspect négligé, doté d'un nom unique, vaguement oriental, qui traînait avec Humfried et Gottlob. «Pas d'inquiétude. C'est un théosophe, ce Chong. C'est comme un théosophiste, mais pas complètement. Il est ici pour étudier la Quatrième Dimension.»

«La quoi?»

«Et les autres, bien sûr.»

«Les autres...?»

«Dimensions. Vous savez, la Cinquième, la Sixième, et ainsi de suite?»

«Il croit que Humfried a été son professeur dans une vie antérieure», ajouta Gottlob, obligeamment.

«Très étrange. Il y a des éducateurs chez les invertébrés?»

«Mais regardez un peu!» s'écria Yasmina, «c'est pas un bolchevique chinois – c'est ce vieux Sidney, ben mince alors, c'est ce vieux Kensington Sid, avec de la teinture de légume – hé Sid! C'est moi! Yasmina! Cambridge! Le Pr Renfrew! Rappelle-toi!»

Le personnage oriental la regarda sans broncher – puis, semblant prendre une décision, se mit à parler avec une certaine intensité dans une langue que personne ne put identifier, pas même par sa famille linguistique. Des auditeurs plus compétents y virent une tentative pour détourner l'attention.

Le Dr Werfner l'avait bien sûr repéré d'emblée et crut que c'était un des espions de Renfrew, tout comme Yasmina, qui supposa qu'il était venu pour l'espionner, vu qu'il semblait témoigner d'un intérêt inhabituel pour les Russes qui passaient par ici. Chaque fois qu'ils allaient au-devant de Yasmina pour discuter des dimensions transtriadiques, Chong était avec eux.

« Quatre est la première étape au-delà de l'espace que nous connaissons », dit Yasmina. « Le Dr Minkowski suggère un continuum parmi trois dimensions de l'espace et une du temps. Nous pouvons considérer la "quatrième dimension" *comme si* c'était du temps, mais en fait il s'agit vraiment de quelque chose d'autonome, et le "Temps" est seulement notre approximation la moins imparfaite. »

« Mais au-delà de la troisième », insista un de leurs visiteurs russes, « les dimensions existent-elles autrement que comme un simple caprice d'algébristes ? Pouvons-nous avoir accès à elles d'une façon plus que mentale ? »

« Spirituelle », déclara Gottlob. Autant que quiconque pût s'en souvenir, c'était la première fois qu'il utilisait ce mot.

« L'âme ? » dit Humfried. « Les anges ? Le monde invisible ? L'au-delà ? Dieu ? » À la fin de la liste, il avait un sourire narquois. « À Göttingen ? »

Entre-temps, Kit s'était mis à fréquenter l'Institut de Mécanique Appliquée. Depuis la récente découverte par Prandtl de la couche limite, une grande activité régnait par ici, signalée par un regain d'intérêt pour les questions de portance et de traînée, le vol par propulsion s'étant désormais posé tel un oiseau aux ailes neuves sur le rebord de l'Histoire. Kit n'avait guère prêté attention à l'aérodynamique tant qu'il végétait sous la coupe de Vibe, mais à force de disputer des parties de golf sur Long Island il s'était familiarisé avec la *guttie*, une balle en gutta-percha au départ parfaitement sphérique qu'on avait rendue systématiquement rugueuse en imprimant à sa surface des tas de petits alvéoles. Il ne put s'empêcher de remarquer alors, même s'il ne raffolait pas de ce sport, si excessivement pratiqué par les semblables de Scarsdale Vibe, une mystérieuse particularité de la trajectoire – l'indéniable excitation qu'on ressentait en voyant décoller la balle – surtout au moyen d'un tee –, cette ascension soudaine et raide, ce déni enthousiasmant de la gravité qu'on pouvait apprécier sans être pour autant golfeur. Le fait est qu'en matière d'étrangeté les greens étaient des champs privilégiés. De plus en plus attiré par le microcosme vivant de l'autre côté de la Bürgerstraße, Kit comprit bientôt que la surface texturée de la balle de golf avait pour but d'empêcher la couche limite de se détacher et de s'éparpiller dans la turbulence qui avait tendance à attirer la balle vers le bas, lui refusant tout destin dans le ciel. Quand il signala la chose lors de conversations dans les saloons au bord de la Brauweg, des lieux fréquentés essentiellement par des étudiants en ingénierie et en physique, certains avancèrent immédiatement des théories géologiques, la Terre étant un sphéroïde alvéolé à grande échelle qui, lors de son passage dans l'Éther, était hissé non dans la troisième dimension mais sur une ligne-monde euphorique traversant «la physique à quatre dimensions» de Minkowski.

«Qu'est-il arrivé au vectorisme?» le taquina Yasmina.

«Il y a vecteurs», répondit Kit, «et vecteurs. Dans le labo du Dr Prandtl, on ne parle que poussée et dérive, vélocité, et cætera. On peut faire établir des schémas, du bon vieil espace tridimensionnel si vous voulez, ou sur le plan complexe, si la transformation de Zhukovsky est votre tasse de thé. Des vols de flèches, des larmes. Dans le labo de Geheimrat Klein, nous étions davantage habitués à exprimer les vecteurs sans schémas, comme une pure suite de coefficients, sans relation avec quoi que ce soit de physique, pas même l'espace, et à les reporter sur toutes sortes de dimensions – selon la Théorie spectrale, jusqu'à l'infini.»

«Et au-delà», ajouta Günther, en hochant gravement la tête.

Un jour, pendant le cours de Hilbert, Yasmina leva la main. D'un clignement d'yeux, il l'incita à se lancer. «Herr Geheimrat —»

«"Herr Professor" suffira.»

«Les zéros non triviaux de la fonction ζ…»

«Ah.»

Elle tremblait. Elle n'avait pas beaucoup dormi. Hilbert avait déjà vu ce genre de phénomènes, et ce de plus en plus depuis le début du siècle – depuis en fait son propre discours très remarqué à la Sorbonne, lorsqu'il avait énuméré les grands problèmes mathématiques qui seraient abordés au cours du siècle à venir, dont celui des zéros de la fonction ζ.

«Se pourrait-il qu'ils soient liés aux valeurs propres d'un opérateur hermitien restant à déterminer?»

Le clignement d'yeux, ainsi que le signalèrent plus tard quelques étudiants, se modula en une pulsation régulière. «Une hypothèse intéressante, *Fräulein* Halfcourt.» D'habitude, il lui disait «ma petite». «Essayons de trouver pourquoi il devrait en aller ainsi. » Il la dévisagea alors, comme si elle était une apparition qu'il essayait de mieux discerner. « À l'exception des valeurs propres qui par nature sont les zéros d'une certaine équation », ajouta-t-il doucement.

« Il y a également cette… crête de réalité. » Plus tard, elle se rappellerait avoir dit en fait « *Rückgrat von Wirklichkeit* ». « Bien que les membres d'un hermitien puissent être complexes, les valeurs propres sont réelles. Les entrées sur le diagramme principal sont réelles. Les zéros de la fonction ζ qu'on trouve dans la partie réelle = ½ sont symétriques autour de l'axe réel, et donc… » Elle hésita. Elle avait *vu tout ça*, un instant, si clairement.

« Prenons le temps de la réflexion », dit Hilbert. « Nous en reparlerons plus tard. » Mais elle allait quitter Göttingen peu après, et ils n'auraient jamais l'occasion d'en discuter. Les années passant, elle s'estomperait dans l'esprit de Hilbert, ses mots paraîtraient ceux d'un lutin intérieur trop espiègle pour exprimer une proposition formelle ou pour accéder au statut de muse officielle. Et l'idée elle-même deviendrait la célèbre Conjecture de Hilbert-Pólya.

Lew entra un matin dans le réfectoire de Chunxton Crescent et tomba sur l'inspecteur de police Vance Aychrome, baignant angéliquement dans les premiers rayons déversés par le dôme vitré, et en train de piller inexorablement un petit déjeuner anglais complet adapté pour l'occasion au régime pythagoricien, composé d'ersatz de saucisses, harengs fumés, omelette, frites, tomates grillées, porridge, petits pains, brioches, scones et miches de divers formats. Des serveurs se faufilaient timidement entre les tables avec des chariots, des soupières et des plateaux. Certains arboraient également des airs mystiques. Des lève-tard, dont les sandales scintillaient, s'efforçaient d'éviter l'Inspecteur, préférant jeûner plutôt que de rivaliser avec son insatiabilité quasi légitime.

« Très bienvenu le p'tit déj' à cette heure », lança Aychrome entre deux énormes bouchées à Lew qui, souriant sinistrement, s'en alla chercher du café – en pure perte ici, même les meilleurs jours, ce qui n'était d'ailleurs pas le cas. Ces Anglais étaient décidément bien mystérieux, et leur indifférence au café en était la preuve par excellence.

« Très bien », lança-t-il, « quel est le corniaud qui a encore embarqué la machine Spong », non que ce fût important, le café par ici avait peu de chances d'avoir un goût de café, du fait de la tendance générale à utiliser le seul moulin de la maison pour préparer de la poudre de curry, de l'encens, et même des pigments en vue d'œuvres d'art incompréhensibles, aussi dut-il se contenter, comme d'habitude, d'un mug ébréché rempli d'un thé pâle et anodin, ensuite de quoi il alla s'asseoir en face d'Aychrome, qu'il dévisagea fixement. Tout en se disant que l'Inspecteur n'était pas venu jusqu'ici uniquement pour l'informer que Scotland Yard, une fois de plus, exprimait le souhait qu'il laisse tomber l'affaire du Gentleman Dynamiteur, Lew plongea la main dans une de ses poches intérieures et en sortit un jeu de Tarot réduit aux vingt-deux Arcanes majeurs qu'il posa l'un après l'autre sur la table, entre les restes d'un haggis végétarien et d'une assiette de beignets aux petits pois, jusqu'à ce qu'Aychrome hoche frénétiquement la tête et agite un doigt dont dégoulinait ce que Lew espéra n'être que de la mélasse. «Ggbbmmhhgghhkkhh!»

Certes. La carte n'était pas le numéro XV de Renfrew/Werner après tout, mais la XII, le Pendu, dont la signification tenue profondément secrète semblait toujours la placer dans une zone d'enquête particulièrement critique. Lew avait fini par la considérer comme la sienne propre, parce qu'elle avait été la première carte du «futur» que Neville et Nigel avaient retournée pour lui. La dernière fois qu'il l'avait vue, sa position dans l'Icosadyade était occupée par un certain Lamont Replevin, d'Elflock Villa, Stuffed Edge, Herts.

Quand enfin la bouche d'Aychrome parut relativement inoccupée: «Alors, Inspecteur», aussi gaiement que possible étant donné l'heure, «rien de trop politique, j'espère.»

«Hmm», comme à lui-même, «un peu de ce... pilaf, je pense... oui excellent... et où est ce pot de confiture?... ah délicieux vraiment.» Lew envisageait de laisser l'homme à son festin quand Aychrome, comme piqué par un insecte, le dévisagea avec des yeux exorbités, s'essuya la moustache et aboya: «Politique! Je devrais répondre par la négative, mais bon, tout est politique, n'est-ce pas.»

«Selon le dossier, ce Replevin est un marchand d'antiquités.»

«Oh ça ne fait pas un doute, si ce n'est qu'il y a une fiche sur ce type longue d'un kilomètre. Tout le travail de Lombroso est à lui seul très éloquent, oui, des plus éloquents.»

Lew savait que l'inspecteur Aychrome était un fervent partisan des théories criminologiques du Dr Cesare Lombroso, dont une particulièrement populaire selon laquelle les déficiences de sens moral s'accompagnaient d'une absence de tissu dans le cerveau, et d'un développement crânien subséquemment vicié qu'on pouvait observer, moyennant un œil expert, dans la structure faciale du sujet.

«Certains visages sont des visages criminels, pas la peine d'aller chercher plus loin», déclara le vétéran de la capitale, «et malheur à ceux qui l'ignorent ou ne savent l'interpréter proprement. Celui-ci» – tendant un «cliché de police» –, «comme vous le voyez, transpire la malfaisance internationale par tous les pores.»

Lew haussa les épaules. «M'a tout l'air d'un type sain.»

«Nos hommes surveillent l'endroit, vous savez.»

«Pourquoi?»

Aychrome jeta un bref regard mélodramatique sur la salle et baissa la voix. «Les Allemands.»

«Vous demande pardon?»

« Le sujet Replevin tient une boutique à Kensington, spécialisée, selon son dossier, dans "les antiquités transoxaniennes et gréco-bouddhistes", appelez ces machins comme vous voudrez, échoppe visitée par un flot constant d'individus suspects, dont certains sont connus de nos services, des gredins rien qu'à leur seul type facial, des faussaires et des contre-facteurs, des receleurs et des collectionneurs… Mais notre souci premier au Yard est la forte proportion de trafic allemand entre ici et l'Asie inté-rieure qui semble toujours transiter par l'établissement de Replevin. Les fouilles archéologiques sont la plupart du temps le fait d'équipes allemandes, n'est-ce pas, une excuse en or pour ces visiteurs qui conti-nuent d'arriver chez nous avec des dizaines de caisses, toutes énormes et lourdes, et étiquetées, très habilement, "Antiquités". Et voilà que Sable s'inquiète de ce qui se passe en Asie intérieure – ce Shambhala des affaires –, et comme si ça ne suffisait pas, le Bureau du Gaz frôle la folie furieuse suite à ce qu'ils ont appris. »

« "Le Bureau du Gaz". »

Serrant dans chaque poing un couteau et une fourchette de façon expressive, l'Inspecteur se fit un plaisir de l'affranchir. Lamont Replevin était apparemment un adepte des communications s'effectuant par le truchement du gaz de houille – plus précisément par celui des conduites de gaz qui, sur son plan de Londres, étaient représentées au même titre que les réseaux des pneumatiques ou des lignes téléphoniques. La popu-lation qui communiquait via le gaz, et qui par ailleurs refusait de com-muniquer autrement, paraissait assez importante et, selon Aychrome, augmentait chaque jour, alors que des *interconnexions secrètes* conti-nuaient d'être établies entre les conduites de gaz, et que le système s'étendait, telle une toile d'araignée, sur le point de recouvrir bientôt toute l'Angleterre. Pour ceux qui bénéficiaient de la jeunesse, des moyens finan-ciers et des loisirs, il ne s'agissait de rien d'autre que d'un engouement passager pour la nouveauté, même s'ils étaient nombreux à correspondre ainsi pour des raisons sentimentales, comme c'était le cas des personnes qui en voulaient tellement à la Poste qu'elles seraient peut-être même allées jusqu'à glisser des bombes dans les boîtes à lettres, s'il n'y avait eu toutes ces suffragettes qui refusaient de céder leurs places. Comme on pouvait s'y attendre, Scotland Yard s'intéressait de près à tout cela et avait mis sur pied un département particulier pour suivre le trafic gazier.

« Quant à Replevin, les avis sont franchement partagés au Yard. Certains pensent qu'il ne trempe là-dedans que pour l'aspect esthétique de la chose. Je ne suis pas très porté sur la poésie moderne, mais je sais reconnaître un code quand j'en vois un, et celui auquel notre Lamont semble recourir paraît particulièrement diabolique. Nos décrypteurs planchent dessus vingt-quatre heures sur vingt-quatre, mais pour l'instant ils ne l'ont pas encore déchiffré. »

« Est-ce qu'une partie est envoyée en clair ? en anglais ? en allemand ? »

« Oh, ça oui, sans parler du russe, du turc, du persan, du pachto, un peu de tadjik des montagnes aussi. Il se trame quelque chose, je vous le dis. Bien sûr, nous n'avons pas le droit de fouiller officiellement les lieux, mais nous nous demandions si, à la lumière de cette histoire de Shambhala, vu que c'est votre rayon ici, chez les S.O.T., et que vous jouissez personnellement d'une certaine indépendance à l'égard des contraintes juridiques qui ne peut que nous faire rêver... bref, vous me comprenez. »

« Si c'était moi ? J'ouvrirais une caisse pour voir ce qu'il y a dedans. »

« Et je la trouverais pleine de précieuses saloperies chinoises, et dans l'instant qui suivrait je me retrouverais à Seven Dials à devoir arpenter le cimetière et braquer ma torche dans les poubelles. Peut-être pas. » Il contempla les vestiges chaotiques de son petit déjeuner. « Je doute qu'il y ait en ces lieux quoi que ce soit qui ressemble à un chouette plat de haricots. On dirait qu'il y en a jamais. »

« C'est religieux, je pense. » Lew tendit son pouce vers un panneau suspendu au-dessus de l'entrée de la cuisine qui disait : Κυαμων 'απεχον, « Gare aux fayots » – selon Neville et Nigel, une citation de Pythagore lui-même.

« Bien. Je ferais mieux de finir ce biscuit aux raisins, en ce cas. »

Ce n'était pas là tout ce qui préoccupait l'Inspecteur, mais il fallut un hareng de Yarmouth et plusieurs petits pains aux groseilles pour qu'il en vienne au fait. « Je suis censé vous dire une fois de plus à quel point le Yard ne prise guère votre intérêt pour cette affaire de bombe Headingly. »

« Vous êtes enfin sur le point de le coincer, c'est ça ? »

« Nous avons plusieurs pistes prometteuses, et l'enquête en est pour l'instant à un stade particulièrement sensible. »

« Déjà entendu ça. »

« Oui, et peut-être qu'on l'aurait déjà serré sans ces dilettantes qui passent leur temps à nous mettre des bâtons dans les roues. »

« M'en parlez pas. Nous sommes combien sur le coup ? »

« Un seul. Vous avez juste l'*air* d'être une dizaine. »

« Mais il sait que je le traque. Je croyais qu'au Yard ça vous plairait d'avoir une sorte de bouc émissaire pour l'attirer, le forcer peut-être à commettre une erreur. »

«Vous êtes plein d'assurance, dites donc. »

«En temps normal, je serais plein de mon petit déjeuner, mais il reste apparemment pas grand-chose. »

«Oui bon, si ça vous embête pas, je crois que je vais prendre un peu de cette "forme"-là, une couleur pas commune, je dois dire, me demande ce que c'est mgghhmmbg… »

«Il vaut peut-être mieux l'ignorer. »

Au même moment, un acolyte arriva avec un message exigeant de Lew qu'il se rende séance tenante dans les bureaux du Grand Cohen Nookshaft. L'inspecteur Aychrome s'essuya consciencieusement le visage, poussa un soupir tragique, et se prépara à retourner à Victoria Embankment, dans son élément glacial tout en briques sinistres et lampes bleues, parfumé au crottin.

Le Grand Cohen reçut Lew dans ses plus beaux atours, avec un soin particulier accordé aux surfaces en lamé et aux parements en fausse hermine. Sur sa tête, d'une nuance magenta, avec des caractères hébreux dorés brodés devant, trônait ce qui aurait pu passer pour une kippa sans sa haute couronne, dans le style Trilby, bosselée devant et derrière. «Si vous avez d'ultimes flagorneries à me faire, dépêchez-vous, parce que mon règne touche à sa fin, oui ça va être de nouveau l'Associé Cohen pour le petit Nick Nookshaft, un vrai soulagement, et bonne chance au prochain "gogo" qui devra ramper devant le mépris du Haut Directorat, lequel ne sait que réduire les budgets un peu plus chaque année, tandis que, tels des missionnaires envoyés sur des rives hostiles, nous sommes livrés au caprice de Dieu, tandis qu'au fond des terres, bien au chaud chez eux, les drôles qui ont demandé notre exil font la noce à tout va. »

«À croire que quelqu'un tire les ficelles par ici», dit Lew.

«Je suis profondément désolé», les yeux baissés. «Vous m'en voulez. »

«Allons donc, Cohen, jamais je ne —»

«Oh que si, et vous ne seriez pas le premier… Vous voyez dans quel état je suis… Frère Basnight, nous ne voulions pas vous entraîner dans cette histoire de Shambhala, mais les hostilités sont imminentes, peut-être même déjà engagées, et nous allons avoir besoin de tout le monde sur le pont. L'inspecteur Aychrome vous a affranchi sur Lamont Replevin, mais certains aspects de la chose échappent au Met, aussi me revient-il de préciser que Replevin est entré en possession d'une carte de Shambhala. »

Lew lâcha un sifflement. «Celle que tout le monde veut. »

«Mais qui reste inutilisable tant qu'on ne l'observe pas au moyen d'un engin appelé un paramorphoscope. »

« Voulez que je l'emprunte ? »

« Si Replevin sait ce qu'il détient, alors il l'a déjà mis en sûreté. Mais peut-être qu'il opère à partir de principes complètement différents. »

« En ce cas je crois que je vais devoir jeter un coup d'œil. Vous pouvez me donner une idée de ce que je recherche ? »

« Nous avons une carte similaire de Boukhara, datant paraît-il de la même époque. » Il montra une feuille sur laquelle avait été reproduit un motif auquel Lew ne comprit rien.

Après avoir consulté rapidement le *Dictionnaire des Faubourgs de Kelly*, Lew prit son chapeau et sortit. Le temps qu'il arrive à la gare, le soir tombait déjà, ainsi qu'un vrai brouillard d'hiver, qui allait s'épaississant, des gouttes d'eau se condensant sur tous les chapeaux, déposant un lustre qui pour certaines constitutions nerveuses pouvait paraître sinistre. Quelques pâles époux guettaient des trains de banlieue qui n'arriveraient jamais aux destinations figurant sur le réseau ferroviaire — comme si, pour parvenir à quelque abri que ce soit, il fallait d'abord s'enfoncer dans une région empreinte d'une grâce jusqu'ici indéfinie. Lew monta dans un compartiment, s'affala sur un siège, abaissa le bord de son chapeau sur ses yeux, puis les roues se mirent en branle et il partit pour la lointaine et horrible ville de Stuffed Edge.

Les faubourgs, par ici, étaient souvent des versions corrompues de la Ville-Mère, des nodules combinant le pire de l'excentricité villageoise et de la mélancolie citadine. En descendant sur le quai à l'arrêt de Stuffed Edge, Lew découvrit une avenue désolée et silencieuse, à peine modifiée par la végétation… Une odeur âcre planait un peu partout, comme si des véhicules fantômes circulaient sur un autre plan de l'existence, tout près mais transparents. Les lampadaires étaient allumés, supposa-t-il, depuis des heures. Plus loin, près du commissariat, un chien hurlait à la lune invisible, s'imaginant peut-être que, suffisamment invoquée, celle-ci surgirait avec on ne sait quel repas.

Elflock Villa était en fait un pavillon jumelé d'une singulière monstruosité, peint en un vert jaunâtre éclatant qui avait refusé de ternir au même rythme que le jour. Avant même qu'il entre, Lew sentit le gaz de houille — « et qui dit houille », ainsi qu'il l'avait noté dans plus d'un rapport sur le terrain, « dit embrouille ». Peut-être avait-on remarqué sa présence, mais le fait est qu'il n'y avait personne en vue — bizarrement, à cette heure plutôt faubourienne, très peu de fenêtres dans le coin semblaient éclairées.

Après avoir inséré un passe-partout Vontz, face auquel la serrure de la porte, comme ayant lu dans ses pensées, céda doucement, Lew s'avança dans l'odeur écrasante du coke alchimisé et dans un appartement tout en ombres équivoques, aux murs recouverts de Lincrusta-Walton estampé de motifs asiatiques, qui tous n'étaient pas des plus recommandables. On trouvait, disposés un peu partout, non seulement dans les niches destinées à cet effet mais également, tels des hôtes envahissants, dans la salle à manger, la cuisine, et même (et peut-être surtout) les toilettes, des groupes de sculptures grandeur nature relevant des thèmes classiques et bibliques les plus louches, parmi lesquels le *bondage* et la torture semblaient particulièrement prisés, aux corps athlétiquement parfaits, dans des matériaux ne se limitant pas au marbre blanc, avec des draperies arrangées dans le but de révéler et d'exciter. La dimension allégorique ne se privait pas de représenter une jeune femme impudemment déhanchée, ou une vierge captive dans d'attrayantes entraves, nue et échevelée d'une façon tout à fait charmante, avec sur les traits la conscience émergente des délices qui l'attendaient dans les profondeurs encore obscures de son tourment, et cætera.

Le plus silencieusement possible, Lew s'avança sur des sols carrelés noirs, aux joints argentés, quelques-uns non dénués d'un certain éclat. Les carreaux, une combinaison de polygones scalènes de formes et de tailles différentes, possédaient une noirceur lumineuse qui ne pouvait provenir ni de l'onyx ni du jais. Des visiteurs aux dispositions mathématiques avaient prétendu y discerner des motifs récurrents. D'autres, doutant de leur solidité, avaient souvent peur de marcher sur ce réseau argenté… comme si *Quelque Chose* l'avait construit… *Quelque Chose qui attendait*… et qui saurait exactement quand l'ensemble devait se dérober sous le visiteur imprudent…

Lew descendit dans la cuisine, en balayant l'obscurité du faisceau professionnel de sa Torche Apothéose Sparkless jusqu'à ce que ce dernier révèle une forme humaine, suspendue au plafond par le pied près d'un poêle au sifflement sinistre, rappelant en tout point la figure du Tarot, si ce n'est que sa tête reposait pour moitié dans la porte ouverte du four, dont les parois intérieures étaient horriblement maculées par les vestiges d'un pâté en croûte qui avait explosé, sûrement du fait de l'absence de cheminée pratiquée dans sa croûte. La tête du pendu était en partie cachée par un masque articulé en magnalium, relié au four par des tuyaux en gutta-percha. Pendant qu'il éteignait le gaz et ouvrait les fenêtres, Lew découvrit que le «cadavre» respirait. «Dites donc, ça vous dérangerait de me décrocher?» grogna-t-il, en indiquant le plafond, où Lew vit un système de levage dont les cordes couraient jusqu'à un tasseau fixé au mur. Lew défit la corde et abaissa soigneusement Lamont

Replevin (car c'était lui) vers le sol en linoléum. Ôtant l'engin métallique de son visage, Replevin se traîna alors jusqu'à un réservoir d'oxygène pressurisé, également équipé d'un masque respiratoire, et s'en administra un volume adéquat.

Suite à un interrogatoire tout en délicatesse, Lew apprit que, loin d'aspirer à un trépas prématuré, Replevin appréciait un épisode quotidien du drame *Le Lent et le Stupéfié*, actuellement très prisé parmi la communauté des gazeurs.

« Vous l'entendez ? Le voyez, le sentez ? »

« Tout ça et davantage. Via le médium du gaz, une série d'ondes soigneusement modulées voyage depuis les centres d'émission jusqu'à nous, le public, par les tuyaux appropriés jusqu'aux masques récepteurs que vous avez vus, qu'on doit bien sûr enfiler sur les oreilles, le nez et la bouche. »

« Avez-vous jamais envisagé » – la question n'émergeant pas aussi gentiment que Lew l'avait voulu – « euh, eh bien… l'empoisonnement par le gaz ? Une sorte de… d'hallucination… ? »

Ne semblant remarquer Lew que maintenant, Replevin le dévisagea, une lueur glaciale dans l'œil. « Qui êtes-vous, au fait ? Qu'est-ce que vous faites ici ? »

« J'ai senti le gaz, me suis dit qu'il y avait peut-être un danger. »

« Oui oui, mais ce n'était pas la question, non ? »

« Oh. Désolé. » Et de sortir une des nombreuses cartes de visite qu'il avait toujours sous la main, « Pike's Peak Life & Casualty. Je m'appelle Gus Swallowfield, je suis assureur. »

« Je suis très satisfait de ma couverture pour l'instant. »

« Contre les incendies, j'en suis sûr, avec tout ce gaz – mais qu'en est-il des cambriolages ? »

« Une assurance contre les cambriolages ? Plutôt bizarre, je trouve. »

« Pour l'instant, la plupart des assurances contre le vol sont rédigées aux États-Unis, mais il y a un bel avenir ici en Angleterre. Vous avez vu avec quelle facilité je suis entré ici – et j'ai pu en chemin me faire une idée assez exacte de vos biens mobiliers. En moins d'une demi-heure, tout ça pourrait être entassé dans un Pantechnicon et en route pour être revendu sur une dizaine de marchés, avant l'aube même. Vous connaissez le métier, monsieur – une facture de vente légale et le nouveau propriétaire ne peut être inculpé. »

« Hmm. Bon, suivez-moi… » Replevin conduisit Lew à l'étage, ils franchirent le réseau scintillant du hall d'entrée, passèrent par une enfilade de bureaux, gardés par une sculpture vulgaire taillée dans une pierre violacée veinée de plusieurs couleurs dans les tons rouges.

« *Pavonazzetto* », dit Replevin, « également connu sous l'appellation de marbre phrygien, on croyait autrefois qu'il tirait sa couleur du sang du jeune Phrygien Atys, celui que vous voyez là, en fait – rendu fou par la jalousie du demi-dieu Agdistis, il est montré en train de se castrer, aussi a-t-il été assez vite associé à Osiris, sans parler d'Orphée et de Dionysos, et est-il devenu une figure-culte parmi les anciens Phrygiens. »

« Ils prenaient les choses au sérieux à l'époque, pas vrai ? »

« Celui-ci ? On ne peut plus contemporain, j'en ai peur, *La Mutilation d'Atys*, par Arturo Naunt, originaire de Chelsea, qui épate le bourgeois depuis 1889. Si vous voulez voir d'authentiques pièces phrygiennes, il y en a plein ici. »

Parmi des instruments d'entraves, des fragments de soie provenant du Turkestan chinois, des sceaux en céramique ou taillés dans le jade – « Ça, par exemple – un bol à koumis scythe, troisième siècle avant J.-C. On sent clairement l'influence grecque, surtout dans le travail de frise. À tous les coups ou presque, une image de Dionysos. »

« Et qui vaut bonbon. »

« Vous n'êtes pas collectionneur, apparemment. »

« Je sais reconnaître quand c'est vieux. Où est-ce que vous trouvez ce genre de trucs ? »

« Voleurs, pilleurs de tombes, musées officiels ici et à l'étranger. Est-ce que je perçois une désapprobation morale ? »

« Pas du tout mon genre, mais je pourrais froncer les sourcils, si vous voulez. »

« C'est la ruée vers l'or en ce moment ici », enchaîna Replevin. « Les Allemands, en particulier, occupent le terrain. Ils exportent par caravanes entières. Bien sûr, de temps en temps, quelque chose tombe d'un chameau. »

« C'est quoi ça ? » demanda Lew en désignant du menton un rouleau ouvert à même le bureau, dégagé pour cela sur une soixantaine de centimètres, comme si quelqu'un l'avait consulté. Replevin donna aussitôt des signes d'agitation, que Lew feignit de ne point remarquer. « Fin de l'époque ouïgoure. Est parvenu jusqu'à Boukhara, comme nombre de ces pièces. Le motif m'a plu, une complexité intéressante, une série de divinités courroucées datant du bouddhisme tantrique, selon moi, mais tout dépend de l'angle sous lequel vous le regardez, parfois ça ne ressemble vraiment à rien. »

Il aurait pu tout aussi bien s'écrier : « Méfiez-vous ! » Aux yeux de Lew, ça ressemblait à des symboles, des mots, des chiffres, peut-être une carte, peut-être même la carte de Shambhala qu'ils rêvaient de posséder, à

Chunxton Crescent. Il sourit vaguement et feignit de reporter son attention sur la statuette d'un cavalier en bronze. «Non mais regardez ça! Une sacrée belle créature, non?»

«Ils étaient avant tout des cavaliers», dit Replevin. «Vos cow-boys américains se seraient sentis tout à fait chez eux.»

«Ça ne vous dérange pas si...?» Lew sortant un minuscule appareil photo allemand et ôtant le capuchon de l'objectif.

«Faites» – après avoir hésité suffisamment longtemps pour que Lew comprenne que son idiotie avait été jugée authentique.

«On peut augmenter l'éclairage au gaz?»

Replevin haussa les épaules. «Ce n'est qu'une lumière brute, non.»

Lew approcha également quelques lampes électriques et se mit à prendre des clichés, s'assurant qu'à chaque fois on voyait bien dans le cadre d'autres pièces, juste par sécurité. Il sortit des bureaux pour faire d'autres photos, tout en débitant un laïus de professionnel, histoire d'entretenir le leurre.

«Ne le prenez pas mal, mais se suspendre la tête dans le four avec le gaz allumé? Du point de vue strictement du risque, je ne ferais pas mon boulot si je ne vous demandais pas où vous en êtes côté assurances.»

Replevin se fit un plaisir d'éclairer Lew sur le sujet de la gazophilie, qui datait pour ainsi dire de la découverte historique de Schwärmer – la pression du gaz, analogue au voltage d'un système électromagnétique, pouvait être modulée afin de transmettre de l'information.

«Des ondes dans un incessant flux intemporel de gaz, principalement le gaz éclairant, même si elles comportent également des ondes sonores, susceptibles, comme dans ce pivot qu'est la science victorienne, la flamme sensible, de moduler les ondes lumineuses. Pour le nez expert, le secteur olfactif – ou l'odeur, ainsi qu'on l'appelle – peut être le médium de la plus exquise des poésies.»

«Ça sent la religion, surtout.»

«Eh bien, dans le sud de l'Inde, si vous vous rendez dans un temple particulier, celui de Chidambaram par exemple, dans la salle des Mille Colonnes, et demandez à voir leur déesse Shiva, ce qu'ils vous montreront est un espace vide, sauf que ce n'est pas vraiment ce que nous entendons, nous, quand nous disons "vide", bien sûr que c'est vide, mais d'une autre façon, qui ne veut pas dire que rien n'est là, si vous me suivez —»

«Bien sûr.»

«Ils le vénèrent, cet espace vide, c'est leur plus haute forme d'adoration. Ce volume, ou je suppose non-volume, de pur *akasha* – un mot sanscrit désignant l'Éther, l'élément le plus proche de l'omniprésent *atman*, duquel tout le reste est né –, ce qui en grec a manifestement donné "*khaos*", et nous conduit donc à Van Helmont qui, étant hollandais, écrit la fricative d'ouverture comme un *g* au lieu d'un *chi*, nous donnant *Gas*, d'où vient notre gaz moderne, notre porteur de son et de lumière, l'*akasha* découlant de notre source sacrée, le gazomètre local. Vous rendez-vous compte que certains vénèrent le four à gaz comme une sorte de lieu saint ? »

« Sans blague. Mais à la fois ça ne m'étonne pas. »

« Est-ce que je vous ennuie, Mr Swallowfield ? »

Lew était suffisamment rompu à la rhétorique anglaise pour sentir qu'il abusait de l'hospitalité de Replevin. « J'ai fini. Je rapporte tout ça au bureau, on vous rédige un contrat adapté – sentez-vous libre d'y apporter les changements que vous voulez, ou de refuser tout de go. » Et il se retira à nouveau dans l'éclairage des faubourgs désertiques, le soir vide et strident.

Un jour, le jour où il mit un certain temps à reconnaître sa bêtise pour ne pas l'avoir vue venir, Kit fut convoqué à la succursale locale de la Banque de Prusse dans la Weenderstraße et attiré dans ses régions reculées par Herr Spielmacher, le Directeur international, jusqu'ici plutôt amical mais ce jour-là, eh bien, comment dire, un peu distant. Il tenait à la main une fine liasse de documents.

«Nous avons reçu ce câble de New York. Votre *Kreditbrief* n'est...» Il contempla un long moment une intéressante photographie du Kaiser sur un bureau voisin.

Bien. «Plus honoré?» suggéra Kit.

S'animant, le banquier risqua un rapide coup d'œil au visage de son interlocuteur. «Ils vous ont contacté?»

Depuis le début, s'aperçut Kit – il n'y faisait pas attention, c'est tout.

«Je suis autorisé à vous régler le solde des fonds encore non retirés à ce jour.» Il avait préparé un petit tas de billets, pour la plupart de cinquante marks.

«Herr Bankdirektor», Kit tendit la main, «quel plaisir de traiter avec vous. Je suis content que nous puissions nous séparer sans étalage gênant de sentiments.»

Il sortit prestement, emprunta au pas de course quelques ruelles, et entra dans la Banque de Hanovre, où à son arrivée à Göttingen, sans doute doté d'une certaine prescience, il avait ouvert un petit compte avec ses gains acquis aux tables d'Ostende, à l'abri, il l'espérait, des manigances de Vibe.

«Vous semblez troublé», dit Humfried ce soir-là. «En général, vous êtes si typiquement américain, dénué de la moindre pensée.»

Ce ne fut que plus tard, en allant retrouver Yasmina, que Kit put faire le point sur la situation. Scarsdale Vibe avait apparemment accepté trop facilement son départ pour Göttingen. Quels que fussent ses projets à long terme, l'heure était venue de payer. Il aurait voulu en avoir le cœur net, mais certains regards à la banque étaient sans équivoque.

Il trouva Yasmina comme d'habitude au deuxième étage de l'Auditorienhaus, dans la salle de lecture, un chaos de livres ouverts convergeant vers son visage radieux et attentif. Il reconnut un exemplaire relié du *Habilitationsschrift* de Riemann (1854), sur les fondements de la géométrie, mais ne vit pas l'article de 1859 sur les nombres premiers.

« Quoi, pas de fonction ζ ? »

Elle leva les yeux, sereinement, comme si elle avait su à quel moment il arriverait. Ce qu'il espérait. « C'était jusqu'ici pour moi comme un évangile », dit-elle. « Je comprends maintenant que les circonstances n'étaient qu'un leurre pour m'attirer à une certaine distance, pour me préparer à la véritable révélation – son étonnante réimagination de l'espace – autre chose que l'habituel *Achphänomen*... un ange, trop lumineux pour qu'on le fixe, éclairant une à une les pages que je dois lire. Cela a fait de moi quelqu'un de très exigeant. »

« Effectivement. »

Ils quittèrent l'Auditorienhaus et se promenèrent. « J'ai appris certaines choses aujourd'hui », commença Kit, quand soudain un jeune dément jaillit de derrière un buisson et hurla : « *Tchetvyortoye Izmerenye ! Tchetvyortoye Izmerenye !* »

« *Yob tvoyu mat'* », soupira Yasmina, quelque peu exaspérée, esquivant sa main tendue avant même que Kit intervienne. L'intrus détala dans la rue. « Je devrais porter une arme », dit-elle.

« Qu'est-ce qu'il a crié ? »

« "La quatrième dimension !" » dit-elle. « "La quatrième dimension !" »

« Oh. Ma foi, il est au bon endroit. Minkowski est l'interlocuteur idéal. »

« Ils sont partout ces derniers temps. Ils se font appeler les "otzovistes". Les bâtisseurs de Dieu. Un nouveau sous-ensemble d'hérétiques, opposés cette fois-ci à Lénine et ses bolcheviques – des anti-matérialistes, paraît-il, d'ardents lecteurs de Mach et d'Ouspenski, obsédés à l'excès par quelque chose qu'ils appellent "la quatrième dimension". Le Dr Minkowski, ou le premier algébriste venu, d'ailleurs, la verrait-il ainsi, voilà une autre question. Mais ils sont parvenus assez facilement à rendre dingues les matérialistes de Genève avec ça. Lénine lui-même écrit, dit-on, un énorme ouvrage en ce moment, dans lequel il s'efforce de réfuter la "quatrième dimension", sa position étant, d'après ce que j'ai compris, que le Tsar ne peut être renversé que dans trois. »

« Fascinant... Mais qu'attendent de vous ces bonshommes ? »

« Ça fait un certain temps que ça dure. Ils ne disent pas grand-chose, ils se contentent en général de me fixer de leurs yeux hallucinés. »

«Attendez, laissez-moi deviner. Ils pensent que vous savez voyager dans la quatrième dimension. »

Elle grimaça. «Je savais que vous comprendriez. Mais ça empire. Il semblerait que les S.O.T. aient également débarqué en ville. Ils veulent que je quitte Göttingen et retourne sous leur aile. Que ça me plaise ou non. »

«Je les ai vus, je me demandais qui ça pouvait être. Vos amis pythagoriciens. »

« "Amis". »

«O.K., Yasm. »

«Au dîner hier, Madame Eskimov – vous la rencontrerez peut-être – a dit que quand les spectres marchent, les êtres qui vivent dans un espace à quatre dimensions traversent nos trois dimensions, et que les étranges présences qui tremblotent alors à l'orée de la conscience sont ces moments précis d'intersection. Quand nous rencontrons, même en plein jour, une suite d'événements que nous sommes certains d'avoir déjà vécus avant, dans le détail, il est possible que nous soyons sortis du Temps tel qu'il s'écoule communément ici pour nous retrouver au-dessus de cette harassante répétition des jours, et apercevoir brièvement l'avenir, le passé et le présent» – elle eut un geste compressif – «tous ensemble. »

«Ce qui reviendrait à interpréter la quatrième dimension comme étant le Temps», dit Kit.

«Ils appellent ça "le déjà-vu". »

«C'est pour ça qu'ils sont venus ici? C'est pour ça qu'ils pensent pouvoir vous utiliser?» Il crut voir un rapport. «Riemann. »

«Au cœur de tout ça, oui. Mais, Kit —» Elle accomplit cet étrange étirement du cou qui avait attiré d'emblée son attention. «Vous savez, il se trouve que c'est vrai. »

Il se rappela que, le soir où ils avaient fait connaissance, il l'avait vue traverser un mur solide. «Entendu. Est-ce là quelque chose que vous pouvez contrôler, entrer et sortir à votre guise? »

«Pas toujours. Ça a commencé de façon plutôt inoffensive, quand j'étais beaucoup plus jeune, et que je réfléchissais aux fonctions complexes pour la première fois, en fait. Je fixais le papier peint. Un soir, à une heure impossible, j'ai compris que je ne pouvais pas me contenter d'un seul plan, il m'en fallait deux, un pour l'argument, un pour la fonction, chacun doté d'un axe réel et d'un axe imaginaire, autrement dit quatre axes, tous perpendiculaires entre eux par rapport au même point d'origine, et plus j'essayais de le visualiser, plus l'espace ordinaire se déréglait, jusqu'à ce que, disons, i, j et k, les vecteurs d'unité de notre espace donné, eussent effectué chacun une certaine rotation, autour de ce quatrième axe inconcevable, et j'ai cru alors à une fièvre cérébrale. Je n'ai pas dormi. Je dormais trop. »

« La malédiction du mathématicien. »

« Ainsi, vous… »

« Oh… » Kit haussa les épaules. « J'y songe, certes, comme tout le monde, mais raisonnablement. »

« Je savais que vous étiez un idiot. »

« Ma malédiction à moi. On pourrait peut-être échanger ? »

« La mienne n'est pas un cadeau, Kit. »

Il faillit lui dire quelle était sa vraie malédiction, à elle, mais il se ravisa.

« La première fois que je suis venue chez vous, il s'est produit quelque chose de cet ordre. J'ai cru avoir trouvé une sorte de *Schnitte* – un de ces "raccourcis" reliant entre eux les plans des espaces de Riemann –, quelque chose qui donnerait accès à un différent… je ne sais pas, une "série de conditions" ? un "espace vectoriel" ? irréel, mais nullement fascinant – j'avais réintégré l'espace-temps ordinaire sans m'en rendre compte et, au bout d'un moment, ce souvenir s'est estompé. C'est alors que ça s'est vraiment produit. Là-bas, à Rohns Garten, j'étais assise à une table avec des camarades de classe, nous mangions une sorte d'étrange soupe allemande, et sans prévenir, *Batz !* la pièce était là, la vue par la fenêtre, mais telles qu'elles *étaient vraiment*, une section tridimensionnelle via un espace d'une plus grande dimensionnalité, peut-être quatre, peut-être plus… J'espère que vous n'allez pas me demander combien… »

Ils allèrent dans un café où on ne risquait pas de les interrompre.

« Apprenez-moi à disparaître, Yasm. »

Quelque chose dans sa voix. Elle plissa les yeux.

« On m'a coupé les fonds. »

« Oh, Kit. Et moi qui déblatérais sur… » Elle tendit une main qu'elle posa sur une des siennes. « Je peux vous prêter — »

« Non, *nitchevo*, pour l'instant ce n'est pas tant l'argent qui m'inquiète que de rester en vie. Mon paternel disait toujours : "Si l'or se fait désirer, attends-toi au plomb." J'ai fini par devenir une menace pour eux. Ils ont peut-être fini par y voir clair sur ce que je savais vraiment. Il s'est peut-être passé quelque chose aux États-Unis, nous avons eu de la chance et nous en avons arrêté un, ou au contraire ils ont coincé un des nôtres… » Il pencha brièvement la tête. « J'en sais si peu. Sauf qu'ils n'ont plus besoin d'être gentils. Et que je suis radié. Bon pour l'exil. »

« Il se peut que j'aie les mêmes ennuis, et assez vite. Avec de grossiers changements de signes, bien sûr. Personne ne dit rien clairement. C'est cette fichue habitude anglaise de parler par codes, du coup il faut tout déchiffrer. Je suppose que depuis la Révolution russe la situation de mon père est devenue précaire. Et donc, par conséquent, la mienne. Il y a aussi l'Entente anglo-russe, et cette affaire de quatrième dimension, qui est très en vogue dans la recherche psychique. On a le choix. » Il y avait plus – quelque chose qu'elle redoutait. Même Kit, qui n'était pas très perspicace, s'en rendait compte – mais elle tenait confusément son propre conseil.

Ses yeux s'agrandirent à nouveau, spéculatifs, et elle prit une ou deux longues inspirations. « Bon, vous êtes libre, alors. »

« Je suis quoi ? »

« Je croyais que les Américains connaissaient ce mot. »

« À mon avis, le mot que vous cherchez c'est "pauvre". »

« Vos arrangements avec les hommes de Vibe sont annulés ? »

« Plus que caducs. »

« Et vous ne leur devez rien. »

« C'est pas forcément leur avis. »

« Mais si une autre offre se présentait... »

« Vous pensez aux S.O.T. ? »

Elle haussa les épaules joliment, plus un mouvement des cheveux, en fait. « Je pourrais me renseigner. »

« J'en doute pas. »

« Je peux, alors ? »

« Tout dépend du salaire, je suppose. »

Elle éclata de rire, et il repensa à la fille insouciante qui évoluait il y a longtemps dans la fumée de ce *Bierstube*. « Oh, vous verrez comment ils paient ! »

Kit regarda, détourna les yeux, puis regarda à nouveau. Là, au beau milieu de Göttingen, se tenait le sosie de Foley Walker, moustache en moins. Chapeau et tout. Kit eut l'impression qu'on venait de lui tirer dessus. La vie à Göttingen semblait continuer, toujours aussi saccadée, les cyclistes sur des vélos tout neufs se percutaient entre eux ou fonçaient n'importe comment en dispersant les piétons, les buveurs de bière se disputaient et se saluaient, des zêtamaniaques troublés et en permanence sur le point de sauter du haut de la Promenade étaient sauvés par des camarades, une ville qu'il n'avait jamais aimée devenait tout d'un coup un lieu qu'il était contraint, semblait-il, de quitter, dont les détails les plus ordinaires brillaient d'un éclat presque douloureux, un lieu déjà happé par le souvenir de l'exil et du non-retour, et voilà que, comme pour officialiser ce changement, apparaissait l'ange, sinon de la mort, du moins des graves emmerdes, et personne d'autre n'avait l'air de le remarquer, malgré le goût légendaire de Foley pour le criard, qui se traduisait ici par une tenue qu'on ne saurait décrire sans offenser le bon goût… Bon, en fait, il s'agissait d'un ensemble sport trois-pièces assez populaire il y a quelques années, dont la trame offrait différents coloris selon l'angle sous lequel on l'examinait, entre autres un rose marronnasse, un muscat saturé et un certain jaune nécrotique.

Quand Kit regarda à nouveau, Foley n'était plus là, si tant est qu'il fût même apparu. La quatrième dimension, sans nul doute. Malgré l'utile citation faite par Yasmina des *akousmata* pythagoriciennes qui dit : « Quand on est loin de chez soi, il ne faut jamais se retourner, car les Furies sont à vos trousses » (Jamblique 14), Kit en vint très vite à scruter la rue et ce qui s'y passait, vérifiant également les portes et les fenêtres avant d'essayer de dormir ne serait-ce qu'une ou deux heures, ce qui était devenu déjà problématique. Pourquoi Foley ne s'était-il pas avancé, se demandait-il, juste pour lui dire bonjour ? Pensait-il que Kit ne l'avait pas vu ?

Mais Foley, comme s'il possédait la *Hausknochen* donnant accès à tout Göttingen, limitait ses apparitions à la nuit, et voilà qu'un beau jour, sans la moindre transition, plantes de pied et paumes douloureuses, pouls battant, Kit se redressa dans le noir et vit l'eidolon, inélégamment accoutré en dépit des nombreuses lois sur la décence publique, venu violer l'insomnie de Kit. « Laissez-moi vous parler un peu de la balle Minié dans ma tête », dit Foley. « Et comment au cours de longues et inconfortables années elle a changé, je crois qu'un chimiste dirait "transmuté", non en or, ça serait trop demander, mais en un de ces métaux rares qu'on prétend sensibles aux ondes électromagnétiques d'un genre ou d'un autre. Le zirconium, la galène argentifère, l'un d'eux. La Vibe Corp. en exploite des gisements entiers partout dans le monde, y compris dans votre Colorado natal. C'est comme ça qu'il se trouve que j'ai pu entendre ces voix – au moyen de cette petite sphère de métal adroitement gauchie, parce qu'elles étaient toutes là, où quasiment personne ne les entend, ces ondes venues de très loin, voyageant sans cesse, à travers l'Éther, le froid et l'obscurité. Sans la quantité suffisante du minerai adéquat concentrée ici dans votre cerveau, vous pouvez passer votre vie sans jamais les entendre… »

« Ça m'embête de vous interrompre, mais comment avez-vous fait pour entrer ? »

«Vous ne m'avez pas écouté, Kit – je vous en prie – allons – c'est pour votre bien.»

«Comme de me couper les vivres.»

«"Vous couper les vivres"? Depuis quand?»

«On était d'accord. Vous n'avez donc aucune parole?»

«Je n'entends rien à l'honneur, alors épargnez-moi les leçons, mais je sais ce que veut dire être acheté et vendu, et je peux vous parler des obligations qui vont avec.»

«Z'êtes bien placé.»

«On a cru que c'était *vous* qui l'étiez. On vous a pris pour quelqu'un de malin. On s'est un peu emballés.»

«Si Vibe est revenu sur son engagement, alors c'est que quelque chose a changé. De quoi s'agit-il, Foley?»

«Vous n'avez pas joué franc-jeu. Vous saviez des choses, mais ne nous avez rien dit.»

«Moi, je n'ai pas joué franc-jeu?» On approchait du précipice et Kit avait le pied peu assuré. Il prit une cigarette et l'alluma. «Que voulez-vous savoir? Demandez ce que vous voulez.»

«Trop tard. Ça vous ennuierait de m'en filer une?»

Kit poussa le paquet vers lui. «Vous êtes venu jusqu'ici pour me menacer, Foley?»

«Mr Vibe voyage actuellement en Europe, et il a tenu à ce que je passe vous voir.»

«Pour quoi faire? Il m'a exclu de sa vie, ça devrait, je crois, limiter un peu les mondanités.»

«C'est sa curiosité scientifique, n'est-ce pas, comment un sujet va-t-il réagir à la philanthropie à l'envers, quand la charité lui est refusée? Sera-t-il en colère? triste? désespéré? Se laissera-t-il aller aux pensées suicidaires?»

«Dites-lui que je suis plus heureux qu'une mouche sur une merde.»

«Pas sûr qu'il aura envie d'entendre ça.»

«Inventez autre chose, alors. C'est tout?»

«Ouais. Qu'y a-t-il comme distraction dans cette ville?»

Quand il fut certain que Foley était parti, Kit prit une bouteille de bière, l'ouvrit et la leva devant son visage obscur reflété dans la vitre. «"Loin de Göttingen, point de vie qui vaille"», dit-il, citant la devise sur le mur du Rathskeller puis, quelques minutes plus tard, celle de sa famille: «"Bon. J'crois que *yo tengo que* foutre *el* camp *d'aquí.*"»

On n'avait pas l'impression que le week-end était enfin arrivé, ni que le temps obéissait encore au moindre calendrier. Mais alors que le crépuscule s'étendait sur la ville, Kit fut alpagué par un petit groupe de camarades de classe.

«*Zum Mickifest! Komm, komm!*»

L'hydrate de chloral était la drogue préférée des étudiants en mathématiques. Tôt ou tard, quel qu'ait été le problème du jour, source d'obsessions et d'insomnie nocturne, ils prenaient des gouttes de ce sédatif pour dormir – Geheimrat Klein était lui-même un grand défenseur de la chose –, et ils devinrent très vite dépendants, se reconnaissant entre eux d'après les effets secondaires, en particulier des éruptions de boutons rouges, connus sous le nom des «cicatrices chloralomaniaques». Le samedi soir à Göttingen, on était sûr de trouver au moins une soirée chloral, ou *Mickifest*.

C'était une étrange réunion, qui n'était animée que par intermittence. Les gens parlaient soit fiévreusement, en s'adressant souvent à eux-mêmes, sans s'arrêter pour respirer, soit s'enfonçaient dans une agréable paralysie, vautrés sur les meubles, ou, à mesure que la soirée s'éternisait, à même le sol, plongeaient dans une profonde narcose.

«Vous avez des *K.O.-Tropfen* aux États-Unis?» demanda un joli brin de fille du nom de Lottchen.

«Bien sûr», dit Kit, «on en trouve pas mal dans les boissons, en général avec une intention criminelle.»

«Et n'oubliez pas», déclara Gottlob, avec de longues pauses entre les mots, «que le mot anglais *pun* donne, à l'envers... *und.*»

Kit plissa les yeux, attendant qu'il poursuive cette pensée. Finalement: «Je ne... suis pas vraiment sûr en fait...»

«Implications de la théorie des groupes», expliqua lentement Gottlob, «à l'origine —»

Quelqu'un se mit à hurler. Très lentement, tous regardèrent autour d'eux, puis se dirigèrent vers la cuisine pour voir ce qui se passait.

«Il est mort.»

«Comment ça, mort?»

«Mort. Regarde-le.»

«Non non non», dit Günther, agacé, en secouant la tête, «il fait ça tout le temps. Humfried!» Hurlant dans l'oreille du mathématicien horizontal. «Tu t'es encore empoisonné!» Humfried émit un rhonchus inquiétant. «Nous allons d'abord devoir le réveiller.» Günther chercha leur hôte du regard. «Gottlob! *Wo ist deine Spritze?*»

En allant chercher une seringue, un accessoire courant dans ces réunions, Gottlob dénicha un pot de café qu'on avait laissé refroidir dans une telle éventualité. Humfried marmonnait quelque chose, mais pas en allemand – en fait, dans aucune langue identifiable par les personnes présentes.

Gottlob revint avec une énorme seringue faite dans un alliage cabossé et terni – portant les mentions «Propriété du Zoo de Berlin» et «*Streng reserviert für den Elefanten!*» – à laquelle il fixa une longue canule en ébène.

«Ah, merci, Gottlob. Bien, il me faut quelqu'un pour m'aider à le retourner sur —»

«C'est le moment où je m'en vais», dit Lottchen.

Humfried battit des paupières et ouvrit de grands yeux, vit la seringue, hurla et tenta de s'y soustraire en rampant.

«Allons, allons, fainéant», le gourmanda gentiment Günther, «ce dont tu as besoin, c'est un bon café noir pour te remonter, mais nous ne voulons pas que tu essaies de le *boire*, n'est-ce pas, et que tu en mettes partout sur ta chemise, non, alors juste pour être sûr qu'il va bien là où il doit aller —»

Ceux qui étaient encore éveillés se rassemblèrent pour assister à la scène, laquelle était aussi, Kit le savait, un moment très attendu dans ces *Mickifesten*. L'intensité du monologue de Humfried monta en flèche, comme s'il avait conscience de son public et de ses obligations d'amuseur. Entre-temps, Gottlob et Günther avaient abaissé son pantalon et tentaient d'insérer l'énorme canule dans son rectum, en se chamaillant sur des détails techniques. À la cuisine, un troisième lascar concoctait un émétique à partir de moutarde et d'œuf cru.

Quiconque espérait sonder les mystères de la mort et de la résurrection serait déçu ce soir.

«Juste le vomitif? Vous n'administrez pas de strychnine?»

«La strychnine c'est bon pour les écoliers français, et c'est moins un antidote au chloral que le chloral ne l'est pour la strychnine.»

«Non commutatif, donc?»

«Asymétrique, en tout cas.»

Günther jaugea Humfried d'un œil expert. «J'ai peur qu'il ne faille l'emmener à l'hôpital.»

«Laissez-moi m'en charger», dit Kit, se sentant moins utile qu'inquiet sans raison précise. Alors qu'il arrivait en vue de l'hôpital, il aperçut Foley, masse énorme échappant à tout contrôle, surtout au sien, qui fonçait sur lui avec quelque chose dans la main. «Traverse! Viens ici, mon salaud!» Il était peut-être ivre, mais Kit n'eut pas la bêtise de croire que ça pourrait lui donner le moindre avantage sur lui.

«Un de vos amis», dit Gottlob, qui tenait Humfried par l'autre bout.

«Je lui dois de l'argent. Des chances qu'on le sème?»

«Ce quartier est ma deuxième maison», dit Gottlob, quand on entendit soudain une détonation dont l'origine ne prêtait guère à confusion. «*Verfluchter cow-boy!*» s'écria Gottlob en détalant.

Humfried, défoncé au chloral, mais désormais capable de marcher, saisit Kit par le bras et l'entraîna rapidement vers la plus proche entrée de l'hôpital. «Faites-moi confiance», marmonna-t-il. «*Achtung, Schwester!* Voici un autre toxico!»

Et presque aussitôt Kit fut entouré par des garçons de salle et poussé de force dans un couloir.

«Une minute, les amis, où est le type que j'ai amené?» Mais Humfried avait bel et bien disparu.

«Syndrome du compagnon imaginaire, très typique», murmura un interne.

«Mais c'est moi celui qui est sobre.»

«Bien sûr que oui, et voici *un petit cadeau* que nous faisons à tous les visiteurs pour les récompenser d'être aussi sobres» – le piquant habilement avec une seringue hypodermique. Kit s'écroula d'un bloc. Et on l'emmena au *Klapsmühle*.

Foley fut aperçu le lendemain matin, en train de quitter la ville dans une de ses tenues canoniques, avec sur le visage ce qu'on décrivit comme une expression bougonne.

À son réveil, Kit vit au-dessus de lui le visage d'un certain Dr Willi Dingkopf, encadré par une coupe de cheveux qui violait plus d'une loi de la physique, et une cravate fuchsia, héliotrope et bleu canard, cadeau d'un de ses patients, ainsi que l'expliqua bientôt le Doc d'une voix rendue rauque par l'abus de cigarettes. «Peinte à la main, comme thérapie, pour exprimer, mais malheureusement sans contrôler, certaines pulsions récurrentes de nature homicide.» Kit regarda, ou peut-être sonda du regard, le motif ultramoderne de la cravate, dans lequel l'artiste perturbé avait échoué à faire figurer grand-chose d'existant dans le monde naturel – mais comment savoir, peut-être que si on l'examinait suffisamment longtemps, des formes familières *pourraient* ensuite émerger, des formes dont on pourrait alors qualifier certaines de, comment dire, *distrayantes* —

«Hé! qu'est-ce que vous — Vous venez de me frapper, avec ce bâton?»

«Une technique ancestrale, empruntée aux zennistes du Japon. Pourquoi regardiez-vous fixement ma cravate?»

«Ah bon? Je ne —»

« Hmm... » Notant dans son carnet. « Et avez-vous entendu des... voix ? qui semblaient résonner dans l'espace classique à trois dimensions, mais, si vous voulez bien franchir une *étape* quasiment triviale d'un point de vue conceptuel... dans une dimension, n'est-ce pas, autre ? »

« Des voix, Doc ? Venues d'une autre dimension ? »

« Bien ! La raison l'emporte déjà, vous voyez ? Vous redevenez sain d'esprit ! Vous ne devez pas garder tout ça pour vous, Herr Traverse. Non ! Vous avez simplement subi une petite perturbation du co-conscient aggravée par l'abus de chloral, laquelle, une fois la phase aiguë passée et le sujet confié à ces lieux salubres, tend à se dissiper rapidement. »

« Mais je n'ai pas dit que j'entendais des voix. Non ? »

« Mmm, légère perte de mémoire, aussi... Et, et "Traverse", c'est quoi ce nom ?... Vous ne seriez pas aussi *hébraïque*, par hasard ? »

« Quoi ? Je ne sais pas... La prochaine fois que je parlerai à Dieu, je demanderai. »

« *Ja* – Bon, on trouve de temps en temps un *indice hébraïque*, accompagné du sentiment de n'être pas suffisamment Gentil, c'est très répandu, avec l'angoisse corollaire qui consiste à se trouver *trop juif*... »

« Vous me semblez vous-même angoissé, Doc. »

« Oh, plus qu'angoissé – alarmé, puisque je m'aperçois que, bizarrement, vous ne l'êtes pas. Alors que c'est par millions qu'ils se *déversent* aujourd'hui dans votre propre pays – à quel point faut-il que les Américains soient naïfs, pour ne pas voir le danger ? »

« Les Juifs sont dangereux ? »

« Les Juifs sont malins. Le Juif Marx, que sa malice dénaturée pousse à frapper l'ordre social... le Juif Freud, qui feint de guérir les âmes – c'est mon gagne-pain, bien sûr, je fais une exception –, le Juif Cantor, la "Bête de Halle", qui cherche à démolir les fondations mêmes des mathématiques, en rendant les habitants de Göttingen paranoïaques au point qu'ils viennent hurler devant ma porte, et naturellement on s'attend à ce que je m'en occupe — »

« Un instant, excusez-moi, Herr Doktor », intervint quelqu'un la fois suivante où Dingkopf prononça ce discours, à savoir durant une séance de thérapie de groupe. « Cantor est un luthérien pratiquant. »

« Avec un nom pareil. Pitié. »

« Et loin de causer notre perte, il se peut qu'il nous ait guidés vers un paradis, ainsi que l'a décrit, comme chacun le sait, le Dr Hilbert. »

« Le Dr... *David* Hilbert, vous noterez. »

« Il n'est pas juif non plus. »

« Comme tout le monde est bien informé aujourd'hui. »

La *Kolonie* était en fait un complexe bien ventilé de bâtiments en briques jaunes vernissées, bâti solidement selon les principes de l'Invisibilisme, une école d'architecture moderne qui croyait que plus une structure était conçue de façon «rationnelle», moins elle paraissait visible, et dans certains cas extrêmes convergeait vers son terme prétendument pénultième – l'étape juste avant sa disparition dans l'Invisible, ou, comme préféraient le dire certains, «dans sa propre méta-structure», reliée de la manière la plus minimale qui soit au monde physique.

«Jusqu'à ce qu'un jour on n'ait plus autour de soi que des vestiges de ce monde, quelques écheveaux de fil barbelé définissant la vue en plan de quelque chose qui n'est plus tout à fait capable d'être vu… peut-être certaines odeurs également, s'infiltrant, tard le soir, venues d'un endroit sous le vent, un vent qui possède en soi maintenant le même indice de réfraction que la structure disparue…»

La chose fut expliquée très sérieusement à Kit par un individu habillé en gardien, que Kit, dans sa naïveté, supposa être un gardien. Sur l'épaulette de l'uniforme, on distinguait un cerveau humain stylisé avec une sorte de *hache teutonne* à moitié enfoncée dedans, que Kit prit pour l'insigne de la *Kolonie*. L'arme en question était noire et argent; le cerveau, lui, d'un gai magenta aniline. La devise figurant au-dessus proclamait: «*So Gut Wie Neu*», ou «À l'état neuf».

Ils se tenaient à l'air libre sur le «Terrain des Dirigeables», une surface plane où, parmi les activités proposées par le *Klapsmühle*, on trouvait des déplacements de terre, des excavations de roche et le traitement de surface, sous l'égide d'une section d'«ingénieurs» munis d'instruments de géomètre qui faisaient *vrai*, mais qui ne semblaient pas être des pensionnaires de la *Kolonie*, même si rien n'était sûr par ici.

Une grande excitation régnait aujourd'hui dans la *Kolonie*, car à tout moment un véritable dirigeable risquait de venir se poser sur le Terrain des Dirigeables! La plupart des résidents n'avaient jamais vu d'aéronef, mais quelques-uns n'hésitèrent pas à décrire l'engin aux autres. «Il va venir nous délivrer, tout le monde est convié, c'est le vol express pour Doofland, la patrie ancestrale du malade mental, il va descendre, un triomphe gigantesque de style bohémien, luminescent dans toutes les couleurs du spectre, et l'orchestre du bord jouera de vieux standards comme *O Tempora, O Mores*, et *La Baleine noire d'Askalon*, et nous monterons tous gaiement à bord, dans la nacelle aérodynamique suspendue exactement au Point d'Infini, car le nom secret du dirigeable est l'Ellipsoïde de Riemann», et ainsi de suite.

Un ballon de foot, botté de très très loin, passa alors au-dessus d'eux, et certains le prirent à tort pour le vaisseau, dont l'arrivée, espérait-on, ne viendrait pas perturber les matches de foot qui semblaient se dérouler sans cesse sur le Terrain des Dirigeables toute la journée, et même la nuit, la période préférée, en fait, bien qu'elle générât un style de jeu différent.

« Ce ballon possède a peu près autant de rebond que la *tête de Iokanaan* », s'écria quelqu'un, faisant ainsi allusion à une récente excursion thérapeutique que les patients avaient faite à Berlin pour assister à une représentation de *Salomé*, l'opéra de Richard Strauss, dont le Dr Dingkopf était revenu en marmonnant quelque chose au sujet d'une « grave crise spirituelle neuropathique dans l'Allemagne contemporaine », alors que le groupe lui-même – non sans raison, eu égard à la propre description par Strauss de l'œuvre comme un scherzo avec un dénouement fatal – n'avait cessé d'éclater d'un rire dément, qui bientôt se répandit depuis les sièges à un mark et demi jusqu'aux personnes « normales » assises dans le reste du théâtre. Depuis cette excursion, les garçons de salle de la *Kolonie* étaient obligés d'entendre sans cesse cette nouvelle « scie », que ce soit sur le terrain de football ou dans la salle du réfectoire (« Qu'est-ce qu'on mange ? », « On dirait la *tête de Iokanaan* »), ou d'écouter les querelles religieuses des Cinq Juifs, qui semblaient être la seule partie de l'opéra que tout le monde, apparemment, avait retenue, note pour note, peut-être pour énerver le Dr Dingkopf, qui commença bientôt à accuser le coup et qu'on vit errer dans les environs à des heures indues en chantant « *Judeamus igitur, Judenes dum su-hu-mus…* », d'une voix délirante de ténor.

« *Ich bin ein Berliner !* »

« Pardon ? » Le patient semblait pressé de parler à Kit.

« Il ne vous fera aucun mal », lui assura le Dr Dingkopf tandis que des garçons de salle entraînaient habilement le malade à l'écart. « Il en est venu à croire qu'il est une certaine célèbre pâtisserie de Berlin – semblable à votre *doughnut* fourré à la confiture. »

« Depuis combien de temps est-il ici ? »

Haussement d'épaules. « Un cas délicat. Le *doughnut* étant une métaphore ultrapuissante pour le corps et l'esprit, retrouver la santé mentale à l'aide de la seule raison semble problématique – nous devons donc recourir à la Phénoménologie, et accepter la vérité littérale de son délire, en l'emmenant à Göttingen, dans une certaine *Konditorei* où on le saupoudre entièrement de *Puderzucker* et où on lui permet de s'installer, ou plutôt de s'allonger, sur une étagère ordinairement réservée aux pâtisseries. Quand il entonne son *"Ich bin ein Berliner"*, la plupart des clients essaient seulement de corriger sa diction, comme s'il était originaire de Berlin et avait voulu dire *"Ich bin Berliner"* – même si parfois certains *l'achètent vraiment* – "Je vous le mets dans un sachet, madame?" "Oh, non, non merci, je vais le manger sur place si c'est possible." »

« Bon — si ça ne le ramène pas à la réalité… »

« *Ach*, mais non, il reste juste inerte, même quand elles essaient de… *mordre dedans* — »

Plusieurs heures plus tard, dans l'obscurité du dortoir, Kit prit conscience d'une énorme masse, molle et indistincte, dégageant l'odeur caractéristique d'une pâtisserie tout juste sortie du four.

« Chh — ne dites rien, par pitié. »

« Tout va bien, je me reposais juste, j'observais le papier peint dans le noir. »

« Oh? Vraiment? Il vous — qu'est-ce qu'il vous dit? »

« Il m'a déjà conduit à certaines conclusions inattendues sur les fonctions automorphiques. Et vous, comment ça va? »

« Tout d'abord, si vous le permettez – *je ne suis pas vraiment un doughnut.* »

« Je dois dire que la ressemblance est, ma foi, étonnante. Et vous pouvez parler, tout ça? »

« C'était la seule façon que nous avions de vous contacter. C'est votre amie Miss Halfcourt qui m'envoie. »

Kit fit la grimace. Encore une victime sous le charme — tout ce que Yasmina avait eu à faire, il le savait, c'était d'embrasser cette cliente.

« C'est comme l'invisibilité », continua l'apparition, « mais en différent. La plupart des gens refusent d'admettre qu'ils me voient. Aussi ne me voient-ils pas. Il y a bien sûr la question du cannibalisme. »

« La… je ne… comment dire… »

« Bon. Ça les met dans une impasse, c'est clair. Je vous explique, si je suis humain, et qu'ils me considèrent comme un petit déjeuner, ça fait d'eux des cannibales – mais si je suis vraiment un beignet fourré à la confiture, alors, étant des cannibales, ils doivent tous être également des beignets à la confiture, vous comprenez? » Il éclata d'un rire joyeux.

Kit jeta un coup d'œil à la pendule murale. Les aiguilles peintes au radium indiquaient trois heures et demie du matin.

« Allons-y, vous voulez bien? » La gigantesque pâtisserie le conduisit dans un couloir, tourna plusieurs fois à gauche ou à droite, puis traversa la réserve de chimie baignant dans le clair de lune. « J'aimerais bien vous escorter jusqu'au bout, mais ça va bientôt être l'heure du petit déjeuner et… bon, vous comprenez. »

Ils trouvèrent Kit endormi devant la clôture. Le Dr Dingkopf attendait dans son bureau avec une grosse liasse d'autorisations de sortie à signer. « Vos amis anglais ont intercédé en votre faveur. Quelle importance a mon propre jugement professionnel, vingt ans d'expérience clinique, à côté de cette sinistre conspiration tribale…? Même en Angleterre… plus la nation pur-sang qu'elle a été… Halfcourt?… Halfcourt? Quelle espèce de nom est-ce là? »

Yasmina le retrouva dans le café où ils s'étaient rendus quelques soirs plus tôt. Il n'avait pas vraiment retrouvé le sommeil ni cru bon de se raser. « Venez. Allons marcher sur Der Wall. » C'était une paisible matinée, une brise agitait les feuilles des tilleuls.

« Que savez-vous exactement sur Shambhala, Kit? »

Il tourna la tête, l'étudia du coin de l'œil. Tout le monde n'était pas un peu trop professionnel ce matin? « J'ai dû entendre prononcer ce nom une ou deux fois. »

« Une antique métropole du spirituel, habitée selon certains par les vivants, déserte selon d'autres, en ruine, enfouie quelque part sous les déserts de sable de l'Asie intérieure. Et bien sûr il y a toujours ceux qui vous diront que le véritable Shambhala est en nous. »

« Et… qu'en est-il? »

Elle fronça brièvement les sourcils. « Je suppose que c'est un lieu réel sur terre, au sens où le Point d'Infini est un endroit "sur" la sphère de Riemann. L'argent qu'ont investi à ce jour certains pays en expéditions pour le "découvrir" est certainement on ne peut plus réel. Les forces politiques mises en œuvre… politiques et militaires… »

« Pas particulièrement votre chope de bière. »

« Ma — » Elle s'autorisa une demi-pause pointée. « Le colonel Halfcourt est impliqué. Si je déchiffre tout ça correctement. »

« Des ennuis? »

« On ne sait pas trop. » Une fois de plus, il eut le sentiment déprimant qu'elle attendait quelque chose de lui qu'il était incapable ne serait-ce que de nommer, encore moins de lui donner. « Il y a des centaines de raisons pour lesquelles je devrais être là-bas avec lui… »

« Et une seule contre. » Était-il censé deviner laquelle?

Ils se regardèrent par-dessus ce qui aurait pu être des distances éthériques. « Vu votre niveau intuitif, Kit », avec enfin un sourire troublé, « nous pourrions rester ainsi des heures. »

« Qui refuserait de passer des heures en charmante compagnie ? »

« Je crois qu'on doit dire "en si charmante compagnie". »

« Zut. »

« La dernière fois, nous avons parlé d'un emploi chez les S.O.T. »

« C'est eux qui m'ont sorti du *Klapsmühle* ? »

« Lionel Swome. Vous allez faire sa connaissance. Que fabriquiez-vous là-bas ? »

« J'me cachais, je suppose. » Il lui parla de la visite nocturne de Foley.

« Il semblerait que vous ayez rêvé ça. »

« Ça ne change rien. Ce qui compte c'est le message qu'il apportait. Plus tôt je serai parti mieux ça sera. »

« Remontons le Hainberg un peu, voulez-vous ? » Tout en jetant de temps en temps des regards derrière eux, ils arrivèrent bientôt à un restaurant à flanc de colline, avec vue sur les remparts de la ville tranquille, où se trouvait le coordinateur de voyages des S.O.T., Lionel Swome, assis à une table sous un parasol avec une bouteille de rheinpfalz de la précédente vendange et deux verres. Après les présentations, Yasmina ouvrit son ombrelle d'un geste preste et retourna en bas de la montagne.

« Bon », dit Swome. « Vous allez mettre les bouts, m'a-t-on dit. »

« Incroyable ! Je viens juste de le décider y a deux minutes, en montant jusqu'ici – mais j'avais oublié que vous étiez télépathes, vous autres. »

« Et vous n'avez pas de restrictions quant à la destination. »

Kit haussa les épaules. « Le plus loin sera le mieux, pour le reste ça m'est égal. Pourquoi ? Ça vous intéresse ? »

« L'Asie intérieure ? »

« Parfait. »

Swome étudia son verre de vin, sans boire. « Il y a ceux qui préfèrent d'autres deidesheimer – herrgottsacker et autres – à ceux du Hofstück. Mais au fil des ans, si on prend le temps de — »

« Mr Swome. »

Un haussement d'épaules, comme s'il venait de se mettre d'accord avec lui-même. « Fort bien… Miss Halfcourt étant dans une situation comparable, vous êtes tous deux sur le point de résoudre vos difficultés mutuelles – en vous réfugiant en Suisse. »

Kit baissa un bord de chapeau invisible sur son visage. « Ben voyons. Tout le monde va y croire. »

« Peut-être aucune de vos connaissances. Mais ceux que nous cherchons à duper le croiront peut-être, surtout si nous leur fournissons quantité d'indices – permis de séjour, réservations d'hôtel, correspondance bancaire, et cætera. Quant à la jeune dame et vous, comportez-vous le plus possible comme de jeunes mariés – Mr Traverse ? Vous m'écoutez ? Bien – et l'instant d'après, hop – vous aurez chacun disparu dans une direction différente, dans votre cas, à l'Est. »

Kit attendit qu'il continue. Finalement : « Et... ? »

« La future ex-mariée ? Hum, aucune idée. Un autre dossier, en fait. Bon, puisque vous serez là-bas, vous pourrez peut-être nous rendre un petit service. »

« Et... ça a un rapport avec... hum, comment ça s'appelle déjà... »

« Shambhala. Oui, si on veut. »

« Je ne suis pas théosophe ni même franchement grand voyageur, j'espère que vous êtes au courant. Il faudrait plutôt un homme de terrain, non ? »

« Votre vertu cardinale, précisément. Personne là-bas ne sait rien de rien sur vous. Nous avons des tas de vétérans de l'Asie intérieure planqués dans les oasis et bazars habituels, mais tout le monde se connaît là-bas, c'est l'impasse totale, le mieux maintenant c'est d'injecter un élément inconnu. »

« Moi. »

« Et vous êtes chaudement recommandé par Sidney Reilly. »

« Hum... »

« Vous n'avez sûrement pas oublié "Chong". »

« C'était lui ? Celui qui se trimballait tout le temps en turban ? Bon, je suis vraiment un plouc, je croyais qu'il était authentique. »

« Oh, mais Sidney l'est, ça oui. Vous le rencontrerez peut-être à nouveau quand vous serez dans les 'Stan, vu qu'il s'agite pas mal, mais vous ne le reconnaîtrez sûrement pas. »

« Et donc si j'ai des ennuis — »

« Il ne faudra pas compter sur lui. » Un regard perçant. « Vous n'êtes pas malade des "nerfs", j'espère. »

« J'ai l'air un peu nerveux en ce moment ? Ça doit être ces types qui m'en veulent, impossible de savoir ce qu'ils ont l'intention de faire. Mais là-bas ? En Asie intérieure, à des millions de kilomètres de nulle part ? Mince, je serai au poil. »

« Voici ce que nous aimerions que vous fassiez pour nous, alors. » Le fonctionnaire des S.O.T., tout en opinant, sortit une carte d'une pochette et l'étala sur la table. « Nous avons nos arrangements de longue date – Bureau colonial, 1 Savile Row, d'autres liens moins officiels. Nous pouvons vous faciliter les choses » – suivant une route hésitante du bout du doigt – « au moins jusqu'à Kachgar. »

« C'est là qu'est basé le père de Miss Halfcourt. »

«De temps en temps. Il mène une existence nomade. Mais comme vous serez hors de son chemin...»

«Attendez une minute.» Kit prit une cigarette dans l'étui de Swome qui était posé sur la table. «Ils ignorent complètement où il est, n'est-ce pas?»

«Les lignes sont coupées, si l'on veut. Provisoire mais fâcheux. Il n'y a jamais eu de révolution en Russie à une aussi grande échelle, vous savez, et elle a suivi les voies ferrées jusqu'en Asie également, et les répercussions ne sont pas finies. Auberon Halfcourt opère là-bas depuis les troubles afghans, il n'y a pas d'embarras duquel il ne sache se tirer. Nous sommes moins inquiets pour sa sécurité...» – s'interrompant, comme si Kit était censé finir à sa place, mais celui-ci ne lui rendit pas ce service – «... que désireux d'obtenir des informations sur ce qui s'est passé à Shambhala – apparemment, toutes les Puissances étaient sur le coup – inconcevable qu'il ait manqué l'événement. Et le temps est essentiel, visiblement – nous ne voulons pas que les autres, l'Allemagne ou l'Autriche en particulier, déboulent avec leur version des événements, nous avons besoin de maintenir un certain contrôle sur l'Histoire...»

«J'ai remarqué pas mal de Russes en ville», dit Kit, qui s'attendait à ce qu'on lui demande de se mêler de ses affaires, mais Swome était préoccupé par les otzovistes, apparemment.

«Vous voulez parler de ces bolchos antiléninistes. Mon Dieu, oui, je vois. Ils n'ont d'yeux que pour Miss Halfcourt et ses talents quadridimensionnels et semblent se désintéresser de tous les risques séculaires, en particulier ceux encourus par l'Entente anglo-russe. Il est par conséquent devenu nécessaire de recourir à un certain degré de rouerie, même si en théorie les S.O.T. sont censés être au-dessus de la politique internationale.

«On n'est jamais assez prudent. Ces purs esprits ne sont pas toujours ce qu'on croit qu'ils sont. Ils se révèlent souvent nettement moins métaphysiques qu'on l'espérait, voire si inféodés au monde solide qu'on finit par avoir soi-même l'impression d'être mystique, juste par défaut. Rappelez-vous que Madame Blavatsky elle-même a travaillé pour les Services secrets tsaristes, connus alors sous le nom de Troisième Section, avant de devenir l'Okhrana... Et pour être franc, matérialistes ou spiritualistes, ce sont de foutus lanceurs de bombes. Un problème pas très compliqué à résoudre, un avantage de plus pour l'Entente, un mot glissé à la bonne oreille et c'est sauve-qui-peut les bolchos.»

«Mais vais-je avoir des problèmes avec eux, vu la direction que je prends? Voilà ce que je voudrais savoir.»

«Pour moi, ils sont un peu trop européens pour Kachgar, pas vraiment au niveau, plus à l'aise ici ou en Suisse. Kachgar est la capitale spirituelle de l'Asie intérieure, on peut pas faire plus "intérieure", et je parle pas seulement géographiquement. Quant à ce qui se trouve sous ces sables, vous avez le choix – soit Shambhala, autrement dit ce qu'il y a de plus proche sur terre en matière de Cité céleste, ou un autre Bakou ou Johannesburg, des gisements d'or, de pétrole, de richesses pluto-niennes, plus la perspective de créer encore une autre classe de sous-hommes pour les exploiter. D'un côté une vision, si vous voulez, spirituelle, et de l'autre, capitaliste. Incommensurable, bien sûr. »

«Ma mission, donc —»

«Consiste à trouver Auberon Halfcourt, à découvrir ce qu'il sait et à nous transmettre l'info avec le plus de détails et le plus vite possible. »

«En personne ? »

«Pas nécessaire. N'hésitez pas à faire le mort un moment, on appré-ciera. Nous vous donnerons une liste des messagers qui se trouvent entre là-bas et ici, tous fiables… Oh, et si vous devez partir rapidement, nous vous conseillons de passer par Constantinople, vu que nos lignes de ce côté-là sont un peu plus sûres. »

«Pourquoi voudrais-je partir rapidement ? »

«Toutes sortes de raisons, à vous de choisir. Une autre révolution, des soulèvements tribaux, des désastres naturels – dites donc, l'ami, si on devait envisager toutes les éventualités on ferait aussi bien d'écrire des romans d'espionnage. »

Yasmina l'attendait à la périphérie de la ville.

«Bon», dit Kit sur ce qu'il espérait un ton enjoué, «nous allons fuir ensemble. »

«Vous n'êtes pas fâché, j'espère. Kit ? »

«Oh, pas d'inquiétude, Yasm – on va s'en sortir. »

«C'est leur façon de penser. »

«On va bien s'amuser. »

Le rapide coup d'œil qu'elle lui décocha pouvait difficilement passer pour autre chose que de l'inquiétude. «"S'amuser". »

Ayant un jour de libre, Kit, Yasmina et Günther décidèrent d'aller faire leurs adieux à un musée peu connu mais passionnant, le Museum der Monstrositäten, une sorte d'équivalent nocturne de l'énorme col-lection de modèles mathématiques du Pr Klein située au second étage de l'Auditorienhaus. Ils prirent la diligence motorisée pour se rendre au Brocken. Le paysage devint vallonné et ensorcelé, des nuages arrivèrent sans prévenir et masquèrent le soleil. «Une Allemagne plus ancienne», commenta Günther, avec un sourire tout sauf rassurant. «Plus profonde.»

Ce n'était pas tant un musée au sens traditionnel qu'un temple étrange et souterrain, ou plutôt un anti-temple, consacré à l'actuelle «Crise» qui sévissait dans les mathématiques européennes... Difficile de l'extérieur de savoir si l'endroit était destiné à l'exposition, au culte, à l'étude ou à l'initiation, car d'extérieur, il n'y en avait pas, hormis une entrée encadrant une volée de marches noires et raides qui s'enfonçaient dans un tunnel insondable vers des cryptes mystérieuses. Comme pour mieux exprimer le monde «imaginaire» (ou, tel que l'avait qualifié Clifford, «invisible») des nombres, la substance noire qui avait servi à sa construction évoquait moins un minerai connu que le résidu d'une pierre occulte, une fois que la lumière, par un processus resté secret, en eût été ôtée. De temps en temps, une statue était visible sous la forme d'un ange, aux ailes, au visage et aux vêtements si aérodynamiques qu'on touchait là à la pure géométrie. L'ange portait des armes *pour l'instant inconnues*, comprenant des électrodes, des ailettes de refroidissement, et cætera.

Ils trouvèrent les lieux étrangement déserts, éclairés seulement par quelques appliques à gaz chuintantes qui balisaient faiblement les couloirs rayonnant du hall pénombreux. Mais l'endroit dégageait une odeur de propreté allemande constamment entretenue, dans laquelle se mêlaient le Sapoleum et la cire à parquet, de massives émanations de formol gazeux dont la causticité était tenace. Les couloirs semblaient balayés par des générations de soupirs – qui parfois équivalaient à des vents –, une tristesse, une brutale exclusion des coquets plans de sol orthogonaux du monde académique...

«Il doit bien y avoir quelqu'un. Des gardiens, au moins?» estima Kit.

«Ils se cachent peut-être des visiteurs qu'ils ne connaissent pas», dit Günther en haussant les épaules. «Comment rester ici et garder les nerfs intacts?»

De temps en temps, quand il y avait quelque lumière, on pouvait distinguer de vastes fresques, d'une précision quasi photographique, aux couleurs épargnées par l'intense ménage quotidien, décrivant des événements de l'histoire récente des mathématiques, comme *La Découverte des fonctions de Weierstrass*, de Knipfel, et, nouvellement promu, *Le Professeur Frege à Iéna recevant la lettre de Russell concernant l'ensemble de tous les ensembles qui n'appartiennent pas à eux-mêmes*, de von Imbiss, qui offrait des *effets de parallaxes* quand on passait devant, avec en arrière-plan des personnages tels que Sofia Kovaleskaïa ou un Bertrand Russell maliceusement hydrophobe qu'on voyait soit entrer soit sortir selon la position et la vélocité du spectateur. «Pauvre Frege», dit Günther, «juste quand il s'apprêtait à publier son ouvrage sur l'arithmétique, et soudain patatras! on le voit ici quasiment en train de dire "*Kot!*", l'équivalent allemand de "Combien ça va me coûter de réviser toutes ces pages?" Vous voyez la façon dont il semble se donner des coups sur le front, que l'artiste à adroitement rendue par ces petits rayons verts et magenta qui…»

Un panneau fléché leur indiqua un corridor voûté aux fermes métalliques, qui aboutissait à une série de panoramas d'une netteté proprement stupéfiante, réputés pour convaincre même les plus sceptiques des visiteurs, qui se retrouvaient alors au centre d'une vue à trois cent soixante degrés de l'antique Crotone en Grande Grèce, sous un ciel rapidement assombri par un orage imminent, avec des disciples pythagoriciens en robe et pieds nus, en proie à quelque transport spirituel dont l'illumination était rendue ici par la fluorescence des manchons de gaz imbibés de certains sels radioactifs… ou qui donnaient l'impression de pénétrer dans la salle de lecture de la Sorbonne quand Hilbert, au cours de l'historique matinée d'août 1900, présenta au Congrès international sa liste des fameux «problèmes de Paris» qu'il espérait voir résolus pendant le nouveau siècle – oui, on reconnaissait parfaitement Hilbert, coiffé d'un panama, présenté optiquement en trois dimensions et plus criant de vérité qu'une figure de cire, jusqu'aux milliers de gouttes de sueur dégoulinant sur tous les visages…

Conformément à la philosophie de la représentation de l'époque, entre l'observateur situé au centre du panorama et le mur cylindrique sur lequel la scène était projetée, s'étendait une *zone de nature duelle*, dans laquelle devaient être correctement disposés un certain nombre d'objets réels, adaptés au décor – des chaises et des bureaux, des colonnes doriques intactes ou abîmées – même si celles-ci ne pouvaient pas être qualifiées *stricto sensu* de tout à fait réelles, plutôt mi-«réelles» et mi-«picturales», ou disons «fictionnelles» –, cet assortiment d'objets hybrides étant conçu pour «se fondre progressivement» dans la distance jusqu'au mur incurvé.

«Bien», déclara Günther, «nous voilà projetés dans le paradis cantorien des *Mengenlehre*, avec une série plutôt conséquente de points dans l'espace continuellement remplacés par d'autres, et perdant subtilement leur "réalité" en tant que fonction d'un rayon. L'observateur assez curieux pour traverser cet espace – ce qui, apparemment, est interdit – serait lentement soustrait à son environnement à quatre dimensions et entraîné dans une région intemporelle... »

« Voilà qui devrait vous intéresser, Kit », dit Yasmina en indiquant un panneau portant l'inscription ZU DEN QUATERNIONEN.

Bien sûr, bien sûr, bien sûr, ça ne regardait pas Kit, ils avaient de toute évidence besoin d'un peu de temps ensemble, le départ était imminent, ils avaient des choses à se dire... Ainsi congédié, Kit descendit un sombre escalier d'une raideur désagréable même pour quelqu'un de relativement en forme – comme s'inspirant d'un ancien lieu de réunion, tel que le Colisée à Rome, empreint d'intention impériale, de promesses de lutte, de châtiment, de sacrifice sanglant –, il arriva enfin devant un rideau de caoutchouc, attendit un peu avant d'être mystérieusement tiré sur le côté et de se retrouver propulsé sous un éclairage Nernst porté à la limite de l'explosion blanche, puis se retrouva indéniablement au bord d'un canal, à Dublin, soixante ans plus tôt, alors que Hamilton recevait les quaternions des mains d'une source extrapersonnelle incarnée dans cette même lumière, le Brougham Bridge s'estompant dans le lointain selon une perspective parfaite, Mrs Hamilton abîmée dans une consternation du meilleur ton, son époux en train de graver dans le pont ses célèbres formules avec un canif à la fois réel et imaginaire, un couteau « complexe » pourrait-on dire, bien qu'une reproduction « réelle » de celui-ci fût visible dans une proche galerie consacrée aux fameux « accessoires » du drame mathématique dans son ensemble, avec des morceaux de craie, des tasses de café à moitié vidées, même *un mouchoir parfaitement chiffonné*, dont on supposait qu'il avait appartenu à Sofia Kovaleskaïa et qui datait de l'époque de Weierstrass à Berlin, un exemple de la célèbre « surface dépourvue de plans tangents » de Lebesgue, lointain et excentrique cousin de la famille des fonctions, partout continue et jamais différenciable, avec laquelle Weierstrass, en 1872, avait inauguré la grande Crise qui continuait de préoccuper les mathématiques même à l'heure actuelle – exposé ici dans une vitrine sur pied, sous un globe en verre, éclairé par en dessous, préservé dans une atmosphère de nitrogène pur constamment renouvelé. Comment ce mouchoir avait-il été figé dans cet état dépourvu de tangente ? Serré en boule dans un poing à plusieurs reprises ? Déplié, imbibé de larmes et de morve, chiffonné de nouveau en une boule compacte ? Était-ce une trace, un souvenir chimique, de quelque passage extraordinaire entre le bienveillant professeur et l'étudiante au regard éloquent ? Revenant de là où elle avait été, Yasmina était réapparue pour prendre le bras de Kit et contempler un moment la relique désolée.

«Elle a toujours été mon inspiratrice, vous savez.»

«Tout baigne entre vous et l'autre dieu teuton?»

«Il est très triste. Il dit que vous allez lui manquer. Il veut vous parler, je crois.»

Elle s'éloigna tandis que Günther, les yeux luisant dans l'ombre de son chapeau, s'approchait de Kit avec une expression de mécontentement profond, à défaut d'insondable. Il devait se rendre au Mexique pour diriger une des plantations de café familiales. Son père s'était montré inflexible, ses oncles avaient hâte qu'il arrive.

«C'est pratiquement à côté de chez moi», dit Kit. «Si vous poussez jusqu'à Denver —»

«C'est cet étrange vertige allemand, avec tout qui bouge, comme de l'eau aspirée par la bonde, ce tropisme négligé de l'esprit allemand envers toutes les manifestations du mexicain, où qu'elles aient lieu. Le Kaiser cherche aujourd'hui au Mexique les mêmes occasions de nuire aux États-Unis que Napoléon III avant lui… Nul doute que j'ai un petit rôle aveugle et pathétique à jouer là-dedans.»

«Günni, vous me semblez, comment dire, manquer aujourd'hui de cette bonne vieille assurance —»

«Vous aviez raison, vous savez. Le jour de notre duel. Je n'étais qu'un autre *Rosinenkacker* en goguette, égaré dans ses banales illusions. Je dois maintenant dire adieu à la vie que j'aurais pu connaître, et reprendre une fois de plus la route pierreuse, tel un pèlerin en pénitence. Fini les mathématiques pour von Quassel. C'est une voie que je n'emprunterai finalement jamais.»

«Günni, j'ai été un peu dur, je crois.»

«Vous serez gentil avec elle.» Avec une certaine insistance allemande sur le futur que Kit ne sut pas trop comment prendre.

«Je suis son compagnon de route pour une semaine au plus, c'est à peu près tout. Ensuite, m'a-t-on fait comprendre, d'autres forces entrent en jeu.»

«*Ach, das Schicksal.* Je quitte le chloral pour le café», dit sombrement Günther. «Un voyage antipodal, le spectre de la conscience humaine parcouru de bout en bout.»

«Le destin cherche à vous dire quelque chose», spécula Kit.

«Le destin ne parle pas. Il tient un Mauser et vous indique parfois le chemin à suivre.»

Ils s'en allèrent à regret et à contrecœur, sentant à travers la pesante enveloppe de pierre l'après-midi qui s'installait. Une autre soirée les attendait en ville, dans toute sa pénultiémité coercitive, et cependant personne ne souhaitait vraiment quitter ces couloirs commémorant les personnes qu'ils s'étaient un jour imaginé être… qui, toutes, avaient décidé de tendre vers la terrible extase censée résulter de l'observation directe du Beau. Allaient-ils non seulement renoncer aux programmes d'études mathématiques mais également à l'espoir de connaître un jour cette étreinte vertigineuse?

«Mes enfants.» La voix ne pouvait être localisée, elle était partout dans les couloirs. «Le Musée va fermer à présent. Lors de votre prochaine visite, il ne sera peut-être pas au même endroit.»

«Pourquoi ça?» ne put s'empêcher de demander Yasmina, tout en connaissant la réponse.

«Parce que la pierre d'angle du bâtiment n'est pas un cube mais son analogue quadridimensionnel. Un octachore. Certains de ces couloirs mènent à d'autres époques, des époques, en outre, que vous risqueriez de désirer trop ardemment pour les reconquérir, vous égarant ainsi dans votre vain effort.»

«Comment le savez-vous?» dit Günther. «Qui êtes-vous?»

«Vous savez qui je suis.»

Frank avait juré qu'après le Mexique il décrocherait, que la priorité serait le boulot qu'il se devait de finir en Amérique du Nord. La politique mexicaine ne le concernait pas, même s'il suivait de loin la situation. Alors bien sûr il était là, de retour dans ce bon vieux caldo tlalpeño.

Il opérait à partir de Tampico, dans les environs duquel commençait une zone qui s'étendait jusqu'à la frontière des États-Unis, où les passeurs de contrebande allaient et venaient à leur guise. Il avait retrouvé Ewball Oust, qui après s'être passionné pour l'anarchisme rural donnait maintenant dans le trafic d'armes, et les deux hommes en vinrent très vite à livrer du matériel militaire, se contentant de jouer les intermédiaires.

Un soir qu'ils soupaient dans la *calle* Rivera près du marché, ils entamèrent la conversation avec un voyageur allemand, un producteur de café qui avait une propriété dans le Chiapas et une cicatrice de duel sur la joue droite, en forme de tilde. Au Mexique, on l'appelait désormais «El Atildado», terme désignant également un individu à la mise impeccable, un talent dont avait fait preuve aussi Günther von Quassel. Quand ils échangèrent leurs cartes de visite et qu'il lut le nom de Frank, ses sourcils se haussèrent. «J'ai connu un Kit Traverse à Göttingen.»

«Ce doit être mon frère cadet.»

«Nous avons manqué nous battre en duel.»

«C'est Kit qui t'a fait ça?» désignant la joue de Günther.

«Ce n'est pas allé si loin. On a réglé la chose pacifiquement. Ton frère me faisait en vérité trop peur.»

«Tu es sûr que c'était Kit.»

Günther raconta à Frank comment Scarsdale Vibe et ses sbires avaient forcé Kit à quitter Göttingen.

«C'est peut-être une bonne chose», Frank trop morose pour le croire, vraiment. «Quels salauds ces types.»

«C'est un jeune homme plein de ressource. Il s'en sortira.» Günther avait sur lui une flasque Thermos brevetée pleine de café brûlant. «Si ça te dit. Une nouvelle variété. D'énormes *Bohnen*. On appelle ça du Maragogype. »

« Merci. Cela dit, j'ai toujours eu un faible pour l'Arbuckle », dit Frank qui nota une ombre de tressaillement sur le visage du *cafetalero*.

« Mais – ils mettent des cires », Günther d'une voix chagrine. « Des résines provenant… provenant d'*arbres*, je crois. »

« J'ai grandi avec, c'est l'ami de la pionnière, et depuis que je suis tout petit je m'en suis toujours tenu à l'Arbuckle. »

« *Ach*, tu as bradé ton sens gustatif. Mais bon, tu sembles encore jeune. Il est peut-être encore temps de corriger ce défaut. »

« Blague à part », dit Frank en sirotant, « ce café est excellent. Tu t'y connais. »

Günther émit un grognement. « Bien malgré moi. Je suis ici à la demande de mon père. Je rends service à la société familiale. »

« Je suis passé par là, moi aussi », dit Ewball. « Tu rêvais d'autre chose que de plantations ? »

Le jeune von Quassel se fendit d'un sourire glacial. « Absolument pas. »

Ewball semblait condamné à tomber sur de vieilles connaissances venues d'*el otro lado* et d'une époque révolue, quand *grandir* ne signifiait pas encore *empirer*, et ayant accédé à une notoriété qu'aucun d'entre eux n'aurait pu imaginer en ces années d'insouciance et de bringue. Il y avait par exemple « Steve », qui préférait désormais qu'on l'appelle « Ramón », en fuite après une désastreuse arnaque au petit porteur, sans cesse en cavale, incapable de s'empêcher de blouser le plus bruyamment et le plus rapidement possible, et qui débarqua un jour en ville au milieu d'une brève tempête de sable, se retrouvant dans la même petite cour intérieure où Ewball, Frank et Günther s'étaient réfugiés avec une ving-taine de merles. Le *norte* hurlait comme à une lune invisible. Le sable sifflait et tintait contre les ferronneries alambiquées et « Ramón » entreprit de les distraire avec ses récits de dettes infernales. « Franchement, je commence à désespérer. Si jamais vous entendez parler d'un truc que vous trouvez trop dingue ou trop dangereux pour vous, alors refilez-moi le tuyau. Il y a cette affaire de marges sur actions dans le Nord. Je serais prêt à baiser un alligator en plein midi sur la Plaza de Toros si ça pouvait me rapporter un peso. » Avant de disparaître tout voûté dans l'opacité jaune, il les convia tous à une fête dans sa villa le soir même.

« Venez nous voir pendant que l'endroit est encore à nous, je vous présenterai ma nouvelle femme. Une petite *reunión*, une centaine de personnes à peu près, on peut tenir la semaine si on veut. »

« Ça me tente assez », dit Ewball.

Günther, qui était sur le point d'aller faire affaire avec la vaste colonie allemande de Tampico, serra la main à Frank et à Ewball. « Vous comptez y aller à cette fiesta ? »

« On est logés à l'Imperial », dit Frank, « dans le sous-sol, tout au fond. Passe nous prendre, on ira ensemble. »

Plus loin à l'ouest et dans la Sierra, dans de grandes résidences à peine visibles derrière les brumes qui montaient des plaines impaludées, les gringos se terraient au sommet de promontoires fluviaux venteux, attendant le soulèvement indien qu'ils sentaient tous imminent, nuit après nuit allongés sur le dos dans leurs chambres, assaillis, au cours des rares heures de sommeil qu'ils parvenaient à grappiller, par des cauchemars quasi identiques, fuites dans le désert, cieux impitoyables, visages dans lesquels non seulement les iris mais toute la surface des yeux était noire, et qui luisaient dans les orbites, implacables, reflétant des colonnes de flammes tandis qu'un peu partout les puits s'embrasaient et explosaient, sans autre perspective que l'exil, la perte, la disgrâce, sans le moindre avenir au nord du Río Bravo, parmi des voix désincarnées dans l'air empestant le pétrole, montant des canaux contaminés, pleines de reproches, d'accusations, de promesses de châtiments pour des crimes dont nul n'avait le souvenir...

Déambulant dans la fête de Steve/Ramón, Frank et Ewball finirent par trouver une salle de bal où bruissaient des fontaines carrelées, où des perroquets en liberté glissaient d'un palmier décoratif à l'autre. Un orchestre jouait. Des couples dansaient sur des versions tropicales du boléro et du fandango. Des invités buvaient des gin-fizz Ramos et mâchaient de la coca tout juste cueillie dans les jungles de Tehuantepec. Les rires étaient plus ou moins constants dans la salle, mais un peu plus forts et plus inquiets que dans une *cantina* le samedi soir. Dans l'entrée, dissimulées par d'énormes pots débordant d'orchidées, trônait une batterie de malles prêtes pour le voyage. Il en allait de même dans la plupart des villas louées par les gringos dans le cercle de Ramón, un rappel de l'abîme tapi dans les ombres d'un proche lendemain, car comment cela aurait-il pu durer, cet essor artificiel, cette violation de la réalité ?

« C'est Bakou avec des moustiques », déclarèrent de vieux vétérans du pétrole à Frank.

« C'est le moment de quitter le pays », répétaient à l'envi les fêtards, « car nous ne sommes tous ici que des otages en deçà de la frontière, là-haut dans le Nord ils empruntent comme si c'était la fin du monde, la moitié du temps en recourant à des nantissements, si jamais les fonds plongent, peu importe si le sous-sol regorge de pétrole, ça sera *adiós chingamadre*, pour ainsi dire. »

Günther était venu avec une belle et grande blonde nommée Gretchen, qui ne parlait ni anglais ni espagnol et seulement quelques mots de son allemand natal, tels que « cocktail » et « zigarette ». En fait, elle faisait preuve d'une forte tendance, étrange chez une jeune femme aussi appétissante, à disparaître, et Frank ne put que remarquer l'expression inquiète de Günther.

« Je suis censé veiller sur elle pour un associé », dit-il. « Elle est connue pour son caractère impulsif. Si ce n'était pas pour — » Il hésita, comme s'il allait demander de l'aide à Frank.

« Si je peux faire quelque chose… »

« Ton nom a été mentionné aujourd'hui, dans un contexte que je n'ai moi-même commencé à examiner que récemment. »

« J'ai déjà traité avec la colonie allemande. Plutôt inévitable, à Tampico. »

« Là, c'était au sujet d'une certaine livraison dans ce port en vue d'un transbordement dans le Chiapas. »

« Des engins agricoles pour cueillir les grains de café », suggéra Frank.

« Absolument. » Gretchen réapparut, glissant devant les baies vitrées le long d'une colonnade, le regard vitreux même à cette distance. « Quand tu auras un moment… dès que je… » Troublé, il fonça rejoindre l'impétueuse Walkyrie.

La livraison en question concernait en fait des semi-automatiques Mondragón venant d'Allemagne et destinés à l'armée mexicaine.

« Belle bricole », dit Frank. « Mise au point par les Mexicains il y a de ça vingt ans, perfectionnée par les Allemands depuis. La culasse part en arrière, éjecte la douille, enclenche une nouvelle balle dans le magasin, pas besoin de toucher quoi que ce soit. Ça pèse à peu près autant qu'un Springfield, y a juste qu'à continuer de presser la détente jusqu'à ce que le magasin soit vide, contient dix balles, à moins de dégoter un de ces chargeurs Schnecken à trente comme en ont les avions allemands ces temps-ci. »

« Je vais me renseigner », dit Günther.

Les fusils pouvaient passer pour de la « machinerie pour mine d'argent » – une des principales marchandises pour lesquelles les voies ferrées de fret ici et dans le Nord avaient été construites à l'origine – et circuler alors en toute sécurité selon les complicités d'un ordre économique qu'ils pourraient un jour détruire. Il n'y aurait pas de problème de ce côté-là pour obtenir l'aide du syndicat des dockers, qui étaient par nature anti-porfiristas.

«Tu devrais peut-être en toucher un mot à Eusebio Gómez, qui opère comme sous-agent», dit Günther.

Frank le trouva sur les quais du Pánuco, le grossier flanc métallique d'un vapeur se dressant derrière lui. «Je prends ma commission en marchandises plutôt qu'en liquidités», expliqua Eusebio, «partant du principe que les Mondragón vous aideront en cas de disette mieux que l'inverse, ainsi que vous le dira quiconque ayant tenté d'abattre quoi que ce soit avec un hidalgo.»

«Ma foi, vous parlez notre langue à la perfection, Eusebio», dit Frank.

«À Tampico tout le monde parle votre langue, c'est pour ça qu'on appelle l'endroit "Gringolandia".»

«Vous devez voir pas mal d'Irlandais dans le coin, non? Des *irlandeses*?»

«*¿Señor?*»

«Oh, ils se repèrent facilement – bourrés en permanence, hyper-bavards, d'une ignorance crasse, crétins politiquement —»

«Non mais, qu'est-ce que t'en sais, par saint Patr — *este... perdón, señor*, je voulais dire, bien sûr —»

«Ah ah...?» Frank souriant en secouant le doigt.

Les poings et les sourcils d'Eusebio se détendirent. «Bon, vous m'avez eu, d'accord. Wolfe Tone O'Rooney, m'sieur, et j'espère bien que vous travaillez pas pour ces chiens d'Anglais, sinon je serai obligé de régler la chose à ma façon.»

«Frank Traverse.»

«Pas le frère de Reef?»

C'était la première fois que Frank entendait parler de Reef depuis Telluride.

Ils trouvèrent une petite *cantina* et commandèrent des bières en bouteille. «Il a voulu finir le boulot lui-même», dit Wolfe Tone. «Il trouvait que c'était pas bien de vous refiler ce fardeau.»

Frank lui parla du Flor de Coahuila et de la fin de Sloat Fresno.

«Donc c'est fini?»

«En ce qui me concerne.»

«Mais l'autre?»

«Deuce Kindred.»

«Il court toujours?»

«Peut-être. J'suis pas le seul à vouloir le coincer. Quelqu'un le fera si c'est pas déjà fait. Si cette salope est encore dans les parages, ça sera peut-être même elle, ça m'étonnerait pas. »

« Votre… sœur. »

Frank plissa les paupières et le regarda à travers sa fumée de cigarette. « C'est encore elle la mieux placée dans l'équation. »

« Ce qui veut pas dire qu'elle le fera ? »

« Ça serait plutôt marrant, non ? Si tout ce temps elle s'était contentée de faire semblant, tout ça, l'épouser, jouer les femmes mariées, attendre le bon moment, hop, zim-boum. »

« On pourrait presque imaginer qu'elle vous manque un peu. »

« Vous rigolez. C'est moi qui la manquerai pas, avec le bon fusil. »

Wolfe Tone O'Rooney cherchait essentiellement des armes pour la cause irlandaise, mais plus il s'attardait au Mexique, plus il se sentait attiré par l'imminente révolution. Ewball et lui s'entendirent tout de suite très bien, et bientôt les trois hommes devinrent des passagers réguliers du trolley qui se rendait à Doña Cecilia, où ils se mêlèrent aux dockers, aux voyous et aux familles se rendant à la plage.

À Doña Cecilia, leur endroit préféré pour parler affaires était une *cantina* doublée d'un tripot connu sous le nom de La Fotinga Huasteca. L'orchestre de la maison était composé d'énormes guitares, de violons, de trompettes, et d'un accordéon, les percussions étant fournies par une *batería* comprenant timbales, guiros et congas. Tout le monde ici connaissait toutes les paroles et chantait en chœur.

C'est dans ce paradis tropical que débarqua un beau jour leur vieux compagnon de cellule, Dwayne Provecho, qui se comporta comme si l'endroit lui appartenait. Les oreilles de Ewball se dressèrent et il écarta les pieds, mais Frank ne sentit, lui, qu'une morne vexation, quelque chose comme une dyspepsie chronique, devant cet allongement d'une liste déjà préoccupante.

« Ben ça alors », railla Ewball en l'accueillant, « j'croyais que t'étais en Enfer, en train de folâtrer avec ce petit pleutre de Bob Ford. »

« Toujours plein de vieux *resentimientos* », dit Dwayne en secouant la tête, « ça finira par affecter ta portée et ta précision un jour, collègue. »

« Gaffe à qui tu donnes ce nom. »

« Bois une bière tiède », suggéra Frank sans prendre la peine de gommer la lassitude dans sa voix.

« Merci, petit, c'est très charitable », prenant une chaise et s'asseyant.

Les sourcils de Frank s'abaissèrent brièvement hors de l'ombre de son chapeau. « Je t'ai eu à la bonne environ huit secondes, Dwayne, t'as jamais pensé à faire du rodéo ? Dis donc, Mañuela, ce monsieur apparemment fortuné aimerait nous payer une tournée de *cervezas* Bohemia, avec peut-être une Cuervo Extra pour aller avec, bien tassée si ça te dérange pas. »

« Bonne idée », Dwayne sortant une liasse de dollars avec lesquels on aurait pu retapisser l'endroit, et en extrayant un billet de dix. « Je roule sur l'or. Et vous, les amis ? »

« J'croyais qu'ils te payaient en cheddar », marmonna Ewball.

« Sur le point de vous engager dans une brillante nouvelle carrière, et c'est comme ça qu'on remercie ? »

« T'es juste notre ange gardien », dit Frank en s'emparant de son verre de tequila.

« Avec ce qui circule par ici sur les rails », dit Dwayne, « il s'agit pas juste d'argent, il s'agit de l'Histoire. Et le prochain arrêt risque d'être dans le Nord, vu que tout le monde a besoin d'une révolution, les gringos comme les autres. »

« Alors pourquoi t'es pas là-bas ? » feignit de demander Frank.

« Il préfère se vendre aux gradés », expliqua Ewball. « Pas vrai, Dwayne, tous ces métèques dont les vies valent pas grand-chose à tes yeux ? »

« Allons donc, je les considère comme les miens », répondit Dwayne avec un air de sainteté dédaigneuse. Ce qu'il ne semblait pas comprendre c'est combien Ewball avait changé depuis la dernière fois où ils s'étaient vus. S'imaginant peut-être qu'il traitait encore avec le même petit colon parasite.

« Et voilà qu'il insulte le pays entier à présent. Au moins », dit Ewball en proie à une contrariété joyeuse, « les gens ici ont encore une chance – une que les *Norteamericanos* ont ratée il y a longtemps. Pour vous autres, il est bien trop tard. Vous vous êtes livrés aux bons soins des capitalistes et des prêtres, et ceux qui veulent que ça change, eh bien, il leur suffira de franchir la *frontera* pour se faire aussitôt coincer – mais je suis sûr que tu sais comment éviter ça, Dwayne. »

Dwayne aurait dû monter sur ses grands chevaux, mais au lieu de ça, comme Frank s'y attendait, il devint aussi huileux que le Pánuco un jour de grand trafic fluvial.

« Allons, les gars », dit-il, « ne gâtons pas ce qui pourrait être une joyeuse réunion – je suis tellement débordé en ce moment que ça serait une vraie délivrance si vous pouviez me soulager d'une partie de mon boulot. Surtout que vous m'avez l'air bien affranchis à Tampico —»

« Bon sang », Ewball comme s'il venait de piger, « c'est pour ça qu'on l'a pas vu dans le coin avant – Dwayne ! mon vieux Dwayne, eh bien ça alors, tu viens juste d'arriver en ville aujourd'hui, pas vrai ? »

«Laissez-moi vous prouver ma bonne foi», dit Dwayne. «Est-ce que ça vous dirait une jolie et grosse livraison de Krag-Jørgensen?»

«Blam! Blam!» avança Ewball. «Kachunk, blam!»

«Allons, allons, tout le monde raffole du Krag. Ce chargeur à ouverture automatique? Depuis des années un grand favori des artilleurs de tous pays, y compris celui dans lequel on se trouve.»

«À qui on est vendus cette fois-ci?» demanda doucement Ewball.

Quand Dwayne fut passé à l'étape suivante de sa journée importante, Frank dit: «Ben, ça bouge pas trop par ici.»

«Ça tient qu'à toi. Je compte éviter ce petit fumier le plus possible sans renoncer pour autant à l'alcool.»

«Il dit qu'il faut aller voir les habitants de Juárez. Ça prendra une journée, aller-retour.»

«À moins que ce ne soit encore une des petites surprises de Dwayne, bien sûr. Vas-y, moi je m'occuperai de la boutique, mais si tu tombes dans un traquenard viens pas te plaindre, parce que je t'aurai prévenu.»

«Ça me va.»

«*Vaya con Dios, pendejo.*»

Franchement, quel genre de trafiquant d'armes irait choisir un endroit pareil pour une réunion? On aurait dit un de ces satanés salons où se réunissent les dames, juste à l'écart d'un hall d'hôtel décent près d'Union Depot, des tables disposées autour d'un patio, propreté impeccable, du plâtre sur les murs d'une blancheur de nacre, une escale pour gringos faisant leur premier voyage dans le Sud, de sympathiques *señoritas* dans de charmantes tenues locales qui vous apportaient le thé dans des services assortis et tout ça. Ça ne soutenait pas la comparaison avec le vieil El Paso – c'est-à-dire trois ou quatre ans plus tôt, avant que la L.J.O., la Ligue de la Justice et de l'Ordre, s'en mêle. Qu'était-il advenu de toutes ces minuscules arrière-salles dans le Chamizal, la fumée de cigare, le comportement suicidaire, les fenêtres par lesquelles on pouvait toujours sauter? Depuis que les bons citoyens avaient chassé de la ville et repoussé de l'autre côté du fleuve à Juárez tout ce qui était intéressant, ces maudits salons de thé poussaient au moindre carrefour. Frank regarda à nouveau la carte de visite que le contact de Dwayne à Juárez lui avait donnée – *E.B. Soltera, Matériel de reconstitution.*

Guère réceptif d'ordinaire aux effluves féminins, il remarqua néanmoins une soudaine baisse d'intensité dans les conversations alors que les épouses et les mères respectables, engoncées dans des robes blanches impeccables, se retournaient d'abord puis inclinaient la tête les unes vers les autres pour échanger, sous les rebords de leurs chapeaux d'un blanc immaculé, des remarques sur la personne qui traversait la salle dans sa direction. Il ne trouva rien de mieux à faire que de s'éventer avec la petite carte de visite en la désignant des yeux, sourcils haussés.

«Mon nom en affaires. Salut, Frank.»

C'était Stray, pas de doute là-dessus. Il avait été trop occupé par les livraisons, de jour comme de nuit, pour imaginer qu'ils puissent se revoir, mais il lui arrivait de penser à elle, disons une fois par semaine, une apparition fugitive se fendant d'un petit sourire par-dessus l'épaule.

Et maintenant regardez-moi ça. Tout sauf usée par le métier, plutôt pimpante et potelée, très citadine, même si c'était peut-être dû en partie à la tenue, au fard, tout ça… «Ah si je m'attendais…» Bien campé, secouant lentement la tête. «Oui, une sacrée surprise.»

«Oh, tout ce qu'il y a à faire ici à El Paso, Texas, c'est attendre, et tôt ou tard les gens que tu connais se pointent, une vie entière, de vrais petits pois sauteurs mexicains ces temps-ci.»

Il allait faire assaut de courtoisie, mais elle s'assit sans plus de manières, aussi s'assit-il également, encore un peu chamboulé.

«L'endroit idéal, hein?»

«Pour un certain trafic. Semblerait que tu te sois lassé de l'ami Smith», et elle braqua son parapluie sur une des curieuses, qui détourna vite la tête. «Comme tu le sais, l'armée américaine vient de renoncer aux Krag-Jørgensen pour un tout nouveau type de Mauser, et donc il y a pas mal de Krag sur le marché en ce moment, si tu sais où chercher. Même si on peut pas dire que je les voie vraiment.»

«Une intermédiaire.»

«Ouais, un pourcentage sur le pourcentage, la même vieille rengaine. Commercer avec l'Armée n'est plus comme avant, c'est sûr, fini les bringues qui durent trois jours avec les gentils *compadres* de sergents fournisseurs, maintenant c'est du réglé chrono, vite entré, vite sorti, bon sang de bon soir ils sont tout le temps au téléphone, Frank, ils ont même le *télégraphe sans fil*. Bon, je devrais pas le dire mais: zéro garantie.»

«Je ferai une facture, mais tu auras sûrement ce que tu demandes, de l'autre côté du fleuve ils sont de plus en plus dingos, et l'argent par ici vient de poches inattendues.»

«Ne me dis rien, j'en entends déjà beaucoup trop.»

Pendant une bonne minute, ils restèrent face à face, comme s'ils attendaient que le temps ralentisse. Puis ils prirent tous deux la parole au même moment.

«J'parie que tu penses à —», bafouilla Frank.

«Autrefois c'était —», commença-t-elle. Il eut un sourire triste et lui fit signe de continuer. «C'était autrefois le terrain de jeux de ton frère ici, El Paso. L'un d'eux. Il traînait dans les sanas en se faisant passer pour un riche tubard de l'Est, il écumait les salles comme s'il était en tournée. Même s'il n'a jamais chopé le bon accent. Quand il trouvait une infirmière complaisante, il se faisait interner, et il allait même jusqu'à partager les bénefs, qui la plupart du temps étaient considérables. Je débarquais alors, en me faisant passer pour sa sœur, j'avais droit à quelques regards bizarres de la part de certaines infirmières. J'observais les parties de poker, je transmettais l'info, personne a jamais rien remarqué. Puis on se barrait. Ou juste moi, je sais plus. »

« Le bon vieux temps. »

« Oh que non. »

Frank examina le ruban de son chapeau. « Oh, mais », lentement, « on ne sait jamais avec Reefer, pas vrai, un de ces quatre il peut débouler — »

« Non. »

« T'en as l'air bien sûre. »

« Plus avec moi. »

« Allons, Stray. Je te parie un cône de glace. » Il lui raconta qu'il était tombé sur Wolfe Tone O'Rooney, et que Wolfe avait vu Reef à La Nouvelle-Orléans. « On sait au moins qu'il est allé jusque-là. »

« Pitié. Trois ans, ça prouve pas qu'il est encore vivant, non ? »

« Je sens que si, pas toi ? »

« Oh, tu "sens" – écoute, aux dernières nouvelles, ils voulaient le flinguer, merde je les ai vus, Frank. Ils sont descendus de cette montagne comme s'ils poursuivaient le vieux Geronimo ou je sais pas qui. Trop nombreux pour qu'on les compte. J'aurais pu tenter le tout pour le tout, je suppose, refiler un petit Derringer au bébé, lui apprendre vite fait comment viser ces salauds, mais ils se sont même pas arrêtés, ils avaient pas de temps à perdre avec Jesse et moi. Quand la poussière est retombée, ils avaient déjà franchi le col suivant qui aurait pu être le bout du monde, vu qu'on les a jamais revus. Mais nous, on a attendu. J'sais pas – chaque matin Jesse se réveillait en pensant qu'il allait revoir son père, ça se voyait très clairement, puis la journée s'écoulait, puis une autre, et il y a eu toutes ces autres choses à faire. On a continué d'attendre, tous les deux. Y a des femmes qui aiment attendre, tu sais, même qui adorent ça, j'en ai connu quelques-unes. C'est comme des bonnes œuvres ou je sais pas quoi. Doivent bien aimer le calme et la tranquillité qui vont avec. Mais c'est pas mon cas. »

« Bien. Et qu'est-ce que *fabrique* Jesse ces temps-ci ? »

« Il marche, il parle, il ne craint personne quelle que soit sa taille, et je m'attends d'un jour à l'autre à le voir au volant d'un camion. Willow et Holt ont une petite baraque au Nouveau-Mexique, dans le Nord, il passe pas mal de temps là-bas avec eux quand je suis sur la route. » Scrutant ses yeux, comme pour y lire la forme que prendrait sa désapprobation.

Mais Frank était trop occupé à sourire comme un oncle. « J'aimerais bien le revoir avant qu'il soit trop rapide pour moi. »

«Déjà trop tard. Il joue avec la dynamite, aussi.» Ajoutant, avant que Frank le fasse : «Ouais, tout comme son papa.»

Plus tard, de retour d'une promenade le long de la rivière vert sale, Frank vit, arrivant rapidement derrière eux sur le trottoir, tel un mirage dans l'éclat de chaleur et de lumière, deux énergumènes qui fleuraient bon les ennuis, dont il avait déjà croisé les bobines ou du moins l'allure. «Si ce sont des amis à toi...»

«Eh zut. C'est le vieux Hatch et son collègue du jour.» Elle ne se retourna pas pour regarder, mais glissa mine de rien une main sous sa gabardine et en sortit un petit pistolet à double canon superposé. Tout en faisant tourner l'ombrelle en manière de diversion, supposa-t-il. «Bon», dit Frank qui lui aussi palpa sa veste, «j'espérais un plus gros calibre, mais j'suis bien content de voir que t'es armée – on peut compter un par zozo, non? Ils n'ont pas l'air *très* professionnels.»

«Ravi de vous revoir en public, Miss Estrella. C'est votre galant?»

«Et lui le vôtre, Hatch?»

«Je cherche pas les ennuis», fit son acolyte, «c'est juste une visite de courtoisie.»

«Mille kilomètres de désert entre Austin et ici», ajouta Hatch, «alors les voisins, faut se bouger pour les trouver.» Ils ne semblaient pas armés, mais on était en ville.

«Eh bien, chers voisins», sa voix se cantonnant dans un contralto lisse, «vous êtes plutôt loin de chez vous, ça m'embête de vous dire que vous avez fait tout ce trajet pour rien.»

«Facile à réparer, je dirais.»

«Oui, sauf que c'était du vol pur et simple.»

«Oh? Quelqu'un ici est un *voleur*?» demanda Hatch sur un ton qu'on lui avait garanti menaçant.

Frank, qui avait surveillé les pieds des deux types, fit un pas de côté afin d'avoir un accès plus rapide à son Police Special. Pendant ce temps, les boutons de manteau furent défaits, les chapeaux redisposés en fonction de l'angle du soleil, et il se produisit une baisse sensible du trafic piétonnier autour du petit groupe.

Bien qu'ayant été contraint il y a peu d'envoyer Sloat Fresno *ad patres*, et n'ayant pas encore perdu espoir de récidiver avec son complice, Frank était encore trop hésitant côté gâchette pour oser en jouer avec n'importe qui – mais bon, il était clair qu'il avait renoncé en chemin à toutes sortes de scrupules, et Hatch, qui était peut-être encore moins familier avec l'homicide, dut sentir qu'il était tombé sur un os, et s'interrogea sur la nécessité de protéger son acolyte.

Car vraiment c'était l'acolyte qui faisait problème. Le genre nerveux. Les cheveux blonds, le chapeau relevé de sorte que le bord formait comme un halo autour de son visage, le regard bas et brillant, des oreilles pointues comme celles d'un elfe. Frank comprit que la partie allait se disputer avec lui – pendant ce temps, Stray avait lentement adopté une pose que seul un individu se fichant de sa sécurité aurait estimée ingénue. La lumière du jour s'était quelque peu épaissie, comme avant une tempête dans la prairie. Personne ne disait grand-chose, et du coup Frank en conclut que la partie orale était finie, et qu'ils allaient passer assez vite aux travaux pratiques. L'acolyte elfin sifflotait doucement entre ses dents l'air populaire *Daisy, Daisy*, qui depuis la célèbre réplique de Doc Holliday à Frank McLaury à O.K. Corral était une sorte de code télégraphique parmi les porte-flingues pour désigner le cimetière. Frank fixa franchement, mais non sans compassion, les yeux de sa cible, guettant un signe fatal.

De nulle part, «Hé, salut la compagnie», surgit une voix enjouée, «qu'est-ce que vous fabriquez?» C'était Ewball Oust, qui feignait de n'être pas un anarchiste froid aux pupilles sinistres ayant laissé le moindre doute opérationnel dans les brumes romantiques de sa jeunesse, ou dans ses parages.

«Eh merde», siffla le sournois aux oreilles pointues. Chacun entreprit de réintégrer son moi quotidien à son propre rythme.

«Ce fut un plaisir de vous revoir» – Hatch comme s'il allait baiser la main de Stray – «mais soyez moins farouche à l'avenir.»

«À la prochaine», opina l'acolyte en adressant un sourire éloquent à Ewball. «Peut-être à l'église. Vous fréquentez laquelle?» demanda-t-il d'une voix onctueuse.

«Moi?» fit Ewball en éclatant d'un rire forcé. «Je suis orthodoxe mexicain. Et toi, *amigo*?»

Là-dessus, l'acolyte recula d'un pas ou deux. Stray et Hatch échangèrent un regard par-dessus la couronne de son chapeau.

«Désolé d'être en retard», dit Ewball.

«T'es pile à l'heure», dit Frank.

«Mon gardien», dit Frank en présentant Ewball à Stray. Ils avaient renoncé à trouver un saloon correct à El Paso et s'étaient installés dans une *cantina* au bord du fleuve. «Il s'inquiète tout le temps pour moi.»

«Vous êtes associés?» demanda Stray, avec dans les yeux une lueur plus pétillante que ne le justifiait la simple curiosité professionnelle.

Le regard d'Ewball fit deux trois fois l'aller-retour entre Frank et elle, puis il haussa les épaules. «Disons que je le seconde.» Marquant un temps avant d'ajouter : «Pour cette fois. Il se trouve que j'étais en ville pour un congrès d'abstèmes.»

«Elle a la marchandise, Ewb», dit Frank, «et on cherche un lieu de rendez-vous. On dirait que ce Dwayne nous a dégoté le bon client.»

«M'en vais guetter le retour imminent du petit Jésus chaque jour maintenant.» Ewball finit son verre de tequila, but la bière de Frank pour la faire passer et prit la main de Stray. «Ce fut un plaisir, Miss Briggs. Faites attention, les petits. Le Texas vous regarde.»

«Où c'est qu'on se retrouve ?» dit Frank.

«En général, vers les minuit, je suis à la *cantina* de Rosie.»

«Dans la partie sud de la ville, si je me souviens bien», dit Stray, «un peu à l'écart.»

«Content de savoir qu'elle existe encore, un chouette petit établissement, on y trouvait au moins une danseuse présentable, dans le temps, non ?»

«C'est bien là. La L.J.O. s'agite, mais pas autant depuis que ces dix-sept cow-boys montés ont commencé à patrouiller.»

Après le départ de Ewball, elle resta un moment à regarder Frank.

«J'm'attendais à ce que tu sois un peu plus — je sais pas, assagi ? Comme ça arrive parfois aux hommes.»

«Moi ? Toujours aussi d'attaque.»

«J'ai appris que t'avais retrouvé Fresno.»

«Le hasard.»

«Et ça n'a pas —»

«Estrella, y a peut-être des jeunots par ici qu'une entaille dans la crosse endurcit, mais nous autres à notre âge on ne rêve pas forcément de faire carrière dans la gâchette.»

«T'avais l'air bien partant pour refroidir l'ami de Hatch tout à l'heure.»

«Oh, mais ils étaient pas bien méchants. Sloat, lui, était du genre à pas te laisser le choix.»

Elle parut hésiter. «Pas le choix. Parce que… quoi, parce que Reef s'en est pas chargé ?»

«Reef s'occupe d'autre chose, c'est tout, il se trouve que c'est moi qui suis tombé sur Sloat. Et aucune trace de Deuce nulle part, ce qui veut dire que j'en resterai peut-être à Sloat.»

«Ça fait un bail que t'es là-dessus, Frank.»

Il haussa les épaules. «Mon père est toujours mort.»

Frank, qui le jour ne se laissait guère entraîner par son imagination, était harcelé la nuit par un rêve récurrent aux nombreuses variantes. Il se trouve devant une porte qui refuse de s'ouvrir – tantôt en bois, tantôt en métal, mais toujours la même sorte de porte, au beau milieu d'un mur, peut-être dans une rue anonyme, sans personne pour la surveiller ou la franchir, une porte nue, à peine différente du mur dans lequel elle se découpait, silencieuse, inerte, sans poignée ni bouton ni loquet ni serrure, si parfaitement encastrée dans le mur qu'il était même impossible de glisser une lame de couteau entre les deux... Il pouvait attendre sur l'autre trottoir, monterait la garde nuit et jour, priant mais pas de façon habituelle, pas vraiment, pour que vienne l'heure improbable où l'ombre au bord de la porte se mettrait enfin à changer lentement, la perspective s'approfondissant et se modifiant, sans prévenir qui plus est, pour en révéler un passage menant dans un intérieur encore inconcevable, doté d'une issue bien trop lointaine dans le rêve pour qu'il s'en préoccupe. Le ciel est toujours austère et dégagé, la lumière de fin de journée s'estompe lentement. Avec cette clairvoyance propre aux rêves, Frank est certain de voir – *voit* en fait – son père, juste de l'autre côté de la porte fermée, refusant de réagir aux coups de plus en plus désespérés que Frank donne sur le battant. Il le supplie, même, vers la fin, et pleure. «Papa, as-tu jamais cru que je valais quelque chose? Tu ne veux donc pas de moi à tes côtés? De ton côté?» Il comprend que «côté» signifie également le côté du mur où se trouve Webb, et espère que ce double sens suffira, fera l'effet d'une formule magique dans un vieux conte, et qu'il pourra entrer. Mais, malgré ses efforts, ses pleurs redoublent d'intensité et la rage remplace alors le chagrin, et il se déchaîne contre l'obstacle stupide. Reef et Kit sont en général dans les parages, aussi, mais leur proximité dépend du silence environnant. Lake, elle, n'est jamais là. Frank voudrait demander où elle est, mais parce que ses motivations sont clairement impures, chaque fois qu'il s'apprête à le faire, chaque fois qu'il est sur le point de poser la question, ses frères se détournent, et c'est le plus souvent à ce moment qu'il se réveille, échoué aux frontières de la nuit, ayant fini par comprendre que ce n'était là que le prélude à ce qui l'attend plus loin.

Il avait plu pendant la nuit, et des bourgeons étaient apparus sur les haies d'ocotillos. Stray venait d'apprendre que les Krag avaient été livrés et faisaient route vers leur destin invisible.

«On va pouvoir vaquer à nos affaires, je crois», dit-elle.

«Je suis sans cesse en déplacement», dit Frank. «Il est pas exclu qu'on remette ça. Comme tu le dis, suffit de rester à El Paso un certain temps.»

«Tu sais, quand je t'ai vu dans ce petit salon de thé, j'ai cru pendant une seconde que c'était Reefer. Triste, non? Toutes ces années.»

« Y a plus étrange », dit Frank avec un petit sourire de travers. « Garde la foi. »

« Je m'étais toujours dit que c'est moi qui partirais. » Ils regardèrent l'autre rive du fleuve. Le jour se levait à peine et Juárez était tout rose et rouge. « Chaque fois qu'il m'a soutenue, cette fameuse nuit à Cortez, à Leadville tout le temps, bien sûr, à Rock Springs quand ils nous ont poursuivis avec leurs fusils à répétition... toujours présent, entre eux et moi, veillant à ce que je m'en sorte – je ne renie rien, j'en serais incapable, mais est-ce trop demander pour une fille que de vouloir rendre la pareille, une ou deux fois, et pas uniquement avec un pistolet d'opérette ? Et à Creede, bon sang... Pendant un temps, là-bas, nous avons été imbattables...

« Mais quand Jesse est arrivé, on aurait dû lever le pied, se dire qu'on était trop vieux pour tout ça, évidemment, décrocher ne signifiait pas qu'on était sortis d'affaire – mais bon, au moins on aurait pu respirer un peu jusqu'à ce qu'un autre nous trouve, qui sait. Parce qu'on avait de moins en moins de marge, or c'est toujours de ça qu'il s'agit, de la marge qui rétrécit sans cesse, et rien que pour me curer le nez je devais parfois prendre mes dispositions une semaine à l'avance. »

Frank la regardait, avec cette expression qu'ont parfois les hommes dans les dancings, presque un sourire.

« Bon, j'ai jamais été une femme au foyer », concéda-t-elle avec hésitation, « mais je m'étais habituée à un certain confort auquel je tenais – ça remontait à quand la dernière fois ? Merde alors, j'ai dû attendre d'avoir vingt ans pour posséder mon propre miroir et me regarder dedans. C'était une erreur, et j'ai tout de suite refilé ce machin, je suis repassée vite fait aux miroirs des saloons et aux vitrines, où la lumière reste comme qui dirait clémente. »

« Oh, me baratine pas, je t'ai connue quand t'avais vingt ans. » Si elle n'avait pas été avisée, elle aurait pu croire que son regard était plein de ressentiment. Finalement : « Stray, la première fois que je t'ai vue, j'ai su que je ne reverrais jamais une aussi belle femme, et ça a été le cas, avant que tu débarques dans ce petit salon l'autre jour. »

« Bien ma veine. »

« Ça veut dire qu'on est quittes ? »

« Frank — »

« Hey. Moi aussi je l'aime. »

Il ne s'agissait pas que de veine, bien sûr. Il lui arrivait parfois de se sentir trop proche d'un rebord, d'une échéance, la peur de vivre à crédit. Malgré tous les hivers et les retours dans la vallée et le bord de la rivière au printemps, malgré toutes les pénibles chevauchées de jour comme de nuit parmi les armoises quand les grouses des sauges jaillissaient telle la foudre à droite et à gauche, quand le cheval sous elle renonçait à sa rythmique parfaite pour donner des signes de faiblesse, elle sentait bien que sa veine, elle l'avait achetée avec la même pièce usée que ces filles qui ne cessaient d'arriver, qui étaient tombées avant leur heure, toutes les Dixie et les Fan et les Mignonettes, trop belles pour vivre seules, trop folles pour rester au bourg, qui finissaient prématurément leurs jours dans des bastringues, dans des abris creusés à même le gel résistant d'un flanc de colline, pour les beaux yeux de types trop hébétés par leur passion explosive et nocturne, avec leurs mains de fillette refermées, et ce à jamais, sur un médaillon, tenant la photographie d'une mère, d'un enfant, abandonnés ailleurs, leur véritable nom lui aussi oublié derrière des pseudos pris pour des raisons commerciales ou de sécurité, quelque part dans un trou trop perdu pour qu'importe encore à Dieu ce qu'elle avait fait ou aurait fait pour échapper à ceux à qui avait apparemment échu le droit de juger son prochain… Stray était là, et ils étaient partis, et Reef était Dieu sait où – le pieux sosie de Frank, le père de Jesse, l'improbable vengeur de Webb et sa propre mémoire, son triste rêve, revenant, amoché, brisé, jamais réalisé.

Entre les parties de poker dans les vestiaires et les bataillons de cocottes qui faisaient le pied de grue en fin de journée à la sortie des tunnels de tous les pays, on ne peut pas dire que Reef ou Flaco mettaient beaucoup de côté, même si le travail ne manquait pas. «C'est un marché de vendeur», entendaient-ils sans cesse alors qu'ils allaient d'un tunnel européen à un autre, «vous avez le luxe du choix.» Les Alpes autrichiennes étaient en plein essor, par exemple. Tout le monde s'attendait à ce qu'une guerre éclate d'une minute à l'autre entre l'Autriche et l'Italie, pour une histoire de vieilles revendications territoriales que Reef n'était pas sûr d'avoir jamais comprises, et bien que ces pays restent en paix, l'Autriche voulait quand même pouvoir envoyer des forces massives dans le Sud à tout moment. Entre 1901 et 1906, rien que pour la nouvelle Karawankenbahn, quarante-sept tunnels furent percés dans les montagnes, nécessitant autant de dynamitages dans les chaînes du Tauern et à Wochein.

Au Simplon, un énorme projet de tunnel était en cours depuis 1898 afin de relier les voies ferrées entre Brigue en Suisse et Domodossola en Italie, ce qui aurait évité un trajet de neuf heures en diligence hippomobile. Reef et Flaco arrivèrent en pleines difficultés épiques. Du côté helvète, des sources chaudes avaient contraint les équipes à arrêter le travail – une porte en métal retenait un vaste réservoir d'eau brûlante long de trois cents mètres. Tous les efforts furent redirigés sur l'avancée du côté italien, où les sources chaudes étaient à peine moins gênantes. Deux galeries parallèles étant creusées dans la montagne, il était souvent nécessaire de passer de l'une à l'autre et de forer dans la direction inverse sur de courtes distances. Mieux valait bien supporter de travailler dans les goulots étroits.

Des mèches de soixante centimètres étaient réduites à sept centimètres plus rapidement que du bleu pour queue de billard et il fallait en changer des dizaines de fois par jour. Le boucan était infernal, l'air humide, brûlant et suffocant quand il n'était pas saturé de poussières de pierre, que les nouvelles mèches Brandt, montées sur trépied telles des mitrailleuses Hotchkiss, étaient censées limiter, étant plus rapides. Mais il n'y en avait pas assez pour tout le monde, et Reef était souvent contraint d'y aller au pic ou de forer en se servant d'un plastron pour maintenir l'extrémité arrondie du foret contre son corps.

La première fois qu'ils s'étaient enfoncés dans la montagne, les anciens de l'équipe – Nikos, Fulvio, Gerhardt, le chanteur d'opéra, l'Albanais – s'attendaient à attaquer de la roche gelée, mais ils avaient trouvé au lieu de ça un cœur ardent, un bouillonnement intérieur, de l'eau minérale portée à quarante-huit, cinquante-quatre degrés, et ils avaient dû se battre certains jours juste pour sortir vivants, même si quelques-uns y étaient restés...

«On est complètement timbrés», répétait Nikos à longueur de journée, en criant pour se faire entendre de Reef par-dessus le vacarme du forage. «Il y a que des cinglés pour être ici.»

Certains gars de l'équipe étaient des anarchistes à mi-temps, désireux de parfaire leur éducation chimique. La plupart faisaient ce qu'ils pouvaient pour cacher leurs visages aux visiteurs quotidiens, très peu jugeaient nécessaire de s'identifier. Des ingénieurs, des inspecteurs, des cadres, des parents vaguement intéressés, des policiers venus de toutes les juridictions d'Europe débarquaient sans prévenir avec des mallettes, des appareils photo à flash au magnésium, et des questions allant du franchement importun au stupidement répétitif.

«S'il y en a que vous voulez voir disparaître», proposa Ramiz, l'Albanais, «je vous fais un bon prix, au forfait, pas d'extra. Rien à perdre, parce que je peux pas rentrer.»

Il était en cavale suite à une vieille histoire de vendetta au pays. Il existait dans sa région un code de l'honneur, connu sous le nom de Kanuni Lekë Dukagjinit, qui attribuait à n'importe quelle famille ayant subi un tort le droit de donner un coup de fusil sans conséquence, mais si l'offenseur était encore en vie passé vingt-quatre heures, elle ne pouvait plus se venger aussi longtemps que ce dernier restait sur ses propres terres. «De ce fait, presque chaque village possède une, voire deux familles comme la mienne, bouclées à double tour dans leur maison.»

Reef se sentit concerné. «Et comment font-elles pour manger?»

«Les femmes et les enfants sont autorisés à aller et venir.»

«C'est toi qui as...?»

«Pas moi, j'étais trop petit à l'époque. C'est mon grand-père, il a descendu un invité de l'autre famille, qui était resté chez eux un soir – c'était à cause de la Ligue de Prizren et des combats qui faisaient rage en ce temps-là. Puis on a fini par oublier les vraies raisons, et jusqu'au nom du type. Mais dans le Kanuni, les règles sont les mêmes pour les invités que pour la famille. »

Quand Ramiz fut en âge d'être une cible légitime, il trouva moins d'attrait à la réclusion que n'en aurait trouvé une personne plus mature. Un soir : « J'ai dû perdre la tête, je ne me rappelle plus », il se glissa par une fenêtre, remonta un ravin, traversa les collines, et descendit jusqu'à la mer, où il trouva un bateau. « Des Turcs. Ils savaient très bien de quoi il retournait, mais ils obéissaient à un autre code. »

« Donc… ton grand-père, ton père ? Toujours chez eux ? »

Il haussa les épaules. « Je l'espère. Je ne les reverrai jamais. *Jetokam, jetokam !* Tu parles que je suis vivant ! C'est comme ça qu'on se venge en Amérique ? »

Reef fit le récit de sa propre histoire. Dans cette version, Deuce Kindred et Sloat Fresno étaient davantage des créatures diaboliques que des tueurs à gages, et bien sûr il n'y avait pas de code faisant de votre domaine un sanctuaire – en fait, il lui avait fallu tout ce temps pour le comprendre, rien à voir avec le Kanuni de Ramiz, bien que tout le monde aime à parler du Code de l'Ouest comme s'il existait vraiment et qu'on pouvait en emprunter un exemplaire dans la bibliothèque du coin quand on avait besoin de vérifier certains détails.

« On a toujours le droit de venger sa famille, je suppose, même si récemment, avec la civilisation qui nous arrive de l'Est, les autorités ont tendance à désapprouver de plus en plus. Ils vous disent : "Laissez le soin à d'autres de rendre la justice." »

« À qui, alors ? »

« Au marshal… au shérif. »

« La police ? Mais c'est… franchement infantile. »

Reef, qui jusque-là s'était senti serein, s'aperçut que sa voix déraillait. Il restait là, avec une cigarette roulée main qui se consumait entre les lèvres, incapable de regarder l'autre dans les yeux.

« *Më fal.* Je ne voulais pas — »

« Ça ira. Ce n'est pas pour ça que je suis parti. »

« Tu les as tués. »

Reef réfléchit un moment. « Ils avaient des amis puissants. »

Parmi les nombreuses superstitions qu'on trouvait dans cette montagne, il y avait la croyance que le tunnel était un « terrain neutre », échappant non seulement aux juridictions politiques mais également au Temps. Les anarchistes et les socialistes de l'équipe avaient des sentiments partagés quant à l'Histoire. Ils en souffraient mais elle devait également les libérer, s'ils parvenaient seulement à vivre assez longtemps. Dans les douches, en fin de journée, la souffrance était lisible sur tous les corps, tel un document couvert d'insultes faites à la chair et aux os – cicatrices, asymétries, membres manquants. Ils se connaissaient comme jamais ne se connaîtraient d'autres hommes plus chanceux, venus se soigner dans des saunas. Balles extraites et os remis en place à la va-vite, cautérisations et marquages au fer, certains souvenirs étaient communs et pouvaient être comparés, d'autres étaient privés et moins propices à l'étalage.

Reef remarqua un jour sur Fulvio ce qui ressemblait à une carte ferroviaire exécutée à force de cicatrices. « Ça vient d'où, t'es passé entre deux lynx qui baisaient ? »

« Une rencontre avec un Tatzelwurm », dit Fulvio. « Dramatique, *non è vero ?* »

« Connais pas », dit Reef.

« C'est un serpent à pattes », dit Gerhardt.

« Quatre pattes et trois orteils à chaque patte, plus une grande gueule pleine de dents très pointues. »

« Il hiberne ici, dans la montagne. »

« Il essaie. Mais ceux qui le réveillent, Dieu les protège. »

On racontait que des types avaient arrêté de travailler ici en affirmant que le forage et les explosions rendaient fous les Tatzelwurms.

Reef crut que c'était une sorte d'épreuve à laquelle on soumettait les nouveaux venus, car c'était la première fois qu'il entendait parler de cette créature. Des genres d'esprits frappeurs alpins, supposa-t-il, jusqu'à ce qu'il remarque de longues formes se profilant dans des endroits inattendus.

Les abatteurs partaient au travail armés et tiraient chaque fois qu'ils croyaient voir un Tatzelwurm. Certains allumaient des bâtons de dynamite qu'ils lançaient. Les bêtes ne faisaient que s'enhardir davantage, ou bien se désintéressaient encore plus de leur sort.

« Pas franchement des rats de mine ici. »

« En Europe », spécula Philippe, « les montagnes sont beaucoup plus anciennes qu'en Amérique. Ce qui vit dedans a eu largement le temps d'évoluer en une sorte de créature plus mortelle, peut-être moins amène. »

« C'est aussi un bel argument pour l'Enfer », ajouta Gerhardt, « pour un protoplasme primitif de haine et de châtiment au centre de la Terre qui revêt différentes formes, à mesure qu'il s'approche de la surface. Ici, sous les Alpes, il est visible sous la forme des Tatzelwurms. »

« Il est réconfortant d'imaginer qu'il s'agit d'une manifestation extérieure et visible d'autre chose», gloussa un des Autrichiens en tirant sur un bout de cigare. «Mais parfois un Tatzelwurm est juste un Tatzelwurm.»

«Ce qui est vraiment perturbant», dit Fulvio en frissonnant, «c'est quand tu en vois un, qu'il lève la tête et s'aperçoit que tu le regardes. Parfois il détale, mais s'il n'en fait rien, alors prépare-toi à être attaqué. Mieux vaut ne pas le fixer trop longtemps. Même dans le noir, tu sauras où il est, parce qu'il hurlera – un hurlement sifflant et strident qui se faufilera dans tes os comme le froid de l'hiver.»

«Une fois que t'en as rencontré un», corrobora Gerhardt, «le souvenir ne te quittera plus. C'est pourquoi je crois qu'ils sont *envoyés*, à certains d'entre nous en particulier, dans un dessein précis.»

«Comment ça?» dit Reef.

«Pour nous dire qu'on ne devrait pas faire ce boulot.»

«Creuser des galeries?»

«Installer des voies ferrées.»

«Mais ce sont les gens qui nous paient qui les installent», fit remarquer Reef. «C'est pas nous. Ont-ils jamais vu, eux, le Tatzelwurm?»

«Il les visite parfois en rêve.»

«Et il nous ressemble», ajouta Flaco.

Reef aurait dû voir venir les choses quand le favogn se leva. Tout d'un coup, les plus endurcis des vétérans, ceux qui avaient l'habitude des inondations d'eau brûlante, des explosions et des éboulements de galeries, furent rendus comme apathiques et langoureux par les assauts de ce vent chaud, sec et incessant, incapables ou presque de soulever une tasse en fer-blanc, encore moins un foret. Le favogn était censé venir du Sahara, comme le sirocco, même si cette question faisait l'objet d'innombrables discussions. Le vent était vivant. Les débats portant sur la compression de la dynamite et les gradients adiabatiques étaient moins soutenus que ceux sur ses motivations conscientes.

Depuis des années, le chantier du tunnel avait été une escale obligée pour les balnéomaniaques de la région, qui voyageaient de source en source, dans toute l'Europe et au-delà, les habitués des eaux minérales, en quête de composés d'éléments encore inconnus, dont on racontait que certains émettaient des rayons thérapeutiques auxquels n'avaient pas encore été attribuées de lettres de l'alphabet, bien qu'ils fussent connus des spécialistes thermaux, de Baden-Baden à Wagga Wagga.

Un jour, un groupe de visiteurs arriva, au nombre de six, après avoir traversé à tâtons les hauteurs nuageuses du Moazagotl. Tous rendus plus ou moins léthargiques par le vent. Sauf — «Oh, venez voir un peu ces drôles de petits hommes avec leurs grosses moustaches, qui courent en sous-vêtements et font sauter de la dynamite, non mais ils sont vraiment impayables!»

Reef fut consterné de reconnaître la voix de Ruperta Chirpingdon-Groin. À quoi bon filer au diable vauvert si c'était pour se retrouver nez à nez avec son propre cul et revivre les mêmes erreurs, au détail près qui plus est? Se rapprochant, une sensation familière le traversant de la queue au cervelet, il jeta un coup d'œil.

Doux Jésus. Aussi désirable qu'avant, davantage peut-être, et quant à son niveau de vie, eh bien ce scintillement glacé dans le crépuscule souterrain paraissait on ne peut plus réel, et il aurait parié que sa tenue venait directement de Paris. Deux autres foreurs la regardaient, bouche bée, en se caressant de manière éhontée. Ces galantes attentions finirent par attirer le regard de Ruperta, qui reconnut alors Reef.

«Ça alors, encore vous. Pourquoi n'avez-vous pas sorti la vôtre? Suis-je devenue si peu séduisante?»

«J'ai dû oublier quoi en faire», fit Reef, tout sourires. «Je vous attendais pour ça.»

«Je ne suis pas certaine après La Nouvelle-Orléans de devoir jamais vous reparler.»

Un jeune Italien d'âge universitaire, vêtu d'un costume de chasse apparemment modifié pour les activités alpestres, crapahuta jusqu'à elle. «*Macchè, gioia mia* – un problème avec ce *troglodita*?»

«*Càlmati*, Rodolfo.» Ruperta raffermit sa poigne sur l'élégant alpenstock en ébène qu'elle tenait, avec assez d'impatience pour que son compagnon y décèle un avertissement. «*Tutto va bene. Un amico di pochi anni fa.*» Le gandin décocha un coup d'œil vicieux à Reef, recula et feignit de s'intéresser au forage hydraulique.

«Ravi de voir que vos critères n'ont pas changé», dit Reef. «Je n'aurais pas aimé me savoir déclassé.»

«Nous sommes à Domodossola pour une nuit ou deux. À l'Hôtel de la Ville et la Poste, vous connaissez sûrement.»

Elle s'était divertie en attendant que Rodolfo s'endorme, avait revêtu alors une tenue en lustra-cellulose écarlate, ajouté quelques bijoux ambroïdes, puis rejoint les filles qui rôdaient à la sortie du tunnel, se retrouvant souvent en pleine nuit à quatre pattes sur Calvary Hill à se faire pénétrer par une petite file de foreurs, souvent deux à la fois, qui l'insultaient dans des langues inconnues – et elle veilla à ce que Reef le sache dès qu'elle en eut l'occasion. «Des grosses pattes rêches», murmura-t-elle, «qui me laissent des bleus, me griffent, et moi je fais de mon mieux pour que ma peau reste douce et lisse, tenez, touchez-la… rappelez-vous…» Reef, qui voyait toujours clair dans son jeu – Ruperta, après tout, n'était guère compliquée quand il s'agissait de baiser, un de ses principaux avantages, pour être franc –, l'obligea en la prenant avec une prudente brutalité, lui enfonçant le visage dans les oreillers, déchirant quelques lingeries de luxe et, malgré la présence du jeune Rodolfo dans une chambre adjacente, ils s'entre-forèrent alors et connurent une mémorable explosion que n'éclipsa que la suivante, qui eut lieu peu après.

Tout bascula, toutefois, au cours d'un des longs monologues post-coïtaux que Ruperta estimait nécessaires et que Reef avait fini par trouver relaxants. Il était à deux doigts de s'endormir quand le nom de Scarsdale Vibe surgit dans le flot du babil insouciant et il dut allumer une autre cigarette.

«Connais ce nom.»

«Ça ne m'étonne pas. Un de vos demi-dieux américains.»

«Et il est dans le coin?»

« *Tesoro*, ils viennent tous ici, tôt ou tard. Ce Vibe a acheté des œuvres de la Renaissance avec une précipitation qui, même selon des critères américains, est indécente. Sa prochaine cible est, d'après les rumeurs, Venise. Il va peut-être se l'offrir, d'ailleurs. C'est un de vos amis? J'ai du mal à l'imaginer, mais nous serons bientôt à Venise, et alors peut-être nous présenterez-vous.»

«J'ignorais que j'étais convié.»

Elle le regarda et, sans doute en guise d'invitation formelle, lui saisit la queue.

À Paris, Philippe avait fréquenté la célèbre prison pour enfants appelée la Petite-Roquette, et il avait pu se faire assez tôt une idée des espaces institutionnels. Il avait en particulier un faible pour les cathédrales, et il aimait à considérer cette montagne comme une structure transcendante, dont le tunnel serait l'abside. «Dans une cathédrale, ce qui semble solide ne l'est jamais. Les murs sont creux à l'intérieur. Les piliers contiennent des escaliers en colimaçon. Cette montagne en apparence solide est en fait une série de sources chaudes, de grottes, de fissures, de galeries, de cachettes enchâssées – et les Tatzelwurms la connaissent intimement. Ils sont les prêtres de leur obscure religion —» Il fut interrompu par un hurlement.

«*Ndih 'më!*» Ça provenait d'une petite galerie latérale. «*Nxito!*»

Reef se précipita dans les odeurs de pin du tunnel récemment étayé et vit le Tatzelwurm, nettement plus grand que ce qu'il s'était imaginé, et dominant Ramiz. La bête s'en remettait à son apparence pour intimider ses victimes, les hypnotisant afin qu'elles se résolvent à leur sort, et cela semblait marcher avec l'Albanais. «Hé, Champion!» s'écria Reef. Le Tatzelwurm darda sa gueule vers Reef et le fixa dans les yeux. *Maintenant je t'ai vu* – tel était le message – *maintenant tu es le prochain sur ma liste*. Reef chercha de quoi le frapper. Le foret dans sa main était bien trop usé et court, les pioches et les pelles les plus proches étaient malgré tout hors de portée, la meilleure solution apparemment consistait à y aller au marteau-piqueur. Le temps qu'il en arrive à cette décision, la lumière était devenue étrange, des ombres apparaissant là où elles n'auraient pas dû, et le Tatzelwurm avait disparu.

Ramiz travaillait en sous-vêtements et il avait une longue estafilade à la jambe qui saignait sacrément. «Mieux vaut retourner au *spital*», dit Reef, «pour qu'on examine ça. Tu peux marcher?»

«Je crois qu'oui.»

Philippe et deux autres ouvriers les avaient rejoints. «Je reviens tout de suite», leur dit Reef, «je veux juste m'assurer qu'il est bien parti.»

«Tiens.» Philippe lui lança un Mannlicher à huit coups et, à en juger par le poids, Reef estima que le chargeur était plein. Il s'avança prudemment dans les ombres.

«Salut, Reef.» La chose parut jaillir de la paroi rocheuse, condensée en un nuage cinétique de griffes et de muscles mortels, en hurlant.

«Eh merde.» Le Tatzelwurm était à un pas de lui, et Reef eut juste le temps de presser sur la détente, sur quoi la bête explosa dans un gros nuage vert et nauséabond de sang et de chair. Il fit feu à nouveau, par principe.

«Du sang vert!» dit Reef plus tard, après s'être douché longuement.

«On avait oublié de t'en parler», dit Philippe.

«Il a prononcé mon nom.»

«Oui, bien sûr.»

«Je l'ai entendu, Philippe.»

«Tu m'as sauvé la vie», déclara Ramiz, «et même si nous préférerions tous deux oublier cette histoire, je me vois contraint de te rendre, un jour, la pareille. Un Albanais n'oublie jamais.»

«Je croyais que c'étaient les éléphants.»

Il termina sa journée de travail, se doucha à nouveau, déverrouilla sa corde à linge personnelle, fit descendre ses habits, suspendit au crochet sa tenue de travail mouillée, la hissa de nouveau et remit le cadenas, s'habilla, comme n'importe quel jour. Mais cette fois-ci il se rendit au bureau, toucha sa paie, et descendit à Domodossola sans se retourner. Ces ouvriers avaient été de bons compagnons. L'époque était agitée. Il risquait d'en revoir certains.

On disait que les grands tunnels comme le Simplon ou le Saint-Gothard étaient hantés, que quand le train entrait et qu'il fallait, de jour comme de nuit, renoncer à la lumière du monde le temps de la traversée, si brève fût-elle, le grondement minéral rendait la conversation impossible, et certains esprits qui avaient autrefois choisi de se réfugier dans la terrible obscurité intestinale de la montagne réapparaissaient parmi les passagers, s'installaient aux places libres, buvaient du bout des lèvres dans les verres gravés aux armes du wagon-restaurant, adoptaient la forme verticale de la fumée de tabac, dispensaient tout bas leur propagande de souvenirs et de rédemptions à l'oreille des représentants de commerce, des touristes, des oisifs, des indécrottablement riches, et autres professionnels de l'oubli, qui ne percevaient pas chez ces visiteurs la clairvoyance des fuyards, exilés, endeuillés, et espions – tous ceux, en fait, qui avaient pactisé, voire frayé intimement, avec le Temps.

Certains d'entre eux, rarement mais jamais fortuitement, engageaient la conversation avec un passager. Reef était seul dans le wagon fumeurs, en pleine nuit à une heure indéterminée, quand une présence pas tout à fait opaque apparut devant lui sur le siège rembourré.

«Mais où donc avais-tu la tête?» demanda la forme. C'était une voix que Reef n'avait jamais entendue mais qu'il reconnut néanmoins.

«À quel sujet?»

«Tu as une femme et un enfant à ta charge et un père à venger, et te voilà dans un fichu compartiment privé que tu n'as pas payé, à fumer des havanes qu'en temps normal tu serais incapable de trouver, encore moins de t'offrir, en compagnie d'une femme qui n'a jamais eu une seule pensée provenant d'ailleurs que de son entrejambe.»

«Plutôt direct.»

«Que t'est-il arrivé? Tu étais un jeune dynamiteur plein de promesses, le fils de ton père, avec vocation d'altérer le paysage social, et maintenant tu ne vaux quasiment guère mieux que les gens que tu faisais exploser avant. Regarde-les. Trop d'argent et trop de loisirs, et pas une putain d'once de compassion, Reef.»

«J'ai mérité tout ça. Ça m'a pris du temps.»

«Mais tu ne mériteras jamais le respect de ces gens ni même la moindre crédibilité. Tu ne peux espérer mieux que du mépris. Vire-moi toutes ces conneries béates de ton esprit, essaie de te rappeler comment était Webb, au moins. Puis reporte tes pensées sur l'homme qui l'a assassiné. Scarsdale Vibe est à ta portée maintenant. Scarsdale et-si-vous-alliez-tous-vivre-dans-la-misère-et-creviez-pour-que-je-puisse-descendre-dans-des-hôtels-de-luxe-et-claquer-mon-fric-en-œuvres-d'art Vibe. Va donc le voir quand tu seras à Venise. Mieux encore, descends-le. Tu peux encore arrêter ces âneries de branleur, faire machine arrière et redevenir qui tu étais.»

«En supposant à titre d'exemple —»

«On sort du tunnel. Je dois aller ailleurs.»

Kit et Yasmina sortirent du petit hôtel d'Intra, longèrent la rive du lac et se rendirent au cimetière de Biganzano, où se trouvait la tombe de Riemann. On devinait derrière les arbres de luxueux steamers, des vedettes privées et des voiliers. Des équipages et des chariots de marchandises passaient sur la route. La tramontane rejetait en arrière les cheveux de Yasmina. Kit ne pouvait s'empêcher de la regarder à chaque pas, même s'il aurait préféré fixer le soleil.

Ils avaient parcouru le même trajet que Riemann, qui était arrivé ici en juin 1866 pour son troisième et dernier séjour, que les professeurs de Göttingen, Wilhelm Weber et le baron von Waltershausen, avaient réussi à faire financer en partie par le gouvernement. Riemann savait qu'il allait mourir. S'il croyait fuir quoi que ce soit, ce ne pouvait être la gueule avide de la mort, car cela se passait dans ce qu'on appellerait plus tard la guerre des Sept Semaines, et la mort était partout. Cassel et Hanovre étaient tombés aux mains des Prussiens, l'armée hanovrienne sous les ordres de von Arentschildt, forte de vingt mille hommes, s'était rassemblée à Göttingen et avait commencé à marcher vers le sud pour tenter d'échapper aux colonnes prussiennes qui convergeaient vers elle mais fut arrêtée par von Flies à Langensalza, et se rendit le 29 juin.

Riemann ne trouva guère l'Italie plus tranquille. Un peu à l'est de Lago Maggiore, la bataille décisive pour la Vénétie, entre l'Autriche et l'Italie, se préparait. Il était passé de l'enfer rationalisé de la lutte pour l'Allemagne à l'Italie ensoleillée et l'été de Custozza, avec neuf mille morts, cinq mille disparus, et tomberait bientôt à son propre champ d'honneur.

Quarante ans après, alors qu'ils s'enfonçaient à leur tour dans l'Allemagne profonde, dans l'âme féerique de la Forêt-Noire, où l'on disait qu'il y avait de la place pour cent mille soldats et dix fois autant d'elfes, Kit et Yasmina s'étaient efforcés de passer le plus de temps possible dans le train. À Göttingen, on avait encore le sentiment d'être relié, même de façon ténue, au reste de l'Europe. Mais alors qu'ils filaient vers le sud et que les consonnes devenaient indistinctes, l'esprit rationnel trouvait nettement moins de sujets de réflexion – au lieu de ça, partout, des grottes à elfes, des châteaux, juchés sur des pics impressionnants, auxquels il semblait impossible d'accéder, des autochtones vêtus de dirndls et portant d'étranges chapeaux verts, des églises gothiques, des brasseries gothiques, des ombres aux queues ondulantes et aux ailes fuyantes qui balayaient le sol des vallées.

«Je devrais boire quelque chose», dit Kit. «Un schnaps, peut-être. Et vous, chère dulcinée?»

«Appelez-moi encore une fois comme ça en public», l'avertit-elle sereinement, «et je vous frappe avec la première chose qui me tombera sous la main.»

Les autres passagers jubilaient. «Sont-ils pas chou», commentèrent des femmes mariées, et leurs maris de les bénir avec la fumée de leurs pipes.

À la gare de Francfort, la plus grande gare d'Allemagne, connue là-bas sous le nom de «Merveille architecturale sise à l'emplacement des Anciens Gibets», le restaurant semblait avoir du mal à respirer, comme s'il ne s'était pas encore tout à fait remis du drame wagnérien remontant à cinq ou six ans, quand les freins d'un Orient-Express avaient lâché et que, quittant les rails, il était venu s'écraser dans la salle parmi les colonnes de marbre, les lustres et les clients qui jacassaient, une incursion dans le calme bourgeois qui venait s'ajouter à l'effondrement du Campanile de Venise et du toit de Charing Cross Station à Londres juste un an avant, équivalents inoffensifs d'une bombe anarchiste, même si certains les estimaient tout aussi intentionnels.

Aux yeux de Kit et de Yasmina, cela ressemblait davantage à la vengeance de l'Allemagne profonde sur l'ère moderne de la vapeur. Ils achetèrent des sandwiches au buffet et restèrent près du train, s'en remettant avec un désarroi croissant à sa machinerie pour lutter contre une lassitude aussi gluante que de la graisse, une lente noyade dans le franc primitivisme allemand qui les cernait de toutes parts. La Suisse arriva juste à temps, et se dressa devant eux tel un sorbet au citron vert après des agapes chargées d'oies et de canards rôtis.

Devant la tombe de Riemann, Yasmina ôta brusquement son chapeau et baissa la tête, laissant le vent de la montagne déranger à sa guise sa chevelure. «Non», comme répondant à une voix venant de lui en faire la suggestion, «je crois que je ne devrais pas pleurer.» Kit attendait, les mains dans les poches, respectant l'émotion qui étreignait Yasmina, quelle qu'elle fût.

« En Russie, quand j'étais petite », reprit-elle au bout d'un moment, « je ne devrais pas m'en souvenir maintenant, mais c'est comme ça, des vagabonds, des hommes effrayants, venaient se réfugier chez nous comme s'ils en avaient le droit. C'étaient les *stranniki* – ils vivaient naguère comme tout un chacun, avaient une famille et un travail, des maisons pleines de meubles, de jouets, de casseroles et de poêles, de vêtements, tous les apparats d'une vie domestique. Puis, un jour, ils ont tout quitté ; ils ont franchi le seuil, ont renoncé à ces choses, à tout cela – à tout ce qui les avait retenus jusqu'ici, histoires, amours, trahisons pardonnées ou non, biens, plus rien n'importait, ils n'étaient plus responsables devant le monde, encore moins devant le Tsar – seul Dieu pouvait les revendiquer, leur unique allégeance était à Dieu. Dans mon bourg, et disait-on partout en Russie, des familles avaient creusé des chambres secrètes sous leurs maisons, où ces hommes pouvaient se reposer au cours de leur périple. Le gouvernement les redoutait encore plus que les farouches sociaux-démocrates, plus que les lanceurs de bombes, "Très dangereux", nous affirmait Papa – nous savions qu'il ne parlait pas pour nous, nous comprenions aussi qu'il était de notre devoir de les aider dans leur passage. Leur mission sacrée. Même avec eux dans le sous-sol de la maison, nous dormions aussi paisiblement qu'avant. Peut-être encore plus. Nous nous racontions des histoires au sujet de ces ambassadeurs venus d'une mystérieuse et très lointaine contrée, incapables de retourner dans leur patrie car le chemin qui y menait était caché. Ils devaient continuer d'errer de par ce monde dont nous commencions à deviner les illusions et les mélodrames, le sang et le désir, ne recherchant peut-être rien qui eût un nom, se contentant peut-être d'errer. Les gens les appelaient les *podpol'niki*, les hommes du sous-sol. Des planchers naguère solides et sains devenaient des voiles posés sur d'autres mondes. Ce n'était pas le jour tel que nous le connaissions qui prodiguait aux *stranniki* leur lumière. »

Kit eut alors une de ces intuitions extra-logiques plus appropriées aux travaux mathématiques. « Donc, en quittant Göttingen... »

« Quitter Göttingen... Non. Ça n'a jamais été ma décision » – comme s'efforçant de l'expliquer à Riemann, à cette fraction de lui qui s'était attardée quarante années ici comme dans l'attente de l'unique confession sur sa tombe qu'elle ne devrait pas manquer –, « pas pour des raisons ordinaires. Pas quand ça signifiait s'exiler... », elle n'inclut pas tout à fait Kit dans son geste, « ici. Quels qu'aient été mes espoirs concernant la fonction ζ, la nouvelle géométrie, la transcendance qui pouvait en découler, je dois y renoncer, ce sont les vestiges d'une crédulité de jeune fille, d'une jeune fille que je ne connais presque plus. À Göttingen, je n'ai pas eu de visitation, pas de prophétie, pas de projet, j'étais juste en sécurité… retranchée dans mes études, passant sans encombre des farces et idylles quotidiennes aux tranquilles promenades dominicales sur les remparts de la vieille ville. À présent, je suis chassée du jardin. Et voilà que dans ce monde linéaire plutôt lisse survient cette terrible discontinuité. Parvenue à l'autre bout, je m'aperçois que je suis moi aussi maintenant une *strannik*. » Ses yeux extraordinaires demeuraient braqués sur la tombe. « Il existe des mentors. Des mentors qui nous guident un certain temps, nous permettent de voir des choses particulières, puis nous congédient, sans égard pour les sentiments que nous éprouvons désormais pour eux. Nous partons, nous demandant si maintenant, probablement, nous n'allons pas être dans un état de perpétuel départ. Nous partons pour hanter nuit après nuit les sous-sols de l'Europe, une autre sorte de voyage dans une autre sorte d'âme, qui exige que nous renoncions à tout, pas seulement aux biens que nous possédons mais à tout ce que nous avons cru "réel", tout ce que nous avons appris, toutes les tâches que nous avons accomplies, les théorèmes, les preuves, les interrogations, la transe ébahie devant la beauté d'un problème insoluble, toutes choses ayant été sans doute une illusion. »

Kit eut le sentiment qu'elle en faisait peut-être un peu trop. « Abandonner tout ça. » Il voulut allumer une cigarette mais resta sans bouger, tendu. « Sacré changement, Yasmina. »

Elle scruta un moment dans le vent le Monte Rosso, et les pics suisses éclairés au-delà. « Il était si facile d'oublier cet autre monde qui gît là-bas, avec ses ennemis, ses intrigues et ses pestilents secrets… Je sais qu'il allait me réclamer à nouveau, je n'avais pas le choix, mais Kit, vous… possible qu'après tout personne n'a le droit de demander… »

« Juste un innocent cow-boy américain qui ignore où il s'est fourré. Pourquoi dites-vous "pas le choix" ? Vous voulez bien me dire ce qui se passe ? »

« Non. Pas vraiment. »

Yasmina avait prévu de renouer avec certains S.O.T. au célèbre sanatorium Böpfli-Spazzoletta, dans la partie suisse de Lago Maggiore. Kit, ne sachant trop s'il serait le bienvenu, l'accompagna néanmoins. L'endroit était gigantesque et proposait en matière de goûts une gamme susceptible de plaire à tous, depuis le kitsch le plus effroyable jusqu'aux austères antichambres de la mort convenant au chic phtisique qui ravissait alors tant l'Europe. Ils durent errer pendant une vingtaine de minutes avant de trouver le moyen de ne serait-ce que se renseigner. Un orchestre de danse résonna quelque part, bien qu'il fût encore tôt.

«Comportez-vous normalement, Kit. Et ne prononcez pas mon nom.»

De toute façon, il aurait fallu au jeune homme une bonne minute pour reconnaître Reef – ce ne pouvait être que lui – vu que son frère avait subi quelque réajustement. Il portait un borsalino noir à couronne haute dont il avait customisé le bord pour se garder de la pluie, une tenue nullement de coupe américaine, ses cheveux étaient plus longs et bizarrement gominés, sa moustache avait disparu. Kit l'aurait pris pour un touriste originaire de l'Europe profonde s'il n'y avait eu sa voix, et l'aimable asymétrie de son visage si longtemps maltraité par des réalités qu'il était difficile d'imaginer autres qu'américaines – bien de sa personne juste ce qu'il fallait, mais seulement quand il le fallait, le reste du temps prudent et distant.

«Plutôt loin des San Juan», marmonna Kit. «Mais d'où est-ce que tu sors, bon sang?» Éprouvant une amorce d'émotion. Mais Reef restait sur ses gardes.

«J'creusais des tunnels pour les voies ferrées» – désignant l'extérieur d'un mouvement de tête – «les Alpes et tout ça.» Ils restèrent un moment à hocher la tête et sourire vaguement. «Une petite partie de cartes chez les hydropathes, aussi. Comment ça se fait que tu sois pas aux États-Unis, à frayer avec cette bande d'estivants à Newport, Rhode Island, à jouer au polo, tout ça?»

«Disons que je suis en cavale.» Tandis que Reef secouait lentement la tête et feignait de ricaner, Kit lui donna une version abrégée de ses mésaventures, jusqu'à l'apparition de Foley à Göttingen. «Tout a vraiment viré à l'aigre alors, j'aurais dû descendre avant Glenwood Springs, rebrousser chemin, revenir, mais…» Mais il ne vit pas comment continuer. Quelque part sous ces mondanités, un moment délicat attendait de surgir, lié à leur père et à un terrible calcul, à deux frères se retrouvant, à des chemins et des promesses qui se croisaient à nouveau, et Kit préférait que tout ça prenne son temps.

Reef le regarda ronger son mors pendant un moment. «Un de ces quatre faudra qu'on passe la nuit à échanger des regrets, mais en attendant sois heureux d'avoir tenu plus longtemps que moi au moins.»

«Juste stupide. Juste lent. J'en reviens pas que ça m'ait pris tout ce temps.» Kit restait là à regarder le sol comme si ce dernier allait se dérober, opinant comme s'il s'écoutait. Un serveur passa et Reef lui demanda quelque chose dans un dialecte qui lui valut après coup un regard intrigué.

«Comme si ce type avait encore jamais entendu de l'italien de tunnel.»

Ruperta Chirpingdon-Groin et son groupe avaient emprunté le tunnel du Saint-Gothard et franchi d'innombrables pics pareils à des vagues océanes gelées sur place, s'estompant dans la lumière impitoyable, à vocation éternelle — un circuit de cures thermales et d'hôtels alpins si reculés que ces derniers devaient imprimer leurs propres timbres afin que leur courrier parvienne à un bureau de poste suisse normal, établissements grouillants de nigauds tout gloussants, dont une bonne partie de nationalité anglaise, qui couraient dans les couloirs, sautaient depuis les balcons jusque dans les congères, se cachaient dans les offices et tombaient dans les colonnes des monte-plats. Ils étaient descendus à Bellinzona, où la diligence motorisée du Sanatorium les attendait, pour les conduire jusqu'à la célèbre institution qui dominait les rives suisses de Lago Maggiore. Des chèvres paissaient sur le bord de la route et tournaient la tête pour les regarder passer, comme si elles étaient habituées depuis longtemps à la clientèle de Böpfli-Spazzoletta. Un motif répété, joué par un cor des Alpes, résonnait quelque part.

Bien qu'il ne fût pas disposé à en parler avec son frère, Reef avait été lui aussi contaminé par la folie régnant à ces altitudes. «C'est quoi comme chien, ça?» finit-il par demander à Ruperta.

«Mouffette? C'est un chien-papillon... une sorte de fourreau français.»

«Un — Vous dites», des rouages se mettant en branle dans sa tête, «fourré... au — français?» En déduisant que Ruperta avait dressé son épagneul à donner des caresses «françaises» avec la langue pour les plaisirs de sa maîtresse. «Ça alors! Vous devez être tous deux... très proches, non?»

«J'l'*adrrrr* mon titoutou, oh ça oui!» Serrant fort l'animal, et lui faisant mal, aurait-on pu croire, sans l'apparente jouissance avec laquelle Mouffette battit des paupières.

«Hmm», dit Reef.

«Bon, je dois aujourd'hui traverser le lac, et les méchantes vieilles gens là-bas ne veulent pas que ma tichérie vienne avec sa maman, alors on se demandait toutes les deux si le gentil Oncle Reef voulait bien la garder pour la journée, veiller à ce qu'elle ait bien son filet haché et son faisan bouilli, vu qu'elle est si particulière.»

«Pas de problème!» Ses pensées prenant leur envol. Une journée seule avec un manchon! qui serait plus que ravi de faire à Reef ce qu'il faisait manifestement déjà à cette vieille 'Pert! qui en réalité salivait peut-être depuis le début à la perspective d'un pénis, histoire de changer, et se révélerait connaître *plein de tours*! Et-et-

Ruperta mit du temps à parachever sa toilette et faire passer sa robe par la porte. Reef faisait les cent pas en fumant, et chaque fois qu'il jetait un coup d'œil à Mouffette il aurait pu jurer qu'elle aussi était sur les nerfs. Il avait l'impression que la chienne lui décochait des regards en biais qui, s'ils avaient été ceux d'une femme, auraient pu être qualifiés d'aguicheurs. Finalement, après des adieux prolongés et notables pour leur quantité d'échanges salivaires, Mouffette s'avança à pas feutrés vers le canapé où se trouvait Reef et s'assit à côté de lui d'un bond. Sauter sur les meubles était quelque chose que Ruperta lui permettait rarement de faire, et la chienne regarda Reef en supposant qu'il ne serait pas choqué. Loin de là, puisqu'il en éprouva une érection. Mouffette observa la chose, détourna les yeux, regarda à nouveau, et sauta soudain sur ses genoux.

«Ohlavache.» Il caressa le minuscule épagneul pendant un moment puis, sans prévenir, l'animal sauta à bas du canapé et retourna lentement dans sa chambre, en jetant de temps en temps un regard en arrière. Reef suivit la bestiole en sortant son pénis, tout haletant. «Tiens, Mouffie, regarde le joli gros nonosse pour toi, regarde un peu, c'est bien, t'en as vu beaucoup récemment des comme ça? Allez, ça sent bon non, mmm, miam!» Et ainsi de suite, jusqu'à ce que Mouffette penche la tête, se rapproche, renifle, curieuse. «C'est cela, maintenant, ou-vre grande la… gentille fifille, gentille Mouffette, maintenant on va mettre ce — *yaaahhgghh!*»

Lecteur, elle le mordit. Là-dessus, comme surprise par la violence de la réaction de Reef, Mouffette sauta à bas du lit et, tandis que Reef allait se chercher un seau de glace, elle s'enfuit quelque part dans le grand hôtel. Reef la pourchassa un temps mais s'aperçut que ça lui valait les regards soupçonneux du personnel.

Dans les jours qui suivirent, Mouffette ne manqua pas une occasion de sauter sur les genoux de Reef et de le fixer dans les yeux – non sans sarcasme, de l'avis de Reef –, ouvrant la gueule de façon suggestive, allant même parfois jusqu'à baver. Chaque fois, Reef s'efforçait de ne pas broncher. Chaque fois Ruperta, exaspérée, s'écriait: «Franchement, c'est pas comme si elle voulait vous *mordre*.»

«Reef, laisse-moi te présenter Miss Yasmina Halfcourt. Yasm, ce drôle de zozo n'est autre que mon frère Reef.»

«Bien le plaisir, Miss Halfcourt.»

«Mr Traverse.» Pendant une minute, elle crut qu'elle voyait Kit et son double plus âgé, ou alors sévèrement violenté. «Je vois que vous évoluez dans les cercles huppés», dirigeant son regard vers le groupe de Chirpingdon-Groin.

«Le hasard des rails, miss.» Un changement malicieux que Kit ne connaissait que trop s'opéra sur les traits de son frère. «Il se trouve qu'un jour ils ont eu besoin d'un quatrième pour jouer à ce qu'on appelle le bridge "aux enchères", un jeu très en vogue actuellement dans les clubs de Londres, m'a-t-on dit, des scores bien plus élevés qu'au bridge normal, n'est-ce pas, et donc si on joue pour tant le point, eh bien...» Le vieux haussement d'épaules nostalgique, comme pour dire: *Pauvre de moi, qu'y puis-je si je suis incapable de résister à la perspective d'une grosse cagnotte?* Kit fit un effort pour ne pas lever les yeux au ciel.

«Oui. Ça ressemble beaucoup à un jeu russe qu'on appelle *vint*.»

«Ça me rappelle quelque chose. Jamais pu piger la façon de compter, cela dit. Vous m'apprendrez peut-être un jour.»

À l'autre bout de la grande salle de réception, les oreilles de Ruperta, émergeant de sa coiffure, parurent virer à l'incandescent.

«Bon», ainsi qu'elle le confia plus tard, «la petite métèque de votre frère semble *vous* avoir à la bonne. Lui-même est plutôt charmant, on devrait peut-être arranger un échange, qu'en pensez-vous?»

«Purement professionnel, 'Pert.»

«Évidemment. Elle est on ne peut plus *sine nobilitas* – la pire sorte d'*avantyuristka*, j'arrive pas à croire qu'ils laissent entrer ce genre de personnes ici, je crois en fait que je vais devoir parler à Marcello.»

«Allons, 'Pert, réfléchissez un instant, il n'y a pas si longtemps vous jouiez à peu près le même jeu.»

«Monstre hideux, va.»

Pendant ce temps, Kit et Yasmina dînaient à une table depuis laquelle ils pouvaient voir le lac s'assombrir et une tempête nocturne s'amasser au sud.

«Reef a toujours été irresponsable», se rappela-t-il, «ce que les gens appellent "sauvage", et Frank était raisonnable, il perdait peut-être un peu la boule de temps en temps, pendant une minute ou deux, mais j'ai jamais assisté à la chose.»

«Et vous, Kit?»

«Oh, moi, j'étais juste le petit dernier.»

«Je pense que vous étiez le religieux.» Difficile de dire alors si elle le taquinait. «Regardez où vous en êtes. Guerres sectaires des vecteurs, trafic avec l'invisible, prêtres et hérésies...»

« Je crois que tout ça a toujours été très pratique pour moi. » C'était faux, mais il lui faudrait attendre une insomnie de mathématicien à trois heures du matin pour réfléchir à la chose.

Elle le regardait d'un air qu'il aurait dû – il le savait – réussir à déchiffrer. « Dans le monde. Du monde. Non », secouant la tête, « vœux d'abstinence, ou… »

La brutale déconvenue de Kit fut aggravée ce soir-là par le fait que Yasmina était particulièrement radieuse : ses cheveux noirs cascadaient jusqu'à la taille, où ils s'entretenaient doucement avec le nœud à l'arrière d'une robe qui semblait uniquement conçue pour flirter, sa bouche soigneusement ombrée d'une nuance cerise appelant le premier dérivatif d'un baiser d'une durée inconnue… Carrément du dernier chic, si on lui avait demandé son avis.

« Pas d'argent dans les vecteurs », bafouilla-t-il, « et ici toute une gamme d'articles de luxe. L'abstinence se débrouille très bien toute seule. »

« Mais c'était une distraction sans fin. Vous vous attendiez à autant ? Pas moi. Il semblait toujours y avoir quelque chose. » Elle porta son regard dans sa direction, au cas où. « Quelqu'un. »

« Oh », son pouls de plus en plus agité, « ça aide d'avoir les yeux baladeurs, c'est sûr. »

Elle sourit, mais en plissant les paupières. Et parut attendre qu'il continue sur sa lancée, même s'il ignorait où ça le mènerait. « Bon », se maudissant sur le coup, « je me demande ce que fabrique ce vieux Günni. Doit être au Mexique à présent. »

Elle détourna les yeux, qui parurent scruter un royaume de pur agacement. « Vous vous seriez vraiment battu en duel pour moi, Kit ? »

« Vous voulez dire Günni et moi, ou juste moi ? » Mais où donc avait-il la tête ?

« Vous, Kit. »

Cela exigeait au moins un regard inquisiteur, mais Kit se contenta de répliquer : « Bien sûr, comme n'importe qui, non ? » Elle attendit le temps d'un battement de cœur supplémentaire, puis posa son verre et chercha des yeux son réticule. « J'ai dit quelque chose ? »

« Vous *n'avez pas* dit quelque chose. » Elle s'était levée et lui tendait une main gantée. « *Ite, missa est.* »

Lionel Swome ne voyait aucun inconvénient à ce que Kit crèche au Sanatorium, et Reef le trouva dans sa chambre en train de déboucher la bouteille de champagne offerte par la direction.

« J'arrive à temps. »

« Je comptais la boire tout seul, mais je veux bien t'en laisser quelques larmes. »

« Hé ! courage, avorton. Devine quoi ? »

« Je suis obligé ? »

« Peut-être que cette fois on a une bonne main, pour changer. »

Kit expédia le bouchon à l'autre bout de la pièce, lequel bouchon heurta un portrait photographique sépia de Böpfli et Spazzoletta, qui trônait près d'une pompe hydropathique. Il suça le goulot d'où débordait déjà la mousse et lui tendit la bouteille. « *Ton* idée d'une bonne main. »

« Il s'agit de ton vieux bienfaiteur, Scarsdale Vibe. »

Kit fut aussitôt en état d'alerte rectale. Des picotements dans les mains et une soudaine suée. « Il semblerait qu'il soit ici, en Europe », reprit Reef, « en quête d'œuvres d'art à acquérir, sillonnant le continent comme tout bon millionnaire. Et actuellement, en fait, il se trouve dans les parages, et compte se rendre prochainement à Venise — »

« Foley me l'a déjà dit. C'étaient pas des bonnes nouvelles à l'époque, et ça l'est toujours pas. »

« Ça dépend, non ? C'est un signe du destin cette fois-ci, Kit, sûr qu'on ne trouvera pas de meilleure occasion. »

« Pour… ? »

Reef scruta son frère cadet, comme si la pièce était plongée dans la pénombre. « Encore trop tôt pour faire le pli. On n'a pas encore appelé la main. »

Kit s'approcha de la fenêtre et regarda les éléments remonter le lac pour aller percuter les montagnes. Son propre optimisme juvénile commençait à l'agacer, en plus du fait qu'il avait cessé de travailler. « Et qui », avec une grande et soudaine lassitude, « accompagne Vibe ces temps-ci ? À part Foley, bien sûr. »

« Un ou deux types de chez Pinkerton. À tous les coups, vaudra mieux ouvrir l'œil et le bon. »

« Donc on va le voir et on le tue, c'est ça le plan ? »

Reef feignit de regarder au-dessus de son frère au moyen d'un télescope imaginaire. « Dis donc, t'es vraiment du genre hargneux malgré ta taille et tout ça. »

« Alors — on le tue pas ? Reefer ? Qu'est-ce qu'on fait ? »

Depuis le jour où il s'était retrouvé devant Scarsdale Vibe, dans les bureaux de Pearl Street, Kit n'avait aucun mal à s'imaginer viser et tirer d'une main sûre, l'esprit en paix. On en était là, cependant. À ce stade.

Reef, quant à lui, semblait tout feu tout flammes, de l'impro pure. « Fusil à longue portée, bien sûr, mais un face-à-face serait préférable, je propose donc une approche, je sais pas, moi, plutôt à l'italienne ? T'es habile au poignard ? Je peux te couvrir – me coller de fausses moustaches, faire mine d'être un serveur ou n'importe quoi, voire peut-être lui apporter un verre de *champagne empoisonné* —»

«Reef, nous, hum, ferions mieux d'y réfléchir un peu plus en détail, non ?» Reef comptait-il sur Kit, le scientifique, pour mettre au point un plan ?

«Dommage qu'on puisse pas en causer à Pa.»

«À en croire certaines relations de Yasmina —»

«Oh non pas toi aussi, je me suis déjà tapé ces trucs jour et nuit avec 'Pert et sa bande, ça va pas très loin, frangin.»

«Ils organisent des séances ?» Kit prit le paquet de cigarettes posé sur la table entre eux et en alluma une. «Et tu n'as jamais essayé d'entrer en contact avec Pa ? Simple curiosité.»

«Juste une marotte pour eux. Ils m'embringuent dedans de temps en temps, ça m'gêne pas, surtout si c'est à côté d'une intéressante jeune femme, on sait jamais jusqu'où peut aller une main pressée dans le noir — mais je ne parle pas de Pa, ni de nous, ni du Colorado, rien de tout ça. Ils croient que je viens de ta région, Harvard, et le toutim.»

«Yale.»

«T'as raison, mais, bon, tu m'inquiètes un peu, Kit, c'est censé être toi le scientifique pur et dur.»

Kit haussa les épaules derrière un nuage de fumée. «Je sais pas à quel point c'est scientifique, mais récemment il y a ces R.P., ces "Recherches Psychiques" – laboratoires, expériences, et le reste.»

«Et c'est rien que des foutaises.»

«Tout comme l'étaient les ondes sans fil, il n'y a pas si longtemps. Les rayons Roentgen, ceux qu'on va découvrir. On dirait que chaque jour quelqu'un trouve un autre morceau du spectre, situé derrière la lumière visible, ou une nouvelle extension de l'esprit au-delà de la pensée consciente, et peut-être qu'en un endroit lointain les deux domaines sont même reliés.»

Reef secoua la tête, gêné. «S'ils mettent au point un téléphone sans fil pour parler à Papa, tiens-moi au courant, promis.»

Et le fait est que, ce soir-là, alors que le crépuscule s'insinuait dans les chambres et les suites, un appareil précisément de cette nature-là allait se matérialiser sur le plan terrestre, en la personne de Madame Natalia Eskimov. La bienveillante extatica, rendue radieuse par sa récente randonnée dans la montagne, perçut d'emblée leur mélancolie, à défaut de leur projet à long terme pour se venger. Adossée au comptoir en noyer de l'hôtel, en tenue d'excursionniste, elle sirotait un vieux scotch dans un verre en cristal de Bohême portant les illisibles armoiries des Böpfli-Spazzoletta, observant les frères avec affabilité mais selon ses propres paramètres de patience. « J'ose espérer que vous cherchez autre chose que des salamalecs dans le noir », dit-elle, « des amibes géantes et luisantes qui laissent des résidus collants. Des enfants blêmes en chemise de nuit qui glissent d'une pièce à l'autre, et dont les pieds ne touchent pas le sol. »

Dans les cercles de R.P., les séances de Madame Eskimov étaient réputées, voire célèbres, pour leur impertinence. « Comme si les présences qu'on rencontre étaient tellement fragiles qu'elles s'offusquent, ou boudent, dès que la question est trop directe. *Bozhe moi!* Ces gens sont morts! Peut-on imaginer plus grossier? »

Ils trouvèrent une salle, tirèrent les rideaux sur la nuit insupportable, la lune gibbeuse et croissante et les monts presque aussi lumineux et inaccessibles que le pays de la mort, les étoiles distinctes par intermittence derrière la neige tombant en longs voiles des sommets, des kilomètres de débris continentaux s'abattant, gelés, un terrain neutre, inhabité, inhabitable, à jamais. Madame Eskimov éteignit les lumières. Étaient présents Kit, Reef, Yasmina et Ruperta, venue superviser la bonne intelligence du plan de table.

« Je vais m'enfoncer dans l'arrière-pays, il va devenir de plus en plus difficile de rester en contact, d'autres choses à faire, plus loin, mais quand vous y serez tous nous serons de nouveau réunis, j'espère que vous veillerez aux corvées dont je m'occupais et qui pour moi comptent moins aujourd'hui, de moins en moins, de toute façon je ne pouvais pas faire grand-chose pour aider… »

La voix qui émergeait des lèvres sombrement maquillées de Madame Eskimov était pâteuse, laborieuse, comme si elle peinait contre la paralysie du rêve, transmettant les paroles de Webb mais sans grande ressemblance avec ce que les deux frères pouvaient se rappeler de la voix de leur père. Ils guettaient l'accent rauque du fumeur de barreaux de chaise, l'intonation nasillarde du montagnard, mais ce qu'ils entendaient c'était de l'européen, évoquant davantage ces inflexions transfrontalières que les représentants, les commis voyageurs et les espions du Continent prennent après des années passées sur le terrain. Le silence final, quand il vint, fut vif comme un cri. Le visage de Madame Eskimov retrouva ses couleurs, des larmes s'amassèrent dans ses yeux. Mais quand elle refit surface, elle n'avait aucun souvenir du chagrin, ni d'ailleurs la moindre émotion.

« C'était même pas la voix de Pa », Reef sur un ton bas et furieux. « Je te le dis, Kit, c'est rien que de l'arnaque. »

«C'était la voix du contrôle de Madame Eskimov», fit remarquer Yasmina. «Également un messager, mais travaillant depuis l'autre côté. Nous utilisons des médiums, les médiums utilisent des contrôles.»

«L'prenez pas mal», murmura Reef, «mais étant un vieux grigou moi-même, c'est exactement le genre de truc que j'utiliserais si je savais pas quelle voix avait le défunt mais que je voulais faire croire aux gens que c'est lui qui cause...» Il fut étonné de voir Madame Eskimov acquiescer en souriant, comme pour le remercier.

«L'imposture est l'élément dans lequel nous évoluons tous, n'est-ce pas?» dit-elle. «Elle nous porte, il n'y a pas un seul d'entre nous qui n'y ait recours, à un moment ou à un autre, avant qu'un fichu tenant du matérialisme — "Ha! J'ai tout vu, vous trafiquez quoi avec le bout de votre soulier?" Ces gardiens du monde diurne, d'une insupportable suffisance, ne se doutent pas combien il est facile de déceler cette sorte d'entourloupe, en général chez des médiums incapables d'entrer en transe. Certains ne connaîtront jamais la transe. Elle exige une grande capacité à s'abandonner, et la volonté de renoncer à tout souvenir de ce qui s'est passé au cours de la séance.»

«Dites donc, c'est rudement commode, non, vous trouvez pas?»

«Effectivement, et quand j'entends quelqu'un exprimer comme vous de tels doutes, je suggère en général que celui qui doute essaie par lui-même.»

«Ce que vous venez de faire? Merci, mais je ne suis pas du genre très surnaturel —»

«On ne peut jamais être sûr, le don se manifeste chez les gens les plus étranges.» Elle s'empara doucement du poignet de Reef et le ramena vers la table.

«C'est pas tant de m'y mettre», essaya-t-il d'expliquer, «que d'en ressortir.»

«Vous vous débrouillerez très bien.»

«Parce que j'aimerais vraiment pas rester, euh...»

«Coincé.»

«C'est reparti.» Yasmina et un flâneur, du nom d'Algie, que connaissait Ruperta, arrangèrent une rapide séance à quatre, comme s'il s'agissait d'une partie de bridge. À peine les participants eurent-ils joint les mains que Reef plongea, d'un coup d'un seul, dans une espèce de sous-extase. Sans prévenir, il se mit à chanter, opératiquement, dans le registre ténor et en italien, même si Kit savait parfaitement que Reef n'avait aucune oreille, et était incapable de chanter en entier *For He's a Jolly Good Fellow* sans changer de ton. Au bout d'un moment, le contrôle poussa un contre-*ut* qu'il tint suffisamment longtemps pour que le personnel du Sanatorium file chercher des renforts médicaux.

«J'en ai vu qui sont morts dans leur lit», fit la voix de Webb – et cette fois-ci c'était vraiment Webb –, «tout près de ce qu'ils avaient bâti et aimé, entourés à la fin par les enfants, les petits-enfants, les amis, des villageois dont personne ne connaissait les noms, mais ce n'était pas ce qui m'était réservé, pas dans ce monde fauché où il nous a fallu trimer et souffrir, on n'a tout simplement pas eu le choix.

«Inutile de chercher des excuses. J'aurais toujours pu agir autrement. Éviter de tous vous faire fuir. Me demandais comment honorer ceux qui s'échinaient sous terre, sans jamais voir le soleil, tout en assurant notre cohésion. Quelqu'un a dû être assez malin pour y arriver. J'aurais dû trouver un moyen. Pas comme si j'étais seul, y avait de l'aide, y avait même de l'argent.

«Mais j'ai bradé ma colère, j'ai pas compris à quel point elle était précieuse, et que je la gaspillais, la laissais filer, engueulais les mauvaises personnes, May, les gosses, rouspétais chaque fois que je devais pas, j'avais jamais prié mais me suis mis à prier pour ça, je savais que je devais mettre le couvercle dessus, la garder au moins pour ces maudits proprios, mais voilà que Lake s'est taillée en ville, m'a menti à ce sujet, un des garçons m'a regardé bizarrement, y a des jours un seul regard suffit, et de nouveau me voilà qui gueule, alors ils se sont encore plus éloignés, et je ne sais pas comment les faire revenir…»

Il aurait pu s'agir d'une confession dans un salon accueillant. Mais la seule chose que ses fils voulaient, ils ne l'eurent pas ce soir-là. Ils voulaient entendre Webb dire, avec l'assurance omnidirectionnelle des morts, que vu que Scarsdale Vibe avait engagé ses assassins, le moins que les frères pussent faire à ce stade c'était d'aller trouver ce fils de pute et de le zigouiller.

Après cela, bien sûr, Reef ne se souvint de rien. Madame Eskimov et Yasmina se rendirent aux bains turcs, et Algie dans la salle de billard. Kit s'assit à la table et regarda son frère. «J'ai rien fait de vraiment gênant, non?» voulut savoir Reef.

«C'était lui, Reef. Sa voix, mince alors, tu lui *ressemblais* même.»

«Peut-être l'éclairage.»

«Franchement je sais pas quoi penser.»

«Prends une photo la prochaine fois. Juste pour voir», dit Reef, étrangement hésitant. Il fixait son chapeau, non sans ressentiment. «Regarde-moi. Ce chapeau. Qu'est-ce que je fiche ici avec ces gens? Je croyais avoir pris ma décision à La Nouvelle-Orléans. J'croyais que ça serait

"Vive l'anarchisme!" et ce jusqu'à ce qu'ils puissent plus se permettre de m'avoir dans leurs pattes vu que c'est le genre de croyance qui n'a qu'une seule issue, pas vrai, Kit? » On aurait presque cru un appel au secours. « Je ne sais même plus qui je suis, putain. »

Dans le rêve ils sont tous ensemble à une sorte de fête, c'est une région prospère et familière mais indéterminée, épicéas et trembles, de l'eau coulant partout, des rus, des étangs, des fontaines, plus de nourriture qu'à une kermesse, des cuisiniers avec de grandes toques en train de découper et de servir, des entrecôtes au barbecue et des haricots, des cornets de glace et des tartes aux patates douces, des filles présentables, de lointaines parentes pour la plupart, chaque visage presque insupportablement distinct, familier et pourtant encore jamais croisé, des violons, des guitares et un accordéon, des gens qui dansent, au loin Kit voit son père seul à une table de pique-nique en bois, avec un paquet de cartes, qui joue au poker en solitaire. Il remarque alors que les cartes sont non seulement marquées par des chiffres, mais qu'elles sont à leur façon des chiffres, certains réels, d'autres imaginaires, certains complexes et d'autres transcendants, Webb les disposant chaque fois en une matrice de cinq sur cinq dont la nature en valeurs propres n'est guère évidente, mais bon, Kit doit avoir six ans, et il se précipite vers Webb. « Tu vas bien, Papa? »

« La superforme, Christopher. Tout baigne pour toi? »

« Je trouvais que tu avais l'air... l'air seul. »

« Juste parce que je suis assis à l'écart? Bon Dieu, je me sens pas du tout seul. Ça a rien à voir. On t'a donc pas appris ça à l'école? Tiens. » Le garçon s'approche et reste un moment avec le bras de Webb autour de lui, Webb qui continue de disposer les cartes, en faisant des commentaires – « Non mais regarde un peu », ou « Qu'est-ce qu'on a là? » Et Kit essaie d'identifier des polynômes caractéristiques, tout en se nichant du mieux qu'il peut contre son père. « Il y a pire que d'être tout seul, fiston », lui dit Webb au bout d'un moment. « Et on n'en meurt pas, et parfois on en a même besoin. » Mais alors que Kit est sur le point de demander à quoi ça sert, quelque chose là-bas dans la vaste station thermale jamais assoupie – un éternuement, une poêle à frire qu'on fait tomber, un employé qui sifflote – le réveilla.

Kit se fondit lentement dans l'heure sombre et réglementée où les résidents gisaient, rangés, numérotés, incongrus. Troublé un court instant, se croyant en prison, pensant que les bruits environnants, dans leur lente vie digestive, étaient tous des voix, des flux et des répétitions mécaniques qu'il lui était interdit d'entendre pendant le jour, il regardait vers le haut, bouche ouverte, fixant le vide, un espoir, ou peut-être seulement la *vis inertiæ* qui l'avait maintenu jusqu'à présent en mouvement, et qui s'éloignait – il approcha d'une terrible certitude qu'il ne put immédiatement nommer mais dont il sut qu'il lui faudrait supporter le fardeau.

Il avait dû vouloir depuis le début être le seul fils auquel Webb pouvait croire – qu'importe le genre d'ennuis que Reef s'acharnait à trouver, ou à quel point les ambitions techniques de Frank se révéleraient pro- ou anti-syndicat, Kit s'était toujours dit qu'il serait là pour son père, quoi qu'il arrive, ne serait-ce que parce qu'il n'y avait rien qui l'en empêchât, rien qu'il ne pût voir. Mais voilà que tout à coup il était là, loin de chez lui et dans la partie la plus vicieuse des États-Unis, et avant même qu'il pût se rappeler qui il était, Webb avait disparu. Si seulement il avait pu faire davantage confiance à Kit, quand l'heure horrible était venue le réclamer, il aurait pu rassembler un supplément de volonté pour survivre. Circonscrit désormais à des séances de spiritisme et à des rêves, il ne pouvait plus dire tout cela à son fils en autant de mots et devait recourir aux lugubres métonymies arides des morts.

Que Webb ne l'eût pas dénoncé ce soir-là ne signifiait pas que Kit était sorti d'affaire. Il avait trahi son père, définitivement – collaboré avec les assassins de son père, vécu la vie de gosses de riches en étant payé pour cela, et maintenant que c'était fini, il comprenait que la seule excuse qu'il pourrait avancer, ce ne serait plus sa jeunesse, ni le reliquat de son innocence compromise. Il s'était dressé contre Webb le soir où il était revenu de Colorado Springs avec la proposition de Foley, et il n'avait pas fait d'effort pour se rattraper, jusqu'à ce qu'il fût trop tard pour redresser la barre.

Il resta couché, écœuré, rongé par la honte. Que s'était-il passé ? Ce qui avait été autrefois son foyer se trouvait désormais à huit mille kilomètres de là, et la seule personne encore là-bas qui comptait pour lui c'était Mayva, sa silhouette déterminée à la gare, s'estompant dans le vent et l'immense lumière du soleil, tout le métal brillant qui gisait sous terre s'opposant à ce qu'elle voulait, à savoir fort peu, oui, fort peu. « Ton Papa a passé l'essentiel de sa vie là-dessous… Tout ce qu'il leur a donné, et ce qu'il a eu en échange… leur vermine mercenaire, et il y a encore des traces de son sang un peu partout dans ce pays, qui crie encore, enfin si le sang pouvait crier, bien sûr — »

Il aurait pu être réconfortant de se considérer comme un des saints errants de Yasmina, mais il savait que les vecteurs seraient à jamais sa seule religion, et eux aussi diminuaient déjà dans un intervalle d'espace-temps grandissant, désormais aussi inaccessibles que le Colorado.

Le vectorisme, dans lequel Kit avait cru apercevoir autrefois la transcendance, un monde coexistant d'imaginaires, ce « royaume mental » que Lee De Forest, la légende de Yale, s'était imaginé un jour traverser, n'avait pas montré à Kit, après tout, comment sortir de cet univers gouverné par les nombres réels. Son père avait été assassiné par des hommes qui ne juraient, aussi bruyamment et souvent qu'ils invoquaient le Christ et son royaume, que par cet axe réel et rien d'autre. Kit s'était dupé lui-même, en s'imaginant que Göttingen serait une étape dans un voyage vers un état plus pur, il avait oublié qu'il agissait encore pour le compte de Vibe, qu'il figurait sur le même registre qu'il rêvait de refermer, le registre non relié d'une vie naguère intacte puis brisée en un rien de temps, disséminée en débits et crédits et autres détails non consignés. Göttingen, livrée à toutes sortes d'intrusions hostiles, n'était plus un refuge, pas plus que les vecteurs ne seraient jamais le salut de Kit.

Quelque part dans les brumes du futur, entre ici et Venise, se dressait Scarsdale Vibe. La convergence que Kit avait évité de simplement définir attendait encore son heure. Vibe avait eu le droit de mener ses activités malhonnêtes bien trop longtemps sans passer à la caisse. Tout ce qui restait encore à Kit. Tout ce à quoi il pouvait se raccrocher. Tout ce qu'il possédait.

Alors que la lumière commençait à s'épancher par le cadre des volets, Kit se rendormit et rêva d'une balle se dirigeant vers le cœur d'un ennemi, voyageant pendant de nombreuses années et sur de nombreux kilomètres, heurtant quelque chose de temps en temps et ricochant alors selon une trajectoire différente mais continuant son voyage comme si elle était consciente de sa destination, et il comprit que ces zigzags à travers l'espace-temps quadridimensionnel pouvaient être exprimés par un vecteur à cinq dimensions. Quel que soit le nombre de dimensions n habitées par la balle, un observateur aurait besoin d'une dimension supplémentaire, $n + 1$, pour la voir et relier les points extrêmes afin de dégager une unique résultante.

Tandis que Kit se débattait dans le temps morne et improductif de la nuit que des Chinois de sa connaissance appelaient l'Heure du Rat, et que Reef s'amusait quelque part dans un bassin thermal avec un nombre indéterminé de touristes érotomanes, Ruperta Chirpingdon-Groin terminait une folle nuit avec Yasmina, qui pour l'essentiel s'était malheureusement déroulée en négociations – il ne pouvait être question ni de douce égalité ni même de symétrie. Bien que cette enfilade de contre-feintes, de flirts et de duperies charriât sa propre énergie érotique à basse intensité, elle ne s'acheva pas dans cette corvée fastidieuse à laquelle elle se résume souvent pour les hommes et les femmes, et la longue soirée ne fut donc pas totalement perdue. Yasmina s'était vu accorder dix minutes de répit pendant lesquelles elle avait oublié son avenir incertain – et quant à la jalousie de Ruperta, un animal aux goûts exotiques, elle avait été sustentée. Les femmes furent en fait étonnées de découvrir, derrière les rideaux, un ciel nuancé d'une lumière matinale, le soleil sur le point de dégager les cimes, une voile ou deux déjà au milieu du lac.

Le monde entier semblait épris d'amour, sauf apparemment Kit, dont les désirs n'étaient consultés par personne, surtout pas par lui-même. Quand Yasmina et lui se retrouvèrent au Kursaal un peu plus tard dans la journée, tous deux étaient désorientés par le manque de sommeil, et ce ne fut pas sans une certaine brusquerie qu'il lui fit part de son désir de passer par Venise pour des raisons de vendetta.

« Puis-je régler la chose avec Frère Swome ? Il dit que je dois prendre le train pour Constantza, et si j'en crois les horaires qu'il m'a fournis, il faut un peu plus de temps pour s'y rendre. Vous pensez que c'est très urgent ? »

« Je pense que me faire sortir de Göttingen était le plus important pour eux. Vous avez été un élément commode, vous avez fait votre boulot. Vous n'avez pas à vous sentir davantage obligé envers eux. »

« Mais cette… cette autre chose, nous devons nous en occuper tant que l'occasion se présente. Et du moment que Reef pense qu'il a besoin de moi pour le couvrir, je ne peux pas m'en aller ainsi. Quoi qu'il arrive, ça arrivera vite. »

Elle l'observa, le front troublé. « Une aubaine que votre billet soit pour Kachgar, non ? »

« Peut-être qu'il ne se passera rien. »

« Ou peut-être qu'ils vous tueront. »

« Yasmina, ce fils de pute a détruit ma famille. Qu'est-ce que je — »

« Juste l'envie. Vous avez de la chance d'avoir une mission. Un nom, quelqu'un à qui en vouloir. Nous sommes trop nombreux à attendre bêtement que quelque chose sorte de l'obscurité, frappe, retourne d'où c'est venu, comme si nous étions trop fragiles pour un monde où les familles sont heureuses, où les destins sereins exigent que nous autres nous soyons sacrifiés. »

« Mais si c'était vous, et que vous ayez l'occasion — »

« Alors, bien sûr, Kit. » Une main sur son bras juste le temps qu'il fallait. « Ce n'est plus à moi de décider de mes projets, les S.O.T. croient que je leur dois ma survie permanente, et quelqu'un a décidé que l'heure était venue de régler la dette. »

« Ils vous ramènent donc à Londres ? »

« Nous allons d'abord à Vienne, puis à Buda-Pesth. Il y a là-bas un mystérieux essor de la Recherche psychique. J'ai cru comprendre que j'allais servir de cobaye, mais quand je demande des détails, on me répond que cela compromettrait l'intégrité de l'étude si j'en savais trop. »

« On peut vous écrire aux bons soins des S.O.T., ou ils vont ouvrir et lire votre courrier ? »

« Allez savoir. »

« À qui pouvons-nous faire confiance, alors ? »

« Noellyn Fanshawe. Nous étions à Girton ensemble. Voici son adresse, mais n'espérez pas de promptes réponses. »

« Et votre père — »

Elle lui tendit une enveloppe du Sanatorium scellée, frappée de l'habituel et grandiose blason.

« C'est quoi ? Je croyais que vous ne communiquiez que par télépathie tous les deux ? » Il la glissa dans la poche intérieure de son manteau.

Le sourire de Yasmina était fin, formel. « La télépathie, si merveilleuse soit-elle, n'arrive pas à la – comment dites-vous ? "à la cheville" ? – à la cheville de ce que vous éprouverez au moment où vous déposerez vraiment ceci entre ses mains. »

Elle avait dit des choses plus flatteuses, supposa-t-il, mais aucune empreinte d'autant de confiance. Il eut une brève vision d'eux deux, des renégats conservant un certain niveau de professionnalisme même si la profession en avait plus ou moins fini avec eux.

Il lui dit au revoir sur un petit quai où un vapeur attendait. Des S.O.T. grouillaient partout, lui jetant sans cesse des regards impatients et, aurait-on dit, de reproche. Le ciel était assombri par des nuages de pluie. Elle portait un haut simple et une jupe, un imperméable avec capuche, pas de chapeau. Il n'aurait pas su lui adresser un regard éploré et bovin même s'il avait suivi des cours. Il lui prit la main et la serra sobrement mais ne la lâcha pas tout de suite. « Pensez-vous — »

« Qu'on se serait enfuis ensemble dans la vraie vie ? Non. J'ai du mal à imaginer quiconque d'assez stupide pour le croire. »

Le bateau fit machine arrière sur le lac, manœuvra, et elle disparut de sa vue sans prendre la peine de lui jeter un dernier regard. Kit trouva Reef pas très loin, en train de fumer des cigarettes, feignant de ne rien remarquer.

Kit s'accorda une minute pour se demander combien d'autres de ces adieux sans larmes il était censé vivre avant celui dont il n'avait vraiment pas besoin, celui qui serait de trop.

Et revoici Neville et Nigel en train de siffler des grands verres de sirop opiacé pour la toux et de boire de l'eau gazéifiée directement à un seltzogène portatif avec lequel ils venaient d'arroser les passants, s'attirant les foudres des S.O.T. Le duo se rendait présentement au théâtre pour assister à la représentation de *Ça valse à Whitechapel ou La Tragique Toquade*, un opéra-comique librement adapté, non sans mauvais goût selon certaines critiques, des meurtres survenus à Whitechapel à la fin des années 1880.

«Aahh!» fit Neville qui regardait son reflet dans un miroir. «Des poches! *Piggott's* devrait coudre des poches pareilles!»

«Accompagnez-nous, Lewis», dit Nigel, «nous avons trois billets.»

«Oui, et au fait», dit Neville, «prenez ça aussi», mais Lew esquiva aisément le jet d'eau de Seltz, qui du coup atteignit Nigel.

Ce soir-là le Strand, comme d'un commun accord, se signalait par ce sinistre penchant britannique pour l'obscurité et le clinquant que connaissent si bien les experts en névropathie érotique, sans parler de ceux qui étudient les chimpanzés – foules en mackintosh, bottes de cuir et haut-de-forme, faste défraîchi des broches et boucles d'oreilles en marcassite, tempes gominées présentant un scintillement glacé sous l'éclairage public... Même la chaussée, luisante de pluie et d'exsudations huileuses, y allait de son propre albédo gras. Les réverbères émettaient, pour ceux qui comme Neville et Nigel pouvaient l'entendre, l'équivalent lumineux d'un cri strident, régulier et affligé.

Un peu partout dans la rue, des musiciens ambulants se démenaient comme des beaux diables devant les queues des théâtres – des magiciens sortaient de petits animaux de nulle part, des acrobates manquaient célébrer de quelques millimètres les noces du crâne et de la chaussée, et devant le Théâtre du Duc de Cumberland un quatuor d'ukulélés interprétait un pot-pourri d'airs extraits de *Ça valse à Whitechapel*, y compris un morceau destiné à être chanté dans le style de Gilbert et Sullivan par un chœur d'agents de police et un nombre assorti de passants :

Ne crois surtout pas
Ceux qui te diront…
Que les aaaar-gousins font
Jamais la cour, cour, cour!
— Tu
Sais bien que j'serais câlin
Comme un paaaaan-da,
Si jamais tu voulais bien
Me câliner aussi! Si tu vas
Au Kenya, au Tanganyika ou —
En Ougaaaann-da,
Tu verras qu'on parle que de ça…
Alors surtout ne crois pas
Ceux qui te diront que
Les aaaaar-gousins sont pas
Fichus de tomber amoureux!

Une fois dans le théâtre, Lew déposa un shilling dans la boîte située à l'arrière du siège devant lui, en sortit une paire de jumelles d'opéra et entreprit de scruter la foule. Le champ mobile finit par se poser enfin sur le colocataire de la carte XV du Tarot, le Pr P. Jotham Renfrew, venu expressément de Cambridge pour voir un spectacle, son visage aplati en un chromo bidimensionnel de lui-même, partageant une baignoire avec un individu en uniforme étranger, dans lequel Lew reconnut très vite son ancien collègue en surveillance archiducale, le capitaine trabant, désormais colonel Landwehr K. & K., Max Khäutsch, le même ou presque depuis l'époque de Chicago, peut-être un petit peu plus minéral, et rappelant ces statues qu'on trouve dans les parcs fréquentés par les désaxés.

Mais Lew n'eut guère le temps de s'attarder sur le passé, car l'orchestre entama l'ouverture dans un grand heurt de cymbales.

Ça valse à Whitechapel se révéla une de ces œuvres modernes dans lesquelles un groupe d'acteurs tentent de monter une comédie musicale *sur* Jack l'Éventreur, «Plutôt que de laisser le vieux Jack charcuter ici et là par ses propres moyens», ainsi que Nigel s'en plaignit pendant les premiers applaudissements.

«Mais franchement, Nigel, de toute façon ça serait un acteur sur scène, non?» objecta son comparse.

«C'est fort possible, Neville», sortant furtivement de son manteau une flasque en argent contenant une préparation pour la toux Morphotuss et en prenant une ou deux lampées, «mais vu que c'est un acteur qui joue un acteur qui joue le rôle de Jack, c'en devient un peu trop artificiel, tu ne trouves pas?»

«Oui mais tout est artificiel, Nigel, y compris le sang que tout le monde vient voir couler, et on doit simplement passer outre, n'est-ce pas?»

«Si vraiment vous préférez les vrais bains de sang», conseilla calmement une voix juste derrière eux, «je suis sûr qu'on peut trouver une solution.»

«Non mais dites», Neville remuant sur son siège comme s'il allait se retourner.

«Bon sang, Neville», siffla Nigel, en roulant follement des yeux, «ne te retourne pas, ça pourrait être *Lui*.»

Pendant l'entracte, Lew se rendit au bar et trouva Khäutsch qui sirotait déjà un cognac-soda. S'il fut surpris de voir Lew, le Colonel avait acquis assez de lassitude professionnelle au fil des ans pour n'en rien laisser paraître.

«Les affaires, toujours les affaires. On préférerait deux semaines de congé à Berlin, mais le *K. und K.* nous contraint souvent à différer de tels loisirs...» Khäutsch haussa les sourcils à des hauteurs différentes. «Et voilà que je me plains à nouveau. *Sowieso*... Comment va la vie, Lew? Vous ne faites plus le "planqueur"?»

«Pas en ce moment. Je fais plutôt homme de main. Vous ne surveillez plus François-Ferdinand, n'est-ce pas?»

Un sourire revêche en secouant la tête. «Cet incapable qui nous rendait chèvre n'a pas changé d'un iota – ces gens sont-ils susceptibles de changement, franchement? Mais fort heureusement l'Imperium m'a trouvé d'autres moyens de les servir — Ah, voici une personne que vous souhaitez peut-être rencontrer.» Se frayant un chemin dans la foule vers eux: le Pr Renfrew.

Enfin, pas exactement. Lew ne bondit pas littéralement, mais un certain nombre de ses groupes musculaires parurent prêts à le faire. Il résista à la forte envie de se prendre la tête et d'effectuer un réajustement violent quoique très improbable.

«Laissez-moi vous présenter mon collègue allemand, le Professor-Doktor Joachim Werfner.»

Le professeur allemand ressemblait beaucoup à Renfrew, mais il était habillé de façon un peu moins guindée, manchettes élimées, cheveux en bataille, verres de lunettes teintés d'un étrange vert talé.

Veillant à ne pas paraître trop impressionné par la ressemblance, Lew lui serra la main. «En visite à Londres, Professeur? Vous vous y plaisez?»

«Surtout pour affaires, même si Max a eu la gentillesse de me montrer

Piccadilly Circus, où on peut vraiment trouver un genre de bière muni-
choise. »

« Je compatis on ne peut plus, nous partageons probablement la
même opinion concernant la bière anglaise, c'est comme boire son
dîner. »

Ils discutèrent un moment de ce que la presse populaire appelait la
« Ripperetta ».

« Il est étrange », dit Khäutsch, « que ces meurtres de Whitechapel
se soient produits si peu de temps avant la tragédie de Mayerling, ce qui
fait que certains d'entre nous en Autriche y ont toujours vu une origine
commune. »

« Pas encore ça », feignit de grogner Werfner.

« Une de ces fortes impressions de jeunesse », expliqua Khäutsch.
« J'étais à l'époque un lieutenant qui se prenait pour un détective, et j'ai
cru pouvoir résoudre l'affaire. »

« Le prince héritier d'Autriche et sa petite amie avaient passé une
espèce de pacte de suicide », essaya de se rappeler Lew. « Et du coup on
s'est retrouvés avec ce vieux F.F. »

« Le monde a eu droit à une *Liebestod* pour idiots romantiques. L'âpre
vérité, c'est que ce Rudolf a été mis hors circuit. »

Lew regarda autour de lui. « Ne devrions-nous pas… ? »

Khäutsch haussa les épaules. « Juste une petite *Fachsimpelei* inoffensive. La mort violente en haut lieu excite toujours notre intérêt
professionnel, pas vrai ? L'affaire est close depuis longtemps, et de toute
façon la "vérité" a toujours moins importé que les leçons que le suc-
cesseur de Rudolf, François-Ferdinand, pourrait en tirer. »

« Vous voulez dire que quelqu'un au sommet — »

Khäutsch opina solennellement du chef. « Des éléments qui n'auraient jamais souffert de voir Rudolf sur le trône. Il trouvait si peu de
choses à admirer en Autriche, et ses croyances étaient tout simplement
trop dangereuses – il se plaignait sans cesse de notre corruption, de notre
culte de l'armée, surtout de l'armée allemande –, il redoutait la Triple
Alliance, voyait des manifestations antisémites partout, il détestait en
règle générale l'idée entière des Habsbourg, et il a été assez malavisé pour
publier ses opinions, bien sûr dans les journaux juifs. »

« Et la petite amie — »

« *Ach, die Vetsera*. Une petite chose boulotte, pas l'idée qu'on se fait
d'une grande passion, mais exactement le genre d'histoire susceptible de
satisfaire une curiosité publique sinon fatale, *cherchez la femme*, toujours
utile en politique. »

«C'était qui alors selon vous?»

«Mon suspect préféré a été pendant un temps le chambellan de l'Empereur, le comte Montenuovo – mais voilà qu'un jour j'ai eu une illumination, et su que ce devait vraiment être lui Jack l'Éventreur» – murmures généraux – «lui-même, travaillant sous contrat. Étant donné qu'il a disparu de Londres au mois de novembre 88, et que l'affaire Mayerling s'est produite fin janvier 89 – ça laisse assez de temps à notre Jack pour se rendre en Autriche et se familiariser avec sa cible, non?»

«Ils ont été abattus, Max», protesta Werfner avec une affabilité exagérée, «pas charcutés. Jack n'utilisait pas d'armes à feu, la seule similitude est que la liste des suspects dans l'affaire de l'Éventreur est si longue qu'elle pourrait peupler une ville moyenne, chacun étant plus plausible que le précédent, les récits, tous, indiquant clairement qu'ici, enfin, doit se trouver sûrement le véritable Éventreur, impensable que quiconque d'autre ait pu le faire – jusqu'à ce qu'un nouveau fanatique se présente pour faire valoir son cas. Des centaines, désormais des milliers, de dépositions, toutes également valides – qu'en penser?»

«Des univers multiples», bafouilla Nigel, qui avait atterri de nulle part.

«Précisément!» s'écria le Professeur. «Le "Whitechapel" de l'Éventreur était une sorte d'antichambre momentanée dans l'espace-temps... On pourrait imaginer un gigantesque dépôt ferroviaire, avec des milliers de portillons disposés radialement dans toutes les dimensions, menant à des rails s'éloignant dans toutes sortes d'histoires alternatives...»

Des gongs chinois, vigoureusement choqués, annoncèrent que le deuxième acte allait commencer. Ils décidèrent tous de se retrouver après à une réception donnée dans un des immenses hôtels de Trafalgar Square et, quand ils arrivèrent là-bas, l'endroit grouillait d'une foule cosmopolite dont on ne pouvait pas toujours identifier les éléments, parmi des boisseaux de fleurs coupées, des jeunes femmes judicieusement habillées, des valets sur la pointe des pieds et du champagne sur de la glace, des tapis moelleux et des lustres électriques. Un petit orchestre de danse jouait un «boston» pour des couples expérimentés. On pouvait voir des gens avec des turbans et des fez. Après un rapide examen, Neville et Nigel se décidèrent pour le breuvage le plus mortel du bar, alors en vogue à Londres, une horrible mixture de bière brune et de champagne baptisée du nom de «Velours».

Étant de braves types, ils se mêlèrent de temps en temps aux conversations jusqu'à ce que, quasi invisible aux yeux des autres, une certaine présence orientale fût détectée en train de sortir. «Dis donc», signala l'un à l'autre, en lançant un regard éloquent tandis que, tout en fredonnant de conserve, en harmonie «chinoise», le célèbre thème pentatonique :

Tngtngtngtng tong-tong
Tng-tng tong…,

les deux camés s'assoupissaient, aussi insouciants que des marins. Peu après, une jeune femme séraphique en tenue de ville passa prestement, son œil le plus proche paraissant s'orienter d'une fraction de degré en direction du colonel Khäutsch, lequel s'excusa et disparut dans son propre labyrinthe de désir.

Le Professor-Doktor mit son monocle et regarda Lew en plissant les yeux, regard qui se changea rapidement en une sorte de *clin d'œil complice*. «Vous et Max avez vraiment veillé sur le Prince héritier à une époque?»

«Oh, Chicago – quand le Prince n'était qu'un gamin. Je ne m'en suis occupé qu'une semaine et demie, c'est le colonel Khäutsch qui a fait tout le boulot.»

«Vous seriez étonné, voire consterné, d'apprendre ce qu'il est advenu de Franz Ferdinand. Dans son avidité quelque peu indécente à monter sur le trône à la mort de Franz Josef, il a installé son propre État fantôme au Belvédère, le grand palais construit autrefois pour le prince Eugène de Savoie. Son cercle se compose de personnes difficiles à admirer, leurs motivations ne coïncidant pas toujours parfaitement avec celles de la Ballhausplatz, le Prince héritier lui-même entretenant des fantasmes on ne peut plus malsains, par exemple concernant la Bosnie, qui vont selon Max nous mettre un de ces quatre dans un sacré pétrin – et Max ne se trompe jamais, sa compréhension de la situation des Balkans n'a pas d'égale en Europe.»

«Il dit la même chose de vous.»

Werfner haussa les épaules. «Ma valeur marchande est très fluctuante. Pour le moment, elle est en hausse, grâce à l'Entente anglo-russe. Pendant des années l'Allemagne a essayé d'empêcher le rapprochement de ces deux pays, et elle doit maintenant constater que tous ses efforts ont été vains. Ayant comme tout le monde une idée sur la question, la Wilhelmstraße pourrait prêter attention à la chose peut-être dix minutes de plus qu'à l'accoutumée.»

Lew écoutait avec circonspection cette imitation d'un *gemütlicher alter Junge*. À en croire la plupart des histoires qu'il avait entendues sur

Werfner, des centaines d'existences ferroviaires étaient suspendues à chacune de ses pauses respiratoires. Le mystère de sa présence ici en ville, si loin de ses terres, si près de son adversaire anglais, était total. C'était le cauchemar classique de l'homme qui se trouve *là où il ne devrait pas*. En dépit des fréquentes et vigoureuses dénégations de gémellité des deux professeurs, une certaine symétrie était brisée. Violée. Cela suffit à ramener Lew à sa pernicieuse addiction, à savoir manger de la cyclomite. Il alla se cacher dans les toilettes pour s'adonner à son vice, après avoir envisagé d'étaler subrepticement ladite substance sur un petit pain afin de l'ingérer telle quelle.

« Werfner est à Londres », annonça Lew au Cohen le lendemain.

« C'est ce que m'ont signalé les deux N. » Lew eut l'impression que le Cohen le regardait bizarrement. Plus que bizarrement, mais encore ? « Les choses ont pris une drôle de tournure. Nous avons d'autres espions en poste, bien sûr, mais je pense qu'à partir de maintenant vous serez autorisé – invité, même – à prendre toute initiative jugée opportune. Si l'occasion devait se présenter. »

Lew perçut une note sombre. « Cohen, pourriez-vous être plus précis ? »

« Le métaphorique devra suffire. Considérez ces deux professeurs comme des "crotales" sur une route. Parfois, on a la chance de les éviter. Parfois, on doit prendre d'autres mesures. »

« Vous ne suggérez pas de les... »

« Je ne suggère rien. Il serait préférable que tout le monde soit prêt, c'est tout. »

Les yeux du petit Nick Nookshaft firent deux « oh », très écarquillés, ses lèvres décrivant un cercle étroit.

On ne peut pas dire que Lew comprit sur-le-champ la signification de ces propos – encore moins dans quel but il s'était fait manipuler depuis le début – mais ça ne tarda pas non plus. D'une certaine façon, ayant réussi à tenir pas mal de temps en Angleterre à l'écart des tirs, mouvements de lame inattendus, coups de matraque, de poing, et autres articles contondants, il en était venu bêtement à s'imaginer que la baston et la mort ne seraient peut-être pas prioritaires dans la résolution des dossiers chauds, tel que c'était le cas autrefois aux États-Unis. Tout comme il s'était cru enfin civilisé, quasi anglais, alors que les S.O.T., il le comprenait désormais clairement, se fichaient pas mal qu'il porte un chapeau de cow-boy ou un chapeau melon, qu'il ait maîtrisé telles voyelles anglaises ou tels codes sociaux secrets, car quand le moment d'abattre les cartes était venu, il n'était rien de plus qu'un mercenaire américain, gardé à portée de main en attendant le jour fatal.

Mais ici à Londres, au moins, l'orgueil blessé ne le restait pas long-temps, car il y avait toujours un autre affront qui vous attendait au coin de la rue. Il y avait en revanche pour l'instant nettement plus étonnant, et c'était l'absence absolue de surprise qu'avait manifestée le Cohen en apprenant que Werfner était en ville. Il pouvait fort bien s'agir d'une impassibilité étudiée, mais pas forcément...

Lew alla trouver les deux N, qui venaient de manger des framboises marinées dans l'éther et qui, en ricanant, ne pouvaient s'empêcher de chanter, et de répéter *da capo*, un air extrait du troisième acte de *Ça valse à Whitechapel*, que Nigel accompagnait avec des accords d'ukulélé, ainsi :

> Ô, toi
> L'oiseau chanteur
> De Spital-fields —
> Si tu savais c'qu'on
> A le mouron
> Sans ta jolie
> Mélodie ! Quand le bruant
> De mon allée chan-
> Tera-t-il de nouveau
> Pour soulager mon cerveau
> De son refrain
> Tout en douceur ?
> C'est le printemps ici,
> À ce qu'on m'a dit,
> Mais dans mon cœur
> Le froid est aussi sévère
> Que le pire des hivers —
> Jusqu'à ce qu'un jour
> L'oiseau chanteur
> De Spit-alfields,
> Chante pour moi son
> Chant — d'amour !
> — (Ma ché-rie),

[D.C.]

Comme ils marquaient une pause pour reprendre leur souffle, Lew demanda : « Vous avez bien étudié avec le Pr Renfrew, les gars ? »

« Oui, à Kings », dit Neville.

« Et le Pr Werfner, qu'on a croisé hier soir au théâtre, n'était-il pas le portrait craché de Renfrew ? »

« Ses cheveux sont différents », dit Nigel, songeur.

« Plus négligé de tenue, aussi, j'ai trouvé », ajouta Neville.

« Mais Neville, c'est toi qui as dit : "Ah ça alors, Nigel, mais pourquoi est-ce que le Pr Renfrew parle avec ce drôle d'accent allemand ?" Et tu as ajouté : "Mais, Neville, ça ne peut pas être ce vieux Renfrew tu sais, pas avec ces épouvantables chaussures" et tu — »

Mais Lew s'aperçut alors d'une chose extraordinaire, une chose qu'il n'aurait jamais crue possible chez ces deux-là : ils échangeaient des signaux, pas vraiment des avertissements mais des signes de la main et de l'œil, comme le feraient des acteurs de vaudeville – ils *imitaient des idiots anglais*. En cet instant lumineux et terni, il comprit également, bien trop tard dans la partie, que Renfrew et Werfner étaient une seule et même personne, l'étaient depuis toujours, que cette personne avait le pouvoir paranormal d'être au moins dans deux endroits au même moment, assumant deux existences quotidiennes dans deux universités différentes – il comprit également que tous les S.O.T. étaient au courant, l'avaient toujours su, très probablement – tous, sauf Lew. Pourquoi ne lui avait-on rien dit ? Dans quel *autre* dessein l'utilisaient-ils ? Qui exigeait de le maintenir aussi aveuglément dans le noir ? Il aurait dû être plus agacé mais il se dit que ce n'était là qu'un manque de respect tout à fait dans les normes, pour Londres.

Une fois qu'il fut disposé à accepter les deux professeurs comme une seule et même personne, Lew se sentit curieusement soulagé, comme s'il était affranchi d'une servitude dont il n'aurait jamais tout à fait compris les termes. Bon. Prenez son fric et roulez-le dans la farine. C'était donc aussi simple que ça.

Il passa le reste de la journée parmi les rayonnages de la bibliothèque des S.O.T., s'efforçant de combler un peu ses lacunes. Il y avait plusieurs étagères de livres et de manuscrits, certains dans des langues qu'il ne reconnut même pas, fut même incapable de lire, sur l'étrange don d'ubiquité spatiale, connu dans le domaine psychique depuis cinquante ans comme « bilocation ». Les chamans du nord de l'Asie, en particulier, semblaient doués de ce talent. La pratique avait commencé à se répandre en Grèce ancienne vers le septième siècle avant J.-C., pour devenir une caractéristique des religions orphiques, puis pythagoriciennes. Il ne s'agissait pas de cas de possession par des esprits, des démons, ni aucune autre force extérieure que ce fût, mais plutôt d'un voyage entrepris par le chaman de l'intérieur – en observant une structure, d'après ce que put comprendre Lew, un peu comme en rêve, dans laquelle une version de soi demeure derrière, quasi paralysée hormis les activités basiques comme ronfler, péter et se retourner, tandis qu'un autre s'en va tranquillement dans des mondes inattendus, pour accomplir des tâches propres à chacun de ces mondes, en recourant à des talents moteurs diurnes étendus, dans des domaines comme voler, traverser les murs, en accomplissant des miracles athlétiques de vitesse et de force... Et ce double voyageur n'était pas un spectre immatériel – d'autres pouvaient bel et bien le voir, très nettement, en fait un peu trop nettement, plusieurs personnes signalant à quel point le premier et l'arrière-plan restaient séparés par une bordure, surdéfinie et scintillante, entre deux *sortes de lumière* différentes...

À un moment, le Dr Otto Ghloix, un aliéniste venu de Suisse que Lew avait déjà vu dans le réfectoire des S.O.T., passa sa tête entre deux travées, et ils se mirent à discuter.

«Cette personne Renfrew/Werfner semble souffrir», diagnostiqua bientôt le Dr Ghloix, «d'une profonde et fatale contradiction – plus profonde qu'il ne saurait s'en rendre compte consciemment, d'où il s'ensuit que le conflit n'a d'autre choix que de s'extérioriser, de s'éjecter dans le monde extérieur, afin de s'y accomplir en tant que ce *Schicksal*, ce qu'on appelle plus communément le Destin – tandis qu'autour de lui le monde se voit contraint de subir cette disjonction intérieure qu'il ne peut, ne doit pas, admettre... feignant du coup d'être deux "rivaux" représentant les intérêts de deux "nations distinctes" qui sont plutôt les expressions séculaires d'une rupture au sein d'une âme unique et traumatisée.

«Après tout, personne n'est mieux placé qu'un géographe déchu pour incarner cela, et occuper le numéro XV, le Diable – un individu susceptible d'avoir répondu à la plus haute des convocations, appris les secrètes géographies des *beyul*, ou terres cachées, et entraîné nous autres dans le délabrement et la poussière, la folie et l'ignorance, jusqu'au lointain Shambhala, et une renaissance dans la Terre pure. Quel crime plus répréhensible que celui qui consiste à trahir l'obligation sacrée en échange des mesquins émoluments que dispensent Whitehall ou la Wilhelmstraße?»

«Je suppose que ce qui me tracasse pour l'instant», dit Lew, «c'est la coopération dont il a pu bénéficier – on peut dire "il", je crois – auprès des S.O.T.»

«Parce que personne ne vous a dit ce qu'ils savaient.»

«Vous ne prendriez pas ça mal, vous?»

«Vous n'avez peut-être pas besoin de savoir, il est après tout très courant dans ces ordres occultes de trouver des laïques et des prêtres, des hiérarchies d'accointance avec les Mystères, une initiation secrète à chaque étape, le principe selon lequel on apprend ce qu'on doit apprendre uniquement quand le moment est venu. Personne ne décide de cela, c'est simplement l'impératif dynamique dispensé par la Connaissance elle-même. »

« Oh. » Lew réussit à rester impassible, opina du chef, puis sans rien dire se roula une cigarette, qu'il alluma dans le crépuscule avec la braise du corona du Dr Ghloix. « Ça simplifie les choses, en un sens », supposa-t-il, en lâchant un nuage de fumée turque. « Vu le temps que j'aurais pu perdre en enquêtes diverses. À essayer de faire concorder leurs deux histoires – témoignages oculaires, souches de ticket, rapports de surveillance, mince, si jamais ça se finissait devant un tribunal, on pourrait dire adieu au concept d'alibi, non ? »

Après que le Doc fut parti, et la nuit tombée, quand Lew eut allumé une petite lampe Welsbach sur la table, et que le gong du dîner, étouffé par la distance, eut résonné, il eut la surprise de voir arriver le Grand, et bientôt Associé, Cohen, portant un plateau avec un grand verre de jus de panais et un équivalent végétarien du pâté en croûte Melton Mowbray en train de refroidir sur une assiette en porcelaine. « Vous nous avez manqué au souper. »

« Je n'ai pas vu le temps passer. Merci. »

« Il va y avoir une lecture de poésie ici ce soir, un Indien, des trucs mystiques, les sœurs en sont folles, peut-être pourriez-vous m'aider à allumer le vieux P.L. », entendant par là le Plafond Lumineux, un dispositif ultramoderne de manchons de gaz et d'ampoules incandescentes électriques tendu en arc tout du long du plafond de la bibliothèque et recouvert d'un pâle dais transparent dans un celluloïd patenté qui unissait ces sources, une fois qu'elles avaient toutes été allumées, en un dôme de lumière encore plus lumineux que leur somme.

Le Cohen jeta un coup d'œil à la table où Lew avait lu et pris des notes. « La bilocation, hein ? Un sujet fascinant. Plutôt dans vos cordes, j'imagine, cette histoire de seuils franchis en permanence. »

« Je vais peut-être me reconvertir dans le chamanisme, me dégoter un chouette petit igloo, accrocher mon enseigne. »

L'expression du Cohen Nookshaft n'était pas dénuée de compassion. « Vous allez devoir travailler dur, adopter une approche systématique. Des années d'études – si c'est là ce que vous vouliez. »

« Si c'était là ce que je voulais. »

Ils restèrent un moment à fixer le plafond, son éclat lisse et régulier. « Plutôt agréable, non », dit le Cohen. « Bien sûr, ça aide d'avoir une allégeance à la lumière. »

« Comment ça ? »

Comme s'il livrait un secret que Lew se savait, étrangement, prêt à entendre, le Cohen dit : « Nous sommes de la lumière, vous savez, rien que de la lumière – nous sommes la lumière offerte aux batteurs de cricket à la fin de la journée, les yeux brillants de l'être aimé, l'éclat de l'allumette de sûreté derrière la fenêtre tout en haut de l'immeuble, les étoiles et les nébuleuses dans leur immense gloire nocturne, la lune montante derrière les câbles des trams, la lampe au naphta qui scintille sur la charrette du marchand de quatre-saisons... Quand nous avons perdu notre être éthéréen et nous sommes incarnés, nous sommes devenus lents, épais, figés en —», saisissant les deux côtés de son visage et les faisant trembloter «— ça. L'âme elle-même est un souvenir d'un temps où nous nous déplacions à la vitesse et à la densité de la lumière. La première étape de notre discipline consiste à réacquérir cette raréfaction, cette condition lumineuse, à devenir à nouveau capables de passer où nous voulons, à travers la corne des lanternes, les vitres, et enfin, même si nous encourons le risque d'être divisés en deux, à travers le spath d'Islande, qui est une expression sous forme de cristal de la vélocité de la Terre tandis qu'elle file dans l'Éther, modifiant les dimensions, et créant une double réfraction... » Il s'arrêta sur le seuil. « L'expiation, en tout cas, survient plus tard au cours du voyage. Mangez donc, mon brave. »

La seule chose à faire, finalement, c'était d'essayer de prendre Renfrew par surprise. Se rendant de nouveau à Cambridge, la campagne anglaise, verte et brumeuse, défilant sous ses yeux, des assises de brique à l'intérieur des petits tunnels se succédant avec une pureté hélicoïdale, l'odeur des marais, la lointaine étendue de ciel liquide reflétant la mer du Nord, pour la première fois depuis longtemps Lew ressentit les tristes contractions stomacales de l'exil, et s'aperçut que Chicago lui manquait, il rêva d'un soir d'automne, avec ou sans rendez-vous à la clé, l'envie de pousser la porte du Kinsley's et d'y trouver un steak l'attendant avec son nom dessus.

Il remonta alors dans le temps jusqu'au jour où Troth l'avait quitté, et il se demanda ce qui lui était arrivé et ce qui était arrivé à l'autre version de Lew Basnight, bilocalisée dans un endroit qu'il ne pouvait guère situer. Il s'enfonça dans un de ces sommes de milieu de journée qui durent une minute et demie et rêva du petit F.N. Browning de poche de calibre .25 qu'il transportait, une chouette arme, strictement pour se défendre, pas le genre de flingue avec lequel on descendait le premier venu... Il se réveilla quand une voix, peut-être la sienne, murmura : « Sans parler d'une arme commode pour se suicider... »

Mollo, Détective Basnight. C'était normal d'avoir ces pensées, qui dans le métier étaient connues sous le nom de Pensées Bougonnes, et il se dit qu'il avait fréquenté ou travaillé avec bien trop de détectives ou d'indics qui avaient fini par clamser avant la fin de la journée, et qui auraient su deviner jusqu'où Lew avait pu pousser sa propre contrition aussi longtemps qu'il l'avait fait du mauvais côté, pour les mauvaises personnes – même si, au moins, il avait pigé tôt, presque dès le début, combien il recherchait les récompenses que ses collègues prisaient, les automobiles, les galas au bord du lac, les femmes désirables ou les sommités utiles qu'on vous présentait, à une époque où le mot *détective* était un code universellement connu qui signifiait « homme de main du patronat »... en un autre endroit se trouvait la version bilocationnelle de Lew, l'autre, une sorte de Sherlock Holmes qui combattait des génies du crime peu différents des magnats qui embauchaient des « détectives » pour saboter les menées syndicales.

Se pouvait-il que tous les catholiques qu'il avait croisés dans le métier, Irlandais et Polonais de Chicago, Mexicains du Colorado et ainsi de suite, avaient eu raison depuis le début, et qu'il n'y avait rien d'autre dans le cycle récurrent du jour que la pénitence, même si vous n'aviez jamais commis de péché, car vivre dans ce monde c'était faire pénitence ? En définitive, comme l'avait fait remarquer son Pr Drave l'hiver dernier à Chicago, encore un autre argument en faveur de la réincarnation : « Être incapable de se rappeler les péchés commis dans une vie antérieure ne vous empêche pas de faire pénitence dans celle-ci. Croire en la réalité de la pénitence, c'est presque avoir la preuve de la résurrection. »

Il trouva Renfrew d'une humeur fiévreuse, plongé dans un désarroi qu'il ne lui connaissait pas. Les chaussures du Professeur étaient dépareillées, il buvait du thé froid à même un vase, et ses cheveux étaient aussi négligés que ceux de Werfner l'autre soir. Lew envisagea de faire quelques allusions appuyées à Jack l'Éventreur, histoire de lancer le bonhomme, mais il se dit que Renfrew savait désormais qu'il était au courant ou plus probablement s'en fichait pas mal, et dans les deux cas cela ne ferait que le distraire de l'affaire qui l'occupait, dont Lew n'avait encore aucune idée. Renfrew avait entre-temps abaissé une gigantesque carte murale des Balkans à l'échelle d'un six cent millième, dans diverses couleurs rarement rencontrées qui approchaient le rose, l'améthyste, l'orpiment et le céruléen.

«La meilleure approche pour étudier les Balkans», lui expliqua Renfrew, «ne consiste pas à regarder les éléments séparément – on se met très vite à courir dans la pièce en hurlant – mais tous ensemble, la totalité en un unique cliché intemporel, à la façon dont les champions d'échecs, dit-on, considèrent l'échiquier.

«Les voies ferrées semblent être la clé. Si on continue de regarder la carte tout en marchant lentement à reculons vers le fond de la salle, alors, à une certaine distance, le principe structurel devient soudain visible – la façon dont les différentes voies se connectent, ne se connectent pas, les points où des intérêts divergents peuvent vouloir qu'elles se connectent, et tout cela définit des motifs de flux, non seulement réels mais également invisibles, potentiels, et les taux d'échange qui indiquent la vitesse à laquelle telles masses peuvent être déplacées vers une frontière donnée... et qui plus est, la téléologie à l'œuvre derrière tout ça, pendant que le réseau ferroviaire évolue vers une certaine forme, un destin – Mon Dieu je commence à parler comme Werfner.

«Le pauvre. J'ai peur que cette fois-ci il ne soit monté dans le mauvais wagon et qu'il n'ait raté la dernière station. Il travaillait sur sa propre solution à longue portée à la Question macédonienne, un secret parmi les secrets de la Wilhelmstraße dont je n'ai eu vent que récemment. Son plan», une main suspendue comme tenant une invisible fétuque, «consiste – ô folie... – à installer dans toute la Péninsule, à partir de ce point un peu à l'est de Sofia, ici, puis en gros le long de la chaîne des Balkans et de la Sredna Gora, correspondant à la limite supérieure de l'ancienne Roumélie orientale, jusqu'à la mer Noire – *das Interdikt*, comme il l'appelle, long de trois cent vingt kilomètres, invisible, guettant le moindre faux pas et, une fois actionné, irréversible – impitoyable...»

Il se tut, comme si un tiers était présent et lui avait intimé en silence de ne pas en dire plus.

«C'est quoi exactement, cette histoire d'*Interdikt*?» Lew eut soudain la certitude qu'au même moment, à Göttingen, un Lew bilocationnel posait à Werfner la même question, qu'aucun des deux ne pouvait s'empêcher de poser tout en ne voulant pas entendre la réponse. Et que, dans les deux endroits, les deux Lew Basnight se verraient décocher le même regard offusqué.

Miné par le manque de sommeil, Renfrew soupira de façon éloquente. «Croyez-moi, c'est depuis longtemps un objet d'étude à Charlottenburg.»

«Merci, Professeur, ça éclaire tout. Bien! S'il n'y a rien d'autre, je crois que je vais aller au pub et procéder à une analyse en profondeur de la chose. Ça vous dit?»

«C'est lié au Gentleman Dynamiteur», bafouilla Renfrew, «oh, le Gentleman D. est à tous les coups impliqué là-dedans, ce qui rend son arrestation encore plus nécessaire, vous savez.»

Lew, qui ne savait pas, se figea sur le seuil, un sourcil haussé en guise d'encouragement.

«On l'a signalé dans le voisinage de Cambridge», dit Renfrew, presque importun. «Planqué pas loin du terrain de Fenner, comme s'il était en reconnaissance.»

«Et quand a lieu là-bas le prochain match de cricket?»

«Demain, avec I.Z.»

«Très bien, disons qu'il compte balancer un de ces trucs suffocants bien à lui – quel rapport avec le fameux *Interdikt* de votre —», il marqua peut-être un temps, «collègue, le Dr Werfner?»

Pas de réponse de Renfrew, qui titubait un peu devant la carte multicolore, son nez à seulement deux ou trois centimètres – soit une quinzaine de kilomètres – au-dessus du terrain.

«Du gaz toxique? Werfner compte s'en servir pour son *Interdikt*?»

«Je ne suis pas habilité, en fait.» Tout bas.

«Mais le Gentleman Dynamiteur pourrait être plus loquace, si quelqu'un réussissait à le détenir suffisamment longtemps pour l'interroger, c'est cela? Bien. Je vais voir si je peux réunir quelques hommes supplémentaires pour demain, et peut-être que nous aurons plus de chance avec cet excentrique.»

Lew se rendit sur le terrain de cricket de Fenner, dans la lumière rasante, la pluie imminente, juste pour voir. Il y avait toujours la possibilité, ô combien séduisante, que Renfrew ait enfin perdu la tête, du fait du stress lié aux événements internationaux. Cela faciliterait certainement l'existence de Lew. Mais, un instant – qui était-ce, là, sur le sentier, dans la lumière bâtarde de fin d'après-midi, le terrain comme évacué, suite à quelque avertissement civique que tous avaient entendu sauf Lew?

Il observa les mains et les pieds de la silhouette, guettant l'apparition, dans l'obscurité envahissante, d'une sphère d'une certaine taille. Il déboutonna sa veste, et le petit Browning se fit aussitôt disponible. La silhouette dut s'en rendre compte car elle commença à s'éloigner. «Dites, on ne s'est pas déjà vus?» lança Lew, de l'accent le plus américain qu'il pût prendre vu l'incertitude et le flou de l'heure. La réponse fut un rire, d'une allégresse inattendue, suivi d'un éloignement rapide dans le soir humide. Quand la bruine tomba, l'inconnu avait déjà disparu, et il ne fit aucune apparition le lendemain pendant le match, match que I. Zingari, après un lancer plutôt timide, finit par gagner de huit wickets.

De retour à Londres, Lew se rendit à Cheapside pour consulter le Dr Coombs De Bottle, qui semblait un peu plus dépenaillé et agité que la dernière fois.

« Vous êtes la dixième, voire la centième personne à m'interroger cette semaine sur le dichlorure de carbonyle. Quelque chose de cet ordre de grandeur. La dernière fois que la hiérarchie s'est montrée aussi curieuse, c'était juste après le raid de Jameson. Voilà qu'ils nous rendent dingues à nouveau. Qu'est-ce qui se trame selon vous ? »

« J'espérais que vous me le diriez. Je viens juste d'apercevoir le Gentleman Dynamiteur, à Cambridge, mais il faisait trop sombre pour que je l'atteigne. Ce que vous autres appelez une mauvaise lumière. »

« Bizarrement, les journaux ont cessé de parler de lui. J'aurais préféré croire qu'il avait quitté le pays, comme Jack l'Éventreur. »

« Cette histoire de phosgène dont j'entends parler – c'est un *modus operandi* différent, on pense plus à un levier de déclenchement posé en attendant une intrusion, et à une échelle dépassant de loin le rayon d'action d'un simple lanceur de bombes. »

« On dirait un mélange de projecteur de gaz et de mine terrestre » – sur un ton légèrement étonné, comme si la chose était complètement inédite à ses yeux. « À peu près tout ce que je peux vous dire. Plutôt sommaire, j'en conviens. »

« Le phosgène se vaporise à 8 °C, aussi conviendrait-il de le stocker dans des réservoirs sous pression. Le levier de déclenchement actionnerait alors, au moyen d'une transmission adaptée, une simple valve. La pression dans le réservoir pourrait être supérieure ou inférieure selon la force avec laquelle on souhaite projeter le gaz. La méthode, telle que je la comprends, consiste à diriger l'agent le long d'une ligne, disons contre une ligne de soldats qui avancent. On calcule en poids déployé par unité de longueur de ligne, disons en kilos par mètre, par heure. »

« Plutôt en tonnes par kilomètre. »

« Bon Dieu. C'est si grand que ça ? »

« Les gars du ministère de la Guerre savent tout là-dessus, mais le chiffre que j'ai est de trois cent vingt kilomètres. Vous pourriez leur parler. »

Le Cohen penchait pour une approche philosophique. « Supposons que le Gentleman D. ne soit pas un simple terroriste mais un ange, au sens premier de "messager", et que dans le nuage fatal qu'il apporte, malgré l'odeur insupportable, la suffocation corrosive, se trouve un message ?» Selon Coombs De Bottle, certains avaient survécu à l'attaque. Même dans les cas mortels il pouvait y avoir une rémission allant jusqu'à quarante-huit heures. Un traitement efficace exigeait quatre ou cinq heures de repos absolu. «Donc, le phosgène ne garantit pas une mort certaine», dit le Cohen. «Et peut-être que les victimes ne sont pas censées mourir après tout, peut-être que l'intention du messager est en réalité bienveillante, une façon d'instaurer la quiétude, la survie dépendant en réalité d'un état de quiescence dans lequel son message pourrait être contemplé, probablement, plus tard, et pris en compte... ?»

Puis, un matin, Lew se rendit en titubant dans la salle du petit déjeuner et s'aperçut qu'ils avaient tous quitté la ville. Si l'on avait été dans le Colorado, cela aurait pu signifier la visite imminente d'une bande importante, certainement armée et d'humeur à jouer de la gâchette – auquel cas, quitter la ville n'aurait été rien d'autre qu'une démarche prudente. Mais personne ne débarqua à Chunxton Crescent. Lew attendit, mais seul l'endroit semblait continuer d'exister, respirant silencieusement, les couloirs déserts, la surface des murs renvoyant des échos qui parvenaient à chaque oreille avec une petite fraction de seconde d'écart, donnant l'illusion de présences fantomatiques répétant les mots des vivants. Acolytes et serviteurs allaient et venaient comme à l'accoutumée, furtivement, sans dire grand-chose. Le Cohen Nookshaft et Madame Eskimov avaient disparu, tout comme Neville et Nigel – plus personne aux commandes. Les livraisons de charbon, de glace, de lait, de pain, de beurre, d'œufs et de fromage continuaient d'arriver.

Il plut. La pluie coula sur les statues du jardin. Dégoulina le long des nez des satyres et des nymphes. Lew examina une photographie de Yasmina, dans la lumière grise filtrée par les fenêtres donnant sur le jardin. Une semaine plus tôt, il avait reçu une carte postale signée de sa main, portant des timbres suisses officiels ainsi que le sceau rouge vif du sanatorium Böpfli-Spazzoletta, une carte dans laquelle elle lui annonçait qu'elle se rendait à Buda-Pesth, sans donner de raison particulière. Une jeune insouciante visitant le Continent, tel fut l'effet qu'elle donnait. Sauf que les mêmes timbres rouges apparaissaient partout sur le courrier quotidien reçu à Chunxton Crescent, pareils à des gouttes de sang sur la neige. Des cartes postales, des enveloppes de formats différents, sûrement pas toutes envoyées par Yasmina. Était-ce donc là qu'ils étaient tous allés, en Suisse? Sans en informer Lew, bien sûr. Un homme de main, tout ça, pas besoin, n'est-ce pas?

Il étudia ses options. Personne ici à qui parler, en fait, même Otto Ghloix avait disparu, sûrement parti dans sa Suisse natale avec les autres. Lew aurait dû éprouver un grand sentiment d'abandon, mais bizarrement il avait l'impression d'être libéré d'un fâcheux contrat. Dans leur panique, il ne leur était pas venu à l'esprit que Lew pût se révéler d'une certaine utilité. O.K., très bien. Il y aurait certainement assez de travail d'investigation dans cette ville pour contenter les percepteurs d'impôts, et de toute façon il était grand temps que Lew s'installe à son propre compte. Les S.O.T. n'avaient qu'à embaucher un autre gorille.

«Mais c'est votre destin!» aurait dit le Cohen.

«Oui, Lewis, tiens, tire une taffe et réfléchis.»

«Désolé, les gars, je crois pas que je vais continuer à traquer des cartes du Tarot, non, à partir de maintenant ça sera plutôt les maris soupçonneux, les colliers manquants et les poisons exotiques, merci.»

Et si ça ne lui correspondait pas non plus — si, n'ayant pas désiré grand-chose depuis un certain temps, ce n'était même pas exactement ce qu'il «voulait» —, il était décidé en tout cas à ne jamais devoir revenir, à ne jamais se retrouver au milieu de nulle part, parmi les coursiers du désert, à hurler à la lune opaque et muette.

QUATRE

Contre-jour

Cyprian fut tout d'abord dépêché à Trieste, afin de surveiller de près les quais et les flux migratoires vers l'Amérique, mais il dut également se rendre à Fiume pour inspecter l'usine de torpilles Whitehead et le port pétrolier, ainsi que la côte jusqu'à Senj, quartier général du mouvement Néo-Uskok, alors en plein essor, et baptisé ainsi en hommage à la communauté exilée du seizième siècle qui avait contrôlé à une époque cette extrémité de l'Adriatique, menaçant autant Venise par la mer que les Turcs dans les montagnes, et encore aujourd'hui groupe fervent pour qui la menace de l'invasion turque, soudaine et impitoyable, demeurait réelle et vérifiable. Qui continuait de surveiller, le long de la frontière militaire, nuit et jour, la brèche fatidique – en faction dans les anciennes tours de guet et reportant sur les cartes militaires de la région la moindre étincelle aperçue dans la nuit terrestre, sa portée et son ampleur, ne s'éloignant jamais de l'amadou sec et de la paraffine qui serviraient aux feux d'alerte, ne se reposant jamais plus de trente secondes avant le lever du soleil. Des implications évidentes pour la Question macédonienne. Dieu seul sait dans quels bureaux ésotériques parvenaient les rapports de Cyprian sur le mouvement Néo-Uskok.

Trieste et Fiume, de part et d'autre de la Péninsule istrienne, étaient devenues des points de convergence pour tous ceux qui, en Autriche-Hongrie, cherchaient à s'embarquer pour se rendre à l'ouest. C'étaient pour la plupart d'honnêtes gens, même si certains voyageaient sous un déguisement, obligeant Cyprian à traîner toute la journée sur les quais, et à tenir des registres détaillés de qui allait en Amérique, qui en revenait, qui venait ici pour la première fois. Entrées et sorties – tels des débits et crédits, figurant en vis-à-vis sur les pages de son carnet d'espion. Après quelques années passées à recourir à diverses écritures pour faire des faux, ce qui valut à un scabreux défilé d'identités de contaminer sa graphie, il était revenu à son écriture manuscrite d'écolier, du temps des lointaines complies, quand l'ancien orgue de chapelle gémissait tandis qu'on éteignait la dernière lampe et fermait la porte pour la longue nuit.

À la tombée du jour, on pouvait le voir sur les quais, où il s'attardait pour contempler la mer. Le travail ne l'obsédait pas – les couchers de soleil avaient la priorité. La promesse du soir – une densité de possibles qu'on ne trouvait décidément pas dans des endroits comme Senj. Des matelots, cela allait sans dire, des créatures marines partout. Un ciel à la chair bleue et laiteuse qui virait au vermillon au contact de la mer, la lumière aux couleurs théâtrales souillant en retour toute surface dirigée vers l'ouest…

La descente de Cyprian dans le monde interlope datait seulement de l'an dernier, à Vienne, au cours d'une de ces soirées d'errance insouciante autour du Prater. Sans réfléchir, il avait engagé la discussion avec deux Russes, qu'il prit, dans sa naïveté d'alors, pour des touristes.

«Mais vous vivez ici à Vienne, nous ne comprenons pas, vous faites quoi?»

«Le moins possible, on l'espère.»

«Il veut dire, quel est votre métier?» dit l'autre.

«Me montrer serviable. Et vous?»

«Pour le moment? Juste une petite faveur à un ami.»

«De… excusez-moi, un ami commun? Tous d'excellents amis, non?»

«Quel dommage qu'on n'ait pas le droit de se disputer avec les sodomites. L'insolence dans sa voix, Misha, son visage – on devrait y remédier.»

«Peut-être son ami», répondit l'impertinent Cyprian. «Qui se soucie fort peu de l'insolence, lui aussi, je suppose.»

«Au contraire, il l'apprécie.»

«Comme une chose qu'il doit patiemment supporter.» La tête légèrement tournée ailleurs, Cyprian continuait de leur couler des œillades derrière ses cils qui ne cessaient de battre.

L'autre homme éclata de rire. «Comme une occasion de corriger une habitude perverse qu'il désapprouve.»

«Et est-il également russe, comme vous? Un adepte du knout, ce genre-là peut-être?»

Pas même une pause. «Il préfère de beaucoup des compagnons indemnes. Néanmoins, vous devriez réfléchir avant d'utiliser votre intéressante bouche, tant que vous en conservez l'usage.»

Cyprian acquiesça, comme si on le réprimandait. Le délicieux réflexe de la peur rectale qu'il ressentit alors aurait pu être simplement un recul devant une menace, ou la trahison du désir qu'il s'efforçait, en vain, de maîtriser.

« Un Capuziner ? » proposa l'autre.

Le prix dont ils convinrent n'était pas élevé au point de provoquer une curiosité autre qu'ordinaire, même si bien sûr la question de la discrétion se posa. « Il y a l'épouse, les enfants, les relations – les obstacles habituels que vous avez sûrement appris à contourner. Notre ami est très clair sur ce point – sa réputation est pour lui d'une importance capitale. Toute allusion à sa personne, si banale soit-elle, lui sera aussitôt signalée. Il dirige des ressources qui lui permettent d'apprendre tout ce que disent les gens. Tous les gens. Même vous, recroquevillé dans votre nid fragile avec un visiteur viril qui vous assure qu'il veut vous garder, ou vous vantant à un autre pauvre oisillon, "Oh, il m'a donné ça, il m'a acheté ça" – à chaque instant, vous devez *surveiller ce que vous dites,* car tôt ou tard vos exactes paroles seront reprises très exactement, et si ce sont des paroles imprudentes, eh bien, ma petite demoiselle, vous devrez voleter pour sauver votre peau. »

« Et n'allez pas imaginer qu'il existe pour vous un endroit sûr », ajouta son compagnon, « car nous ne sommes pas sans ressource en Angleterre. Notre œil ne vous quitte pas, où que vous emportent ces petites ailes. »

Cyprian ne s'était pas douté que cette ville puisse lui révéler davantage que la promesse d'une obéissance irréfléchie, de jour comme de nuit, aux ficelles du désir. Forcément, en dehors du Prater, ce réservoir du chic européen, le fait de découvrir que Vienne pouvait offrir des comportements plus complexes, qui plus est dotés (cela sautait aux yeux) d'une dimension politique, fit grimper en flèche ses coefficients d'ennui et déclencha agréablement ses sirènes d'alarme. Peut-être que les deux entremetteurs avaient déjà décelé en lui cette expectative superficielle. On lui tendit une carte avec une adresse imprimée dessus – à Leopoldstadt, le quartier juif au nord du Prater, derrière les voies ferrées.

« Bien. Un ami juif, apparemment… »

« Peut-être qu'un jour une discussion poussée sur les questions hébraïques pourrait vous être d'un certain profit, financier autant qu'instructif. En attendant procédons de façon ordonnée. »

Pendant un moment, la désolation survola les tables de jardin de chez Eisvogel, éclipsant tout avenir envisageable. Quelque part du côté de la Grand-Roue retentit l'infernale cadence d'une énième valse gazouillante.

Les Russes, qui répondaient aux noms de Misha et Grisha, après avoir obtenu une de ses adresses, un café dans le Bezirk IX, y laissèrent bientôt des messages à son intention environ une fois par semaine, lui fixant des rendez-vous à des croisements guère fréquentés un peu partout en ville. Comme il avait de plus en plus conscience d'être surveillé, ce qu'on attendait d'ailleurs peut-être de lui, il passa moins de temps au Prater et davantage dans les cafés à lire les journaux. Il partit également en excursion pour la journée, parfois plus, afin de déterminer quel rayon d'indépendance ses guetteurs lui autoriseraient.

Enfin, un soir, il fut mandé sans préavis à l'adresse à Leopoldstadt. Le domestique qui lui ouvrit était grand, cruel et silencieux, et avant même que Cyprian n'ait franchi le seuil on lui passa des menottes et lui banda les yeux, puis on le propulsa brusquement dans un couloir, on lui fit monter des marches jusqu'à une pièce étrangement insonorisée, où on lui ôta ses entraves juste le temps nécessaire pour le déshabiller avant de les lui remettre.

Ce fut le Colonel en personne qui lui ôta son bandeau. Il portait des lunettes à monture métallique, et la forme de son crâne soigneusement rasé trahissait aux yeux d'un étudiant versé dans l'ethnophysiognomonie, même dans la pénombre de la pièce, son sang non prussien, et pour tout dire crypto-oriental. Il se choisit une canne en rotin et, sans un mot, entreprit de flageller le corps nu et exposé de Cyprian. Étant menotté, ce dernier fut incapable d'opposer une grande résistance, mais de toute façon son sexe en érection aurait rendu peu crédible la moindre protestation.

Les séances commencèrent donc, au rythme d'une fois par semaine, et toujours accomplies en silence. Cyprian varia les costumes, le maquillage et la coupe de cheveux, ce afin de susciter quelque commentaire, mais le Colonel préférait apparemment le fouetter – en silence et moyennant souvent une étrange délicatesse, jusqu'à l'orgasme.

Un soir, non loin du Volksgarten, Cyprian errait tranquillement quand il entendit soudain, venant d'un endroit encore indistinct, un chœur de voix masculines rendues rauques par des heures passées à chanter *Ritter Georg Hoch!*, le vieil hymne pangermanique, qui à Vienne, ces temps-ci, était également antisémite. Comprenant qu'il était préférable d'éviter un tel groupe, il se faufila dans la première cave à vins qu'il vit, où il rencontra, ô surprise, ce vieux Ratty McHugh. À la vue de ce visage qui ne lui rappelait que trop une certaine innocence, il ravala un petit sanglot, trop discret pour embarrasser quiconque mais qui les surprit tellement tous deux que Ratty ne put que le questionner.

Bien que Cyprian se fût désormais formé une idée plus claire de ce qu'il lui arriverait s'il parlait de ses rendez-vous avec le Colonel – la mort n'étant certainement pas exclue, ni la torture, laquelle ne ressemblerait en rien aux agréables sévices que lui faisait subir son hôte –, il fut néanmoins tenté, presque sexuellement, de tout déballer à Ratty, histoire de voir ce qui parviendrait aux oreilles du Colonel, et ce qui se passerait alors. Instinctivement, il n'avait pas cherché à savoir pour qui travaillait ces temps-ci son ancien camarade d'école, ni même pour quel service. Ayant le sentiment d'avancer dans une salle obscure et parfumée au narcotique, et dosant soigneusement le degré de séduction dans sa voix, il murmura : « Tu crois que tu pourrais me faire sortir de Vienne ? »

« Dans quel genre de pétrin t'es-tu fourré ? » voulut savoir bien sûr Ratty. « Précisément. »

« "Précisément"... »

« Je suis en contact régulier avec des personnes bien placées. Même si je peux pas parler en leur nom, j'ai comme qui dirait l'impression que plus ton récit sera détaillé, plus ils seront disposés à intervenir. » Le vieux Ratty n'avait jamais parlé avec autant de circonspection.

« Tu sais », crut bon d'expliquer Cyprian, « ce n'est pas comme si on avait d'emblée *l'intention* de vivre ainsi... "Oh oui je compte, n'est-ce pas, faire une carrière dans la sodomie." Mais – bon, peut-être moins à Trinity qu'à King's College – quand on aspirait à un semblant de vie sociale, c'était simplement le masque idéal. Inéluctable, vraiment. Avec l'espoir, pour la plupart d'entre nous, de laisser tout ça derrière après le dernier bal de la fin mai, et merci pour tout. Qui aurait pu prévoir, tout comme l'actrice qui tombe amoureuse de son partenaire, que la fiction se révélerait en définitive plus désirable – bizarrement, plus durable – que tout ce que le monde civil avait à nous proposer ?... »

Ce brave Ratty ne broncha fort heureusement pas plus qu'à l'accoutumée. « Mes alternatives étaient un peu moins pittoresques. Whitehall, Blackpool. Mais ce n'est que justice de te mettre en garde, tu risques de passer au gril. »

« Tes contacts. Ils sont pas commodes, c'est ça ? »

« Des parangons de virilité, qui ne supportent quasiment rien d'autre. »

« Parfait, c'est tout à fait mon genre. Tu aimes toujours autant faire des paris insensés comme à l'époque de ta période Newmarket ? Habillé correctement, je parie que je peux séduire n'importe quel membre de ta virile brigade que tu voudras bien choisir. Ça ne me prendra pas plus d'une soirée. »

À la fin de la semaine, Ratty lui avait pris rendez-vous avec Derrick Theign, un fonctionnaire de haute taille, rongé par les soucis, et qui si l'on se fiait à son accent devait être en poste à Vienne depuis un certain temps. « Je suppose que je me plais ici, plus que nécessaire, même, à ce qu'on m'a dit. Certes, je croule sous les rapports, aussi j'aurais du mal à trouver le temps pour ces… bon, vous me comprenez, encore faut-il être porté sur ce genre de choses, ce qui bien sûr n'est pas le cas, pas trop. »

« "Pas trop." Doux Jésus. »

« Mais je dois préciser que je suis épouvantablement friand de ces machins au chocolat et aux framboises – ça vous gêne si on commandait… disons quelques-uns, pas pour emporter, non, mais pour manger *sur place*, toutefois je ne voudrais pas aller *trop vite* en besogne —»

« Derrick – si je puis vous appeler ainsi –, je ne vous rends pas "nerveux", par hasard ? Quelqu'un d'aussi inoffensif et ordinaire que moi ? Ne ferions-nous pas mieux —»

« Non, pas du tout, c'est juste le… humm. Au diable tout ça. Mais à y bien réfléchir… »

« Oui continuez, je vous prie — "le" quoi ? »

« Le maquillage, vous savez. Je trouve cela —»

« Oh zut alors, aurais-je encore débordé ? Ce sont les yeux, hein ? Ça m'arrive tout le temps. C'est quel côté ce soir ? »

« Non, non, ils sont parfaits, pour être franc, l'effet d'ensemble est… eh bien, renversant. »

« Merci, Derrick. »

« Je veux dire, vous le faites vous-même, ou c'est quelqu'un d'autre ? »

« Vous avez dû entendre parler de Zsuzsa, non ? Eh bien j'ai passé le plus clair de l'après-midi dans son salon, elle est vraiment la seule à voir quand – vous savez, ces petites prémonitions, sentir qu'on est sur le point de rencontrer quelqu'un qui saura apprécier —»

« Bien – c'est ce sourire que je veux, exactement, gardez-le encore un peu et ne vous inquiétez de rien, mais nous ne sommes pas, comment dire, sans être surveillés. »

« Par qui ? »

« Vient de passer… là. »

« Ah. »

« Ils sont déjà passés plus d'une fois – si je ne m'abuse, ils sortent de l'atelier de Misha et Grisha. Vous vous êtes acoquiné avec de drôles d'oiseaux, Latewood. Bon… dans un moment ils vont se retourner et revenir, et il vaudrait mieux alors que j'aie ma main sur votre jambe – est-ce que ça vous pose un quelconque problème ? »

« Eh bien… à quelle jambe pensiez-vous, Derrick ? »

« Oui… les revoilà. »

« Hmm… »

« Bientôt, et le plus naturellement possible, nous nous lèverons pour partir ensemble, et les laisserons nous suivre. Vous connaissez l'Hôtel Neue Mutzenbacher, près des Écuries impériales ? »

« Entendu parler. Plutôt un musée de très mauvais goût, pas la moindre envie d'y mettre le pied, personnellement. »

« Vraiment. Toujours trouvé l'endroit très amusant. »

« "Toujours", Derrick ? Vous êtes... un habitué de... du Mutzi, alors ? »

« Son décor est largement compensé par ses précieuses P.S.D., ou Portes de Sortie Dérobées, enfin si vous n'avez rien contre les égouts. »

« On finit par s'habituer... Mais dites-moi, si vous autres y allez, l'endroit ne risque-t-il pas d'être également connu de M. et de G. ? »

« Certes, mais ils attendront un moment dehors, n'est-ce pas, afin d'être sûrs, avant d'entrer en force. »

« D'être sûrs de — »

« De ma présence en ces lieux. »

« Et ça prendra combien de temps ? »

« Aucune idée. Le temps qu'il faut, espérons-le. Quelle est la durée moyenne de vos rendez-vous, Cyprian ? »

« Des heures d'affilée, parfois. Ça dépend de son engouement du moment, bien sûr. »

« Oui même si comme beaucoup d'autres il doit finir par se lasser — ah, fort bien, voici la Stiftskaserne, plus très loin maintenant... »

Le *Fiaker* les conduisit en direction du sud vers la fraction rougie de lune, et tandis que les lumières de la ville convergeaient derrière eux, le cocher fredonnait dans sa barbe quelques *Fiakerlieder* mais se retenait de chanter à tue-tête.

« Ce n'est pas le chemin de la gare. »

« Du Süd-Bahnhof, si. »

« Mais c'est pour se rendre à Trieste, pas chez moi, Derrick. Je ne veux pas aller à Trieste... J'étais censé partir dans la direction opposée, n'est-ce pas, vers Ostende, chez... » Il ne put vraiment dire « chez moi ».

« Avec de la chance, ils penseront également que nous allons prendre l'Ostende Express – du coup, peut-être qu'ils auront envoyé des hommes à eux à la Staatsbahn. Exercice d'acheminement erroné classique, rasseyez-vous, ne vous inquiétez pas, nous vous mettrons finalement dans la bonne direction. Si c'est ce que vous voulez vraiment. Voici vos billets, documents de transport, lettres de recommandation, un petit pécule — »

« Mille kreuzer ? Ça ne fait même pas dix livres. »

« Allons, allons. Quels étaient déjà vos tarifs habituels ? »

Cyprian lui lança un regard noir et courageux. «Le minimum à Vienne est de trente K. Par jour.»

«Là où vous allez, j'imagine que vous trouverez la vie moins chère. Quant à "chez vous"» – passant devant des lampadaires électriques qui clignotaient par intervalles, tel un projecteur de prison, sur les verres de ses lunettes – «vous prendrez peut-être la peine de vous demander si cette expression a vraiment un sens pour vous en Angleterre ces temps-ci. Curieusement, vous êtes sans doute un peu plus en sécurité à Trieste… ou même *plus à l'est*.»

Il était difficile de distinguer ses yeux, mais d'après la position de ses épaules et les modulations de ses lèvres, Cyprian devina une partie de ce qu'il ne disait pas. Après quelques tergiversations psychorectales : «Chez les Turcs, vous voulez sûrement dire.»

«Un réflexe qui pourrait être charmant, Latewood, s'il n'était si prévisible chez les vôtres. Oui – une retraite, et pas la première, je quitte les dangereuses polyphonies que je dois me taper tous les jours pour des airs de bordel monocordes – je parle des Turcs, voyez-vous, de leur légendaire équipement, tout ça. Exactement.»

«Hmm.» Cyprian scruta l'espion engoncé dans les ombres. «Vous êtes *emmêlé*, n'est-ce pas, en tout cas pour l'instant. Normal, ça ne m'étonne pas, vous avez une espèce de charme meurtri bien à vous.»

«Effectivement. C'est pour ça que tous les dossiers sodomitiques finissent sur mon bureau. Oh, mais —», secouant la tête énergiquement, comme en proie à une transe, «voilà que je me plains à nouveau ! Vraiment désolé, mais parfois, comme vous dites, ça *gicle* sans prévenir —»

Les Russes ne présentaient guère de problèmes. «Vous avez le choix entre une *Kuppelei* simple ou qualifiée, Misha —»

«Moi, c'est Grisha.»

«Oui, bon, de toute façon vous n'aurez pas d'autre alternative. Six mois ou cinq ans. Si vous faites des difficultés, nous produirons des documents établissant que le pauvre petit Cyprian était votre pupille à l'époque où vous l'avez entraîné, sous de faux prétextes, dans une vie immorale – et ça peut vous valoir jusqu'à cinq ans dans une prison des Habsbourg, plus probablement dans une cellule de type belge, une livre et demie de pain par jour, toujours mieux que d'être un homme libre dans votre Russie natale, mais ça peut sembler sinistre à un épicurien d'un rang tel que le vôtre…»

Ils crurent bon alors de révéler à Cyprian que le Colonel avait été informé de l'endroit où il se trouvait ainsi que de ses projets à moyen terme, avant même que ceux-ci eussent été établis dans le détail. Or Cyprian venait d'apprendre que le Colonel s'était entre-temps spécialisé dans la politique slave ainsi que dans les pratiques sexuelles des Slaves du Sud, pratiques dont on était certain qu'elles ne péchaient pas par excès d'hétérosexualité.

« La Croatie-Slavonie! Mais c'est son — »

« Oui ? »

« Son jardin des délices. Tôt ou tard il pourra s'y rendre, et alors il me tuera, ou un de ces Russes s'en chargera, oh *merci*, Theign, vraiment mille mercis. »

« Je ne m'inquiéterais pas pour eux. Vous n'êtes plus sur leur liste. »

« Depuis quand? Et pourquoi ça? »

« Déçu? Depuis que votre Colonel a été arrêté » — sortant avec difficulté une montre-calendrier suisse à canon en bronze et en porcelaine noire qu'il consulta longuement — « en fait, jeudi dernier. Tiens, aurait-on oublié de vous le dire? Vraiment désolé. Non, il n'est plus en lice. Ce chapitre est clos. Nous avons progressé. Même si, dans cette partie, il n'est jamais trop fantaisiste d'envisager un jour des retrouvailles, d'autant plus qu'il est possible qu'il se soit, et reconnaissons que la chose est inexplicable, amouraché de vous. »

« Pas même si l'Angleterre le souhaite, Theign. »

« Oh », haussant les épaules, « oui j'ai cru comprendre qu'une once de fustigation pourrait jouer, vraiment *pro forma*, mais à part ça — »

« Pas ces gens-là, par pitié, même le plus stupide crétin qui figure sur leur liste sait que celui qui se retourne meurt. "Fustigation". Mais de quelle lointaine planète venez-vous déjà, bon sang? »

« Nous connaissons "ces gens", Latewood. »

Cyprian parut songeur. « Des nouvelles toutes très importantes, je n'en doute pas, mais pourquoi m'en informer? Pourquoi ne pas me maintenir dans l'ignorance et la peur, comme avant? »

« Disons que nous commencions à vous faire confiance. »

« Il se gausse. Amèrement. »

« Et qu'il s'agit d'une chose que vous aviez besoin de savoir — »

« — en rapport avec ce que vous allez me demander maintenant. »

À Trieste, il pouvait au moins s'imaginer acquérir une certaine virilité, voire devenir un vieil atout de l'Adriatique – un fantasme dangereux, car il s'était vite rendu compte à quel point il n'avait pas son mot à dire quant au poste qu'on allait lui attribuer. Mais quel dénouement avait-il pu imaginer à ce drame? La Section étrangère se servait de lui tout comme l'avaient fait ses précédents clients. Le même *maintenant dites ceci, maintenant portez cela, faites ceci*. S'il était destiné depuis toujours à servir un gouvernement, pourquoi ne pas simplement s'engager dans la Marine, et qu'on n'en parle plus?

Derrick Theign, dont le nom de code était « Bon Berger », réussit à se libérer tous les deux ou trois mois. Il arrivait toujours tard le soir et prenait la même suite au Métropole, qu'on lui réservait depuis l'époque où cette suite était elle aussi connue sous le nom de Buon Pastore – jamais pour plus d'une nuit, puis il repartait, à Semlin, ou plus géné-ralement à Zagreb, et dans des endroits situés à l'Est dont les noms n'étaient jamais prononcés, plus par prudence que par peur. Les réunions avec Cyprian ne portaient jamais sur rien d'important, sauf si on comptait certains silences pesants, prolongés souvent de façon désagréable alors qu'ils buvaient un verre ensemble parmi les velours rouges et les bronzes ciselés. Cyprian en vint à se demander si Theign ne trouvait pas en fait des prétextes pour répéter ce cycle d'arrivées, de silences abrupts, feignant de se ressaisir, faisant brusquement ses valises le lendemain, s'en allant. L'insouciance de Cyprian avait atteint de telles profondeurs qu'il ne songea jamais à demander tout bonnement à son supérieur ce qui se tramait. Quand la question de Venise se posa, il fut pris au dépourvu.

« Venise. »

« Pas un endroit déraisonnable pour un poste d'écoute. Venise occupe une place géopolitique charnière depuis qu'elle se trouve à l'ancienne intersection des empires d'Occident et d'Orient – comme c'est encore le cas de nos jours, même si les empires se sont transformés tout autour, ceux du Prophète attendant encore leur terrible moment, ceux sous la protection du Christ revenant désormais à Vienne et Saint-Pétersbourg, et les récents empires dont Dieu se soucie moins, la Prusse qui adore fort peu de choses à part la splendeur militaire et l'Angleterre qui n'en pince que pour son propre reflet mythique, étant réajustés chaque jour dans les miroirs d'une lointaine conquête. »

« Rappelez-moi ma question. »

Ils prirent bientôt leurs aises, presque comme un ménage, dans une *pensione* de Santa Croce, proche de la gare et du pont de Mestre, réunis pour lors à la table de la cuisine devant une bouteille de grappa et une coupelle pleine d'étranges biscuits. Et un drôle de fromage au lait de brebis de Crotone. Dehors, se répondaient les sifflets des locomotives à vapeur.

Cyprian venait d'apprendre que Theign occupait un poste dans la

Marine en tant que lieutenant, pour le compte des Services de renseignements de la Marine à l'Amirauté. Sa mission à Venise, au moins officiellement, consistait à enquêter sur un vol de plans industriels secrets au sein même des murailles menaçantes de l'Amirauté – le destin de la Marine italienne avait été compromis de façon si catastrophique qu'il lui fut même presque impossible de découvrir la *teneur* de ces plans. «Je me demande ce qu'ils peuvent bien avoir de si mystérieux. Yachts, frégates, et cætera, sous-marins et destroyers sous-marins, torpilles, torpilleurs, contre-torpilleurs, sous-marins miniatures qu'on peut transporter dans des navires de guerre et lancer depuis la proue comme s'il s'agissait de simples torpilles. »

«Je croyais que tout ce tralala sous-marin se passait à La Spezia, dans les chantiers de San Bartolomeo», dit Cyprian.

«Quel bon élève», dit Theign, le regard noir. C'était un point sensible. À de nombreuses reprises, on l'avait adressé aux bureaux de La Spezia ouverts dans le but exprès d'égarer les étrangers, surtout ceux comme Theign, qui aurait pu tout aussi bien s'habiller en homme-sandwich avec l'inscription ESPION devant et derrière. «Les bateaux, tout le monde les connaît», marmonna-t-il, «le sous-marin *Glauco* et ses successeurs, *idem*. Mais ceux-ci sont... comment dire? spécialisés... »

Nous qui vivons dans le futur savons que l'unité en question était le sinistre Siluro Dirigibile a Lenta Corsa, ou Torpille Dirigeable à Faible Vitesse. «Ce qui les rend particulièrement malveillants», confia Theign, commettant une indiscrétion par fierté quand, enfin, au prix d'un effort exceptionnel, il parvint à acquérir la délicate information, «c'est qu'ils n'exigent de leur équipage aucune bravoure, seulement cette capacité à se faufiler qu'on associe au caractère italien. »

«Oh c'est vraiment juste une légende», Cyprian cherchant aujourd'hui la dispute, apparemment. «Ils sont aussi francs que des enfants. »

«Effectivement. La plupart des enfants que *vous* fréquentez étant, au mieux, corrompus, qu'entendez-vous exactement par "franc"? »

«Persévérez et vous verrez. »

«Un détail auquel n'a pas songé la Marine royale italienne», reprit Theign, «c'est l'observation aérienne. Nous savons que les Russes ont mis au point un programme – Voznab, ou *vozdushnyi nablyudenie*, surveillance aérienne – depuis des années : leurs aérostats et leurs dirigeables ont été équipés d'un système de camouflage sophistiqué, qui imite le ciel, de sorte qu'il est difficile de les voir même quand on sait qu'ils se trouvent là-haut. Ils ont des bases avancées en Serbie, ce qui les met à moins d'une heure d'ici, peut-être à deux de La Spezia. Certains clichés photographiques arrivent d'ailleurs jusqu'au Rialto de temps en temps.»

· Un jour Theign vint le trouver, l'air préoccupé. «Vos amis Misha et Grisha se planquent…»

«Et je suis censé savoir où. En fait non, aucune idée, vraiment désolé…»

«Réfléchissons un moment, vous voulez bien. À commencer par Vienne – serait-il possible qu'ils soient restés là-bas?»

«Oui – mais tout aussi bien, comme vous vous en doutez, non. Misha adorait la ville, Grisha la détestait. L'un d'eux a très bien pu monter dans un train sur un coup de tête.»

«Vous voulez dire Grisha.»

«Misha n'était guère étranger aux joies des actes irréfléchis… Mais dites donc, Derrick, vous autres, vous avez bien surveillé les trains, n'est-ce pas?»

«Oh, juste une petite faille, certes fâcheuse, dans notre… euh… précédente information.»

«C'est pas vrai!»

«Cyprian, il se peut qu'on ait besoin de vous un temps à la Metter-nichgasse.»

D'entre ses cils, Cyprian coula un regard en biais réputé pour induire des réflexes désirants susceptibles d'entraîner, comme cela avait été le cas à Ashby-de-la-Zouch, Leicestershire, une proposition de mariage. «Et où me voulez-vous, Derrick?»

Ce fut la seule question stupide que Derrick Theign trouva insupportable. Ce qu'il n'avait voulu être qu'une tape amusée sur la joue devint d'abord, indubitablement, une caresse, puis, du fait du rire téméraire de Cyprian, une gifle plutôt sèche. Avant que l'un et l'autre aient compris ce qui se passait, Theign avait saisi Cyprian par les cheveux et ils s'embrassaient, pas du tout comme des Anglais pourraient le faire – s'ils y étaient contraints – mais comme des étrangers, éperdument. Assez de salive pour tremper le col de chemise de Cyprian. Des pénis dressés un peu partout. L'attrait de Venise, disait-on.

«Je n'aurais pas choisi *ce* scénario», marmonna Theign peu après, tout en soignant diverses écorchures.

«Un peu tard pour ça, non?»

«Ça vous met dans une catégorie à part, c'est sûr.»

Cyprian, déjà sceptique: «Oh bien sûr je ne dois pas être le seul.»

«On essaie d'éviter la chose, vous savez, chaque fois que c'est possible.»

« "La chose". Oh, Derrick... » Quasi en larmes.

« Me faites pas le coup du sodomite, quand vous aurez besoin d'y voir clair, si ce n'est pas *trop* demander. »

Tandis que les pétales du désir irréfléchi, en ces journées narcotiques passées sur la Lagune, se flétrissaient, perdaient leur arôme et tombaient les uns après les autres sur la table de travail des affaires courantes, Theign inventa un espion local, « Zanni », afin d'avoir des crises imaginaires à résoudre, ce qui lui fournissait un prétexte pour s'absenter brièvement mais toujours à propos, même si c'était pour se retrouver dans les *calli* grouillantes de Venise. Bizarrement, l'immersion dans la foule italienne le rassérénait, clarifiait ses pensées comme le fait un Partagas fumé au bon moment. Son emploi aux Services de renseignements de la Marine, dans cette ville des masques, dissimulait en fait un projet plus secret. « Zanni » était un des nombreux noms de code pour son contact avec une petite fabrique de vélos sur la *terraferma* qui venait juste de se lancer dans la construction de motocyclettes. Quand les troupes se mettraient enfin à se déplacer en Europe en grand nombre, il allait falloir maintenir le flux des informations. Le télégraphe et les câbles étaient susceptibles d'être coupés. Le sans-fil était trop vulnérable aux influences éthériques. La seule méthode sûre, trouva Theign, était une petite équipe internationale de motards, assez rapides et agiles pour ne pas se laisser rattraper. « On lui donnera le nom de B.R.E.F., pour Brigade Rapide d'Espionnage et de Filature. »

« "Filature" ? » Cyprian, vaguement gêné, ne connaissait pas ce sens-là du terme.

« Suivre quelqu'un, un peu comme si on glissait à sa suite sur la même trame », expliqua Theign.

« Obligé presque d'être la... navette de l'autre. »

« Si vous voulez. »

« Si près de lui qu'on risque soi-même de perdre le fil... »

« Imaginez ce qu'il vous plaira, reddition de l'ego, tout ça. »

« Derrick, je ne sais même pas monter à cheval. »

« Vous ne comprenez donc pas que nous essayons de vous sauver la vie ? Ainsi, quoi qu'il advienne, où qu'on vous envoie, vous ne serez qu'à quelques heures d'un terrain neutre. »

« Tout le monde peut l'être avec assez d'essence, non ? »

« Des dépôts sont en place. Vous aurez des cartes. Vous imaginez que je fais quoi là-bas ? »

« Loin de moi l'idée de vous espionner, même si bien sûr on a remarqué, quand vous étiez dans les parages, un *parfum de naphtaline* – vous avez songé à porter quelque chose qui retienne un peu moins les odeurs que du tweed écossais ? Par exemple de la "peau de requin" italienne, sur laquelle tout glisse comme sur une robe de satin. »

« J'oublie tout le temps la raison pour laquelle je ne vous fais pas muter – les conseils vestimentaires ! Bien sûr ! Bon. Ça va vous intéresser – voici une des tenues nocturnes, un prototype, plus de cuir ici que les vôtres n'en ont peut-être l'habitude, mais ça abrite du vent. »

« Hmm… J'aime assez ces clous – chacun doté d'une fonction propre, je n'en doute pas – même s'ils ont l'air un peu… voyants ? »

« Vous vous déplacerez trop vite pour que ça importe. »

« Ça vous dérange si je… j'enfile ce… »

« Pas du tout et n'oubliez pas, ce sont juste des treillis, attendez de voir les uniformes. »

« Derrick, vous m'aimez un petit peu, je pense… »

Plus tard ce soir-là, Theign fit venir Cyprian dans son bureau. « Dites donc, Latewood, depuis le temps qu'on se connaît, nous n'avons encore jamais eu de discussion sérieuse sur la mort. »

« Il y a sûrement une bonne raison à cela », dit Cyprian en regardant nerveusement autour de lui.

« Je suppose que c'est cette fameuse sensibilité sodomite ? »

« Comment ça ? »

« Avec votre répertoire de techniques d'évitement – nier le passage du temps, rechercher une compagnie toujours plus jeune, construire de petits environnements étanches bourrés d'œuvres d'art immortelles… il n'y en a pas un seul chez vous qui ait quelque chose de réel à dire sur la question. Mais dans notre partie, la mort est partout. Nous devons prélever une dîme sur tant de vies par an à la déesse Kali en échange d'une histoire européenne plus ou moins dénuée de violence et propice aux investissements, et moins on est plus c'est avisé. Le contraire de la brigade homo. »

« Oui, bon, il y avait autre chose, Derrick ? Et pourquoi cette porte ne s'ouvre-t-elle pas ? »

« Non, non, nous devons discuter, c'est tout. Une sympathique petite discussion. Ça ne sera pas long, promis. »

On aurait dit que Theign voulait parler des aptitudes sur le terrain. Ce n'est que plus tard que Cyprian comprit qu'il s'agissait là d'un exercice périodique – la méthode de Derrick pour évaluer l'actuelle négociabilité de ceux qu'il dirigeait et dont il aurait peut-être un jour besoin. Mais Cyprian n'y vit sur le moment qu'une conversation théorique sur les prédateurs et les proies, où il lui fallait expliquer les avantages qu'il y avait à être le pourchassé.

« Ce qui fait qu'au final vous êtes plus malin, plus sournois et plus vicieux que la concurrence », résuma Theign. « Pratique pour des tapettes professionnelles, je n'en doute pas, mais par ici ces engagements sont un peu plus que de simples rivalités sodomitiques. Les conséquences sont légèrement plus graves. »

« Si vous le dites. »

« Nous parlons ici du sort des nations. Du bien-être, souvent de la simple survie, de millions d'individus. Les charges axiales de l'Histoire. Comment pouvez-vous comparer — »

« Et comment, *vecchio fazool*, pouvez-vous ne pas voir le rapport ? »

Theign avait bien sûr peaufiné, au cours de sa première année dans les Services de renseignements de la Marine, cette expression neutre et légèrement béate si utile aux agents de Sa Majesté à l'étranger. Cela produisit chez Cyprian non la fausse impression de supériorité recherchée mais un désarroi nauséeux. Il n'avait jamais vraiment visé à être compris par un objet de fascination. Mais quand il devint évident que Theign, lui, ne voulait pas comprendre, Cyprian en éprouva une terreur circonspecte.

« J'ai eu des nouvelles de Vienne, au fait. Ils vous attendent la semaine prochaine. Voici vos billets. »

« Deuxième classe. »

« Mmm. Oui. »

Bien qu'en temps ordinaire il aimât obéir aux ordres, et appréciât surtout le mépris qui allait avec, Cyprian fut quelque peu étonné d'apprendre que Theign était certain qu'il prendrait le train pour Vienne sans être escorté, sans être supervisé, sans poser de question, pour se jeter dans la gueule de ce qu'il avait supposé être l'ennemi, au lieu de filer se mettre à l'abri, comme on l'attendait de la part d'une proie.

« Nous coopérons pleinement avec les Autrichiens dans cette affaire », expliqua enfin Derrick à Cyprian dans un message qu'un voyou italien lui remit, avant de disparaître aussitôt dans la cohue, alors que ce dernier montait à bord du train dans la gare de Santa Lucia. « Aussi, dans nos conversations, je vous suggère de vous en tenir à l'anglais, car l'allemand qui sied à votre milieu risque de vite s'épuiser. »

Les occasions de s'amuser ne manquèrent pas pendant le voyage, surtout entre Venise et Graz, bien qu'il ne fût pas inutile d'avoir appris, sinon à aimer, du moins à dissimuler la moindre aversion à l'égard des saucisses locales, des petits animaux familiers – pas toujours du genre

domestique –, de la musique d'accordéon, et de l'étrange accent geignard de la région. De jeunes aspirants de cavalerie autrichiens vêtus de
cette nuance fatalement séduisante de bleu aniline ne cessaient de passer
après s'être distraits ailleurs dans le train et de lui décocher, s'imaginait-
il, de brûlants regards interrogateurs. La chance voulut que le désir s'in-
téressât à des zones non révélées, pour des raisons d'apparente économie
– avec toutes sortes de possibilités sexuelles à bord, considérées d'un
point de vue à la fois professionnel et récréatif. Pour une raison mystérieuse et, l'espérait-il, non médicale, Cyprian passa la journée avachi,
tout renfrogné, boudeur, et du coup ne fut pas abordé. Cela avait peut-
être un rapport avec Misha et Grisha, car il était difficile d'imaginer que
les deux hommes se fichaient tout bonnement de sa défection, ni même
qu'un nombre inconnu d'agents à mi-temps sur ce continent et le
suivant ne chercheraient pas à faire de nouveau pencher le bilan en leur
faveur – tandis que, faisant la queue derrière les Russes, l'Evidenzbüro
attendait, qui n'avait pas souhaité compromettre sa propre surveillance
du Colonel, les Services secrets anglais, et était donc contraint de garder
au moins un œil sur ces employés à l'étranger qui frayaient avec des
espions des Renseignements venus d'autres coins de l'Europe, sans parler
des crypto-espions turcs, serbes, français et italiens, indissociables de la
politique actuelle, qui tous considéraient Cyprian comme un éventuel
candidat à la tromperie, l'agression et l'élimination. Ses jours étaient par
conséquent, et gravement, en danger.

Le retour de Cyprian Latewood à Vienne fut accompagné, mentalement ou réellement, par l'adagio du *Concerto pour piano* de Mozart en *la* majeur, K. 488. Il aurait pu s'avérer prophétique, si Cyprian y avait prêté attention. C'était une période dans l'histoire des émotions humaines où la « romance » s'était parée du morne vernis de la suffisance, exagérant artificiellement l'effet des pastels surannés embusqués dessous, une façon stylistique de rendre justice au vaste frémissement que certains plus que d'autres percevaient, de temps en temps, d'un avenir haineux, imminent et inévitable. Mais le risque était grand d'interpréter ces profonds signaux comme des symptômes physiques, voire comme une « maladie nerveuse », ou, ainsi que le faisait le Cyprian plus sombre des premiers temps, comme une sorte de « romance » en sourdine, bien qu'il ne fût guère préparé à cela.

À Vienne, les entretiens se déroulèrent plutôt agréablement. L'hôtel Klomser, à seulement quelques pâtés de maisons du ministère de la Guerre, servait apparemment de cadre traditionnel à ce genre de discussions. Le colonel Khäutsch ne fut évoqué que par euphémismes et circonlocutions, dont certaines restèrent assez absconses, vu l'imparfaite compréhension qu'avait Cyprian de l'idiome en question. Des mets locaux étaient disposés à sa portée en monticules défiant les lois de l'équilibre. Le café, ici, respecté internationalement comme stimulant la loquacité, avait été torréfié avec une précision insensée par des machines ultramodernes dont les temps de chauffage, la température des chambres et le taux d'humidité pouvaient être contrôlés avec une extrême précision, suggérant soit une *Feinschmeckerei* locale ayant évolué bien au-delà de celle du reste du monde, soit simplement l'engouement obsessionnel et habituel pour n'importe quel progrès technique, si trivial fût-il.

« C'est-à-dire, si nous estimons que l'histoire de la civilisation se distingue par la tendance asymptotique des tolérances de la production industrielle, avec le temps, vers un Zéro mythique et inaccessible. Qu'en pensez-vous, Mr Latewood ? »

« Shhaihh mhhueu uhrrppheulll lhhe zhiiiitthrooo shhhurhhprrrhiiizz khaaahn shththaiih pheuuhttthi », répondit Cyprian, sa parole perdant, avec la surcharge de *Sachertorte mit Schlag*, la vitesse de débit que lui procurait le café, même si ceux qui l'interrogeaient purent décrypter sa phrase comme suit : « Ça me rappelle les interros-surprises quand j'étais petit. »

Theign l'avait mis en garde contre les techniques d'interrogatoire. « Ne jouez pas trop les malins avec eux. *"Mit Schlag"* pourrait facilement prendre un autre sens. »

Cyprian fut surpris d'apprendre à quel point Derrick était connu dans cette ville, et combien de personnes tenaient à se rappeler à son bon souvenir. Au cours de ses années passées en poste à Vienne, il avait apparemment réuni sa propre garde prétorienne, plus ou moins instinctivement et, dans les couloirs étrangement bondés de l'hôtel Klomser, Cyprian fut présenté à quelques-uns de ses membres.

Il se rappelait avoir croisé Miskolci au Prater, et avoir frôlé deux occasions de faire affaire avec lui. Miskolci n'était pas exactement un vampire, mais selon les phases de la lune il lui arrivait de s'en prendre au hasard à des passants, et de les mordre méchamment. Dans les années 1890, quand le vampirisme était devenu à la mode suite à la popularité internationale du roman *Dracula*, légitimant en public les pulsions des mordeurs en tout genre, Miskolci découvrit que, loin d'être le seul doté d'un tel goût dépravé, il faisait partie d'une communauté assez étendue. Un sous-circuit du central téléphonique de Buda-Pesth avait apparemment été laissé à la discrétion des hématophages, ainsi qu'on les appelait, et l'un des plus précieux atouts de Miskolci avait été, selon Theign, cette brume rouge de connexions, déjà à l'œuvre un peu partout autour de lui. Son talent spécifique était resté secret jusqu'à une semaine particulière, au plus fort de la première crise marocaine, quand il devint crucial de connaître le calendrier de mobilisation d'un certain corps d'armée. Le service de Theign détenait la prima donna idéale, mais celle-ci manifestait quelque réticence à chanter. « Je peux peut-être faire quelque chose », proposa Miskolci. « Enfermez-nous et revenez dans une heure. » Une heure mouvementée – Theign entendit les hurlements malgré l'insonorisation et jusqu'à l'autre bout du couloir. Le sujet, quand on le revit, parut superficiellement indemne mais révéla après examen une expression dans le regard qui valut à certains collègues de Theign des rêves perturbants pendant des années – comme si l'on pouvait y lire une introduction à des mystères anciens ayant tout intérêt à rester mystérieux.

Theign avait rencontré Dvindler aux bains, un lieu qu'il trouvait à l'époque commode pour glaner des renseignements – même s'il avait appris dès sa première visite à éviter le Zentralbad, où l'on ne trouvait rien que de très thermal. Étant donné les caractéristiques un tant soit peu plus poétiques qu'il recherchait, Theign dut s'aventurer quelque temps dans des quartiers plus éloignés. Finalement, l'Astarte-Bad, situé à l'autre bout sur l'un des « K » ou lignes longeant les canaux, se révéla idéal – l'orientalisme viennois y atteignait des sommets inédits du mauvais goût, d'horribles mosaïques montraient des espèces d'orgies prébibliques. Il y régnait une politique d'embauche non limitée au teutonique. Les sexes y étaient, peut-être volontairement, imparfaitement isolés, de sorte que l'on pouvait à tout moment rencontrer dans le couloir embué le ou la partenaire de ses rêves, même si en pratique cela ne se produisait que très rarement. Le nouvel édifice, qui faisait la part belle aux contacts acoustiques, laissait imaginer des valeurs immobilières assez peu élevées, ce qui, loin de troubler, était considéré par certains comme érotique.

« Contre la constipation », annonça Dvindler en guise de présentations, « croyez-moi, le P.O.F., ou Péristaltisme Amorcé Faradicalement, est franchement idéal. »

« Excusez-moi », dit Theign, « dois-je comprendre que vous avez bel et bien l'intention de faire passer du courant électrique, comment pourrais-je dire cela délicatement — »

« Il n'y a aucune façon de le faire délicatement », dit Dvindler. « *Komm*, je vais vous montrer. »

Theign regarda autour de lui. « Ne devrait-il pas y avoir un médecin présent ? »

« Ça s'apprend en cinq minutes. Ce n'est pas de la neurochirurgie ! » gloussa Dvindler. « Bien, elle est où cette électrode rectale ? Il faut toujours que quelqu'un — Ah ! » Brandissant un long cylindre avec une boule d'une certaine taille à une extrémité et un fil sortant à l'autre bout, relié à un interrupteur, dont la bobine principale était connectée à ce que Theign reconnut comme étant un nombre inquiétant de piles Leclanché mises en série. « Passez-moi ce bocal de Cosmoline, vous voulez bien. »

Theign, s'attendant à être dégoûté, découvrit qu'il était en fait fasciné. Il s'agissait apparemment de coordonner deux électrodes, l'une insérée dans le rectum et l'autre promenée sur la surface abdominale, ce qui permettait au courant qui passait entre les deux de simuler une onde péristaltique. Si l'opération réussissait, on s'excusait et se dirigeait rapidement vers les plus proches toilettes. Sinon, eh bien, en plus de faire partie d'un programme général d'hygiène intestinale, la procédure était appréciée par certains, comme Dvindler, pour ses propres mérites.

«L'électricité! l'énergie de l'avenir – car tout, vous savez, y compris l'élan vital lui-même, se révélera de nature électrique.»

L'interrupteur situé sur la bobine secondaire émit un bourdonnement pas désagréable, lequel au bout d'un moment parut se fondre dans les échos liquides du plus vaste système. Dvindler chantonnait gaiement, un air citadin dans lequel Theign reconnut progressivement l'*Ausgerechnet Bananen* de Beda Chanson. En sortant, il demanda cinq K à Theign pour les frais de batterie.

Et quant à Yzhitza, ma foi, Theign avait dû traverser quelques semaines particulièrement dures, car elle le prit pour un homme d'affaires allemand désespérément en quête de divertissements, s'adressant à lui dans ce qu'elle supposa être sa langue natale, de sorte que pendant quelques minutes il n'eut franchement aucune idée de ce qui se passait. Néanmoins, malgré sa condition léthargique et une attitude à l'égard des femmes qui au mieux frôlait l'ambiguïté, il fut étonné de constater que son intérêt sexuel était sollicité, voire exigé, par cette professionnelle au demeurant très ordinaire. Ce qui, parfois, il devait bien le reconnaître, l'amusait infiniment. «*Liebling*, vous n'avez même jamais représenté un défi», avoua-t-elle plus tard, après lui avoir exhibé une liste de trophées emportés dans ce que la Kundschaftsstelle aimait à qualifier de «travail de *Honigfalle*», dont seuls un ou deux historiens peu recommandables iraient contester le rôle essentiel dans le cours de l'histoire européenne. Entre-temps, Theign s'était aventuré dans une contrée d'espionnage plus glaciale, et il opina, impassible, prenant la chose au pied de la lettre.

Le soir, en semaine, Cyprian, qui paraissait à chaque fois plus gras, même aux yeux d'un observateur négligent, ressortait en titubant par la même porte de service du Klomser et se rendait – ses pensées interrompues seulement par un éventuel contre-*ut* aigu lâché par Leo Slezak depuis l'Opéra – parfois en *Fiaker*, parfois à bord de la Verbindungsbahn s'il voyait un train arriver, jusqu'à son vieux sanctuaire du désir, le Prater, même s'il ne s'y passait apparemment pas grand-chose. Le soleil couchant était une orange givrée et violente, qui jetait des ombres indigo et opaques pleines de présages – des chouettes patrouillaient dans le vaste parc, des marionnettes occupaient de minuscules volumes de lumière dans le crépuscule ambiant, la musique était toujours aussi épouvantable.

C'était un pur exercice de nostalgie, vraiment. Plus on l'appelait – voire le traitait de – «*Dickwanst*» et de «*Fettarsch*», plus l'attrait du Prater diminuait, et il en vint alors à explorer des quartiers auxquels il y a tout juste quelques mois il n'aurait jamais même brièvement songé, tels que le Favoriten, où il alla se mêler aux foules d'ouvriers bohèmes qui sortaient des usines, recherchant moins un flirt exotique qu'à se fondre dans un mouvement de foule, un bain linguistique qu'il ne comprenait pas, tout comme il avait recherché autrefois, dans la soumission charnelle, à fuir les obligations séculaires.

Il ne cessait de tomber sur d'impressionnantes manifestations socialistes. La circulation était brusquement interrompue quand des dizaines de milliers d'ouvriers et d'ouvrières descendaient en silence la Ringstraße. «Ma foi!» fit remarquer un observateur à portée d'oreille de Cyprian, «et dire qu'on parle du lent retour du refoulé!» La police était massivement présente et le matraquage crânien figurait en tête de ses activités. Cyprian se prit quelques coups bien sentis et découvrit en tombant sur la chaussée que son récent gain pondéral était un atout imprévu.

Un jour qu'il se promenait, il entendit, par une fenêtre ouverte à l'étage, quelqu'un qui répétait, au piano, à jamais invisible, des exercices de *L'École de la vélocité* de Carl Czerny, op. 299. Cyprian s'était arrêté pour écouter ces moments d'émergence passionnée au sein du pianotage mécanique, et c'est alors que Yasmina Halfcourt apparut au coin de la rue. S'il ne s'était pas arrêté pour écouter la musique, il aurait tourné dans une autre rue avant qu'elle n'atteigne l'endroit où il se tenait.

Ils se dévisagèrent un instant, tous deux semblant éprouver une sorte de salut réciproque. «En quatre dimensions», dit-elle plus tard, alors qu'ils étaient assis dans un café de Mariahilf au croisement pointu de deux rues animées, au vertex de deux étroites et longues salles, ainsi à même de les surveiller dans leur entièreté, «cela n'aurait pas eu d'importance.»

Elle travaillait chez un couturier-modiste du coin, grâce, pensait-elle, à l'intercession discrète des S.O.T., car un jour, sur les portants, était apparue une version de la Redingote Silencieuse de Snazzbury pour laquelle ses mesures avaient été prises un jour à Londres.

«Ce dont j'ai vraiment besoin c'est un manteau d'invisibilité pour aller avec», déclara-t-elle.

«Surveillance.»

«Si tu le dis.»

«Une de ces conclusions auxquelles j'arrive de plus en plus ces temps-ci. Tu sais qui c'est?»

« Je crois qu'ils sont d'ici. Mais il y a aussi quelques Russes. »

L'assurance estudiantine dont il se souvenait avait disparu chez Yasmina – quelque chose d'important l'avait ébranlée. Il fut surpris de voir à quel point il pensait connaître les difficultés qu'elle traversait, ce qu'elle aurait été bien en peine de s'expliquer, et ce beaucoup plus qu'il ne s'en serait cru capable un an et demi plus tôt. Il tapota les mains gantées de Yasmina, conscient de sa maladresse. « Si ce n'est que l'Okhrana, ça sera facile – il n'y en a pas un seul qu'on ne puisse corrompre, et ils bossent pour des kopecks. Les Autrichiens se révéleront peut-être un peu plus problématiques, surtout si c'est la Kundschaftsstelle. »

« La police municipale, je comprendrais, mais... » Avec un effroi si peu fabriqué dans sa voix qu'il fut obligé de reculer, feignant aussitôt d'épousseter son chapeau, afin de ne pas céder à l'étreinte évidente et contre-productive que les circonstances appelaient, et à laquelle se serait laissé aller le premier soupirant venu.

« Si tu veux bien patienter quelques jours – pas plus d'une semaine, disons –, je serai peut-être en mesure de t'aider. »

Ayant sûrement déjà entendu ce genre de propos, avec les changements d'intonation requis, dans la bouche d'autres hommes en des temps moins périlleux, elle plissa les yeux, mais attendit encore quelques secondes, comme pour laisser le temps de se clarifier à un certain point. « Tu as déjà eu affaire à eux avant. Les deux bureaux. »

« L'Okhrana joue sur un terrain relativement imprévisible en ce moment. Certains agissements en Orient – la guerre japonaise, des révoltes tout le long des voies ferrées. C'est le bon moment pour amortir ses billets... à ce qu'on m'a dit. Quant aux Autrichiens... ils risquent de demander un travail un peu plus intensif. »

« Cyprian, je ne peux —»

Résistant à ce qui était presque l'envie de poser un doigt ganté sur ses lèvres. « La question ne se posera pas. Nous verrons bien ce qui va se passer. » Paradoxalement, il fut ravi – bien que s'en voulant de l'être – par la façon dont elle hésita alors, comme si elle rechignait à lui mentir, de peur qu'il ne la prenne en défaut.

Il essaya de ne pas parler de ce qu'il avait fait tout ce temps-là, en se disant qu'elle s'imaginerait ce qu'elle voulait. Quand il fut question de Venise, elle dit seulement : « Oh, Cyprian, c'est super. Je n'y suis jamais allée. »

« Bizarrement, moi non plus. En fait – tu as un moment ? »

Ils étaient dans le Volks-Prater, non loin d'une réplique populaire de Venise du nom de Venedig in Wien. « Je sais que c'est horriblement décadent de ma part, mais j'ai fini par considérer cet endroit comme la véritable Venise, la seule que je verrai jamais. Ce sont de vraies gondoles, idem pour les *gondolieri*.»

Cyprian et Yasmina achetèrent des billets et montèrent à bord d'une des embarcations, dans laquelle ils s'allongèrent pour regarder passer le ciel étranger. De temps en temps, une réplique d'un monument vénitien – le Palais des Doges, ou la Ca' d'Oro – se profilait. «La première fois que je suis monté dans une gondole», dit Cyprian, c'était ici. Si je n'étais pas allé à Vienne, ça ne serait sûrement jamais arrivé.»

«Je doute de m'y rendre un jour.»

Le ton de Yasmina lui serra le cœur. Il ne se rappelait pas l'avoir jamais vue aussi triste. Il aurait fait n'importe quoi, en cet instant, pour qu'elle soit de nouveau d'une de ses humeurs impossibles. Hormis peut-être bafouiller: «Je t'y emmènerai. C'est promis.» Au lieu de ça, il crut préférable d'en parler à Ratty McHugh.

«Bien!» s'écria Ratty avec une certaine jovialité forcée, «voilà que ça recommence. Yasmina est toujours en lice, je vois.» Cyprian trouva qu'il paraissait moins troublé que curieux, professionnellement parlant.

«Un peu moins qu'avant.»

«Elle m'a toujours fait penser à Hypatie. Avant les foules chrétiennes, bien sûr.»

«Plutôt une sibylle ces jours-ci. Pire que les maths, mais c'est juste mon opinion. C'est peut-être dû à un don médiumnique, ou alors c'est juste la gravité séculaire de ce que fabrique son père en Asie intérieure, mais le fait est qu'elle est harcelée par deux ou trois Puissances à la fois, l'Angleterre, comme tu dois déjà le savoir, la Russie, dont elle est officiellement toujours citoyenne, et l'Autriche, avec bien sûr l'Allemagne se dressant en fond dans l'ombre, distillant tout bas des indices.»

«La Question shambhalaienne, à tous les coups. Oui, elle n'a fait que commencer à miner la vieille garde, plaçant des types à Colney Hatch à un rythme sans précédent. Si c'était mon département, j'aurais rappelé Auberon Halfcourt il y a des années. Personne ne sait où se trouve ce fichu endroit, bon sang.»

«Peut-être que si on —»

«Oh bien sûr il faudrait que je la rencontre, je me plains juste pour le plaisir, ou serait-ce… thérapeutique? Retrouvons-nous au Dobner, d'accord, c'est le décor idéal, une simple réunion d'anciens étudiants anglais.»

Ce fut donc parmi le bruit des billes de billard s'entrechoquant et les superbes putains aux tailles étroites, aux larges paupières et cils ombrés, aux chapeaux à plumes somptueuses, que Yasmina et Ratty échangèrent une poignée de main à une distance respectueuse créée par quelques années passées hors de l'Université, même si Cyprian fut ravi de le voir mi-transi d'amour puis gêné en conséquence. Non que Yasm n'ait pas fait d'écart aujourd'hui, avec cet ensemble en crêpe lisse à perles d'une nuance éthérée de violet, et un chapeau terriblement chic dont le panache jetait des ombres enchanteresses sur son visage. Après cette mise en scène expédiente, ils s'en allèrent prudemment, séparément, afin de se retrouver dans un appartement anonyme situé non loin de là, derrière le Getreidemarkt, une des planques réservées par Ratty pour ce genre d'occasions.

Conformément aux règles tacites de ces habitats transitoires, les placards offraient un récit culinaire rudimentaire des précédents résidents – bouteilles de szekszárdi, vörös, gewurtztraminer et cognac à l'abricot, chocolat, café, biscuits, saucisses en conserve, vins, paquets de nouilles séchées de formes et tailles diverses, plus un sac en toile blanc plein de *tarhonya* datant du siècle dernier.

« Est-ce qu'il s'agit des mêmes Russes que vous avez vus à Göttingen ? »

Elle haussa les sourcils et présenta ses paumes.

« Pour ou contre le Tsar, je veux dire, ce n'est pas la même chose. Visiblement, il y a l'Entente anglo-russe, mais ce groupe-là, bien que techniquement russe, est le pire ramassis de lanceurs de bombes socialistes que je connaisse : ils seraient enchantés de voir tous les Romanov éliminés, et pactiseraient sans hésiter avec n'importe qui, y compris l'Allemagne, si ça pouvait faire accélérer les choses. »

« Ma foi, Ratty », dit Cyprian, le plus doucement possible, « certains diraient qu'ils sont le seul espoir de la Russie. »

« Oh par pitié ne… je t'en prie. Il y avait quelqu'un d'autre ? »

« Des gens qui prétendaient venir de Berlin. Ils apparaissaient sans prévenir. Désireux de me rencontrer. On se voyait parfois. D'habitude dans les appartements d'un certain Dr Werfner. »

« Celui dont parle toujours Renfrew », opina Ratty, qui prit rapidement des notes. « Son soi-disant alter ego. Et… c'était d'ordre politique ? »

« Ha ! »

« Vraiment désolé, oublie ça — »

« Ça sentait le fourbe », dit-elle en souriant. « Qu'est-ce qui n'est pas politique ? Où es-tu allé après le bac à sable de Cambridge ? »

« Dans les faubourgs de l'Enfer », dit Cyprian.

« Te faire quitter Göttingen pour Vienne – ne pourrait-il s'agir d'une tactique *loco parentis* des S.O.T., pour te séparer de cette bande d'otzovistes? Ils ne savent donc pas, à Chunxton Crescent, que Vienne grouille tout bonnement de bolchos ces temps-ci?»

«Ça ne s'arrête peut-être pas là», admit-elle, «… il semblait y avoir également un… élément hongrois.»

Ratty se prit la tête et s'y cramponna fermement. «Expliquez. S.V.P.»

«Nous avons passé une semaine ou deux à Buda-Pesth. Descendu le Danube en vapeur, rencontré des types assez bizarres en sarrau…»

«Tiens donc.»

«Le genre d'uniforme anti-dupe qu'on doit porter quand on fait des recherches dans ce qu'ils appellent là-bas le "parapsychique". Pas de poches, quasiment transparent, l'ourlet plutôt court…»

«Soit. Tu n'en as pas, eu-euhm, rapporté un avec toi, ou…?»

«Allons, Cyprian.»

«Oui, franchement, Cyps, si nous pouvions nous en tenir au sujet encore un petit moment — Ce qui nous intéresse tous, miss Halfcourt, c'est d'apprendre pourquoi ils ont quitté Vienne aussi soudainement.»

«Je dois être très claire avec toi: mon don, si tant est qu'il existe, a fort peu à voir avec la "divination". Certaines des personnes qui se trouvaient avec moi ici et à Buda-Pesth pensent, *elles*, pouvoir prédire l'avenir. Mais —»

«Peut-être que quelqu'un a "vu" quelque chose? De suffisamment impérieux pour préférer quitter la ville? Si cela est vérifiable… je t'en prie, n'hésite pas. Depuis le récit étonnamment prophétique qu'a fait Mrs Burchell du crime serbe, mes supérieurs sont on ne peut plus réceptifs aux sources hétérodoxes.»

«Ils étaient terrifiés. Ce n'était pas tant *si* mais *quand* la chose en question – soit événement, soit série d'événements – allait se produire. Surtout les Russes – rien à voir avec l'habituelle nervosité, qui depuis la Révolution est la maladie nationale.»

«Quelqu'un a-t-il fourni des détails?»

«Pas en ma présence. J'arrivais dans une pièce, ils avaient littéralement les têtes collées les unes aux autres, et quand ils me voyaient, ils arrêtaient de parler et feignaient que tout était normal.»

«Et ça n'avait rien à voir avec un certain…», feignant lui-même de tripoter un dossier, «Monsieur Azev, réputé pour faire sauter des Romanov tout en donnant ses camarades, et que les limiers révolutionnaires socialistes sont enfin, paraît-il, sur le point d'arrêter —»

«Oh, ce bouffon de Yevno. Pas particulièrement, non. Même si bien sûr son nom ne cesse de revenir depuis des années. Mais pas assez pour causer ce degré de peur. Comme si ce qui se dressait là-bas dans la nuit, derrière les lignes, n'était pas exactement une arme nouvelle et terrible, mais plutôt l'équivalent spirituel d'une telle arme. Un désir de mort et de destruction dans le co-conscient collectif des masses. »

« Bigre alors. Et donc un jour tu t'es réveillée pour découvrir —»

« Ils n'ont pas tous disparu d'un coup. Ça a pris un certain temps pour remarquer ce vide sinistre. Mais je n'ai pas cru bon de poser des questions. Ayant compris que personne ne me répondrait. »

« Était-ce pour t'épargner des informations qui auraient pu te troubler ? Ou s'imaginaient-ils que tu étais plus ou moins impliquée ? »

« Quelles qu'aient été leurs attentes me concernant à Buda-Pesth, je les ai déçus. Mais ça n'a peut-être aucun rapport avec leur départ. Pourrais-je piquer une cigarette à quelqu'un ? »

Des fleurs fraîches dans la pièce, des cafetières en argent et des pots de crème, autour d'un *darázsfészek*, une *dobos torta* démesurée, un Rigó Jancsi, de la pluie contre les vitres, une unique ouverture dans le ciel sombre laissant passer un rai de lumière à l'autre bout de Váci Út pour éclairer les lugubres taudis d'Angyalföld.

Madame Eskimov paraissait pâle et soucieuse. Lajos Halász, un des médiums locaux, s'était assoupi dans la baignoire, où il végéta ainsi pendant les trois jours suivants. Lionel Swome restait en permanence à proximité du téléphone, et soit marmonnait en jetant des coups d'œil inquiets aux autres, soit suivait attentivement l'horaire des transmissions téléphoniques – auquel était abonné l'hôtel et que pouvaient consulter tous les clients –, guettant un rapport boursier, un résultat sportif, une aria d'opéra, un élément indéfinissable de renseignement… « Et si tu te faisais carrément greffer cette saloperie sur l'oreille ! » s'écria le Cohen. « J'ai une autre idée », répondit Swome, qui tenta alors bel et bien, sans grand enthousiasme, d'insérer l'instrument dans l'anus du Cohen, malgré l'obstacle de son pantalon.

Tout le monde avait perdu patience et se chamaillait même en silence —

« Comme par télépathie », suggéra brièvement Ratty.

« Non. Ils parlaient tous très fort. La télépathie aurait été impossible dans ces conditions. »

Après l'entretien avec l'ami Ratty, Yasmina parut retrouver le moral. « Ravi de te voir à nouveau toi-même », dit Cyprian.

« Et de qui s'agit-il exactement ? »

C'était le soir et ils s'étaient aventurés dans Spittelberggaße, où des Viennois des deux sexes, sujets à la passion civique et illimitée pour le lèche-vitrines, examinaient divers spécimens féminins exposés de façon attractive dans des vitrines éclairées tout le long de la rue. Yasmina et Cyprian s'arrêtèrent devant l'une d'elles, et la femme, corset noir et aigrette assortie, auréolée d'une certaine autorité, les toisa à son tour.

Yasmina désigna d'un mouvement de la tête son pénis visiblement en érection. «Tu sembles intéressé.» Elle avait perçu chez les hommes – chez certains hommes, de temps en temps – un désir de reddition, l'ayant remarqué chez Cyprian, et ce dès Cambridge. Le traînant quasiment dans les rues, elle inspecta plusieurs cafés avant d'arriver à un lieu situé dans Josephstadt. «Celui-ci m'a l'air bien. Viens.»

«Un peu élégant. Est-ce qu'on fête quelque chose?»

«Tu verras.»

Quand ils furent seuls, elle dit: «Bon, concernant ta vie sexuelle d'une irrégularité terrifiante, Cyprian – que pouvons-nous faire?»

Conscient d'outrepasser les limites les plus convenables de l'apitoiement sur soi: «Je me dois de préciser que j'ai été une catamite ces dernières années. Quelqu'un pour qui le plaisir n'a jamais vraiment compté. La dernière de mes préoccupations.»

«Imaginons que ce soit à présent le contraire.» Sous la nappe virginale, elle avait soulevé son pied, son joli pied galbé dans sa botte lie-de-vin lacée en cuir de Cordoue, dont elle appuya alors la pointe de façon suggestive contre son pénis. Au grand effroi de Cyprian, ce membre jusqu'ici méprisé fut aussitôt au garde-à-vous. «Fort bien», entreprenant d'appuyer à intervalles réguliers, «dis-moi ce que tu ressens.» Il n'osa pas répondre, se contentant de sourire à contrecœur en secouant la tête – mais l'instant d'après il se «laissa aller», presque douloureusement, dans son pantalon, faisant trembler les tasses et les assiettes de gâteaux, et trempant la nappe de façon considérable avec le café tant ses efforts pour ne pas se faire remarquer étaient virulents. Autour d'eux, tout continuait comme si de rien n'était.

«Allons bon.»

«Yasmina —»

«Ta première fois avec une femme, si je ne m'abuse.»

«Je — hmm? Qu'est-ce que tu — nous... n'avons pas...»

«Ah bon.»

«Je voulais dire que si jamais pour de vrai nous —»

«"Si"? "Pour de vrai"? Cyprian, mon odorat est formel.»

Appelé enfin à Venise, Cyprian, durant le voyage en train, ayant du temps pour penser, ne cessait de se dire que ce n'était pas là, après tout, le genre de choses qu'on devrait prendre trop romantiquement, et qu'il serait gravement erroné de le faire. Mais c'était trop demander à Derrick Theign, qui, d'ordinaire un peu plus taciturne, s'abandonna sans prévenir à un désarroi de haute tessiture dès que Cyprian arriva à la *pensione* de Santa Croce, éjectant bruyamment l'équivalent de litres entiers de morve et de salive, souillant et délogeant ses lunettes, balançant des objets domestiques, certains fragiles, voire coûteux, détruisant des pièces en verre de Murano, faisant claquer portes, fenêtres, volets, mallettes, couvercles de marmite, tout ce qui était claquable et à portée de main. Plus tard dans la journée, comme si la bora avait enfin perçu dans ce vacarme quelque signal, le vent se mit à souffler, extirpant de la moindre poche d'infortune et de détresse mentale ses impératifs de flaccidité morale et de triste reddition pour les lâcher ici. Les voisins, qui en général ne se plaignaient pas, n'étant pas eux-mêmes à l'abri d'un peu de mélodrame de temps à autre, protestèrent alors, et certains avec une grande véhémence. Le vent malmenait tous les carreaux bancals et les volets mal fermés.

« Une petite amie. Une putain de *petite amie*, bon Dieu, je suis à deux doigts de vomir. Je *vais* vomir. Tu n'as pas de photo adorée de ta bien-aimée, *sur* laquelle je pourrais peut-être vomir ? Te rends-tu compte seulement que tu viens de réduire *à néant* des années de travail, espèce d'ignorant, de gros mal fagoté, de — »

« Une façon de voir les choses, bien sûr, Derrick, mais objectivement on ne peut pas dire qu'elle soit vraiment "une petite amie" — »

« Tapette ! Pédale ! Salope ! »

Toutefois Theign, malgré son apparente perte de contrôle de soi, eut la prudence de ne pas se comporter de façon violente, violence dont Cyprian, du moins pour l'heure, ne se sentit guère friand ainsi qu'il aurait pu l'être en d'autres circonstances.

Signor Giambolognese était descendu et passait la tête par la porte. « *Ma signori, um po' di moderazione, per piacere…* »

« De la modération ! Vous êtes italien ! Que savez-vous, vous autres, de la modération, putain ! »

Plus tard, quand Theign se fut un peu calmé, ou fut peut-être trop fatigué pour hurler, la discussion reprit. « "L'aider". Tu as *l'outrecuidance* sodomite de me demander ça. »

« Une assistance strictement professionnelle, bien sûr. »

« Ça mérite réflexion. » Theign mit ses sourcils à contribution, ce qui était en général un signe encourageant. «Avec quoi peux-tu me payer ? Quelle perverse monnaie ? Tu mijotes cette greffe depuis un bout de temps – et tu voudrais que je vous aide maintenant à jardiner ? Le prix à payer pour avoir arraché ta vestale à ces bêtes autrichiennes risque d'être supérieur à ce que tu es disposé à payer – étonnant que tu ne t'en sois pas rendu compte. Ça peut même signifier être envoyé dans un endroit à côté duquel le désert de Gobi ressemble à Earl Court un jour férié – oh ça oui, nous avons des salles pleines de dossiers sur tous ces trous paumés, des trous qui existent principalement, d'ailleurs, pour qu'on y envoie des misérables dans ton genre, dans l'espoir avéré que nous n'aurons plus jamais à poser les yeux sur les vôtres. Es-tu vraiment certain que c'est ce que tu veux ? Pour quelle raison d'ailleurs voudrais-tu la "sauver" ? pour qu'elle saute sur le prochain queutard qui viendra, vraisemblablement turc, sachant qu'elle ne pourra qu'apprécier le changement de taille ? »

« Derrick. Tu as envie que je t'agresse. »

« Très intuitif. Pas assez stupide pour essayer, on l'espère. »

« Bien. Il y a plus viril, cela dit. »

Quand Foley Walker revint de Göttingen, Scarsdale Vibe et lui se retrouvèrent à la terrasse d'un restaurant sis au pied des Dolomites près d'une rivière sonore et cascadante, dans un paysage empreint d'une lumière innocente réfléchie non par les neiges alpines mais par des édifices assez anciens.

Scarsdale et Foley aimaient à se faire croire que dans cet atrium éclaboussé de soleil ils avaient enfin trouvé un refuge temporaire loin des secteurs assassins de l'activité capitaliste, aucun artefact sur des kilomètres datant de moins de mille ans, des mains de marbre aux gestes prestes conversant entre elles comme si elles venaient juste d'émerger de leur royaume gravitationnel de calcium pour se retrouver dans cette quiétude treillagée… La table qui les séparait était chargée de *fontina*, *risotto* aux truffes blanches, ragoût de veau aux champignons… des bouteilles de prosecco reposaient sur des lits de glace pilée provenant des Alpes. Des jeunes femmes aux foulards rayés et jupes flottantes vaquaient d'un air songeur en coulisses. Les autres clients avaient été discrètement installés hors de portée d'oreille.

« Ça chauffe un peu partout en Allemagne, apparemment. »

« Ce petit Traverse s'est éclipsé. »

Scarsdale fixa une truffe comme s'il allait la réprimander. « Où ça ? »

« On se renseigne. »

« Personne ne disparaît à moins de savoir quelque chose. Que sait-il, Foley ? »

« Sûrement que *vous* avez commandité l'assassinat de son papa. »

« Bien sûr, mais qu'est-il arrivé à "nous", Foley ? Vous êtes toujours l'"autre" Scarsdale Vibe, non ? »

« J'ai dû vouloir dire que, techniquement, c'était votre argent. »

« Vous êtes associé à part entière, Foley. Vous avez accès aux mêmes livres de comptes que moi. Le mélange des capitaux est un mystère aussi profond que la mort, et si vous le voulez nous pouvons observer une minute de silence pour le contempler, mais ne jouez pas au plus malin avec moi. »

Foley sortit un énorme couteau de poche, le déplia et commença à se curer les dents, dans le pur style Arkansas, comme il avait appris à le faire pendant la guerre.

« Vous pensez qu'il est au courant depuis longtemps ? » reprit Scarsdale.

« Eh bien… » Foley feignit d'y réfléchir puis haussa finalement les épaules. « C'est important ? »

« S'il a pris notre argent, tout en sachant ce qu'il sait depuis le début ? »

« Vous voulez dire qu'il nous devrait alors cet argent ? »

« Vous a-t-il aperçu quand vous étiez là-bas, à Göttingen ? »

« Mmmnh… J'suis pas sûr. »

« *Eh merde*, Foley. »

Des serveuses se retirèrent dans les passages voûtés, attendant respectueusement un meilleur moment pour approcher.

« Quoi ? »

« Il vous a vu – il sait qu'on le surveille. »

« Il a sûrement disparu dans les profondeurs, maintenant, là où vont les âmes mortes, alors quelle importance ? »

« Votre garantie personnelle. Pourrais-je l'avoir par écrit ? »

De même qu'en France on peut acheter un petit vin local en espérant tomber sur des bouteilles déclassées provenant d'un grand vignoble du coin, ici, dans le nord de l'Italie, la technique de Vibe consistait à acheter toutes les toiles de l'école de Squarcione sur lesquelles il pouvait mettre la main dans l'espoir qu'il s'y trouverait un Mantegna non attribué qu'on aurait laissé passer. Il était de bon ton alors de dénigrer les dons picturaux du fameux collectionneur et imprésario de Padoue lui-même, et du coup le moindre Squarcione qui se baladait dans la nature, y compris les broderies et les tapisseries (car il avait commencé dans la vie active comme tailleur), partait pour trois fois rien. En fait, Scarsdale avait déjà acheté pour moins que trois fois rien un ange mineur à un sacristain probablement fou, se contentant de lui chanter *Sur les rives de la Wabash, tout là-bas*. Pour être tout à fait exact, il avait demandé à Foley de lui chanter l'air. « Mais je suis incapable d'aligner trois notes », avait fait remarquer Foley, « et je ne connais pas les paroles. »

« "Chandelles", "sycomores", ça viendra tout seul. »

Scarsdale n'avait jamais hésité à refiler à Foley des tâches qui étaient au mieux embarrassantes et souvent en étroit lien avec certains des cauchemars qu'il faisait sur la guerre de Sécession. Bien qu'ils trahissent une mystérieuse faille dans l'amour-propre de l'industriel, susceptible d'être un jour préoccupante, ces exercices de tyrannie personnelle ne se produisaient en moyenne pas plus d'une ou deux fois par an, et Foley avait réussi jusqu'ici à s'en accommoder. Mais au cours de cette excursion européenne, le taux d'humiliation semblait avoir augmenté d'un cran – il ne s'écoulait pas un jour en fait sans que Foley dût accomplir une mission plus appropriée à un singe savant, et ça commençait à l'agacer un peu.

Pour l'instant, ils étaient sur la Lagune parmi les Terres Perdues, Scarsdale sous l'eau et Foley à la surface dans une petite *caorlina* à vapeur adaptée à la plongée. Le millionnaire, muni de tuyaux de caoutchouc et d'un casque en cuivre, était en train d'examiner une fresque, préservée depuis des siècles sous les flots par une technique de vernissage dont le secret s'était perdu, attribuée (sans doute à tort) à Marco Zoppo, et connue sous l'appellation officieuse du *Sac de Rome*. Observée à la lueur d'un midi éclatant, abordée avec l'aisance songeuse d'un prédateur des mers, l'image semblait quasi tridimensionnelle, comme chez Mantegna dans ses toiles les plus convaincantes. Ce n'était bien sûr pas seulement Rome, c'était le Monde, et c'était la fin du Monde. Des aruspices vêtus tels des ecclésiastiques de la Renaissance se recroquevillaient et menaçaient du poing un ciel violemment orageux, leurs visages tourmentés derrière la vapeur montant d'entrailles rouge vif. Des marchands étaient suspendus par un pied aux mâts de leurs bateaux, des chevaux d'une prestance fuyante et terrifiée tournaient calmement la tête sur des cous souples comme des serpents pour mordre leurs cavaliers. On voyait des paysans uriner sur leurs maîtres. De vastes foules assiégées, aux armures étincelantes, étaient frappées par un rayon venu d'au-delà du bord supérieur de la scène, d'une brèche dans le ciel nocturne, par où fusait une lumière, une lumière d'ailleurs, qui s'abattait violemment et avec précision sur chaque membre de cette immense armée du monde connu dont les rangs ondoyants se soustrayaient à la vue, au loin, dans l'ombre. Les collines de l'antique métropole devenaient bientôt raides et aussi désolées que les Alpes. Scarsdale n'avait rien d'un esthète, et la représentation de Little Big Horn par Cassily Adam était pour lui une œuvre d'art acceptable, mais il sentit tout de suite sans le recours à un expert que c'était là ce qu'on appellerait un vrai chef-d'œuvre, et il aurait été surpris que personne n'ait encore vendu des reproductions de cette scène à un brasseur italien pour qu'il l'expose dans des saloons locaux.

Dans le bateau, sous un Stetson qui avait pas mal vécu et dont le bord dissimulait son visage, Foley supervisait les Italiens chargés d'actionner les pompes. Sous l'eau vert-bleu, il voyait scintiller les casques et les plastrons des plongeurs. De temps en temps, ses mains s'approchaient nerveusement des becs de la bonbonne d'où partaient les tuyaux fournissant l'oxygène. Mais avant de toucher l'appareil elles se retiraient, souvent directement dans ses poches, où elles demeuraient pendant un certain moment avant de recommencer leur approche furtive. Foley ne semblait pas remarquer le phénomène, et si on l'avait interrogé là-dessus il aurait probablement exprimé une sincère perplexité.

Il ne remarqua pas non plus qu'il était observé depuis le rivage par les frères Traverse au moyen de la nouvelle paire de lunettes marines vingt-quatre lignes avec finition en maroquin bordeaux, cadeau de 'Pert Chirpingdon-Groin à Reef. Ils avaient consacré une heure ou deux par jour à suivre Scarsdale en ville, juste pour voir si un tir dégagé était possible.

Dans la lumière patinée du Grand Canal, automnale et brumeuse, les derniers touristes estivaux se dispersaient, les loyers s'étaient mis à baisser, et Reef et Kit s'étaient trouvé une chambre à Cannaregio, où tout le monde semblait pauvre. Des artisans enfilaient des perles dans les petits espaces ouverts et des *lucciole* maussades apparaissaient à la tombée du jour. Des *squadri* de jeunes rats de *rio* jaillissaient des ruelles en criant : «*Soldi ! Soldi !*» Les frères se promenaient entre les canaux toute la nuit, empruntant de petits ponts arqués, parmi les brises fluides de la cité nocturne, les odeurs de végétation tardive, les chansons interrompues, les appels adressés aux volets clos des fenêtres, le grincement des avirons de gondole contre une *forcheta*, l'éclat des lampes à la paraffine au-dessus des étals de fruits qui ricochait sur les peaux luisantes des melons, des grenades, des raisins et des prunes...

«Alors, prêt pour l'hottentot ?»

«Le quoi ?»

«C'est du français – ça veut dire assassinat.» Reef avait deviné que traquer Vibe et berner la sécurité du magnat ne seraient pas les seuls obstacles avant de parvenir à leurs fins. «Faut que je sois sûr, Professeur – je peux compter sur toi, oui ou non ?»

«À force de le demander...»

«Depuis cette *causette spirituelle* qu'on a eue dans le Nord avec Papa, on dirait que tu penses à autre chose, et apparemment il s'agit pas de cette opération.»

«Reefer, dès qu'il est question de te couvrir, tu sais que je suis là.»

«Jamais dit le contraire. Mais tu sais quoi, on est en guerre, d'accord. Pas comme à Antietam peut-être, avec de grandes armées visibles en plein jour, mais les balles continuent de voler, les braves tombent, les traîtres opèrent en pleine nuit, s'en mettent plein les poches, et ces fumiers vivent éternellement.»

«Et pour quoi se battent-ils, déjà?»

«"Ils", j'aimerais bien que ce soit "ils", mais non, c'est "nous". Bon sang, Kit, tu en fais partie. C'est pas le cas?»

«Eh bien, Reefer, tu causes comme un anarchiste.»

Reef s'installa dans ce que Kit estima être un mutisme étudié. «J'ai bossé ces dernières années avec des membres de cette confrérie», dit-il, trouvant dans une poche de chemise le bout noir et sec d'un cigare local et l'allumant. Puis, une lueur malicieuse dans les yeux: «M'est avis qu'on n'en trouve pas des flopées au rayon mathématiques.»

Si Kit avait mal pris la chose, il aurait pu riposter par une remarque au sujet de Ruperta Chirpingdon-Groin, mais il se contenta de désigner d'un mouvement de tête la tenue de Reef. «Chouette costard.»

«Tu l'as dit.» Rigolant dans un nuage de fumée sinistre.

Ils ressortirent, épuisés, titubant dans l'aube imminente en quête d'une boisson forte. Du côté San Polo du pont du Rialto, ils trouvèrent un bar ouvert et y entrèrent.

En avril dernier, tôt un matin, Dally Rideout s'était réveillée en sachant sans qu'on lui ait rien dit que les pois nouveaux – le mot dans ses pensées était *bisi* – venaient d'arriver au marché du Rialto. Ce pouvait être une occasion. Ayant somnambulé dans le dialecte comme on passe doucement du rêve aux ondes heurtées de l'éveil, elle avait oublié quand les conversations des rues étaient devenues moins opaques, mais le fait est qu'un jour les barrières tombèrent, et elle se mit à calculer en *etti* et *soldi* et cessa d'errer de *campo* en *campo* en cherchant sur des murs intransigeants les noms de rues ou de ponts, sereinement consciente des vents salins, des courants et des messages égrenés par les cloches… Elle détaillait les miroirs pour comprendre ce qui avait pu se passer, mais ne voyait que le même masque américain avec les mêmes yeux américains qui la fixaient – le changement devait être ailleurs.

Des mois plus tard, elle se rendit sur le même marché, tôt comme à l'accoutumée, un vent sec et agréable hérissant d'un gris métallique l'eau du Grand Canal, et chercha quelque chose à rapporter à la cuisine de la Ca' Spongiatosta, où on lui permettait enfin de cuisiner un peu, après qu'elle eut appris à Assunta et Patrizia quelques-unes des vieilles recettes de soupe de Merle. Il y avait aujourd'hui des topinambours du Frioul, les *radicchii* de Trévise étaient arrivés, la *verza* paraissait fraîche, et pour couronner la matinée, eh bien ça alors, voilà que sortait d'un pas nonchalant de ce petit bouge près du marché aux poissons Monsieur Va-t'en-tu-es-trop-jeune-pour-les-idylles-de-croisière lui-même, ouaip,

Kit Traverse en personne, même chapeau, même air soucieux, mêmes yeux bleu layette potentiellement mortels.

«Tiens donc, Eli Yale. Si c'est pas bizarre.» Derrière son épaule apparut un visage dont il était impossible de ne pas remarquer l'air de famille, et qui devait appartenir au troisième frère Traverse, celui qui donnait dans le faro.

«Ça alors, Dahlia. J'croyais que vous étiez retournée aux États-Unis.»

«Oh, je ne rentre jamais. Et vous, vous avez réussi à aller en Allemagne?»

«Un temps. Pour l'instant, avec Reef» – celui-ci souriant et soulevant son chapeau – «on a à faire en ville, puis on repart.»

Mouais *auguri, ragazzi,* alors là hors de question que ça fiche en l'air sa journée. Juste d'autres oiseaux qui passent par ici, c'est tout – regardent autour d'eux, se rassemblent comme les pigeons de la Piazza, s'envolent à nouveau. Comme disait Merle, des *oiseaux de passage.* Malgré cela: «Vous habitez dans le coin, les gars?»

Après une semonce oculaire à Kit: «Une petite *pennsylvanée*», dit Reef avec un air faussement mutin, «j'ai oublié dans quel quartier.» Elle s'éloigna.

«Un instant», dit Kit, mais elle continua de s'éloigner quand même.

Un peu plus tard dans la matinée, alors qu'elle passait avec Hunter devant le Britannia, naguère connu sous le nom de Palazzo Zucchelli, voilà-t-y pas que réapparaît Reef Traverse, en compagnie cette fois-ci d'une blonde élancée avec un chapeau à plumes incliné, et d'un costaud dont les yeux étaient rendus plus complexes qu'ils ne l'étaient peut-être par des lunettes de soleil grises, tout ce beau monde sortant de l'hôtel avec apparemment l'intention de passer la journée sur la Lagune.

«Doux Jésus – Penhallow, ça alors, c'est bien toi? Mais oui bien sûr que c'est toi, c'est dingue, comment est-ce possible, non mais franchement! Bon, je suppose que tu pourrais être une sorte de *jumeau* ou —»

«Arrête de dire n'importe quoi, Algernon», lui conseilla son compagnon, «il est encore trop tôt», même si le *sfumato* s'était dissipé une heure plus tôt.

Reef écarquilla légèrement les yeux à l'intention de Dally, ce qu'elle interpréta ainsi: *Ne montez pas au créneau tout de suite.*

«Salut, 'Pert», Hunter prenant sa main avec, aurait-on dit, une grande émotion, «ravi de vous voir, mais il est vrai que ça ne pouvait être qu'ici, non?»

«Oui, et qu'est-ce que vous devenez?» continua Algernon. «Il y a peu, vous étiez superbement absorbé par la partie, on jouait les prolongations, et le lendemain non seulement vous, mais toute la clique, vous avez » – il haussa les épaules – « disparu. » Une sorte de ricanement.

Dans la pause vaguement confuse qui s'ensuivit, leurs propriétaires remarquant Dally pour la première fois, les sourcils s'animèrent, les extrémités des doigts sondèrent des orifices acoustiques. Reef, bien qu'en pleine lumière, avait trouvé le moyen de rester dans son ombre. La blonde tendit la main et se présenta comme étant Ruperta Chirpingdon-Groin. « Et voici – oh je ne sais pas, un ramassis de crétins avec lesquels je me retrouve. »

Lui prenant brièvement la main : « Quel plaisir, signorina. Moi c'est Beppo, comme qui dirait l'associé en affaires de M'sieur Penhallow. »

« Quel langage pittoresque », fit la Chirpingdon-Groin en examinant la peau de chevreau blanche de son gant, non sans perplexité. « Vos mains sont bien trop propres pour être italiennes. Qui êtes-vous exactement ? »

Dally haussa les épaules. « Eleonora Duse, je suis, euh, à la recherche d'un rôle. Qui êtes-vous ? »

« Oh là là », le visage de Ruperta devenant encore moins distinct derrière son hâle bleu.

« Tenez », Hunter sortant son carnet à dessins et l'ouvrant sur un portrait au fusain de Dally, enfant, se prélassant pensivement sous un *sotopòrtego*, « voilà qui elle est. Exactement. »

Ils formèrent un cercle, comme s'il s'agissait d'admirer une nouvelle vue vénitienne, et tous se mirent à jacasser, sauf Reef qui, tâtant ses poches à la recherche de quelque chose qu'il aurait oublié, toucha le bord de son chapeau et retourna dans l'hôtel. Ruperta parut le prendre pour elle. « Maudit cow-boy », marmonna-t-elle, « j'ai hâte de partir. »

« Combien de temps restez-vous ici ? » Hunter semblait plus inquiet que Dally ne l'avait vu récemment.

Ruperta parut se concentrer et détailler un itinéraire compliqué.

« Si vous êtes libre ce soir, alors », suggéra Hunter, « nous pourrions nous retrouver au Florian. »

Dally se félicita de ne pas sourire d'un air narquois – elle savait que c'était un endroit qui agaçait passablement Hunter en temps normal, même si elle avait trouvé que ses tables et ses chaises étaient un champ fertile pour cueillir des cigarettes et du pain, voire, les jours de chance, un billet ou un appareil photo, un bâton de marche, *qualsiasi*, qu'on pouvait revendre quelques francs. Et ce soir-là, comme de bien entendu, longtemps après que le King's Band eut fini de jouer, ils se retrouvèrent

tous devant le Florian, les yeux de Hunter exclusivement engagés avec
ceux de l'Anglaise. Romantique Venise. Dally renifla et alluma un mégot
égyptien. Le lendemain soir, Hunter retourna à ses frasques, tout
fringant, peignant la nuit, sans être abordé par qui que ce soit de la
bande de la veille, apparemment pas plus mélancolique que d'habitude.
Quel que fût son genre, Dally ne comptait pas s'en mêler.

Au début, elle s'était étonnée de l'empressement avec lequel la Principessa Spongiatosta l'avait accueillie, attribuant le phénomène à une histoire quelconque entre elle et Hunter. Au bout d'un temps, elle ne savait
plus trop. Elle avait carrément pris ses quartiers à la Ca' Spongiatosta,
maintenant, la vie des *fondamente* étant nettement moins agréable ces
temps-ci, et convenant davantage aux rats du *rio*… «Ce n'est pas parce
que tu ne vis plus dans la rue», se rappela-t-elle bientôt, «que ça veut
dire que tu crains moins.»

La vie quotidienne de la Principessa était un inextricable plexus de
secrets, de liaisons des deux sexes, jeunes et vieux, une relation non tant
au Prince qu'à son absence, même si on l'avait déjà vu jeter des regards
mauvais et de temps à autre insulter quiconque s'aventurait, ne serait-ce
que d'un geste, à la prendre pour une femme dépravée. L'absence
du Prince était davantage que la moitié vacante du lit de la Principessa
– il se tramait quelque chose, parfois apparemment loin de Venise, et elle
semblait très souvent jouer le rôle d'intermédiaire, voire carrément de
porte-parole – cloîtrée pendant des heures dans des pièces aux volets
clos, ne s'entretenant qu'à voix basse avec un sémillant Anglais du nom
de Derrick Theign qui passait au moins une fois par semaine, un
chapeau gris à la main, laissant sa carte quand la Princesse n'était pas là.
Les *camerieri*, d'ordinaire amusées par ce qui se passait ici, semblaient
s'éclipser chaque fois qu'il apparaissait – elles se couvraient les yeux,
crachaient, se signaient. «Qu'est-ce qui se passe?» demandait Dally, mais
personne ne lui répondait. Quoi que ce fût, ce n'était sûrement pas
romantique. Theign venait parfois quand le Prince était absent, mais le
plus souvent on aurait dit que c'était le Prince – qui, comme le *levante*,
pouvait débouler en ville à n'importe quelle saison – que Theign avait
envie de voir.

Dally ne mit guère de temps à percer à jour la Princesse, et souvent
l'envie lui prenait de lui flanquer une bonne taloche. «Votre amie a le
chic pour filer le mouron», dit-elle à Hunter.

«Je l'ai pourtant crue longtemps très profonde», dit Hunter. «Puis
j'ai compris que ce que je prenais pour de la profondeur n'était que de

la confusion. Comme une toile qui donne l'illusion d'une dimension supplémentaire, alors que chaque couche prise en soi est quasiment imperceptible. On voit quel genre de visiteurs passent. On voit combien de temps elle peut se concentrer. C'est une morte en sursis. »

« Une exaltée avec un stylet », Dally s'efforçant de paraître trop optimiste.

« Oh, peut-être pas. Mais les risques qu'elle prend, pas nécessairement du genre romantique – eh bien… »

« C'est bon, Hunter, je préférerais ne pas savoir. »

« Vous ne courez aucun danger ici tant que vous restez sur vos gardes. »

Mais quelque chose semblait toujours embusqué ici, même si Dally ne savait pas trop ce que c'était. On voyait parfois la Princesse converser de façon animée avec les agents de sécurité de Spongiatosta postés dans les rues voisines, dont les livrées arboraient les anciennes armoiries familiales, éponge couchante sur échiqueté à pointe de flamme. Elle s'attardait dans des alcôves retirées avec de jeunes femmes soignées dont les talents ressortissaient officiellement au secrétariat, qui ne venaient jamais plus de deux fois au Palazzo, même si Dally ne comptait pas, pas exactement. En partant, elles jetaient des regards perplexes mais pas vraiment tristes aux fenêtres de la chambre de la Principessa. Hunter était le seul visiteur régulier, et si c'était là une façon de garder un œil sur Dally, c'était un gentleman et il restait discret là-dessus.

Quelque part sur l'Atlantique entre New York et Göttingen, Kit en était presque venu à espérer qu'un jour, dans un avenir rêvé, quand son silence serait devenu plausible pour Pearl Street, il pourrait alors revenir, mandé par le fantôme vengeur de Webb, revenir dans l'Amérique diurne, ses affaires pratiques, son déni têtu de la nuit. Où des actes comme celui qu'il envisageait recevaient pour seul nom celui de « Terreur », parce que la langue de cet endroit – qu'il ne pouvait peut-être plus appeler sa « patrie » – n'en possédait pas d'autre. Mais c'est ici qu'allait sonner l'heure fatale, très bientôt, dans cette ville qu'il avait du mal à ne serait-ce que comprendre. Assis sur la Piazza au milieu de deux cents autres personnes, à boire de minuscules tasses de ce dépôt amer et brûlé que les gens appelaient café, tandis que les pigeons cherchaient conjointement ou séparément la perle grise du ciel maritime, Kit se demandait si la véritable Asie intérieure allait sembler moins réelle que ce qu'il contemplait à présent. La ville était censée avoir été bâtie sur le commerce, mais la basilique Saint-Marc était plus folle que ce que le commerce, dans sa sévère résistance au rêve, ne pourrait jamais admettre. Le nombre de commerces était «rationnel» – rapport entre profits et pertes, taux d'échange – mais dans la série des nombres réels, ceux qui restaient dans les espaces interstitiels – les «irrationnels» – l'emportaient de façon écrasante sur ces simples quotients. Quelque chose de cet ordre-là se produisait ici – cela se manifestait même dans cette étrange sous-catégorie aléatoire qu'était la numérotation des rues vénitiennes, qui lui avait valu de se perdre plus d'une fois. Il avait l'impression d'être une personne habituée uniquement aux nombres réels en train de voir une variable complexe converger...

«Quoi, encore vous? Perdu dans vos pensées, je ne vous dérangerai pas, j'allais juste faire des courses pour mon déjeuner.» Ses cheveux pareils à un gong, redirigeant son attention.

«Désolé pour ce matin, Dahlia. Mon intention n'était pas de vous faire détaler.»

«Moi? Je ne détale jamais. J'ai remisé depuis belle lurette mes bottes de cow-boy.»

«Asseyez-vous, je vous offre quelque chose. Ou plutôt, puisque Reef arrive, il va vous offrir quelque chose.»

Elle regarda autour d'elle l'étendue des petites tables, rapidement, comme si elle ne voulait pas être reconnue. «Faut-il que ça soit au Quadri?»

«Je cherchais juste la première chaise libre.»

«Cet endroit est suspect depuis un demi-siècle, depuis que les Autrichiens se sont tous mis à le fréquenter, à l'époque où ils occupaient la ville. Rien ici n'est jamais effacé. Essayez le Lavana un de ces jours, le café y est meilleur.»

«Au fait, Dahlia, merci pour votre discrétion aujourd'hui avec 'Pert.» Reef, tirant sur un cavour, se rendait ailleurs, mais il se joignit à eux une minute. «Elle panique vite quand elle en voit des comme vous, et ça peut durer des semaines.»

«À votre service. Quoique.» Un silence se fit. «Bon», fit Dally au bout d'un moment, «je parie que vous mijotez *quelque chose d'illégal*, les gars! Allez, ça saute aux yeux, il suffit de vous regarder.»

«Oh» – Reef apparemment un peu nerveux – «c'est souvent le cas.»

«Vous êtes assis à la mauvaise terrasse, et du coup le premier observateur venu en déduira que vous êtes nouveaux en ville, voire à court d'expédients.»

«On s'en sort très bien», marmonna Reef.

«Je pourrais peut-être vous aider.»

«Pas pour ça», dit Kit.

«Vous savez, c'est vraiment dangereux», expliqua Reef, comme si ça pouvait suffire à la faire fuir.

«Auquel cas vous feriez mieux de ne pas attirer l'attention sur vous chaque fois que vous bougez ou ouvrez la bouche – en ce qui me concerne, je sais aller et venir sans être vue ni entendue, et surtout je connais des gens ici qui, même si ce ne sont pas eux précisément dont vous avez besoin, connaîtront les bonnes personnes. Mais faites donc, continuez ainsi dans votre coin si c'est ce que vous voulez.»

Reef commença à tripoter le bord de son chapeau, jamais un bon signe. «Autant vous le dire tout net, on n'a pas trop d'argent à gaspiller.»

«Votre argent m'indiffère, Mr Traverse – mais je ne saurais parler pour d'autres dans cette ville, vous savez comment c'est, autrefois les gens se rendaient service gratuitement, mais plus maintenant.»

«Pas même quand c'est dans l'intérêt public?» dit Kit, s'attirant un nouveau regard éloquent de son frère.

«Illégal, mais dans l'intérêt public. Ben ça alors. Et comment est-ce possible? Laissez-moi réfléchir une minute.»

«Où c'est que tu l'as rencontrée?» demanda Reef en plissant les yeux. «Un de tes anciens "béguins" de lycée?»

«Ha!» s'exclamèrent plus ou moins ensemble Kit et Dally.

«Elle est fiable, Reefer.»

«Tu me l'as déjà dit.»

Oh? N'ayant pas rougi depuis quelque temps, Dally pensa que ce n'était pas le moment. Reef la regardait attentivement. «Miss Rideout, il n'est pas dans mon habitude de forcer la main aux gens.»

«Surtout aux p'tites Amerloques qu'ont pas l'air d'avoir un brin de jugeote, c'est ça?»

«Oh, allons.» Reef remit son chapeau sur sa tête et se leva. «J'ai quelques courses à faire pour 'Pert, on se reparlera plus tard. Arrivée d'air chaud, les amis.»

«Qu'est-ce qu'il a dit?»

«De l'italien de cuisine, je pense.»

Kit et Dally décidèrent de marcher, cette dernière passant de temps en temps la tête dans un bureau de tabac pour allumer une autre cigarette à la lampe de la boutique. Bientôt, ce ne fut pas tant leur allure qui s'accéléra qu'une certaine concentration entre eux, causée pour l'essentiel par la ville. Elle leur trouva une table à l'écart dans un jardin à l'arrière d'une petite *osteria* entre le Rialto et Cannaregio. Ils mangèrent une *polenta* aux seiches à l'encre, et une *zuppa di peoci* qui n'avait pas sa pareille. Naguère, elle aurait pensé : Notre premier « rendez-vous galant » – aujourd'hui, elle se demandait seulement : Mais dans quel pétrin ce garçon s'est-il fourré ?

« Et voilà. » Kit vidant un verre de grappa.

Elle attendit, les yeux grands ouverts.

« On est venus ici pour ça. Soufflez-en un seul mot et nous sommes tous morts, non ? »

« La discrétion faite femme », lui assura-t-elle.

« Je vais vous dire de quoi il s'agit. Vous êtes prête ? »

« Kit — »

« Entendu. Vous savez qui est Scarsdale Vibe ? »

« Bien sûr. Carnegie, Morgan, toute la clique des magnats. »

« C'est Vibe qui a... » Il s'interrompit, hocha la tête. « Qui a engagé les types qui ont tué mon père. »

Elle posa sa main sur la sienne et la laissa là. « Kit, j'avais deviné quand on était sur le bateau, mais merci de me faire confiance. Et maintenant votre frère et vous êtes ici pour en finir avec Vibe, ça me paraît évident. »

« Donc, quand vous avez proposé votre aide, vous aviez déjà une idée. »

Elle ne releva pas les yeux.

« Vous pouvez encore tout annuler si vous voulez », dit-il sur un ton plus feutré. « C'est très facile. »

Ils restèrent ainsi un moment. Elle n'osait pas retirer sa main. C'était des temps modernes, et des mains nues ne se touchaient pas délibérément sans raison.

Mais pour ce qui était de connaître cette raison, eh bien...

Quant à Kit, il était allé jusqu'à observer les yeux de Dally, qui semblaient étrangement vert-argent même dans la lumière vénitienne. Des yeux verts chez une rousse, rien de trop inhabituel – mais des iris enchâssés sur un fond aussi chatoyant que de l'argent non fourbi, auquel se référaient toutes les autres nuances de couleurs, comment était-ce possible ? Des photographies d'eux-mêmes. Et pourquoi faisait-il autant attention à ses yeux à elle ?

« Il y a pire, j'ai bien peur. Il a dû se passer quelque chose aux États-Unis, parce que maintenant les hommes de Vibe me cherchent. C'est pour ça que j'ai quitté l'Allemagne. »

« Vous êtes sûr que vous n'êtes pas... »

« Fou ? Ça me gênerait pas. »

« Et tous les deux, vous êtes vraiment... » Elle n'arrivait pas à le dire, parce qu'elle n'était pas sûre que ce fût vraiment sérieux.

« "Décidés à le faire" », suggéra Kit.

«Et quitter la ville avec les *carabinieri* aux fesses. Où comptez-vous aller, si ce n'est pas une question trop directe, venant d'une fille?»

«Demandez-le à Reef. Moi, l'Asie intérieure m'attend.»

«Oh bien sûr, juste au bout de la rue en partant de l'Asie extérieure. Vous ne risquiez pas de vous attarder par ici, c'était couru, vous avez toujours eu cette autre vie, maintenant vous allez fuir la justice et Dieu sait quoi d'autre en sus.»

Elle se rendit compte que sa tristesse se voyait et elle retira sa main. Kit essaya de la reprendre. «Écoutez, ne croyez pas que c'est —»

Elle lui donna une tape sur la main et sourit avec aigreur. «Ne vous en faites pas pour ça. Vous et l'autre, ça vous regarde.»

«Moi et — Qu'est-ce que ça veut dire?»

Un regard calme qu'il ne put déchiffrer. Le soleil les débusqua et les cheveux de Dally s'enflammèrent aussitôt. Ils s'attardèrent alors dans une de ces paralysies où toute parole prononcée serait une erreur.

«Écoutez», Kit exaspéré, «vous voulez ma parole? Vous l'avez. Juré. Ici même – au même endroit exactement, ça vous va? Laissez-moi noter le nom et l'adresse, une date précise serait évidemment plus compliquée —»

«Laissez tomber.» Elle ne lui lança pas à proprement parler un regard noir, mais ça n'avait rien non plus d'une œillade. «Un jour peut-être vous me promettrez quelque chose. Et alors, gaffe, monsieur.»

Ce n'était pas comme s'ils avaient eu le temps de se perdre de façon créative dans le dédale des *calli*, ça non, ou d'aller voguer sur la Lagune dans un petit *topo* aux voiles orange, ou de visiter les églises en s'extasiant sur les belles peintures, encore moins de s'arrêter sur le Pont de Fer au coucher du soleil pour s'embrasser tandis que les bateaux à lanternes passaient sous eux et que les accordéons louaient en chœur leur nouvel amour. Rien de tout ce tralala vénitien n'allait se produire, pas dans cette maudite existence.

Que voulait-elle? N'était-ce pas une fois de plus lié à Merle? Cette alchimie, les cristaux magiques, les tentatives pour percer les Mystères du Temps, elle avait vraiment cru un jour qu'elle devait prendre ses distances avec tout ça avant que ça la rende aussi dingue que son père, et maintenant, tiens donc, voilà que ça recommençait, avec un autre cinglé, quelqu'un cette fois qui la quittait, pour aller chercher une cité invisible aux confins du monde. *Cazzo, cazzo…*

«Oubliez-le», lui conseilla la Principessa. «Demain soir au Palazzo Angulozor il y aura un bal magnifique, j'ai une centaine de toilettes qui attendent l'occasion, et vous et moi, nous faisons la même taille.»

«Je suis trop triste», objecta Dally.

«Parce qu'il part», renifla la Principessa, qui avait eu droit aux grandes lignes de l'histoire mais à aucun des détails, ce qui pourtant ne l'avait jamais empêchée de donner des conseils. «Sera peut-être parti un an, peut-être plus, peut-être à jamais, *vero*? Comme un jeune soldat, qui s'en est allé servir son pays. Et vous croyez que vous allez l'attendre.»

«J'ai dit ça? Mais pour qui vous prenez-vous pour vous moquer de mes sentiments?», s'enflamma Dally. «C'est vous qui arrêtez pas de geindre et de répéter qu'"on ne peut pas vivre sans amour".»

Quels que fussent leurs rapports, ils autorisaient à présent ce genre d'impertinence. La Principessa haussa les épaules, amusée. «C'est donc ça?»

«Peut-être pas votre genre, Princesse.»

«Et le jeune homme? Quels sont ses sentiments?»

«Sais pas et je lui demanderai pas.»

«Eh! *Appunto!* C'est une belle histoire que vous vous êtes racontée, alors?»

«On verra bien.»

«Et quand ça? Pendant que vous *attendez*, je connais une douzaine de jeunes gens, très riches, qui rêveraient de faire votre connaissance.»

«Je ne sais pas.»

«Voyons. Faites-moi plaisir. Allons choisir une tenue. Je pense en particulier à un vieux *straccio*, vert "météore", assorti à vos yeux, taillé dans de la guipure vénitienne, ça devrait faire l'affaire.»

Ils se trouvaient tous sur un toit surplombant Cannaregio. Ruperta était partie par le train de midi, pour Marienbad, et zyeutait, inconsolable, tous les voyageurs qui passaient près d'elle. Son égotisme étant si monstrueux qu'elle était incapable de voir au-delà de sa prochaine liaison romantique, elle avait été une parfaite compagne pour Hunter, qui avait décidé de tenir jusqu'à Salzbourg. De l'amour dans l'air? Allons donc, Dally s'en fichait pas mal, non?

«Bon, je prends part à votre hottentot ou pas?»

Reef haussa les épaules. «Tank en fer...»

«Pardon?»

«C'est du français, ça veut dire au point où on en est... Il faudra que quelqu'un nous aide à pas trop nous perdre.»

«Merci. C'est donc ça? Un guide, rien d'un peu plus, je sais pas, moi... physique? Je fais les poches et pique les robes des belles touristes. Je lance le couteau avec précision jusqu'à vingt mètres. J'ai tiré avec des flingues dont vous ignorez même le nom et le calibre.»

« En fait, on comptait s'occuper de cette partie nous-mêmes. »

« Vous ne me voyez pas en tireuse d'élite, très bien. Plutôt en quoi alors ? infirmière ? cuisinière ? Attendez ! Qu'est-ce que c'est que ce truc ? Mais c'est un *fusil à éléphant à la cordite*, si je ne m'abuse. »

« Gagné. Rigby Nitro Express, calibre .450, tire des balles à pointe creuse plaqué nickel. »

« Qui éclatent à l'impact », acquiesça Dally, « et c'est pas vraiment des munitions d'entraînement. Peut-être que votre Vibe devrait changer de nom et se faire appeler Jumbo. Ça vous embête si je — »

« Faites. » Reef le lui tendit et elle prit soin de le soupeser pour l'équilibre, ouvrant et fermant la culasse, prenant la pose, visant divers clochers en ville. Au bout d'un moment, elle murmura : « Sympa, comme arme », et la rendit.

« Cadeau d'adieu de 'Pert », dit Reef.

« Elle est au courant de ce que vous mijotez ? »

« C'est une citadine, elle croit que je vais m'en servir pour tirer des faisans. »

« Si vous voulez tuer quelqu'un comme Vibe », estima Dally, « vous feriez mieux de tirer une leçon de l'attentat raté contre Henry Clay Frick, le Boucher de Homestead, il y a quinze ans, et qui est : Ne jamais viser la tête. Viser la tête de Frick fut la grosse erreur de Frère Berkmann, l'erreur anarchiste classique qui consiste à croire que toutes les têtes contiennent une cervelle, alors qu'en fait il n'y avait rien du tout dans la caboche de Frick qui vaille qu'on gaspille une balle. Avec ce genre de gus, il faut toujours viser le bide. À cause de toute la graisse qui s'est accumulée là après des années vécues aux dépens des plus pauvres. La mort n'est peut-être pas immédiate – mais quand un médecin farfouillera dans cette montagne de lard pour trouver la balle, surtout un de ceux qui soignent les classes supérieures, étant plus habitué aux problèmes de foie et dérangements féminins, il sera sûr de causer, par pure incompétence, une mort longue et douloureuse. »

« Elle a raison », reconnut Reef après un court moment de stupeur mutique, comme s'il regardait quelque gourou indien de la violence, « et le prendre par surprise est également hors de question, beaucoup trop de gens autour, on peut pas en toucher un par erreur. Il faudra aller droit sur lui, se retrouver face à face avec le vieux Scarsdale. Et c'est là je crois que tu interviens, Kit. »

« Pas sûr », dit Kit.

« Oh, il t'a coupé les vivres, mince alors, ça fait tout juste les ragots en page mondaine, pas de quoi lui tomber dessus. »

« Se pointer, "Salut comment ça va, Mr Vibe, tout baigne, quelle surprise de vous voir ici à Venise en Italie" – ben voyons, Reef, tu sais ce qui se passera. »

« Il se passera quoi ? »

« Ce type veut ma peau, je te le dis. »

Dally grogna d'impatience devant ces tergiversations. « Écoutez-moi : vous vous rendez compte, j'espère, qu'il y en a d'autres qui font la queue pour zigouiller ce vieux vautour, alors vous êtes pas franchement en première ligne. »

Reef, comme s'il tombait des nues : « Sans blague. Bon, vous voulez dire qu'il y a vraiment plein de gars qui le détestent autant que nous ? »

« Vous êtes en terre anarchiste, cow-boy. Tôt ou tard, par ici, ils vont manquer de têtes couronnées à dégommer et se mettre à chercher d'autres racailles – politiciens, capitaines d'industrie, et cætera. Or c'est sur une liste de ce genre que figure Scarsdale Vibe depuis un bout de temps. »

« Vous connaissez des anarchistes ? »

« En ville, ici, plein. »

« Reef croit qu'il est le seul », dit Kit.

« Vous pensez vraiment qu'ils mijotent quelque chose en ce moment ? » demanda Reef.

« Ils en causent, surtout. Vous voulez qu'on aille vérifier ? »

Ils descendirent à l'arrêt de San Marcuola, traversèrent un ou deux ponts et passèrent sous un *sotopòrtego* puis s'engagèrent dans des ruelles si étroites qu'ils durent avancer en file indienne jusqu'à ce que Dally annonce : « Ici. » C'était un *caffè* du nom de Laguna Morte. Ils y trouvèrent Andrea Tancredi et quelques amis artistes, et comme par hasard la discussion portait sur Scarsdale Vibe, le énième millionnaire américain venu ici pour piller l'art vénitien.

« Les journaux aiment appeler ça le "butin de guerre" », déclara Tancredi, « comme s'il ne s'agissait là que d'une lutte métaphorique, avec de grosses sommes en dollars remplaçant le nombre de victimes… mais à l'insu de tous, ces mêmes personnes mènent une campagne d'extermination contre l'art lui-même. » L'italien de Kit était rudimentaire, mais il sentit une vraie passion dans ses propos, autre chose que les sornettes débitées habituellement dans les arrière-salles.

« Qu'est-ce qui te gêne dans le fait que les Américains achètent des œuvres d'art ? » objecta un jeune homme à la barbe de pirate du nom de Mascaregna. « *Macchè*, Tancredi. Cette ville s'est bâtie sur le commerce. Toutes ces grandes toiles italiennes finissent tôt ou tard avec un prix dessus. Le grand Mr Vibe ne vole rien, il paie un prix sur lequel se sont accordés les deux camps. »

« Ce n'est pas une question de prix », s'écria Tancredi, « c'est ce qui vient après – l'investissement, la revente, tuer ce qui est né de la rencontre délirante entre peinture et toile, le changer en objet inerte, pour être échangé, sans cesse, contre ce que le marché jugera bon. Un marché dont les forces s'exercent toujours contre la création, pour la mort. »

« *Cazzo*, laisse-les prendre ce qu'ils veulent », dit son ami Pugliese en haussant les épaules. « Ça nous fera un peu de place sur ces vieux murs décrépits. »

« Les crimes de l'Américain sont beaucoup plus graves que le simple vol d'œuvres d'art », dit Mascaregna. « Nous ne devons pas oublier l'immense légion d'âmes sans défense qu'il a conduite au bord de l'abîme. En trop grand nombre pour que Dieu même puisse lui pardonner. »

« Ce dont a besoin Mr Vibe », dit Tancredi, « ce sont des ennuis dont il ne puisse se tirer. »

« *La macchina infernale* », proposa Dally.

« *Appunto!* » Tancredi, réputé pour ne guère aimer toucher quiconque, lui serra le bras avec empressement.

Kit, remarquant la chose, décocha un regard à Dally. Elle laissa ses yeux s'écarquiller le plus possible et fit tourner une ombrelle invisible.

Le jeune homme échangea de timides poignées de main avec Kit et Reef. Il ne paraissait pas, cet après-midi-là, sur le point de se livrer à un acte désespéré. « Ce Vibe, hein ? »

La perche ainsi tendue en valait bien une autre. Les deux frères se lancèrent un coup d'œil, mais en restèrent là.

Plus tard, ils se rappelleraient le regard de Tancredi.

« Vous croyez que ce gamin est vraiment sérieux ? » voulut savoir Reef.

« Ces derniers temps », dit Dally, « il parle beaucoup de Bresci, de Luccheni et de quelques autres célèbres anarchistes, suffisamment pour rendre les gens nerveux en tout cas. »

« C'était censé être facile », dit Reef. « On bute le fumier et basta. Maintenant, tout d'un coup, voilà qu'on cherche à refiler la besogne à un autre ? »

« Qui peut dire », Kit prudemment, « si on n'y arrivera pas plus vite en restant dans notre coin et en laissant les forces de l'Histoire lui passer dessus ? »

« Tu causes comme à Harvard. »

«Yale», dirent ensemble Kit et Dally.

Reef les regarda une minute en clignant des yeux. «"Qui peut dire"?
Ben, pour commencer...»

La Principessa avait finalement convaincu Dally de l'accompagner
au bal ce soir-là, et avait également distillé l'intéressante information
selon laquelle un des invités serait Scarsdale Vibe. Se calfeutrant à
l'intérieur pour se protéger d'une bora qui rendait particulièrement fou,
Kit, Reef et Dally jouèrent au poker tout en commentant la nouvelle,
assistés par une bouteille de grappa. Reef emplissait l'air de la fumée
nauséabonde qui montait de ses cigares italiens bon marché. Tout le
monde attendait quelque chose, une bonne main, une pensée enjouée,
les carabinieri à la porte, en proie à un mauvais pressentiment qui
n'attendait qu'une confirmation.

«Vous en avez déjà vu des comme ça?»

«Mazette, d'où c'est que ça vient?»

«Turin.»

«Non, je voulais dire —»

«Simple escamotage, Venise est une ville pittoresque mais on s'y
perd facilement. Ils appellent ça le Lampo, mignon, non? À répétition,
tire du Gaulois 8 mm, vous voyez ce petit pontet c'est la détente, le
majeur se met pile là» – elle fit la démonstration – «le canon dépasse à
peine du poing, vous poussez dans ce sens, la culasse recule, vous serrez
encore et ça enclenche la balle – bam.»

«Ben merde, on pourrait régler la chose avec ça.»

«Oui, je pense.»

«Mais pas vous.»

«Les gars...»

«Il vous taquine», dit Kit.

«S'il le dit», soupira Reef, cabotin.

«Ça détend un peu la soirée, en tout cas», supposa Dally.

«Hé! Vous allez peut-être rencontrer un prince italien, tomber amoureuse, et avec un peu de chance faire de bons gueuletons.» Reef, hilare
devant l'agacement de son frère, qui recrachait en toussant des nuages de
fumée de cigare.

«Étrangle-toi tant que tu y es, d'accord?»

«Dommage que je n'aie jamais donné dans le vol de bijoux, Dahlia,
vous seriez la complice idéale.»

«Bon sang, Kit, votre frère est vraiment charmant.»

«Il sent bon, aussi», marmonna Kit.

«Allez-y, Dahlia», dit Reef, «une fête c'est une fête, faut jamais en refuser une, amusez-vous comme une folle, tout ce que vous apprendrez d'utile vous nous le dites, nous on sera dehors en reconnaissance. On devrait pouvoir arriver jusqu'à lui.»

Dehors, les passants décollaient à l'horizontale, s'agrippant à tout ce qu'ils pouvaient, les chaussures étaient arrachées aux pieds et fusaient à toute vitesse au-dessus de la Lagune déchaînée. Les tuiles des toits étaient soulevées les unes après les autres, les gondoles s'envolaient et retombaient à l'envers sur la Riva, laissant des éclats épaufrés de laque voltiger derrière en minuscules tornades noires, tandis que plus haut, leurs plumes arrachées tournant à contresens en une pâle turbulence argentée, les anges vénitiens tutélaires cherchaient refuge parmi les cloches abandonnées, secouées par le vent, sonnant désormais des heures canoniques pour la seule tempête, appelant à des messes invisibles pour les âmes des naufragés et des noyés, tandis qu'en bas les pigeons et les oiseaux de mer, retenus au sol, fuyaient la Lagune en frissonnant pour se réfugier dans les *sotopòrtegi*, dans des cours nichées dans d'autres cours, refusant le ciel, feignant d'appartenir aux labyrinthes terrestres, leurs yeux scintillants et nerveux tels des rats acculés. Les Vénitiens enfilaient des bottes en caoutchouc et progressaient en pataugeant. Les visiteurs, pris au dépourvu, titubaient sur des caillebotis surélevés, négociant les priorités comme ils le pouvaient. Des panneaux fléchés et rédigés à la va-vite apparaissaient aux croisements pour indiquer des itinéraires plus à sec. L'eau débordait follement dans les canaux, d'un gris bronze, sentant la marée, la marée d'une autre mer. La place Saint-Marc était un vaste bassin ornemental, appartenant à la mer, sombre comme le ciel qu'elle réfléchissait, un fond pour les oblongs de lumière orange que filtraient les vitres des cafés et des boutiques sous la Procuratie, des images égaillées puis redistribuées par le vent.

«Et tu feras quoi de la môme Dahlia, quand on devra quitter précipitamment la ville?» demanda Reef plus tard, après qu'elle s'en fut retournée à la Ca' Spongiatosta.

«J'pense pas que je lui manquerai tant que ça.»

Reef laissa un fin sourire breveté ourler ses lèvres, une expression qui l'avait fidèlement servi lors de nombreuses parties de cartes. Le message était: *C'est bon, faites ce que vous voulez, mais ne me reprochez rien plus tard*, ce qui permettait de plonger les autres joueurs dans des paralysies dubitatives, tout en le faisant passer pour un adversaire compatissant qui s'inquiétait à l'idée de s'accaparer une partie des sommes que les autres destinaient à un loyer ou à de la nourriture pour un bébé.

S'emparant de rênes invisibles et faisant un mouvement de «finissons-en», Kit dit enfin : «Quoi?»

«Je te raconterai une histoire un jour. Peut-être.»

Sous la bruine incessante, cinq ou six *carabinieri,* disposés stratégiquement le long de la *fondamenta,* empêchaient les gens de traverser le pont menant au Palazzo. Le col de leur pardessus remonté contre le froid. Impossible de dire combien de temps ils resteraient postés ici. Telle une allégorie suspendue sur aucun mur connu, intitulée *Échec.* Kit et Reef passèrent furtivement, s'efforçant de faire partie de l'*imprimatura.* Sur le trottoir d'en face, des silhouettes en noir, penchées comme si elles luttaient contre le vent ou la fatalité, progressaient en un courant visqueux, sous des parapluies noirs aux ondulations nerveuses, chaque pas une lutte, la circulation fragmentée en missions secrètes de désir… Isolée des conséquences comme le mitan de la nuit.

Des lumières électriques aux fenêtres, partout des torches portées par des domestiques, leurs flammes sans cesse malmenées par le vent. Un lourd susurrement intérieur, modulé par la pierre ancienne, se faufilant dehors jusqu'au *rio* en même temps qu'un petit orchestre à cordes jouant des arrangements de Strauss fils, Luigi Denza et de la sommité locale, Ermanno Wolf-Ferrari.

Kit aperçut Dally vêtue de la robe et du paletot en soie foncée qu'elle avait empruntés à la Principessa, sa chevelure incendiaire rehaussée d'une aigrette de plume d'autruche teinte en indigo, se balançant sur le seuil puis en haut des escaliers de marbre qui menaient au *piano nobile,* et il oublia une demi-seconde où il était et ce qu'il était censé faire ici.

Scarsdale Vibe arriva en gondole privée et, assisté de Foley Walker, posa le pied sur la *fondamenta.* On entendit la détonation caractéristique d'une arme à feu.

Aussi soudainement qu'une tempête s'abattant sur la Lagune, des gardes du corps en noir surgirent de partout, des *teppisti* endurcis, récemment débarqués en ville après avoir brisé des grèves à Rome et dans les usines du Nord, armés, silencieux, masqués, rapides.

«Bon sang, une vraie armée», marmonna Reef. «D'où est-ce qu'ils sortent?»

Et soudain, au beau milieu de tout ça, apparut un jeune maigrichon dans un costume d'emprunt, col de chemise trop grand, tout à fait incongru et donc forcément déguisé, représentant du coup une menace. «C'est le petit Tancredi, mais qu'est-ce qu'il fiche ici, bordel?»

«Oh non», dit Kit. «C'est pas bon.»

Il était impossible d'arriver jusqu'à lui, il était déjà à bord du train funéraire noir, et fonçait vers son terrible dessein.

«*Via, via!*» eurent-ils la bonté de l'avertir, mais il continua d'avancer. Il faisait la seule chose que l'autorité ne peut tolérer, ne laissera jamais passer, il refusait de faire ce qu'on lui disait de faire. Quel était cet objet qu'il tenait à la main, avec circonspection, comme s'il risquait d'exploser à la moindre secousse? «Il n'avait rien dans les mains», dit plus tard Pugliese, «personne n'a trouvé d'arme.»

Mascaregna secoua la tête, inconsolable. «Il disait qu'il avait une machine infernale, qu'elle aurait raison de Vibe et, un jour lointain, de cet ordre que Vibe incarnait de la façon la plus totale et la plus détestable. C'était son précieux instrument de destruction. Il dégageait une lumière que Tancredi seul pouvait voir, ça l'aveuglait, brûlait farouchement dans ses mains, tel le charbon ardent dans la parabole de Bouddha, il ne pouvait pas le lâcher. Puisque Vibe appréciait tant les œuvres d'art, eh bien voici la création de Tancredi, son offrande, le chef-d'œuvre qui selon lui allait changer la vie de quiconque le contemplerait, même ce millionnaire américain corrompu, l'empêchant de voir l'existence qu'il avait menée, l'obligeant à une sorte de vision différente. Personne ne lui a laissé une chance de dire: "Tiens, voici un volume fini et limité de l'absence de Dieu, voici tout ce que tu as besoin de contempler, et tu connaîtras l'Enfer."»

Des flammes jaillirent des gueules des Glisenti tout neufs, des coups de feu se répercutèrent sur l'eau et les murs de pierre, effrayants, déchiquetant le silence. Tancredi avait ouvert grands les bras, comme s'il s'apprêtait à étreindre tout ce à quoi le monde venait juste d'être réduit – les premières balles le contractèrent en un vestige, qui s'inclina comme devant une noblesse perverse, tandis qu'autour de lui se dressait l'ancienne splendeur du Palazzo, qu'il glissait et tombait dans son propre sang et s'enfonçait dans une vacance du jour où les cloches se taisaient, où la ville qu'il aimait et détestait à la fois se dérobait à sa transfiguration.

Au début, on eût dit qu'ils se contentaient de tâter sa dépouille du bout de leurs bottes – ce qu'on attend de professionnels vérifiant que le sujet ne va pas subitement ressusciter. Mais la vérification se fit moins hésitante, et bientôt les *assassini* lui décochèrent de furieux coups de pied, l'insultèrent jusqu'à ce que la *fondamenta* résonne comme une cour de prison, alors que Scarsdale Vibe sautillait presque en signe de joyeuse approbation, dispensant à voix haute des conseils techniques.

«Veillez bien à lui abîmer le visage, les gars. *Batti! Batti la faccia*, hein? Détruisez-le. Donnez à la maman de ce petit merdeux une raison de pleurer.» Quand il eut la voix trop éraillée pour continuer, il s'approcha et se pencha un moment au-dessus du cadavre qui gisait, mis à mal, dans un bain d'éclairage public, et il se dit qu'il avait eu de la chance d'assister en personne à cette victoire sur la terreur anarchiste. Foley, pour qui cela avait été l'ordinaire dans un régiment nordiste, s'abstint de tout commentaire.

Le brouillard naissant avait commencé à s'immiscer dans la lente dissipation de la fumée de poudre. Une meute de rats, pris d'un intérêt soudain, était sortie du canal. Sans égard pour de nouveaux hôtes qui arrivaient, un des tireurs tenta d'éponger avec le chapeau du jeune homme une partie du sang qui souillait la chaussée, en versant dessus de l'eau du canal.

Vibe se tenait sans rien dire au point le plus élevé du petit pont, le dos tourné, silhouette noire et dense, tête et cape, figée dans une indubitable tension, croissant moins en dimension que, bizarrement, en masse, se réifiant dans une inviolabilité de fer. Un court instant, avant de retourner d'un pas décidé dans l'abri du Palazzo éclairé et mélodieux, il se tourna et regarda droit dans la direction de Kit, montrant bien qu'il l'avait reconnu, et même dans la lumière déclinante, la *foschia* et les torches qui s'éteignaient, Kit put discerner son expression narquoise et triomphale. *Misérables petits minables*, aurait-il pu glousser, *qui ou quoi pensiez-vous affronter?*

«D'après la police, les anarchistes ont chacun leur spécialité, Foley, vous l'ignoriez? Les Italiens s'en prennent d'habitude aux têtes couronnées. L'impératrice Élisabeth, le roi Humbert, et cætera.»

«Ça doit faire de vous une royauté américaine», lâcha Foley.

«Le roi Scarsdale. Oui. Ça a de la gueule.»

Ils se trouvaient à l'étage dans la grande salle à manger du Bauer-Grünwald et mangeaient un filet d'agneau rôti en s'enfilant du pommery. La pièce grouillait de dîneurs dont les réserves en liquidités excédaient de loin la moindre sensation de faim dont ils pouvaient avoir gardé l'improbable souvenir. Des serveurs s'entretenaient à mi-voix, afin de rester courtois, le mot *cazzo* revenant souvent. Les lustres, dont les dispositions cristallines étaient réservées à des espaces d'une exquise délicatesse, frissonnaient et carillonnaient comme si chacun était à même de sentir le moindre déhanchement du bâtiment dans le limon vénitien primitif en dessous.

Plus tard, Scarsdale fut surpris de voir Foley faire le fou sur le quai, tournoyant avec non pas une, mais trois jeunes femmes, accompagné à l'accordéon par un sinoque du coin. De temps en temps, des pétards explosaient également.

«Foley, mais qu'est-ce que vous fabriquez?»

«On dansait la tarentelle», répondit Foley, essoufflé.

«Pourquoi?»

«On célèbre le fait qu'*ils* ne vous aient pas tué.»

Si Scarsdale perçut une insistance sur le «ils», il n'en laissa rien paraître.

«Mais d'où diable sortaient tous ces pistoleros?» n'avait cessé de répéter Reef, comme une sorte de prière à l'heure de la défaite.

«Ils étaient embauchés pour la soirée», dit Dally. «Et il n'y aurait eu aucun moyen de les suborner, pas quand leur employeur était votre Mr Vibe.»

«Pourquoi personne n'a-t-il rien dit?» Reef plus agacé que plaintif.

«C'est juste que vous n'avez pas voulu entendre. Tout le monde dans les *calli* savait.»

«On se doutait qu'il y aurait quelques hommes de plus», dit Kit, «mais pas autant. On a de la chance de s'en être sortis, on aurait tous pu ressembler à ça.»

«Ce gamin y est resté, c'est sûr», Reef gratifiant son frère d'un regard noir. «Désolé, Dahlia.»

Elle était secouée, plus qu'elle souhaitait le laisser paraître. Elle avait l'impression que sa dernière visite à l'atelier de Tancredi remontait à des années. Elle avait conscience de façon quasi neuronale de toutes les œuvres qui ne verraient jamais le jour, éprouvait regret et horreur devant ce dont elle avait presque fait partie, et du soulagement, un soulagement honteux, d'être encore en vie. Ils auraient pu ne jamais devenir amants, mais n'auraient-ils pas dû bénéficier d'un peu de temps pour le découvrir? C'était un jeune homme vertueux, comme tous ces putains d'artistes, bien trop vertueux pour ce monde, même celui qu'ils essayaient de racheter, un petit rectangle de toile à la fois.

«J'aurais dû m'en douter», dit Dally. «Quelqu'un l'a balancé. Quelle ville pathétique, mille ans qu'elle cafte à la justice.»

«J'aurais pu au moins lui conseiller d'être prudent», marmonna Kit.

«Écoutez, les enfants», Reef jetant des affaires dans une valise, «quand ils inventeront la machine à voyager dans le temps, on achètera des billets, on montera à bord, on reviendra la veille au soir, et tout ira pour le mieux. Entre-temps, le vieux crotale est allé vivre ailleurs sa vie de rêve, et impossible de savoir quand une nouvelle occasion se présentera. Ni si. J'ai foutrement aucune idée du temps qu'on est censé continuer à agir ainsi. » Il franchit le seuil, et ils l'entendirent descendre les marches.

« Je suis plutôt contente que ça n'ait pas eu lieu », dit-elle posément. « Un mort c'est déjà trop. » Elle leva les yeux vers Kit et la suite tacite se lut clairement sur le visage de Dally – un mort, et un vivant sur le point de s'enfoncer dans l'exil.

Kit s'arrêta dans sa tentative de déguisement, qui consistait essentiellement à passer du cirage à chaussures dans ses cheveux. « Je sais tenir mes promesses, Dahlia. »

Elle acquiesça, acquiesça encore, se dit qu'elle aurait largement le temps de pleurer plus tard.

« Vous savez bien que s'il était possible de rester — »

« Ce n'est pas le cas. Vous n'avez pas besoin de ma permission. »

« Vibe m'a vu hier soir. S'il n'avait pas déjà compris, c'est fait maintenant, et pas un seul d'entre eux n'en restera là. »

« Alors vous feriez mieux d'y aller, pour ne pas finir de la même façon. »

Bien que Kit n'ait jamais vraiment compris Venise, cette ville lui semblait normale comparée à l'endroit où il se rendait. Dally connaissait cela. « Ici ils appellent ça *bagonghi*, ce qu'on ressent quand on titube comme un clown de cirque. » Il dormit et se réveilla avec la vision opératique de Vibe se retournant pour le dévisager impitoyablement, ayant su depuis le début que Kit se trouverait de l'autre côté du petit canal, tandis que tout autour d'eux les tueurs à gages intervenaient, comme si les prétoriens même du Temps s'étaient dressés pour le défendre. Le sourire teinté de rose, le sourire d'un pape en peinture, encadré dans un visage qui d'ordinaire ne souriait pas, et qu'on aurait préféré ne jamais voir, car il était synonyme d'ennuis.

C'était aussi indéniablement le moment, s'il fallait en distinguer un, où Kit se voyait exclu de ce qu'à Yale on qualifiait d'« avenir » – les divers chemins menant au succès, voire au confort bourgeois que contrôlait Scarsdale Vibe. Kit ne savait pas trop dans quelles proportions il avait voulu la chose, mais maintenant il n'avait même plus le choix. Les *stranniki* de Yasmina s'étaient consacrés entièrement au service de Dieu et de la Mort mystérieuse, mais tout laissait à penser que le voyage qui l'attendait ne se ferait ni au nom de Dieu, ni pour Yasmina, qu'un autre aimait certainement, ni même pour Kit ou la cause du vectorisme – juste une question de survie consistant à mettre ses pauvres miches à l'abri.

Ils auraient pu imaginer un départ facile dans une brume dorée, mais les deux frères ne se quittèrent pas en fait dans ce qu'on pourrait appeler des termes affectueux. Comme si la fusillade du Palazzo lui pesait enfin, Reef était maintenant d'une humeur sinistre.

«Tu n'as pas besoin de venir me dire au revoir à la gare, c'est même mieux que tu viennes pas, parce que j'ai pas l'intention d'agiter un mouchoir. »

«Qu'est-ce qui te préoccupe, Reef? »

Ce dernier haussa les épaules. «Tu n'as jamais été partant sur ce coup-là. Tu t'es fait prier depuis le début. Eh bien maintenant c'est fini, alors *ciao*, petit. »

«Tu me reproches ce qui s'est passé? »

«T'as franchement rien arrangé. »

Kit sentit soudain des élancements dans les doigts, et il regarda son frère, en espérant qu'il avait mal compris.

«Ton parrain idéal est toujours libre de boire du champagne et de pisser sur la mémoire de Papa. Et tu ne peux rien dire de plus, parce que tu sais que dalle. » Reef se tourna et porta ailleurs son regard noir, les épaules voûtées, quelque part vers le Ponte degli Scalzi, vite absorbé par le mouvement de centaines d'avenirs distincts, dont on ne pouvait deviner le destin que statistiquement. Et ce fut tout.

Sur le vapeur de nuit qui ralliait Trieste, les lumières spectrales défilant mystérieusement dans le brouillard, enflant telles des capes agitées par des noceurs insomniaques, la Giudecca invisible… idem pour le Stromboli voilé et les autres navires de guerre italiens à l'ancre… L'appel des *gondolieri* se parant dans la *foschia* d'une pure angoisse, le cuir des malles et des valises tout humide et luisant dans l'éclat électrique… Dally continua de disparaître, Kit s'attendant à chaque fois à ce qu'elle ne soit plus là quand la vue se dégageait à nouveau. Des péniches et des *traghetti*, transportant voyageurs, bagages et cargaisons, se pressaient autour du petit fetch, chacun offrant une scène flottante aux drames de haute intensité, conseils pratiques et enflammés adressés de toutes parts, malles tendues dans la bousculade vaporeuse, toujours sur le point de basculer comiquement, avec leurs propriétaires, dans le canal. Par groupes de deux ou trois, les musiciens jouaient tout le long des Zattere, certains appartenant à l'Orchestre royal, et se faisaient quelques *soldi* de plus. Le tout en mode mineur.

Personne n'était venu dire adieu à Kit, son frère était de nouveau sur les rails, à des kilomètres d'ici, déjà, et maintenant que Dally y pensait, que diantre fabriquait-elle ici, à dire au revoir – rien de mieux à faire ? Que pouvaient de toute façon signifier des étreintes sentimentales au bord de l'eau pour ce blanc-bec ?

Autour d'eux, les voyageurs buvaient du vin dans des faux verres de Murano, se donnaient des tapes sur les épaules, délogeaient les feuilles et les bouts de pétales tombés des bouquets de dernière minute, se disputaient pour savoir qui avait oublié d'emporter quoi... Dally était censée être à l'abri de la mélancolie des départs, ne plus être retenue par cette gravité, mais, comme si elle pouvait voir l'entière étendue sombre qui se profilait devant elle, elle voulait maintenant se rapprocher, prendre dans ces bras ce jeune homme, le temps nécessaire pour réaliser un moi bifront, renoncer au sombre destin dont il semblait à ce point certain. Il la regardait comme s'il venait d'apercevoir la simple longitude de ce qu'il allait faire, comme s'il désirait trouver un abri, pas forcément de la même nature... et donc, tels des termes s'annulant de part et d'autre, ils restaient là, des rideaux de brume vénitienne entre eux, parmi les sirènes du vapeur et les marins qui lançaient des cris, et tous deux sentirent une profonde nuance entre ceux qui seraient ici, demain, pour assister au nouveau rassemblement avant le départ, et ceux qui se jetaient dans le précipice nocturne de ce voyage, qui ne seraient jamais ici, jamais plus exactement ici.

Très cher Père,

Je t'écris sans savoir si tu liras jamais ceci – et donc, paradoxalement, animée par une sorte de foi, d'autant plus urgente que des doutes sont apparus concernant ceux aux soins desquels tu m'as confiée il y a si longtemps.

Je crois que les S.O.T. n'agissent plus dans mon intérêt – que ma sécurité leur importe peu désormais, qu'elle est même un obstacle à leurs plans qu'ils me dissimulent totalement. Nous sommes à présent en Suisse, et prendrons d'ici un jour ou deux le train pour Buda-Pesth, où, à moins que mes « dons de prophétie » m'aient désertée, nous attendent le danger et, qui sait, la peine.

Comme d'habitude, c'est de Shambhala qu'il s'agit, bien que personne ne prononce son nom – même si toi, qui as depuis longtemps et honorablement servi dans sa sphère d'influence, tu n'auras pas de mal à dissiper les inquiétudes de celle qui ne la connaît que de façon indirecte (disons, par la bande). Mais, comme ces charlatans religieux qui se vantent de rapports intimes avec Dieu, de plus en plus de S.O.T. s'imaginent une intimité semblable avec la Ville Cachée et, plus troublant encore, ne parviennent pas à la distinguer des politiques séculaires de l'Europe actuelle.

L'Histoire nous submerge de partout, et je n'ai dans ma dérive aucune certitude, seulement des conjectures. À Göttingen, pendant un temps, après la révolution en Russie, j'ai été considérée comme utile par au moins un groupe de réfugiés bolcheviques hérétiques. La récente entente entre l'Angleterre et la Russie a apparemment accru ma valeur aux yeux du ministère de la Guerre et des Affaires étrangères. Quant à mon éventuelle utilité pour les S.O.T., eux seuls peuvent se prononcer là-dessus – mais ils n'en feront rien. C'est comme si je possédais, à mon insu, la clé d'un message codé de grande importance, que convoitent tant bien que mal d'autres parties.

Ceux avec qui je voyage, mais qui, j'en ai peur, ne m'estiment plus, se sont présentés autrefois comme des chercheurs d'une sorte de transcendance... J'ai cru, pendant de nombreuses années – bien trop nombreuses – que je pourrais un jour imiter leur exemple. Maintenant qu'ils n'ont plus ma confiance, je dois chercher ailleurs... Car ma mission ici-bas, en ce périlleux segment d'espace-temps, n'est-elle pas d'être transcendée, ainsi que l'heure tragique qu'elle traverse ?

Les mathématiques m'ont semblé autrefois la voie – la vie intérieure des nombres m'est apparue comme une révélation, peut-être comme ce fut le cas pour tel apprenti pythagoricien il y a longtemps à Crotone – le reflet d'une réalité moins accessible, même si après un examen approfondi de celle-ci on pouvait peut-être apprendre à aller au-delà du délicat monde donné.

Le Pr McTaggart, à Cambridge, adopta un point de vue qu'on doit qualifier d'optimiste, et j'avoue que pendant un temps j'ai partagé sa vision d'une communauté d'esprits vivant en parfaite concorde, les vieilles histoires de sang et de destruction enfin résolues au profit d'une ère des lumières et de la paix, qu'il comparait à un salon pour étudiants éclairés se suffisant sans maître. Je suis aujourd'hui peut-être davantage une nietzschéenne, occupée par la vision de l'avenir sombre d'esclavage et de danger auquel tu as cherché à m'arracher. Mais quand tombe le soir, on ne peut sûrement compter, pour son salut, que sur soi-même.

J'ai cru naguère que toute cette errance devait avoir un objet – et converger naturellement vers toi –, et qu'il nous suffirait d'être réunis pour que tout devienne enfin clair. Mais récemment, je m'aperçois de plus en plus que je ne peux faire abstraction de ton métier, des maîtres qui sont les tiens, des intérêts que tu sers là-bas en Asie intérieure, même de façon inconsciente. Ce sont là des sujets sur lesquels tu as toujours observé le silence le plus strict, et je ne m'attends pas à ce que les arguments que j'avance, maintenant que je suis une adulte compétente, t'incitent à le rompre. Même si je ne peux dire avec certitude quand ou même si je te reverrai, j'ai eu peur que, si jamais nous nous revoyions enfin, nous risquions, bien malgré nous, de nous heurter sérieusement, voire fatalement.

Mais tu m'es apparu la nuit dernière en rêve. Tu m'as dit : « Je ne suis pas du tout tel que tu m'imaginais. » Tu m'as pris la main. Nous sommes montés ou, plutôt, nous avons été hissés, comme par une extase mécanique, vers une grande ville aéroportée et un petit groupe de jeunes gens sérieux, consacrant leur existence à résister à la mort et à la tyrannie, en qui je vis aussitôt les Compatissants. Leurs visages étaient étrangement *spécifiques*, des visages qu'on pourrait facilement apercevoir dans la vie éveillée ici en bas, des hommes et des femmes que je serais capable de reconnaître sur-le-champ pour ce qu'ils sont…

Ils venaient autrefois tout le temps, surgissant prestement hors du désert vide, éclairés de l'intérieur. Je n'ai pas rêvé cela, Père. Chaque fois qu'ils repartaient, c'était pour retourner à l'« Œuvre du Monde » – toujours cette même phrase – une formule, une prière. C'était la plus haute de leurs vocations. S'il y avait le moindre sens au fait que nous vivions dans cette terrible immensité désertique, c'était afin de persister dans l'espoir d'être un jour conduits parmi eux, d'apprendre l'Œuvre, de transcender le Monde.

Pourquoi sont-ils restés silencieux, si longtemps ? Silencieux et invisibles. Ai-je perdu la capacité de les reconnaître ? le privilège ? Je dois les retrouver. Il ne doit pas être trop tard pour moi. J'imagine parfois que tu as dirigé une expédition à Shambhala, des troupes de cavaliers en veste rouge, et que vous êtes là-bas maintenant, en sécurité, parmi les Compatissants. Je t'en prie. Si tu sais quelque chose, je t'en prie. Je veux bien continuer d'errer, mais je ne peux demeurer à ce stade des choses – je dois m'élever, car ici-bas je suis aveugle et vulnérable, et mon cœur souffre —

Connais-tu le prince étudiant tibétain du seizième siècle Rinpungpa ? Pleurant le récent trépas de son père, qui a fait de lui le dernier de sa dynastie, alors que son nouveau règne est assiégé par les ennemis, Rinpungpa croit qu'il ne peut trouver conseil qu'à Shambhala, où son père a ressuscité et vit désormais. Le Prince lui écrit donc une lettre, bien qu'il ignore le moyen de la lui faire parvenir. Mais alors, au cours d'une vision, un yogi lui apparaît, qui est également lui-même, l'homme de clarté et de force qu'il sait qu'il doit devenir, maintenant que son père s'en est allé à Shambhala – et Rinpungpa comprend également que c'est ce yogi qui sera son messager.

Mr Kit Traverse, qui t'apporte cette lettre, voyage comme moi à la merci de Forces dont il ne connaît qu'imparfaitement le déploiement et la puissance, et qui pourraient bien lui causer quelque tort. Il doit parfaire, tout comme moi, son instruction en matière d'évasion et de fuite, voire, avec de la chance, de temps en temps, de contre-offensive. Il n'est pas mon « autre moi », mais d'une certaine façon je sens qu'il est mon frère.

Père, j'ai conscience depuis longtemps d'une étrange dualité dans ma vie – une enfant arrachée à l'esclavage mais dont le voyage emprunte la même ancienne voie d'avilissement. Quelque part une autre version de moi se trouve à Shambhala avec toi. Cette version de moi qui est restée derrière, tel le prince Rinpungpa, doit se contenter d'écrire une lettre. Si tu la reçois, de grâce trouve le moyen d'y répondre.

Tendrement.

Inch'Allah.

Plus tard, les gens demanderaient à Kit pourquoi il n'avait pas apporté d'appareil photo. Il remarqua alors que nombre d'Européens avaient commencé à se définir par les endroits où ils avaient eu les moyens de se rendre, et n'hésitaient pas à vous ennuyer des heures durant avec leurs clichés flous et mal cadrés.

Il conservait quelques souches de ses billets, aussi savait-il vaguement que son périple l'avait conduit, via Bucarest, jusqu'à Constantza, où il était monté à bord d'un petit vapeur décrépit, avait longé les rives de la mer Noire jusqu'à Batumi, où l'on pouvait sentir les citronniers avant même de les voir, pris un train et traversé le Caucase où des Russes sortaient des dukhans pour les regarder passer, en levant leurs verres de vodka d'un air aimable. Des champs de rhododendrons cascadaient sur les flancs des montagnes, et de gigantesques troncs de noyer descendaient le courant, pour finir en comptoirs de saloon comme ceux du Colorado contre lesquels Kit s'était adossé quand il était enfant. Le dernier arrêt était Bakou, sur la mer Caspienne, où il eut l'impression, mais pas la preuve photographique, d'un très lointain port pétrolier balayé par le sable, d'une nuit en plein jour, de cieux infernaux, d'un bouillonnement rouge et noir, de *nuances de noir*, impossible d'échapper à l'odeur, des rues qui ne menaient nulle part, sans cesse à la merci d'une stupeur droguée ou de la lame d'un Arabe, la vie ayant perdu sa valeur, voire ayant acquis une valeur négative – à en croire les observateurs occidentaux qui se firent un plaisir de lui en rebattre les oreilles, faire confiance était impossible, s'enrichir trop facile, tout perdre inévitable… La seule distraction, c'étaient les fêtes données sur les yachts des compagnies qui mouillaient parmi les pétroliers à quai, leurs hublots calfeutrés à l'abri du sable et de l'odeur du pétrole. L'avenir de ces visiteurs, actuariellement parlant, ne semblait guère brillant aux yeux de Kit, et il quitta Bakou en regardant non sans effroi le port qui s'éloignait sous des cieux noirs, parmi les colonnes de flammes, les sources de gaz naturel qui brûlaient depuis l'époque des antiques adorateurs du feu, les silhouettes de derricks et d'embarcadères se détachant sur la lumière brouillée que reflétaient les eaux.

Il traversa donc la mer Caspienne, parmi les tankers de la Bnito et les bancs d'esturgeons, embarqua à Krasnovodsk sur le Transcaspien, qui lui fit longer le Qaraqum dont l'immensité béait bizarrement à gauche, tandis qu'à droite, telle une parabole, des fossés d'irrigation et des champs de coton s'étendaient jusqu'aux montagnes. Des vendeurs de melons attendaient aux arrêts citerne. Ce qu'il trouva mémorable, chemin faisant, ce fut moins le paysage qu'une sorte de métaphysique ferroviaire, tandis qu'il se tenait entre deux wagons, dans le vent, regardant d'abord d'un côté, puis de l'autre, deux morceaux radicalement différents de pays. Des plaines défilaient de droite à gauche, des montagnes de gauche à droite, deux courants opposés, chacun porté par la masse inimaginable du monde visible, chacun s'écoulant à la vitesse du train, une collision continue dans le silence, d'une évidente nature vectorielle, hors celle du temps et de sa conscience scindée en deux observations. Comme on pouvait s'y attendre, le fait de pivoter à quatre-vingt-dix degrés depuis un axe temporel mobile vous expédiait dans un espace contenant des axes imaginaires – le voyage semblait se dérouler en trois dimensions, mais il y avait les éléments ajoutés. Le temps ne pouvait pas, d'une certaine façon, aller de soi. Il accélérait et ralentissait, telle une variable dépendant d'autre chose, une chose, jusqu'ici au moins, indétectable.

À Merv, les rails obliquèrent à gauche dans le désert, ciel immense affranchi du climat, sur lequel filaient, tels des vols d'oiseaux, des troupeaux de gazelles. La structure s'affichait ici immédiatement – un désert ponctué d'oasis dans une géographie de cruauté, les barchanes ou dunes éoliennes hautes de trente mètres, qui étaient peut-être ou pas dotées de conscience, toutes de noir vêtues, non pas des projections terrestres de l'ange de la mort, car les espèces ici avaient la réputation de pouvoir résister aux pires conditions – les prédateurs étaient souvent aériens, leurs proies vivant sous la surface, avec la surface elle-même, se définissant les unes par rapport aux autres, une région vierge, un terrain au sein duquel se déroulaient des transactions mortelles. Les oasis, ou taches lointaines et fumantes de saksaoul, apparaissaient comme des moments de rémission dans des vies d'infortune – objets de rumeurs, d'hallucinations, de prières, pas toujours là où elles étaient censées être.

Suite à son entretien avec Lionel Swome, Kit en conclut que le Transcaspien, tout comme le Transsibérien et d'autres lignes, avait incarné la révolution de 1905, et il put distinguer encore plein de vestiges post-révolutionnaires – hangars réduits à des croisillons charbonneux, wagons de marchandises abandonnés, groupes de cavaliers se déplaçant dans le lointain trop rapidement et trop précisément pour être des caravanes de chameaux.

« L'an dernier, on risquait sa vie par ici. Il fallait être armé et voyager à plusieurs. Du banditisme ni plus ni moins. »

Kit avait lié conversation avec un agent de conduite qui rentrait gratuitement à Samarkand, où il habitait avec sa femme et ses enfants.

« Mais depuis que Namaz Premulkov s'est évadé l'année dernière de la prison de Samarkand, ça a commencé à changer. Namaz est un grand héros dans ces régions. Il a fait sortir cinquante hommes de prison avec lui, et en un rien de temps ils sont devenus plus que de simples mortels. Leurs exploits étaient certes remarquables, mais dans la pratique Namaz a réussi également à canaliser la grande colère et le mécontentement ici, et surtout il a révélé que les Russes étaient les véritables ennemis. » Il hocha la tête en regardant par la vitre un nuage de poussière révélateur au loin. « Ce ne sont plus des bandes de paysans arrachés à leur terre – ce sont désormais des unités de résistance organisées, leur cible est l'occupant russe, et le peuple les soutient largement et absolument. »

« Et Namaz est encore à leur tête ? »

« Les Russes prétendent l'avoir abattu en juin dernier, mais personne ne les croit. » Il se tut, mais remarqua alors l'air interrogateur de Kit. « Namaz n'est pas mort. Combien de gens ici l'ont vu en personne ? Il est partout. Physiquement présent ou pas – ils croient. Que les Russes essaient un peu de tuer ça. »

La principale traversée d'un monde à l'autre se faisait par le pont de bois de Charjui au-dessus du large et jaune Amou-Daria, connu dans les temps anciens sous le nom d'Oxus.

Ils s'arrêtèrent non à Boukhara mais à quinze kilomètres en dehors de la ville, car par ici la communauté musulmane considérait le chemin de fer comme un instrument de Satan. On arrivait donc plutôt dans la ville récente de Kagan, avec ses cheminées, ses usines et ses dignitaires locaux soudain enrichis par les chicanes immobilières – la lie expulsée de la sainte Boukhara, qui restait à l'écart, comme sous une proscription magique, invisible mais ressentie.

Arrêts à Samarkand, Kokand, puis au terminus d'Andijan, après quoi Kit dut prendre des chemins de terre jusqu'à Osh et traverser les montagnes pour contempler enfin l'immense et fertile oasis de Kachgar, aussi verte qu'un jardin dans une vision, avec, au-delà, le vide effrayant du Takla-Makan.

« On croirait une resucée de Stanley et Livingstone », marmonna Kit plus d'une fois au cours des jours suivants. « L'homme n'est pas perdu, et il n'a jamais été question de le "sauver". » Quelqu'un avait raconté des histoires à Yasmina, probablement pour l'effrayer et la forcer à s'aventurer hors de la sphère rassurante des S.O.T. Ce qui pouvait expliquer pourquoi on l'avait poussée à quitter précipitamment Göttingen.

Effectivement, loin d'être « perdu » ou « en danger », Auberon Halfcourt était très confortablement installé au Tarim, palace dans la pure tradition européenne, avec des cigares indiens à disposition chaque matin en plus de son journal, des fleurs fraîches dans son salon, une profusion honteuse de fontaines et de feuillages dégoulinants juste derrière les portes-fenêtres, des concerts à l'heure du thé, des jeunes femmes aux yeux de gazelle allant et venant sans cesse, souvent revêtues de véritables *tenues de houri*, faites dans des étoffes tissées par des artisans européens acheminés à l'origine jusqu'ici en tant qu'esclaves, et qui avaient choisi, au fil des générations, de rester là, loin de chez eux, sous un obscur système d'apprentissage, expliquant comment adapter les métiers à tisser aux fils de diamètre infinitésimal, produisant non pas tant des longueurs de tissu que des surfaces d'ombre, qu'on teignait avec des infusions d'herbes qu'on trouvait et cueillait généralement non sans péril dans les étendues quasi inaccessibles du désert situées au-delà de cette oasis.

À un ou deux détails près, son homologue russe, le colonel Yevgeny Prokladka, pouvait jouir de luxes comparables de l'autre côté de la cour intérieure. Les musiciens de la maison – rabab, tambours à main, et *ghärawnay*, ou flûte chinoise – avaient appris à jouer *Kalinka* et *Ochi Chorniya*. Les filles n'avaient jamais porté de fourrure jusqu'alors – bien que nombre d'entre elles eussent une vague idée de l'animal dont elle provenait –, et encore moins profité de l'attrait qu'elle semblait exercer sur le Colonel – tandis que la cuisine était résolument russe, fondée sur l'énorme livre de cuisine classique *Un cadeau pour la jeune ménagère*, par E.N. Molokhovets, que le Colonel avait fait installer à son arrivée dans une vitrine à part dans la cuisine du palace. Quand il souhaitait faire bonne impression, il montait un splendide Orlov gris, qui, en plus de dominer la plupart des autres chevaux dans la rue, avait un penchant pour l'aventureux, penchant dans lequel le Colonel ne voyait qu'aveuglement mais qui était considéré en général par les indigènes pour de la bravoure.

Pour l'instant, des voix émanant du côté anglais de la cour, aux éclats chamailleurs, retentissaient partout dans l'établissement – une des fameuses disputes hebdomadaires entre Halfcourt et Mushtaq, son collègue pendant de nombreuses années, dont la férocité au combat était aujourd'hui légendaire, du moins parmi ceux qui, abusés par la petitesse de sa stature, avaient osé le défier. «Balivernes, Mushtaq, tu as juste besoin *de te détendre*, allez, prends donc un verre, oh pardon, ta religion, bien sûr, j'avais oublié que vous étiez d'une sobriété fanatique, vous autres —»

«Épargnez ces âneries de collégien à votre coadjuteur qui souffre depuis longtemps et en sait plus que vous, monsieur. Il semble que je doive une fois de plus le faire remarquer, mais le temps nous manque. Après avoir baguenaudé dans les contreforts du mont Tian Shan, le *Bol'shaia Igra* a été signalé au-dessus du Takla-Makan ouest, où sa mission n'échapperait même pas au plus vil voleur de chameaux.»

«Oh dans ce cas sortons la Gatling! Oui! Et espérons que ce maudit ballon va passer juste au-dessus de nos têtes! Peut-être aurons-nous la chance de faire mouche une ou deux fois! À moins bien sûr que tu préfères télégraphier à Simla pour qu'on nous envoie un régiment ou deux? Nos options, Mushtaq, sont sacrément réduites et aucune d'entre elles n'est réalisable – mais, dis-moi, tes dents, elles n'étaient pas de cette couleur, avant, non?»

«De récents événements m'ont contraint à recourir de nouveau à l'usage du bétel, monsieur. Nettement plus bénéfique à la santé, ajouterais-je, que l'alcool.»

«C'est la partie crachat que je n'ai jamais vraiment pu piger.»

«Un peu comme de vomir, en fait, mais en peut-être plus discret.» Les deux se fusillèrent du regard, tandis que des appartements du colonel Prokladka on pouvait entendre le son d'instruments locaux réunis, et un rire dont l'intensité et la constance palliaient difficilement l'absence quasi complète de gaieté.

Le colonel russe s'était entouré d'individus louches, qui tous avaient été abruptement rappelés de l'ouest de l'Oural pour être affectés ici, et qui désormais, à eux seuls, contrôlaient tous les vices imaginables en ville, ainsi que certains autres encore indisponibles partout ailleurs – son propre A.D.C., ou *lichnyi adiutant*, Klopski, avait par exemple importé de Shanghai plusieurs *machines interlopes*, fonctionnant à la vapeur et éclairées par des lampes au naphta plus lumineuses et plus modernes que toutes celles qu'on trouvait en Europe, et qui projetaient, au point de cerner complètement un opérateur installé au panneau de contrôle, dans des couleurs variées à défaut de très naturelles, un panorama présentant une litanie de prétendues Énigmes chinoises, panorama si fascinant par son imitation de mondes alternatifs que la moindre aspiration à un jeu innocent dégénérait en une terrible addiction, d'innombrables âmes étant désormais asservies à ces machines tels des opiomanes à leur pipe. « Où est le mal ? » demanda Klopski avec un haussement d'épaules. « Un misérable kopeck par séance – ce n'est pas comme au casino, en tout cas pas tel qu'on l'a connu jusqu'ici. »

« Mais vos kiosques », protesta Zipyagin. « Surtout ceux dans le bazar — »

« Quel rabat-joie vous faites, Grigori Nikolaevitch. Ça ne fait aucun tort à *votre* secteur, pas si j'en crois vos filles. »

« Celles que *vous* fréquentez ? *Yob tvoyu mat'*, je ne me fierais pas trop à ce qu'elles racontent. » Des grimaces sociales ressemblant à des sourires furent échangées. Ils avaient formé un sordide *zastolyé* afin de s'adonner à cet exercice moral dans un débit de boissons hautement illégal des confins de la ville, monopolisant l'endroit hormis pour une poignée d'autochtones qui s'arsouillaient furtivement.

« Et pas le moindre relâchement dans le commerce de l'opium, ça non. Tout le monde profite de vos unités "chinoises", Klopski, y compris les imams par dizaines. »

« Ils ont droit à un pourcentage, je crois. »

« Ils vous convertiront, la chose est entendue au point que personne ne pariera plus là-dessus. »

« Le fait est que j'ai brièvement essayé l'islam... »

« Vania, je croyais qu'on se connaissait tous. C'était quand ? Êtes-vous sorti dans le désert et avez-vous *tournoyé* ? Votre esprit s'est-il efforcé de fuir dans toutes les directions en même temps ? »

« C'était juste après la lettre de Feodora. Puis ce coquin de Putyanin a prétendu avoir couché avec elle à Saint-Pétersbourg avant qu'on embarque — »

« Et si je me souviens bien, vous lui avez lancé une grenade — »

« Il avait sorti son pistolet. »

« Qu'il braquait sur sa tempe à lui, Vania. »

« *Poshol ty na khuy*, qu'en savez-vous ? Vous avez été le premier à prendre la fuite. »

Le principal sujet d'inquiétude, dans ce paradis du déshonneur, était un prophète connu ici sous le nom du « Doosra », agissant quelque part au nord d'ici, et que le désert – selon ceux, bien sûr, qui n'entendaient rien au concept – avait rendu fou. Comme cela se produisait souvent dans ces contrées, il s'était changé en un véritable élément du désert, cruel, sobre, épargné par la réflexion. On ne savait trop comment la chose s'était produite – folie héréditaire, espions venus d'un quelconque horizon, plus probablement influence chamanique – mais le fait est qu'un jour, bien qu'il ne se fût jamais aventuré hors du Takla-Makan, il rapporta, comme s'il avait atteint une éminence qu'on ne trouvait nulle part sur terre, une vision hautement détaillée de l'Eurasie du Nord, évoquant un déluge de lumière s'abattant en un arc unique et puissant de l'ouest de la Mandchourie jusqu'en Hongrie, une immensité capable de racheter tout un chacun – musulmans, bouddhistes, sociaux-démocrates, chrétiens –, sous la bannière d'un unique dirigeant chamaniste – non pas lui-même mais « Celui qui vient ».

La découverte par le Doosra du fusil Maxim de quatrième génération, ainsi que le lieutenant-colonel Halfcourt en informa dûment Whitehall par télégraphe (en clair, au grand agacement du gouvernement anglais), était « loin d'être un épisode prometteur eu égard aux espoirs pan-touraniens ». Des lamaseries reculées, des caravanes en mouvement, des postes télégraphiques installés près de puits importants commencèrent à tomber sous l'implacable onde de choc d'une révélation dont peu jusqu'alors, voire personne, n'avaient eu vent, et que beaucoup mettaient simplement sur le compte de l'engouement du Doosra pour l'opium, le ganja et toutes sortes d'huiles de fusel locales, seules ou combinées, connues ou inconnues. Les intérêts de l'Angleterre, de la Russie, du Japon et de la Chine, sans parler de ceux de l'Allemagne et de l'Islam, étaient déjà ici, aux yeux de nombreux observateurs, bien trop intriqués pour qu'on puisse les distinguer. Et maintenant qu'un nouveau joueur rejoignait la Grande Partie – pan-turque, qui plus est ! –, le niveau de complexité, pour quantité de vieux briscards de l'Asie intérieure, devenait bien trop pénible, et les dégâts cérébraux au sein de l'équipe du colonel Prokladka étaient spectaculaires, assortis d'explosions nocturnes, de cas mystérieux d'hallucination, d'invisibilité réelle et des irruptions imprévues hors de passages voûtés jusque dans des étendues à jamais contrôlées par le vent.

«Ils croient qu'ils vont rejoindre un groupe sacré», confia Chingiz, le *denshchik* du Colonel, à Mushtaq lors d'une de leurs réunions quotidiennes au marché. «Il leur échappe encore que ce n'est pas juste un Madali ou même un Namaz de plus, il ne s'agit pas d'une autre guerre sainte, il ne se cherche pas une armée pour le suivre, il méprise les gens, tous les gens, et renvoie tous ceux qui se voudraient ses disciples, c'est à la fois son attrait et la force de son destin. Ce qui va advenir ne se produira pas dans l'espace ordinaire. Les Européens vont avoir de grandes difficultés à dresser une carte de ceci.»

«Les disciples éconduits deviennent trop souvent dangereux.»

«Ce n'est là qu'une des nombreuses façons qu'il a d'appeler à sa dissolution. Il donne des revolvers chargés comme cadeaux personnels. Humilie publiquement ceux qui affirment l'aimer le plus profondément. Entre ivre dans la mosquée pendant les prières et se comporte de la manière la plus scandaleuse. Rien de tout cela n'importe, car quoi qu'on fasse ce n'est qu'un précurseur, qui un jour devra céder la place au Vrai. Comment il s'y prend compte moins que le calendrier.»

«Tu vas souvent voir le chaman, Chingiz?»

«C'est aussi ton chaman, Mushtaq.»

«Hélas, je suis trop vieux pour ces escapades.»

«Mushtaq, tu as trente ans. En outre, il possède un stock de champignons sauvages, que lui cueillent des prospecteurs guidés par leurs esprits gardiens, dans des coins de Sibérie qu'ignorent même les Allemands. Ça te ferait sûrement plus de bien que ces nocives noix d'arec du Sud.»

«Vu comme ça, évidemment, c'est différent.»

Un jour, le célèbre fauteur de troubles ouïgour Al-Mar-Fuad débarqua en tenue de chasse anglaise avec une casquette de chasseur tournée sur le côté, porteur d'une sorte d'ultimatum dans lequel on pouvait distinguer cette difficulté prévocalique typique de la classe supérieure anglaise. «Bienveniou, messieurs, en ce glorieuse douzième!»

«Bon sang il a raison, Mushtaq, nous avons une fois de plus perdu la notion du temps. Plutôt attifé bizarrement, tu ne trouves pas, pour un chef tribal dans ces régions?»

«Je suis veniou apporter un message de mon maître, le Doosra», déclara fièrement l'Ouïgour, en agitant un antique fusil Greening dont les éléments en cuivre portaient des inscriptions sacrées en arabe. «Puis je vais aller chasser la gwouse.»

«On aime l'anglais, à ce que je vois.»

«J'adhorre la Grènde Breuhtagne! Lord Salisbury est mon *modèle*!»

C'est le seul endroit sur terre, songea Auberon Halfcourt, où la léthargie de l'âme peut se produire par spasmes. Se fendant de ce qu'il espéra être un sourire réjoui : « De la part du gouvernement de Sa Majesté, nous nous déclarons à votre service, monsieur. »

« Vraillement ? Vous êtes sincire ? »

« Autant que faire se peut. »

« Vous defez alors reuhmettre la ville entre les mains du Doosra. »

« Ehrmm – eh bien, je ne suis pas sûr que ça soit en mon pouvoir, n'est-ce pas… »

« Allons, allons, vous ne poufez pas berner un vieux marchand de camel. »

« Avez-vous déjà parlé à un des Russes ? aux Chinois ? »

« Les Chinois ne posent aucune problème. Les intérêts de mon chief sont dans l'autre daillrectionne. »

Peut-être parce qu'il avait surpris leur conversation, le colonel Prokladka se montra à ce moment-là. Un regard, qu'aucun des deux ne put contrôler, palpita entre l'Ouïgour et lui. « Fils de chamelier de mes deux », entendit-on Al-Mar-Fuad murmurer tandis qu'il quittait la ville.

« Je ne les comprendrai jamais », avoua d'une voix plaintive Halfcourt à Prokladka. « Leur étrangeté – la langue, la religion, l'histoire –, rien que les imbrications familiales – ils peuvent devenir invisibles à volonté, seulement en se retirant dans cet infini du bizarroïde, aussi peu carto-graphié que l'Himalaya ou le Tian Shan. L'avenir ici appartient sim-plement au Prophète. Il aurait pu en aller autrement. Ce cinglé dans le Takla-Makan aurait pu bel et bien fonder un Empire chamanique. Les Japonais, disons à la requête des Allemands, auraient pu y participer en grand nombre, afin de chasser la vieille division russe en cas de guerre européenne. Nous devrions avoir des bazars pleins de grillades et de geishas dans des cages en bambou. Ça fait vingt-cinq ans que je suis ici, depuis que le vieux Kavi a cassé sa pipe à Kaboul, et toutes ces incursions des Puissances n'ont fait que converger vers les Musulmans, ça c'est sûr. »

« Nous ne sommes ni vous ni moi des combattants des montagnes » – Prokladka débordant de larmes collégiales – « les Russes préfèrent les steppes, comme vous autres préférez les terres basses ou, mieux encore, les océans, pour vous battre. »

« Nous pourrions mettre en commun nos savoirs », proposa Halfcourt avec une semblable émotion.

Le *Polkovnik* le regarda à son tour, les yeux injectés de sang et exor-bités, comme s'il étudiait vraiment la chose, avant d'exploser d'un rire si haut perché et si incertain par sa dynamique qu'on aurait pu douter de sa capacité à le contrôler. «*Polny pizdets*», marmonna-t-il en secouant la tête.

Halfcourt lui tapota le bras. «Allons allons, Yevgeny Alexandrovitch, tout va bien, je vous taquinais bien sûr, juste cet humour anglais impénétrable, je vous présente mes excuses —»

«Oh, Halfcourt, ces étendues désertes et stériles...»

«Est-ce que je ne rêve pas, sans répit, de Simla et de la véranda du Peliti au plus fort de la saison? Et les yeux capricieux de ceux qui passent, sans me voir, sur le pont Combermere?»

Passé Kachgar, la Route de la Soie se séparait en une branche nord et une branche sud, afin d'éviter le vaste désert situé immédiatement à l'est de la ville, le Takla-Makan, qui en chinois voulait dire, paraît-il: «Entrez et vous ne ressortirez pas», bien qu'en ouïgour ça signifie apparemment: «La Patrie du Passé.»

«Bon. C'est la même chose, non, pas vrai, monsieur?»

«Aller dans le passé et ne jamais en ressortir?»

«Quelque chose comme ça.»

«Voilà que tu débites encore ces âneries, Mushtaq! Et l'inverse, alors? Restez exilé dans le temps présent et n'entrez jamais, pour réclamer quoi déjà?»

Mushtaq haussa les épaules. «Quand on s'est lassé de ces plaintes, si lamentables soient-elles...»

«Mes excuses, tu as raison bien sûr, Mushtaq. Le choix a été fait il y a trop longtemps, dans les confins de cette patrie désormais inaccessible, peu importe maintenant si je choisis, ou si d'autres choisissent pour moi, car qui peut tracer une frontière entre celui qui se souvient et ce dont il se souvient?»

Son argument ne pouvait pas être qualifié de vraiment sincère, car il y avait au moins un souvenir dont les contours étaient restés pour Halfcourt plus que définis. «C'est clair, ça oui.» Incapable de ne pas murmurer à voix haute, plus tard, quand Mushtaq se fut rendormi et que lui-même eut allumé un autre cigarillo transnocturne, rechignant à s'interdire la molle pâmoison de la réminiscence... sa forme, déjà féminine, tenue à prudente distance en ce jour de mauvais augure parmi la chair négociable, les cheveux couverts et la bouche voilée, les yeux n'appartenant qu'à elle seule, même s'ils le trouvèrent, aussi infailliblement que l'aurait fait un tireur d'élite afghan, à l'instant où il passa à cheval la porte en terre cuite, avec Mushtaq, tous deux déguisés en commerçants panjabi, feignant de venir au marché pour dénicher les ânes les plus prisés du Waziristan. Il savait fort bien ce que c'était, ce rassemblement de jeunes filles, il connaissait parfaitement ces défilés en costume qu'on organisait sans cesse ici, et regarda passer les autres visiteurs, la sueur et la salive, et où l'une coulait, où l'autre jaillissait. Il n'avait jamais songé à déshonorer la fillette, juste la sauver. Mais « sauver » pouvait signifier pas mal de choses, et la corde qu'escaladait une vierge pour se mettre en sécurité pouvait ensuite être utilisée pour la ligoter cruellement. En cet instant précis, il était devenu, bizarrement, deux créatures habitant la même existence – l'une transportée sans réserve dans les espaces troubles du désir, l'autre emmurée dans des exigences professionnelles où le désir était au mieux dérangeant et trop souvent débilitant –, et ces deux moi partageaient par conséquent le même misérable bail psychique, chacun à la fois respectueux et méprisant des impératifs de l'autre.

Des collègues de sa connaissance à qui la chose était arrivée avaient tenté de résister, ils étaient devenus insomniaques, d'humeur destructrice, s'infligeant des plaies qui allaient du grave au bénin. Auberon Halfcourt sentit le danger et dès le début, jour après jour, parvint à l'éviter, sans l'aide ou presque de Mushtaq, qui, dès l'arrivée de Yasmina, découvrit les bienfaits de l'absence. « J'ai marché pieds nus plus d'une fois sur ces braises-là, Votre Aggravation, n'espérez rien, ma cousine Sharma s'occupera des lessives, le marchand de cigares s'inquiète pour ses deux derniers paiements, je crois que c'est tout, bon vent, en attendant nos retrouvailles en des temps moins contrariants », et il avait simplement disparu, si rapidement que Halfcourt soupçonna quelque tour de magie locale.

Délibérément ou non, la question se posa alors, dès l'instant où elle franchit son seuil, de savoir non pas *si* mais *quand* Yasmina devrait partir. Ses yeux pâles qui s'étrécissaient de temps à autre en conjectures auxquelles il n'entendait rien, ses membres nus qui dansaient contre les carreaux aux ombres vertes des bassins et des fontaines, ses silences souvent aussi suaves qu'un chant, ses odeurs, fugitives, diverses, bientôt inséparables du climat intérieur, comme venues des quatre coins de la rose des vents, finissant par l'emporter même sur la fumée de cigare, ses cheveux comparés par un baladin du coin aux chutes d'eau mystiques qui dissimulent les Mondes secrets des lamas tibétains. Avant Yasmina, bien sûr – ce qui rendait la chose particulièrement délicate à présent –, il n'avait jamais été autant fasciné, encore moins enamouré. Il n'était pas prévu, même si par ailleurs la chose était avérée, qu'on éprouve un attachement aussi ardent pour une enfant. On souffrait, on était ruiné, on déambulait dans les marchés, ivre, on s'humiliait devant le mépris des métèques, on cherchait à la fin les consolations du Browning, de la poutre, de la longue marche dans le désert avec une gourde vide. Le meurtre de soi, comme le disait Hamlet, était une des options, à moins qu'on ait vécu assez longtemps par ici pour avoir contemplé la volonté de Dieu, observé le caprice stochastique du jour, appris quand il fallait ou non murmurer « *Inch'Allah* », et compris, comme personne ne l'aurait sans doute jamais fait en Angleterre, qu'il convenait d'attendre, en priant pour qu'il survienne, le départ inéluctable de ce qu'on avait de plus cher.

Le colonel Prokladka et ses sbires, pour qui il n'y avait pas de secrets à Kachgar, en tout cas aucun qui soit séculaire, assista à tout cela avec un amusement chagrin. S'ils avaient su quel usage politique en faire, ils auraient bien sûr manigancé quelque vicieuse manœuvre – mais, à croire que la fille avait charmé jusqu'à cette inique fraternité, nul n'osa lui faire autre chose qu'une cour discrète qu'on aurait pu parfois même prendre pour des bonnes manières. Il existait, après tout, une Entente anglo-russe. Yasmina passait voir régulièrement les filles du harem du *Polkovnik*, et les hommes qui se trouvaient dans les parages avaient l'intelligence de ne pas interférer, même si, paraît-il, un ou deux subalternes avaient été surpris en train de les espionner sans autorisation.

Comme toujours, ils cherchaient essentiellement des moyens malhonnêtes de gagner quelques roubles – haschisch, immobilier, ou le tout dernier projet de leur collègue Volodya, jugé insensé même d'après les critères prévalant ici, et consistant à voler le grand monolithe de jade du mausolée de Gour-Emir à Samarkand, soit en le brisant en blocs plus petits, soit en engageant l'aéronaute quasi mythique Padzhitnov pour escamoter le bloc entier grâce à une technologie encore inconnue dans le vaste univers. Volodya était obsédé par le jade, comme d'autres le sont par l'or, les diamants, le haschisch. C'était lui qui ne cessait de rappeler sournoisement à Auberon Halfcourt que le terme local pour désigner le jade était *yasm*. Il avait été envoyé en Orient en 1895 après avoir trempé dans une affaire de vente de jade illégale à l'époque de la construction du tombeau d'Alexandre III. Maintenant, à Kachgar, il perturbait le calendrier de tout le monde pour piller la tombe de Tamerlan, malgré la terrible malédiction attachée à une telle profanation, la promesse de fléaux auxquels même le grand conquérant mongol n'avait pas songé.

Le lieutenant Dwight Prance avait débarqué un soir sans prévenir, telle une tempête de sable. Halfcourt l'avait connu lors d'un premier séjour ici, alors qu'il n'était qu'un jeune étudiant en géographie et en langues à Cambridge, un des élèves du Pr Renfrew. Bien intentionnés, ça allait sans dire, les deux hommes étant incapables du contraire. Il était maintenant quasiment méconnaissable – sale, le teint hâlé par le soleil, accoutré d'une étrange tenue en loques censée passer pour chinoise.

«Je gage qu'il se trame quelque chose à l'est…?»

L'espion confus, qui avait déjà une Craven A de Halfcourt en train de se consumer, en alluma une autre, qu'il oublia également de fumer. «Oui, quant à savoir ce qu'on entend par cette vague direction, c'est devenu sans importance, surtout quand on s'est engagé depuis – mon Dieu! cela fait un an… plus d'un an…»

«Une mission liée… aux Chinois», lui souffla Halfcourt.

«Oh, comme si les frontières signifiaient encore quoi que ce soit… Si seulement… Non, tout ça est bel et bien du passé – nous devons maintenant songer au bloc continental eurasien, de la Mandchourie à Buda-Pesth, à tous ces territoires que convoitent ceux que nous devrons à la fin affronter – et qui tous sont l'objet d'un unique rêve impitoyable.»

«En gros, *Eurasia Irredenta*» – Halfcourt avec un large sourire derrière la fumée de son cigare, comme ravi par cette formule. «Eh bien.»

«Ils préfèrent "Touranie".»

«Oh, ça!» Agitant le cigare, avec presque du dédain.

«Votre service l'a à l'œil, non?»

«Quoi, la vieille Pantouranie? Coup bas des Japonais» – comme identifiant un objet en porcelaine.

«Oui. Les habituelles manigances turques et allemandes… Mais pour ce qui est de *cette* performance, les Puissances habituelles se sont retrouvées figées dans des rôles secondaires, reléguées dans les ombres aux confins de la scène… tandis qu'en pleine lumière, suspendu entre les mondes, se dresse un visiteur – disons, un célèbre acteur itinérant venu de très loin, qui va jouer non en anglais mais dans une langue étrange et inconnue du public, qui malgré tout les tient captifs, fascinés, incapables de détourner le regard ne serait-ce que pour jeter un coup d'œil en coin au voisin.»

«Afin qu'aucun d'eux ne puisse… réfléchir posément.»

«Si bien qu'à la fin de la pièce, monsieur, chacun, embastillé dans sa propre peur, prie pour que tout ça ne soit que du théâtre.»

Halfcourt le dévisagea longuement en le jaugeant. Finalement: «Est-ce que votre Herbert Beerbohm Tree asiatique a un nom?»

«Pas encore… le sentiment général là-bas, c'est que quand son nom sera révélé, les choses seront irréversiblement mises en branle au point que, pour chaque démarche que nous pourrons envisager, ici ou à Whitehall, il sera bien trop tard.»

Un soir, peu après son arrivée, Kit était assis dans le jardin avec le Lieutenant-Colonel. Chacun avait près de lui un arrack-soda traditionnel. Les cris des vendeurs de pâtisseries retentissaient dans la rue. Des oiseaux invisibles, faisant front face à la nuit, chantaient tumultueusement. L'odeur de choux et d'oignons cuisinés parvenait jusqu'à eux. L'appel à la prière du soir éclata dans la ville tel le cri d'une victime.

«Nous entretenons chacun des rapports», disait Halfcourt, «largement tacites, avec la même jeune femme. Je ne sais pas ce qu'il en est des sentiments de l'autre, mais les miens sont si... automatiquement suspects, franchement, que j'hésite à les admettre, même à mon homologue en désespoir.»

«Je vous promets de ne rien dire», assura Kit, «pour ce que vaut ma promesse.»

«J'imagine – comment m'empêcher d'imaginer? – qu'elle est à présent fort belle.»

«Elle est jolie comme un cœur, m'sieur.»

Ils étaient assis parmi les clepsydres chantantes du jardin, et le temps s'écoulait d'une douzaine de façons, tous deux laissant leur cigare s'éteindre dans un silence complice.

Finalement, Kit se lança: «Un poste d'observation plutôt désolé à mon goût. Je ne sais pas si j'aurais fait tout ce chemin jusqu'ici si elle ne l'avait pas exigé, du coup vous comprenez que je peux aisément tourner en bourrique.»

Un éclat luciférien. «Y a-t-il quelque chance, au moins, pour que vous la revoyiez?»

«Vous n'avez pas l'intention de retourner là-bas bientôt?»

«Ce n'est pas moi qui choisis mes affectations, je le crains.» Il scruta Kit un moment, comme s'il essayait de déchiffrer une clause contractuelle. Puis, avec un bref hochement de tête: «Elle a dû vous demander de veiller sur moi...»

«Ne le prenez pas mal, monsieur... Je vous assure que Yasmina pense beaucoup à vous, et... et, qu'elle tient beaucoup à vous, dirais-je...» Les formes que prirent les volutes de fumée dans le crépuscule lui conseillèrent d'en rester là.

Auberon Halfcourt était désormais trop agacé pour ressentir la moindre pitié à l'égard de ce gandin. Le jeune Mr Traverse ne savait absolument pas quoi faire de lui-même. Croyait qu'il effectuait une sorte de randonnée. Des années avant de retourner dans le civil, Halfcourt, son ordre de mission dans une boîte en fer-blanc dans le coffre-fort d'un vapeur de la P&O, traversa la Méditerranée d'un bleu surnaturel, allongé dans un transat avec son nom d'emprunt écrit dessus, franchit le canal de Suez, faisant escale alors pour piquer une tête dans le grand lac Amer, puis sillonna les mers Rouge et d'Oman jusqu'à Karachi. Là, à Kiamari, il prit le Nord-Occidental, qui devait le conduire par une voie surélevée au-dessus du delta salé de l'Indus, à travers des nuages radieux d'ibis et de flamants, la mangrove laissant la place aux acacias et aux peupliers, jusque dans les plaines du Sind, remonta la rivière qui descendait bruyamment des montagnes, vers la frontière, changea de train à Nowshera, jusqu'à la gare de Durghal et la passe de Malakand où des rapaces patrouillaient, revêtit un déguisement indigène et s'enfonça dans l'Est par les montagnes, se fit tirer dessus et insulter juste ce qu'il fallait, franchit enfin la grande passe de Karakoram, et parvint au Turkestan oriental et à la grand-route qui menait à Kachgar. De nos jours, bien sûr, tout cela figurerait sûrement dans un guide Cook.

D'après les critères edwardiens de la réussite sociale rationnellement calibrée, le jeune Traverse était une épave à la dérive, qui ne risquait guère d'être remise à flot. Franchement, quelle sorte de famille pouvait produire pareil propre à rien? Puisqu'il était aussi éloigné de l'orbite d'une vie ordinaire, autant faire appel à lui pour une mission à laquelle pensait le Lieutenant-Colonel depuis que Prance avait apporté cette nouvelle. Sans un feu vert non équivoque de ses supérieurs, Halfcourt avait décidé de ressusciter un plan en sommeil, consistant à se rendre dans l'Est pour établir les relations avec des Toungouses qui vivaient à l'est du Ienisseï.

«Bien sûr, vous êtes libre de refuser, je n'ai aucune autorité, vraiment.»

Ils se rendirent à la bibliothèque, et Halfcourt lui montra quelques cartes.

«Du Takla-Makan à la Sibérie, près de deux mille cinq cents kilomètres à vol de *bergut*, direction nord-est en passant par le Tian Shan, puis l'Altaï du Sud, jusqu'à Irkoutsk et l'Angara, puis dans l'Asie chamanique. L'islam ne prospère pas là-bas. Très peu d'explorateurs chrétiens vont dans ces contrées – ils préfèrent les immensités polaires, la forêt africaine, à ce désert sans fin ni promesse. S'ils doivent se rendre chez les Toungouses, disons pour des raisons anthropologiques, alors ils arriveront par la mer, plutôt que par voie fluviale.»

En ce qui le concernait, Kit était partant, conscient que le voyage avait été jusqu'ici trop facile, que les *stranniki* ne se cantonnent pas aux déplacements ferroviaires, que ce devait être là l'étape suivante dans une mission le conduisant au-delà de Kachgar, une mission dont sans doute Yasmina et Swome ignoraient tout.

Il allait être accompagné du lieutenant Prance. Ils étudièrent les cartes dans la bibliothèque de Halfcourt. «Nous devons commencer ici», dit Prance en désignant un point. «Ce grand passage voûté connu sous le nom de Tushuk Tash. Ce qui veut dire "une roche avec un trou dedans".»

«Cette région tout autour, le Kara Tagh, on dirait que ça n'a pas été très bien cartographié. Pourquoi s'embêter avec ça? Pourquoi ne pas la contourner complètement? Ça serait franchement plus direct.»

«Parce que cette arche est l'Entrée», déclara Prance, «et si nous ne l'empruntons pas, nous ne ferons jamais le bon voyage. Tout ce qui se trouve entre ici et la Toungouska appartient au Prophète du Nord. Nous pouvons suivre le même itinéraire que les voyageurs ordinaires, mais si nous ne passons pas tout d'abord par la Grande Arche, nous arriverons ailleurs. Et quand nous essaierons de revenir...»

«"Nous ne le pourrons peut-être pas"», dit Kit. «Oui, et on pourrait qualifier tout ça de balivernes métaphysiques, Lieutenant.»

«Nous serons déguisés en pèlerins bouriates, au moins jusqu'au lac Baïkal. Si vous réussissez à vous prendre au jeu, alors peut-être, à un moment de votre voyage dans le Nord, tout deviendra plus clair à vos yeux.»

Facile à dire, étant donné son «apparence» régionalement inadéquate – teint pâle, cheveux roux, yeux peut-être un peu trop éloignés, davantage fait pour le haut-de-forme et la redingote, et ce dans un décor un peu plus urbain. Kit craignait qu'une fois déguisé il ressemble moins à un pèlerin bouriate qu'à un spécimen d'idiot britannique.

Tôt le lendemain matin, Halfcourt entra dans la chambre de Kit et le secoua pour le réveiller, en expulsant de la fumée de cigare comme une locomotive à vapeur. «Ouvrez les yeux et remuez-vous, vous avez une audience dans une demi-heure avec le Doosra en personne.»

«C'est vous qui devriez le voir, de par votre grade ici.»

Halfcourt agita son cigare avec impatience. «Je suis bien trop connu. Dans l'équation qui nous préoccupe, il nous faut une inconnue, et c'est là que vous intervenez. Dans ma partie, tout est affaire d'algèbre.»

Le Doosra était plus jeune que Kit se l'était imaginé et manquait de gravité. Plus enrobé que l'ascète du désert, il était muni d'un nouveau fusil japonais Arisaka «type 38» – en gros, un Mauser de calibre .26 dont le colonel éponyme avait quelque peu amélioré la culasse –, récupéré lors d'un raid dont le jeune visionnaire n'eut aucune réticence à divulguer les plus sanglants détails à Kit, même si sa crédibilité n'était guère renforcée par son accent de nigaud universitaire. Kit était arrivé sur un des petits chevaux poilus locaux, plus du genre poney, ses étriers touchant presque le sol, tandis qu'Al-Doosra était monté sur son légendaire Marwari, une sacrée monture, un cheval de grand courage et d'endurance, quasi immortel, frissonnant superbement d'une vaste énergie intérieure, comme prêt à prendre son élan pour s'envoler à tout moment. Nombreux étaient ceux qui prétendaient avoir vu le cheval, qui avait pour nom Ogdai, filer dans la nuit étoilée.

« Je ne suis qu'un serviteur dans cette affaire », dit le Doosra. « Vous trouverez mon maître dans le Nord. Si vous souhaitez le voir à titre personnel, il vous recevra. Il répondra à toutes vos questions sur ce monde-ci, et sur l'Autre. Vous pourrez alors revenir et apprendre aux officiers anglais et russes de Kachgar tout ce qu'ils souhaitent savoir. Me certifiez-vous qu'ils vous font confiance ? »

« Je ne sais pas. Comment le trouverai-je, celui dont vous préparez la venue ? »

« Je vous enverrai mon fidèle lieutenant Hassan, qui vous aidera à franchir les effrayantes Portes sans être arrêté par ceux qui les gardent. »

« Les… »

« Il n'y a pas que le terrain difficile, les vipères, les tempêtes de sable et les groupes d'attaque. Le *voyage lui-même* est une sorte d'Être conscient, une divinité qui ne souhaite pas traiter avec les sots et les faibles, et qui du coup essaiera de vous dissuader. Cela exige le plus grand respect. »

Vers minuit, Mushtaq passa voir Halfcourt. Ce dernier était en train de relire la lettre de Yasmina, celle qu'avait apportée l'Américain. Son cigare, d'ordinaire une braise enjouée dans la pénombre de la pièce, s'était éteint dans cette atmosphère triste.

« Je suis incurablement contaminé, Mushtaq. »

« Retrouvez-la. Même si vous devez escalader le plus haut donjon de la ville la plus cruelle au monde, faites ce qu'il faut pour la retrouver. Répondez-lui au moins par courrier. »

« Regarde-moi. » Un vieil homme dans un uniforme miteux. « Regarde ce que j'ai fait de ma vie. Je ne dois plus jamais ne serait-ce que lui adresser la parole. »

Cela dit, un jour, il monta sur un des coriaces petits chevaux kirghiz et s'en alla seul, peut-être en quête des Compatissants, peut-être à la recherche de ce qui, désormais, était devenu Shambhala. Mushtaq avait refusé de l'accompagner. Prokladka, convaincu que l'Anglais avait enfin perdu la tête, continua ses activités louches à Kachgar.

Quelques semaines plus tard, Auberon Halfcourt entra chez un libraire de Boukhara, bien soigné de sa personne et correctement vêtu, mais avec dans les yeux une lueur démente. Il ne surprit nullement Tariq Hashim, qui avait vu défiler au moins une génération de ces pèlerins – pour la plupart, récemment, des Allemands. Il conduisit Halfcourt dans l'arrière-boutique, prit un vieux pot en cuivre, leur servit du thé à la menthe, et sortit d'une vitrine marquetée d'ivoire et de nacre – non sans déférence, trouva l'Anglais – une boîte contenant une liasse de pages longues et étroites, chaque page comportant sept lignes, imprimées au moyen de caractères en bois. «Début dix-septième – traduit du sanscrit en tibétain par le savant Taranatha. Extrait de la partie du canon tibétain qu'on appelle le Tengyur. »

Depuis qu'il avait quitté Kachgar, Halfcourt n'avait cessé de rêver de Yasmina, toujours avec le même sentiment de frustration – elle essayait de lui faire parvenir un autre message, il n'était jamais où il aurait dû être pour le recevoir. Il s'efforça de ne pas réclamer la bienveillance du rêve.

«J'ai également entendu parler d'une lettre, sous la forme d'un poème», dit-il avec circonspection, «écrite par un prince étudiant tibétain à son père, lequel était mort et avait ressuscité à Shambhala... »

Le libraire hocha la tête. «Il s'agit du *Rigpa Dzinpai Phonya*, ou "Le Messager Porteur de Connaissance", par Rinpung Ngawang Jigdag, 1557. Des directives pour se rendre à Shambhala sont adressées par l'auteur à un yogi, une sorte de personnage de fiction, mais à la fois réel – une figure dans une vision, qui est également Rinpungpa lui-même. Je connais une variante actuellement en vente, qui contient des vers n'apparaissant pas dans les autres versions. En particulier, "Même si tu oublies tout", dit Rinpungpa au yogi, "souviens-toi d'une chose: quand tu arriveras à une bifurcation sur la route, prends-la." Facile à dire pour lui, bien sûr, vu qu'il est deux personnes à la fois. Je pourrais vous mettre en contact avec le vendeur, si vous étiez sérieux. »

«Je suis sérieux», dit Halfcourt. «Mais je ne lis pas le tibétain. »

Tariq eut un haussement d'épaules compatissant. «Les traductions des guides pour Shambhala sont en général disponibles en allemand – le *Shambhalai Lamyig* de Grünwedel, bien sûr... Et tout récemment, trois pages du volume de littérature bouddhiste ouïgoure de Laufer, auteur inconnu, probablement du treizième siècle, que tous les Allemands qui passent par ici semblent trimballer dans leur sac à dos. »

« Je suppose que ma question est » – Halfcourt luttant pour ne pas céder à une étrange euphorie prémonitoire, mêlée de chagrin, qu'il ressentait depuis des jours, comme si quelque chose allait se préciser – « dans quelle mesure ces choses peuvent servir de directions pour trouver un endroit réel. »

Le libraire hocha la tête peut-être plus longtemps qu'il ne le devait. « Ça aide d'être bouddhiste, m'a-t-on dit. Et d'avoir une idée générale de la géographie locale. Il est presque certain, par exemple, qu'on devrait chercher au nord du Takla-Makan. Ce qui ne rend pas spécialement les choses plus précises. Mais c'est le seul point sur lequel je sais qu'on s'accorde.

« J'obéis moi-même aux voies du Prophète, de façon très conventionnelle, j'en ai peur. Mais Shambhala – même si c'est très intéressant, j'en suis sûr — »

La ville était désormais saturée d'ombres, les femmes passaient furtivement dans leurs robes amples et leurs voiles en crin de cheval, les dômes et les minarets se détachaient silencieusement sur des cieux d'un bleu indésirable, les marchés étaient désertés et livrés aux vents, et tous les mirages du désert devenaient, quelques instants, plausibles.

Il y a les endroits qu'on redoute, ceux dont on rêve, ceux dont nous avons été exilés sans jamais le savoir, ou alors trop tard.

Kit s'était toujours dit qu'il retournerait un jour dans les San Juan. Il ne lui était jamais venu à l'esprit que son destin l'attendait peut-être ici, en Asie intérieure, et que c'est ici qu'il trouverait ses fières montagnes et ses neiges du désert, ses cavaliers aborigènes, ses saloons et ses femmes totalement incompréhensibles, encore plus désirables quand d'autres affaires l'appelaient, des affaires d'une nature souvent mortelle.

Ce n'est que lorsqu'il vit enfin le lac Baïkal qu'il comprit pourquoi il avait été nécessaire de faire tout ce trajet, et pourquoi, en chemin, la pénitence, la folie et l'égarement avaient été inévitables.

Prance était resté à Irkoutsk, plaidant l'épuisement, mais Hassan lui affirma que, pour un Bouriate dévot, le but du pèlerinage est la grande pierre à l'embouchure de l'Angara, là où le fleuve s'affranchissait du lac.

« Mais c'était juste une couverture », lui rappela Kit. « Nous ne sommes pas des Bouriates, ni toi ni moi. »

Le regard de Hassan était clair mais indéchiffrable. « Nous avons presque achevé le voyage. »

« Et le Prophète ? Le maître du Doosra ? Vais-je lui parler ? »

« Vous lui avez parlé », dit Hassan.

« Quand — » commença Kit, et au même instant apparut le lac Baïkal.

Il avait pu admirer de petits lacs de montagne dans le Colorado, épargnés par les déchets de la mine et les ordures de la ville, aussi ne fut-il pas surpris par la clarté parfaite qui plus d'une fois avait manqué de l'engloutir, cette possibilité vertigineuse de tomber dans un autre ordre des choses. Mais ici, c'était comme de fixer le cœur même de la Terre telle qu'elle était avant qu'il y ait des yeux pour la contempler.

Le lac, à en croire Auberon Halfcourt, faisait près de mille six cents mètres de profondeur et abritait des créatures inconnues partout ailleurs dans la Création. Voguer dessus était dangereux et imprévisible – les vents se levaient subitement, les vagues se changeaient en petites montagnes. S'y rendre n'avait rien d'une simple excursion. Sans vraiment savoir pourquoi, il sut que l'endroit était semblable au mont Kailash, ou au Khan-Tengri, ces fragments d'un ordre surnaturel provisoirement hébergés par cet ordre inférieur, déchu. Il se sentit alors transporté par une violente certitude. Il s'était après tout égaré, se laissant distraire par les bagatelles du quotidien – n'avait tout simplement pas travaillé assez dur pour mériter un tel spectacle. Sa première pensée fut qu'il devait rebrousser chemin jusqu'à Kachgar, jusqu'au grand Portail, et recommencer. Il se retourna pour le dire à Hassan, qui avait certainement dû lire dans ses pensées. Bien sûr, Hassan n'était plus là.

Au début de leur expédition, bien que située à une courte distance de Kachgar, près du village de Mingyol, et visible parfois au loin à des angles étranges, la grande Arche de pierre connue sous le nom de Tushuk Tash était considérée comme inaccessible même par les habitants du coin. Y s'interposait un dédale de cañons encaissés, bien trop nombreux pour qu'on pût les compter. Toutes les cartes étaient inutiles. Les cartographes des différents empires, en particulier les Russes, avaient craqué nerveusement en essayant de cartographier les terres autour de la Tushuk Tash. Certains s'en tenaient à d'amères fantaisies, d'autres, plus consciencieux, s'abstenaient de la signaler.

Quand Hassan avait su que Kit et Prance devaient commencer leur voyage en passant d'abord par la grande roche percée, il s'était absenté pour aller prier, confiné dans un silence morose, comme si le Doosra en personne lui avait ordonné de les accompagner pour le punir.

Certains parlaient de la porte colossale comme d'un précipice, un pont, un barrage de terre, un passage entre de hautes parois rocheuses… pour d'autres, ce n'était pas un élément du paysage mais quelque chose de plus abstrait, une épreuve religieuse, une énigme cryptographique… Hassan la connaissait depuis toujours sous l'appellation de «Porte du Prophète», en référence à un prophète dont on disait qu'il n'était pas seulement le prophète Mahomet mais également un autre, résidant loin dans le Nord, et dont le maître de Hassan, le Doosra, était le précurseur.

Ça leur avait pris toute la journée. Ils s'enfoncèrent dans une région grise toute en profonds ravins et éminences rocheuses. Hassan les guida sans se tromper dans le dédale de cañons. Le processus terrestre qui avait pu les produire restait un mystère. Ainsi éclairé par le soleil, le Kara Tagh évoquait une ville de pierre, fragmentée en une répétition grise et cristalline de carrés d'immeubles sans fenêtres, comme habités par ce qu'on ne pouvait voir, quelque chose située au-delà de la lumière, au-delà du besoin de distinguer le dehors du dedans. Kit s'aperçut qu'il ne pouvait pas regarder ce paysage pendant plus d'une minute – comme si les esprits souverains qui régnaient là exigeaient l'obliquité du regard comme condition de passage.

Quand ils se retrouvèrent enfin sur le seuil de la Porte, elle ne ressemblait pas à une formation naturelle mais à une structure de maçonnerie, des pierres taillées et assemblées sans mortier, comme les Pyramides, bien avant qu'ait commencé l'histoire écrite. Au loin se dressait la chaîne des Altaï, ses pics blancs étincelants, au-delà desquels les conduirait leur route. Kit leva les yeux – ce pouvait être fatal, mais il devait prendre le risque.

Dans le ciel encore éclairé, la chose était immense – trois cents, peut-être cinq cents mètres de haut, au moins, aplatie au sommet, avec à la base une grande arche gothique cintrée et béante. Énorme, sombre, instable, en perpétuelle désintégration, des morceaux se détachant de si haut que le temps qu'ils touchent le sol ils étaient devenus invisibles, suivis par le sifflement de leur chute, car ils tombaient plus vite que la vitesse du son ici... À tout moment, un morceau de roche pouvait tomber, bien trop rapidement pour que Kit l'entende avant que ledit morceau ne le transperce. Ici-bas, tout était obscur, mais là-haut le conglomérat gris captait les dernières lueurs du jour en un éclat incontestable.

Planant, comme immobile et à une telle altitude qu'on aurait pu tout d'abord croire à un problème de vision, une aigle dorée baignait dans les ultimes rayons, donnant l'impression d'émettre sa propre lumière. Ces oiseaux étaient utilisés par les Kirghiz pour la chasse – il fallait deux hommes pour les manipuler et ils étaient capables de rapporter des carcasses d'antilopes et même de loups. Plus elle restait suspendue au-dessus de lui à son altitude majestueuse, plus Kit était convaincu qu'il s'agissait d'une messagère.

Les Chinois nous rappellent qu'un périple de mille kilomètres commence par un simple pas, mais ils se montrent étrangement discrets quant au pas en question, lequel doit trop souvent être accompli, comme c'était le cas maintenant, depuis un terrain inaccessible, au risque de basculer directement dans un abîme incommensurable.

À l'instant où ils passèrent la Porte, Kit ne fut pas tant assourdi qu'aveuglé par une puissante expulsion sonore – un immense chœur vociférant au-dessus du désert, permettant, tel un bref intermède d'obscurité en plein jour, une vue distincte, dans le crépuscule, de la terre en plein soleil, descendant en un long gradient vers une ville dont le nom, même s'il lui demeurait alors interdit, était connu de par le monde entier, une ville aux nuances éclatantes, jaune vif et orange vif, mais qui pourtant finirait par se fondre dans la même confusion grise des ravins inextricables et des parois rocheuses façonnés par les vents qu'ils avaient péniblement franchis pour arriver jusqu'ici et qu'ils devaient retraverser afin de rejoindre la Route de la Soie. Puis la vision s'estompa, telles les braises d'un feu de camp dans le crépuscule immense.

Se tournant vers Hassan : « Tu as vu… »

« Je n'ai rien vu, monsieur. » Le visage de Hassan exprimait la compassion et exigeait le silence.

« Rien entendu ? »

« Il va bientôt faire nuit, monsieur. »

Pendant tout le voyage, Kit avait rêvé du moment où il passait par la Porte. Le rêve se produisait souvent juste avant l'aube, après un vol lucide, haut, éthéré, bleu, jusqu'à une série de cordes ou de câbles métalliques suspendus, tels ceux d'un pont, au-dessus d'un gouffre profond. La seule façon de le traverser consistait à avancer, le visage tourné vers le ciel, sous les câbles, en se servant des mains ainsi que des jambes et des pieds, avec l'immense abîme en dessous. Le coucher de soleil est rouge, violent, complexe, le soleil demeurant le noyau permanent d'une explosion encore inconcevable. Bizarrement, dans le rêve, l'Arche est remplacée par Kit lui-même, et au réveil il sent dans ses muscles et ses articulations l'effort accompli pour devenir le pont, l'Arche, la traversée. La dernière fois qu'il avait fait ce rêve, c'était juste avant d'entrer à Irkoutsk dans le Transsibérien. Une voix qu'il savait devoir reconnaître murmurait : « Te voilà libre. » Il commença à tomber dans le gouffre puis s'éveilla dans la lumière bordeaux du wagon, avec les lampes se balançant, des samovars à chaque extrémité haletant et soufflant telles des locomotives miniatures. Le train entrait juste en gare.

Après être passés par la Porte du Prophète, ils avaient longé les contreforts méridionaux du Tian Shan, pris la Route de la Soie en progressant d'une oasis à l'autre – Aksu, Kucha, Korla, Kara-Shahr –, se repérant à la pyramide d'une blancheur surnaturelle de Khan-Tengri, le Seigneur du Ciel, d'où tombait la lumière en une éruption continue, éclairant jusqu'au ciel vide et ses nuages passagers ; dans des carrières de néphrite, ils virent des spectres enchaînés et couverts de poussière, condamnés à un pénible pèlerinage vers une coupe d'eau et quelques heures de sommeil ; le soir, des averses de grêle nappaient le désert d'une couche de neige, aveuglante au matin, avec des poches de sable vert grenat étrangement lumineuses dans le crépuscule ; des tempêtes de sable les empêchaient presque de respirer, teignant le ciel en noir – à jamais noir pour qui y succombait. Quand ils arrivèrent, épuisés, à l'oasis de Tourfan, au pied des Montagnes enflammées, plus rouges que les Sangre de Cristo, Kit sut que l'espace entrouvert par la Porte n'était pas géographique, c'était un espace qu'il convenait de mesurer avec les coordonnées de la perte et du chagrin.

« C'est terrible », dit-il. « Regarde-moi ça. Ces gens n'ont rien. »

« Ce qui n'a pas empêché les Allemands de jeter leur dévolu dessus », dit Prance. Jadis, jusqu'en 800 ou 900, expliqua-t-il alors, l'endroit était la métropole de l'ancien royaume de Khocho. Certains érudits pensaient qu'il s'agissait en fait du Shambhala historique. Pendant quatre cents ans, Tourfan avait été l'endroit le plus civilisé d'Asie centrale, une convergence de jardins, de soies, de musique – fertile, tolérant et compatissant. Personne n'y souffrait de la faim, tous jouissaient des bienfaits d'une oasis qui jamais ne s'assécherait. Les Chinois parcouraient péniblement des milliers de kilomètres pour voir à quoi ressemblait la vraie sophistication. « Puis les Mahométans ont déboulé », dit Prance, « et ensuite Gengis Khan, et après lui le désert. »

À Tourfan, ils obliquèrent vers le nord, s'éloignant du Takla-Makan, en direction d'Urumchi et du col qui traversait le Tian Shan et menait aux basses terres de Dzoungarie, dans l'intention de rallier le Nord par le Nord-Ouest, afin de contourner le mont Altaï. Ils comptaient alors trouver un fleuve qui ne fût pas envahi par les glaces et rejoindre en vapeur le Transsibérien en direction d'Irkoutsk.

Ils se firent de la soupe de racines, abattirent et firent rôtir des moutons, mais laissèrent tranquilles les cochons sauvages par égard pour Hassan, qui se moquait pas mal des interdits alimentaires mais ne voyait pas l'intérêt d'en informer les Anglais.

D'autres groupes d'étrangers allaient et venaient dans la région, pour la plupart des pilleurs de tombes allemands, même si Prance, retenu par la gravité du souvenir, les scrutait parfois attentivement à la jumelle pendant des heures avant d'annoncer : « Ce sont des Russes. Voyez comme leurs tentes sont basses. »

« Devrions-nous — »

« Il y a le pour et le contre. Ils sont probablement plus intéressés par les Allemands et les Chinois. Avec l'Entente, le Grand Jeu est censé être fini là-bas, mais de vieux soupçons s'attardent, et certains soldats russes n'hésiteront pas à nous tirer dessus. »

Un jour, sur des hauteurs, ils tombèrent sur un troupeau d'environ cinquante *kiang*, des ânes sauvages rouges asiatiques, chacun avec une raie foncée sur le dos, qui roulaient des yeux et se déplaçaient rapidement, apparemment effrayés par l'approche des humains. «Nom d'un petit bonhomme», dit Kit, «ces bourricots ont pas l'air commodes.» Ils se réfugièrent dans un champ de chanvre en fleur qu'ils avaient senti dès midi, bien avant de l'apercevoir. Les plantes faisaient près de quatre mètres de haut, et leur parfum suffisait à lui seul à plonger le voyageur dans un rêve éveillé. Pour la première fois, Hassan parut reprendre confiance, comme s'il s'agissait d'un message émanant d'une autorité avec laquelle il avait déjà traité. Il se promenait là-dedans tel un Anglais dans une roseraie, inhalant soigneusement les arômes, étudiant et choisissant les têtes de ganja en fleur, jusqu'à ce qu'il eût cueilli une balle de bonne taille. Pendant des jours, alors, les fanes odorantes restèrent suspendues en plein soleil, attachées aux harnachements des chameaux, se balançant tandis qu'ils avançaient. Chaque fois que Prance tentait de retirer un bourgeon, Hassan surgissait de nulle part et lui donnait une tape sur la main. «Pas assez sec. Pas prêt à fumer.»

«Et quand est-ce que ça…»

«Je dois réfléchir. Ce n'est pas vraiment pour les Anglais, mais peut-être qu'on peut s'entendre.»

Le vent, qui était vivant, conscient, et plutôt mal disposé envers les visiteurs, avait l'habitude de souffler en pleine nuit. Les chameaux le percevaient les premiers, puis tout un chacun dans le groupe commençait à discerner son crescendo irrépressible, n'ayant plus assez de temps pour se mettre à l'abri, le seul recours consistant souvent à s'y soumettre, collé contre la terre plate tel un brin d'herbe, en essayant de ne pas se laisser emporter dans le ciel.

Les loups s'attroupaient et les observaient toute la nuit – on ne savait pas trop s'il fallait s'en inquiéter ou récupérer ce qui restait quand le vent en avait fini avec eux. Pour se sustenter, Prance semblait se contenter d'un remède stomacal local que les Ouïgours appelaient *gül kän*, fait à partir de pétales de rose fermentés, dont il transportait une énorme gamelle et qu'il rechignait à partager avec quiconque. Hassan riposta en surveillant de près ses réserves de ganja, dont il usait comme d'une sorte de monnaie d'échange, gagnant l'affection de tous les groupes qu'ils croisaient, depuis les Tatars finlandais qui chassaient dans les Altaï jusqu'aux pêcheurs cosaques du lac Zaisan. L'Irtych était encore gelé, aussi poussèrent-ils jusqu'à Barnaoul, sur l'Ob, à temps pour le fracassant début de la fonte de printemps, qui réveillait tout le monde avant l'aube, se répercutait dans les montagnes, et montèrent dans un vapeur plein de mineurs, de marchands et de fonctionnaires tsaristes, puis tous descendirent le fleuve comme si c'était un toboggan et parvinrent deux cents kilomètres plus loin au petit campement des ouvriers du rail de Novossibirsk, où ils attendirent le train pour Irkoutsk.

«C'est donc ça, Irkoutsk. »

«Le Paris de la Sibérie. »

On aurait plutôt dit les San Juan un samedi soir, en fait. De jour comme de nuit. La ville était un mélange étrange d'exubérance et de respectabilité. Les mineurs buvaient de la vodka, jouaient au *vint*, parlaient politique, et se tiraient dessus en proie à une humeur fataliste. Les *kupechestvo* restaient dans leurs grosses baraques à Glaskovsk, confinés dans les quartiers liés à leur métier, feignant d'ignorer les voyous, dont personne n'avait oublié qu'ils en avaient fait partie.

«Sacré pèlerinage», dit Kit en regardant à travers un voile de fumée de tabac et de chanvre le spectacle qui se déroulait dans le Club Golomyanka, où Prance et lui s'étaient arrêtés pour fêter, ou du moins commémorer, leur arrivée.

«Ici, le pèlerinage est placé sous l'égide de divinités affables et courroucées. Le Quand. Le Comment. »

«Ça veut dire quoi ? »

«Demande à Hassan. »

«Hassan a disparu à l'instant même où nous sommes arrivés au lac. »

«Justement. »

Ils avaient ordre de contacter un certain Swithin Poundstock, un ressortissant anglais qui travaillait dans l'import-export. « Et il ne servira à rien », avait souligné Auberon Halfcourt, «d'exiger de lui davantage de détails. » Ils le trouvèrent dans le port d'Irkoutsk, déambulant dans son entrepôt avec un pot de peinture et un pinceau, inscrivant sur d'énormes caisses le terme peu convaincant de NAUSHNIKI. «Protège-oreilles», marmonna Prance. «C'est fou comme j'y crois. » Malgré l'atmosphère affairée qui régnait dans la pénombre, plusieurs employés étaient surtout occupés à dévisager Kit et Prance avec une hostilité mal déguisée.

«Comment va Halfcourt ? » demanda Poundstock. «La bave aux lèvres, bien sûr, mais à part ça ? »

«Il vous transmet —» commença Prance.

«Et au fait, Hassan ? »

Prance prit une expression perplexe. «Le guide indigène ? Je ne sais pas, il a disparu. »

« Et *avant* de disparaître », non sans une nuance d'impatience, « a-t-il laissé quelque chose pour moi ? »

« Oh. » Plongeant la main dans un sac Gladstone, Prance en sortit un petit paquet enveloppé dans de la toile cirée – ce qui n'empêcha pas Kit de détecter la signature nasale du chanvre sauvage – qu'il tendit à Poundstock. Il prit sur lui pour ne pas faire de commentaire, ce qui valait mieux, car le marchand n'avait pas tout à fait fini. Ce dernier les emmena au fond de l'entrepôt, où résonnait une percussion rythmique et métallique qui montait en puissance. Ils arrivèrent devant une porte en fer, où se tenaient deux individus baraqués et menaçants, munis chacun d'un revolver Nagant modèle 1895. « Quoi », marmonna l'un d'eux, « encore vous ? »

À l'intérieur, une énorme presse à monnaie battait ce qui ressemblait à des souverains britanniques en or. Sauf qu'ils n'étaient pas en or, plutôt dans un argent cuivré, comme l'expliqua Poundstock. « De vieilles pièces chinoises, au départ. Ce qu'ils appellent de la "menue monnaie". Argent, bronze, la composition varie selon l'arrivage du jour. On fait fondre le métal, on moule des lingots, on trace les congés de raccordement, on découpe les flans, on frappe le motif, et on galvanise avec une très fine couche d'or. Impossible à distinguer des vraies. »

« Mais elles sont toutes — »

« Ne dites rien. Grâce à des amis de Tower Hill, les coins qu'on utilise sont parfaitement authentiques. C'est vraiment la jeune Vic sur chacune d'entre elles. Et c'est ce qui compte, non ? »

« Je ne sais pas. On peut les écouler ? Légalement ? »

« Une idée intéressante, surtout hors d'ici. On va vous en remettre un millier pour commencer, d'accord ? À vous de juger. Deux ? Pas aussi lourd que vous vous l'imaginez, je vous assure. » À l'aide d'une pelle à poêle, il remplit de pseudo-souverains une boîte massive ornée de cuivre. « Rien que pour vous. Une dernière chose, le sermon habituel, et après vous pourrez retourner à vos aventures. » Il les fit entrer dans un bureau adjacent, où s'étalait une carte de la Sibérie orientale.

« Voilà où vous allez opérer – les trois grands bassins fluviaux à l'est du Ienисseï – la Toungouska supérieure, la Toungouska rocheuse, la Toungouska inférieure. Pendant des années, les clans toungouses qui occupent chacune de ces vallées fluviales ont été en guerre, surtout les Ilimpyas, qui vivent sur les rives de la Toungouska inférieure, et les Shanyagirs, qui occupent la Toungouska rocheuse. Le personnage clé dans tout ça, celui-là même auquel votre Doosra rend sans doute des comptes, est Magyakan, un chaman réputé dans la région, qui officie au nom des Ilimpyas. »

«Et quels représentants des grandes Puissances risquons-nous de rencontrer?»

«Vous les avez sans doute déjà rencontrés», dit Poundstock en haussant les épaules. «*Bon voyage*, messieurs.»

Et ils repartirent à nouveau, cette fois-ci à bord d'un vapeur qui descendait l'Angara, ainsi qu'on l'appelait par ici – son nom changerait en chemin en Toungouska supérieure. Ils longèrent la ville, sous le grand pont volant, portés par le courant issu du lac Baïkal, direction le Nord et le cœur battant de l'Asie chamanique.

Les autres passagers étaient des *siberyaki*, des prospecteurs, des joueurs, des entrepreneurs cosaques, des individus fuyant les rues larges et bien éclairées et tout ce que ces dernières exigeaient comme comportement approprié. Ils naviguèrent aux abords des marais d'aulnes et des bosquets de bambous et de lichen vert pâle. Les ours en quête d'airelles rouges s'arrêtaient pour les regarder passer. Les bébés grues de Sibérie qui apprenaient à voler se hissaient brièvement dans les hauteurs.

À Bratsk, il y avait une gorge profonde avec des forêts de pins et de violents rapides, et tout le monde dut descendre et contourner l'obstacle par voie de terre, en se frayant un chemin dans un essaim de moustiques si dense qu'il obscurcissait le ciel, jusqu'à un endroit où les attendait un autre bateau.

Ils débarquèrent deux jours plus tard à Ienisseisk, où ils trouvèrent des chevaux kirghiz. Kit fut étonné d'entendre Prance parler la langue locale à deux cents à l'heure. «Le toungouse, le bouriate, le mongol, une question d'accent, vraiment, une certaine disposition de l'appareil vocal, embouchure, respiration...»

Ils récupérèrent leurs bagages au quai, y compris la boîte pleine des souverains plaqués or de Poundstock. Prance avait pour instruction de les remettre aux indigènes susceptibles de se montrer utiles, en les édifiant quand c'était possible sur la Reine dont l'image apparaissait sur la face. «Je leur dis qu'elle est vivante», admit-il, apparemment peu gêné. «Qu'elle est notre plus grand chaman. Elle a conquis le temps. Elle ne vieillit jamais. Ce genre de choses.»

«Et tous ces Allemands dans les bois leur donnent une autre version? Ils vont bien finir par découvrir qu'elle est morte, Prance.»

«Je leur dis qu'elle dirige Shambhala.»

«Ils doivent savoir également que c'est des conneries.»

«Ça a marché pour Dorjiev au Tibet. Il a dit au Dalaï-Lama que le Tsar était le roi de Shambhala – même si ça ne marcherait pas ici, vu que les Toungouses détestent les tsars quels qu'ils soient, juste par principe. Nous sommes censés dénicher le chaman du cru et voir s'il ne peut pas parler en notre faveur, pour aider la vieille Entente, vous pigez le topo. »

« Bon, voyons si j'ai bien tout compris : le Tsar est le roi de Shambhala, Victoria est la reine de Shambhala, ce qui nous donne une alliance Shambhala-Shambhala – un peu, je ne sais pas, quadratique, non ? Et ils sont censés avoir une espèce de lien, en plus ? »

« Par alliance » – avec une expression à laquelle Kit était désormais habitué, un mélange d'impatience et de désapprobation, plus un soupçon de peur à l'idée de ne pas avoir saisi quelque plaisanterie.

Sans trop s'éloigner des rives du fleuve, ils s'enfoncèrent entre les mines de charbon, les fourrés de saules et de baies, les champs couverts de fleurs sauvages qui parurent énormes à Kit, des violettes grosses comme la main, des lis jaunes et des véroniques bleues sous lesquelles on pouvait s'abriter de la pluie, en quête du chaman Magyakan. Comme la taïga, il était partout, et mystérieux – un être héroïque aux dons surnaturels. Ils eurent droit à toutes sortes de récits. Un jour, un soldat russe lui avait tiré dessus, et le chaman avait lentement extrait la balle de son corps, enfoncée à une profondeur d'au moins trois centimètres, luisante et sans la moindre trace de sang. L'offrant au ciel. Des témoins avaient assisté à la scène. Magyakan contrôlait les créatures de fer d'Agdy, Seigneur du Tonnerre, et savait les réprimander à sa guise, malgré leurs yeux lançant des éclairs et leur fureur inexorable. « Vous suivez un peu ce qui se passe ? » dit Prance à Kit. « Vous pigez ces fusions ? "Agdy" est le dieu du feu hindou Agni, bien sûr, mais sans doute également Ogdaï Khan, fils de Gengis Khan, qui a succédé à l'Empire mongol et étendu les conquêtes de son père à l'est et à l'ouest, de la Chine à la Hongrie. »

« Et si c'est juste le nom de la personne qui balance ces trucs en métal sur les Shanyagirs ? » demanda Kit, sans se soucier du degré d'agacement que ses propos pouvaient générer.

« Il n'y a pas de trucs en métal, il n'y a pas de trucs en métal, c'est bien ça le problème », hurla le lieutenant Prance. « Ces foutus chamans racontent n'importe quoi à leur peuple, plus c'est insensé et plus ils y croient, c'est comme les Américains, mais différemment. »

« Vous pensez que ce Magyakan est celui dont causait le Doosra ? »

Prance n'en savait rien, et surtout, comme il se fit une joie d'en informer Kit, il s'en fichait pas mal.

« Étrange attitude pour un étudiant en divinité, non ? »

« Bon sang, Traverse. » Prance avait passé sa journée à fumer et s'exprimait dans un grognement impatient. « Il y a la lumière, et il y a les ténèbres. »

« Laissez-moi deviner. L'Église d'Angleterre est la lumière, et tout le reste est — »

« Ça ne se passe pas tout à fait ainsi. Les différences entre religions sont en fait plutôt triviales quand on les compare à l'ennemi commun, les anciennes et constantes ténèbres que tous détestent, redoutent et combattent sans cesse » – il fit un geste large englobant la taïga infinie qui les entourait – « le chamanisme. Il n'y a pas une peuplade primitive sur terre qui ne soit pas en train de s'y adonner sous une forme ou une autre. Toutes les religions d'État, y compris la vôtre, considèrent cette pratique comme irrationnelle et pernicieuse, et ont pris des mesures pour l'éradiquer. »

« Quoi ? Allons, il n'y a pas de "religion d'État" aux États-Unis, l'ami, nous avons la liberté des cultes, c'est garanti par la Constitution – l'État est séparé de l'Église, pour qu'on ne devienne pas comme l'Angleterre et qu'on ne passe pas son temps à défiler dans la brousse avec des cornemuses et des mitraillettes, en quête d'autres infidèles à exterminer. Ne le prenez pas mal, bien sûr. »

« Les Cherokees », rétorqua Prance, « les Apaches, le massacre des Danseurs fantômes sioux à Wounded Knee, tous les Peaux-Rouges que vous avez croisés, vous les avez soit convertis au christianisme, soit tués. »

« C'était pour leurs terres », dit Kit.

« Et moi je crois que c'était par peur des sorciers et des pratiques occultes, de la danse et des drogues, qui permettent aux humains d'entrer en contact avec les puissantes divinités cachées dans le paysage, sans avoir besoin d'une Église officielle pour intercéder. La seule drogue qui ne vous a jamais gênés c'est l'alcool, et vous vous en êtes servis pour empoisonner les tribus. Toute votre histoire en Amérique n'a été qu'une longue guerre de religion, de croisades secrètes, déguisées sous de faux noms. Vous avez essayé d'exterminer le chamanisme africain en asservissant la moitié du continent noir, en donnant des noms chrétiens aux indigènes, et en leur enfonçant vos éditions spéciales de la Bible dans le gosier, et regardez ce qui s'est passé. »

« La guerre de Sécession ? C'était économique. Politique. »

« C'est les dieux que vous avez essayé de détruire, ils attendaient leur heure et ont pris leur revanche. Vous croyez vraiment tout ce qu'on vous enseigne, pas vrai ? »

« Je ferais mieux d'aller à Cambridge pour me cultiver », dit Kit sans trop se vexer. Les occasions de s'amuser étant limitées dans la taïga, la moindre chamaillerie était bonne à prendre. « Et comment en êtes-vous venu au trafic de divinités ? »

« J'étais religieux dans ma jeunesse », répondit Dwight Prance. « Ça aurait pu facilement prendre d'autres formes, enfant de chœur, moine, prophète de rue, mais finalement c'était la seule option certaine de s'annuler d'elle-même. »

« C'est ce que vous vouliez ? »

« C'est ce qui s'est passé. Comme je consacrais davantage de temps à étudier les religions, en particulier l'islam et le christianisme, et commençais à remarquer les nombreux liens étroits avec le pouvoir séculier, je suis devenu plus... hmm, méprisant, pourrait-on dire, vis-à-vis de toute l'entreprise. »

« L'Église et l'État. »

Prance haussa les épaules. « Pas étonnant que César se soit arrangé ainsi avec Dieu chaque fois que c'était possible, vu que tous deux veulent la même chose, non. »

« Et vous avez fini par vous intéresser de près — »

« Aux arrangements. Oui. Vous vous imaginiez que je priais tous les soirs ? »

« Mais si vous n'êtes pas ici au service de Dieu – pour qui vous bossez, exactement ? »

« Pour une poignée d'hommes à Whitehall dont vous n'avez jamais entendu parler, dont personne ne connaît les visages. »

« Et ça rapporte ? »

Le rire de Prance n'était guère sacré et parut légèrement forcé. « C'est à eux qu'il faudrait poser la question, je crois. »

De temps en temps, Kit repensait à la pureté, sauvage et brillante, du lac Baïkal, et à ce qu'il avait ressenti en se tenant dans le vent quand Hassan avait disparu, et il se demandait alors pourquoi son assurance ne l'avait pas empêché de sombrer dans cette paresse chamailleuse. Étant donné ce qui allait leur tomber dessus, toutefois, ainsi qu'il le comprendrait plus tard, la protection offerte par le trivial était une aubaine et un pas de plus vers le salut.

Le ciel tout entier explosant de lumière.

À 7 h 17 du matin heure locale le 30 juin 1908, cela faisait presque un an que Padzhitnov travaillait à la tâche pour l'Okhrana, moyennant cinq cents roubles par mois, une somme exorbitante pour les budgets d'espionnage de l'époque. Par conséquent, le grand vaisseau évoluait moins haut dans le ciel, son capitaine et son équipage ayant pris collectivement au moins trente *poods*, soit près d'une demi-tonne, et c'était sans compter le pesant de briques que Padzhitnov comptait larguer sur des cibles désignées, qu'il était nécessaire d'emporter comme lest, puisque la plupart des bâtiments ici en Sibérie semblaient construits en bois et broussailles, une difficulté qui, bien que représentant aux yeux des membres de l'*ekipazh* un défi militaire, ne fit rien pour les rasséréner jusqu'à ce qu'ils aperçoivent enfin Irkoutsk et se pâment devant les majestueuses demeures en brique des marchands de fourrures et des nouveaux magnats de l'or, en s'écriant « *Právil'no!* » et s'étreignant. Toutefois, dès qu'il s'agissait d'accroître la portance, l'attitude russe avait toujours consisté à rajouter de la poussée et de la puissance, aussi, avec les années, la question du poids du *Bol'shaia Igra* n'avait jamais été considérée avec le même sérieux aéronautique que dans les autres pays.

Une certaine nervosité régnait ces jours-ci à tous les niveaux du Razvedka. Depuis la défaite navale de Tsushima et les énormes manifestations en ville, les pogroms, la terreur et le sang, tous avaient fini par accepter l'inconcevable possibilité que Dieu ait abandonné la Russie. Ce qui avait été certain et mandaté par les Cieux était désormais aussi précaire que la survie du premier paysan venu, et tout un chacun, quelles que soient sa richesse ou sa position, ne pouvait plus qu'avancer en titubant aveuglément.

« Je suis un guerrier, pas un scientifique », protesta l'*Ofitser* Nauchny Gerasimov. « C'est des savants que vous devriez envoyer là-bas. »

« Ça peut attendre », dit Padzhitnov. « L'Okhrana pense que cet Incident est d'origine humaine et veut en connaître les implications militaires. »

Gennady, l'*umnik* de l'équipage, désigna tranquillement les rangées décimées de troncs nus qui défilaient sous leurs yeux. « D'origine humaine ? Ça ? Ça n'est pas l'œuvre de Dieu ? »

« Le général Sukhomlinov aurait plutôt tendance à soupçonner les Chinois, même s'il n'exclut pas les Allemands. »

« Il a probablement un autre projet immobilier en tête, vu que les terrains ont déjà été défrichés. » Gennady feignit de regarder en bas, faussement ébahi. « Au fait, qui sont tous ces gens en costume, sur des chameaux, là, en bas ? *Zi !* Attendez ! Ce sont des agents immobiliers, tout un convoi ! »

« Le Général a hâte de savoir le comment de ceci », dit Padzhitnov. « Il n'arrête pas de dire : "Rappelez-vous qui a inventé la poudre." »

Pavel Sergeievitch, l'Officier des Renseignements, scruta le désastre qui s'étendait à perte de vue. « Aucune trace du moindre incendie. Pas de cratère, pas même une légère dépression. Il ne s'agit pas d'explosifs – que nous connaîtrions, en tout cas. »

« Que disent les gens qui vivent ici ? »

« Que c'était Agdy, leur dieu du Tonnerre. »

« C'est ce qu'ils ont entendu ? Le tonnerre ? »

« Une pression sonore d'un certain genre… Même ainsi, il semble que l'énergie ne se soit déplacée qu'horizontalement. »

« Mais pas tout fait en étoile », dit Padzhitnov. « Helm, montez de trois cents mètres. Je veux que vous voyiez tous quelque chose d'étrange. »

Ils s'élevèrent dans un ciel qui avait été complètement vidé de ses couleurs, comme si au même et terrible moment ces millions de troncs avaient pâli, puis, ayant atteint l'altitude désirée, se penchèrent et regardèrent en bas telles des icônes de saints peintes sur l'intérieur d'un dôme d'église.

« On dirait un papillon », fit remarquer Gerasimov.

« Un ange », dit Pavel.

« C'est symétrique, mais rien à voir avec l'ellipse de destruction à laquelle on s'attendrait. »

Padzhitnov convint d'une réunion avec les officiers, laquelle, étant donné les circonstances, ne serait pas ajournée pendant des semaines. Ils se retrouvèrent dans le carré et s'inquiétèrent à tour de rôle. L'équipage apprécia ce relâchement et vécut cet intermède un peu comme des vacances. Certains jouaient aux échecs, d'autres buvaient. Tous fumaient, quelques-uns n'arrivaient pas à dormir. Ceux qui y parvenaient rêvaient qu'ils jouaient aux échecs et se réveillaient en se demandant avec inquiétude de quel genre de trouble mental ils souffraient.

Pendant ce temps, dans le carré, le *zastolyé* était devenu philosophe.

«S'il n'y avait pas ces relevés électromagnétiques, je dirais que c'est une météorite qui a explosé à huit kilomètres au-dessus du sol. Mais pourquoi la zone resterait-elle activement aussi radiante?»

«Parce que ce qui a explosé a été apporté par un véhicule venu d'ailleurs, de l'Extérieur cosmique.»

«Parce qu'il y a un important terme temporel caché quelque part dans l'équation. Vu la décharge de son, de lumière et de chaleur – pourquoi n'y a-t-il pas de cratère?»

«Si l'objet a explosé trop haut au-dessus du sol pour faire autre chose que déraciner des arbres —»

«— ou alors la distorsion locale des autres variables a été si intense que le cratère a été déplacé le long de l'axe temporel.»

«Voire déplacé ailleurs dans l'espace également.»

«*Khuy*», résuma Bezumyov, le je-sais-tout ou *vseznaïka* de l'équipage, «dans ce cas nous sommes foutus, non? Il existe maintenant potentiellement un trou dans la Terre que personne ne peut voir, et qui attend de se matérialiser d'un jour à l'autre, il peut en fait apparaître à *n'importe quel moment*, directement sous Saint-Pétersbourg, par exemple —»

Et voilà l'effondrement nerveux, songea le capitaine Padzhitnov, qu'aucun exploit de l'artillerie navale japonaise, aucun hiver russe, aucune intrigue mystique à Tsarskoïe Selo n'avait été en mesure de provoquer, et il n'avait peut-être fait qu'attendre ce spectacle d'un équipage qu'il croyait connaître, s'efforçant de comprendre l'Incident du 30 juin. Il n'avait pas échappé à son attention que les témoins oculaires vivant en bas avaient unanimement signalé une pluie de briques, autrement dit la spécialité même du *Bol'shaia Igra*. Cette hypothèse devait être retenue – avaient-ils testé sur le terrain un nouvel armement, par exemple sur une région «inhabitée» de Sibérie, avec des conséquences si terribles qu'ils souffraient tous d'amnésie collective, afin de ne pas endommager leurs instruments cérébraux?

«Croyez si vous le voulez à une origine extraterrestre de ce phénomène, mais supposons plutôt qu'elle soit extra-temporelle – une surface à quatre voire cinq dimensions traversant "notre" continuum.»

«Ouspenskien!»

«Bolchevique!»

«Certes, ça ressemble à un effet de la capacitance, mais à une échelle planétaire – un lent investissement progressif d'énergie, suivi d'un soudain amortissement catastrophique. »

« Exactement ce que je dis. Le voyage dans le temps n'est pas gratuit, il exige de l'énergie. C'était un artifice de visites répétées venant du futur. »

« *Nichevo*. Quelque chose qui n'était pas censé être où il était. Délibéré ou pas. C'est tout ce qu'on peut dire. »

Pendant ce temps, dans une autre partie de la taïga, Kit et Prance tournaient en rond comme d'habitude, se demandant lequel des deux était le moins constitutionnellement apte à nettoyer derrière lui, quand sans prévenir, tout, les visages, le ciel, les arbres, le lointain coude du fleuve, vira au rouge. Le son, le vent, même faible, tout fut soudain rouge comme un cœur à vif. Avant qu'ils puissent parler de nouveau, tandis que le rouge tournait au grenat, l'explosion se produisit, la voix d'un monde annonçant qu'il ne redeviendrait jamais à ce qu'il avait été. Kit et Prance se souvinrent tous deux du rugissement qu'ils avaient entendu quand ils étaient passés par la Porte du Prophète.

« Ça vient de Vanavara », dit Kit quand le jour reprit son cours. « Nous devrions monter voir là-bas si on peut faire quelque chose. »

« Allez-y si vous voulez. On ne m'a pas envoyé ici pour ça. » Prance se tenait les avant-bras comme s'il avait froid, bien que ce fût l'été.

« Parce que… ? »

« Mes attributions sont politiques. Ceci n'est pas politique. »

« Peut-être que si. Peut-être que c'est la guerre. »

« Là-bas ? À quel sujet, Traverse ? Les droits d'abattage des arbres ? »

Deux petits oiseaux noirs qui n'avaient pas été là émergèrent alors de la lumière qui virait au vert et bleu quotidien. Kit comprit pendant un moment que les formes de vie formaient un ensemble connexe – des créatures qu'il était destiné à ne jamais voir existant afin que celles qu'il voyait fussent exactement là où elles étaient, quand il les voyait. Quelque part de l'autre côté du monde, un scarabée exotique se trouvait à une distance précisément mesurable d'un buisson non classifié afin qu'ici, dans cette clairière, ces deux oiseaux noirs puissent apparaître à Kit, précisément où ils étaient. Il était totalement réceptif à des objets qu'il ne pouvait ni voir ni sentir, ni même imaginer, tandis que Prance était au bord de l'hystérie.

« Notre malédiction mortelle consiste à nous retrouver ici face à la force qui a décidé de jaillir de cette obscurité illimitée pour nous effacer de la Création », ânonna Prance en proie à une folie religieuse. « Comme si quelque chose dans le Transfinitum avait décidé de réintégrer le monde fini, pour réaffirmer l'allégeance à ses limites, y compris la mortalité... et devenir de nouveau numérique, de façon identifiable... *une présence venue sur Terre...* »

Puis les tambours résonnèrent. Les *dungur*, dont les sons sourds montaient de la vaste et impénétrable taïga. S'épanchant tout au long du crépuscule blêmissant. Un seul tambour aurait déjà mis l'âme à rude épreuve, mais il y en avait au moins une douzaine. Des rythmes profonds, qui portaient loin. Kit était quasi tétanisé. Cela dura des jours. Et puis, il crut déceler quelque chose de familier. Qu'il prit au début pour le tonnerre. Pas un tonnerre ordinaire mais ce qu'Agdy avait apporté sur Terre le jour de l'Événement. Essayaient-ils de le commémorer? de le faire revenir? ou de distiller quelques échos homéopathiques afin de s'immuniser contre son retour?

« On m'a tiré dessus aujourd'hui », annonça Prance. « Encore. »

« C'était aussi amusant que la fois d'avant? Quel mot avez-vous employé, déjà? "Grisant"? »

Il était devenu désagréablement évident que le jeune Prance était désormais considéré comme un espion japonais, et du coup Kit s'efforçait tant bien que mal de convaincre du contraire les nombreux détracteurs de l'Anglais.

« Si seulement vous ne posiez pas en permanence autant de questions. La curiosité érudite est une chose, mais vous ne savez pas vous arrêter. Et vous ne faites pas franchement couleur locale. »

« En tout cas, j'ai rien d'un Japonais. » Puis, entendant le silence de Kit: « Si? »

« Combien de Japonais les gens d'ici ont-ils pu voir? Prance, mon cher ami, regarde les choses en face, ici dans ces contrées – vous êtes japonais. »

« Non mais ça suffit, je ne suis *pas* japonais. Enfin quoi, est-ce que je me promène en sandales, agite un éventail, m'exprime par énigmes insolubles, tout ça? »

Kit haussa les sourcils et pencha la tête. « Persistez à faire l'autruche si ça vous chante, mais en ce qui me concerne, si je continue à vous couvrir, les gens d'ici vont bientôt croire que je suis japonais, moi aussi, et on fera comment, alors? »

Certains Sibériens situaient les origines de la mystérieuse visite au Japon. Pas vraiment une bonne nouvelle pour Prance, en fait.

«Mais on a vu cette chose arriver depuis la direction opposée – du sud-ouest», protesta-t-il. «De Chine.»

«Peut-être sont-ils ce que vous appelleriez un peu "dés-Orientés"? Si c'était un projectile, ou disons une espèce de rayon, il se pourrait qu'il n'ait même pas traversé ce que nous concevons comme l'espace ordinaire.»

«Et… qu'est-ce qu'on conçoit "comme l'espace ordinaire"? J'oublie tout le temps.»

«Haut et bas», dit Kit patiemment, «gauche et droite, avant et arrière, les trois axes déduits de nos existences quotidiennes. Mais quelqu'un contrôle peut-être l'espace quaternion – trois axes imaginaires plus un quatrième terme scalaire contenant des énergies que peu d'entre nous peuvent imaginer.»

Il n'avait cessé de repenser, non sans une profonde inquiétude, à l'arme quaternion qu'il avait remise à Umeki Tsurigane à Ostende. Pour des personnes comme Piet Woevre, l'instrument promettait un niveau de destruction avancé, une occasion d'initier de larges populations à l'étreinte de la mort et au comparse de cette dernière, le Temps, que le terme w pouvait très facilement désigner. L'Événement de la Toungouska avait-il pu être causé par la détonation, préméditée ou accidentelle, d'une arme Q? Ça ne pouvait pas être Umeki-san, mais peut-être quelqu'un en qui elle avait confiance. Et qui l'avait peut-être trahie. Et si quelqu'un l'avait trahie, était-ce grave? Et si oui, que penser de Kit?

Pendant quelque temps après l'Événement, des Raskol'niki affolés coururent dans les bois en se flagellant et en flagellant ceux qui osaient les approcher de trop près, tout en délirant sur Tchernobyl, l'étoile destructrice que l'Apocalypse appelle Absinthe. Les rennes redécouvrirent leur ancien pouvoir de voler, qui avait disparu pendant des années après que les humains eurent commencé à envahir le Nord. Certains réagissaient aux radiations par une luminescence épidermale à l'extrémité rouge du spectre, en particulier dans la région périnasale. Les moustiques se désintéressèrent du sang, préférant désormais la vodka, et on les vit s'assembler en vastes essaims dans les tavernes du coin. Les aiguilles des horloges et des montres se mirent à tourner en sens inverse. Bien que ce fût l'été, on assista à de brèves chutes de neige dans la taïga dévastée, et pendant un temps la température se montra plutôt capricieuse. Des loups de Sibérie entraient dans les églises pendant le service, citant des passages des Saintes Écritures en slavon, puis repartaient paisiblement.

On signala qu'ils appréciaient tout particulièrement le verset 15 du chapitre 7 de l'Évangile selon saint Matthieu : « Gardez-vous des faux prophètes. Ils viennent à vous en vêtements de brebis, mais au-dedans ce sont des loups ravisseurs. » Certaines caractéristiques du paysage de la Terre de Feu, située directement aux antipodes de la Toungouska rocheuse sur le globe, se mirent à apparaître en Sibérie – des pygargues des mers, des mouettes, des sternes et des pétrels se posaient dans les branches des sapins, descendaient en piqué pour extirper des poissons des rivières, prenaient une bouchée, hurlaient de dégoût et les recrachaient. Des falaises de granit se dressaient abruptement et sans prévenir en pleine forêt. Des navires de haute mer manœuvrés par des équipages invisibles s'efforçaient de naviguer dans des cours d'eau et des ruisseaux peu profonds, puis s'échouaient. Des villages entiers en arrivaient à la conclusion qu'ils n'étaient pas là où ils devraient être et, sans trop de préparatifs, bouclaient leurs bagages, laissant derrière eux ce qu'ils ne pouvaient emporter, puis s'enfonçaient dans les taillis où ils installaient bientôt des villages que personne d'autre ne pouvait voir. Ou pas très distinctement.

Un peu partout dans la taïga, aux abords des bassins du Ienisseï, on signalait un individu qui se promenait dans le paysage sinistré, pas exactement un ange mais se déplaçant comme tel, d'un pas décidé, sans se presser, un consolateur. Les récits différaient quant à savoir si cette silhouette géante était un homme ou une femme, mais tous prétendaient avoir penché la tête pour tenter d'apercevoir son visage, et ressenti après son passage un profond sentiment de calme dénué de toute peur.

Certains pensaient qu'il pouvait s'agir d'une version transfigurée du chaman Magyakan, dont les déambulations avaient toujours laissé perplexes les populations vivant le long de la Toungouska rocheuse. Personne ne l'avait vu depuis l'Événement, son *isba* était vide, et la force magique qui avait empêché celle-ci de s'enfoncer – comme toutes les autres habitations de la Sibérie – dans la terre au moment de la fonte d'été, ayant décru, sa cabane demeurait inclinée à un angle de trente degrés, tel un bateau en mer sur le point de glisser sous les vagues.

Aucun de ces étranges effets ne dura très longtemps, et tandis que l'Événement s'estompait dans les mémoires, des disputes éclatèrent pour savoir si telle ou telle chose s'était vraiment produite. La forêt redevint bientôt normale, des sous-bois verts apparurent parmi les troncs blancs et dénudés, les animaux perdirent l'usage de la parole, les ombres des arbres désignèrent de nouveau leurs directions habituelles, et Kit et

Prance continuèrent d'avancer dans ce paysage sans savoir quelles en étaient les implications pour leur mission.

Kit s'était presque habitué à monter les chevaux kirghiz, surtout leurs cousins à longs poils, de la taille de poneys, ce qui faisait que ses pieds touchaient presque le sol, quand un jour Prance et lui tombèrent sur un groupe de gardiens de rennes, qui conduisaient leur troupeau vers de nouveaux pâturages. Kit repéra aussitôt un renne, d'un blanc immaculé, qui semblait le regarder avec une belle intensité, avant de se désolidariser des siens et de trotter vers lui.

«Comme s'il me connaissait», raconta Kit plus tard.

«Bien sûr, Traverse», Prance franchement délirant, «et qu'est-ce qu'il vous a dit?»

«Il m'a dit son nom. Ssagan.»

Prance le regarda fixement. «C'est la prononciation bouriate du mot *tsagan*, un terme mongol pour "blanc".» Il s'approcha de l'animal et lui parla en bouriate, s'interrompant de temps en temps comme s'il l'écoutait.

Kit ne trouva pas étrange qu'on puisse s'entretenir avec un renne. On prétendait que les gens d'ici le faisaient sans cesse. Depuis l'Événement de la Toungouska, il avait remarqué que l'angle de sa vision périphérique s'était élargi et que l'étroit sentier de sa vie bifurquait de temps à autre de façon inattendue.

Les gardiens des rennes se montrèrent au début peu enthousiastes, persuadés que Ssagan était la réincarnation d'un grand maître bouriate. Ils s'entretinrent avec lui pendant des jours, les chamans se succédèrent, des épouses y allèrent de leurs conseils utiles. Finalement, d'après ce que put apprendre Prance, Ssagan les convainquit que Kit était un pèlerin qui ne pouvait s'aventurer plus loin sans que lui-même le guide à travers le paysage mouvementé.

Ils venaient d'entrer dans une région étrangement paisible de la Sibérie, à la frontière mongole entre les chaînes du Sayan et de Tannu-Ola, région que Prance avait brièvement traversée et qui selon lui répondait au nom de Touva. Kit se dit qu'en débarquant ainsi perché sur un renne blanc, il risquait d'aggraver les choses. Il descendit de l'animal et récupéra ses sacs de selle. Ssagan, comme si on l'avait congédié, se tourna brusquement et repartit dans la direction d'où ils venaient pour rejoindre son troupeau, sans se retourner.

«Il dit qu'il a fait tout ce qu'il pouvait», dit Prance. «Son boulot était de nous conduire jusqu'ici.»

Ils dormirent cette nuit-là dans une cabane en écorce avec un toit pointu, et furent réveillés à l'aube par un chant guttural et mystérieux. Des bergers touvas veillaient sur un troupeau de moutons. Celui qui chantait fut bientôt accompagné par un autre à la flûte. Kit regarda autour de lui, mais ne vit aucun joueur de flûte, aucun musicien d'aucune sorte, en fait. Il examina plus attentivement le chanteur et vit que les mouvements de ses lèvres correspondaient aux sons de la flûte. Seule sa voix produisait tous ces sons.

«On appelle ça le *borbanngadyr*», expliqua Prance. «Peut-être que les chamans ne sont pas les seuls à pouvoir se mettre dans deux états à la fois. Cela dit, il y a peut-être vraiment un joueur de flûte mais invisible, ou alors c'est un fantôme. Tout cela demande une étude approfondie, et je crois que je vais rester ici un moment si ça ne vous dérange pas.»

Il y avait autre chose. Prance paraissait presque gêné. «C'est le cœur de la Terre», murmura-t-il.

«Marrant», dit Kit, «tout ce que je vois c'est un tas de moutons.»

«Exactement. Traverse, je sais que nous avons eu des différends —»

«Vous ressassez encore cette histoire dans les bois, je le vois bien – mais je ne vous *visais* pas vraiment, Dwight.»

«Pas ça. Je crois… tous les signes sont ici, vous avez dû les voir… les hauts pics qui nous entourent, les Touvas qui ressemblent aux personnages tibétains – et puis, ce sont les seuls bouddhistes au monde qui parlent le vieux ouïgour et les autres idiomes altaïques, d'ailleurs. On voit partout des images de la Roue de la Vie… Une enclave bouddhiste tibétaine au milieu de l'islamisme prédominant. Ça ne vous dit rien?»

Kit hocha la tête. «Normalement, ça devrait être la raison de notre expédition ici, et quelqu'un devrait prendre des notes et les transmettre au lieutenant-colonel Halfcourt. Mais le problème ces temps-ci c'est —»

«Je sais. Il n'y a peut-être plus de "mission". Ce qui s'est passé dans la Toungouska supérieure – nous ignorons comment ils ont réagi à Kachgar. Shambhala a très bien pu disparaître aussitôt de leur liste de priorités. Nous ne savons même pas ce que ça nous a fait à nous. Bien trop tôt pour le dire. Quant à notre but ici – personne n'est assez sage ou habilité pour nous dire quoi que ce soit.»

«Nous sommes livrés à nous-mêmes», dit Kit.

«Et séparément, aussi, j'en ai peur.»

«Ne le prenez pas mal.»

«Plus maintenant, vous voulez dire?»

Comme Kit s'éloignait sur la steppe, le vent se leva, et il entendit bientôt à nouveau l'étrange chant guttural. Kit vit un berger qui se tenait incliné dans le vent, ce dernier soufflant sur ses lèvres qui remuaient, et il devint rapidement impossible de dire qui, de l'homme ou du vent, chantait.

Au bout d'un moment, le lieutenant Prance crut détecter une présence dans le ciel, qui n'était ni un aigle ni un nuage, et qui se rapprocha lentement jusqu'à ce qu'il puisse distinguer un énorme aéronef, à bord duquel des jeunes gens surexcités l'observaient avec une grande curiosité. Le lieutenant Prance les accueillit d'une voix criarde empreinte d'un certain trémolo. «Êtes-vous des divinités bienveillantes? ou des divinités irascibles?»

«Plutôt bienveillantes», estima Randolph St. Cosmo.

«Moi, je suis irascible», grogna Darby Suckling, «et toi, petite bergère?»

«Ce que je veux dire, c'est que chaque fois que ces divinités gardiennes apparaissent», expliqua Prance, «on doit leur témoigner de la compassion, quelle que soit la menace qu'elles représentent.»

«Ça marche jamais», marmonna Darby. «Elles vous écraseront comme des insectes. Mais merci quand même. De rien.»

«Si l'on en croit les sources tibétaines classiques, les chapitres du Tengyur qui concernent —»

«Petit...» Darby regarda autour de lui d'un air affolé, comme s'il cherchait une arme à feu.

«Peut-être qu'on pourrait discuter de tout ça en buvant un château-lafite 99», suggéra Randolph.

Et Dwight Prance fut hissé dans les airs vers un sort incertain.

Pendant ce temps, Kit avait rencontré un groupe de *brodyagi*, d'anciens détenus condamnés aux travaux forcés dont la peine, des années auparavant, avait été commuée en un exil intérieur en Sibérie, et qui s'étaient installés dans des villages sibériens. Incapables d'y supporter la misère et la pauvreté, ils avaient choisi le nomadisme, chacun pour des raisons particulières mais tous pour le même but. Vers 1900, la pratique de l'exil intérieur fut officiellement abandonnée, mais ils étaient partis depuis déjà longtemps, et voulaient juste rentrer en Russie. La solution la plus facile aurait consisté à rejoindre cette piste vétuste et envahie par les broussailles qu'on appelait le Trakt et qui traversait l'Eurasie en ligne droite, d'est en ouest. «Mais des choses s'interrompent, des détours se produisent», expliqua leur chef, un génie de la hache sibérien connu sous le seul nom de «Topor» et qui, avec une seule hache, pouvait accomplir n'importe quelle besogne – qu'il s'agisse d'abattre des arbres ou de réaliser les sculptures sur os les plus minutieuses qui soient, débiter des troncs de toute taille et de tout diamètre, ramasser du petit bois de la taïga pour faire du feu, découper du gibier, hacher des herbes, émincer des légumes, menacer des représentants du gouvernement, et cætera –, «certains d'entre nous sont ici depuis des années, ils ont rencontré des filles du coin, se sont mariés, ont eu des enfants, les ont abandonnés à nouveau, les allégeances au passé et à l'ancienne vie russe s'estompant, comme la réincarnation, mais de façon différente, et cependant une inertie de l'évasion pèse sur nous, l'Ouest...»

Autrefois, Kit aurait dit: «Un vecteur.» Mais le mot ne lui vint pas alors à l'esprit. Il repensa tout d'abord aux saints errants dont Yasmina lui avait parlé. Mais ces *brodyagi* semblaient moins possédés par le divin que par une démence violente. Ils buvaient en permanence, ce qu'ils pouvaient se procurer, dont certains breuvages horribles. Ils avaient mis au point une distillerie fonctionnant à la vapeur avec laquelle ils pouvaient transformer tout ce qui possédait un tant soit peu de sucre en une espèce de vodka. Les huiles de fusel constituaient un des principaux groupes nutritionnels de leur alimentation. Ils rentraient au campement avec des sacs pleins d'étranges champignons rouges mouchetés qui les propulsaient dans quelque voyage intérieur au fin fond des Sibéries de l'âme. Ledit voyage comportait apparemment deux parties, l'une agréable, visuellement divertissante, spirituellement éclairante, et l'autre remplie d'horreurs innommables. Les fongimaniaques ne semblaient guère rebutés par tout cela, considérant l'une comme le prix de l'autre. Pour augmenter les effets, ils buvaient leur urine, qui contenait des formes alchimisées de l'agent hallucinogène originel.

Kit entendit un jour des cris dans la taïga. Se repérant au son, il déboula sur des broussailles, ne vit rien, mais un peu plus tard dans la journée il remarqua des traces qui s'enfonçaient entre les arbres, à intervalles de seulement huit ou dix centimètres. La nuit, il perçut des sifflets à vapeur, de mystérieux déplacements, des poids invisibles filant dans la forêt, et le lendemain quelque part entre les arbres les voix des surveillants de section, des contremaîtres, des équipes de travail, s'exprimant parfois dans des langues autres que locales – Kit aurait juré entendre des phrases en anglais et à force de recoupements il comprit que cette voie ferrée était censée relier le Transsibérien au Takla-Makan.

Il s'enfonça dans les sombres forêts comme s'il était sûr de son chemin. Aux premières lueurs, il se retrouva dans une clairière qui surplombait une rivière sinueuse, avec, en contrebas, derrière l'humide respiration de la taïga, la volute de vapeur d'un bateau à peine visible...

Il avait laissé les *brodyagi* à des kilomètres, en pleine forêt. Finalement, alors que la nuit tombait, il arriva au campement d'un petit groupe d'explorateurs – des tentes pointues aux pans raides, des chevaux de bât, un feu. Sans se soucier de son apparence, Kit s'avança dans la lueur du feu de camp et fut étonné quand tout le monde se jeta sur une arme.

«Attendez. Je le connais.» C'était Fleetwood Vibe, avec un chapeau à large bord orné d'un ruban en peau de tigre sibérien.

Kit refusa la nourriture qu'on lui proposait mais carotta quelques tiges. Et ne put s'empêcher de demander: «Et ton père, qu'est-ce qu'il devient?»

Fleetwood remit du petit bois dans le feu. «Il n'a plus toute sa tête. Il s'est apparemment passé quelque chose en Italie alors qu'il était là-bas. Il a commencé à voir des choses. Les directeurs parlent entre eux d'un coup d'État. Les fonds en fidéicommis sont toujours actifs, mais aucun d'entre nous ne verra jamais un penny de sa fortune. Tout part dans une entreprise de propagande chrétienne dans le Sud. Il nous a tous déshérités.»

«Et Colfax, comment prend-il la chose?»

«Ça lui a ôté un poids. Il est passé professionnel et joue sous un autre nom, dans la Ligue de la Côte pacifique. Une assez belle carrière jusqu'ici, moyenne des points mérités juste en dessous de deux, un match sans point ni coup sûr la saison dernière... Il a épousé une serveuse de bar d'Oakland.

«Une maison pleine d'enfants, un autre en route, jamais été aussi heureux.»

Fleetwood haussa les épaules. «Certains sont faits pour ça. D'autres ont la bougeotte.» Cette fois-ci, il ne cherchait ni une chute d'eau, ni la source d'un fleuve, ni à repérer une erreur dans une carte, mais une voie ferrée – une voie ferrée cachée, qui n'existait jusqu'ici que sous la forme d'une rumeur incertaine, la légendaire et fameuse ligne «Touva-Takla-Makan».

«Ça doit être celle dont j'ai entendu parler.»

«Montre-moi.» Il sortit une drôle de carte, réalisée essentiellement au crayon, toute maculée et qui commençait à se déchirer aux plis, ornée de taches de gras et de brûlures de cigarette.

«À moins que tu te rendes dans la Toungouska rocheuse», dit Kit. Il pencha la tête et regarda le ciel pâle. «Aussi près que possible de là où *ça* a eu lieu.»

Fleetwood parut affligé, comme si quelqu'un l'avait percé à jour et senti au fond de lui l'impossibilité de toute rédemption. « Ce n'est que la première étape », dit-il, « juste ce qui m'a conduit jusqu'ici. Tu te souviens, un jour, il y a des années, nous parlions de villes, absentes de toutes cartes, de lieux sacramentels... »

« Shambhala », acquiesça Kit. « J'y suis peut-être allé. Si ça t'intéresse toujours, c'est Tannu-Touva. J'ai laissé quelqu'un là-bas au bord de la folie qui affirmait de façon crédible que c'était là. »

« J'aimerais... » Derrière la peur et le sentiment de culpabilité, une sorte de timidité perverse. « J'aimerais bien que ça soit Shambhala que je cherche. Mais je n'ai plus le droit. Depuis, j'ai eu vent d'autres villes, dans la région, des villes secrètes, des contreparties séculaires de terres bouddhistes, contaminées par le Temps de façon encore plus indélébile, au fin fond de la taïga, à peine indiquées par des indices indirects – des cargaisons non identifiées, une consomption de pouvoir –, datant d'avant l'arrivée des Cosaques, avant les Kirghiz ou les Tatars. Je sens presque ces endroits, Traverse, ils sont tout proches, comme si à tout moment, juste derrière mon épaule, au prochain pas inconsidéré, leurs portes allaient s'ouvrir... des villes industrieuses, jamais au repos, se consacrant à des desseins dont personne ne parle à voix haute, de même qu'on hésite à prononcer le nom de la créature sauvage qui se nourrit de toutes les autres créatures...

« D'après mes derniers recoupements, elles forment un ensemble, situé tout près de l'Événement du 30 juin... pour des raisons pratiques, leur gare est Krasnoïarsk. Bien que la chose ne soit pas reconnue officiellement, qu'il n'y ait aucun rapport là-dessus, quiconque réserve une place sur le Transsib intéresse automatiquement l'Okhrana. » L'hiver précédent, il avait tenté d'approcher ces villes secrètes. Dans la lumière peu engageante des arrivées du soir, debout dans les ombres couleur ecchymose de Krasnoïarsk, des fonctionnaires invisibles avec des toques fourrées et de lourds pardessus surveillaient les quais, escortant les personnes accréditées vers des brise-glace banalisés ancrés près du Ienisseï gelé, renvoyant ceux comme Fleetwood dont les mobiles ne semblaient guère excéder le tourisme de loisir. « Mais maintenant, après l'Événement, il est peut-être possible d'entrer... peut-être que certaines conditions ont été renégociées. »

« Je ne sais pas ce qui se passe là-bas, ni à quel degré d'ignominie, mais c'est là où je vais – le but de ce long pèlerinage, dont la pénitence est ma vie.

Kit regarda autour de lui. Les kilomètres obscurs étaient vides de témoins. Il aurait pu très facilement tuer cette grande gueule qui s'apitoyait sur son sort. Il dit : « Tu sais, tu es comme tous les autres prétendus explorateurs de par ici, un résident étranger imbu de ses privilèges et ne sachant quoi en faire. »

Le feu de camp dispensait assez de lumière pour que le désarroi se lise sur le visage de Fleetwood, un désarroi semblable à une forme corrompue d'espoir, l'espoir qu'ici enfin se jouerait peut-être sa grande crise – les membres inapaisables des tribus, la tempête imprévisible, le terrain solide changé en sables mouvants, la bête qui le traquait depuis des années sur des kilomètres. Sinon, quelle vie pouvait-il espérer, lui, un assassin de plus, avec ses actions Rand, destiné aux cours de golf, aux restaurants avec leur nourriture horrible et leur musique pire encore, parmi les visages vieillissants de ceux de son espèce ?

Les deux hommes auraient pu se trouver au cœur même de la Terre pure, sans qu'aucun des deux puisse la voir, condamnés à un passage aveugle, Kit par manque de désir, Fleetwood par excès, et du signe opposé.

Ni l'un ni l'autre ne dormirent beaucoup cette nuit-là. Tous deux furent troublés par des rêves désagréables dans lesquels chacun, pas toujours littéralement, était assassiné par l'autre. Ils furent réveillés par une tempête nocturne qui avait déjà emporté une ou deux tentes. Les porteurs couraient dans tous les sens, en hurlant dans un ou plusieurs dialectes. Les premières pensées de Fleetwood, retenues par l'inertie du rêve, se tournèrent vers le passé plutôt que d'entrer dans le temps présent. À la lumière émise par l'étoile tombée le 30 juin, dans cette anocturnité livide, il avait rêvé éveillé la possibilité d'une autre chose tombant comme celle que l'Expédition Vormance avait naguère lâchée, avec son aide, sur ses victimes. Bon sang, mais quelqu'un allait-il mettre enfin un terme à cela, que ce soit le jeune Traverse ou n'importe quel clampin ! Il jeta un coup d'œil à l'endroit où aurait dû se trouver le tapis de couchage de Kit. Mais Kit était parti pendant la nuit, comme emporté par le vent.

Ayant volé vers l'est toute la journée, le *Désagrément* s'était posé sous le pâle coucher de soleil, non loin du flanc menaçant d'une tempête de sable. À première vue, personne ne semblait vivre ici. Depuis les airs, on aurait dit un unique et immense toit fait d'argile cuite, comme s'il était possible de traverser la ville entière sans mettre le pied dans les rues invisibles. Sous la surface unie, un monde, à peine compréhensible, vaquait à ses occupations – dans des pièces secrètes, des cosméticiens s'efforçaient de dissimuler les taches blanches qui apparaissaient sur la peau, taches qui pouvaient vous valoir une exécution immédiate, qu'elles signifient la lèpre ou non, dès lors qu'on en voyait sur vous en dehors du quartier des lépreux... Les médecins-*rishta* ôtaient patiemment les vers parasites, en pratiquant une incision, coinçant la tête de la créature longue d'un mètre dans une fente située à l'extrémité d'un bâton, et ce prudemment, afin de ne pas briser le *rishta* au risque de causer une infection... Des buveurs clandestins et des épouses de marchands qu'attiraient inlassablement les conducteurs de caravanes qui partiraient bien avant l'aube.

Personne à bord du *Désagrément* ne dormit profondément cette nuit-là. Darby était de quart de quatre heures à huit heures, Miles s'activait dans la coquerie pour préparer le petit déjeuner, et Pugnax se tenait sur le pont, le regard fixé sur l'est, d'une immobilité de pierre, quand l'Événement se produisit, l'aube prématurée virant à l'orange foncé, trop vaste dans l'espace ou le souvenir pour qu'on sût où porter le regard avant que le son se fasse entendre, déchirant le firmament au-dessus de la Chine occidentale – puis la terrible vibration s'estompa en une étrange traînée aigue-marine, dans un chuchotis de détonations à l'horizon. Ils étaient à présent tous réunis sur le pont. Un vent brûlant et soudain les enveloppait, tombé avant même qu'ils trouvent le moyen de s'y soustraire. Randolph donna l'ordre d'appareiller, et ils s'élevèrent dans le ciel pour voir ce que c'était.

Dans la nue bleu pâle que laissa l'Événement, la première chose qu'ils remarquèrent fut que la ville en dessous n'était pas la même que celle qu'ils avaient atteinte la veille au soir. Les rues étaient désormais toutes visibles. Des fontaines pétillaient partout. Chaque maison possédait un jardin intérieur. Des marchés grouillaient d'une joyeuse agitation, des caravanes allaient et venaient aux portes de la ville, des dômes carrelés et dorés brillaient sous le soleil, des tours s'élançaient tels des chants, le désert était renié.

«Shambhala», s'écria Miles, et il ne fut pas nécessaire de lui demander comment il savait – tous savaient. Pendant des siècles, la Cité sacrée était restée invisible, drapée dans la lumière des jours, du soleil, des astres, de la lune, des feux de camp et des torches électriques des explorateurs du désert, jusqu'à l'Événement survenu au-dessus de la Toungouska, comme si les fréquences lumineuses et précises qui permettaient aux yeux humains de voir la Cité avaient finalement été libérées. Ce que les jeunes gens mettraient plus de temps à comprendre, c'est que l'immense déflagration avait également déchiré le voile qui séparait leur propre espace de celui du monde ordinaire, et que pendant un court instant ils avaient également connu le même sort que Shambhala, perdant leur protection, désormais incapables de compter sur leur invisibilité face au jour ordinaire.

Ils se dirigèrent rapidement vers l'est, en survolant la taïga. Des traces du désastre étaient apparentes un peu partout. Ils arrivèrent sur les lieux de l'Événement peu après le *Bol'shaia Igra*.

«C'étaient les Intrus», déclara Lindsay.

«Nous savons qu'ils sont nettement plus avancés que nous en sciences appliquées», dit Randolph. «Leur volonté d'agir est pure et inflexible. Une catastrophe de cette taille serait-elle hors de leur compétence? Techniquement? Moralement?»

«Au moins, cette fois-ci, on ne peut pas dire qu'on nous a *envoyés ici*», ajouta Lindsay, en jetant à Darby Suckling un regard noir et éloquent.

«Ça ne suffit guère à innocenter qui que ce soit», déclara l'Officier juridique, mais avant qu'ils aient l'occasion de se disputer, la machine Tesla siffla et crépita. Miles activa les interrupteurs idoines, et Randolph s'empara du cornet.

C'était le Pr Vanderjuice, émettant depuis la Terre de Feu, où il était parti mesurer les variations de la gravité terrestre. «Mille dynamos!» s'écria-t-il, «nous nous trouvons apparemment en un point du globe directement antipodique à cet Événement. Ici, c'est le chaos – des orages magnétiques, toutes les communications interrompues, les câbles du générateur ont fondu, quant aux mesures de la gravité, il est difficile de leur accorder, même à ce stade précoce, le moindre crédit, mais… la gravité elle-même a tout simplement disparu pendant un moment. Les vedettes, les tentes, les cuisinières, tout s'est envolé dans le ciel, pour ne jamais retomber sur terre, peut-être. Bon sang, si je n'avais pas été en train de pêcher au bord de l'eau, j'aurais pu être emporté Dieu sait où. »

« Maintenant que Gibbs n'est plus là, je n'ai plus personne à Yale avec qui discuter de la chose », fit le Professeur, éperdu. « Il est encore possible de contacter Kimura, je suppose, ainsi que le Dr Tesla. Sauf si les terribles rumeurs qui le concernent sont fondées. »

D'après Vanderjuice, le bruit courait à l'étranger que Tesla, cherchant à communiquer avec l'explorateur Peary, alors dans l'Arctique, et projetant des rayons incertains depuis sa tour de Wardenclyffe dans une direction légèrement à l'ouest du plein nord, avait manqué sa cible de quelques fatals degrés, et du coup le rayon était passé à côté de la base de Peary sur l'île d'Ellsemere, traversant la région polaire, s'enfonçant dans la Sibérie et frappant la Toungouska rocheuse.

« Mais quelque chose m'intrigue dans cette histoire. Tesla a-t-il voulu envoyer à Peary un message, lui transmettre une certaine quantité de courant électrique ou, pour une raison encore secrète, l'éliminer ? Tesla n'y est même peut-être pour rien, car on ignore qui se trouve encore à Wardenclyffe – Tesla semble avoir quitté les lieux après que Morgan l'a abandonné. C'est tout ce que j'ai pu apprendre depuis ces antipodes. »

« Ça ressemble à de la propagande capitaliste », dit Darby. « Le Dr Tesla a toujours eu des ennemis à New York. Cette ville est le repaire des médisances, des avocats spécialisés dans le droit civil et des querelles de brevet. C'est ce qui attend quiconque s'occupe de science sérieuse. Regardez Edison. Prenez notre collègue Frère Tom Swift. Il passe plus de temps ces jours-ci au tribunal que dans son laboratoire. »

« La dernière fois que j'ai vu Tom, il faisait plus vieux que moi », dit le Professeur. « Rien de tel que la chicane perpétuelle pour vous vieillir avant l'heure. »

Ils convinrent d'un rendez-vous aérien avec le *Bol'shaia Igra* au-dessus de Semipalatinsk. Vus du sol, les deux aéronefs occupaient ensemble un quart de ciel visible. Les jeunes gens portaient des chapeaux couleur sable assortis à de grandes capes en peau de loup, achetés dans le vaste marché qui se tenait en février à Irbid.

« Pourquoi ne pas nous avoir parlé plus tôt des Intrus ? » demanda Padzhitnov, en s'efforçant de rester affable. « Nous étions au courant depuis Venise et nous aurions pu faire quelque chose. »

« Et auriez-vous cru ce que nous vous aurions dit ? »

« Officiellement, bien sûr que non. C'est toujours forcément une "ruse américaine". Je vous laisse imaginer l'émotion en haut lieu – l'équilibre des intérêts est très fragile par ici, personne n'a envie que les Américains s'en mêlent, tels des cow-boys au galop, perturbant toutes les quantités connues. »

« Mais officieusement… vous, en tant que frère des airs, vous nous auriez crus ? »

« Moi ? Depuis l'*obstanovka* de la Toungouska, je crois à tout. Là-bas, à Saint-Pétersbourg » – une expression non pas tant de dédain que de résignation compassée face aux us du monde de la surface – « ils pensent que c'était une arme japonaise. Les Services de renseignements de l'Armée de terre russe veulent que nous confirmions que c'était japonais – ou du moins chinois. »

« Mais… ? »

« Et vos dirigeants américains ? Qu'est-ce qu'ils disent ? »

« Nous ne travaillons plus pour eux. »

« *Zdorovo !* Vous travaillez pour qui maintenant ? Une grande société américaine ? »

« Nous-mêmes. »

Padzhitnov plissa les yeux, d'un air qui se voulait encore amical. « Vous – les aéronautes – formez une grande société américaine ? »

Randolph haussa les épaules. « Pas tout à fait, pour l'instant. Mais vu le niveau des investissements, on risque de devoir fusionner assez vite. Nous étudions la Suisse, le Moresnet neutre, une ou deux îles éloignées — »

« Que pensez-vous des actions Rand ? La chance va-t-elle tourner ? La plupart de notre argent est investi là-dedans, ainsi que dans l'armement. »

« Nous avons réduit progressivement notre présence en Afrique du Sud », dit Lindsay, « mais ce qui semble très prometteur ces derniers temps ce sont les actions de chemins de fer du Turkestan chinois. »

« Un *tchoudak* dans un bar de Kiakhta m'a dit la même chose. Il était ivre mort, bien sûr. »

Dans un crépitement sifflant d'émissions électriques, le récepteur sans fil russe entra en activité. Padzhitnov décrocha et se mit aussitôt à parler à toute vitesse, consultant cartes et plans, traçant, calculant. Quand il eut fini, il vit que Chick Counterfly le regardait bizarrement. « Quoi ? »

« Vous venez d'avoir toute cette conversation en clair ? »

« En clair ? Comment ça, "en clair" ? »

« Non codé », traduisit Miles Blundell.

«Inutile! Personne d'autre n'écoute! C'est "sans fil"! Nouvelle invention! Mieux que le téléphone!»

«Si j'étais vous, j'utiliserais quand même un système de cryptage.»

«Beaucoup de travail pour rien! Même l'armée russe ne le fait pas! Ah, mes jeunes collègues, mes jeunes collègues! Trop circonspects, comme des vieux!»

De retour de la taïga, l'équipage du *Désagrément* découvrit que la Terre qu'il croyait connaître avait changé de façon imprévisible, comme si la chose qui était venue au-dessus de Toungouska avait chamboulé les axes de la Création, peut-être pour de bon. En bas, sur des lieues de forêt et de prairie sibériennes autrefois sans nom, ils virent un important réseau de rails, l'acier brillant partout comme naguère les cours d'eau. De la fumée industrielle aux nuances malsaines de jaune, de brun rougeâtre et de vert acide escaladait le ciel pour lécher le ventre de la nacelle. Les oiseaux avec lesquels ils avaient coutume de partager le ciel, des espèces européennes migratoires, avaient disparu, abandonnant la région aux aigles et aux faucons qui les avaient autrefois chassés. D'immenses villes modernes vallonnées de dômes, hérissées de tours aux poutrelles apparentes, de cheminées, avec à leur pied des places sans arbres, sans une seule créature en vue.

Au crépuscule, ils atteignirent les abords d'une grande flottille aérienne. Sous eux, la taïga se taisait peu à peu, comme si elle cédait aux heures d'obscurité et de sommeil. Quant à la lumière que distillait le jour, il en restait suffisamment pour révéler un ciel encombré de ballons transporteurs, immenses et sans équipage, suspendus à toutes les altitudes imaginables, le soleil couchant illuminant et détourant les cercles de charge et les gréements, les filets de chargement et les palettes pleines qui se balançaient dans les vents du soir, chaque nacelle portée par une enveloppe différente, certaines d'une sphéricité parfaite, d'autres en forme de pastèque, de saucisse polonaise ou de cigare de luxe, tantôt aérodynamiques comme des poissons, tantôt carrées ou pointues ou cousues en polyèdres étoilés ou en dragons chinois, solides, à rayures, ou veinées, jaunes ou écarlates, turquoise ou violets, quelques nouveaux vaisseaux équipés de moteurs à faible puissance en chevaux, qui de temps en temps recrachaient de brillantes bouffées de vapeur, juste assez pour rester stationnaires. Chaque ballon était relié par des câbles métalliques à un matériel roulant distinct, quelque part au sol, se déplaçant invisiblement sur ses propres rails, guidant sa cargaison flottante vers une destination différente, sur toute la carte de l'Eurasie – tandis que les jeunes hommes observaient ce manège, les plus hautes enveloppes de la flotte étaient avalées par l'arc de l'ombre de la Terre avançant, avant de descendre parmi les autres flancs de soie laquée, elles s'égaillaient enfin sur la campagne alentour, pour la libérer de sa lumière quotidienne. Bientôt, on ne vit plus qu'une constellation terrestre de feux mobiles rouges et verts.

« Sur la terre », fit remarquer Miles Blundell, « comme au ciel. »

Aussi lentement que la justice divine, des rumeurs arrivaient de l'Est, de ce qui semblait inexplicablement situé à l'est, comme si les innombrables et minuscules engagements d'une guerre encore niée s'étaient enfin exprimés en une unique explosion, en un crescendo quasi musical d'une majesté qu'on ne rencontrait d'ordinaire que dans les rêves. Des photographies n'allaient pas tarder à émerger, comme d'un bain de développement, et à circuler... puis des copies de copies, peu à peu dégradées en œuvres d'art abstrait des plus communes, mais non moins choquantes : des forêts vierges – le moindre tronc blanc et dépouillé, couché à un angle inconcevable de quatre-vingt-dix degrés – aplaties sur des kilomètres. Les réactions à l'Ouest étaient uniformément étouffées et embarrassées, même parmi ceux qui avaient la réputation d'être de vraies pipelettes. Personne n'osait dire ce qui était le pire – que cela ne se fût jamais produit avant, ou que cela *se fût déjà produit*, et que tous les acteurs de l'Histoire eussent conspiré pour ne jamais le signaler et, avec un sens de l'humour jusqu'ici passé inaperçu, l'aient conservé secret.

Ce qui s'était passé là-bas constituait sa propre annonce, débutant en amont de Vanavara et filant furieusement vers l'ouest à une vitesse de mille kilomètres-heure, dans la nuit dénuée d'obscurité, d'une station sismographique à l'autre, traversant l'Europe jusqu'à l'Atlantique, via les poteaux, les pendules, les joints universels, les fines fibres de verre écrivant sur des rouleaux de papier fumé qui tournaient lentement, les aiguilles de lumière gravant les revêtements de bromure d'argent, les preuves abondaient... Dans des villes situées tout à l'ouest, des « flammes sensibles », certaines humaines, plongeaient, faisaient la révérence, frissonnaient faiblement aux marges quasi érotiques de l'extinction. Des questions se posaient quant au calendrier, à la « simultanéité » de l'Événement. Les nouveaux convertis à la relativité restreinte regardaient d'un œil fasciné. Étant donné l'inertie des aiguilles traçantes et des miroirs, le temps nécessaire pour adapter les objectifs, les petites variations dans la vitesse à laquelle le papier de bromure était introduit, le spectre des enregistrements sismographiques embrassait largement « l'instant » pendant lequel une quantité d'énergie jusqu'ici inimaginable avait visité les équations de l'Histoire.

« L'énergie étant égale à la zone sous la courbe », à en croire le Pr Heino Vanderjuice, « plus "l'instant" est court, plus grande est l'amplitude – ça commence à ressembler à une singularité. »

D'autres étaient moins circonspects. Était-ce Tchernobyl, l'étoile de l'Apocalypse? Un hersage de la steppe sans précédent par des millions de cavaliers secrets, se déversant dans l'Ouest en une avancée simultanée? Une artillerie allemande insoupçonnée et plus puissante par son ordre de grandeur que n'importe quel agent des Renseignements militaires n'aurait pu le soupçonner? Ou quelque chose qui ne s'était pas encore vraiment produit, débordant à tel point des cadres de référence proprets disponibles en Europe que cela avait paru avoir lieu dans le présent, alors que cela émanait en fait bel et bien du futur? Était-ce, pour parler franchement, la guerre générale sur le seuil de laquelle se tenait l'Europe, cet été et cet automne, condensée en un unique événement?

Dally Rideout, qui songeait toujours à Kit, sans pour autant s'attendre à avoir de ses nouvelles, était devenue un joli brin de fille encore plus désirable, négociable sur le marché vénitien telle une esclave circassienne dans l'Arabie ancienne, avec sa complexion de rousse pâle, sa peau fragile qui requérait une attention minutieuse, ses cheveux, naguère une cascade indomptée lors de son arrivée en ville, désormais une flamboyante réclame du désir que personne n'aurait songé à nier. Ce même jour d'été, elle avait été abordée à tout juste quelques pas de la Ca' Spongiatosta par un individu désagréable, avec l'habituel Bodeo 1894 coincé sous sa ceinture, et qui ne souhaitait plus lui laisser la moindre marge de manœuvre. « Ce soir, à la minute où il fera nuit, compris? Je viens te chercher. T'as intérêt à te faire jolie. » Elle passa le reste de la journée à redouter la tombée de la nuit, filée par des *teppisti* qui ne cherchaient pas à être discrets.

À qui en parler? Hunter Penhallow n'était pas vraiment la meilleure solution, préoccupé qu'il était par ses propres fantômes, trahi par des souvenirs qui l'évitaient comme s'ils étaient consciemment cruels. La Princesse vaquait à une de ses aventures diurnes et ne reviendrait pas avant le soir, heure à laquelle Dally se disait qu'elle aurait intérêt à se faire toute petite.

Mais ce soir-là la nuit ne tomberait pas, et le ciel resterait lumineux jusqu'au matin. Hunter sortit donc dans une « lumière nocturne » très inhabituelle et passa plusieurs heures sous un ciel artificiellement éclairé, pendant lesquelles il travailla comme en proie à une froide frénésie, tandis qu'un peu partout sur les petits canaux, les ponts, dans les *campielli* et sur les toits des maisons, sur la Riva, là-bas sur Lido où les touristes fortunés descendus dans les hôtels récents fixaient la plage en se demandant si la chose avait été arrangée expressément pour eux et combien ça leur coûterait en sus, toutes sortes d'artistes vénitiens étaient également sortis, avec leurs peintures, craies, pastels, huiles, tous s'efforçant ce soir-là de «capter» la lumière comme s'il s'agissait d'un bien qu'ils devaient négocier – ou même avec lequel négocier –, jetant de temps à autre des regards désespérés au ciel comme à un sujet commun là-haut en train de poser, un nouveau Krakatoa, personne ne savait, l'annonce, qui sait, d'un changement profond dans la Création, plus rien ne devant plus jamais être comme avant, ou d'une venue encore plus sinistre, aussi inexplicable que celle de tous les christs peints sur les plafonds, les toiles, les murs de plâtre de Venise...

Les coqs chantaient par intermittence, comme si on leur rappelait leur devoir de façon aléatoire. Les chiens erraient, perplexes, ou s'allongeaient paisiblement près des chats avec lesquels ils ne s'entendaient pas en temps normal, chacun ayant l'air de veiller tour à tour sur le sommeil de l'autre, qui de toute façon était court. La nuit était trop étrange. Les patrons des *vaporetti* étaient retenus chaque fois qu'ils accostaient par des Vénitiens insomniaques hantant les quais, persuadés que lesdits patrons étaient dans la confidence d'un monde plus vaste. Quand les journaux du matin parurent enfin, ils partirent tous en quelques minutes, même si aucun n'expliquait cette douce et froide lumière.

Quelque part dans les régions inexplorées de la Ca' Spongiatosta : «Vous êtes à deux doigts», l'avertit la Princesse, «à un coup d'œil, un murmure de jupe, de la *mala vita*. Je peux vous protéger, mais pouvez-vous vous protéger?» Les deux jeunes femmes étaient assises dans une chambre à l'étage du grand Palazzo, dans les ombres assourdies, avec au plafond les reflets vifs de l'eau qui papillonnaient. La Princesse tenait le visage de Dally entre ses paumes adorablement gantées, délicatement mais impérieusement, comme si toute inattention se payerait d'une bonne gifle, bien qu'un observateur non informé n'eût su dire qui des deux contrôlait l'autre. La Princesse portait encore sa robe d'après-midi en satin gris foncé, tandis que la jeune fille était quasiment nue, ses petits seins visibles derrière les brides bordées de picot de sa nouvelle robe-chemisier en dentelle, les tétons plus bruns que d'habitude et mieux définis, comme s'ils avaient été récemment mordus avec détermination. Dans cette lumière fractionnée, ses taches de rousseur paraissaient également plus foncées, évoquant un chatoiement inversé sur sa peau. Elle refusait de répondre.

À la gare de Trieste, plus franchement le bienvenu à Venise, dans un dédale partiellement sous le niveau de la rue envahie par la fumée de tabac, pour l'essentiel d'origine balkanique, Cyprian Latewood s'entretenait avec un cryptographe du nom de Bevis Moistleigh, fraîchement débarqué en ville. L'éclairage au gaz, qui fonctionnait toute la longue journée, révélait un calcaire antédiluvien dans certaines parties des murs, et déposait des reflets interlopes sur les manettes des soupapes en ébène et sur les placages chromés des cafetières d'antique conception italienne, sans parler de ces *macchinette* individuelles qui traînaient partout. L'endroit fonctionnait au café.

« C'est quoi ? Je ne peux pas lire – tous ces petits cercles… »

« C'est de l'alphabet glagolitique », expliqua Bevis. « Du slavon. Les textes de l'Église orthodoxe, tout ça. Vous êtes ici depuis un moment, je suis étonné que vous ne l'ayez pas encore appris. »

« Peu d'occasions d'entrer dans des églises orthodoxes. »

« Pour l'instant. Mais l'heure approche. »

Cyprian s'aperçut qu'il ne pouvait ni prononcer ni comprendre les suites de lettres que le jeune génie de la crypto lui montrait, telles quelles ou translittérées.

« Normal, c'est codé », dit Bevis. « Un code diabolique, j'ajouterai. J'ai remarqué d'emblée qu'il recourait à la fois aux alphabets en Ancien et Nouveau Style – j'étais très content de moi jusqu'à ce que je pige que chaque lettre de cet alphabet a également sa propre *valeur numérique*, ce qu'on appelait chez les anciens érudits juifs de la Torah la *gematria*. Donc, comme si ça ne menaçait pas déjà assez l'équilibre mental, le texte doit être maintenant considéré également comme une suite de *chiffres*, grâce auxquels les lecteurs peuvent découvrir certains *messages cachés* en additionnant les valeurs numériques des lettres d'un groupe, en y substituant d'autres groupes de la même valeur, et donc en générant un autre message caché. En outre, cette *gematria* particulière ne recourt pas uniquement à la simple addition. »

« Bon sang. Quoi encore ? »

« Élever aux puissances, calculer des logarithmes, convertir des chaînes de caractères en termes de série et trouver les limites où elles convergent, et — dites donc, Latewood, vous devriez voir votre expression… »

« Vous gênez pas. Les petits ricanements hystériques sont rares par ici, alors pourquoi se gêner ? »

« Sans parler des coefficients de champ, des valeurs propres, des tenseurs métriques —»

« Dites, ça pourrait prendre une éternité, non ? Combien sont-ils à bosser dessus chez vous ? »

Bevis se désigna, d'un seul doigt, disposé tel un pistolet sur sa tempe. « Je vous laisse imaginer à quelle vitesse ça progresse. Jusqu'ici, j'ai été en mesure de déchiffrer un seul mot, *fatkeqësi*, ce qui signifie "désastre" en albanais. Le premier mot d'un message intercepté il y a des mois, et je ne sais toujours pas ce que je recherchais alors, ni même qui l'a envoyé. L'Événement, quelle que soit sa nature, est fini depuis longtemps, des vies sacrifiées, des vêtements de deuil transmis aux veuves suivantes. La brigade de la Question d'Orient, après avoir fait de son pire, s'occupe maintenant des promotions, médailles, avantages fonciers, et tout le reste, nous laissant nous autres, les chats de gouttière des Balkans, au milieu de leurs misérables débris, avec tout le nettoyage à se taper. Irrédentisme ? Me faites pas rire. Rien par ici n'est jamais rédimé, ni d'ailleurs rédimable —»

« Je vois qu'on s'entend à merveille, hein ? » Derrick Theign passant la tête par la porte, une inspection de routine, sûrement. « Excellent, les gars, continuez donc... »

« Cette personne me fout les jetons », confia Bevis.

« Soyez prudent, dans ce cas. »

« *Bevis* », avait l'habitude de déclarer Theign chaque fois qu'il passait devant le seuil du réduit de Moistleigh, « *Simple héros.* » Avant que le cryptographe ait même le temps de lever des yeux agacés, Theign était retourné dans le couloir pour aller plonger quelqu'un d'autre dans la perplexité.

« Et il y a autre chose de bizarre », Bevis observant avec méfiance la silhouette de Theign qui diminuait dans l'établissement enfumé, « il m'a refilé des codes italiens. Ils sont censés être nos alliés, non ? Jour après jour, tout ce matériel naval échoue sur ma pile du matin. Ils ont l'habitude dans la Marine royale italienne de crypter de longs articles prélevés dans les quotidiens, afin qu'on puisse quasiment trouver le code pendant le sommeil du moment qu'on est prêt à se taper chaque jour une bonne dose d'âneries, puis de retranscrire tout ça, en anglais et en allemand, une terrible ponction sur votre temps, non —»

« Allemand ? » Juste de la simple curiosité, c'est tout, « Bevis, où sont acheminés ces messages déchiffrés, exactement ? »

« Sais pas – un des gars de Theign qui s'en occupe. Ah, oui, allemand. Je n'y avais jamais réfléchi, ils ne sont pas censés être nos alliés, quand même ? »

« Un autre de ses jeux tarabiscotés, sûrement. »

Ils se concentrèrent à nouveau sur les blocs insolubles de code glagolitique. La caféine s'était alors insinuée en quantité suffisante dans les centres cérébraux qui s'occupaient de tels sujets à la place de Bevis pour que ce dernier puisse traiter tranquillement de questions plus intéressantes. « Par ailleurs — supposons que les messages puissent s'inscrire, disons, "dans le monde", dans un ensemble cohérent en soi, analogue à un "groupe" mathématique. Il conviendrait bien sûr de concevoir et de fabriquer une machine adéquate, peut-être quelque chose de l'ordre du Transformateur de Mr Tesla. Et parce que le "vaste monde" n'est rien de plus que la distribution, dense et sans limites concrètes, de ces symboles-ci, écrits dans ce code-ci, toute erreur dans l'inscription originelle, même bénigne, pourrait se révéler immense avec le temps — ça ne sautera pas forcément aux yeux tout de suite, mais un jour quelqu'un remarquera un flou indubitable, une cascade de fausses identités, une désintégration dans une absence massive. Comme si un grand départ que personne ne peut distinguer était en train de se produire, une émigration de la raison elle-même. »

« Quelque chose à une échelle — » imagina Cyprian.

« Jusqu'ici jamais envisagée dans le temps futur de tout langage. Peu importe l'alphabet dans lequel c'est écrit. Comme nous aimons à le dire : "Grande prédisposition aux variables primordiales". »

« Un départ — »

« Une émigration. »

« Vers… ? »

« Ou pire – une sorte de Croisade. »

Quand ils ressortirent enfin pour aller souper, Cyprian remarqua le ciel. « La lumière n'est pas normale, Moistleigh », comme si c'était un phénomène physique qu'il n'avait jamais étudié, une sorte d'éclipse inversée qu'un cryptographe pouvait expliquer, voire éventuellement restituer. Mais Moistleigh semblait dévasté, comme les foules sur la Piazza Grande et le long de la Riva, et jetait de temps à autre des regards nerveux vers le ciel mais pas de façon régulière, car comment savoir quel regain d'attention cela pouvait susciter ?

Après avoir quitté Venise, Reef rejoignit Ruperta à Marienbad, et pendant un moment la même vieille routine recommença. Il gagna plus aux tables de jeu qu'il ne perdit, mais sur l'autre versant du registre, Ruperta trouvait sans cesse des occasions, certaines franchement désespérées, de réclamer son attention. Néanmoins, leur enthousiasme avait dû diminuer, car un jour elle s'en alla sans rien lui dire, comme ça. Une chambre déserte, pas de message à la réception, des vases de fleurs fraîches attendant le prochain couple chanceux. La chienne Mouffette, que Reef avait toujours soupçonnée d'être un chat déguisé, avait vomi dans son borsalino.

Prenant soin d'avoir l'air malheureux, tout en ayant secrètement l'impression d'être sorti de prison, Reef fréquenta de nouveau les cures thermales, feignant différentes sortes de neurasthénie, dont, avec un grand succès, l'Angoisse ferroviaire, qui consistait à prétendre qu'il avait eu un accident de train traumatique par le passé – de préférence dans un pays voisin, afin qu'il fût difficile d'obtenir des informations sur le drame –, sans syndrome immédiat jusqu'au jour où il prévoyait de se rendre au guichet d'une gare, sur quoi il pouvait souffrir alors de toute une série de maux, tous soigneusement étudiés dans d'autres établissements en compagnie d'autres hydropathes. La beauté de l'Angoisse ferroviaire résidait dans sa nature mentale. Les médecins de la cure thermale savaient qu'aucun des maux présentés n'était réel, mais feignaient d'essayer de guérir les formes qu'ils revêtaient – le bureau d'affaires du rez-de-chaussée était content, les toubibs pensaient qu'ils étaient tombés sur un cas, les joueurs de cartes, avec leurs fortunes obscènes, finissaient par perdre assez d'argent au fil des semaines pour s'absoudre de leurs crimes contre les classes laborieuses, et Reef pouvait en outre s'offrir des havanes importés et se montrer généreux en pourboires.

La nuit du 30 juin, tous les neurasthéniques d'Europe, émergeant de leurs baignoires électriques et des salles de jeu pour s'avancer sur ce qui aurait dû être des terrasses et une chaussée obscures, encore tout rougeoyant de résidus collants de boue radioactive, des électrodes pendouillant sur leur crâne, des seringues suspendues négligemment à quelques centimètres des veines, sortirent de leurs établissements respectifs pour s'émerveiller devant le phénomène céleste. Reef, l'un d'eux depuis peu, se trouvait à Menton, entre deux séjours dans le lit dangereux d'une certaine Magdika, la blonde épouse d'un officier de cavalerie hongrois réputé autant pour sa promptitude à s'offenser que pour son adresse avec les armes de duel. Depuis son arrivée, Reef était devenu un familier des toits de tuiles et des toboggans de blanchisserie du Splendide, et il était pour l'heure coincé telle une mouche contre la façade de cet établissement, progressant centimètre par centimètre le long d'un périlleux rebord de fenêtre tandis que la voix du mari, débarqué à l'improviste, s'estompait lentement, remplacée par une voix sensiblement plus agacée, qui semblait émaner, comme c'était bizarre, *du ciel*, et Reef remarqua alors – en risquant, à cette étape la plus dangereuse de son passage, un regard ascendant, puis se figeant, le souffle coupé à ce qu'il voyait – que ledit ciel paraissait avoir refusé le crépuscule et choisi à sa place une rougeur nacrée, un équivalent lumineux de l'invitation qui lui parvenait par la même voix – « Non mais franchement, Traverse, tu sais que tu devrais renoncer à cette existence farcesque, pour te consacrer de nouveau aux questions séculaires telles que la vendetta familiale, qui même si elle est dénigrée par les vrais vertueux se révèle d'un usage autrement plus précieux du temps passé sur Terre que la vaine recherche de coups de pied au cul, laquelle risque fort dans ton cas de se solder par la mort, du fait d'un Hongrois furieux plutôt que par autre chose d'une valeur plus durable… » Et ainsi de suite, mais entre-temps Reef avait touché le sol et courait dans l'étrange lumière du boulevard Carnolès, comprit-il, pour sauver sa vie, ou du moins ce qu'il en restait.

Yasmina était à Vienne, où elle travaillait dans un magasin de confection de Mariahilf qui avait acquis une certaine notoriété avec ses modèles dont les midinettes parisiennes ignoraient encore tout et qui par conséquent n'avaient pas encore été dispersés dans le vaste marché du Monde. Un jour qu'elle rédigeait une requête pour des arriérés bancaires, elle eut conscience d'une présence parfumée toute proche.

« Oh ! Je ne vous avais pas entendue — »

« Salut, Pinky ! » Prononcé d'un ton si feutré et presque austère que Yasmina ne reconnut pas tout de suite sa vieille condisciple de Girton, Noellyn Fanshawe, moins éthérée que la belle étudiante d'autrefois, mais toujours tête nue, ses cheveux coupés drastiquement, révélant son visage, chaque centimètre de son charmant petit minois qu'il était naguère si délicieusement amusant de rechercher parmi toutes ces boucles blondes, désormais aussi franc qu'une gifle ou une détonation. Ses yeux, du coup, paraissaient énormes et comme dissous dans la lumière assertive de la vie de vendeuse dans laquelle Yasmina devait à présent évoluer.

« Noellyn ! J'ignorais complètement que tu étais en ville. »

« Je suis venue sur un coup de tête. »

« Tu es entrée si silencieusement… »

« Je suppose que c'est à cause de cette Redingote Silencieuse. »

« Tu sais qu'on en vend même ici – ça rencontre un beau succès. »

« Et tu les recalibres également, m'a-t-on dit. »

« Celle que tu portes en a besoin. » Yasmina mit une main en coupe derrière son oreille et se pencha vers la robe. « Tourne sur toi-même. » La fille obtempéra. « Je n'entends rien du tout. »

« C'est la journée. La circulation. Mais le soir, quand j'en ai particulièrement besoin, elle fait des siennes. »

« Je vais appeler le *Facharbeiter*. » Elle souleva un cornet acoustique flexible en cuivre et en ébène de son socle. « Gabika, venez ici. »

Noellyn se fendit d'un bref sourire. « Moi aussi, j'ai cessé de leur dire "s'il vous plaît". »

« Tu vas voir. »

Le technicien qui sortit de l'arrière-boutique était jeune et mince, avec de très longs cils. « Un animal domestique », dit Noellyn. « Dommage que ça ne m'intéresse pas plus que ça, je te l'aurais emprunté pour la soirée. »

« Retournons dans le salon d'essayage. Gabika, nous aurons besoin de ceci immédiatement. »

« Il me rappelle un peu Cyprian Latewood. As-tu jamais revu ce vieux légume, au fait ? »

Mais Yasmina ne semblait vouloir distiller que des renseignements d'ordre général. Peut-être se montrait-elle trop prudente, toutefois il n'était pas exclu que Noellyn fût ici à la requête des S.O.T. Ou de quelqu'un d'encore plus déterminé.

Yasmina aida son amie à ôter l'ingénieux vêtement, que Gabika emporta avec respect jusqu'à sa table de travail. Elle prit un drôle de récipient et leur servit du café, puis elles restèrent un moment à s'étudier. « Je n'arrive pas à m'habituer à ta coupe de garçon. Même si c'est joli. »

« Je n'avais pas le choix. Tu ne la connais pas, on s'est rencontrées l'an dernier à Londres, et avant de comprendre ce qui m'arrivait, j'étais sous le charme. Elle m'a emmenée un soir tard chez un coiffeur de Maida Vale, je n'ai remarqué que trop tard les petites sangles et les boucles sur le fauteuil, et ils m'ont maîtrisée en un rien de temps. Il y avait des tas d'horribles machines, et au début j'ai cru que j'étais bonne pour une de ces nouvelles "permanentes", mais mon amie avait une idée différente. "Tu seras mon petit prisonnier pendant un temps, peut-être que je les laisserai repousser, selon que je me lasse vite de ta coupe ou pas." La femme aux ciseaux était charmante mais impitoyable, elle a pris son temps, pendant que mon amie restait là, les jupes relevées, à s'envoyer en l'air éhontément pendant toute l'opération. J'ai fini par exprimer le souhait qu'on me libère les mains afin de faire de même. »

« Mais elle ne l'a pas voulu. »

« Et pourtant je l'ai suppliée si délicieusement. »

« Pauvre Noellyn. » Elle saisit le menton de la fille entre le pouce et l'index. «Croise tes jolis petits poignets dans ton dos juste un moment, allez, sois gentille.»

«Oh mais, Yasmina, je ne suis pas venue ici pour —»

«Obéis.»

«Oui, Yasmina.»

Gabika revint avec la Redingote Silencieuse réglée et les trouva toutes rougissantes et murmurantes, leurs vêtements en désordre et une note de musc prononcée dans la pièce, qui se mêlait aux parfums du café. Il avait l'habitude de ces tableaux vivants, avait même fini par les guetter, ce qui expliquait sans doute pourquoi cela faisait déjà deux ans qu'il était dans le métier sans jamais avoir demandé d'augmentation.

Découvrant que, peut-être contre toute attente, elles étaient bel et bien ravies de se revoir, les deux jeunes femmes passèrent une agréable soirée ensemble, allant dîner tôt au domicile de Hopfner, puis retournant chez Yasmina à Mariahilf. Quand il prit à l'une d'elles l'idée de regarder par la fenêtre, il faisait, ou aurait dû faire, largement nuit. «Quelle heure est-il, Yasmina? Il ne peut pas être déjà si tôt.»

«Le temps a peut-être ralenti, comme on dit à Zurich. Cette montre donne onze heures.»

«Mais regarde le ciel.» Ce dernier était assurément étrange. Aucune étoile ne brillait, la voûte céleste était d'une nuance sinistre, il régnait une luminosité proprement orageuse.

Cela dura un mois. Ceux qui avaient pris ça pour un signe cosmique rentraient la tête dans les épaules chaque soir, guettant des catastrophes toujours plus fantasques. D'autres, pour qui la couleur orange ne semblait guère d'essence apocalyptique, restaient dehors sur les bancs publics, lisant calmement, s'habituant à cette étrange pâleur. Les nuits passaient, rien ne se produisait. Le phénomène s'estompa lentement, le ciel retrouva sa teinte violet foncé, et chacun eut des difficultés à se rappeler l'euphorie initiale, cette sensation d'ouverture et de possibilités, cherchant de nouveau uniquement l'orgasme, l'hallucination, l'hébétude, le sommeil, afin de traverser la nuit pour affronter le jour.

Vers la fin du mois d'octobre, ce fut la panique quand l'Autriche annonça son intention d'annexer la Bosnie. Theign passa la tête par la porte, encore plus hagard que d'habitude.

«On a besoin de quelqu'un sur place», dit-il à Cyprian. «On va peut-être devoir faire sortir quelques gars.»

«Et vous avez aussitôt pensé à moi.»

«Pas mon premier choix, mais y a vraiment personne d'autre. Vous pouvez emmener le jeune Moistleigh si vous pensez avoir besoin d'un garde du corps.»

Bevis fut ravi de s'extraire du marasme souterrain de son bureau de cryptographie. «Oui ça me fera du bien de sortir un peu de ce stand de chamboule-tout.»

Il y avait une bouteille de šljivovica sur le bureau de Theign, mais il ne leur en proposa pas.

«C'est quoi ça?» demanda Cyprian.

«Une carte de l'Autriche-Hongrie.»

«Oh. On compte me fournir la loupe qui va avec?»

«C'est à quelle échelle?» marmonna Bevis.

Theign plissa les yeux pour lire la légende. «Apparemment, c'est du un cinquante millionième, si j'ai compté correctement les zéros.»

«Un peu trop petit pour moi», marmonna Cyprian.

«Pas du tout, idéal pour voyager, personne n'a franchement envie de se retrouver pris dans un vent de montagne avec d'immenses dépliants à un dixième.»

«Mais ce truc est trop petit pour que quiconque s'en serve. C'est un gadget.»

«Soit. Ce que je veux dire, c'est que ça convient parfaitement au ministère des Affaires étrangères. Il se trouve que c'est la carte dont ils se servent. Des décisions de la plus haute gravité, des destins d'empires comme le nôtre, tout ça sur la base de l'édition qui est devant vous, Major B.F. Vumb, Ingénieurs royaux, 1901.»

« Ça doit certainement expliquer pas mal de choses sur ledit ministère », dit Cyprian en fixant la carte d'un air absent. « Regardez, Vienne et Sarajevo sont à moins de deux centimètres d'écart, il n'y a même pas assez de place pour leurs noms, y a juste écrit "V" et "S". »

« Exactement. Ça remet littéralement tout dans une *perspective différente*, n'est-ce pas… quasi divine pourrait-on dire. »

Le ton qu'employa Theign, l'expression sur son visage inquiétèrent Bevis.

« Du Theign tout craché », l'assura Cyprian plus tard.

« Non, non, il s'en fiche, pourtant ça saute aux yeux, aucun de ces détails ne l'intéresse, même pas la carte, il sait que nous ne vivrons pas assez longtemps pour nous en servir… »

Yasmina arriva un matin à la boutique de Mariahilfe Straße et trouva la porte fermée, condamnée en fait par une chaîne, avec un avis municipal de confiscation collé sur les vitres qui n'étaient pas encore brisées. Quand elle revint chez elle, sa logeuse – qui évita de la regarder dans les yeux – lui demanda ses papiers d'identité, prétendant ignorer qui elle était.

« Frau Keuler, que se passe-t-il ? »

« Je ne sais pas comment vous avez fait pour vous procurer les clés de cette maison, mais vous allez me les remettre immédiatement. »

« C'est vous qui me les avez données – on se voit tous les jours, j'ai toujours payé le loyer dans les temps, qu'est-ce qui ne va pas ? »

« Si ce sont là vos affaires, je veux que vous les preniez et partiez d'ici le plus rapidement possible. »

« Mais — »

« Dois-je appeler la police ? *Judensau*. Vous êtes tous les mêmes. »

Truie juive ? Pendant une minute, elle fut trop abasourdie pour comprendre. Vienne avait toujours été antisémite, bien sûr, d'un bout à l'autre, la ville intérieure, le Ring, même les bois de Vienne, et ce depuis 1897, officiellement, du temps du parti des « Socialistes chrétiens » dirigé par le Dr Karl Lueger, bourgmestre ardemment antisémite. L'année précédente, lors des élections nationales, le parti avait également triplé ses adhérents dans le Reichsrat. Elle n'avait eu aucune raison d'y prêter attention avant ce jour – c'était l'air que les gens respiraient dans cet endroit, atteignant un degré d'abstraction où le sang réel n'était plus d'actualité. « *Wer Jude ist, bestimme ich* », comme aimait à le dire *der schöne* Karl – « c'est moi qui décide qui est juif. » La haine des Juifs était parfois presque accessoire. L'antisémitisme moderne n'était plus une affaire de sentiments, c'était devenu une source d'énergie, une énergie sombre et terrible sur laquelle on pouvait se connecter comme sur un conducteur principal dans des buts particuliers, un moyen de faire carrière en politique, un facteur dans l'ergotage parlementaire sur les budgets, les impôts, les armements, n'importe quel sujet, une arme pour décrocher un contrat convoité par un rival économique. Ou, dans le cas de Yasmina, une simple méthode pour chasser quelqu'un de la ville.

Cyprian ne prit pas la chose de façon aussi décontractée. « Bon. C'est dangereux pour toi ici maintenant. Ça l'est depuis un bout de temps, en fait. Des types dangereux au pouvoir. »

« Qui ? Pas ce brave vieux monsieur. »

« Pas les Habsbourg, non. Des prussophiles, c'est plutôt à eux que je pensais. Des affamés de pouvoir. Ils veulent présider sur la fin du monde. Mais tu dois maintenant vraiment te rendre à Trieste. »

Elle éclata de rire. « Bonne idée. Ici, ils l'appellent la ville juive. »

« Oh, à Vienne », répondit Cyprian, « ils croient que Shanghai est une ville juive. »

« Eh bien, en fait… » commença-t-elle.

La crise de l'annexion avait mis tout le monde en branle – même Ratty McHugh dont l'existence, comme celle de tout un chacun, était ces jours-ci de plus en plus conditionnée par les horaires de trains, fut expulsé de Vienne et retrouva Cyprian à Graz, dans le jardin de l'Hôtel Elefant.

« Désolé de ne pas pouvoir faire grand-chose pour l'instant, ce panier de crabes bosnien, tout ça. »

« Avec Theign qui te cherche à toi aussi des ennuis, ça ne m'étonne pas. »

Ils fumaient tous les deux, et le halo qui s'installait entre eux créait une sorte d'atmosphère de sympathie que chacun était disposé à accepter sans hésiter. « Certains de mes collègues », admit Ratty, « le verraient vite dans un autre corps de métier. Bien trop copain avec la Ballhausplatz, d'une part. Bon, des intérêts anglo-Habsbourg communs, au premier plan la Macédoine, se répète-t-on, non sans quelque nostalgie maintenant. Mais il a des ressources, il est dangereux, et il y a une chance sur deux à ce stade pour qu'on puisse le contrôler. »

« On ne pourrait pas juste le zigouiller. »

« Oh mon Dieu. »

« Juste une petite plaisanterie, Ratty. Pas facile pour toi, je m'en rends bien compte, ces crises interminables. »

Ils étaient sortis du jardin et traversaient le pont en direction du Murgasse, où se trouvait un restaurant automatique.

« La Péninsule balkanique est le réfectoire de l'Europe », grommela Ratty, « dangereusement bondée, éternellement affamée, empoisonnée par les antagonismes. Un paradis pour les trafiquants d'armes, et le désespoir des bureaucrates. J'aimerais m'occuper des affaires chinoises. Mais tu meurs d'envie d'être affranchi, je vois ça.

« Voilà. La Bosnie connaît la présence turque depuis près de cinq cents ans. C'est un pays musulman, en fait une province turque. C'était une escale pour les Turcs qui se rendaient au siège de Vienne, et bien sûr Vienne ne l'a jamais oublié. Il y a trente ans, l'Autriche a finalement pris sa revanche. Le célèbre article 25 du traité de Berlin a repris la Bosnie à la Turquie et l'a mise sous "protection" autrichienne. Tout en autorisant les troupes autrichiennes à stationner à Novi Pazar, qui a été l'avancée la plus à l'ouest et au nord de la Turquie en Europe. Il était convenu qu'un jour l'Autriche se retirerait et que la Turquie se rétablirait, même si aucun des deux régimes n'a été très pressé que la chose se produise. Tout semblait stabilisé. Mais soudain, à Constantinople, on a vu arriver les jeunes-turcs avec leur révolution. Alors, qui sait ? Ils voudront peut-être que cet accord soit honoré ! Du coup, François-Joseph, sur l'insistance du vil Aerenthal, préfère devancer l'appel en parlant d'une "annexion" de la Bosnie à la Monarchie duelle. Il est peu probable que la Serbie laisse passer ce genre de choses, et la Russie doit soutenir la Serbie, tout comme l'Allemagne doit honorer ses promesses envers l'Autriche, et cætera, et cætera, à trois temps, jusqu'à une guerre européenne générale. »

« Mais », Cyprian clignant poliment des yeux, « se peut-il qu'ils soient à ce point obtus à Vienne ? Je les ai toujours trouvés très ponctuels, les idées claires, comme si, disons, ils comprenaient les choses. »

« Mon Dieu. » Ratty examina Cyprian avec inquiétude. « On a vraiment le sentiment que l'Empereur et le Sultan voient en la Russie un ennemi commun. Aucun de ces messieurs ne me parle, alors comment le saurais-je ? L'Autriche a accepté de dédommager la Turquie pour lui avoir pris la Bosnie – et en outre, de façon assez inexplicable, de retirer ses troupes de Novi Pazar, la restituant ainsi effectivement aux Turcs et renonçant à leur vieux rêve d'une liaison ferroviaire entre Sarajevo et Mitrovitsa, et du coup à la mer Égée. Mais quel que soit "vraiment" le sens de cette manœuvre, une certaine conception autrichienne du pot-de-vin, ils ont quand même annexé la Bosnie. Cet acte fatal, ainsi que les mesures prises par l'Allemagne pour le soutenir, marque la fin des choses telles qu'elles étaient. Isvolsky et Grey veulent une conférence.

Les Dardanelles sont entrées en jeu, et nous devons également prendre en compte la Bulgarie… Le traité de Berlin n'est peut-être pas mort, mais ne survit qu'à certaines conditions, de toute évidence une sorte de zombie, qui arpente les couloirs de l'Europe et obéit à ses maîtres. Des paris, souvent importants, sont lancés un peu partout dans la communauté diplomatique. Il existe des cagnottes sur l'Apocalypse européenne chez les fonctionnaires concernés, quant à la date d'une mobilisation générale. Cette année, l'année d'après, bientôt. C'est à présent inéluctable. »

Ratty l'observait maintenant avec une expression presque implorante, tel un converti à une région extérieure à la foi qui n'est pas sûr que ses amis comprendront. « Ils ne te disent jamais rien, en fait. Comment le pourraient-ils ? Le Pr Renfrew a pu entretenir les soupçons. En théorie. Transmis ce qu'il croyait savoir. Mais une fois que tu es ici, Cyps, en plein potage, il s'agit de trouver tout seul la sortie – ou pas, comme ça risque d'être le cas. C'est comme d'augmenter la puissance des lampes un moment, le temps suffisant pour voir à quel point ce qui se joue est effrayant… les dimensions du possible ici… »

Cyprian plissa les yeux. « Ratty ? »

« On m'a dit où ils t'envoyaient, et quelles étaient tes instructions. J'interviendrais, si je le pouvais. »

Cyprian haussa les épaules. « Je suis bien sûr un élément important, mais ce qui m'inquiète surtout c'est : qui va s'occuper de Yasmina ? Ses amis, autant que je le sache, ne sont pas ses amis. Je me demandais plutôt si un gars à toi —»

« Bien sûr. Mais, Cyps, par ici – ça va être dangereux. » Ratty avait le regard fixe, un regard plein de pluie dans des cours intérieures, de fumée de pipe le long du fleuve, d'aubes altérant les ardoises des toits derrière les fenêtres, de pintes et de bouteilles, de courses de chevaux gagnées et perdues, de moments de compréhension splendides, presque à portée, avalés par la nuit.

« C'est dangereux *par ici*. Regarde ces gens » – désignant d'un bref mouvement de sa main gantée un groupe de villageois autrichiens. Fronçant les sourcils, secouant la tête. « Ou était-ce quelque chose en particulier ? »

« Theign, je suppose. »

« Oui. Nuages à l'horizon, comme l'annoncent les horoscopes. Je me disais en fait que j'allais peut-être emmener Yasmina à Trieste. »

« Nous avons un ou deux excellents éléments là-bas. Et il y a ton confrère, le Néo-Uskok, Vlado Clissan, aussi. »

« Nous avons déjà pris contact. On peut compter sur Vlado. »

« Il n'aime guère Theign. »

« J'allais le dire. »

Ratty posa brièvement sa main sur l'épaule de Cyprian. « Je t'ai toujours causé plus d'ennuis que je ne devrais, chaque fois qu'il a été question de Yasmina. Tu comprends, j'espère, que c'était ma façon juvénile de te taquiner. »

Penchant la tête : « Et ma façon juvénile, à moi, d'être amoureux. Je ne crois pas que je le sois encore, Ratty, mais je dois m'assurer qu'elle ne court aucun risque. Je sais que tu dois me trouver casse-pieds — ce n'est pas vraiment ton domaine ici — et je te remercie. »

« En des temps plus calmes — »

« Nous n'aurions pas la Blutwurst Spéciale », hochant la tête en direction d'un plat derrière les compartiments en acier chromé et verre au plomb de l'Automatik. « Une réaction évidente à une crise profonde. »

« Hmm. Toujours préféré les bonnes vieilles saucisses en croûte anglaises. »

Quittant la Südbahn, Yasmina se retourna pour contempler les convergences de métal et les lampes de signalisation qui s'estompaient. Métaphore extérieure et visible, pensa-t-elle, pour l'ensemble des « libres choix » qui définissent le cours d'une vie humaine. Un nouvel embranchement toutes les cinq secondes, sur lequel on passait parfois invisiblement et irrévocablement. Du train, on peut regarder d'où on vient, et voir tout s'éloigner, brillant, comme de toute éternité.

Le passé avalait une à une les gares. Le tunnel du Semmering, la vallée de la Mur, les châteaux en ruine, la soudaine compagnie ambulante des accros aux cures, les nuances infectes des modes de villégiature, l'inévitabilité de Graz. Le train s'engagea sur la plaine slavonne, s'enfonça à nouveau dans les collines, quelques tunnels, puis Ljubljana, la lande à traverser, jusque dans le Karst, un premier aperçu de la mer, avant de redescendre enfin la via Općina jusqu'à la gare du sud de Trieste. Onze heures et demie en tout, un voyage entre deux mondes.

Cyprian avait réservé à Yasmina une chambre dans une *pensione* de la vieille ville, juste derrière la Piazza Grande. C'était assez proche de la Piazza Cavana pour qu'on la prenne de temps en temps pour une des belles noctambules qui travaillaient dans le coin. Elle se lia bientôt d'amitié avec certaines de ces lucioles industrieuses. Cyprian nota un niveau de prudence névropathique en allant et en revenant de leurs entrevues. Theign lui-même avait largement renoncé à Venise pour

Vienne ces temps-ci, mais il devait y avoir dans le coin plusieurs de ses créatures.

Quant à espérer la moindre assistance de la part de Theign, Yasmina ne devait même pas compter dessus. «Non non, Latewood, mon cher ami, ça n'est pas possible» – choisissant un moment suffisamment près du départ de Cyprian pour que l'insulte s'affiche clairement, la voix traînante de Theign de plus en plus insupportable à mesure qu'il parlait – «n'est-ce pas? Oui votre petite amie semble-t-il est une personne qui intéresse l'Okhrana, or en ce moment il convient d'être particulièrement plein d'égards envers l'Okhrana, avec l'Entente anglo-russe encore toute fraîche, si terriblement sensible, oui nous devons tous soutenir le ministère des Affaires étrangères, mettre de côté nos petits rêves et nos souhaits personnels sans importance, n'est-ce pas?»

Cyprian ne fut pas complètement pris au dépourvu. «Nous avions un accord», fit-il remarquer assez calmement, «et si ça se trouve, vous êtes un agent double autrichien, un méprisable tas de merde.» Theign lui expédia une gifle virile, que Cyprian esquiva aisément – plutôt que d'être défié, Theign préféra se tourner en ridicule et le pourchassa d'une pièce à l'autre puis bientôt dans la rue en hurlant des menaces physiques, mais Cyprian était décidé aujourd'hui à ne pas recevoir de coups, et Derrick renonça finalement à la poursuite. Il y avait d'autres façons de passer son temps.

«Je suppose», lui lança enfin Theign, «que vous souhaitez être libéré de l'accord.»

«Non.» Désireux bien sûr d'abandonner ce projet corrompu, qui était immanquablement plus dangereux qu'il ne saurait jamais l'estimer ou l'anticiper. Il devait faire avec – mais pourquoi, bon Dieu? Quand il en discuterait plus tard à Vienne avec Max Khäutsch, Theign serait également incapable de réprimer un haussement d'épaules méprisant, un tic physique récurrent, échappant à son contrôle – «Ce type a toujours été dingue. Soit il sait ce qui l'attend là-bas soit il n'en a aucune idée, mais dans les deux cas il va y aller.»

«Peut-être», spéculerait alors Khäutsch en adoptant cette étrange voix feutrée qu'il réservait aux conversations d'ordre professionnel, «est-il fatigué et souhaite en finir. N'y parvient pas vraiment lui-même et veut qu'on s'en charge.»

Cyprian et Theign restaient sur leurs gardes, chacun à une extrémité de l'appartement vénitien. «Comme vous voudrez!» lança enfin Theign, qui s'en alla prendre le train qui le conduirait à Vienne, où récemment, et c'était là un secret de polichinelle, il passait de plus en plus de temps. Dans des circonstances ordinaires, cette nouvelle aurait suffi à elle seule à plonger l'âme de Cyprian, déjà aussi fragile qu'une robe de soirée Fortuny, dans un abîme de panique. Mais alors que son propre train s'engageait sur le pont de Mestre, à destination de Trieste, il ne pensait plus qu'à Yasmina, redoutant ce qu'il allait devoir lui dire, se demandant quel recours il pouvait encore y avoir pour des gens comme eux dans l'orage qui se préparait, un orage si généralisé que cette fois-ci même Theign ne serait peut-être pas en mesure d'en réchapper.

« Pas franchement la nouvelle la plus gaie que je pouvais t'apporter. »

Elle haussa les épaules. Elle portait aujourd'hui un corset et un chapeau à plume foncé, semblait plus grande de trente centimètres, et s'exprimait à une cadence mesurée qui allait à contre-courant des rythmes trépidants et caféinés de Trieste. Il se rappela qu'elle n'avait guère besoin qu'on la protège. Ils étaient bien loin de Cloisters Court et de la chapelle crépusculaire de King's College. « Et quelles chances ai-je de tomber sur ce Theign ? »

« Je ne lui ai pas dit que tu étais ici. Ça ne signifie pas pour autant qu'il n'est pas au courant, bien sûr. »

« Tu crois — »

Elle s'interrompit, mais il avait entendu la partie silencieuse de sa question. « Tes ennuis à Vienne ? Je ne le sous-estimerais pas. »

Elle le regardait bizarrement. « Vous avez été proches tous les deux. Mais — »

« Est-il l'homme de ma vie ? Yasmina… C'est *toi* l'amour de ma vie. » Mais qu'est-ce qu'il venait de dire ?

Elle ne releva pas. « Oui mais tu continues à faire tout ce qu'il te demande. Et maintenant tu t'en vas là-bas à sa requête. »

« "Et l'Angleterre est loin" », cita-t-il, pas vraiment en réponse, « "et l'honneur n'est qu'un mot". »

« Pourquoi citer Newbolt ? Ce n'est pas de cricket qu'il s'agit. Vous passez tous votre temps à parler d'honneur. C'est lié au fait que vous avez un pénis ou quoi ? »

« J'aurais dû m'y attendre. » Mais il lui avait jeté un rapide regard auquel elle savait qu'elle ne devait pas réagir.

« Et s'il t'envoie dans un piège ? »

« Trop compliqué pour Theign. Il préférerait recourir à un surineur. »

« Que vais-je faire alors à Trieste ? Dans cette ville juive ? Pendant que j'attends le retour de mon homme ? »

Naguère, il aurait répondu du tac au tac, et l'expression «tâche ingrate» aurait été presque certainement utilisée par l'un d'eux. Au contraire, ces derniers temps, il éprouvait une fascination perverse pour la patience, non pas tant comme vertu mais plus comme un hobby exigeant de la discipline, tels les échecs ou l'escalade. Il sourit aussi platement qu'il savait le faire. «Qu'est-ce qu'ils préconisent à Chunxton Crescent?»

«Ils sont restés étrangement silencieux.»

Ce fut pendant un moment comme s'ils se regardaient depuis les bords opposés d'un vaste gouffre. Il s'émerveilla devant l'aisance avec laquelle elle pouvait laisser l'espoir s'envoler.

«Je vais te mettre en rapport avec Vlado Clissan. Il devrait pouvoir tenir à distance les enquiquineurs ordinaires.»

«Quand reviendras-tu de ta mission secrète?»

«C'est un voyage tout ce qu'il y a de plus simple, Yasmina, je vais de l'autre côté des montagnes puis je reviens, ça ne devrait pas être long… Côté argent comment fais-tu?»

«Je suis une aventurière, l'argent n'est jamais un problème, même quand je n'en ai pas. C'est quoi cet air? Il n'est pas question d'honneur ici.»

Ils se retrouvèrent au Caffè degli Specchi et cette fois-ci elle était toute de blanc vêtue, comme par défi, depuis ses bottes en chevreau, qu'il dut faire un effort pour s'empêcher de fixer, jusqu'à son chapeau en velours drapé surmonté d'une aigrette blanche, même si l'année s'assombrissait et devenait glaciale, et que les dames à la mode de la Piazza Grande la regardaient avec mépris. «Je ne te remercierai pour rien», le prévint-elle.

«J'espère bien.» Il regarda le ciel couvert, l'indifférence commerçante qui se déployait alentour, avec ou sans eux. Les tramways électriques traversaient bruyamment la Piazza, en direction de la gare ou d'une des *Rive*. Des livreurs poussaient des barils de grains de café sur des planches inclinées et sur les pavés ronds des rues. La ville sentait exagérément le café. Les piétons semblaient tous habillés pour quelque occasion formelle, voire cérémonielle. Des sifflets de bateaux résonnaient dans la baie. Voiliers et vapeurs allaient et venaient en glissant. Des militaires de tous grades se promenaient, se pavanaient, distribuant œillades et regards noirs.

Ils allumèrent une cigarette et s'assirent devant des petites tasses à moka. «Voici à quoi je t'ai livrée», désignant le spectacle autour d'eux. «Je mérite tes insultes, pas ta gratitude.»

«C'est charmant. Et où pourrais-je être, sinon? Si je rentrais maintenant, en Angleterre, qu'est-ce qui m'attendrait là-bas? À Chunxton Crescent, on considère, pour une obscure raison, que j'ai échoué. Je ne comprendrai jamais les motivations des S.O.T., leur politique change d'un jour à l'autre, ils m'aideront ou ne m'aideront pas, et ils ont peut-être décidé, alors même que nous parlons, de me jouer un sale tour.»

«Mais ce sont les Limbes, ici. Bon, je sais qu'on distingue deux sortes de limbes, celles —»

Elle feignit de le transpercer avec son ombrelle. «Si les Limbes sont les faubourgs des Enfers, alors peut-être est-ce exactement l'endroit qu'il me faut. À distance équipollente entre les flammes et l'obscurité extérieure. En attendant un autre présage, en tout cas.»

«C'est ce qui est arrivé à Vienne? Un présage?» Il cligna des yeux. Il n'avait pas pleuré depuis le soir où il s'était soûlé à Vienne après avoir surpris Derrick Theign dans les bras d'une misérable petite *Strichmädchen* à cinq kroner qui, de l'avis de son amant, était juste une de ses collègues. Il avait alors décidé de considérer les larmes comme une indulgence improductive et d'y renoncer. Mais aujourd'hui, face à cette gaieté sophistiquée, il courait le risque de régresser. Il trouva et chaussa une paire de lunettes sport à verres bleus.

«Je vais très bien m'en sortir», lui assura-t-elle. «Et fais de même, d'accord? Ou tu me contrarierais.»

Un marin de la Lloyd autrichienne, plutôt bien mis, comme dut le reconnaître Cyprian, se fraya alors un chemin entre les *caffès* de la Piazza, en brandissant une cloche de bateau qu'il frappa avec un petit marteau, non sans une certaine emphase dans le geste. Les passagers rassemblèrent leurs affaires et commencèrent à se diriger vers le Molo San Carlo. Cyprian sentit dans sa gorge une saleté de contraction. «Tu n'es pas obligée d'attendre que je sois parti», dit-il d'une voix étranglée.

Un sourire, lèvres serrées. «J'ai rien prévu de spécial, aujourd'hui.»

La fanfare militaire ne facilita pas les choses. Ayant décelé une masse de voyageurs anglais plus importante que d'habitude, et guettant avec une sorte de lucidité infernale que Cyprian se fût ressaisi, alors même qu'il se tournait vers Yasmina pour lui lancer un pétulant *arrivederci*, la fanfare se mit à jouer un arrangement pour cuivres de «Nemrod» – quoi d'autre? – extrait des *Enigma Variations* d'Elgar. En dépit de la brusquerie teutonne, dès le premier accord en septième majeur, une hésitation tonale chez les trompettes apporta une touche d'innocence involontaire, et Cyprian sentit s'ouvrir résolument le robinet lacrymal. Il était difficile de dire ce que pensait Yasmina alors qu'elle tendait les lèvres. Il se concentra pour ne pas mouiller son plastron. La musique les recouvrit un instant de son enveloppe automnale, assourdissant les bavardages des touristes, les cornes des vapeurs et l'agitation des quais, dans une expression d'amitié et d'adieu aussi honnête que n'en avait jamais été capable le cœur victorien, jusqu'à ce qu'enfin l'orchestre ait la bonté de passer à *La Pie voleuse*. Ce n'est que quand Yasmina hocha la tête et se recula que Cyprian s'aperçut qu'ils s'étaient étreints. «Bah, je n'ai jamais compris où était le grand mystère», dit-elle en haussant les épaules, «c'est juste *Les Bateliers de la Volga*, après tout.»

«Non. Non, j'ai toujours cru que c'était *Ce n'est qu'un au revoir.*»

«Oh mais de grâce, ne nous querellons pas, Gonzalo.»

«Mais bien sûr que non, Millicent», pépia-t-il, exposant les dents et plissant le front.

«Envoie-moi une carte, surtout n'oublie pas!»

«Dès que la chose sera possible!» Ajoutant, pour une raison inconnue, à mi-voix: «Ma vie.»

Après qu'il eut disparu derrière la digue, Yasmina se promena sur la Riva Carciotti, se trouva un coin tranquille, alluma une cigarette et se prélassa un moment, en regardant d'un air absent la scène changeante, un sourire aux lèvres. Une chatte la suivit jusqu'à sa chambre et refusa de partir. Elle la baptisa Cyprienne, et très vite elles devinrent amies.

Un jour Yasmina, prise en pleine bora, le temps d'un Δt fortifiant, retomba dans sa vieille zêtamanie. Elle se rappela que Littlewood, après s'être colleté avec un lemme rétif au cours d'un hiver à Davos, pendant des semaines de fœhn – l'inverse de la bora, un vent si sec et si chaud que dans certains coins des Alpes suisses on l'appelait «*sirocco*» –, avait raconté comment, quand le vent s'apaisa le temps d'une journée, la solution lui était apparue comme par enchantement. Et certainement parce que la bora, qu'on appelle dans ces régions «le vent des morts», descendant du Karst, et soufflant sans interruption pendant assez long-temps, aura également – moyennant les changements de signes requis – un effet sur l'esprit mathématique, tandis que les lobes cervicaux correspondant à ce genre de choses commençaient à se détendre, et que des pensées étranges, voire contraires à l'intuition, surgissaient d'un autre endroit co-conscient avec le quotidien, il se produisit alors quelque chose de semblable chez Yasmina. Pendant un court instant, tout devint clair, sans la moindre équivoque, aussi évidente que la Formule de Ramanujan – non, car la Formule de Ramanujan n'en était qu'un *exemple particulier* – et elle sut pourquoi Riemann aurait dû avancer l'hypothèse d'*un demi* comme partie véritable de chaque ζ (0), pourquoi il avait eu besoin de le faire, précisément à ce stade de sa réflexion… Elle fut happée par son passé, hanta son moi ancien, au point de presque le toucher – puis bien sûr il disparut à nouveau et elle fut préoccupée, de façon plus immédiate, par la perte de son chapeau, qui s'envola pour en rejoindre des centaines d'autres en migration vers un climat moins septentrional, un repaire tropical pour chapeaux où ils pourraient mettre à profit des semaines de *dolce farniente* pour se laisser pousser de nouvelles plumes, laisser leurs couleurs passer ou acquérir de nouvelles nuances, s'allonger et rêver de têtes que le Festin leur réservait… Sans parler de la nécessité d'empêcher son manteau de devenir une sorte d'*anti-parachute* cherchant à la soulever de la chaussée. Elle resta là, incrédule, ses cheveux se détachant progressivement et s'enflammant en une aurore sombre et humide, un sourire moins perplexe qu'agacé face au vent adriatique, qui pendant un moment, grâce à cette facétieuse conjecture, l'avait littéralement ravie, l'entraînant dans on ne sait quelle pénombre, et elle s'imagina visitant cette côte pour son vent, comme un touriste d'un autre genre rechercherait une source miraculeuse, garante d'éternelle jeunesse.

Et bien sûr ce fut à cet instant même qu'elle rencontra Vlado Clissan, qui cherchait à s'abriter en titubant dans la même entrée. La bora, comme collaborant, releva sans prévenir ses jupes et ses jupons sur son visage, la faisant ressembler à une déesse antique arrivant dans un nuage de crêpe lisse, sur quoi une des mains de Vlado l'agrippa, entre ses jambes dénudées, lesquelles s'entrouvrirent davantage par réflexe, une jambe se soulevant, glissant vers le haut le long de sa hanche pour l'enserrer fermement tandis qu'elle s'efforçait de rester en équilibre sur un seul pied dans le vent infernal. Ses cheveux, désormais en bataille, cinglaient le visage de Vlado, dont le pénis s'était retrouvé exposé en pleine pluie, tout ça semblait irréel, elle ne voyait son visage que par intermittence, son sourire aussi féroce que la tempête, il déchira la délicate batiste de ses culottes, elle éprouva chaque seconde fractionnée lorsqu'il la pénétra, son clitoris fut sollicité d'une façon inhabituelle, sans brusquerie, en fait de manière très attentionnée, peut-être était-ce l'angle… Mais comment pouvait-elle penser à la géométrie…? Pourtant, si elle ne se raccrochait pas à ça, où seraient-ils emportés? En pleine mer. Au-dessus de la ville et du Karst immémorial. Au fin fond du Karst, vers les grilles d'un vignoble et d'une *osmizza* où l'on servait des repas et du vin, avec les lumières de Trieste en contrebas, un vin datant d'avant l'Illyrie, sans nom, fini au vent, éthéréen par son absence de couleur? Et parce que ici sur cette côte le vin avait toujours été plus que le vin, de même que la politique n'était pas juste la politique – il existait encore ici des nuances inédites de rédemption, de temps inversé, d'entremise inattendue.

« Je vous cherchais là-bas. Latewood m'a donné votre adresse. »

« Il m'a dit que vous... » Ses ressources en matière de conversation vacillèrent. Avait-elle jamais eu autant envie de plonger son regard dans les yeux d'un homme ? Que se passait-il ? Vlado n'était pas, elle devait être franche avec elle-même, n'était en aucune manière un substitut de Cyprian, un parti désespéré qu'elle avait pris parce qu'il n'était plus là, en dépit de tous ses efforts pour le persuader de rester...

Ce n'était pas exactement un palace, et elle ne dormait pas franchement très bien. L'endroit paraissait cerné par les lignes de tramway, et le bruit était, eh bien, pas vraiment incessant – il y avait des plages de silence entre les trams, imprévisibles, même, supputa-t-elle, de façon mathématique. Mais c'était la métropole du café de l'Empire autrichien ici, sinon du Monde, et elle n'était jamais à plus d'un demi-pâté de maisons du fluide anti-soporifique, aussi était-elle capable de tenir toute la journée ou presque sans sombrer fâcheusement dans la somnolence, disons alors qu'elle s'efforçait d'éviter ce qu'elle imaginait être, dans son état d'insomnie et de paranoïa, une poursuite.

Vlado, qui n'arrêtait pas de quitter la ville sans prévenir, ne venait la voir, semblait-il, que quand il la désirait, c'est-à-dire souvent. Comment une femme n'aurait-elle pas été flattée ? Visiblement, ce n'était pas aussi simple que du désir, non, mais ce n'était pas non plus ce protocole minutieux de la courtoisie qui exige des rendez-vous par avance. Elle avait appris à reconnaître son pas sur les marches nues – parmi la cavalcade tonitruante des marins, l'avancée impérieuse des marchands, le tempo cadencé des militaires autrichiens, chacun insistant sur sa primauté, les pas de Vlado étaient caractéristiques, le délicat crescendo d'une approche néanmoins ardente.

Elle en avait entendu assez derrière les murs pour savoir à présent que, quand on a un orgasme en croate, il convient de crier « *Svr šavam !* », même si elle ne pensait pas toujours à le faire, sa mémoire ayant été, pendant l'Événement, suspendue.

Vlado conservait une adresse à Venise, un deux-pièces à Cannaregio, dans le vieux ghetto, niché au milieu de Juifs qu'on repoussait sans cesse dans les étages supérieurs, vers le ciel... et quasi impossible à localiser. C'est pourtant là où elle se rendait de plus en plus. Je deviens juive, pensa-t-elle, tout cet antisémitisme viennois fait surgir ce qu'il déteste le plus, comme c'est bizarre… «Je ne sais pas. Je m'attendais à des chevaux, un enlèvement dans le Velebit, des loups la nuit.»

Il feignit de réfléchir. «Ça te dérangerait si je réglais quelques affaires pendant qu'on est ici? Et si on allait voir les monuments de Venise bien sûr, une balade en gondole, un dîner chez Florian, ce genre de choses? Pour les loups, on devrait pouvoir arranger ça, j'en suis sûr.»

Ils prirent un jour le train pour Fiume puis montèrent à bord du petit steamer postal pour Senj, avec une dizaine de touristes allemands et un troupeau de chèvres. «Faut que tu voies ça», dit-il. Il voulait dire «c'est ce que je suis», mais elle ne le comprit que bien trop tard. Finalement, l'étroit passage entre l'île de Veglia et le continent déboucha sur le canal de Morlacca, et deux heures plus tard ils arrivaient à Senj, affrontant une féroce bora qui s'engouffrait par une faille dans le Velebit. C'était comme si la mer refusait de les laisser entrer. Ici, lui expliqua Vlado, la mer, les courants et le vent formaient une entité aux intentions particulières. Qui portait un nom qu'on ne prononçait jamais. Les caboteurs évoquaient des vagues individuelles, dotées de visages, et de voix, qui persistaient pendant des jours, au lieu de se fondre dans la houle générale.

«Des vagues stationnaires?» spécula-t-elle.

«Des sentinelles», répondit Vlado.

«Comment allons-nous entrer dans le port?»

«Le capitaine est un des Novlians, une vieille famille uskok. C'est dans son sang. Il sait négocier avec elles.»

Elle regarda la ville à flanc de colline, les maisons pastel, les clochers, un château en ruine au sommet. Les cloches se mirent toutes à sonner en même temps. La bora emporta les sons jusqu'au vapeur. «Chaque campanile de Senj est accordé selon un mode ecclésiastique différent», dit Vlado. «Écoute les dissonances.» Yasmina les entendit se déplacer à travers le champ de tons métalliques tels de lents battements d'ailes… et à la base, la pulsation hors la loi de la mer.

Sur terre, on aurait dit que tout l'arrière-pays uskok, non seulement dans l'espace géographique mais également dans une contrée retirée du temps, était venu s'entasser en ville comme attiré par une foire ou un marché. Les vieilles rivalités entre Turquie et Autriche, même Venise planant comme toujours de façon énigmatique, étaient encore vivaces, car la Péninsule n'avait pas cessé d'être le mélange de religions et de langues qu'elle avait toujours été, l'Adriatique était toujours le champ fertile où les navires marchands tombaient entre les griffes des pirates qui s'embusquaient dans ces dédales d'îles qui avaient tant déconcerté les Argonautes avant même que l'histoire commence.

«Jusqu'au début du seizième siècle, nous vivions de l'autre côté des montagnes. Puis les Turcs nous ont envahis et chassés de nos terres. Nous avons franchi la chaîne du Velebit et sommes descendus jusqu'à la mer, en continuant de nous battre contre eux en chemin. Nous étions des guérilleros. L'empereur autrichien Ferdinand Ier nous a accordé une subvention annuelle. Notre grande forteresse était dans les terres, tout près de Split, à Klis, et c'est là d'où vient mon nom. Nous avons combattu les Turcs sur terre et nous les avons repoussés de l'autre côté du Velebit, mais nous avons également appris à les combattre sur mer. Nos bateaux étaient supérieurs, plus maniables, ils pouvaient aller dans des zones inaccessibles aux vaisseaux de tirage plus profond, et s'il nous fallait accoster, nous savions échouer et cachions nos embarcations en les coulant, nous faisions nos affaires, revenions, les remettions à flot et repartions. Nous avons défendu pendant des générations la Chrétienté, même quand Venise n'y parvenait pas. Et ce sont les Vénitiens qui nous ont trahis. Ils ont passé un marché avec les Turcs, garantissant leur sécurité dans l'Adriatique. Aussi avons-nous fait ce que n'importe qui aurait fait. Nous avons continué d'attaquer les bateaux, désormais les bateaux vénitiens aussi bien que ceux des Turcs. La plupart transportaient des cargaisons d'une richesse inattendue.»

«Vous étiez des pirates», dit-elle.

Vlado fit la grimace. «Nous essayons de ne pas employer ce terme. Tu connais la pièce de Shakespeare, *Le Marchand de Venise*? Elle est très populaire chez nous, d'un point de vue uskok bien sûr, on espère tous jusqu'à la fin qu'Antonio échouera.»

«Vous mangiez les cœurs des gens», dit-elle, «à ce qu'on raconte.»

«Moi, personnellement, non. Un cœur cru est un goût acquis, et à l'époque "uskok" avait fini par désigner les *mala vita* de toute l'Europe, y compris un certain nombre de célèbres Uskoks anglais, dont plusieurs ont été pendus à Venise en 1618, certains étant nobles.»

«Je connais des Anglais que ça impressionnerait», supposa Yasmina, «et d'autres verraient là-dedans de l'idiotie héréditaire.»

Ils étaient arrivés devant les ruines de l'ancienne forteresse. «Ce sont les Vénitiens qui ont fait ça. Ils ont pendu des Uskoks, coulé nos bateaux, détruit nos forteresses. Ont dispersé le reste d'entre nous, achevant ce que les Turcs avaient commencé. Dès lors, depuis quatre cents ans, nous avons été des exilés sur notre propre terre. Aucune raison d'aimer Venise, et cependant nous continuons de rêver d'elle, comme on dit que les

Allemands rêvent de Paris. Venise est la fiancée de la mer, que nous souhaitons ravir, adorer, dans l'espoir vain d'être un jour aimés en retour. Mais bien sûr elle ne nous aimera jamais. Nous sommes des pirates, n'est-ce pas, brutaux et simples, trop attachés aux apparences des choses, toujours étonnés quand le sang coule de la plaie de notre ennemi. Nous sommes incapables de concevoir un intérieur qui puisse être sa propre source, et cependant nous obéissons à ses exigences, arrivant par surprise d'un Lointain que nous ne pouvons imaginer, comme depuis l'une des rivières souterraines du Velebit, au fond de ce labyrinthe de cours d'eau, de lacs, de criques et de cataractes, chacun doté d'une histoire, parfois même plus ancienne que l'expédition des Argonautes – avant l'Histoire, avant même la possibilité d'une chronologie suivie – avant les cartes, car qu'est-ce qu'une carte dans ces obscurités souterraines, de quel pèlerinage peut-elle signaler les stations ? »

« Une série d'obstacles à braver », dit-elle. « Existe-t-il une autre sorte de voyage ? »

Ils passèrent la nuit à l'Hôtel Zagreb. Peu après le lever du soleil, Vlado disparut dans l'arrière-pays pour accomplir une de ses missions politiques. Elle prit un café et une palačinka puis erra dans les rues étroites de la ville, et, à midi, sur un coup de tête trop mystérieux pour qu'elle se l'explique, entra dans une petite église, s'agenouilla et pria pour qu'il n'arrive rien à Vlado.

Au crépuscule, elle était assise à une table en terrasse, et elle sut à la façon tranquille dont il traversa la petite place qu'il y avait eu dans sa journée un moment de distraction dont il ne lui parlerait pas. Dès qu'ils furent dans la chambre, il la saisit, la retourna, l'obligea à se mettre à quatre pattes, souleva sa robe, et la pénétra sauvagement par-derrière. Les yeux de Yasmina s'emplirent de larmes, et un grand désarroi érotique l'envahit tel un souffle interminable. Elle jouit avec cette intensité à laquelle elle s'était habituée avec Vlado, s'efforçant cette fois-ci de le faire en silence, de garder au moins ça pour elle, mais sans succès.

« Tu m'as dévoré le cœur ! » s'écria-t-elle.

En embarquant au Molo San Carlo à bord du *Jean d'Asie*, le vapeur express de la Lloyd autrichienne, Cyprian trouva les ponts grouillants de chasseurs de papillons, d'ornithologues, de veuves et de divorcées, de photographes, d'écolières accompagnées de chaperons, tous individus en lesquels il était possible de voir, sans pour autant trop solliciter les organes de l'imagination, des espions étrangers, l'Italie, la Serbie, la Turquie, la Russie et l'Angleterre ayant à cœur de savoir ce qui se tramait dans les installations autrichiennes de Pula et des bouches du Kotor, ainsi que sur tout le littoral quasi infini qui s'étendait entre les deux.

La haute et blanche silhouette de Yasmina, une ombrelle sur l'épaule, fantôme en plein soleil, se fondait déjà parmi la foule qui s'égaillait parmi les arbres, entre le quai et la Piazza Grande. Un jeune bouleau dans une forêt sombre. Mais il put encore distinguer son spectre bien après que ce dernier eut disparu derrière le phare et les digues.

S'il y a quelque chose de l'ordre de l'inéluctable quand on arrive par la mer, se dit-il, quand les possibilités à terre se réduisent progressivement pour finir par se résumer au seul quai de débarquement, il en va certainement de même pour le départ, mais inversement, car l'on ressent alors un *déni* de l'inéluctable, une ouverture à partir du point d'embarquement, qui commence au moment où les amarres sont dédoublées, un déploiement des destins tandis que l'inconnu et peut-être l'incréé surgissent devant et à l'arrière, à tribord et à bâbord, et ce même pour l'équipage qui a déjà fait des centaines de fois la manœuvre…

Il devait récupérer Bevis Moistleigh à Pula, la base navale autrichienne située à cinq heures au sud de la côte à la pointe de la Péninsule istrienne. Bevis s'était rendu là-bas sous prétexte de neurasthénie, et il était descendu dans un modeste hôtel à l'écart de la Via Arsenale.

Ils longèrent tranquillement la côte rouge et verte, et comme ils approchaient de Pula, un officier de marine apparut sur le pont pour expliquer aux touristes munis d'appareils photo qu'il était interdit désormais, pour des raisons militaires, de prendre des clichés. Cyprian remarqua une jeune créature alerte qui trottinait partout sur le bateau, dans une tenue transparente de matelote en batiste et dentelle, tête nue, charmant tous ceux qu'elle croisait, y compris lui-même. Il apprit bientôt qu'elle s'appelait Jacintha Drulov, que sa mère était anglaise et son père croate, tous deux aristocrates, tous deux malheureusement décédés quand elle était petite au cours d'accidents de golf distincts, et qu'elle était à présent sous la protection de la cousine de sa mère, Lady Quethlock, avec laquelle elle venait de visiter rapidement Venise avant de s'en retourner suivre les cours de l'Institut Zhenski Tzrnogorski à Cetinje. Dès que Cyprian put observer le chaperon et sa pupille ensemble, certains gestes entre elles, esquissés ou prolongés jusqu'au contact, ainsi que des tourments infligés en public, tous raffinés, le convainquirent qu'il était en présence d'une espionne et de son apprentie. Cela fut confirmé par une conversation à voix basse qu'il surprit entre deux individus en lesquels il avait déjà repéré des employés des Renseignements, du genre à considérer l'emploi d'une enfant nubile comme «agent de terrain» tout à fait inexcusable.

«Mais à quoi peut bien penser cette bonne femme?»

«La veinarde. Je sais, moi, à quoi je penserais.»

Quand Bevis Moistleigh monta à bord à Pula et aperçut Jacintha, il tomba immédiatement et publiquement amoureux. Cyprian fut vraiment heureux pour lui, bien sûr, la passion était si rare en ce bas monde, n'est-ce pas, oui – mais il décida de garder ses soupçons concernant la retorse rosière, en partie pour voir ce que Bevis découvrirait par lui-même.

Le *Jean d'Asie* louvoyait entre les îles habitées, variations sur le thème de Venise, aux dômes, villas et tombeaux arpégés le long du littoral croate, aux tours et aux campaniles blancs plus mystérieux, plus anciens, plus gris, édifiés dans l'attente d'une visitation ancienne qui n'était plus définissable, *d'étranges îlots miniatures* quasiment inconnus des cartographes, aux antiques structures trop petites pour le culte, la faction ou l'emprisonnement. Des poissons, connus par ici sous le nom d'«hirondelles de mer», rasaient les crêtes des vagues. Depuis le salon, où des aigles à deux têtes décoraient le mobilier, les tentures et le moindre élément en vue, Cyprian regardait passer le paysage, tandis que Bevis débitait un charabia qu'aucune fille, même en manque de compagnie, n'aurait pu supporter plus de dix secondes, mais dont Jacintha ne perdait étrangement pas une miette.

«Ainsi que la chose a été démontrée par de nombreuses personnes, en particulier je suppose par Baden-Powell, on ne saurait surestimer l'intérêt qu'il y a à végéter dans l'état d'idiotie. En fait, Jacintha, saviez-vous qu'il existe à présent une *branche entière* de l'espionnage appelé l'Idiotie appliquée – oui, dont fait partie ma propre école, une sorte de centre d'entraînement dirigé par les Services secrets, près de Chipping Sodbury en fait, l'Institut Impérial Innovant pour l'Instruction Intensive en Idiotie – ou M.6I., comme on l'appelle couramment. »

« Que tout cela est excitant, Bevis, comparé à la triste académie pour petites filles que je dois fréquenter, d'une normalité affligeante, si vous saviez. »

« Mais sachez, Jacintha, qu'au M.6I. aucun aspect de la vie scolaire n'était épargné, même la *nourriture* était idiote – dans le réfectoire par exemple ils allaient jusqu'à faire frire des aliments aussi bizarres que des bonbons au chocolat et des *muffins* —»

« Quoi ? Pas de poisson, Bevis ? »

« Grands dieux non, Jacintha, ça serait de la "nourriture intello", n'est-ce pas ? Et l'uniforme scolaire était constitué de ces *chapeaux pointus* affreusement étroits qu'on devait porter même – en fait, surtout – quand on dormait, avec des cravates effroyablement hideuses comme il n'y en aurait, dans le monde des civils, eh bien, que pour être portées par des idiots… L'entraînement physique commençait à l'aube par une série d'exercices de strabisme, d'amollissement des lèvres, de démarches irrégulières dans autant de variétés qu'il existe de pas de danse… »

« Autant que ça ? Vraiment ? » demanda Jacintha en battant des cils.

« Laissez-moi vous montrer. » Il fit signe à l'orchestre. « Dites, les gars, vous connaissez *L'Idiot* ? »

« Bien sûr ! » répondit l'accordéoniste. « Nous jouer *Idiot* ! Vous donner argent à nous ! »

Le petit orchestre se lança dans l'entraînant two-step qui faisait actuellement fureur en Europe, et Bevis, s'emparant de Jacintha, entreprit de tituber de façon très articulée dans le minuscule salon, tandis que la courageuse enfant faisait de son mieux pour suivre son exemple, tous deux en chantant :

> Avant on dansait
> Comme si on s'essuyait
> Les pieds, jusqu'à c'qu'on
> Découvre ce truc-là,
> Ce pas exotique, qu'on
> appelle *L'Idiot*…
> T'as rien sous le chignon ? De la bave sur le menton ?
> Alors t'as toutes tes chances

D'avoir les compétences,
Et même si ça a l'air ballot,
C'est juste *L'Idiot*!
Prends toutes ces

Valses et polkas,
Et balance-les aux rats,
Aujourd'hui y a un rythme à te fracasser le ciboulot
C'est la danse de l'Idiot,
Et c'est franchement hypnotique
Dans un genre rigolo-pathétique!
(Allez),

Essaie-la au moins une fois et tu verras
C'est fou ce que tu dérailleras,
On cause que de ça en ce moment,
C'est vraiment surprenant,
Et c'est tellement narcotique,
Si je puis dire, que tu danseras
L'Idiot jusqu'à ce qu'on – clic! –
T'enferme dans le cabanon!

«Et je dois dire, Jacintha, que les filles, dans les bals où nous étions obligés d'aller, n'étaient pas, *loin s'en faut*, aussi amusantes que vous. On ne peut plus sérieuses, en fait, obsédées en permanence par des pensées sinistres. Plus d'une, ma foi, finissait dans un établissement spécialisé…»

«Mon Dieu», gazouilla Jacintha, «comme c'est horrible pour vous, Bevis, visiblement vous vous êtes échappé, mais comment diable avez-vous fait?»

«Ah. Certains arrangements. Toujours possible entre gentilshommes, et ni vu ni connu.»

«Donc vous êtes toujours de la même…» – le léger accent étranger dont elle saupoudra ses voyelles produisit un effet avenant – «disposition virile?»

Bon, le fait que Bevis ait été pressenti pour l'instruction en idiotie n'avait pas été une décision aléatoire. Oh que non – il avait beau être un génie en crypto, dans les autres domaines de la vie l'idiotie lui était aussi naturelle que l'art du cricket à un autre. Une fille voyageant à bord d'un navire autrichien, fréquentant une école tsariste et accompagnée par une noble anglaise, pouvait bien entendu travailler pour n'importe quels services secrets – et, Entente ou pas, dans le climat présent d'annexion et de crise, Cyprian supposait que la diligence exigeait un certain degré d'intrusion.

Mais la jeune Jacintha avait apparemment de l'avance sur lui. Elle l'avait abordé et s'était mise à tirer sur sa cravate, non sans insistance.

«Venez, Cyprian, vous devez absolument danser avec moi.»

Personne ne se rappelait avoir jamais vu Cyprian danser. «Désolé… à moins d'une injonction du tribunal, en fait…» Jacintha, la tête penchée à un angle aguichant, le supplia comme s'il allait lui briser le cœur s'il ne bondissait pas immédiatement pour se ridiculiser devant tout le salon. «En outre», murmura-t-elle, «si médiocre que vous vous estimiez, vous ne pouvez qu'être meilleur que votre ami Bevis.»

«Vous qui le dites. Ces charmants petits pieds doivent être adorés, et non écrasés.»

«Nous y veillerons également en ce cas», avec un regard franc que l'expérience perfectionnerait sans nul doute au point que des hommes se proposeraient de la payer pour qu'elle prononce ces paroles – et Cyprian ne put alors s'empêcher de penser à Yasmina au cours d'une conversation similaire, même si la fidélité, si tant est qu'il s'agisse de cela, ne modéra guère l'érection qui semblait s'être emparée de lui. Jacintha considéra cette dernière avec un petit sourire digne d'un prédateur.

Pendant ce temps, sur le pont, Lady Quethlock était en pleine conversation avec deux autres espions qui se faisaient passer pour des idiots.

«Non, non», disait-elle, «pas de l'or, ni des pierres précieuses, ni du pétrole ou d'anciens artefacts, mais la source du fleuve le plus énigmatique au monde.»

«Quoi, le Nil? Mais —»

«L'Éridan, en fait.»

«Mais c'est le vieux Pô, non?»

«Si on en croit Virgile, qui est arrivé tardivement dans la partie – mais la géographie, malheureusement, ne le confirme pas. Si on remonte jusqu'à l'*Argo*, dans le récit que donne Apollonios de Rhodes de cet étrange passage transpéninsulaire allant de la mer Euxine à la Cronienne – les armées de Colchide à la fois poursuivies et poursuivantes, les complexités personnelles de Médée à prendre en compte, et cætera, les Argonautes s'engageant dans l'embouchure du Danube et remontant le fleuve, et émergeant non sans inquiétude, on l'imagine, dans l'Adriatique –, voilà qui reste sujet à controverse, sauf si, à un certain moment, on estime qu'ils empruntent un fleuve souterrain, très vraisemblablement le Timiz, lequel fleuve mène à la mer, et c'est là, à cette embouchure que, selon Apollonios, il y a tellement d'îlots que l'*Argo* peut à peine se frayer une voie entre eux. Le delta du Pô possède peu d'îles de ce genre, voire aucune, mais de ce côté-ci de l'Adriatique, là-bas en fait, juste à bâbord alors que nous parlons, c'est une autre histoire, n'est-ce pas?»

«Mais Virgile —»

«Confond le Pô avec le Timave, je crois.»

«Il s'agit donc là», désignant les rives qu'ils longeaient, «des îles Électrides de la légende.»

«C'est possible. J'ai bon espoir de résoudre la question.»

«Ah, voici la belle Jacintha.»

«Vous avez un moment, ma tante? J'ai besoin d'un conseil.»

«Vous transpirez, ma fille. Qu'avez-vous fabriqué?»

Jacintha avait les mains dans le dos et la tête penchée, une vraie petite captive. À travers sa robe transparente, l'assemblée pouvait voir le moindre mouvement subtil de ses membres, et ne perdait pas une miette du spectacle.

Bien que Cyprian et Bevis eussent décidé de passer par l'Herzégovine, Metković était depuis quelques saisons une destination touristique improbable à cause de la fièvre, et ils se rendirent donc jusqu'à Kotor où ils débarquèrent, la présence de Jacintha offrant un prétexte utile pour ne pas descendre plus tôt à Raguse. Cyprian, qui savait tout juste reconnaître l'idiotie chez les autres, broncha à peine et accepta le changement de plan.

Après des adieux dont le caractère poignant échappa à Cyprian, ce dernier alla manger avec un Bevis Moistleigh éminemment morose dans un restaurant de bord de mer qui servait du brodet aux rascasses rouges, aux anguilles et aux crevettes, puis les deux hommes se rendirent sur le quai et prirent un bateau qui les emmena le long du littoral sud du golfe de Kotor, en longeant toutes sortes de fjords, via un étroit chenal connu par ici sous le nom de «Chaînes», jusque dans le golfe de Tivat, tout ce temps sous le regard des objectifs, désormais innombrables, postés à chaque point stratégique, même si les reflets étranges qu'ils voyaient scintiller sur la rive n'étaient pas dus uniquement à des appareils optiques. À Zelenika, ils dégustèrent une grappa parfumée à la sauge avant de prendre le train pour Sarajevo, qui leur fit remonter toute la côte, en passant par Hum et la fiévreuse Metković, d'où il s'engagea à l'intérieur des terres et s'enfonça en Herzégovine, en direction de Mostar, situé à six heures de distance, puis de Sarajevo, à six autres heures de là.

À Sarajevo, des minarets aux couleurs pâles se dressaient au-dessus des arbres. Des hirondelles laissaient des traînées noires et éphémères dans la lumière déclinante, tandis que le fleuve qui traversait la ville virait au rouge. Au Café Marienhof, en face de la fabrique de cigarettes, dans les bains turcs, lors des dizaines de rencontres de hasard dans le Bazar, brutalement, irrépressiblement, quelqu'un faisait une remarque sur l'outrage autrichien.

«Vienne ne doit plus se contenter de nous "occuper" tranquillement comme elle le fait depuis 1878, en nous apportant les bienfaits du progrès autrichiens – voies ferrées, prostitution, mobilier immonde —»

«Partout des espions jésuites qui essaient de faire de nous des catholiques.»

«— mais jusqu'à présent tout ça n'était qu'illusion, une sorte de douce folie, car nous demeurions une partie de la Turquie, comme cela a toujours été le cas.»

«Et maintenant le fantasme inoffensif de l'Autriche est devenu une folie suicidaire aiguë. Cette "annexion" signe l'arrêt de mort des Habsbourg.»

«Peut-être également de l'Europe...»

Et ainsi de suite. Le silence, quoique bienvenu, aurait trahi la Loi tacite du Café, qui voulait que les cancans, quel que fût leur sujet, ne cessassent jamais. Des voix en pagaille, en un dangereux crescendo automnal, soufflaient le long des vallées fluviales, suivant les trains et les diligences de montagne, traquant, suppliant, inquiètes – rappelant aux autochtones comme aux touristes à quel point le caractère national était pittoresque, susceptible et abrupt... Répétant sans cesse : Prenez garde, prenez garde à l'amant qui reste éveillé la nuit durant avec une fille qu'il désire, et qui refuse de lui céder. Prenez garde à la Main Noire et aux têtes brûlées macédoniennes, prenez garde même aux cartes du Tarot que les gitans disposent contre de l'argent ou pour se divertir, prenez garde aux recoins obscurs du Militär-Kasino, et aux murmures qu'on y entend.

Et alors, venue d'on ne sait quelle partie de la ville, peut-être d'un des contreforts, où vivaient les Musulmans, ou du détour d'un des méandres du fleuve, retentissait une explosion. Jamais trop proche – quasi exotique, presque une déclaration faite dans une langue qu'on n'avait pas jusqu'à ce jour été obligé d'apprendre...

Bien qu'il portât un fez turc chaque fois que l'exigeaient les circonstances – en Bosnie, le fez était, comme le voile, un emblème de soumission, et le porter une des conditions de toute transaction –, Danilo Ashkil descendait de Juifs sépharades qui avaient fui l'Inquisition espagnole trois siècles et demi plus tôt, s'installant finalement à Salonique, qui, même alors, bien que turque, était déjà reconnue comme une ville accueillante pour les juifs en fuite. Danilo avait grandi dans un foyer ma'amin plutôt respectable mais il traîna vite au bord de l'eau avec des « derviches », des joueurs et des fumeurs de haschisch, s'attirant les ennuis habituels mais finissant par se révéler une responsabilité sociale trop lourde pour ses parents, qui l'envoyèrent ici, à Sarajevo, pour vivre chez une branche bosniaque de la famille, en espérant qu'un peu de leur dévotion au travail et de leur piété déteindrait sur leur fils. Mais, fidèle à son destin, il retourna vite dans la rue, ayant appris dès la petite enfance à singer la confusion des langues qu'il était contraint dans la journée de pratiquer, de sorte qu'il fut capable, dès l'adolescence, non seulement de maîtriser l'italien, le turc, le bulgare, le grec, l'arménien, l'arabe, le serbo-croate et le romani tout comme l'étrange espagnol juif appelé *judezmo*, mais également quand c'était nécessaire de se faire passer pour un locuteur natif d'une de ces contrées sans chercher dans un cas comme dans l'autre à corriger cette impression. Bien avant l'annexion autrichienne, son don des langues et sa grande perméabilité à tous les éléments de la population avaient attiré sur lui l'attention de l'Evidenzbüro. Pour les espions itinérants de toutes les Puissances, il était devenu l'homme indispensable à voir dans les Balkans. Mais il était maintenant en danger, et il échouait à Cyprian et à Bevis de le protéger.

Danilo, qui avait donné rendez-vous à Cyprian dans un café situé juste en contrebas du Château, découvrit un jeune homme pâle et sybarite, dont l'anglais académique aux certitudes guindées présentait des traces viennoises et adriatiques. Il remarqua également chez lui un sens déficient de l'Histoire, répandu chez les espions, étant donné leur besoin de s'immerger dans le moment présent. C'était donc à l'Histoire – cette pathologie du Temps – qu'il devait d'abord s'adresser.

« Je sais que c'est difficile pour un Anglais, mais essayez un moment d'imaginer que, hormis de la façon la plus limitée et la plus triviale qui soit, l'Histoire n'existe pas au nord du quarante-cinquième parallèle. Ce que le nord de l'Europe considère comme son histoire est en fait très provincial et d'un intérêt limité. Différentes sortes de chrétiens qui s'entre-tuent, et c'est à peu près tout. Les Puissances du Nord ressemblent davantage à des administrateurs qui manipulent l'histoire des autres peuples mais n'en produisent aucune qui leur soit propre. Ce sont les agioteurs de l'Histoire, les vies humaines sont leur monnaie d'échange. Les vies qui sont vécues, les morts qui les interrompent, tout ce qui est fait de chair, de sang, de sperme, d'os, de feu, de douleur, de merde, de folie, d'ivresse, de visions, tout ce qui s'est déroulé par ici, c'est cela la véritable Histoire.

« Maintenant, imaginez une histoire qui ne soit pas liée à Londres, Paris, Berlin ou Saint-Pétersbourg, mais à Constantinople. La guerre entre la Turquie et la Russie devient la guerre essentielle du dix-neuvième siècle. Elle produit le traité de Berlin, qui conduit à la crise actuelle, et qui sait quelles tragédies encore plus graves nous attendent. Depuis le début de cette guerre, l'Autriche s'efforce d'imaginer un monde dans lequel les Turcs seraient leurs amis. Les Allemands qui viennent faire ici du tourisme s'étonnent que tout soit aussi oriental. "Regardez! Des Serbes et des Croates, qui portent des fez sur leurs cheveux blonds! Des yeux bleus, qui nous observent derrière des voiles musulmans! Incroyable!" Mais comme vous l'avez probablement remarqué, la Ballhausplatz est en proie à une peur panique. Ces hommes si pratiques et si pleins de certitudes diurnes viennent ici en ville, et il suffit de les regarder pour savoir quel genre de nuit ils ont passée, ayant senti remuer quelque chose dans l'obscurité, des forces et des masses, alors que les anciens cauchemars reprennent, et une fois de plus les hordes musulmanes se déplacent vers l'ouest, insatiables, pour se rassembler, à nouveau, devant les portes de Vienne – peu importe qu'elle ait été ou non fortifiée depuis des siècles –, des bureaux et des maisons bourgeoises bâties à même ces vieux glacis, ses faubourgs forcés aussi facilement qu'une putain autrichienne – ce ne peut pas être vrai, Dieu ne le permettrait pas –, or voici qu'une opportunité se présente à eux, et dans leur panique quelle est la première chose qu'ils pensent à faire? Ils se retournent et dévorent la Bosnie. Oui, ça résoudra tout! Et nous sommes là à attendre, ici, dans ce crépuscule hivernal, le premier roulement de tonnerre du printemps. »

Cyprian écoutait patiemment. Bevis arriva, se laissa tomber dans un fauteuil et resta ainsi, tout renfrogné, probablement à cause de son ingénuité anglo-slave. Quand Danilo s'interrompit pour boire son raki, Cyprian hocha la tête et dit : « Nous sommes censés vous faire sortir. »

« Et Vienne... »

« Ils ne le sauront pas tout de suite. »

« Bien assez tôt. »

« Nous serons loin alors. »

« Ou morts. »

« Nous allons prendre le tortillard jusqu'à Bosna-Brod, changer là-bas, puis retourner à Trieste via Zagreb. »

« Un changement plutôt évident, non ? »

« Justement. Ils s'attendent à tout sauf à ça. »

«Et… combien d'évasions de ce genre avez-vous effectuées?»

«Des milliers», lui affirma Bevis. Cyprian se fit violence pour ne pas lui décocher le regard qu'il souhaitait – il sourit à Danilo avec une commissure de sa bouche, tout en roulant brièvement des yeux en direction de Bevis.

«Il me faudra une arme», dit Danilo, sur un ton qui laissait entendre qu'il allait bientôt parler d'argent.

«C'est à la Main Noire qu'il faut s'adresser», conseilla abruptement Bevis Moistleigh, avec un plissement du front censé signifier: *N'est-ce pas évident?* Le silence que ce propos produisit fit presque l'effet d'un roulement de tambour. Qu'est-ce qu'un vil crypto comme Bevis pouvait bien savoir de cette organisation serbe largement redoutée? Cyprian se dit, et pas exactement pour la première fois, que Bevis avait pu recevoir l'ordre de l'espionner, ordre donné peut-être par Derrick Theign, peut-être par les nombreux éléments qui espionnaient à leur tour Theign.

N'importe quel espion des Balkans savait que si on surveillait les mouvements de libération, et qu'on recherchait des individus susceptibles de devenir agents doubles et de trahir les leurs, il ne fallait pas compter sur la population slave du Sud pour leur fournir des candidats. Ici, en fait, les nationalistes et les révolutionnaires croyaient à ce qu'ils faisaient. «Mais de temps en temps on trouve un Bulgare ou un Russe qui se fait passer pour un autochtone. Un Russe vendra sa mère pour un verre de vodka.»

Or sur qui Cyprian tomba-t-il ce soir-là, plongés à peu près dans le même désarroi, sinon ses adversaires d'autrefois, Misha et Grisha? Cela se passa de l'autre côté du fleuve près de la Careva Ulica, dans Der Lila Stern, un ancien bordel militaire autrichien reconverti pour des usages plus équivoques. Cyprian et Bevis buvaient du žilavka avec de l'eau de Seltz. Un petit orchestre de cabaret jouait derrière une danseuse étonnamment jeune vêtue d'un costume rappelant le harem, même si ses voiles étaient plus transparents que protecteurs.

«Dites donc», fit Bevis, «mais c'est qu'elle est renversante!»

«Oui», dit Cyprian, «et vous voyez ces deux Russes qui se dirigent vers notre table, eh bien je pense qu'ils veulent régler de vieux comptes avec moi, alors si ça ne vous dérange pas de jouer les gardes du corps armés, peut-être un peu impulsifs sur les bords, vous serez un amour…» – tripotant nerveusement le Webley dans la poche intérieure de sa veste.

«*Kiprskni!*» s'écrièrent-ils, «on vous croyait mort!» et autres amabilités. Loin d'être aigri par l'affaire du colonel Khäutsch, le duo, comme ravi de revoir un visage connu, s'empressa de l'informer qu'ils avaient laissé l'un et l'autre leur Prater au vestiaire.

«Vous descendre?» s'écria Misha. «Non! Pourquoi voudrions-nous vous abattre? Qui nous paierait pour ça?»

«Même si quelqu'un le voulait, notre temps est bien trop précieux», ajouta Grisha. «Certes, vous avez perdu un peu de poids, mais *tchistka* prendrait encore trop de temps.»

«Votre Colonel est quelque part dans le coin», révéla négligemment Misha. «Ça a fait du bruit à Vienne.»

Cyprian était au courant, car le récit avait intégré le folklore du métier. Quand le Colonel se retrouva aux abois, ses collègues l'avaient laissé seul dans un bureau du ministère de la Guerre avec un pistolet chargé, attendant de lui un suicide traditionnel et de bon aloi. Au lieu de ça, Khäutsch s'empara du Borchardt-Luger et commença à tirer sur tous ceux qui étaient à sa portée, puis il s'enfuit du ministère, traversa le Platz am Hof – juste à côté, à la Kredit-Anstalt ils crurent que c'était un cambriolage, et du coup ils se mirent également à tirer, le Hofburg devint un court instant Dodge City, puis Khäutsch s'éclipsa – d'après la légende, à bord de l'Orient-Express, cap vers l'est. On ne l'avait jamais revu. «Jamais officiellement», dit Misha.

«Le chantage ne marche plus», Grisha presque en larmes. «Préférer son propre sexe? Ça veut dire quoi, ça? Au mieux, ces jours-ci, une façon d'avancer dans la carrière.»

«Ils ne sont pas encore aussi progressistes dans les Services secrets de S.M., j'en ai peur», dit Cyprian.

«La Turquie était un paradis», dit tout bas Misha. «Ces jeunes garçons aux yeux noirs comme des figues.»

«Plus maintenant, bien sûr. Constantinople est un terrain vague. Ces jeunes-turcs n'ont rien de jeune, c'est juste une bande de vieux fouineurs puritains.»

«Mais je dois dire», fit Cyprian, «qu'ils ont fait preuve d'une admirable retenue dès qu'il s'est agi de plonger les Ottomans dans un bain de sang, sauf pour des cas non régénérés comme Fehim Pacha, le vieux directeur de l'espionnage…»

«Oui, l'affaire Brusa», dit Grisha, soudain enjoué. «Vraiment classe, vous ne trouvez pas?»

Cyprian cligna des yeux. «Vous n'auriez pas été… d'une certaine façon… des… *facteurs* dans cette opération?»

Misha et Grisha se regardèrent en ricanant. C'était assez hideux à voir. Cyprian éprouva une envie impérieuse d'être ailleurs.

«À peu près la seule chose sur laquelle Anglais et Allemands se soient entendus ces derniers temps», dit Misha.

«Pauvre Fehim», dit Grisha, et sur ce, son compagnon, qui faisait face à la porte principale, se mit à se comporter bizarrement.

Cyprian, qui n'était pas franchement clairvoyant, devina néanmoins qui venait d'entrer. Il attendit un peu avant de risquer un regard hésitant par-dessus son épaule. Khäutsch portait un monocle qu'on prenait souvent à tort pour un œil artificiel, et bien qu'il jaugeât Cyprian d'un rapide coup d'œil, il ne parut pas le reconnaître – mais cela faisait peut-être partie du rôle qu'il jouait alors.

«Dites donc, Latewood», marmonna Bevis, tout excité, en tirant sur le bras de Cyprian.

«Pas maintenant, Moistleigh, je suis en train de succomber à la nostalgie.»

Pendant que tombait la nuit, les muezzins avaient lancé des appels à la prière depuis leurs cent tours, avant le coucher du soleil, après le coucher du soleil, et de nouveau aux toutes dernières lueurs. Ici, une musique d'un mode similaire accompagnait le *tsifté-télli* comme si, à l'instar de la prière, elle exigeait du corps un transport au-delà des simplicités du jour.

En ville, de très nombreux jeunes hommes semblaient connaître le Colonel, même s'ils feignaient tous la timidité quand ils l'abordaient. Par curiosité, Cyprian s'avança et se joignit au groupe qui venait vaguement de se former autour de la table du Colonel. De plus près, il remarqua alors une grave irrégularité dans la longueur de la moustache de Khäutsch, des revers de manteau et de pantalon élimés, ainsi que des brûlures de cigarette et des dégâts causés par les mites et par d'autres insectes. Le Colonel dissertait sur les vertus du Quinzième District militaire, connu sous le nom de Bosnie. «À Vienne, l'état-major comportait toujours un élément prussien, ce qui rendait difficiles, voire impossibles, les plaisirs humains. L'honneur des officiers… le suicide… ce genre de choses.» Un silence gêné s'installa peu à peu. «Mais par ici on trouve une approche de la vie plus équilibrée, et les prussophiles causent moins de tort.» Il se raconta tel un gros buveur, procédant à un inventaire détaillé et geignard. Les oreilles ne se dressèrent pas vraiment. Mais Cyprian comprit alors que Khäutsch n'était pas aussi soûl qu'il le paraissait. Ses yeux, alertes comme ceux d'un serpent, lui rappelèrent immanquablement les sévices que lui avait infligés ce pilier de bistrot, sévices qu'il avait parfois trouvés érotiques. Ce récital plaintif était-il censé être une tentative de séduction?

«C'est important!» C'était de nouveau Bevis, qui le tirait vers leur table.

«Vraiment désolé, Moistleigh, c'était à quel sujet?»

«La danseuse du ventre.» Il la désigna d'un mouvement de tête, son front sérieusement plissé.

«Jolie fille, oui, mais encore?»

«C'est un gars!»

Cyprian plissa les yeux. «Je suppose, oui. J'aimerais bien avoir ce genre de cheveux.» Quand il regarda à nouveau vers la table du Colonel, celui-ci, curieusement, avait disparu.

Ils finirent par retourner à leur pension, et le lendemain Cyprian alla d'un hôtel à l'autre et finit par apprendre que Khäutsch, descendu à l'Europe sous un autre nom, était déjà parti, ayant stipulé de longue date, en recourant soit à des liquidités soit à des menaces de mort, que sa nouvelle adresse ne soit pas divulguée.

Danilo, qui savait tout, alla trouver Cyprian pour le mettre en garde. «J'ai hésité avant de venir vous embêter avec cette nouvelle, Latewood, car vous ressemblez à ces jeunes neurasthéniques qu'on voit partout ces derniers temps. Mais vous devez savoir. Vous êtes venu à Sarajevo pour une mission bidon. On cherche à vous attirer en Bosnie, où il est plus facile pour les Autrichiens de vous arrêter. Vos employeurs anglais vous ont désigné aux autorités croates comme un "agent serbe", si bien que ni eux ni même, vu le climat actuel, les Russes n'auront spécialement envie de vous épargner. Il semblerait que vous ne deviez plus rien à l'Angleterre. Je vous conseille de partir. Sauvez votre peau.»

«Et le rôle du colonel Khäutsch dans tout ça?»

Les sourcils de Danilo se haussèrent, sa tête s'inclina à un angle dubitatif. «Il a trop de précautions personnelles à prendre. Mais vous vous sentiriez plus à l'aise en dehors de la ville.»

«J'en déduis que vous n'avez jamais envisagé de partir, alors.»

«Je me suis dit qu'ils auraient résolu d'ici là la question politique.» Il détourna les yeux, le regarda à nouveau. «Et encore…»

«Continuez, il ne s'agit que de ma négligeable personne.»

«Pour des raisons que vous n'avez pas besoin de savoir, je trouve qu'il est plus problématique aujourd'hui de rester.»

«La crise s'accentue, ce genre.»

Danilo haussa les épaules. «Tenez. Vous feriez mieux de porter ça.» Il tendit à Bevis et Cyprian un fez pour chacun. Celui de Cyprian était si petit qu'il dut l'enfoncer à l'arrière de son crâne en exécutant un mouvement de vis, tandis que celui de Bevis ne cessait de retomber sur ses yeux et ses oreilles. «Bon, et si on échangeait nos fez, hein?» Très étrangement, cela ne résolut pas la difficulté.

«C'est absurde», marmonna Bevis.

«Ça arrive parfois», dit sombrement Danilo, «mais plus dans les vieux contes que de nos jours. La tête d'un infidèle le trahit en *rejetant le fez*. Peut-être êtes-vous tous deux de fervents chrétiens?»

«Pas particulièrement», protestèrent en même temps Cyprian et Bevis.

«Le fez sait», dit Danilo. «On ne berne pas le fez.»

Quinze jours plus tard, la situation s'était gravement détériorée. Cyprian et Danilo erraient sans repères dans une région de montagnes, de forêts et d'imprévisibles ravins boisés et encaissés, après avoir d'ailleurs failli tomber dans certains d'entre eux. Autre fait déprimant, ils avaient perdu Bevis. Au cours du trajet en train vers Bosna-Brod, il avait simplement et inexplicablement disparu.

Ils cherchèrent dans les compartiments pleins de familles juives se rendant aux sources minérales de Kiseljak, d'ingénieurs venant de la mine de manganèse de Cevljanovic, de mineurs travaillant dans le charbon et le fer, de femmes, d'enfants et de petites amies (une catégorie qui causa à Cyprian une certaine gêne) allant voir les détenus à la prison de Zenica – sans succès. Flairant les ennuis, Cyprian, qui était seulement soucieux de continuer, s'était cru obligé de descendre pour chercher Bevis.

Danilo semblait craindre maintenant pour sa propre vie. «Oubliez-le.»

«Nous sommes censés être deux pour vous sortir de là.»

«Il se débrouillera très bien tout seul, ne vous inquiétez pas pour lui.»

«Oh? Theign l'a recruté, lui aussi?» Cyprian sentait une mélancolie familière lui coller de plus en plus à la peau.

«Ah, ces Anglais. Quels idiots.»

«Néanmoins —» Cyprian tira le signal d'alarme et, dans la discussion animée qui s'ensuivit avec les gardes et les conducteurs, Cyprian feignit de piquer une de ces crises d'hystérie qu'il avait souvent jugées utiles, Danilo regardant la scène comme s'il s'agissait d'un spectacle dans un jardin, aussi éloigné de ses préoccupations que des marionnettes se frappant entre elles à coups de gourdin.

La dernière fois qu'ils se rappelaient avoir vu Bevis à bord, c'était peu avant Lašva, la gare de correspondance pour Travnik et Jajce. «Il y avait un train qui attendait», dit le conducteur en haussant les épaules. «Votre ami a dû changer de train et se rendre à Jajce.» L'homme accepta de télégraphier au bureau ferroviaire de Bosna à Sarajevo, Cyprian et Danilo descendirent, et le train repartit. Ils remontèrent la voie ferrée, inspectant les défilés et les rives des cours d'eau jusqu'à ce que le jour les abandonne, interrogeant pêcheurs, douaniers, paysans, vagabonds, mais personne n'avait vu de jeune Anglais en costume vert algue. Ce n'est que bien après la tombée de la nuit qu'ils parvinrent à Lašva, où ils trouvèrent une auberge et essayèrent de dormir jusqu'aux premières lueurs, avant de prendre le train du matin pour Jajce. Cyprian regardait par les vitres, d'abord d'un côté, puis de l'autre. Danilo s'en abstint résolument.

«Il a peut-être agi de son propre chef», dit-il au bout d'un moment.

«Vous serez le prochain, j'imagine», rétorqua Cyprian d'un ton un peu cassant, même à son goût.

«La belle alternative – ces salauds d'Autrichiens là-bas ou votre douteuse protection. Dans les deux cas, je suis mort.» À Jajce, il y avait une chute d'eau de trente mètres de haut, avec le plus gros de la ville perché sur une colline ovoïde, et une ancienne forteresse. Ils décidèrent de faire à pied le trajet entre la gare et le Grand Hôtel, en partant du principe que si Bevis était dans le coin, il serait probablement descendu là. L'endroit donnait l'impression d'avoir été transporté, par quelque sombre sortilège, depuis les Alpes autrichiennes. Cyprian tendit l'oreille. «C'est pas du jodle qu'on entend? Le personnel va-t-il porter ces, ces *chapeaux*? des *lederhosen*? En fait, des *lederhosen* dans les circonstances actuelles…», et il sombra dans une rêverie intense.

Aucun employé de la réception n'avait vu Bevis. «Mais ces messieurs là-bas vous attendent, je crois.»

Cyprian pivota en fléchissant les genoux et essaya de se rappeler où il avait mis son pistolet. Danilo attendit avec un sourire caustique, en secouant lentement la tête, tandis que les deux visiteurs, créant un vide autour d'eux, approchaient.

La Main Noire, songea Danilo. «Tant qu'ils pensent que nous sommes des agents serbes, ils seront bien disposés – *Zdravo, gospodini.*»

Ne perdant pas de temps en civilités, Batko, le plus costaud des deux, leur désigna le bar de l'hôtel d'un mouvement de la tête. Cyprian crut distinguer du chêne sombre et des bois montés. Batko commanda de la šljivovica pour tout le monde. Son compagnon, Senta, sortit un petit carnet, l'examina rapidement et dit: «Alors voilà – vous devez éviter tous les trains.»

«*Ne razumen?*» demanda Danilo.

« Les Autrichiens vont s'assurer que vous n'atteigniez jamais la frontière croate. Ils ont envoyé des véhicules motorisés, et au moins une douzaine d'hommes bien armés. »

« Rien que pour nous ? » dit Cyprian.

« Nous autres de la — » Batko, feignant la moue, marqua un silence là où il était conseillé de ne pas insérer les mots « Main Noire ». « Nous protégerons toujours les nôtres, et la tradition veut que les hôtes soient les derniers à mourir. Et vu l'identité de ceux qui veulent vous tuer... » Il haussa les épaules.

« À partir d'ici, vos choix sont limités. » Senta sortit une petite carte en mauvais état, apparemment extraite d'un guide. « Vous pouvez aller à pied, en remontant le fleuve, ici, deux jours, jusqu'à Banja Luka, et si vous sentez alors que vous devez reprendre le train, essayez de rejoindre Zagreb. Ou vous pouvez revenir par où vous êtes venus, passer par Vakuf, jusqu'à Bugojno, où vous pourrez prendre la route de la diligence, traverser les montagnes, descendre jusqu'à la côte, et trouver un bateau qui part de Split. Il existe bien sûr un millier de sentiers, et il est facile de se perdre, l'hiver approche, il y a des loups, aussi la route de la diligence est-elle peut-être préférable, tant que vous restez vigilants. »

« Quand on aura franchi la ligne de crête », dit Cyprian, « je me sentirai plus tranquille dans le Velebit, et je connais des gens là-bas. Mais je doute que nous puissions engager un guide pour ce côté-ci » – ce qui provoqua quelque hilarité.

« C'est une période de grande activité », expliqua Batko. « Si vous avez vraiment besoin d'aide, vous pouvez toujours crier "L'Union ou la Mort", mais il n'y a aucune garantie... »

La discussion devint vite très théorique.

Cyprian et Danilo empruntèrent une vallée encaissée avec, sur les contreforts, des feuillages aux couleurs changeantes et, au bord de l'eau, des saules déjà dénudés et taciturnes ; des petites chutes d'eau bruissaient dans le départ automnal des humains et du bétail, l'air était frais et immobile ; rien n'était venu les troubler depuis qu'ils avaient quitté Batko et Senta, le visage chiffonné par ce triste adieu, près des usines de chlore à l'extérieur de la ville.

Ce soir-là, ils achetèrent une truite et des écrevisses cuites et venaient juste d'entrer dans une oliveraie où ils envisageaient de passer la nuit quand, sans prévenir, l'air fut saturé par le claquement de tirs de 9 mm Parabellum qui fusaient follement mais n'atteignaient, pour l'instant du moins, que des surfaces inanimées, rebondissant par bonheur ailleurs, même s'il devint impératif de se réfugier au plus vite, avec la mort invisible et partout – «tel Dieu», estima par la suite Danilo. Du plâtre giclait des murets de pierre qui bordaient la route. Des gerbes de poussière blanche volaient dans les airs. Ils traversèrent l'oliveraie au pas de course, les feuilles des arbres se tordant dans la tempête invisible, sous une pluie de fruits presque mûrs. Quelque part, des oies se réveillèrent et se mirent à criailler, comme si ce genre de choses était censé ne se produire qu'en plein jour.

«Vous avez votre pistolet?»

Danilo agita un petit Savage.32 de l'armée portugaise. «Ça ne changera rien, je n'ai que deux chargeurs.»

Ils cherchèrent à tâtons un terrain plus élevé. La nuit les sauva. Ainsi délogés, ils escaladèrent la colline entre les éperons rocheux, s'enfonçant dans la forêt et les montagnes puis progressivement sur un terrain plus sauvage, et tous ces éléments qui avaient constitué leur ordinaire, les alliages d'acier, la pureté géométrique des écartements de voies ferrées, les horaires de trains et le vaste réseau, sans parler du Temps européen tel qu'il s'écoulait, disparurent, et ils furent aspirés dans le siècle précédent. L'automne ne cessait d'étendre son emprise, les couleurs perdaient leur éclat, le noir qui gît au cœur de toutes teintes reprenait le dessus. Les montagnes étaient ceintes d'étendards nuageux déchirés comme par de lointaines échauffourées, des avancées de la Crise… Les moutons qui s'étaient fondus dans les ombres des nuages filant au fond des vallées se réfugiaient déjà ici, en prévision de l'hiver imminent, les montagnes de calcaire semblaient escalader le ciel, gagner en fierté, tandis que les températures chutaient, et qu'apparaissaient les premières neiges sur les hauteurs. Les fumées recrachées par les feux de lignite s'amassaient dans les vallées. Au crépuscule, la lumière se parait d'une nuance hideuse et solennelle. Les fugitifs avaient hâte de quitter ces montagnes, mais savaient que leurs seules chances de survie étaient ici, loin des refuges, des cabanes de chasseur et des stations thermales. Ils devaient rester là où les fouines se déplaçaient tels des spectres, d'ombre en ombre, près des entrées de grottes plus menaçantes qu'accueillantes.

Tout convergeait vers l'obscurité, une obscurité que n'entamaient ni la lueur des bougies ni la fumée des feux de bois. Chaque nuit, un drame se jouait, dans des langues que même Danilo ne comprenait pas toujours. Mis à part les petits bassins surélevés appelés *poljes*, où vivaient les villageois qui les avaient si soigneusement évités en plein jour, où donc, parmi ces débris de calcaire, y avait-il des villages? Personne ne s'aventurait dehors après la tombée du jour pour se réunir, ramasser du bois ou cuisiner – la communauté entière se retirait dans les antres, s'y terrait, avec cette indifférence dorsale propre aux bêtes. Les surfaces immobiles des étangs de montagne reflétaient l'or blanc des étoiles, obscurci de temps en temps par ce qui se hasardait dans ce désert minéral.

Un soir, juste avant le coucher du soleil, ils contemplèrent la paroi rocheuse et virent, un peu partout jusqu'en haut de la ligne de crête, d'étranges taches de lumière, trop vives pour être de la neige mais pas assez orange ou rouges pour être des feux, tandis que de grands voiles de vapeur rougeoyante nappaient la vallée en contrebas, avec, se détachant sur le reflet des eaux du fleuve de ce passage incandescent, sur un pont ancien, au-dessus de son arche pure, une personne, en cape, solitaire, immobile, qui n'attendait rien, ne faisait aucun signe, ne contemplait même pas le spectacle sur le flanc de la montagne, mais condensait dans ses contours sévères une vaste quantité d'attention, dirigée sur quelque chose que Cyprian et Danilo ne pouvaient voir, même s'ils comprirent vite qu'ils auraient dû le voir.

Une nuit, alors qu'ils se trouvaient sur un versant noir et anonyme, ils furent surpris par un orage venu du nord et un silence prémonitoire. Danilo, en éternel citadin, regarda autour de lui comme s'il s'attendait à voir apparaître un parapluie.

« *Djavola!* Quel temps! »

« Sauf si on est anglais », fit remarquer Cyprian, « en ce cas, ça rappelle beaucoup le pays, mais en plus confortable… Vous croyez qu'on les a enfin semés? »

« Ce sont eux qui nous ont semés. Nous ont conduits ici, où la montagne peut faire le boulot à leur place. Ils économisent des balles, aussi. »

Ils s'étaient arrêtés, inquiets, pressés contre la roche glissante de glace qui semblait avoir surgi avant le Déluge en prévision de cet instant précis… Aucune lumière nulle part. Ils savaient que le terrain recelait de nombreux ravins aux parois verticales. Ni l'un ni l'autre ne savaient comment sortir de ce sombre et terrible précipice.

Quand il trébucha et tomba, Cyprian se retrouva pour la première fois dans une étreinte qui ne le désirait pas, réduit à une simple partie du monde mécanique, le corps spirituel dans lequel il avait cru jusqu'ici soudain négligeable par rapport à la masse, la vélocité et la froide gravité qui le cernaient de toutes parts, malgré lui. Comme l'orage grondait, il se remit péniblement à genoux et, ne sentant d'autre douleur que celle à laquelle il s'attendait, il se remit debout. Danilo avait disparu. Cyprian l'appela, mais la tempête couvrait ses paroles. Il ne savait où chercher. Il resta sous la pluie glaciale et envisagea de prier.

« Latewood. »

Toute proche. Prudemment, aveuglé par la nuit et l'orage, Cyprian se dirigea vers la voix. Il tomba sur une présence animale, trempée et brisée, qu'il ne pouvait pas voir.

« Ne touchez à rien. Je crois que ma jambe est cassée. »

« Pouvez-vous — »

« Je ne peux pas m'appuyer dessus – je viens d'essayer. »

Il y a longtemps, dans des chambres louées, parmi les ombres des colonnades, dans les jardins publics, les havres bourgeois d'un monde en paix, Cyprian pensait avoir un don pour distinguer les résidus de vérité derrière les mensonges qu'on débite dans le noir. Ici, maintenant, dans cette obscurité moins compromise, ce que Danilo lui disait était sans ambiguïté aucune.

« Vous allez devoir me sortir de là », dit la voix à peine voilée – impossible de se méprendre sur le sens. « On va se servir de ça. » C'était un vieux Mauser qu'ils avaient trouvé dans une maison vide, un peu plus bas à flanc de montagne.

« Mais nous en aurons besoin pour — »

Patiemment, Danilo expliqua. Cyprian ôta son manteau, qui manqua lui être arraché des mains, puis sa chemise, le froid le cognant comme un voyou des rues indifférent à toute éventuelle supplique, déchira la chemise en bandelettes et s'efforça, avec des doigts qui s'engourdissaient rapidement, d'attacher le fusil à la jambe cassée de Danilo en guise d'attelle. « Vous pouvez la tenir droite ? » Des pointes de glace fusaient à présent horizontalement sur leur visage.

« Oui, mais je ne suis pas sûr de le vouloir. » Même avec les mains gourdes, Cyprian comprit ce qui clochait. Ses mains habituées aux muscles des membres, sachant jauger la perfection physique, se découvraient incapables de réduire cette fracture. « Allez-y », cria furieusement Danilo contre le vent. Il n'y avait aucune raison ici de l'empêcher de crier aussi fort qu'il le voulait sous le coup de la douleur. « *En tu kulo Dio !* »

Une fois la crosse du fusil sous son aisselle, Danilo s'aperçut qu'il pouvait boitiller sur de courtes distances, du moins au début. Mais la progression était trop lente, c'était trop douloureux, et très vite Cyprian dut de nouveau soutenir Danilo. Il savait qu'ils devaient suivre des fossés et parvenir à un ravin profond, puis descendre vers le lit du fleuve et continuer en direction de la vallée jusqu'à ce qu'ils tombent sur une habitation. Avant de mourir de froid. Telle était en tout cas l'idée. Mais un refuge, une poche d'air calme où une flamme pourrait frémir suffisamment longtemps pour qu'un petit feu prenne, un rebord assez large pour y dormir cinq minutes, aucune de ces commodités domestiques n'allait se présenter. Il fallait éviter l'engelure, à chaque pas, chaque changement du vent. S'ils arrêtaient seulement de bouger, ils allaient geler. Avancer était indispensable, et s'imaginer arriver dans un endroit sûr était pour l'heure un luxe bien trop irréel. Des loups s'appelaient entre eux, comme s'ils suivaient un repas du soir qu'on avait l'obligeance de leur livrer. De temps en temps, quand la tempête s'apaisait, la lune brillait et faisait rougeoyer une paire d'yeux intéressés. Juste le temps que la créature tourne la tête, comme peu désireuse de révéler son regard trop longtemps. Danilo était à présent tout fiévreux. Son poids évoquait de plus en plus l'inertie absolue d'un cadavre. Parfois, sans raison, il n'était plus là.

«Où êtes-vous?» Cyprian sentait le vent emporter sa voix dans sa vaste indifférence.

«Où êtes-vous?» s'écriait-il. Il ne souhaitait, c'était horrible, aucune réponse.

La pluie s'abattit sur la vallée, presque de la neige, piquante, fine, tel un vagabond européen malintentionné.

«Je m'étais attendu, je ne sais pas, à un week-end à la campagne, ce genre-là», dit Cyprian. « "De la neige? Pas d'inquiétude, la pire température à Sarajevo c'est dix degrés Celcius, un pardessus et le tour est joué." Saloperie de Theign, je te remercie bien.»

Ils avaient trouvé un tout petit village, une accrétion de maçonnerie suspendue à flanc de montagne, où ils eurent le droit de séjourner l'hiver. On se rendait d'une pièce à une autre, couverte ou non, au moyen de marches grossières et de passages voûtés, de tunnels percés dans la neige, de courettes boueuses, dont la construction, qui avait débuté il y a longtemps par une simple grange, s'était agrandie au fil des siècles. De la neige solide et fondue, froide et piquante, portée par le vent, s'engouffrait dans les ravins, gémissait sur les tuiles des toits. L'autre versant de la vallée était souvent invisible, les nuages descendaient en vigoureux saillants, telles les défenses d'une ville fortifiée, toute couleur disparaissait, l'été était devenu pays légendaire et nostalgique, privé de toute réalité. Des chiens trempés, descendant d'ancêtres qui avaient vécu ici à l'âge des ténèbres, se rappelant les murs ensoleillés à l'ombre desquels ils s'étaient autrefois couchés, cherchaient désormais les incertitudes de la vie domestique. Il y avait des exploitations de lignite à l'autre bout de la vallée, Cyprian les sentait quand le vent soufflait dans le bon sens, et de temps en temps il était possible de s'y rendre à dos d'âne et d'en chaparder un peu, une tâche qui prenait toute la journée dans les meilleures conditions météorologiques et se prolongeait en général pendant une nuit ou deux – mais ce qui intéressait surtout les habitants, c'étaient les planques de bois de chauffe – à mesure qu'on s'enfonçait dans l'hiver, ces caches devenaient de véritables antres à trésor, et on jugeait légitime d'abattre, ou du moins de tirer sur quiconque prenait du bois qui ne lui appartenait pas. L'odeur du feu de bois, où que ce fût entre deux murs de pierre, était signe d'une festivité familiale soigneusement gardée secrète. « Elle croit qu'elle a de nouveau froid », opinaient-ils, ou « Snežana fait encore bouillir des patates. Il doit pas en rester beaucoup maintenant. »

D'abord à cause de la fièvre, puis tandis qu'il glissait lentement vers le sommeil, recouvrant peu à peu ses forces, Danilo se mit à parler de Salonique, la ville de sa jeunesse, des femmes près des fontaines le matin, du *pastel de kwezo* de sa mère, des défilés dans les rues des lutteurs et des musiciens gitans, des cafés ouverts toute la nuit. « Au début, j'ai essayé de revenir le plus souvent possible, mais les responsabilités à Sarajevo s'accumulaient, et un jour je me suis réveillé et j'ai découvert que j'étais devenu bosniaque. J'aimerais vous la montrer un jour, Latewood. Salonique est le monde entier concentré en une ville unique, il faut que vous rencontriez ma cousine Vesna, elle chante dans un bar à haschisch au fond du Bara, vous l'aimerez autant que je l'aime… »

Cyprian clignait poliment des yeux. Jamais la question du désir, ni entre eux ni concernant un tiers, n'avait été soulevée – c'était sans doute dû à l'épuisement général que les deux jeunes hommes devaient combattre à chaque instant, ou à la découverte qu'ils n'étaient pas le genre de l'autre, ou, plus étrange encore, au fait que, à peine consciemment, Cyprian était devenu la mère de Danilo. Il fut surpris de voir émerger dans son caractère des talents jusqu'ici insoupçonnés, en particulier pour cuisiner la soupe, ainsi qu'un empressement souvent absurde à sacrifier tout confort jusqu'à ce qu'il soit certain que Danilo allait tenir bon encore quelque temps.

Le fait d'être affranchi du désir valut à Cyprian une jouissance inattendue digne d'un premier orgasme. Il veillait sur le sommeil de Danilo dans une nuit noire, sous d'épais nuages, comme s'il devait se préparer d'un instant à l'autre à intervenir, à s'aventurer dans les douloureux paysages du rêve ou du délire de son compagnon. Subitement, non, pas subitement, plutôt comme on se réveille très lentement en sentant qu'il y a de la lumière dans la pièce, il s'aperçut que cela faisait un temps indéfini qu'il n'avait même pas conçu le désir, son excitation, sa satisfaction, la moindre occasion de le susciter. Le déséquilibre qu'il avait l'habitude d'éprouver tel un espace engourdi dans le sensorium du jour, comme si le temps était doté de nerfs sexuels, et qu'une parcelle reste en friche, n'était, mystérieusement, plus là – il était remplacé par autre chose, une clarté, un rafraîchissement général des températures...

Bien sûr, cela passa, comme passe le désir lui-même, mais bizarrement il s'aperçut qu'il s'efforçait encore de le localiser, comme s'il s'agissait d'une chose au moins aussi désirable que le désir. Danilo se débrouillait très bien avec son bâton à tête-de-loup, sculpté pendant l'hiver dans du frêne des montagnes par son ami Zaim. Il trouva un jour Cyprian en train d'éplucher des patates, des carottes d'hiver et des oignons pour faire une soupe, et pour la première fois ils parlèrent de leur passage par ces montagnes.

«De la chance», dit Cyprian avec un haussement d'épaules. «Nous avons eu de la chance.»

«C'était la volonté de Dieu», dit Danilo.

«Lequel? Vous en avez tellement.»

«Il n'existe qu'un seul Dieu.»

Cyprian en était tout sauf certain. Mais voyant l'intérêt qu'il y avait à demeurer attaché au jour, il se contenta de hocher la tête et continua de s'occuper des légumes.

Quand ils revinrent sur les rails parallèles et métalliques, ils s'aperçurent que les voies ferrées bruissaient d'une appétence quasi mortelle, des bandes d'irréguliers armés de vieux et longs fusils avec des versets sacrés du Coran gravés sur les parures de cuivre, des unités catholiques bosniaques munies de Mannlicher fournis par leurs maîtres autrichiens, des guérilleros turcs se rendant à Constantinople pour participer à la révolution en cours, l'armée régulière autrichienne aux frontières, qui arrêtait tout le monde, sans montrer la moindre indulgence à l'égard des touristes anglais, or c'était pour l'un d'eux qu'avait compté se faire passer Cyprian, ou même pour un des Allemands qui étaient venus ici nombreux, comme pour assister à un spectacle impie, une passion sans Christ.

Il est dans la nature de la proie, se dit plus tard Cyprian, de refuser parfois de se soumettre aux exigences d'un prédateur et de se montrer retorse. De se sauver. De se déguiser. De disparaître dans des nuages d'encre, des kilomètres de brousse, des trous dans la terre. Voire, si étrange que cela puisse paraître, de riposter. Les adeptes du darwinisme social de l'époque dissertaient à l'envi sur les joies des coups de griffe et de croc, mais oubliaient curieusement de célébrer la vitesse et l'illusion, le poison et la surprise.

L'important, quand on envisageait un déguisement, supposa Cyprian, c'était de ne pas paraître russe. Les talents dont il avait besoin ne lui venaient pas soudainement par quelque providence spéciale – il y avait peu de choses en outre qu'il n'eût déjà faites. À Bosna-Brod, il fut obligé, attifé d'une robe dont il valait mieux ne pas chercher à deviner la tendance, de jouer le rôle d'une épouse de fonctionnaire, méprisant tout ce qui n'était pas anglais, exigeant d'une voix à la tessiture suraiguë d'avoir le droit d'être avec un mari de comédie pour lequel, bien qu'imaginaire, Cyprian feignit une adoration plus que mitigée, tout en débitant une tirade contre tout ce qui était bosniaque, les logements, la nourriture – « Qui a eu l'idée de cette horreur au mouton et aux épinards ? » « Alors, ce *kapama*, c'est-y bon, hein ? » – et même, comme s'il oubliait combien c'était risqué, les hommes – « Quel rêve de jeune fille vous pensez-vous être en mesure d'exaucer, avec ces ridicules pantalons amples et ces turbans... ? », le plus bizarre étant que ces partenaires occasionnels étaient aussi beaux et musclés qu'on aurait pu le désirer en rêve... Mais il était plus important de repérer les armes à feu, visibles ou non, susceptibles de nuire, une question de minutes, et de choisir, sans réfléchir pour ainsi dire, plus d'une issue possible pour s'enfuir... il optait parfois pour le contraire du déguisement et se retirait dans une soumission fataliste si complète qu'une fois que Danilo et lui étaient passés, personne ne se rappelait les avoir vus, même si entre-temps la blessure de Danilo s'était rappelée à son mauvais souvenir, tout comme son désarroi. Il y eut des moments au cours du voyage où Cyprian eut envie de pleurer pour l'autre qui souffrait, mais tel un rapace qui ne peut s'offrir le luxe de la pitié, il savait que la survie, en ce qui les concernait, ne passait pas par les sentiments.

À Belgrade, ils découvrirent que les deux fleuves étaient interdits à la navigation. Cela ne rendit Cyprian que plus furieusement décidé à s'en sortir. Dans le brouillard de l'hiver finissant, parmi les dômes et les spires de métal rouillé et de pierre, les anges trop grands, brisés, défigurés, mais se dressant encore, solitaires, en haut des collines, leur visage étrangement, soigneusement, reconnaissable, Danilo et Cyprian traversèrent la Serbie vers le sud mais apprirent bientôt que toutes les routes passant par les montagnes pour rejoindre la côte seraient enneigées pendant encore des semaines.

Ils s'arrêtèrent une journée à Pljevlja pour faire le point. Il y avait de la neige sur les hauteurs brunes. C'était une jolie petite ville avec quatre minarets et un seul campanile, et le *konak* du pacha qui s'étendait sur les coteaux. Des garnisons autrichiennes avaient commencé à se retirer, comme elles le faisaient partout dans le *Sandjak* de Novi Pazar, ainsi qu'il en avait été convenu avec la Turquie suite à l'annexion – des masses bleues fragmentées par la neige qui tombait par intermittence, des colonnes qui défilaient radialement l'une après l'autre, comme si une vaste roue apocalyptique s'était mise enfin en branle… les disques d'embrayage entrant bruyamment en action, les détachements bavards de jeunes en uniformes trop grands s'éloignant dans le crépuscule.

« Si nous pouvions trouver le moyen d'aller à Kosovska-Mitrovicsa », admit Danilo, « à cent, cent cinquante kilomètres d'ici, nous pourrions attraper le train pour Salonique. »

« La ville de votre enfance », se rappela Cyprian. « Votre cousine Vesna et le reste. »

« C'est si loin tout ça. Jusqu'à ce jour, ça n'avait rien d'un exil. »

En janvier de la même année, le ministre des Affaires étrangères autrichien, le reptilien Aerenthal, avait finalement obtenu comme concession du Sultan qu'il construise une voie ferrée partant de la frontière bosniaque, traversant le *Sandjak*, et ce jusqu'à la tête de ligne turque à Kosovska-Mitrovicsa. Elle s'étendait désormais là, cette voie ferrée idéelle qui restait à construire, invisible dans la neige, les cols et les vallées, un élément de diplomatie attendant d'accéder à une existence matérielle.

Cyprian et Danilo la suivirent du mieux qu'ils purent. Ils voyagèrent avec des vivandières et des cantinières, la queue de comète des wagons militaires et d'intendance, le plus souvent à pied, péniblement, jusqu'au jour où ils virent des minarets, et des casernes turques sur une colline qui se dressait derrière une ville banale, et ce fut Kosovska-Mitrovicsa.

Ils montèrent à bord d'un train de passagers ou de matériel et firent route vers le sud en frissonnant dans l'humidité hivernale, se réveillant et s'endormant dans les grincements et par à-coups, comme drogués, indifférents à la nourriture, la fumée, l'alcool… Traversant toute la Macédoine, passant devant des stations de pèlerinage, découvrant des lieux saints abandonnés, balayés par le vent, des quais de gare désolés… Cyprian était reluqué de temps à autre, mais jamais de façon prévisible, aux passages à niveau et depuis le bord de la voie, sous les voûtes des dépôts, comme par des camarades d'armes ayant connu eux aussi un revers obscurément honteux au champ d'honneur – non pas une franche défaite, mais une incitation à se retirer d'un éventuel engagement. Le destin avait avancé un pion, le gambit avait été refusé, et le découragement du délaissé s'en alla gémir dans les fils télégraphiques, fila sous la Montagne Noire de Skopje, traversa la ville elle-même, franchit le mont Vodno, longea la vallée du Vardar, survola la région vinicole de la plaine de Tikveš, Demir Kapija, la Porte de Fer, pour arriver enfin à la mer Égée, le terminus, Salonique – où, sortant des brumes de nicotine et de haschisch de la taverne pour marins le Mavri Gata ou le Chat Noir, arriva en courant une mince jeune femme aux cheveux blonds, laquelle bondit sur Danilo, l'étreignant non seulement avec les bras mais également avec les jambes, en hurlant son nom.

« C'est ma cousine », signala enfin Danilo, quand il eut assez sangloté pour pouvoir de nouveau parler. « Vesna. »

Autrefois, dans une autre vie, Cyprian aurait répondu en prenant sa voix la plus méprisante : « Bien sûr, enchanté, je n'en doute pas », mais cette fois-ci il se retrouva possédé, de la bouche aux yeux en passant par les sinus, par un sourire qu'il ne put contrôler. Il prit la main de la jeune femme. « Votre cousin m'a dit que sa famille était ici. Je suis aussi heureux que lui de vous voir. Probablement davantage. » Le soulagement qu'il éprouva suffit à le faire pleurer. Personne ne s'en aperçut.

En arrivant à Salonique, Cyprian et Danilo trouvèrent la ville encore toute vibrante, tel un gong frappé par les événements du printemps et de l'été précédents, quand le sultan turc avait été contraint de restaurer la constitution, et que les insurgés connus sous le nom de jeunes-turcs avaient pris le pouvoir dans leur pays. Depuis lors, Salonique était sur les nerfs. La ville grouillait de fusiliers brutalement réveillés, comme si cette odorante étendue de toits rouges, de dômes, de minarets et de cyprès le long de sombres coteaux escarpés était l'asile de nuit de l'Europe. Tout le monde estimait qu'il était dans l'ordre des choses que Salonique se retrouve sous influence autrichienne – car Vienne rêvait de la mer Égée comme les Allemands rêvaient de Paris –, alors qu'en fait c'étaient les chastes et jeunes révolutionnaires de Turquie qui s'étaient déjà mis à réimaginer l'endroit – « Appréciez l'horizon tant que vous le pouvez », dit Danilo, les larmes aux yeux, « l'idée d'une ville sans mosquée nous pend au nez, terne, moderne, orthogonale, complètement dépourvue de mystère divin. Vous autres gens du Nord, vous vous sentirez chez vous. » Sur le port, entre la gare et les gazomètres, dans les brasseries et les bars à haschisch du quartier de Bara, les filles étaient vénales et d'une beauté intermittente (et du coup renversante), les hommes tout habillés de blanc ou dans des tenues à perles colorées, avec des souliers assortis dont Cyprian comprit que compromettre ou commenter à voix haute l'état immaculé lui coûterait la vie.

Au Mavri Gata, il y avait assez de fumée de haschisch pour déconcerter un éléphant. Au fond de la salle, comme derrière une iconostase de chant, on jouait sans discontinuer de l'oud, des baglamas et d'une sorte de dulcimer à percussion appelé santouri. La musique était sauvage, orientale par la gamme, des secondes et des sixièmes bien trop graves, et une sorte de glissando sans fret, immédiatement familier bien que les paroles fussent dans un grec de prison indistinct dont Danilo avoua ne comprendre environ qu'un mot sur dix. Dans ces modalités nocturnes, ces « routes », comme les appelaient les musiciens, Cyprian perçut des hymnes non de patries précises mais d'exil imminent. Des routes qui attendaient la semelle usée, la roue cerclée de fer, et de sombres promesses à une échelle que les écoles militaires commençaient seulement à envisager.

Vesna était une flamme, le vibrant foyer de toutes les attentions, considérée dans cette ville comme une *meraklou*. « *Tha spáso koúpes* », chantait-elle, « je briserai tous les verres, je sortirai et je me soûlerai à cause de la façon dont tu m'as parlé... » Des couteaux et des pistolets apparaissaient de temps en temps, même si certains étaient juste à vendre. Des clients corrects avaient droit à des potions somnifères dans leur bière et étaient dépouillés de tout y compris de leurs chaussettes. Des marins désertaient leurs navires de guerre pour des hirondelles des rues qui juraient d'éviter souteneur et mari quelles que fussent les conséquences. Des clients difficiles venus de Constantinople pour affaires étaient assis aux tables du fond et fumaient le narghilé, en comptant dans leur barbe, scrutant tous les visages qui passaient. Leur présence (Cyprian s'en aperçut grâce à Danilo) n'était pas inséparable des activités du Parti des jeunes-turcs et de son Comité de l'Union et du Progrès, dont le Q.G. était ici à Salonique. Il y avait des choses dont ces jeunes idéalistes avaient besoin dans le domaine matériel, des quartiers de la ville qu'il convenait de traverser sans se faire agresser, et dont seuls les « garçons derviches » connaissaient le mode d'emploi. Il y avait aussi les Allemands, qui s'entretenaient un peu partout avec des espions du Comité, trop riches en titres pour s'embarrasser d'identités altérées, étant simplement allemands, comme si la valeur de l'imitation était trop évidente pour mériter le moindre commentaire. De petits Albanais avec des plateaux chargés de *koulouria* en équilibre sur leur crâne parfaitement aplati couraient en tous sens. On brisait du verre, entrechoquait sans cesse des cymbales, faisait cliqueter les *kombolói* en des douzaines de rythmes, tapait du pied avec la musique. Des femmes dansaient ensemble le *karsilamás*.

«*Amán*», s'écria Vesna, elle ulula, «*amáaáaán*, prends pitié, je t'aime tant…»

Elle chantait un désir si profond que l'humiliation, la douleur et le danger ne comptaient plus. Cyprian avait laissé derrière lui tant d'émotion qu'il lui fallut huit mesures complètes avant de comprendre que c'était sa propre voix, sa vie, sa légère victoire sur le temps, changée en branches pâles, en levers de soleil printaniers, en cœur battant, qu'il avait trouvé là ce qu'il lui fallait, sans lequel il ne pourrait plus vivre. *Stin ipochí*, comme disait la chanson, et tant d'autres, trop nombreuses – ce fameux jour… qu'était-il arrivé? Où était le désir, et où était-il, lui qui avait été presque entièrement modelé d'après le seul désir? Il contempla l'aube derrière la porte, le destin cyclique d'une autre Création à échelle domestique, faite de petits riens pendant les heures sombres à force de coups vicieux, de mesquines exhortions, d'étapes perfides, un monde en réduction dans lequel une ville entière de vies, stupidement, joyeusement, dans toute sa force, avait été investie, comme elle le serait, nuit après nuit. C'était l'absence de toute hésitation ici qui impressionnait Cyprian, sans compter l'ouzo et le haschisch dont les composants moléculaires, qui occupaient désormais chaque cellule de son cerveau, décourageaient toute analyse soignée. C'était un monde dont on pouvait tout à fait s'abstraire, à la façon d'un ange, afin de s'élancer suffisamment haut pour voir davantage, étudier les sorties, mais personne ici dans la fumée et les brisants du désir ne cherchait à en sortir, ce petit monde ferait bien l'affaire, peut-être à la façon dont pour certains, comme le suggérait l'une des chansons de Vesna, les enfants, bien que petits, bien que semblablement condamnés, suffisent amplement, éternellement.

On en savait désormais un peu plus sur le statut de l'annexion et sur les agissements des puissants. L'ambassadeur allemand avait eu un entretien avec le Tsar, lui apportant un message personnel du Kaiser, et peu après leur entrevue le Tsar avait annoncé que finalement l'annexion de la Bosnie lui convenait parfaitement. Le continent souffla. Cette décision n'était peut-être pas sans rapport avec les divisions allemandes récemment mobilisées et disposées à la frontière polonaise, mais ce n'étaient là que spéculations, comme tout le reste à ce stade de la Question européenne, cette mauvaise rêverie vers laquelle tout n'avait cessé de converger, aussi meurtrière qu'une locomotive roulant sans phares ou sans signaux, aussi perturbante que des piques lancées à la dernière minute, quand on s'éveille à cause d'un bruit extérieur, une sonnette de porte ou un animal mécontent, dont on ne saura sans doute jamais rien.

Si Cyprian crut même brièvement qu'il pouvait désormais s'autoriser quelque détente, il se trompait allégrement. Un soir, au Mavri Gata, Danilo arriva avec un Bulgare triste et mince comme une nouille dont les gens étaient incapables soit de prononcer le nom, soit de s'en souvenir, ou alors rechignaient à le prononcer à voix haute de peur de certains éléments grecs en ville. Parmi les *dervisidhes*, en raison de son apparence, on le désignait sous le nom de Gabrovo Falot.

«Ce n'est pas le meilleur moment pour être bulgare à Salonique», expliqua-t-il à Cyprian. «Les Grecs – pas ces *rembetes* ici, mais les politiques qui travaillent pour l'ambassade grecque – veulent tous nous exterminer. Ils prêchent dans les écoles grecques que la Bulgarie est l'Antéchrist. Des agents grecs travaillent avec la police turque pour établir des listes noires de Bulgares, et il existe ici une société secrète appelée l'"Organisation" dont le but est de mettre à exécution ces contrats.»

«Il s'agit de la Macédoine, bien sûr», dit Cyprian.

Une vieille querelle. Les Bulgares avaient toujours cru que la Macédoine faisait partie de la Bulgarie, et après la guerre avec la Russie elle finit par le devenir – pendant environ quatre mois en 1878, jusqu'à ce que le traité de Berlin la restitue à la Turquie. Les Grecs, quant à eux, croyaient qu'elle faisait partie de la Grèce, invoquant Alexandre le Grand, et ainsi de suite. La Russie, l'Autriche et la Serbie cherchaient à étendre leur influence dans les Balkans, et prenaient prétexte de la Question macédonienne. Mais le plus étrange, c'étaient ces personnalités dominantes dans l'Organisation Révolutionnaire Intérieure Macédonienne – l'O.R.I.M. – telles que Gotse Deltchev, qui croyait vraiment que la Macédoine était aux Macédoniens eux-mêmes et méritait d'être indépendante. «Malheureusement», dit Gabrovo Falot, «l'O.R.I.M. est divisée entre les partisans de Deltchev et d'autres qui ont la nostalgie de cette éphémère "Grande Bulgarie" qui a existé avant le traité de Berlin.»

«Et votre propre avis sur la question?» Cyprian pouffait déjà intérieurement.

«Ha!» Ils rirent amèrement ensemble pendant un moment jusqu'à ce que le Bulgare s'arrête brusquement. «Les Grecs croient que j'appartiens à l'O.R.I.M., c'est ça le problème.»

«Bon sang. Et c'est le cas?»

«Quasi.» Gabrovo Falot laissa environ un centimètre entre son index et son pouce, près de son oreille droite. «Hier soir. Il y a eu d'autres tentatives, mais rien de semblable.»

«Je lui ai dit que nous venions de Bosnie», dit obligeamment Danilo.

«Oh, je suis le Mouron Rouge, alors, c'est ça?»

«C'est votre destin», déclara Vesna, qui les avait écoutés.

«*Tsoupra mou*, c'est toi mon destin.»

«Voici quel est le plan», dit Cyprian le lendemain soir, au Café Mazlum sur le quai, où l'on aurait dit que la ville entière était venue pour écouter chanter le grand Karakas Effendi. «Vous avez peut-être suivi les nouvelles en provenance de Constantinople, le ferment politique et tout ça, et remarqué que nombre de nos frères turcs ici à Salonique ont commencé à rentrer dans leur capitale dans l'attente d'une vaste manifestation destinée à faire entendre raison au Sultan. Par conséquent vous allez mettre un fez —»

«Non. Non. Je suis un exarque.»

«Danilo, expliquez-lui.»

«Vous mettrez un fez», expliqua Danilo, «et, à la faveur de l'agitation turque, vous prendrez un train pour LA ville, et, une fois là-bas», il nota quelque chose sur un bout de papier et le lui tendit, «laissez votre odorat vous conduire jusqu'au marché aux épices à Eminönü, pas très loin du quai stambouliote – vous trouverez le numéro indiqué ici et vous demanderez à parler à Khalil. Il y a toujours des caboteurs de la mer Noire qui se rendent à Varna.»

«Si j'arrive à quitter Salonique, avec tous ces membres de l'Organisation qui me surveillent.»

«Nous veillerons à ce que l'O.R.I.M. les surveille.»

«Entre-temps», dit Cyprian, «vous et moi devons échanger nos chapeaux et manteaux. Quand je partirai d'ici, ils croiront que je suis vous. Même si je dois dire que vos habits ne sont pas aussi élégants que ceux que vous allez récupérer en échange. Au cas où vous penseriez que le sacrifice est insuffisant ou je ne sais quoi.»

Et donc Cyprian, se faisant passer pour Gabrovo Falot, alla prendre ses quartiers un peu plus haut dans la rue, dans un *teké* appelé la Perle du Bara, où il remarqua immédiatement une nette amélioration dans son budget hebdomadaire, n'ayant plus à se ruiner en «chose noire», comme les jeunes derviches appelaient le haschisch, puisque tout ce qu'il avait à faire c'était de se tenir une minute ou deux dans le couloir et d'inhaler jusqu'à ce que les motifs des tapis orientaux agitent dans son champ de vision leurs oranges lumineux et leurs bleus célestes.

Bien que Vesna fût très évidemment liée à un gangster de Smyrne du nom de Dhimitris, Cyprian et elle se dirent au revoir comme si chacun faisait partie de l'autre. Il ignorait pourquoi. Danilo observa la scène avec le respect fataliste de l'entremetteur pour les lois du hasard avec lesquelles il doit à tout jamais composer. La corne du bateau lança son ultime avertissement.

«Vous avez bien agi», dit Danilo.

«Le Bulgare? Il m'inquiète celui-là, je me demande s'il mettra seulement ce fez sur sa tête.»

«Je doute qu'il oublie.»

«Ce qui compte pour lui», dit Cyprian, «c'est de retourner au pays, parmi les siens.»

Ils se donnèrent l'accolade, mais de façon convenue, car leur étreinte avait eu lieu bien avant.

Pour retourner à Trieste, Cyprian, qui avait eu son lot d'errances ferroviaires, prit des caboteurs et des bateaux-poste égéens, ioniens et adriatiques, passant le plus clair de son temps à bavarder, fumer et boire avec les autres passagers, comme si en restant seul il risquait d'être sujet à quelque désagrément. Comme si le linéaire et le quotidien, une fois épousés très fidèlement, pouvaient le sauver, pouvaient sauver quiconque. De nouveau à Kotor, sans savoir pourquoi, il débarqua, bien décidé à refaire surface et jeter un rapide coup d'œil au Monténégro. Sur la route qui menait à Cetinje, il s'arrêta à un virage serré pour contempler Kotor, et il comprit à quel point il avait voulu se tenir exactement ici, afin d'observer cette ville portuaire dans toute sa beauté et son innocence, désormais vendue aux intérêts des bellicistes, ce déni criant de la vaste cruauté de l'hiver balkanique, le soleil bénéficiant à nouveau d'un peu plus que les cinq heures que les montagnes et la saison lui avaient octroyées.

C'est alors qu'il découvrit que, après un hiver aussi éprouvant et perturbant, Bevis Moistleigh était resté planqué à Cetinje avec Jacintha Drulov! Oui, le jeune imbécile énamouré avait bel et bien traversé, en cette saison de guerre européenne hystérique, un terrain hostile miné par d'anciennes haines tribales qu'il ne comprendrait jamais vraiment, poussé par quelque chose qu'il prenait pour de l'amour. «Un soupçon de bosnophobie aussi, ça ne m'étonnerait pas», comme l'expliqua Bevis avec désinvolture.

Les pruniers et les grenadiers fleurissaient, d'un blanc et d'un rouge incandescents. Les dernières parcelles de neige avaient presque délaissé les ombres indigo des murs de pierre exposés au nord, et les truies et les porcelets couraient en couinant gaiement dans les rues boueuses. Des hirondelles récemment appariées agressaient les humains qu'elles estimaient importuns. Dans un café près de Katunska Ulica et du marché, Cyprian, assis face au couple roucoulant (la principale différence avec les pigeons, songea-t-il, c'était que les pigeons étaient plus directs quand il s'agissait de vous chier dessus), non sans un grand effort pour dissimuler son agacement, fut visité par une Révélation cosmique, qui chut du ciel telle une fiente de pigeon, à savoir que l'Amour, que des gens comme Bevis et Jacintha concevaient probablement en tant que Force unique à l'œuvre dans le monde, ressemblait en fait davantage aux 333 000 et quelques formes du Brahmâ des hindous – la récapitulation, à n'importe quel moment, de toutes les divinités inférieures de l'amour auxquelles des millions d'amoureux mortels, dans une danse illimitée, se dévouaient. Oui et grand bien leur fasse.

Il ressentit une joie étrange et sobre devant ce don, qu'il semblait n'avoir acquis que fort récemment, pour s'observer en train de s'agacer. Bizarre.

«Non mais regarde un peu Cyprian, il a l'air tout ébahi.»

«Oui. Ça va comme vous voulez, Cyprian?»

«Hein? Bien sûr. Pourquoi ça n'irait pas?»

«Vous avons-nous offensé, Cyprian?» Jacintha négligemment radieuse.

«Regardez-la», roucoula Bevis, «elle est sa propre Catastrophe ultraviolette.»

«Je ne suis offensé que par certaines sortes de papier peint», dit Cyprian avec un sourire crispé.

«Nous avons toujours su que vous partiriez à notre recherche», dit Bevis.

Cyprian le regarda fixement, sans trop de dureté, espéra-t-il. «Parce que...»

«Eh bien parce que vous n'êtes pas un de ces salauds qui bossent pour Theign. Vrai? Si vous bossiez pour lui, vous seriez tranquillement au chaud dans un poste neutre, à Genève, New York ou je ne sais où.»

«Oh, Moistleigh. J'étais dans le coin, c'est tout. Ravi de vous revoir.»

Il y eut un temps, pas si lointain, où ce genre de choses aurait annoncé une belle semaine de malaise et de ressentiment. Au lieu de ça, il sentit, sur le visage qu'aurait eu son âme si les âmes avaient des visages, un aplomb sec et printanier, comme s'il était dans les airs, maintenant un angle d'attaque dans les positions avancées d'un orage dont personne n'aurait souhaité la fin. Cela le surprit, et ne le surprit pas.

Après avoir ramassé une modeste somme aux tables de jeu, Reef erra quelque temps dans Nice, entrant dans des cafés pour y boire du vin anonyme, ou dans des bars d'hôtel pour déguster des marquises à l'ananas avec des trois-six. Mais il ne se voyait pas mener éternellement une vie de flâneur. Il avait vraiment besoin de faire exploser quelque chose. De s'éclaircir les idées. À peine cette pensée l'eut-elle traversé que le hasard plaça en face de lui son vieux *compañero* du tunnel du Simplon, Flaco, encore plus anarchiste et épris de dynamite qu'avant, ce qui n'était pas peu dire.

« Flaco ! Qu'est-ce que tu fabriques dans ces parages ? »

« Suis retourné un temps au Mexique, manqué me faire abattre pour une histoire de raffinerie de pétrole, ai dû dépenser quelque argent, me tirer vite fait. Mais tu sais qui j'ai croisé à Tampico ? Ton frère Frank ! ou Pancho, comme ils l'appelaient là-bas. Et il m'a demandé de te dire qu'il en avait "descendu un". D'après lui, tu saurais ce que ça veut dire. »

« Ça alors, ce vieux Frank. Ben merde. Il a pas précisé lequel ? »

« Non, juste ça. Il avait trois cargaisons pleines de pétards de mine qu'il voulait vendre, tu sais, ces petites torpilles pour puits de pétrole, qui contiennent environ un quart de nitro chacune ? Magnifique. Nous avions besoin de quelques-unes, il nous a fait un prix d'ami. *Buen hombre*, ton frère. »

« Ça oui. Si tu le revois, dis-lui qu'il a intérêt à surveiller son cul là-bas. »

« Oh ça je vais le revoir. Hé ! tout le monde au Mexique va se revoir bientôt, tu sais pourquoi ? Parce que là-bas tout va pas tarder à exploser ! La mèche est allumée. J'y retourne dès que je pourrai. »

« C'est du sérieux, cette fois-ci. »

« *¡ Seguro, ése !* Et on se marre bien. Tous. Ça te dit de venir ? »

« Sais pas. Tu crois que je devrais ? »

« Tu devrais venir. Qu'est-ce qu'il y a à faire ici ? »

Bon, la première chose qui venait à l'esprit c'était cette triste saga, interrompue de façon si lamentable à Venise, concernant Scarsdale Vibe, que Reef aurait dû être en train de filer à l'heure actuelle, dans l'espoir que se présente le grand moment. Mais depuis le départ de Ruperta, Reef n'avait guère d'informations, et si ça se trouvait Vibe n'était peut-être même plus de ce côté-ci de l'océan. Et depuis la séparation glaciale avec Kit, il n'avait plus trop le cœur à l'ouvrage, à dire vrai...

«Je vis dans la vieille ville», dit Flaco, «pas très loin de Limpia, mon bateau part après-demain, tu connais ce bar, l'Espagnol Clignant, tu peux laisser un message à Gennaro.»

«Ça serait vraiment chouette, *mi hijo*», dit Reef. «Comme dans le bon vieux temps dont je me souviens presque.»

Flaco le dévisagea attentivement. «T'as un boulot à faire ici, c'est ça?»

Aucune raison de ne pas lui dire, étant donné la haine indéfectible de Flaco pour toutes les personnalités en vue qu'il restait à assassiner, des deux côtés de l'Atlantique.

Ils étaient à la terrasse d'un café derrière la place Garibaldi. «J'essaie d'éviter ce genre d'endroit», dit tout bas Flaco. «Exactement le type de cible bourgeoise que les anarchistes adorent viser.»

«On peut aller ailleurs.»

«Bof, faisons confiance à la courtoisie professionnelle», dit Flaco, «et aux lois de la probabilité.»

«C'est une chose de vouloir rester en règle avec ses morts», estima Reef, «et une autre de répandre la mort de toutes les façons possibles. Ne me dis pas que j'ai été contaminé par les valeurs bourgeoises. J'en suis venu à aimer ces cafés, tout ce va-et-vient de la vie citadine – je préfère passer du bon temps ici plutôt que de me demander en permanence si une bombe ne va pas exploser —» Et bien sûr c'est exactement ce qui se produisit alors, de façon si inattendue et si bruyante que, pendant plusieurs jours, ceux qui survécurent doutèrent de la réalité de l'attentat, n'arrivant pas à croire que quelqu'un ait vraiment voulu plonger une civilité aussi aboutie et si chèrement acquise dans cette vaste éclosion de désintégration – une averse dense et prolongée de fragments de verre, transparents, ambrés, verts et noirs, provenant des fenêtres, des miroirs, des verres, des carafes et des bouteilles d'absinthe, de vin, de sirop de fruits, de whiskey d'âges et d'origines multiples, du sang humain partout, du sang artériel, veineux et capillaire, des bouts d'os et de cartilage et de tissus mous, des éclats de bois de toutes tailles arrachés au mobilier, des éclats de fer-blanc, de zinc et de cuivre, provenant aussi bien des tôles déchiquetées que des minuscules clous dans les cadres, des vapeurs d'azote, des déploiements fluides de fumée trop noire pour qu'on voie à travers – un énorme et scintillant aller-retour entre terre et ciel, vers l'extérieur et de l'autre côté de la rue et le long des bâtiments, sous les rayons d'un soleil de midi complètement indifférent, tel un long message héliographique envoyé trop vite pour que quiconque puisse le lire hormis les anges de la destruction.

Laissant derrière lui des bourgeois cruellement blessés, pleurant comme des enfants, redevenus enfants, sans autre obligation que celle de paraître assez impuissants et pitoyables pour émouvoir ceux qui étaient en mesure de les défendre, des protecteurs aux armes modernes et à la discipline de fer, mais qu'est-ce qu'ils fabriquaient? Tout en criant, ils s'aperçurent qu'ils pouvaient se regarder dans les yeux, comme affranchis de la plupart de leurs besoins de feindre l'âge adulte, des besoins encore actifs il y avait encore à peine quelques secondes.

«Flaco, *putain*, c'était pas un de tes tarés de fils de pute?» Reef observa avec intérêt le sang qui semblait le recouvrir entièrement. Il réussit à s'extirper de dessous la table en morceaux et attrapa Flaco par la chemise. «T'as encore ta tête, tout ça?»

«Pire que d'être retourné dans ce tunnel» – Flaco avec un large et stupide sourire et sur le point de chanter victoire comme un coq étonné d'être encore en vie.

«Essayons de voir si on…» Mais c'était franchement inutile. Il n'y avait pas beaucoup de morts, mais suffisamment. Flaco et Reef soulevèrent les débris, éteignirent un ou deux petits foyers, repérèrent des blessés dont on pouvait arrêter les saignements avec des garrots, un ou deux qui étaient sous le choc et qu'il fallut recouvrir avec des nappes brûlées et maculées de sang pour les réchauffer, puis, estimant, quand la police arriva et que les chiens errants firent leur apparition, qu'ils avaient fait ce qu'ils pouvaient, ils s'en allèrent. Un *gregaou* précoce s'était abattu sur la côte, et quand la fumée se fut dissipée dans sa tête, Reef eut l'impression de sentir de la neige dans l'air.

«Sûrement des *bandoleros*», Flaco toujours souriant, «ils s'en fichent de savoir qui sont leurs victimes.»

Reef faillit dire: «Pourquoi?» mais eut soudain le vertige et dut s'asseoir. Mal partout.

«Tu fais peur à voir, *pendejo*», remarqua Flaco.

«On peut pas dire que ton bras risque de remporter un prix lui aussi.»

«Je crois pas qu'il soit cassé?» Flaco l'examinant – «¡*Caray!*»

«Allons voir le type au couteau», suggéra Reef. Il s'agissait du Pr Pivoine, qui ravaudait les plaies qu'on rapportait souvent des incursions dans le quartier Riquier. Il savait également extraire les balles mais reconnaissait qu'il y excellait moins.

Ils trouvèrent les instruments tranchants et stériles et le Professeur prêt à en recoudre médicalement. Après ça, Reef sombra dans un de ces états crépusculaires où il avait l'impression que son frère Kit était là, planant à près d'un mètre dans les airs et dégageant une lueur étrange.

« Je suis désolé », voulut dire Reef, sa voix paralysée comme en plein cauchemar quand les lumières s'éteignent, qu'on entend un bruit de pas et qu'on essaie de dire « Qui va là ? » mais sans y arriver.

« Tout va bien », dit Kit, « tu n'as rien fait de mal. Rien que je n'aurais pas fait. »

Mais qu'est-ce que tu racontes, bordel ? voulut-il dire, j'ai tout foiré. J'ai abandonné mon gosse et la femme que j'aimais. Reef savait qu'il pleurait. Tant d'autres raisons de pleurer, et voilà qu'il pleurait pour ça. C'était comme un de ces tout premiers orgasmes, un événement atemporel dont on ne peut mesurer la puissance. Il en tremblait. Il sentit des larmes et de la morve partout sur son visage. Kit se contentait de flotter dans les parages, sous le plafond, en disant : « Allons, allons » et d'autres phrases rassurantes, et puis au bout d'un moment il s'estompa.

Bien que les perspectives d'avenir pour des anarchistes dans une révolution armée ne soient jamais très prometteuses, Flaco était décidé à rentrer au Mexique. Juste avant d'appareiller, Reef et lui se rendirent en boitillant à l'Espagnol Clignant pour un pot d'adieu. Ils étaient couverts de poussière de plâtre, de points de suture et de taches noires de sang séché qui plongèrent Gennaro, le barman, dans une hilarité qui dura au moins une demi-heure.

« Alors comme ça, tu vas t'accrocher et essayer de zigouiller ce capitaliste avec un fusil de chasse », dit Flaco.

« Vous devriez être sur le coup, vous aussi, vu ce qu'ils ont fait au petit Tancredi. »

Flaco haussa les épaules. « Il aurait peut-être dû se méfier. »

« T'es sévère, Flaquito. Le gosse est six pieds sous terre, comment tu peux laisser passer ça ? »

« Peut-être que je ne crois plus trop à l'assassinat des puissants de ce monde, peut-être que c'est juste un autre rêve avec lequel ils veulent nous berner. Peut-être que tout ce que je recherche ces jours-ci c'est une chouette petite guerre civile avec des *peones* comme moi sur qui je peux tirer. Ton frère Frank a eu au moins l'intelligence de s'en prendre aux tueurs à gages qui ont fait le sale boulot. »

« Mais ça signifie pas que Vibe et les autres le méritent pas. »

« Bien sûr. Mais ça, c'est de la vengeance. C'est personnel. Pas une tactique dans un combat supérieur. »

« Je pige pas », dit Reef. « Mais n'empêche que je dois m'occuper de ce salaud. »

« Bon, eh bien bonne chance, *mi hijo*. Je saluerai Pancho quand je le verrai. »

Devrais-je me méfier ? se demanda-t-elle.

Après des semaines de torches défilant devant la fenêtre, d'orages dans les montagnes, d'irruptions de la police, comme dans un courant éternellement descendant, le vacarme plus fort que les pleurs, ou la parole, le sang trouvant sa voix, aucun des deux n'essayant de se sauver mutuellement mais chacun tendant la main vers l'autre, encore et encore, pour l'enfoncer davantage, le mettre toujours plus en péril. Avant qu'ils se rendent à Senj pour embarquer de nouveau pour Venise, Vlado, comme s'il avait senti se profiler quelque obstacle mortel, confia à Yasmina un cahier d'écolier vert fabriqué dans une partie autrichienne de l'empire, avec le mot *Zeugnisbüchlein* imprimé sur la couverture, qu'elle appela *Le Livre du Masqué*. Dont les pages étaient remplies de notes de terrain cryptées et de passages scientifiques occultes dont on pouvait au moins apprécier la nature dangereuse, mais plus peut-être pour ce qu'ils promettaient que pour ce qu'ils présentaient dans un code aussi impénétrable, des croquis de paysage mental dont les couches émergeaient l'une après l'autre comme d'une brume, un pays lointain d'une pénible complexité, un flux quasi indéchiffrable de lettres et de chiffres qui se faisaient passer les uns pour les autres, sans parler d'images, depuis des esquisses pâles et arachnéennes jusqu'à un spectre complet d'encres et de pastels, de tout ce qui avait visité Vlado sous les assauts de son vent natal, de ce qui ne pouvait être paraphrasé même dans l'étrange sainteté des caractères en slavon, des visions de l'insoupçonné, des brèches dans la Création par lesquelles avait pu être brièvement entr'aperçu quelque chose. Les façons qu'avait Dieu de se cacher au sein de la lumière du jour, pas une liste complète, car la liste était probablement infinie, mais des rencontres de hasard avec des détails concernant le monde invisible de Dieu. Les chapitres étaient intitulés : « Écouter les voix des morts », « Franchir la terre impénétrable », « Trouver les portes invisibles », « Reconnaître les visages de ceux qui ont le savoir ».

Bon, un savoir secret qu'on lui avait fait jurer de ne jamais révéler, ça, elle s'y serait attendue. Elle savait désormais que dans ces montagnes, protégées par des siècles sanguinaires, des entreprises aussi féroces n'étaient jamais mises en doute. «Mais tout ça est couché par écrit», ne pouvait-elle s'empêcher d'objecter. «Je croyais qu'on était censé le transmettre oralement.»

«C'est peut-être un faux, alors», dit Vlado en riant. «Une contrefaçon. Si ça se trouve, nous avons des ateliers pleins de calligraphes et d'illustrateurs, car même là-haut dans les montagnes nous savons qu'on peut tirer de coquets profits de la culpabilité des millionnaires américains et de leurs sbires, qui sont partout ces temps-ci avec leurs fameuses sacoches bourrées de biffetons, en train d'acheter tout ce qu'ils voient, peintures à l'huile, faïences antiques, fragments de châteaux, sans parler des perspectives de mariage et des courses de chevaux. Pourquoi pas alors cet artefact naïf et pittoresque, avec ses visions colorées quoique indéchiffrables?»

Elle l'accepta néanmoins. En se disant qu'elle était attirée par l'humilité du cahier, si facile à dissimuler.

Lors de leurs séjours à Venise, ils avaient pris l'habitude d'aller au cinéma. Ils se rendaient au Teatri Minerva et au Rossini, mais leur salle préférée était le Malibran près du Corte del Milion, où la tradition situait la maison de Marco Polo. Assis dans l'obscurité, ils regardaient le film tourné ici peu de temps auparavant depuis une gondole par Albert Promio et son équipe de Lumière de Paris. À un moment, l'image était entrée dans l'Arsenal, en un glissement rêveur, longeant d'innombrables bords de canal brun, s'enfonçant dans les labyrinthes, parmi les bassins et les ateliers de gondoles, les passerelles, les anciens bassins stagnants. Elle sentit un frisson traverser le corps de Vlado. Il s'était penché en avant pour mieux voir, en proie à une appréhension qu'elle ne lui connaissait pas, même quand il percevait des cavaliers invisibles et entendait des coups de feu dans la nuit.

Reef fut de retour à Venise en un rien de temps. C'était ici que tout avait déraillé, mais sa présence ne serait sans doute guère plus utile que celle d'un fantôme. Il se sentait un peu abattu. La bombe du café niçois avait éclairé toute une crête montagneuse tel un éclair la nuit, lui dévoilant le pays sous un aspect sombre et indéchiffrable. Il n'était pas sûr d'être prêt à tout ce que recelaient ses ombres.

Il s'était rendu sur le Lido pour s'entraîner au tir avec son fusil de chasse à la cordite calibre.450. Il devait retrouver sa visée d'antan, se concentrer sur des cibles lointaines, dans une lumière déclinante et avec des vents traîtres. Il n'y avait personne pour lui faire remarquer qu'il ne savait même pas où se situerait sa cible. Il avait échoué à trouver le moindre tuyau sur Scarsdale Vibe. Il traîna dans les parages de diverses *fondamente* à différentes heures de la journée, en quête de Dally Rideout, mais elle avait disparu. Quand il se rendit à la Ca' Spongiatosta, il fut éconduit assez sèchement par la Principessa en personne, et deux *pistolieri* en livrée le chassèrent tel un mendiant.

Soudain, brusquement, se dressant hors des eaux en un vaste éclaboussement écumant d'injures italiennes, apparut une espèce de monstre marin de l'Adriatique que deux créatures en tenue de caoutchouc traînèrent sur le sable. Après avoir emprunté des routes quasi miraculeuses, connues des marins de l'intérieur depuis que les Argonautes s'étaient frayé un chemin dans le continent européen, des routes parfois souterraines, Pino et Rocco revenaient en ville avec leur torpille, qui avait quelque peu grandi – de retour enfin à Venise, leur périple facilité par le fait de n'être jamais partis dans leur cœur. Ces dernières nuits, on les avait vus dans les bars des hôtels de Saint-Marc, buvant des gin-fizz locaux appelés casanovas et se disputant sur le football associatif, et après la fermeture des bars, dans les heures précédant l'aube, on avait entendu hurler leur véhicule mortel semblable à un spectre véloce dans les canaux et les *rii*... Ce soir-là, ils avaient décidé de se rendre jusqu'au Lido, où à peine arrivés ils entendirent d'énormes explosions provenant de la rive, qu'ils crurent dirigées contre eux tant ils redoutaient en permanence d'être poursuivis.

Reef remit avec circonspection son fusil sur son épaule et hocha la tête. «Salut, les gars. Sympa votre embarcation.»

«C'est un fusil pour la chasse à l'éléphant», dit Pino.

«On m'a dit qu'il y avait des éléphants dans le coin. C'est pas le cas?»

«Nous allions à l'hôtel», dit Rocco en désignant la masse non éclairée de l'Excelsior, «pour boire un verre.»

«Je ne pensais pas qu'ils ouvriraient avant que ça se réchauffe», dit Reef.

Rocco et Pino échangèrent un regard. «Ils sont restés ouverts tout l'hiver», dit Rocco, «ils faisaient juste semblant de fermer.»

«Il existe», Pino indiquant les étendues sableuses autour d'eux, sous le soleil glacial et défaillant, «une certaine clientèle.»

Et comme de bien entendu, dans le nouvel hôtel de luxe, les lumières resplendissaient, les couloirs vibraient des échos des résidents, le désir se figeant brièvement dans des silhouettes entr'aperçues qui disparaissaient à nouveau, emportées comme malgré elles par un vent intérieur, à travers les pistes de danse et les terrasses, le long de colonnades obscures, d'où parvenait quelque part de la musique, bien que l'estrade de l'orchestre fût déserte. Des serveurs en veste blanche étaient occupés à préparer des cocktails, alors que le bar était vide.

« Une tempête se prépare », dit Rafaello en les accueillant. Il avait une orchidée violette au revers, et connaissait Rocco et Pino. « Vous êtes arrivés juste à temps. »

La salle se remplissait lentement de réfugiés dépenaillés, tout frissonnants et le regard fixe. Un peu plus tard dans la soirée, il devint clair que les affaires dépendaient maintenant autant des tempêtes d'hiver et de printemps qu'en été de la chaleur et d'un ciel dégagé.

« Et au bout d'un moment », disait Pino, « on s'y est attachés. On lui a donné un nom : *Il Squalaccio*. »

Une fois la torpille baptisée, il parut impossible de jamais la faire exploser. Ils la rapportèrent à l'atelier, repensèrent ses formes, ajoutèrent des extensions à la proue et la poupe, installèrent un moteur plus gros, et très vite se retrouvèrent avec une variété de sous-marin nain.

« Mr Traverse ? » Reef regarda dans le miroir et reconnut l'amie de Kit, Yasmina, qu'il avait vue pour la dernière fois à Lago Maggiore, à l'époque où il traînait avec Chirpingdon-Groin.

« Re-bonjour. » Elle était avec un grand benêt plutôt bien habillé venant de quelque part de l'autre côté de l'Adriatique. Ils retournaient à Trieste quand la tempête les avait surpris, les forçant à échouer sur la rive sous le vent du Lido, même si leur souci premier semblait désormais une vedette qu'ils avaient repérée derrière eux.

« Ils nous ont suivis depuis le Bacino, tous phares éteints, et si la tempête n'avait pas éclaté, ils nous auraient sûrement coulés. »

« *Attenzione* », murmura Pino.

Un groupe d'hommes venait d'entrer, certains restaient près de la porte, d'autres commençaient à traverser lentement la salle, en scrutant les visages. Elle se tourna vers Reef. « Faites comme si vous étiez fasciné. »

« Pas de problème. Où est passé votre acolyte ? »

« Vlado a dû les repérer avant moi. »

Rocco s'approcha. « *Austriaci*. Ils doivent nous chercher, Pino et moi. »

« C'est Vlado et moi qu'ils veulent », dit-elle.

« On peut vous déposer », ronronna Pino, incapable comme d'habitude de déguiser ses intentions lubriques. « On peut dormir facilement à quatre dans *Il Squalaccio*. »

Reef prit son fusil de chasse et sortit de l'hôtel. « Je vous couvre. Courez dès que vous le verrez. »

Sur la plage, il trouva une cabine de bain, prit une allumette, la tint sous la pluie suffisamment longtemps pour en adoucir la tête, puis étala le phosphore humide sur les visées avant et arrière jusqu'à ce qu'elles brillent assez pour y voir.

Yasmina s'accroupit alors près de lui, tête nue, respirant pesamment, et les balles commencèrent à siffler dans les parages. Reef l'attira contre lui, affermit le fusil sur l'épaule de Yasmina et tira à son tour par deux fois. Dans l'immense hôtel, on put voir les Autrichiens habillés en noir s'effondrer dans le sable humide.

Le vent emporta le bruit des détonations vers les plages sombres, et ce jusqu'à Malamocco. Des survivants de l'hiver, méprisés, évincés, volontairement perdus, frissonnaient dans des abris de fortune, rassemblés autour de feux de bois, et se demandaient tout haut ce que ça pouvait être.

Le groupe des tueurs s'avança, en direction de la jetée, où une longue masse sombre attendait, visible surtout par les volutes de fumée d'échappement qui l'entouraient. « Oh », gémit-elle, et Reef sentit les muscles de la jeune femme se tendre. Elle avait vu Vlado parmi eux, en sang, capturé, et elle savait qu'elle ne devait pas crier son nom.

« Où est votre bateau ? » Elle ne dit rien et ne bougea pas. « Mademoiselle Halfcourt ? » Elle acquiesça, se releva tandis qu'on entendait gronder, crachoter et hurler les portées d'arbre, d'abord fortes puis de plus en plus faibles.

Vlado et elle s'étaient échoués côté Lagune. La petite embarcation n'était pas tout à fait démâtée, mais Reef ne voyait pas comment se rendre à Venise à son bord, sauf en ramant.

« Vous voulez qu'on vous remorque ? » Rocco et Pino et Il Squalaccio.

Une fois sur l'eau, plissant les yeux dans la pluie en quête des lumières de Saint-Marc, Reef dit : « Et moi qui croyais que je menais la grande vie. Vos amis là-bas — j'ai bien entendu "autrichiens" ? »

« Probablement un Anglais aussi, du nom de Theign. »

« Je ne suis pas trop la politique, mais aux dernières nouvelles, l'Angleterre et l'Autriche, c'est pas deux camps différents ? »

« Ce n'est pas vraiment ce qu'on pourrait qualifier d'officiel. »

« Et ils veulent votre peau ? Vous n'êtes pas officiels, non plus ? »

Elle éclata de rire, ou bien c'était autre chose. « Je pense que c'est uniquement après Vlado qu'ils en avaient. » Ses cheveux étaient tout emmêlés, sa robe était déchirée. Elle présentait une lointaine ressemblance avec une dame ayant besoin de protection, mais Reef était prudent.

« Vous résidiez où ? »

«À Trieste. Pas sûre de pouvoir y retourner.»

Le temps qu'ils arrivent à Venise, la tempête était passée au-dessus de la *terraferma* et la lune brillait d'un éclat fantomal. Ils avancèrent prudemment dans l'écheveau des petits canaux, le moteur réduit à un marmonnement assourdi, tout dans la nuit étrangement éclairé, sur le point d'accéder à un rougeoiement inquiétant. Ils mirent enfin le pied sur une étroite *fondamenta*. «Nous allons cacher ça pour vous dans un petit *squero* dont on se sert», dit Rocco. «Il y sera en sécurité.»

«Je vous offre un gin-fizz la prochaine fois qu'on se voit, les gars», Reef en touchant son chapeau.

«Si Dieu le veut», dit Pino.

Le sous-marin nain s'éloigna, remorquant légèrement de travers le bateau. Ils montèrent quelques volées de marches, d'abord en marbre, puis en bois. Reef les précéda dans une pièce baignant dans le clair de lune.

«Chez vous?»

«Des gars de la côte d'Amalfi, on a fait affaire ensemble, ils gardent l'endroit à dispo. Tranquille pour deux, trois jours peut-être.»

Reef trouva une bouteille de grappa, mais Yasm fit un geste pour refuser et s'effondra sur le divan, en prononçant une seule fois le nom de Vlado, son murmure empreint d'un défaitisme que même elle ne se connaissait pas.

«Il aurait pu s'en sortir dans la pagaille – vous savez quoi, je vais ressortir, me renseigner un peu. Il y a une baignoire ici, du savon, tout ça, détendez-vous, je reviens tout de suite.»

«Vous n'êtes pas ob —»

«Je sais. Je me disais juste que je pouvais peut-être aider une amie de mon frère, c'est tout.»

En redescendant les marches, il profita des quelques minutes que durait la descente pour imaginer Kit quelque part sur un chameau en train de repousser une demi-armée de Chinois hurlants et sûrement préoccupé à autre chose qu'à ce que pouvait bien faire cette très étrange jeune femme. Ce qui n'excusait pas la façon dont Reef l'avait plantée là. Une façon vraiment merdique de se comporter, et il ne se rappelait même plus pourquoi.

Il trouva un bar ouvert toute la nuit près du Campo Santa Margherita qui avait toujours été idéal pour les potins de dernière minute jusqu'à ce que le Rialto passe à la vitesse supérieure au matin, commanda des verres, garda les oreilles ouvertes, posa de temps en temps le genre de questions que poserait un cow-boy niais. Tout le monde avait entendu parler de la fusillade sur le Lido, et s'accordait pour dire que la seule chose qui retardait la guerre avec l'Autriche c'était qu'aucun Italien n'avait été directement impliqué. Le *mavrovlaco* était bien connu, une sorte de hors-la-loi dans le coin, étant, comme son peuple depuis des générations avant lui, hostile à l'Autriche et à ses ambitions dans l'Adriatique. Dès qu'il quittait son bastion montagneux, ils essayaient de le suivre et de le capturer, et cette fois-ci la mer l'avait trahi, car nul être humain ne l'aurait jamais fait.

À son retour, Reef trouva Yasmina endormie sur le divan, ses cheveux mouillés étalés sur une serviette pour qu'ils sèchent. Le célèbre clair de lune vénitien se déversait par la vitre, et tout paraissait souligné à la craie. Il resta près de la fenêtre, tournant le dos à la cité considérablement hantée et fuma en la regardant dormir.

Elle portait une chemise de batiste blanche, transparente dans les rayons de la lune, et qui avait remonté au-dessus de ses hanches. Une main reposait entre ses cuisses, légèrement écartées. Reef s'aperçut qu'il bandait.

Parfait. En cavale, son galant dans le pétrin, et voilà qu'il nourrissait des pensées déshonorantes! Elle choisit ce moment pour remuer dans son sommeil, se tournant de sorte qu'il put alors contempler son, oh oui, admirable cul, et bien qu'il eût eu tout intérêt à se rendre à pied à cette Piazza ou ailleurs, au lieu de ça, fidèle à sa nature idiote, il avait déboutonné son pantalon et commencé de se caresser la queue, incapable de ne pas fixer les fesses pâles et la fente sombre, la noire cascade de cheveux et la nuque exposée, à tout juste deux pas d'elle. Comme il accélérait en vue de la dernière longueur, elle roula sur le dos et l'observa avec d'énormes yeux brillants, qui étaient ouverts depuis quelque temps apparemment, ses mains aussi occupées que les siennes. Il lâcha son sexe le temps de hausser les épaules, sourire et écarter ses paumes luisantes, une façon d'implorer, charmante d'après ce qu'on lui avait dit, la patience.

«Êtes-vous coutumier de cette répugnante activité, ou le vagin aurait-il quelque intérêt à vos yeux, autre que purement notionnel?» demanda-t-elle, son effort pour adopter un ton traînant et girtonien annulé par un frisson qu'elle ne put réprimer.

Avant qu'il comprenne qu'il ne s'agissait pas là d'une demande de renseignement, il franchit les deux ou trois pas qui comptaient et se retrouva sur le divan puis en elle, et ce plutôt au bon moment, comme il s'avéra. Elle colla ses dents, violemment et sans s'excuser, entre son cou et son épaule et poussa ainsi un long cri assourdi qui était au moins pour moitié un grognement. Il saisit une pleine poignée de ses cheveux, ce qu'il avait eu envie de faire depuis qu'il était entré dans la pièce, attira son visage vers le sien et, se surprenant car il n'était guère porté sur les baisers, embrassa Yasmina jusqu'à ce qu'elle lui morde les lèvres et la langue pendant encore peut-être une trentaine de secondes, pour s'assurer de ce qui se passait.

Elle se recula suffisamment longtemps pour siffler « Espèce de porc malpoli », et ils s'embrassèrent de nouveau.

Il s'attendait à des reproches, mais elle était davantage intéressée par ses cigarettes égyptiennes. Il dénicha une allumette de sûreté et l'alluma pour elle. Au bout d'une minute elle dit : « Vous avez appris quelque chose ? »

« Pas vraiment. »

« Dites-moi ce que vous savez. Je ne suis pas une fragile fleur sauvage américaine. »

« Ils l'ont emmené à l'Arsenal. »

Elle hocha gravement la tête, et à la lumière de la lampe il vit qu'elle blêmissait.

« On pourrait y entrer », dit-il.

« Oh ? Et après ? On se fait encore tirer dessus ? » Comme il ne répondait pas : « Et quoi d'autre ? »

Il fit tomber de la cendre dans le revers de son pantalon. « Vous comptez vraiment y aller attifée ainsi ? »

Elle regarda la psyché. « Vous n'approuvez pas ? On le fait une fois, et vous me donnez déjà une leçon de morale ? »

Il recracha un rond de fumée, dans l'espoir d'attirer son attention. Le cercle tourna, se distendit lentement dans le clair de lune, prit une teinte franchement sépulcrale. « C'étaient des Mannlicher ce soir sur le Lido, donc j'en déduis que nos *amigos* autrichiens ne venaient pas juste pour s'entraîner au ball-trap. Ils cherchaient certainement votre ami Vlado, mais s'ils ont votre signalement aussi — »

Elle examina une de ses boucles dans le miroir. « Alors il va me falloir un déguisement, et il faudra en sacrifier quelques-unes. » Elle attendit, comme s'il devait répondre. « Bon. Quand une fille veut une ondulation Marcel vite fait, il n'y a qu'un seul homme en ville à aller voir. » Reef s'était déjà mis à ronfler.

Quand elle arriva à cet endroit insupportablement à la mode de Saint-Marc, juste derrière le Bauer-Grünwald, le Signor Fabrizio ouvrait juste son salon.

« Et notre Ciprianuccio, il ne lui est rien arrivé ? »

« En voyage d'affaires », dit-elle, mais pas assez calmement pour empêcher le *parruchiere* de se signer nerveusement. Il n'alla guère mieux quand il sut ce qu'elle voulait. Parmi les nombreuses personnes, hommes comme femmes, qui vouaient un culte aux cheveux de Yasmina, Fabrizio était un extrémiste dont on veillait à ne pas déclencher inutilement le zélé roulement d'yeux.

«Je ne peux pas les couper. *Macchè*, Yasmina. Comment pourrais-je les couper?»

«Mais ils seront à vous, alors. Vous pourrez en faire ce que vous voulez.»

«Présenté ainsi...» Elle suivit son regard. Tous deux observaient à présent son pénis. «Non. J'en doute fort.»

Il haussa les épaules.

«Il y a pire. Je veux être blonde. Châtain au moins. Une *Cadorina*.»

«Sainte mère de Dieu.»

«Et si quelqu'un peut le faire...»

La blague pénienne était seulement la petite plaisanterie de Fabrizio, bien sûr. Les cheveux de Yasmina allaient connaître un sort étrange et pas tout à fait déshonorant. Ils seraient délicatement décolorés, et coiffés en une perruque complexe dans le style vénitien du dix-huitième siècle, appropriée pour un déguisement de Carnaval, où il devait en fait se produire dans un avenir proche, lors d'un fatidique bal masqué.

Quand le Campanile de la place Saint-Marc s'effondra, quelques âmes vénitiennes politiquement sensibles ressentirent un certain transfert du pouvoir. Et le campanile de San Francesco della Vigna, un peu au nord de l'Arsenal, là où l'ange rendit visite à saint Marc lors de la nuit mouvementée décrite par le Tintoret, une proche réplique de celui qui s'était écroulé, en vint à se substituer à lui en tant que centre du pouvoir, comme par une sorte de coup d'État au cours duquel l'Arsenal, et les austères certitudes de la science militaire, remplaça le Palais ducal et ses luttes humaines et fragiles pour assurer la vertu républicaine.

Telle l'île funéraire de San Michele, visible à l'horizon, l'Arsenal offrait également aux regards civils un Mystère entouré d'un mur, une haute et pâle enceinte de brique, nue à l'exception ici et là d'un dispositif de tringle de tension décoratif ou d'un tuyau de descente, et surmontée de créneaux en forme de hallebardes à double lame. Tout autour du périmètre interdit, les habitants de Castello vaquaient à leurs occupations quotidiennes, les chiens chiaient sur les pavés, on entendait sonner des cloches, les *vaporetti* arrivaient et repartaient, les piétons marchaient à l'ombre du Mystère comme s'il n'était pas là, comme s'il était là mais ne pouvait être vu. Les anciens plans montraient que ce qui était visible depuis les entrées ne représentait qu'une fraction de l'édifice entier. Pour ceux qui n'avaient pas le droit d'entrer, les plans étaient pareils à des visions de prophètes, réalisés dans une espèce de code, une notation claire et lisible pour qui se trouvait à l'intérieur.

Vlado Clissan, conscient d'une zone silencieuse derrière lui, risqua un regard vers les murs de l'Arsenal, qui retenaient le vent salé, et se dressaient, nus et fonctionnels, pour manger la moitié du ciel. Un voile de maçonnerie. Des mystères ici. Il savait que bientôt une porte, quelque part dans les murs, d'ordinaire gardée invisible, allait s'ouvrir. Il la franchirait avec ses ravisseurs, et le prochain monde commencerait.

Dans un coin abandonné depuis longtemps d'une des anciennes fonderies qu'il avait aménagé en bureau, Derrick Theign était assis sur une chaise pliante, les yeux tranquilles et pâles dans un visage livide qu'il était capable de transformer en un masque jamais contemplé à Venise, mais que quiconque, et surtout les personnes dans la position de Vlado, saurait néanmoins reconnaître. On racontait qu'il avait effrayé des sujets, les poussant à lâcher des informations qu'ils ne possédaient par ailleurs pas, à avouer des actes qu'ils n'avaient jamais songé à commettre.

« Les vôtres font commerce de secrets navals. La piraterie uskok mise au goût du jour, je suppose – inutile de saisir des bateaux réels, quand on peut faire trafic de leurs âmes. »

Vlado éclata de rire. « Si j'étais un pirate, je préférerais un véritable bateau transportant une véritable cargaison ayant une véritable valeur. Et je ferais affaire avec des intermédiaires un peu plus élégants. »

Theign avait peut-être rêvé d'une discussion plus intellectuelle, même s'il était évident que, chemin faisant, *ce moment viendrait*. Ce genre de conversations, qui retardait les choses, donnant au sujet des raisons d'espérer, même provisoirement, serait d'autant plus marquant quand le Webley ferait enfin son apparition – ce passage à l'immobilisme si utile aux bourreaux, une paralysie de la volonté, ou ce qui servait de volonté à ces gens et leur permettait de résister aussi perversement jusqu'au bout.

« Je vous ai vu avec quelqu'un, n'est-ce pas, là-bas sur le Lido ? Juste entr'aperçue dans la confusion, mais elle semblait très attirante. En fait. »

« Vous trouvez ? » Veillant à ne pas paraître trop interloqué et accélérer prématurément les choses.

Theign haussa les épaules. « Plutôt : à quel point la trouvez-vous, vous, attirante ? Et à quel point est-elle des vôtres ? Ou bien n'était-elle là qu'à titre, disons, ornemental ? »

« Vous voulez savoir contre quoi je serais prêt à l'échanger ? »

« Bien sûr, ces choses-là arrivent. Mais je ne voulais insulter aucun de vous deux. »

« J'ignore où elle est. Même si je le savais, elle ne serait guère utile… »

Theign observa le visage de Vlado jusqu'à ce que la désagréable pensée eût complètement fait surface, puis hocha la tête, un hochement de tête entre adultes. « Exact. À moins que vos plans à tous deux ne fussent le même. Auquel cas, si vous me le révéliez, ça n'aurait guère d'importance. »

« Où elle se trouve. »

« Si vous le saviez, bien sûr. »

Ce n'était pas comme d'être dans une taverne où un ennemi vous braque avec un pistolet en vous disant : « Prenez vos dispositions avec Dieu, car vous n'allez pas tarder à mourir. » Dans une taverne, toujours, quelque part, à portée de main, il y aurait un deuxième pistolet, un troisième, une chance. Dans cet endroit désolé et peu sociable, un tel espoir n'était pas de mise. Les enjeux, si pari il y avait, seraient très élevés.

Plus tard, à Cimiez, tandis que le vent du nord-est chassait les visiteurs saisonniers à l'intérieur, Yasmina commença à entendre parler de coups de feu échangés près de l'Arsenal, entre ce qui avait peut-être été des mercenaires autrichiens et ce qui avait peut-être été des révolutionnaristes dalmatiens, et s'en remit alors, comme toute bonne anarchiste émotionnelle, à la Loi de l'Insuffisance Déterministe.

« C'est quoi ça ? » demanda Reef.

« Comme une carte qu'on tire à laquelle on ne se serait jamais attendu. »

« Oh c'est des conneries, si on les a comptées soigneusement — »

« Ça marche peut-être seulement pour les jeux de cinquante-deux cartes. Mais le jeu est d'un ordre de grandeur sans comparaison, approchant peut-être l'infini, d'autres possibilités commencent à émerger… » Sa façon à elle de dire : *Vlado est immortel. Capable de se débrouiller tout seul, aucune raison de s'inquiéter pour lui…*

Reef l'examina, se retirant derrière un sourire déconcerté qui se glissait ces derniers temps de plus en plus sur ses lèvres. Au début, quand elle parlait ainsi, il l'avait mis sur le compte d'une sorte de croyance dépourvue de preuves – religieuse, ou superstitieuse en tout cas. Mais voilà que des relais disséminés tout le long de la Côte d'Azur, à Nice, Cimiez, Monte-Carlo, Menton, pendant la saison d'hiver et encore au printemps, tels des commérages de village, s'étaient mis à égrener une tout autre histoire. Des poches cédèrent aux coutures suite à trop de gains encaissés.

Le système datait du jour où elle était montée avec Lorelei, Noellyn et Faun dans la Grand-Roue d'Earl's Court, des siècles plus tôt, quand elle était adolescente. «Trente-sept chiffres sur la roue», lui expliqua-t-elle. «Le zéro appartient à la maison. Sur les trente-six autres, douze – si on compte un et deux – sont des nombres premiers. Dans le sens des aiguilles d'une montre, en prenant trois chiffres à la fois, dans chaque série de trois on trouve exactement un seul nombre premier.»

«Donc ils sont répartis de façon plutôt égale.»

«Mais la roue accomplit plus d'une révolution. Les nombres se répètent sans cesse, comme une horloge hyper-rapide avec trente-sept heures. Nous disons que trente-sept est le module de la roue, comme douze est le module d'une horloge ordinaire. Donc le chiffre sur lequel la bille d'une roulette s'arrête est en fait le numéro "module trente-sept" – le reste, une fois divisé par trente-sept, de la somme des comparti-ments mobiles où la bille a eu une chance de tomber.

«Bon, d'après le théorème de Wilson, le produit $(p - 1)$ factoriel, quand on prend pour module n'importe quel nombre premier p, est toujours égal à moins un. Sur la roue, $p - 1$ est trente-six, et trente-six factoriel se trouve également être le nombre de toutes les permutations possibles des trente-six numéros. Il est donc évident d'après ce qui précède que —»

Elle fut interrompue par le bruit mat que fit la tête de Reef contre la table, où elle demeura.

«Je ne crois pas qu'il ait suivi mon raisonnement», murmura-t-elle. Mais elle continua de lui susurrer la leçon, comme si elle voulait croire qu'il avait seulement sombré dans une légère hypnose. Apparemment cela marcha, car dans les jours qui suivirent il commença à gagner à la roulette bien au-delà des probabilités. Si elle continua de murmurer des conseils éducatifs aux moments adéquats, ni l'un ni l'autre en revanche n'aborda la question.

Ayant retenu la leçon et admis que le désir s'estompe toujours, la question de savoir pourquoi Reef la trouvait à ce point irrésistible n'était pas de celles auxquelles il consacrait beaucoup de loisirs. Son irrésisti-bilité remplissait la journée, laissant peu de temps pour la réflexion. À peine l'un d'eux avait-il franchi le seuil qu'elle relevait ses jupes, ou s'emparait de son sexe, ou simplement s'allongeait, ses yeux gris acier et humides emprisonnant son regard dans un étau auquel il ne savait se soustraire, tandis qu'elle se caressait, jusqu'à ce que, sans avoir besoin de le décider, il vînt à elle. Toujours lui à elle, se fit-il la réflexion, tel était le scénario, et mieux valait le garder à l'esprit.

Elle se souvint un jour du cahier que Vlado lui avait donné, enfoui dans ses affaires puis oublié. Elle se mit à le lire, quelques pages par jour, comme une personne pieuse le ferait avec un texte religieux. Elle lisait, non portée par l'espoir, mais en proie à la terreur, mue non par une certitude mais par une terrible inquiétude quant au sort de Vlado. Elle s'aperçut qu'elle comprenait certains symboles, un vecteur et une notation quaternion que Kit lui avait montrés à Göttingen. Ça ressemblait à un argument mathématique d'un genre classique, qui aurait pu même être formulé par Riemann, sauf qu'on trouvait des termes contenant le temps, tels des intrus dans un bal masqué, prêts à tel coup de l'horloge à rejeter leurs capes en arrière pour révéler leurs véritables identités et leur mission. Il y avait des passages dans le texte où elle se sentait sur le point de saisir une information si grandiose et si fatale qu'elle faisait délibérément machine arrière, se forçait à oublier son don pour les liens ou les analogies mathématiques, lequel lui aurait permis de progresser, au prix d'une certaine folie. Ce qu'elle ne pouvait pas oublier, c'était Vlado, la main même qui avait tracé ces marques sur ce papier, la main qu'elle espérait encore désespérément sentir enfouie dans ses cheveux, posée contre ses lèvres.

Cyprian refit enfin surface dans une Venise en plein mirage hivernal, après des semaines d'insomnie, tout débraillé, plissant les paupières pour mieux voir la ville terne sous la pluie depuis la Lagune, frissonnant sous les assauts répétés du vent, les yeux irrités, les cheveux hirsutes et réclamant de toute urgence les attentions du Signor Fabrizio – il mourait d'envie de passer du temps dans une baignoire fumante avec une bouteille glacée de n'importe quel alcool contenant des bulles. Malheureusement, les *galleggianti* n'ouvraient pas avant mai. Il devait d'abord se poser et fumer une autre Sobranie, en toussant abjectement, les jambes flageolantes sur le pont mouillé. Saleté de temps. Qu'avait-il pu voir en ces lieux pour revenir ainsi? Qui se souciait qu'il revienne ou même qu'il soit revenu? Yasmina, bien sûr, était la réponse qu'il espérait, mais après son séjour sur la Péninsule, il comprit qu'il ne servait à rien de trop anticiper gaiement.

Elle n'était plus à Trieste. Il avait passé une semaine à la chercher là-bas, dans tous les endroits auxquels il pouvait penser, pour finir par apprendre, par les associés de Vlado Clissan, qui avaient juré de se venger, le triste sort de ce dernier entre les mains de Derrick Theign. «Il est devenu fou», dit le cousin de Vlado, un certain Zlatko Ottician. «Il est dangereux pour tout le monde, maintenant.»

«Je vais aller voir à Venise.» Même si Vienne était désormais l'endroit le plus probable où trouver Theign. Cyprian évoluait dans un vide sourd que sa peau ne pouvait définir avec succès. Il ne se remonta pas le moral en se disant qu'il était peut-être autant coupable que n'importe qui – Vlado avait été son seul espion fiable, ce qu'on faisait de plus proche comme ami dans ce métier, et il était difficile de voir dans le comportement de Theign autre chose qu'une sorte de décapage meurtrier.

«Dois... rester debout...» Voilà! À ce moment précis, il aperçut l'autre fumier de traître en personne dans un *traghetto*, émergeant des brumes, dans sa pose habituelle, comme toujours bien trop absorbé par sa personne pour être pris pour un Vénitien, passant sans remarquer le petit steamer, et Cyprian au bastingage saisi d'une rage inattendue. L'apparition s'évanouit à nouveau dans la pluie. «Non, non», marmonna Cyprian, «pas question…» Certains récoltent la tempête, lui devait se contenter de ce brouillard confus – la pénitence, supposa-t-il, pour n'avoir jamais appris à penser de façon analytique. Et maintenant qu'il avait grand besoin d'un plan élaboré, son esprit se changeait en un vide arctique aveuglant. Bevis Moistleigh, autrement plus ingénieux, dont les intérêts alors étaient à tout le moins plus précaires que ceux de Cyprian, devait être parti avec sa charmante Jacintha dans un endroit ennuyeux, pour faire le fou parmi les premières jonquilles, ce genre. Escompter la moindre reconnaissance était bien sûr bon pour les gogos, on reversait les intérêts à point nommé au prix actuel, et la gratitude n'était guère cotée… mais bon, après tout.

Pour l'instant, la seule consolation de Cyprian c'était le revolver de service chargé Webley-Fosbery qui se trouvait dans ses affaires. Si le pire se produisait, ce qui était inévitable – les attentes déçues étant la règle dans sa partie –, eh bien il pouvait toujours sortir son arme, n'est-ce pas, et tirer sur une cible désignée quand le moment se présenterait. De préférence Theign, mais sans exclure sa propre personne. *Cazzo, cazzo…*

Il trouva la vieille *pensione* de Santa Croce occupée par un groupe de touristes anglais qui le prirent pour un guide local à la recherche d'un emploi. La bora hurlait entre les cheminées, comme amusée. Personne ici ne savait rien sur les précédents occupants, mais au rez-de-chaussée la Signora Giambolognese se rappelait de nombreuses soirées histrioniques, hurlements et raffut, et elle accueillit Cyprian avec un de ces sourires las, comme s'il allait lui raconter une blague. «Votre ami, il vit à l'Arsenal.»

«*Macchè, nell'Arsenale —*»

Elle tourna les paumes vers le haut, haussa les épaules. «*Inglesi.*»

Sur un coup de tête il ressortit, s'engagea dans la *calle* du *traghetto* menant à la gare Santa Lucia et vit, sortant juste du consulat britannique… Ratty McHugh! Lequel prit Cyprian pour un mendiant et détourna sèchement les yeux. Mais le regarda à nouveau – «Ben ça alors. Latewood?»

«Hmmn.»

«Il faut qu'on parle.» Ils se rendirent tout au fond d'une cour au fond d'une autre cour où Ratty avait un bureau. «Tout d'abord, nous sommes profondément désolés pour ce qui s'est passé à l'Arsenal. Clissan était quelqu'un de bien, un des meilleurs, ce que tu devais savoir mieux que quiconque.»

Il s'avéra que Theign n'était pas vraiment domicilié à l'Arsenal mais il avait des bureaux là-bas qui lui servaient de pied-à-terre quand il était en ville. « Ce qui est en outre sacrément pratique pour dégoter la moindre information navale qu'il souhaiterait transmettre à ses maîtres autrichiens. »

« Et ça ne dérange pas trop la Marine italienne ? »

« Oh, c'est toujours pareil. Ils croient qu'il va les conduire à quelque chose de plus sérieux, et il lui suffit d'entretenir leur rêverie. Un peu comme le mariage, je suppose. »

Cyprian remarqua alors une alliance en or pâle. « Tudieu. Ça alors, félicitations, mon vieux, une sacrée étape dans la vie, comprends pas comment j'ai pu rater ça dans les journaux bosniaques. C'est qui, dis-moi tout, Ratty ! »

« Oh c'est cette vieille Jenny Invert, tu te souviens d'elle, on allait tous ensemble à Newmarket autrefois. »

Cyprian plissa les paupières. « La fille qui venait de Nether Wallop, Hants, qui te dépassait de trois têtes si je ne me trompe, un as au ball-trap, présidente de la branche locale de l'Association des Oiseaux Inanimés — »

« Celle-là même. Elle croit que je suis une sorte de jeune diplomate, alors si jamais vous vous revoyez tous les deux, même si je veillerai à ce que ça ne se produise jamais, ne va pas te mettre tout d'un coup, bon, à te rappeler quoi que ce soit de… tout ça — »

« Muet comme une tombe, l'ami. Même si elle pourrait être utile en ce moment, rapport à notre ami problématique n'est-ce pas, une balle direct et hop. »

« Oui, la dernière fois que tu as plaisanté à ce sujet, Cyprian, à Graz n'est-ce pas, je me suis peut-être mis un peu en rogne, mais depuis j'ai réfléchi à tout ça et, bon… »

« Inutile de présenter des excuses, Ratty, du moment que tu es revenu à la raison, c'est le principal n'est-ce pas. »

« Il se montre très prudent. Ne sort jamais sans au moins deux grands simiens qui veillent sur ses flancs. Des trajets sujets à des changements imprévisibles, toujours cryptés en tout cas, que personne ne parvient à percer vraiment, vu que la clé change également d'un jour sur l'autre. »

« Si je pouvais dénicher Bevis Moistleigh, je lui demanderais de travailler dessus. Mais, comme toi, les seuls accords sur son ukulélé ces jours-ci sont pour *Je t'aime tant*. »

« Ah oui attends, c'est *fa* majeur, *do* septième, *sol* mineur septième — »

« *Oca ti jebem* », une plaisanterie monténégrine que Cyprian ressortait assez souvent ces derniers temps.

Ratty lui lança un regard interrogateur. «Et ta propre, hum…»

«Pas de ça.»

«Nous savons qu'elle n'est plus à Trieste. Elle est restée ici un moment, est repartie en compagnie d'un Américain, on ne sait où, je le crains. J'avais promis de garder un œil sur elle, mais —»

«La honte, Ratty, il existe un cercle des Enfers pour ce genre de choses.»

«J'étais sûr que tu comprendrais. Tu sais quoi, je rentre à Londres demain, mais si jamais une ligne de tir dégagé se présentait —» Il sortit un maillet et se mit à taper vigoureusement sur un gong chinois à portée de main. Une personne en costume à carreaux passa la tête par la porte et haussa les sourcils. «Voici mon collègue Giles Piprake, aucun problème connu qu'il ne sache résoudre.»

«Votre bourgeoise s'est jamais plainte», marmonna Piprake.

«Cyprian a besoin de causer au prince Spongiatosta», dit Ratty.

«Ah bon?» s'étonna Cyprian.

«Exactement ce qu'a dit Ratty au pasteur, et voyez ce qui s'est passé», dit Piprake. «Je suppose qu'il s'agit de Derrick Theign, l'Éléphant solitaire.»

«Le Prince quoi déjà?» demanda Cyprian, vaguement consterné. «Sûrement pas, arbitre?»

«Un de nos hommes les plus fiables», l'informa Ratty. «Theign et lui étaient associés. Voire complices dans les pires sortes d'opérations maléfiques. En fait —» jetant un regard nerveux à Piprake. «Theign t'a arrangé un jour un rendez-vous avec le Prince, oui, nous savons. Ça s'est passé comment, j'ai toujours voulu savoir.»

«Aaaahh!» hurla Cyprian, qui essaya de se cacher derrière un dossier ouvert sur le bureau de Ratty.

«Il est sensible», dit ce dernier, «il vient de commencer dans ce métier – Latewood, mon brave garçon, ressaisis-toi.»

«Je dois me souvenir de ne pas porter de jaune» – Cyprian, comme se sermonnant. Piprake, les sourcils oscillants, se retira pour aller téléphoner au Prince.

«Tu nous tiendras au courant», dit Ratty.

Cyprian se leva et mit son chapeau avec une emphase de music-hall.

«Effectivement. Bon, Ratty ta-ta, bien le bonjour à ta femme.»

«Ne l'approche pas, je te mets en garde, elle s'arrangerait pour que tu épouses une de ses amies horriblement inadéquates avant que tu te rappelles le mot "non".»

La Princesse était introuvable à la Ca' Spongiatosta, mais le Prince apparut dans le vestibule avant même que le *valletto* pût prendre le chapeau de Cyprian, un Cyprian enjoué et superbe dans une tenue héliotrope d'une nuance jusqu'ici jamais observée à la surface de la terre.

«*Facciam' il porco*», dit le Prince en l'accueillant, avec animation mais, l'espérait-on, pour rire.

Penchant la tête d'un air contrit : «*Il mio ragazzo è molto geloso.*»

Le Prince sourit. «Exactement ce que vous avez dit la dernière fois, et avec ce même accent de guide de conversation. *Qualsiasi, Ciprianino.* Le capitaine Piprake me suggère que nous avons peut-être un intérêt commun à neutraliser les plans d'une ancienne connaissance mutuelle qui s'est depuis engagée sur le chemin extrêmement dangereux du vice et de la trahison. »

Ils montèrent au *piano nobile* et traversèrent une galerie où était exposée la collection de symbolistes modernes du Prince, y compris certaines huiles de Hunter Penhallow, notamment sa méditation sur le sort de l'Europe, *La Porte de Fer*, dans laquelle des foules indistinctes se dirigeaient vers une ligne de fuite sur laquelle se brisait un éclat infernal.

Le Prince l'invita à entrer dans une salle remarquable par son mobilier Carlo Zen et ses vases Galileo Chini. Une écritoire crème pâle trônait dans un coin, mise en valeur par du cuivre et du parchemin aux motifs peints assez alambiqués.

«Bugatti, n'est-ce pas ? » dit Cyprian.

«Les goûts de ma femme», acquiesça le Prince. «Je suis davantage porté vers la haute époque. »

Des serviteurs apportèrent un *prosecco* frais et des verres sur un antique plateau en argent, ainsi que des cigarettes d'Alexandrie dans un coffret byzantin vieux d'au moins sept cents ans.

«Le fait qu'il ait voulu mener à bien ses plans depuis Venise», dit le Prince, «cet antre nébuleux de dédales piétonniers, de l'immobilisme municipal, suggère une allégeance à des forces déjà en branle depuis long-temps. Mais ce n'est là qu'un masque qu'il s'est choisi. D'autres pays, notoirement les États-Unis, se prétendent "républicains" et croient comprendre les républiques, mais ce qui a été conçu ici au fil de siècles marqués par la cruauté de doges gît à jamais au-delà de leur compré-hension. Chaque nouveau doge est devenu de plus en plus un animal sacrificiel, et a vu ses propres libertés confisquées, sa vie soumise à un code de conduite ridiculement draconien, se complaisant, tout en portant les *corni*, dans une brutalité née du ressentiment, attendant chaque jour la fatale escorte, la gondole scellée, le pont final. Son meilleur espoir, d'une minceur pathétique, serait quelque lointain monastère, où décliner dans une pénitence toujours plus profonde.

« Les doges ne sont plus, mais la malédiction demeure. Aujourd'hui, certains d'entre eux sont en position de nuire considérablement, mais ils ne pourront jamais comprendre que le "pouvoir" – *lo stato* – a pu être une expression de la volonté commune, exercée dans l'obscurité qui enveloppe chaque âme, pour laquelle la pénitence doit être une fin nécessaire. À moins d'avoir accompli dans sa vie une pénitence égale à ce qu'on a exigé des autres, il y a un déséquilibre dans la Nature. »

« Qui doit être — »

Une main princière s'éleva dans la fumée de tabac. « Je parlais de l'histoire vénitienne. De nos jours, l'antique mécanique du choix et des limites ne fonctionne plus. Désormais… supposons qu'il y ait un prince héritier étranger, par exemple, qui déteste passionnément l'Italie, et qui en succédant au trône de son empire partirait, sans hésiter une seconde, en guerre contre l'Italie pour récupérer un territoire qu'il croit être celui de sa famille… Supposons en outre que vivent et travaillent en Italie des agents de ce futur empereur, particulièrement actifs à Venise, des hommes consacrant toute leur existence à promouvoir les intérêts de l'ennemi – si plus aucune vie ne compte, quel qu'en soit le nombre, aucune loyauté, aucun sens de l'honneur, aucune tradition ancienne, hormis l'envie purement malveillante chez ces agents de voir leur chef l'emporter coûte que coûte… »

« Sur qui pourrait-on alors compter pour défendre les intérêts du pays ? L'Armée royale ? La Marine ? »

« En théorie. Mais un ennemi bénéficiant des ressources impériales peut acheter n'importe qui. »

« S'il n'existe personne qu'on ne puisse acheter… »

« Nous devons nous en remettre aux probabilités et trouver qui est *susceptible de ne pas se laisser acheter*. »

Ils restèrent à fumer jusqu'à ce que la pièce ait acquis une patine tridimensionnelle, comme après des années de subtile corrosion. » Pas un problème facile, comme vous voyez », dit enfin le Prince.

« Il existe des amitiés », parut se rappeler Cyprian, avec un rétrécissement des yeux traduisible par : *Bien sûr nous n'avons évoqué personne en particulier.*

« Mais les amis ne risquent-ils pas, eux aussi, de se défausser, pour des raisons souvent moins prévisibles qu'un arrangement financier ? À moins… »

« Je reviens juste », dit prudemment Cyprian, « d'un endroit où il est beaucoup plus difficile, en tout cas pour les Grandes Puissances, de subvertir l'honneur personnel. Un endroit moins avancé, c'est sûr, que les cultures sophistiquées de l'Occident, encore naïf, voire innocent. »

« Méprisé, bafoué, suspecté ? », suggéra le Prince.

« Ils n'exigent pas des sommes importantes, ni des armes sophistiquées. Ils possèdent ce que tous les trésors d'Europe ne peuvent acheter. »

« La passion », acquiesça le Prince.

« Puis-je me renseigner ? »

Il vit un air compatissant passer sur le visage du Prince. « Je suis désolé pour votre ami. »

« Oui. Bon. Il avait beaucoup d'amis. Parmi lesquels — »

Mais le Prince fit un autre de ces gestes princiers, et Cyprian se retrouva sans presque s'en rendre compte de nouveau sur la *salizzada*.

Un jour, sur la Riva, face au Metropole, Cyprian tomba à l'improviste sur Yasmina Halfcourt, au bras d'un individu buriné et élancé qu'il s'efforça de ne pas dévisager, étant depuis quelque temps dans un état de manque, tout en expérimentant pendant une minute et demie une certaine désorientation à la vue de Yasmina. Elle avait les cheveux plus courts et plus clairs, et portait une luxueuse robe en taffetas aubergine ornée de brocart argent, dont les manches descendaient jusqu'aux coudes avec trois ou quatre manchettes de dentelle, des gants en peau souple lie-de-vin, de jolies bottines en chevreau de la même nuance, un chapeau piqué de plumes aux teintes assorties, légèrement incliné sur le côté, une ou deux boucles se balançant espièglement, comme dérangées par la passion. Cyprian, tout en procédant à cet inventaire, s'aperçut avec consternation à quel point il était loin d'être présentable.

« Tu es en vie », dit-elle avec un enthousiasme difficile à évaluer. Elle avait souri, mais son attitude était bizarrement grave. Elle présenta Reef, qui avait examiné Cyprian avec cette franchise qu'il en était venu à associer aux Américains.

« On m'a dit pour Vlado », fit Cyprian, espérant qu'elle ne se complairait pas en mondanités.

Elle hocha la tête, plia son ombrelle et affermit sa prise sur le bras de Reef. « J'ai eu chaud cette nuit-là, ils ont failli m'avoir aussi, et si Reef n'avait pas été présent… »

« Vraiment. » Décidant finalement de jauger le cow-boy du regard.

« Je passais là par hasard », dit Reef.

« Mais trop tard pour Vlado. »

« Encore désolé. »

«Oh» – détachant son regard – «on s'en occupe. L'histoire n'est pas finie. Loin de là.» Il s'éloigna bientôt le long de la Riva.

Dans les jours qui suivirent, il réussit à perdre un peu la tête, reprenant, mais pas à temps complet, ses vieilles habitudes de sodomie rémunérée. Dans cette ville, comme il s'en aperçut, les hommes pâles ne manquaient pas, et il allait avoir besoin d'argent, une belle somme, pour s'occuper correctement de Theign. Quand sa rechute dans le sordide lui eut assez rapporté, il se rendit chez Fabrizio pour se faire raccourcir les boucles et arborer une coupe plus combative, puis prit le train du soir pour Trieste.

Franchissant une fois de plus le pont de Mestre, s'avançant dans le coucher de soleil orange et enfumé, Cyprian ressentit la tristesse particulière à la contemplation d'une époque récente désormais révolue. Tout ce qui précédait, l'enfance, l'adolescence, c'était bel et bien fini, et il pouvait se débrouiller sans – mais ce qu'il voulait retrouver, c'était la semaine dernière, la semaine précédente. Il refusait, sans grand succès, de penser à Yasmina.

À Trieste, les membres du mouvement Néo-Uskok, désormais dirigés par le cousin de Vlado, Zlatko Ottician, l'accueillirent chaleureusement, ayant entendu des récits outrés, déjà quasi folkloriques, de ses aventures dans la Péninsule.

Ils dînèrent de *gibanica* et de sardines et burent une grappa aux herbes appelée *kadulja*. Tout le monde parlait un dialecte mi-čakavština, mi-argot maritime uskok du dix-septième siècle. Opaque à Cyprian, mais surtout incompréhensible à Vienne.

Comment procéder? Les discussions allaient bon train, dans les *caffè* et les tavernes, en marchant sur la Riva, quant aux diverses méthodes. Il était clair que Theign devait mourir. Certains penchaient pour une fin rapide, des assassins anonymes dans le noir, tandis que d'autres voulaient qu'il souffre et comprenne. La justice poétique aurait voulu qu'on le confie à une officine célèbre pour ses tortures. Si qualifiées fussent-elles, aucune des Grandes Puissances ne servirait vraiment ce dessein, car Theign avait travaillé correctement avec toutes, pensant probablement que cela suffirait à lui assurer sa protection. Aussi son jugement devait-il être prononcé par une autorité moins élevée, les zones inférieures de la rose des vents, les sans-visage, les méprisés, les Mavrovlachi de Croatie. Les hommes de Vlado.

«Autant d'armes qu'il vous faut», promit Zlatko.

«Amenez-le dans nos lignes de mire, nous ferons le reste», dit son frère Vastroslav.

En enquêtant sur les connexions autrichiennes de Theign, Cyprian découvrit avec fascination que ce dernier était devenu intime avec la Chancellerie militaire du prince héritier Franz Ferdinand, lequel orchestrait, depuis le Belvédère à Vienne, une série d'intrigues visant à redessiner la carte de l'Europe, par l'entremise de protégés tels que l'actuel ministre des Affaires étrangères Aerenthal, l'architecte de l'annexion de la Bosnie.

« Ce qui laisse supposer », murmura pour lui-même Cyprian, « que Theign devait être au courant depuis longtemps pour l'annexion, bien avant qu'elle soit entreprise, mais il a feint d'être aussi surpris que nous tous. C'était bel et bien la première phase de leur maudite guerre européenne, et il m'a expédié au beau milieu, là où je serais incapable d'agir sans encourir ma destruction. Ça oui, je dois tuer ce salopard immédiatement, je le dois. »

Tant qu'il était encore dans l'intérêt à la fois de l'Angleterre et de l'Autriche-Hongrie d'empêcher la Russie d'accroître sa puissance dans les Balkans, Theign avait été apparemment capable de justifier n'importe quel degré de coopération avec la Ballhausplatz en plaidant la Question macédonienne, demeurant du coup à l'abri des soupçons de trahison.

En outre, de 1906 à 1907, des quantités d'heures et d'argent encore injustifiées avaient été dépensées, sans parler des maux infligés, jusqu'à, et incluant, des morts anonymes dans des coins infréquentés des villes d'Europe, afin de veiller à ce qu'il n'y ait jamais d'Entente anglo-russe. L'Allemagne ayant toujours tenu à ce que l'Angleterre et la Russie restent à jamais ennemies, les espions les plus actifs avaient dû être allemands ou leurs créatures les Autrichiens, au nombre desquels sans aucun doute les prétoriens triés sur le volet de Theign. Mais une fois l'Entente en vigueur, ce dernier dut attendre, avec son don de prédateur pour la patience, une nouvelle affectation. Il était préférable d'agir vite.

Tandis que les talents de Cyprian sur le terrain s'affûtaient à même la meule de la crise européenne, ceux de Theign, à force de se complaire dans certains luxes, dont la cuisine viennoise, s'étaient émoussés. Cyprian ne deviendrait jamais un Vénitien, mais il avait appris une ou deux choses utiles, en particulier que les rumeurs circulant dans d'autres villes pouvaient être considérées, ici, à Venise, comme des faits scientifiques. Il se rendit à Castello, s'assit dans des *caffè* et des *bàcari*, attendit, et ne tarda pas à voir apparaître Theign, accompagné de ses deux gardes du corps. Cyprian récita les formules adéquates et devint invisible. Bientôt, au cours de la danse complexe mais dissonante qui s'ensuivit, il connut chaque minute de l'emploi du temps quotidien de Theign, et parvint à planer sans se faire voir, à distance malveillante, engageant des pickpockets pour subtiliser des carnets, s'arrangeant pour que Theign soit agressé avec un haddock douteux dans le marché aux poissons, s'en remettant aux toits de Venise pour que glisse sur sa tête une tuile furtive.

Un soir, il le prit en filature jusqu'à un *palazzo* de Saint-Marc, près du Rio di San Zulian. C'était le consulat austro-hongrois, bon sang. Jusqu'où ce type comptait-il pousser le culot ? Cyprian décida de se matérialiser.

Il avait sorti son Webley, calculant avec précision sa position à moitié dans le brouillard, à moitié en dehors. Theign, protégé par quelque dispense, ne parut pas surpris. « Tiens, mais c'est Latewood. Nous vous croyions mort. »

« C'est le cas, Theign, et je vous hante. »

« Le Belvédère a reçu des rapports sur votre mission tout simplement superbes, le Prince héritier lui-même — »

« Ne vous fatiguez pas, Theign, et prenez vos dispositions. »

Theign se recula, mais Cyprian avait disparu. « Vous vous déplacez bien vite pour un bougre de feignant ! » lança Theign dans la cour déserte. Autrefois, Cyprian aurait ressenti un pincement de remords en entendant ce rappel de leur relation.

Comme la crise approchait, il eut de plus en plus de mal à supporter le quotidien. Il ne dormait pas. Quand il buvait pour trouver le sommeil, il se réveillait à nouveau au bout d'une heure agitée, pendant laquelle il rêvait que Yasmina le trahissait, sans cesse, dans une organisation connue, pour les desseins du rêve, sous le nom d'« Autriche ». Mais même dans le rêve il savait que c'était impossible. Il se réveillait en imaginant que le véritable nom avait été révélé, tandis que le choc du réveil l'avait délogé de son esprit.

« Ce sera ce soir, donc, si tout se passe bien », dit le Prince, avec un sourire dont l'austérité tenait plus du désagrément que du regret. Cyprian et lui étaient convenus d'un discret rendez-vous en fin d'après-midi chez Giacomuzzi. « Votre présence est on ne peut plus légitime. »

« Je sais. Mais avec les frères Ottician en ville, il vaut mieux s'éloigner et les laisser se venger. »

Le Prince le dévisagea d'un air sceptique. « Vous désiriez autre chose ? »

« Seulement vous remercier pour votre intervention dans cette histoire, *Altezza*. »

Le Prince avait toujours joui du don princier de savoir quand et comment dissimuler son mépris. C'était nécessaire dans le monde non seulement parce que certains assassins pouvaient être excessivement sensibles à l'insulte, mais également, si incroyable que cela eût pu lui paraître autrefois, parce qu'il lui arrivait de se tromper. Un homme qui ne sait pas doser ses exigences est bien entendu méprisable – mais de temps en temps, quoique rarement, il ne voudra rien pour lui, et cela est digne de respect, ne serait-ce que pour sa rareté.

«Vous vous rendez sur l'île la semaine prochaine pour notre bal annuel?»

«Je n'ai rien à me mettre.»

Il sourit, laissant Cyprian interpréter son sourire comme de la nostalgie. «La Principessa vous trouvera quelque chose.»

«Elle a des goûts exquis.»

Le Prince regarda le ciel à travers son verre de montepulciano. «Pour certaines choses, très certainement.»

À l'instant où il sortit de la gare et posa le pied sur le Ponte degli Scalzi, Theign comprit qu'il aurait dû rester à Vienne. Protégé, sinon en sécurité. Pour le moment, ses prétoriens étaient tous ailleurs, en mission dans diverses marges de son domaine, mais en cas de nécessité Vienne elle-même l'aurait accueilli et défendu. Il essaya d'imaginer qu'il n'était pas venu à Venise, et ce peut-être pour la dernière fois, à cause de Cyprian. Ces foyers étaient certainement éteints depuis des lustres. Toutefois, il ne souhaitait pas laisser ce pâle petit bougre avoir le dernier mot dans cette affaire. Latewood avait été simplement, inexcusablement chanceux, mais il n'était pas dans la partie depuis assez longtemps pour mériter sa chance.

Tout d'abord, Theign fut plus agacé qu'inquiet par l'absence de Vincenzo et de Pasquale. Il avait toujours été dans leurs habitudes de le retrouver sur le quai, et cette fois-ci il les avait prévenus largement à l'avance. Comme il s'engageait sur le pont, il se sentit enveloppé par la froide lumière du soupçon : il les avait avertis trop tôt, permettant ainsi à son message d'être intercepté et à des forces importunes de se mobiliser.

«Signor Theign, je crois que vous avez oublié quelque chose sur la *terraferma*.»

Des inconnus, au beau milieu du pont. La nuit tombait. Il n'arrivait pas à distinguer assez clairement leurs visages.

Ils le conduisirent jusqu'à une usine désaffectée au bord du Mestre. Des complices grouillaient partout, tapis dans l'ombre. «Des fantômes», dit Vastroslav. «Des fantômes industriels. Votre monde les refuse, aussi ils le hantent, ils marchent, ils chantent, si besoin est ils l'arrachent à ses assoupissements.»

Des poulies et des arbres de transmission rouillés aux courroies de cuir cassées étaient suspendus un peu partout au-dessus d'eux. Le sol avait été noirci par les feux de camp allumés par les visiteurs de passage. Sur une étagère métallique trônaient divers instruments, y compris une vrille, une scie de boucher et le Gasser monténégrin 11 mm de Zlatko, au cas où une rapide conclusion s'imposerait.

« Afin de faciliter les choses à tout le monde », dit Vastroslav, « sachez qu'il n'y a rien que vous puissiez nous dire. Aucun marché possible. Vous avez pris place dans une longue histoire de sang et de pénitence, et la pièce de ces transactions n'est pas frappée dans le métal mais dans le Temps. »

« Finissons-en, vous voulez bien ? » dit Theign.

Ils lui arrachèrent l'œil droit avec une gouge de menuisier. Ils lui montrèrent l'œil avant de le jeter aux rats tapis dans l'ombre.

« Il manquait un œil au cadavre de Vlado », dit Zlatko. « Nous allons vous arracher les deux. Deux yeux pour un œil », ajouta-t-il avec un sourire sinistre, « c'est la pratique uskok – car nous sommes des sauvages, voyez-vous, ou plutôt », approchant avec la gouge, « non, vous ne verrez plus. »

« Chaque fois que vous torturez, vous autres, vous essayez simplement d'estropier », dit Vastroslav. « D'instaurer une dissymétrie. Nous préférons la symétrie de l'insulte – l'état de grâce. Marquer l'âme. »

La douleur entraîna bientôt Theign au-delà des mots, dans des hurlements articulés, comme vers une formule rhapsodique susceptible de le libérer. Zlatko resta près de l'étagère à outils, s'impatientant devant l'approche philosophique de son frère. Il aurait préféré utiliser d'emblée le pistolet, et passer le reste de la soirée dans un bar.

Cyprian reçut un jour un message de Yasmina, qui commençait par *Je dois te voir*. Il avait oublié la suite. Elle était apparemment venue rendre visite à Ratty, qui lui avait dit où trouver Cyprian.

Avec l'Américain, qui aujourd'hui n'était pas dans les parages, ils étaient descendus dans une *pensione* près de San Stae. Elle accueillit Cyprian vêtue d'un chemisier et d'une jupe clairs, en apparence simples mais qui avaient dû coûter au moins deux cents lires. Ses cheveux tombaient jusqu'aux épaules. Ses yeux étaient plus fatals que jamais.

« Alors comme ça, ce vieux Ratty est revenu en ville. Tu as certainement dû l'envoûter, ou bien il devient imprudent. »

« J'ai été heureuse de le revoir. »

« Ça faisait un bail, non ? »

«Depuis que Vlado et moi avions quitté Trieste, je suppose. Je ne me souviens pas.»

«Non. Pourquoi t'en souviendrais-tu?»

«Cyprian —»

«Et Vlado a veillé sur toi comme il faut, n'est-ce pas.»

Les yeux de Yasmina s'agrandirent, plus foncés. «Il m'a sauvé la vie, et plus d'une fois.»

«En ce cas, je suppose que je dois te sauver un de ces quatre, également, pour voir ce qui se passera.»

«Il tenait à ce que ceci te revienne.» Elle lui tendit une sorte de cahier d'écolier, déchiré, délavé par les éléments. *Le Livre du Masqué.*

Après une hésitation, Cyprian le lui prit des mains. «A-t-il vraiment dit que c'était pour moi? Ou veux-tu juste t'en débarrasser?»

«Cyprian, que vais-je faire de toi? Tu te comportes comme une vraie salope.»

«Oui.» Rechignant soudain à respirer. «C'est... tout récemment. Rien. Je n'ai pas assez dormi.» Désignant le lit. «Toi non plus, on dirait.»

«Ah.» Son expression changea. «Bien sûr que Reef et moi on a baisé, nous baisons dès que nous trouvons un moment, nous sommes amants, Cyprian, dans toutes les positions qui t'ont toujours été interdites. Et alors?»

Il ressentit, au niveau rectal, de la peur, du désir, un espoir impérieux. Il l'avait rarement vue aussi cruelle. «Mais j'aurais fait —»

«Je le sais déjà.»

«— tout ce que tu m'aurais ordonné...»

«"Ordonné". Oh, et le feras-tu encore?» Elle s'approcha, prit son menton tremblant entre son pouce et son index gantés. «Peut-être que si tu te comportes comme il faut, un jour, une nuit délicieuse, nous te laisserons nous admirer de loin. Attaché correctement, je suppose, pauvre Cyprian. Vraiment sans espoir.»

Il ne dit rien, soutint son regard, détourna les yeux, paraissant être devant un danger qu'il ne pouvait supporter de voir.

Elle éclata de rire comme si elle venait de détecter, par des moyens médiumniques, une question. «Oui. Il sait tout de toi. Mais il n'est pas aussi coulant que moi. Si fort que tu puisses le désirer.» Il garda les yeux baissés et resta muet. «Dis-moi que je me trompe.» Il risqua un autre regard rapide. Les yeux de Yasmina étaient implacables. L'une de ses mains tenait toujours son menton et de l'autre elle le frappa au visage, les surprenant tous les deux, puis elle recommença, encore et encore, le parfum de cuir du gant le submergeant, un sourire envahissant lentement le visage de Yasmina, jusqu'à ce qu'il murmure ce qu'elle voulait entendre.

« Hmmn. Tu ne pourras même pas le regarder sans ma permission. »

« Et si lui — »

« Si lui quoi ? C'est un Américain. Un cow-boy. Son idée de l'amour commence et finit avec moi sur le dos. Tu es une curiosité pour lui. Il se passera peut-être des années avant qu'il te remarque. Ça ne se produira peut-être jamais. Et en attendant, tu devras souffrir, je suppose. »

« Je m'attendais plutôt à un "Rebonjour, Cyprian, ravi de vous savoir en vie", tout ça. »

« Ça aussi j'imagine. »

« Enfin quoi, je vais juste en face acheter un paquet de cigarettes et voilà que tu — » Il désigna de la tête les draps éloquents, ses yeux navrés. Suffisamment, espéra-t-il.

« Tu es allé *là-bas* », dit-elle, « alors qu'il ne le fallait pas. Qu'étais-je censée ressentir ? »

« Mais nous étions convenus, je croyais — »

« Tiens donc. »

Il s'ensuivit un étrange silence, car il était arrivé quelque chose au temps, et bien qu'ils fussent les mêmes qu'ils avaient été quand il avait embarqué sur le S.S. *Jean d'Asie* l'an dernier, ils étaient aussi deux personnes complètement différentes qui n'avaient rien à faire dans la même ville, encore moins dans la même pièce, et, cependant, ce qu'il y avait entre eux était plus profond maintenant, les enjeux étaient plus élevés, les risques de perdre terriblement, irrémédiablement, évidents.

Dans l'équilibre d'une journée de travail ordinaire, l'amour-propre de Cyprian, fait presque unique chez les espions masculins de l'époque, avait rarement représenté davantage qu'un cil de moucheron nouveau-né. Ses collègues s'étaient régulièrement étonnés de découvrir qu'il évitait les cercles sociaux supérieurs, et ne possédait d'ailleurs pas de tenue adéquate. Bien qu'il se fît un plaisir de commenter l'apparence d'autrui en matière vestimentaire et hygiénique, Cyprian passait lui-même souvent des jours sans se raser ni changer de col et de complet, s'imaginant qu'il était quasi invisible au regard d'autrui. Au début, Derrick Theign avait cru qu'il s'agissait d'une pose – « "Qui, petit C.L. ?" À d'autres, Latewood, même dépenaillé comme vous l'êtes, vous ne représentez pas franchement une drogue sur le marché du désir, les princes de l'industrie mondiale viendraient pleurnicher à vos pieds si seulement vous arrangiez un peu vos cheveux par exemple. »

«Vous vous trompez de bougre, je le crains», se contentait de murmurer Cyprian, affichant ce qui pourrait, chez une personne plus vaine, passer pour du mécontentement de soi. La plupart de ceux qui le rencontraient trouvaient difficile de concilier son appétit pour l'avilissement sexuel – sa sensualité spécifique – avec ce qu'il convenait d'appeler une reddition religieuse du moi. Puis Yasmina débarqua, jeta un coup d'œil, et comprit en un battement de cils, à sa seule façon de remuer élégamment le poignet, de quoi il retournait.

L'espoir que cela alluma était inattendu – presque, vu son existence actuelle, inenvisageable. Mais ne venait-elle pas de se rendre dans les casinos de la Côte d'Azur dans l'intention de risquer gros en dépit du bon sens? Dans un monde chaque jour plus déshumanisé, qui guettait le salut chez les codes et les gouvernements, et se contentait de plus en plus de récits faubouriens et de dénouements médiocres, quelles étaient les chances de trouver une autre personne désireuse de transcender cet état de fait, et sans même par ailleurs en avoir vraiment conscience? Et il fallait que ça tombe sur Cyprian. Ce cher Cyprian.

Il se produisit alors une chose qui était effectivement très étrange. Pendant des années, c'est à Yasmina qu'il avait échu de supporter les passions dont elle était la cible, et elle s'était contentée de ces distractions, préférant, telle la victime d'un tour de magie, ne pas trop savoir comment ça marchait. Dieu sait si elle s'efforçait de faire bonne figure. Mais, tôt ou tard, elle perdait patience. Un certain soupir exaspéré et voilà qu'un autre cœur brisé s'en allait patauger dans la mare d'Éros. Or, pour la première fois, avec le retour de Cyprian, se produisait un changement, comme si avec sa résurrection miraculeuse quelque chose lui avait été également restitué, même si elle refusait de lui donner un nom.

Les hommes n'avaient jamais constitué un véritable défi – tous ses succès mémorables étaient avec des femmes. Ayant appris, assez facilement, à manipuler les désirs des vendeuses londoniennes comme des pimbêches de Girton, Yasmina fut agréablement surprise de découvrir que la même approche fonctionnait avec Cyprian, mais en mieux. Les suaves ruses des princesses et des servantes furent approfondies, étendues aux domaines du véritable pouvoir, de la véritable douleur. Cyprian ne semblait pas rebuté par les avertissements qu'elle sentait en permanence, et qui retardaient l'épanouissement de la femme anglaise – avide de transgresser les limites qu'elle pourrait concevoir. C'était davantage que le simple passif de flagellation qu'on s'attendait à trouver chez tout écolier anglais. C'était presque une indifférence au moi par rapport au désir – au début, elle se dit, comme l'auraient fait d'autres femmes:

Bon très bien, c'est juste de la haine de soi n'est-ce pas, voire un truc de classe – mais non, ce *n'était pas* ça. Cyprian prenait bien trop de plaisir à ce qu'elle l'obligeait à faire. « "De la haine ?" Non – je ne sais pas ce que c'est », protesta-t-il, scrutant d'un air consterné sa nudité dans le miroir de Yasm, « si ce n'est la tienne… » Avec des courbes aussi impeccables, il aurait pu s'agir de narcissisme – mais ce n'était pas tout à fait ça non plus. Son regard ne s'adressait pas au miroir, mais à Yasmina. Elle envisagea dans un premier temps de couvrir le miroir quand ils étaient ensemble, mais réalisa que ça ne changeait rien. Il continuait de lever un regard adorateur vers Yasmina, sauf quand elle lui ordonnait de le porter ailleurs.

« Non », murmura-t-il.

« Tu oses me dire non ? Je vais te filer une telle raclée — »

« Je ne te laisserai pas faire », du même ton feutré.

Elle ajusta la ligne de ses épaules, un geste dont elle savait qu'il l'excitait particulièrement. « Exact. Je crois que je vais m'occuper de ce fondement rebelle. Allons, Cyprian. »

« Non » – cependant que ses petites mains gantées de cuir s'approchaient langoureusement des attaches de son pantalon. Il se détourna et les repoussa lentement, puis l'abaissa pour elle en regardant par-dessus son épaule.

Il croyait savoir ce que c'était que de brûler. Mais c'était là une explosion soutenue, qui atteignait de temps à autre une *brisance* quasi insupportable. Mais il la supporta, moins parce qu'elle le voulait que parce que, chose incroyable, elle ne pouvait pas faire autrement. Comment aurait-il pu décevoir son attente ? Cela semblait ridicule, même si la preuve était omniprésente. Elle se comportait comme une gamine énamourée. Elle apportait à Cyprian de pleines brassées de fleurs et des lingeries extravagantes. Elle faisait son éloge quand il n'était pas là, d'une façon qu'on aurait pu estimer excessivement longue. Il lui suffisait d'arriver en retard de quelques minutes à un rendez-vous pour la trouver qui tremblait nerveusement, au bord des larmes. Aucune des cruautés formelles qu'elle imaginait pour sa pénitence ne pouvait vraiment effacer le souvenir que gardait Cyprian du désir éprouvé par Yasmina, comme s'il l'avait vraiment surprise à un moment vulnérable.

« J'ai vécu si longtemps sous cette malédiction », lui avoua-t-il, sur ce ton haletant et presque larmoyant qu'il prenait souvent, équivalent oral de la prosternation, en quête de certitude entre eux. « Qui aurait imaginé que quelqu'un s'en apercevrait, comprendrait la chose avec autant de subtilité… de respect… Le colonel Khäutsch était cruel, du moins tant qu'il bandait, et Theign se contentait d'exercer son pouvoir et d'être obéi. C'étaient là des désirs que je pouvais comprendre, mais, mais... »

« Quand nous en aurons fini avec ça », l'informa-t-elle, « si cela est possible, eh bien tu n'imagineras plus, tu croiras. » Amusée par son propre ton mélodramatique mais ne croyant elle-même qu'à moitié ce qu'elle venait de dire, ses grands yeux tout brillants. Cruellement, mais c'était la moindre des choses. Hormis un vacancier à Wigan un jour, dont les paroles avaient peut-être été partiellement obscurcies par un étrange sandwich aux frites, c'était probablement la déclaration la plus romantique que quiconque lui eût jamais faite.

Il continua d'essayer de comprendre. Il était possible, au crépuscule, de contempler tout Londres depuis le sommet de l'Earl's Court Wheel, tandis que les lumières étaient allumées les unes après les autres et que les rideaux étaient tirés. Se produisaient derrière toutes les fenêtres qu'on pouvait voir, aussi communes que des étoiles dans le ciel, ces inversions du pouvoir, les femmes dominant les maris, les élèves dominant les maîtres, les soldats dominant les généraux, les métèques dominant les Blancs, le vieil ordre attendu des choses cul par-dessus tête, une révolution dans les termes du désir, et pourtant, aux pieds de Yasmina, on aurait simplement dit les faubourgs – la forme évidente ou sacramentelle de la chose...

« Pas la peine de verser dans le mysticisme », le mit-elle en garde, même si ça s'adressait davantage à elle, et ses propres espoirs saugrenus sur le sujet. « Tu sais que c'est ton corps qui aime ça » – le caressant sans tendresse – « pas seulement les parties de ton corps rompues à ces questions, mais lentement, au fil de ton éducation, tu peux en être certain, le moindre centimètre carré, chaque poil, qu'il soit laissé en place ou douloureusement ôté, chaque nerf avide...

« C'est reparti. » Elle lui donna un petit coup avec son ongle écarlate, et il étouffa un cri pas uniquement de douleur. « Tu penses à un homme. Je t'écoute. »

« Oui. » Il ne voulait pas insister sur « l'amour » – mais que pouvait-on ressentir d'autre en ce moment ? « À des hommes, en fait. »

« Oui. Pas à un homme *en particulier*? »

Il resta silencieux un temps. « Non. Une ombre générique – au physique avantageux, je suppose... Ce qui ne veut pas dire... » Il se tourna vers elle, porté par une vague de tendresse non déguisée.

« Ne t'imagine pas un instant que je vais me couper les cheveux ou me harnacher d'un godemiché, Cyprian. »

« Je n'oserais le demander. L'implorer. » Comme s'il ne pouvait pas tout à fait résister, il ajouta: «Bien sûr, s'il y a des changements que je peux faire, les cheveux, la garde-robe, le maquillage… des choses que tu trouveras plus attrayantes —»

Elle éclata de rire et feignit de l'examiner à la lueur de la bougie. «"Bien sûr". Tu fais presque ma taille, tes os sont fins et tes traits assez délicats, mais la cervelle qu'ils cachent ne contient pas grand-chose, j'en ai peur, hormis les illusions habituelles d'un garçon quant aux charmes de la féminité. Tel que tu es, tu ne peux rivaliser avec la moins clair-voyante de mes amies. »

«Et tel que je pourrais être? »

«Suis-je ta tutrice? Approche, en ce cas. »

Tard le soir, ils restaient allongés à regarder les lumières, mobiles et immobiles, que reflétaient les canaux.

«Quels doutes pouvais-tu avoir? » dit-elle tout bas. «J'ai aimé des femmes, comme tu as aimé des hommes —»

«Peut-être pas "aimé" —»

«— et alors? Nous pouvons faire tout ce que nous imaginons. Ne sommes-nous pas le monde à venir? Les règles de bonne conduite sont pour les mourants, pas pour nous. »

«Pas pour toi, en tout cas. Tu es beaucoup plus courageuse que moi. »

«Nous serons aussi courageux qu'il le faudra. »

C'était la mi-avril, le Carnaval était fini depuis des semaines, et le Carême touchait à sa fin – les cieux étaient trop hagards et trop blêmes pour pleurer le sort du Christ cyclique. La ville avait lentement baissé les masques, et les pavés de la Piazza luisaient d'un éclat terne, moins un reflet du ciel qu'une lueur feutrée venue des régions inférieures. Mais la communion silencieuse des masques n'était pas tout à fait terminée.

Sur une des îles de la Lagune, qui avait appartenu à la famille Spongiatosta pendant des siècles, située à plus d'une heure même en embarcation à moteur, se dressait un palais qui sombrait lentement. Ici, à minuit, entre le samedi saint et le dimanche de Pâques, commençait le contre-Carnaval secret connu sous le nom de Carnesalve, non pas un adieu mais un accueil enthousiaste fait à la chair dans toutes ses pro-messes. Comme objet de désir, nourriture, temple, porte donnant sur des états au-delà de la connaissance immédiate.

Sans aucune interférence des autorités, ecclésiastiques ou civiques, tous ceux qui se rendaient là succombaient à un impératif masqué, leur maîtrise des identités se délitant jusqu'à se perdre complètement dans le délire. Finalement, après un jour ou deux, on comprenait qu'il avait toujours existé un monde distinct dans lequel les masques étaient les vrais visages de tous les jours, des visages obéissant à leurs propres lois d'expression, qui se reconnaissaient entre eux – une vie secrète des masques. Ce n'était pas tout à fait comme pendant le Carnaval, quand les civils pouvaient feindre d'être membres du Monde masqué, et emprunter un peu de cette distance hiératique, cette intimité profonde avec les rêves inexprimés des masques. Pendant le Carnaval, les masques témoignaient d'une indifférence privilégiée au monde de la chair, auquel après tout l'on disait adieu. Mais ici à Carnesalve, comme dans l'espionnage, ou telle aventure révolutionnaire, le désir du Masque était d'être invisible, tout sauf menaçant, être transparent et cependant impitoyablement trompeur, car sous sa sombre autorité le danger régnait et tout était transgressé.

Cyprian s'y rendit avec le Prince et la Princesse dans leur vedette à vapeur, embarquant au crépuscule depuis le quai de la Ca' Spongiatosta. Pendant une demi-heure environ, tandis que la lune s'élevait et s'emparait du ciel, Cyprian eut le sentiment désorienté qu'ils s'étaient élevés au-dessus de la Lagune, le ciel se changeant en un confus désert de fumée lumineuse, les couleurs étaient plus brillantes que prévu, et depuis cette altitude dangereuse il crut voir tout en bas des navires marchands prendre de la vitesse, des bateaux de victuailles revenant à Torcello et Malamocco, des *vaporetti* et des gondoles…

Le rassemblement s'entendait à des kilomètres. «Ce devait être ainsi il y a un siècle», fit remarquer le Prince, «au large de San Servolo, quand tous ces aliénés hurlaient.» La lumière devant eux était d'un jaune électrique sale, elle ricochait sur l'eau, s'intensifiait à mesure qu'ils approchaient. Ils accostèrent le long d'un ancien quai de pierre, le palais maudit oscillant au-dessus d'eux. Des serviteurs munis de torches, habillés de noir tels les Signori di Notte, la bande de coupe-gorge du doge Gradenigo, les escortèrent à l'intérieur.

Peu avant minuit, Cyprian, tout de noir vêtu dans une toilette en taffetas empruntée à la Principessa, un loup de cuir noir sur les yeux, son tour de taille réduit à une circonférence incroyablement svelte, son petit visage maquillé encadré par la coupe de cheveux imaginée pour Yasmina par le Signor Fabrizio, des cheveux bouclés, poudrés, sculptés, tissés de petites perles et de violettes de Parme, fit une entrée renversante sur ses talons hauts en descendant les escaliers de marbre et en s'enfonçant dans la mer de masques et de chair. Reef, installé dans une des loggias, sur le point d'allumer un cigare, le regarda bouche bée, ne sachant trop au début qui c'était, et se découvrit une érection qui menaça de démolir le pantalon du costume de Pierrot que Yasmina l'avait poussé à porter. Décidé à y voir de plus près, il se mêla à la confusion générale, parmi laquelle un petit orchestre de danse avait du mal à se faire entendre.

«Ben ça alors, cow-boy.» C'était bien Cyprian, sa voix douce et amusée, perchée dans un registre adapté au flirt, se tenant si près que Reef put sentir son parfum, quelque chose de floral, d'indéfinissable, une éclosion nocturne... Sans plus tarder, le jeune homme, d'humeur résolument espiègle ce soir-là, tendit audacieusement sa petite main gantée et caressa les tétons de Reef, à présent d'une rigidité douloureuse, puis, allons ce n'était pas possible, le sexe de celui-ci, lequel, loin de se ratatiner sous cet assaut effronté, continua de n'en faire qu'à sa tête. Cyprian, les yeux fixés hypnotiquement sur ceux de Reef, allait ajouter quelque chose quand sa main baladeuse fut soudain agrippée et écartée.

«Cyprian, je t'en ai parlé maintes et maintes fois mais tu persistes à me désobéir», murmura Yasmina, en domino de satin, un voile de dentelle couvrant son visage des racines des cheveux au menton, «n'as-tu pas honte? Tu sais qu'il te faudra en supporter les conséquences maintenant. Suivez-moi, tous les deux.» Elle prit fermement Cyprian par le coude et l'entraîna dans la foule, dont certains éléments profitèrent de l'occasion pour caresser l'indocile créature au passage. Cyprian avait du mal à respirer, non seulement à cause du corset qui le comprimait et des intentions de Yasmina à l'égard de son corps, mais aussi et surtout du fait de la présence de Reef, de la sombre énergie juste derrière lui, qui le touchait presque. Ils n'avaient encore jamais été tous les trois ensemble de cette façon, le rituel avait été limité aux deux côtés hétérosexuels du triangle. Que pouvait-elle bien avoir en tête? Allait-il être obligé de s'agenouiller et de les regarder s'accoupler? Le maltraiterait-elle comme elle en avait l'habitude, mais ouvertement, devant Reef, et serait-il capable de supporter cette humiliation? Il n'osait pas tout à fait espérer.

Ils trouvèrent une chambre à l'étage, pleine de meubles dorés et de lourdes tentures en velours sombre. De pâles *amoretti*, qui au fil des générations avaient tout vu, se prélassaient au plafond, se poussant du coude, affectant des sourires narquois, arrangeant les plumes sur les petites ailes de leurs voisins, échangeant des remarques désabusées sur le spectacle qui se déroulait plus bas, des remarques qui par ailleurs ne déparaient pas trop le jargon érotique de ces îles.

Yasmina s'allongea parmi les coussins d'un divan en velours rouge, laissant le bord déjà fragile de son costume remonter et révéler ses célèbres jambes en bas de soie noire, bas qu'elle feignit alors d'examiner et d'ajuster. Reef fit un pas en avant, peut-être deux, afin de mieux y voir. «Non, restez où vous êtes. Ici, oui… bien, ne bougez pas. Cyprian, *tesoro*, tu sais où est ta place.» Inclinant la tête, relevant gracieusement ses jupes comme pour une révérence, Cyprian s'agenouilla dans un grand frou-frou de taffetas de soie. Tels que Yasmina les avait disposés, ne put-il s'empêcher de remarquer, son visage se trouvait désormais au même niveau que le sexe de Reef, sexe que ce dernier, sur l'injonction de Yasmina, venait d'extraire de son pantalon.

Cela ne dura pas aussi longtemps que Cyprian l'aurait souhaité. Avec les années, il avait fini par apprécier les préliminaires mais il n'eut droit qu'à esquisser quelques caresses avec la langue, un ou deux brefs mais électrisants battements de ses longs cils sous l'organe surchauffé avant d'entendre l'ordre de Yasmina : «Vite. Dans sa bouche, Reef, en un seul coup, pas plus, et ensuite vous resterez parfaitement immobile et laisserez cette sale petite fellatrice faire tout le travail. Et toi, Cyprian, quand il éjaculera, tu n'avaleras rien du tout, tu devras tout garder dans ta bouche, c'est bien compris?» Elle avait perdu entre-temps son ton de commandement, s'étant excité de ses doigts gantés son bourgeon clitoridien et ses lèvres écartées, à présent toutes luisantes parmi l'écume de dentelle qui ceignait ses hanches. «Vous êtes tous deux mes… mes…» Elle ne put achever, et Reef, n'ayant plus aucun contrôle, jouit alors dans un grand jet âcre, que Cyprian fit de son mieux pour conserver comme on le lui en avait donné l'ordre.

«Maintenant viens ici, Cyprian, traîne-toi jusqu'à moi et prends garde à ne rien avaler, n'en perds pas une goutte non plus, approche ton petit visage effronté, colle ta bouche ici, oui juste ici» – tandis que ses cuisses fermes emprisonnaient impitoyablement sa tête, sa perruque parfumée toute de travers, ses cheveux à elle, les mains contre sa nuque pour le maintenir où il était. «Maintenant sers-toi de ta langue, de tes lèvres, de ce qu'il faudra, mais je veux la totalité, tout ce que tu as dans la bouche en moi, oui car tu n'es ici rien d'autre qu'un petit intermédiaire, vois-tu, jamais, non, jamais, tu ne jouiras du privilège de poser autre chose que ta méchante bouche là où elle est maintenant, et j'espère bien, Cyprian, que tu ne te touches pas sans ma permission, parce qu'alors je serais furieuse contre toi… oui, chère créature… exactement…» Elle ne dit rien pendant un moment, et Cyprian perdit toute notion du temps, s'abandonnant complètement à son parfum, sa saveur, au goût de Reef, à l'étreinte musclée de ses cuisses, jusqu'à ce qu'elles s'écartent brièvement, il crut alors entendre un bruit de pas sur le tapis derrière lui, et soudain de grosses mains frauduleuses relevèrent sa robe. Sans qu'on le lui demande il se cambra et sentit Reef, une fois de plus prêt à l'action, baisser la délicieuse culotte que les couturières de Yasmina avaient confectionnée avec de la dentelle de Venise provenant de chez Melville & Ziffer, en priant pour que rien ne se déchire, puis les mains dures sur son arrière-train dénudé tandis que Reef riait et le fessait. «Ben si c'est pas carrément mignon.» D'une lente poussée douloureuse, enfin pas vraiment douloureuse, Reef le pénétra… Mais ici quittons-les à regret, car la biomécanique est une chose et l'intimité une autre, n'est-ce pas, oui et à présent Reef et Yasmina se souriaient trop ouvertement, tandis que Cyprian se sentait trop bêtement reconnaissant ainsi maintenu si fermement entre eux pour réaliser que la vigoureuse attention dont il faisait l'objet était presque – mais seulement presque – accidentelle.

À partir de ce jour et jusqu'à l'Ascension, quand Venise se remariait chaque année avec la mer, les deux jeunes hommes – l'un qui n'avait jamais imaginé l'autre, l'autre qui avait cessé d'imaginer et se contentait à présent d'espérer que rien ne se révélerait trop «réel» – composaient la troisième connexion de la triade, se demandant tous deux à quelle proximité de l'«amour» cela allait les mener.

«C'est juste de la gratitude, vraiment», dit Cyprian avec un haussement d'épaules. «Elle a vécu un jour une situation fâcheuse, il se trouvait que je connaissais une des issues, elle y a vu bien sûr une sorte de miracle, mais je ne suis pas dupe, et vous ne devriez pas l'être non plus, je trouve.»

«J'en ai vu plus d'un y rester», expliqua Reef. «C'est du sérieux, franchement.»

Cyprian, supposant que ce n'était là qu'une sorte de badinage dont il avait une longue habitude : «Vous avez l'œil clinique pour… cet état?»

«L'amour, mon vieux. Le mot vous rend nerveux?»

«Plutôt impatient.»

«O.K. Nous verrons. Vous n'êtes pas du genre à faire des paris, j'imagine…»

«Je voyage pour l'instant avec un budget serré, j'en ai peur.»

Reef ricana, apparemment pour lui-même. «Vous bilez pas, l'ami, j'en veux pas à votre argent. Mais quand vous aurez fini d'ôter cette poudre de riz de vos yeux, venez pas me demander un conseil gratis, parce que je saurai vraiment pas quoi dire.»

«Et… tous les deux vous…» – réussissant à lever les deux sourcils en espérant que Reef n'y verrait que de la compassion.

« Vaut mieux lui demander à elle » — Reef luttant avec au moins deux expressions cherchant à envahir ses traits. « Je suis juste ici en visite prolongée, comme qui dirait. »

« Reef est à mille lieues des *complexos* dans ton genre », avait-elle admis devant Cyprian, « très fascinants quand on vous rencontre dans les salons de l'esbroufe, mais capables en privé de devenir rasoirs à une vitesse prodigieuse. »

Un jour que Cyprian sortait de la baignoire où il venait de tremper une heure durant en fumant, Reef débarqua. « Elle n'est pas là », dit Cyprian. « Elle est partie faire des courses. »

« C'est pas elle que je cherche. » Cyprian venait tout juste de remarquer le sexe expressivement dressé de Reef, quand ce dernier l'agrippa par les cheveux et le força à s'agenouiller.

« Nous ne devons pas, vous savez… elle sera tellement furieuse… »

« Non mais franchement ? se laisser faire en permanence par une femme pareille, mince alors, si seulement vous lui aviez répondu une fois… Elles *veulent* qu'on leur dise quoi faire, vous avez toujours pas compris ça ? »

Autrefois, Cyprian aurait rétorqué : « Oh ? Parce que vous la menez par le bout du nez en temps normal, eh bien je n'avais pas remarqué. » Mais maintenant, s'agenouillant ingénument, il se contenta de prendre en bouche le sexe de Reef et, levant la tête, regarda à travers ses cils son visage distant, légèrement brouillé par des larmes de plaisir.

Reef se lança très vite dans un numéro de rodéo, Cyprian se retrouva à hurler dans un oreiller de dentelle, et l'air s'imprégna des fortes odeurs de lilas, de merde et de frangipane. Les reflets du soleil sur le canal scintillaient sur les carreaux des fenêtres. Yasmina était partie pour l'après-midi.

« Notre petit secret, j'imagine. »

« Que jamais ça ne — »

« Quoi ? »

« Simple curiosité, je crois. Comment un homme peut-il laisser quelqu'un lui faire ça, sans même — »

« Peut-être que vous n'êtes pas juste quelqu'un, Reef. »

« Bon, laissons cela. Je dis que si c'était moi, je serais prêt à tuer quiconque essaierait de me le faire. Mince alors, je serais *obligé* de le tuer. »

« Eh bien, ne vous en faites pas. Je ne compte pas vous nuire. Aussi dangereux que je sois. »

« Vous n'avez pas l'impression d'avoir été… Enfin quoi, ça fait pas mal ? »

« Ça fait mal, et ça ne fait pas mal. »

«Vous parlez comme un Japonais. J'ai connu un mystique, un Jaune, à San Francisco, il causait comme ça tout le temps.»

«La seule façon de savoir si c'est douloureux, et dans quelle mesure, Reef, c'est d'essayer, mais vous vous vexeriez si je vous le proposais.» Autrefois, il aurait flirté sans retenue, mais à présent — «Donc je n'en ferai rien.»

Reef plissa les yeux. «Vous ne voulez pas parler de —», il dessina des cercles avec les doigts, «me le mettre, un truc comme ça.» Cyprian haussa les épaules. «Pas vraiment un mandrin que vous avez là.»

«Encore moins de raisons d'avoir peur. Non?»

«Peur? Fiston, c'est pas la douleur, putain, vivre est douloureux. Mais l'honneur d'un homme — Quand il s'agit d'honneur, c'est une question de vie ou de mort. Vous avez pas ça, vous, vous venez d'où? d'Angleterre?»

«Peut-être que je n'ai pas réussi à voir le rapport entre l'honneur et le désir, Reef.»

Fourbe comme à son habitude – car Cyprian avait fini par se rendre compte que, «dans la pratique», c'était précisément son désir d'être pris qui lui donnait l'avantage, lui évitait de perdre son temps et son énergie en questions d'intégrité rectale, de se demander qui serait le dominant – quel que soit le sens du mot «honneur», ça n'avait guère de rapports avec ces protocoles sexuels démodés. Que d'autres, s'ils le souhaitaient, continuent de se débattre dans de vieux marécages, Cyprian se débrouillait mieux sur la terre ferme.

Par ailleurs, ça encourageait les personnes qui le connaissaient mal à confondre docilité et compassion, surtout celles qui croyaient bizarrement que les sodomites, n'ayant guère de soucis propres, ne se lassaient jamais d'écouter les problèmes des autres.

Étant à de nombreux égards un pur produit de son île natale, peu enclin à l'intrusion nasale, Cyprian, comme toujours effrayé par l'empressement américain à confesser n'importe quoi dans le détail au premier venu, finit par devenir le public privilégié de Reef.

«Et il y a eu une époque où j'en voyais souvent dans les trains, parfois assis juste à côté de moi, des jeunes types qui se rendaient d'un comté à l'autre, traversaient les frontières, censés chercher du travail mais en vérité juste pressés d'échapper à tout ça. C'est pas qu'ils détestent les gosses. La plupart du temps, ils vous montrent des clichés de leurs mômes, mince alors, ils les adorent ces *chavalitos*. Peut-être qu'ils aiment même leur femme, donc ils vous sortent une photo d'elle, parfois dans une certaine position, plus ou moins dévêtue, une photo que les autorités pourraient qualifier de "susceptible d'exciter", et c'est clair comme une vitrine de drugstore, "Pas mal, non ? qu'ils demandent et si vous êtes quelqu'un de plutôt normal et que vous trouvez qu'elle a l'air vaguement bandante, eh bien y a des chances pour qu'il y ait quelqu'un d'autre aussi, là-bas, qui est du même avis, tout aussi normal que vous, et que, peut-être en ce moment même, ce total inconnu me rend un service sans le savoir."

« Si seulement ils étaient un peu plus en paix avec eux-mêmes, alors pour sûr qu'ils se mettraient pas à causer de la chatte de leur femme. Mais ils étaient toujours si préoccupés de leur personne, si avides de causer, que peu importe ce que je pensais, ils s'attendaient à ce que je comprenne, et moi je devais leur donner l'impression que c'était le cas. Chaque fois, quelque chose m'empêchait de faire une remarque. Peut-être que j'avais un de ces pressentiments de médium et que je savais qu'un jour je rejoindrais leurs rangs.

« Ils avaient toujours l'air si soucieux. Impossible d'arracher un sourire à certains. Restaient là protégés par le bord de leur chapeau, tendant la main, sifflant bière après bière en prélevant dans la caisse de boutanches où c'est qu'on se servait tous après avoir fait le plein au précédent saloon. Deux caisses, à l'occasion. On aurait parfois presque dit une fête, une convention, la Grande Armée de la République matrimoniale, chacun racontant des histoires de guerre, des positions qu'ils avaient pas pu défendre, tantôt très lentement, tantôt pris d'une panique aveugle qu'ils attribuaient à autre chose, "j'crois que j'ai un peu perdu la tête là-bas", ou "me rappelle plus grand-chose de cette semaine-là", ou "ça m'a déglingué un bon bout de temps".

« Bien, et nous voilà ici, pas tant d'années que ça plus tard, et c'est à mon tour d'être à leur place, de causer au type assis près de la vitre, celui qu'est monté à la gare d'avant, à savoir vous. »

« Mon tour de rester là à vous écouter. »

« Pas le choix, collègue. »

Cyprian tendit la main, avec probablement l'intention de serrer l'épaule de Reef, mais celui-ci fronça les sourcils et eut un mouvement de recul. « J'ai fait des trucs dégueu, Cyprian, mais celui-là il se pardonne pas. Cette façon qu'a eue mon gosse de me regarder, ce jour-là... peux pas dire qu'il savait qu'il y avait eu un changement. Et pourtant si. Juste un bébé. S'est jamais couché sans penser une seule fois que je serais pas là quand il se réveillerait. Mais un matin j'étais pas là. » Cyprian et lui échangèrent un regard qu'ils trouvèrent trop éprouvant pour le soutenir longtemps. « Je sais même plus pourquoi j'ai fait ça. Mais c'est trop facile, non. »

« Qu'avez-vous dit exactement à Yasmina ? »

« Pas plus que ce qu'elle me raconte de sa jeunesse. Pourquoi ? Vous avez l'intention d'aller baver sur moi ? »

« Moi non, mais vous devriez peut-être. Un jour.

« Facile pour vous de dire ça. »

« Ça arrive parfois en prison », théorisa Reef. « Apparemment, dès qu'on cherche à se poser pour un temps, c'est toujours ce bon vieux triangle des deux parents et de l'enfant, qu'on le veuille ou non. »

« Mais on n'est pas en prison. Non ? »

« Bien sûr que non. Sais même pas pourquoi j'ai dit ça. »

« Vous êtes libre de partir quand vous voulez », dit Yasmina. « Nous le sommes tous. Ça a toujours été le principe. »

« Je me suis peut-être senti libre de partir, une fois », dit Reef. Mais il n'avait pas l'intention de regarder quiconque dans les yeux.

« Il ne sait pas non plus pourquoi il a dit ça », intervint Cyprian.

Le visage de Yasmina, oscillant entre colère et amusement, n'était pas un texte que les deux jeunes hommes eurent alors envie de lire.

Ce qui depuis peu fascinait Cyprian dans ce visage, c'était ce qui lui arrivait quand Reef et elle baisaient. Fidèle à sa promesse, elle lui avait permis de les regarder de temps en temps. Comme si Reef était devenu un instrument de transfiguration – non pas tant à cause qu'à rebours de ses repénétrations têtues –, le visage de Yasmina, que Cyprian avait naguère conservé, telle une photographie pliée et remisée dans sa mémoire quotidienne, un charme pour se protéger des néfastes Balkans, désormais, voilé de sueur, s'enflammait d'une passion délicieuse, se révélait à lui, comme par des rayons récemment découverts, le visage d'une autre femme insoupçonnée. Moins possédée qu'expulsée, dans un but non précisé, par des forces qui n'avaient pas jugé bon de s'exposer.

Au fin fond de l'arrière-pays de son esprit, peut-être dans ce co-conscient dont on parlait ces temps-ci dans les cercles à la mode, il sentit que quelque chose commençait à bouger.

Maintenant, après des années de déni, c'était au tour de Reef de rêver de son père. Un détail dans ses rapports avec Yasm et Cyprian avait dû distendre une couture, et le rêve vint à sa rencontre. Il croyait autrefois qu'être le Kieselguhr Kid à la place de Webb réglerait la question de ses illusions mortelles, et regardez un peu où ça l'avait mené. Webb, même en revenant de Jeshimon il y a si longtemps, cette hallucination lumineuse et violente – Webb le reconnaîtrait-il maintenant, reconnaîtrait-il encore sa politique, ses impératifs ? Dans le rêve, ils n'erraient plus dans les cañons fantomatiques du McElmo mais dans une ville, qui n'était ni Venise ni une cité américaine, aux rues formant un dédale infini de possibles, avec les mêmes images anciennes et troublantes gravées sur les murs comme dans le McElmo, narrant une histoire dont la cruelle vérité ne pouvait être admise officiellement par les autorités à cause du risque de démence publique... Il faisait plus sombre ici que tout ce qu'il aurait pu imaginer. Reef distinguait au loin une procession de mineurs dans leurs longs manteaux de caoutchouc, un seul d'entre eux, environ à mi-chemin, avec le moignon d'une bougie allumé sur son casque. Tels des postulants en costume, ils défilaient à la queue leu leu dans une rue aussi étroite qu'une galerie humide éclairée par-derrière ou devant par la lampe jaune. Quand Reef s'approcha, il vit que celui qui portait la lumière était Webb.

« De petites victoires », dit Webb en le voyant. « En remporter seulement une ou deux. Louer et honorer les petites victoires partout où elles se produisent. »

« Y en a pas eu tant que ça ces derniers temps, Pa », risqua Reef.

« Je parle pas des tiennes, crétin. »

Comprenant que c'était une tentative de Webb pour transmettre un autre message, comme du temps de la séance dans les Alpes, Reef sut lors d'un bref instant de lucidité que c'était l'information précise dont il avait besoin pour retourner sur le chemin qu'il avait quitté, si longtemps auparavant. Puis il s'était réveillé et avait essayé de se rappeler pourquoi c'était important.

Leur plan était de se réfugier dans le Garfagnana et de vivre parmi les leurs, parmi les loups, les anarchistes et les bandits de grand chemin. Vivre de soupe aux haricots et à l'épeautre, de champignons et de châtaignes ayant frémi dans l'âpre vin rouge de la région. Voler des poulets, braconner une vache de temps en temps. Mais ils n'allèrent pas plus loin dans la vallée du Serchio que Bagni di Lucca, berceau de la roulette européenne telle que nous la connaissons aujourd'hui, l'instinct du joueur l'emporta, et soudain chacun suivait sa pente. Bientôt, malgré les meilleures intentions du monde, ils se vautraient dans l'argent. On les voyait parfois flâner sous les arbres, Reef vêtu sobrement de noir, un borsalino incliné pour cacher ses yeux, mince et attentif, Cyprian perdu dans des volutes blanches et pastel, coiffé d'une casquette de chasse aux carreaux extravagants, Yasmina entre les deux dans une toilette de casino en crêpe estivale du plus pâle lilas, et tenant une ombrelle qu'elle semblait manipuler comme si c'était un argument. Les nuages allaient parfois s'entasser sur les cimes, tirant la lumière du ciel vers le gris foncé, couvrant les coteaux de draps pluvieux. Les hirondelles s'alignaient sous les avant-toits et le long des fils télégraphiques en attendant que ça passe. Tous trois restaient alors à l'intérieur, baisaient, jouaient aux cartes, feignant de perdre juste assez pour rester plausible, se chamaillaient, se demandant rarement ce qu'il allait advenir d'eux.

Ce qu'ils trouvaient difficile ce n'étaient pas tant les éléments supérieurs – ils avaient découvert qu'ils avaient tous les trois tendance politiquement à être des anarchistes, leur vision de la destinée humaine était pessimiste avec des excursions dans l'humour auxquelles seuls des prisonniers et des amateurs de rodéo auraient été sensibles –, ce qui rendait le quotidien aussi laborieux et à tout moment susceptible de se changer en désastre c'étaient plutôt les petites contrariétés qui, du fait d'un principe homéopathique de l'agacerie, étaient d'une virulence proportionnelle à leur trivialité. Cyprian avait l'habitude depuis longtemps, même si personne jusqu'ici ne l'avait vraiment remarqué, de faire à tout bout de champ des commentaires ironiques en fredonnant, comme pour lui-même, sur l'air de l'ouverture de *Guillaume Tell* :

> Très bien, très bien, très *bien-oh-oui*,
> Très bien, très bien, très *bien-oh-oui*,
> Très bien, très bien, très *bien-oh-oui*, très
> Bi-en, très *bien-oh-oui* !

Reef s'imaginait que l'adversité lui avait enseigné l'art de réaliser d'exquis plats de gourmet à partir de tous les ingrédients qui lui tombaient sous sa main, même s'il arrivait rarement que les deux autres partagent cette croyance, préférant souvent s'affamer plutôt que de s'étrangler avec plus d'une bouchée de l'horreur qui figurait au menu de Reef. Tout ce que celui-ci savait proposer, c'était de la consistance. «Tout t'y a ta vola!» s'écriait-il et c'était reparti pour un nouveau dîner éprouvant. «C'est de l'italien. Ça veut dire tous à table.» La *pasta asciutta* était toujours trop cuite, la soupe toujours trop salée. Il ne saurait jamais préparer du café buvable. Et le fait que Cyprian accueille ses pires tentatives en chantant n'arrangeait rien,

> Oui! oui! c'est trèsbienohoui, c'est
> Très, très, bien oh-(wee-dou-di-dam),
> Bien! bien! oui
> Très bien oh oui, très,
> Très, très, très, *bien-oh-oui* !

«Cyprian, gaffe à toi.» Il y avait alors un silence, prolongé jusqu'à ce que Yasmina, dans son rôle établi de médiatrice apte à calmer le jeu, estimant que Cyprian avait fini de chanter, dise: «Bon, Reef, ce repas, en fait, heum —»

Ce qui était le signal pour que Cyprian reprenne:

Très bien très bien très bien-bien-bien, c'est
Très, très bien oh oui, très
Bien très —

Sur quoi Reef s'emparait d'un plat de *pasta fazool* ou de tagliatelles trop cuites et le balançait violemment par-dessus la table vers Cyprian en une grande averse ondulante. «Vous commencez à me les briser, vous savez ça?»

«Non mais regarde, tu en as mis partout sur mon —»

«Oh, vous êtes tous deux des vrais gamins.»

«Ne me crie pas dessus, dis ça à la divette.»

«Cyprian...»

«Fiche-moi la paix», râlait Cyprian, en ôtant les pâtes de ses cheveux, «t'es pas ma mère, quand même.»

«Heureusement pour toi. J'aurais cédé depuis longtemps à mon instinct, et tu serais dans un tout autre état de santé.»

«Occupe-toi de lui, Yasm.»

«Et quant à vous —»

«Tu pourrais au moins lui expliquer ce que veut dire *al dente.*»

«T'en as oublié une près de ton oreille.»

Un jour à Monte-Carlo, Reef tomba sur son vieux pote anar Wolfe Tone O'Rooney, qui se rendait à Barcelone, alors sur le point d'exploser, ce qui était régulièrement le cas, vu l'agitation anarchiste.

«Laisse-moi juste une minute, le temps que je trouve mon fusil de chasse et des chaussettes de rechange, et je t'accompagne.»

«Frère de classe», déclara Wolfe Tone, «nous tenons à ce que tu restes entier. Ton destin n'est pas de te retrouver dans la *línea del fuego.*»

«Eh, je tire aussi bien que n'importe lequel de tes empotés.»

Wolfe Tone expliqua alors que, si terrible que cela fût pour la cause anarchiste, Barcelone n'était qu'un détail. «Les gouvernements sont sur le point de foutre la merde à grande échelle, de rendre la vie encore plus invivable que ne l'imaginait le Frère Bakounine. Il se prépare quelque chose de vraiment terrible.»

«Là-bas.» Mais Reef ne discuta pas. Ce qui aurait dû le surprendre davantage.

Ils accompagnèrent l'anarchiste irlandais jusqu'à la frontière entre la France et l'Espagne, et firent une ultime tournée des casinos français. Mais en plus des mystères du désir Cyprian ressentait à présent un changement dans ses conditions, l'impression que quelque chose touchait à sa fin... Les sources du Désir étaient aussi inconnaissables que celles du Styx. Mais pas plus explicable était *l'absence* de désir – le fait de décider de *ne pas aller* dans le sens que le monde estimait, souvent de façon unanime, dans votre propre intérêt.

«Tu n'es plus la même personne», lui dit Yasmina. «Il s'est passé quelque chose en Bosnie. Je sens que... d'une certaine façon je finis lentement par compter moins pour toi qu'autre chose, une chose secrète.» Elle s'éloigna doucement, comme si cela lui avait coûté de le dire.

«Mais je t'adore», murmura Cyprian, «et ça, ça ne changera jamais.»

«Autrefois, je me serais demandé jusqu'où tu irais pour le prouver.»

«À toi d'en décider, Yasmina.»

«Autrefois, cela aurait été exactement ta réponse.» Bien qu'elle sourie, son front blême était altéré par une prémonition, une prise de conscience menant à la tristesse. «Maintenant je ne te demande plus. Je ne m'interroge même plus.»

Ce n'était pas le rituel habituel des amants, avec ses «ah oui, sans blague». Elle était la proie d'une profonde incertitude. Il était à genoux, comme toujours. Elle tenait soigneusement son menton avec deux doigts gantés, l'obligeant à la regarder droit dans les yeux jusqu'à ce qu'elle le gifle. Le tableau classique n'avait pas changé. Mais dans ce calme partagé, on distinguait désormais une volonté tonique à se lever et s'en aller, à quitter la scène, comme si les rôles d'un drame avaient été redistribués.

Reef entra dans la pièce dans un nuage de fumée de cigare, jeta un coup d'œil dans leur direction, puis se rendit dans une chambre adjacente. Naguère, il aurait pris ce tableau pour une invitation, et il aurait eu raison.

Un jour à Biarritz, alors qu'elle errait dans les rues, elle entendit un air d'accordéon qui provenait d'une porte ouverte. Une étrange certitude s'empara d'elle, et elle lança un regard à l'intérieur. C'était un bal musette, quasi désert à cette heure-ci de la journée, hormis un ou deux buveurs de vin et l'accordéoniste, qui jouait doucement une valse populaire en mode mineur. La lumière, qui tombait à un angle extrêmement oblique, lui révéla Reef et Cyprian sagement enlacés, tournant au rythme de la musique. Le premier apprenait à danser au second. Yasmina envisagea de se manifester mais elle se ravisa immédiatement. Elle resta là à regarder les deux jeunes hommes appliqués, et regretta que Noellyn ne pût voir la scène. «Si quelqu'un est capable d'étendre cette molle serpillière, Pinky», avait-elle fait remarquer plus d'une fois, «c'est bien toi.»

Ce fut à peu près à cette époque que Yasmina découvrit qu'elle attendait un enfant de Reef – mais aussi, comme il serait ravi de l'imaginer, de façon auxiliaire, dans la lumière ambiguë et la fantaisie des masques, de Cyprian.

Elle rêva, la nuit où elle en eut la certitude, qu'un chasseur arrivait enfin, un dresseur d'aigles du désert, pour révéler son âme au prédateur qui allait fondre sur elle, la saisir, la soulever, entre des serres de communion, de sang, de destin, pour l'arracher à l'imparfaite sphère de Riemann qu'elle avait prise pour le monde, et l'emporter en une ascension quasi verticale dans les royaumes de vent éternel, puis planer à une altitude métamorphosant le continent eurasien en une carte de plus en plus petite, tout là-haut au-dessus du scintillement des fleuves, des pics enneigés, du Tian Shan et du lac Baïkal et de la vaste et inextinguible taïga.

Hunter et Dally arrivèrent un jour à Londres à bord de l'express de Venise, dans lequel sévissaient toujours les *coglioni* armés de Bodeo. La Principessa Spongiatosta semblait pressée de refiler Dally à quelque lierre parasite sur l'arbre de la noblesse italienne, et Dally avait compris que Kit Traverse ne reviendrait pas d'Asie de sitôt, si jamais il revenait. Mais avant d'avoir franchi les Alpes, Venise lui manquait déjà comme à un réfugié.

Ruperta Chirpingdon-Groin eut la bonté de l'aider à trouver un agréable petit meublé à Bloomsbury, tandis que Hunter retournait dans le giron guindé d'une relation collatérale quelque part à l'ouest de Regents Park. Bien qu'elle n'eût jamais vraiment voulu Hunter pour elle-même, Ruperta ne supportait pas de voir quiconque d'autre feindre ne serait-ce que le moindre contentement. Néanmoins, dès qu'elle fut convaincue que rien de trop passionné ne se passait entre Hunter et Dally, Ruperta promut cette dernière au rang de contrariété mineure, ce qui revenait quasiment pour elle à l'admirer, même si Dally n'aurait pas fait plus confiance à 'Pert qu'à un aveugle pour traverser la Cinquième Avenue. Depuis Venise, et cette première poignée de main guindée devant le Britannia, Dally et 'Pert avaient observé une trêve dont le but semblait être de maintenir la fragile tranquillité de Hunter.

«Mais elle vous aime bien», insista Hunter. «Vous devriez vraiment la laisser vous montrer la ville. Elle connaît tout le monde.»

«Nos rapports la rendent un peu nerveuse», trouva Dally. «Elle croit que nous sommes amoureux ou je ne sais quoi.»

«Qui ça? 'Pert? Allons, c'est la personne la plus crédule que je connaisse.»

«Cette femme serait jalouse d'un porridge, Hunter.» Dally avait récemment surpris Ruperta, le visage à quelques centimètres d'un bol de porridge fumant, lui parlant d'une voix hargneuse et basse – «Oh, oui, tu crois qu'elle te veut maintenant, mais refroidis un peu, commence à te figer, tu verras alors si elle se montre toujours aussi empressée —»

tandis que Clothilda, sa nièce âgée de quatre ans, attendait patiemment avec une cuiller et une cruche de lait. Ni l'une ni l'autre ne parurent embarrassées, pas même quand Ruperta pencha l'oreille vers le bol de porridge comme si ce dernier essayait de s'expliquer.

« Bon… j'imagine qu'elles s'amusaient seulement. Une sorte de petit déjeuner ludique, ce genre-là. »

« Venez donc, ma chérie », dit un jour Ruperta, en surgissant de nulle part comme à l'accoutumée, « c'est aujourd'hui que vous changez de vie, car une belle surprise vous attend. »

Dahlia fut aussitôt sur ses gardes, et qui ne l'aurait pas été ? Ruperta, qui s'exprimait dans un caquetage londonien globalement inintelligible, les transporta magiquement par taxi et, en un rien de temps, Dally et elle se retrouvèrent à Chelsea dans une sorte de sinistre salon de thé avec, assise en face d'elles, une voluptueuse personne coiffée d'un feutre et vêtue d'un costume en velours. Dally reconnut les pouces exagérément longs d'un sculpteur.

« Miss Rideout, cette créature est Arturo Naunt. »

« Elle sera mon nouvel ange », déclara Arturo, en regardant Dally avec dans les yeux un éclat qu'elle avait cru laisser derrière elle en Italie. « Dites-moi, ma chère, ce que vous faites. »

Dally avait remarqué que ces Anglais posaient des questions comme d'autres faisaient des affirmations, en baissant le ton sur la fin au lieu de mettre l'accent. « Je suis une exilée. »

« D'Amérique. »

« De Venise. »

« Un ange vénitien ! *Perfetto !* »

Pas exactement le genre d'ange qu'imaginait Dally, toutefois. 'Pert se retira avec son habituel sourire narquois et dépravé, tandis que Dally et Arturo, après quelques propos débilitants, se dirigeaient vers Victoria Station. Dally avait son fidèle Lampo dans son réticule, et s'attendait à tout moment à devoir affronter un mouchoir chloroformé, mais le trajet jusqu'à Peckham Rye se déroula sans encombre, et fut même, grâce à la connaissance qu'avait Arturo des scandales actuels du Grand Londres, divertissant.

De la gare, ils gravirent une colline jusqu'à un cimetière dédié aux soldats tombés pendant les guerres coloniales du dix-neuvième siècle et du peu qu'avait connu le vingtième, aucun monument franchement d'aplomb, un champ insensé et crevassé de souches minérales. Des citations du chef-d'œuvre de Henry Newbolt sur le cricket, *Vitaï Lampada,* semblaient être reproduites sur toutes les pierres tombales, même si ce qu'Arturo était venu voir était assez différent.

«Voici.» Ils s'étaient arrêtés devant une version sentimentale de pietà militaire, dans laquelle un fantassin grandeur nature dont les traits exprimaient une douceur quasi insoutenable gisait la tête sur les genoux d'une jeune femme capuchonnée en marbre noir, avec une paire d'ailes de prédateur émergeant de son dos, qui le réconfortait, une main sur son visage, l'autre levée en un geste à la fois incitatif et autoritaire. «Un de mes plus beaux A.D.M.», commenta Arturo.

Il voulait apparemment dire par là «Ange De la Mort». Dally s'approcha, scruta l'ombre sous la capuche. Elle vit un visage qu'on pouvait rencontrer à tout moment, au détour d'une rue ou à bord d'un omnibus, un visage qui vous poussait soudain à détaler – le visage d'une fille dont avait rêvé ce jeune garçon agonisant, une fille qui veillait sur l'âtre dans un foyer désormais inaccessible, qui promettait des délices charnels inexprimables, en même temps qu'elle se préparait à accompagner son esprit sur des rives incroyablement reculées sous le coucher de soleil.

«Fiona Plush», dit Arturo, «une fille splendide. S'est malheureusement entichée d'un artiste de variétés qui les aimait bien roulées. On la vit bientôt qui apportait son repas au travail dans une sacoche Pegamoïd en imitation alligator. Plus elle mangeait, plus elle avait faim. Des problèmes vestimentaires se sont alors posés. Si vous regardez attentivement le traitement de l'œil vous verrez que j'y ai capté la faim – assez joliment, je trouve –, cette fausse compassion qui fait partie de l'essence dans le métier d'A.D.M., si vous savez garder un secret.»

«Et maintenant – si vous permettez que je saute une étape – vous êtes à la recherche d'un nouveau modèle.»

«Voire d'une nouvelle approche. Vous avez dû remarquer combien les gens admiraient vos cheveux.»

«J'en déduis que vous comptez renoncer à la capuche.»

«Certes. La tradition insiste pour qu'on cache le visage, enfin quoi, il s'agit de la Mort, n'est-ce pas. Au mieux, on s'attendrait à un crâne nu, et pour peu qu'on soit enclin aux cauchemars, ça ne fait qu'empirer à partir de là.»

«Pourtant cet Ange est —»

«Exact, mais c'est la brave Fiona, pas sa faute si elle est présentable, même si j'ai dû au final l'amaigrir un peu.»

Dans les jours qui suivirent, ils visitèrent d'autres cimetières, et plus Dally voyait d'A.D.M. de Naunt, plus les choses prenaient un tour étrange. Il y avait là des intentions perverses, aussi bien procréatives que mortelles. Dans la draperie complexe du tissu d'A.D.M., à certains moments de la journée, quand la lumière se durcissait, on distinguait clairement dans les ombres de la robe la forme d'un jeune enfant, plus d'un parfois, s'accrochant à ce qui aurait pu passer pour un corps indifférent. Quand les nuages s'amoncelaient, s'attardaient ou glissaient, ou que le jour tirait à sa fin, ces formes disparaissaient, ou bien se modulaient en quelque chose d'autre qui, là encore, n'invitait guère à un examen approfondi.

Dally avait déjà posé pour un sculpteur. À New York, dans l'un des temples capitalistes du centre-ville, parmi les statues allégoriques qui bordaient un certain couloir de marbre, on pouvait encore la voir en *Esprit du bimétallisme*, le visage convenable comme sur une urne cérémonielle, enguirlandé, avec, ciselé sur chaque iris, un coin d'attention radieuse dirigée vers sa main droite, qui tenait un soleil et une lune symboliques, telle la Justice portant ses balances... et comme les autres modèles, sans la moindre trace ou presque dans sa pose d'un regret quant à ce qu'elle était venue chercher. Qu'avaient-elles été enfants, ces femmes: Réserve, Demande, Plus-Value, Rendements décroissants? L'une d'entre elles s'était-elle assise sur le porche à la limite d'une prairie, se balançant tout le long de l'après-midi gris perle sur un rocking-chair acheté en ville, s'imaginant sa famille partie sans elle, la maison coquille vide, en proie aux lentes palpitations du bois? Venait-elle d'encore plus loin dans l'ouest, disons du pays minier, grelottant de froid le jour et la nuit dans une cabane au-dessus de la limite des neiges éternelles? Était-ce ainsi qu'elle avait fini en fille d'or et d'argent? Remarquée par un propriétaire de mine, ou un contremaître, amenée en ville, n'importe quelle ville, présentée à un sculpteur, un beau parleur qui était allé en France, un vétéran des manigances entre artistes et modèles, et qui savait tout des salons de Kipperville...?

À la différence des autres modèles, elle avait opté pour l'approche «comédienne» et sérieusement potassé les abstractions qu'on lui demandait d'incarner, afin de «se glisser dans le personnage». À quoi servait de vouloir représenter le bimétallisme si vous n'appreniez pas tout ce qu'il y avait à savoir sur le sujet? Il en fut ainsi avec Arturo Naunt et son A.D.M. Puisqu'il s'agissait de veiller sur les âmes des soldats, eh bien, Dally ne pouvait s'empêcher d'aborder la question du point de vue de l'Ange. La capuche était peut-être là non pour dissimuler mais pour protéger, tout comme le châle d'une semeuse classique était parfois relevé sur sa tête afin de la protéger du soleil – de quelque chose situé dans le ciel, quelque chose de puissant dont on pouvait néanmoins détourner l'éclat, l'énergie insoupçonnée – la grâce divine? Pourquoi l'Ange de la Mort, agissant en agent de Dieu, avait-il besoin d'être protégé de la grâce? Quelle autre énergie, obscure, insoupçonnée, en ce cas? Quelle anti-grâce?

Il y eut d'emblée des frictions. Arturo souhaitait le repos, l'immobilité – ce que Dally lui donnait, c'était une athlète dynamique, environnée d'un vent qu'elle seule pouvait sentir, rendue béatement orgasmique de par sa vélocité. «Bon. Je ne suis pas Charlie Sykes, quand même», marmonnait-il souvent. Comme le visage d'une certaine Fiona Plush avant elle, celui de Dally était trop particulier pour être contemplé longtemps. Nous avons vu de tels visages, quand change la lumière, contre les longs murs monotones des entrepôts des faubourgs, les jours de brouillard ou d'incendies lointains quand la cendre retombe, invisible, régulièrement, s'accumulant avec la blancheur du gel… Ces visages semblent exiger ce dérangement dans la lumière, et peut-être un désir d'être vus, même si ceux d'entre nous qui les voient se hâtent de les oublier.

Pendant ce temps, 'Pert, qui n'avait cessé d'essayer, sans guère de succès, de planter des doutes dans l'esprit de Hunter concernant Dally, avait également appris par des S.O.T. quelques détails sur ses précédentes aventures et les fragilités en résultant, et s'était autoproclamée anti-muse, espérant par pure méchanceté pousser au moins Hunter à réaliser une œuvre qui ne fût pas susceptible de le faire aimer du public anglais. Mais l'existence de Ruperta devait subir une certaine altération. En septembre, Hunter comptait l'inviter à la cathédrale de Gloucester, où, dans le cadre du Festival des Trois Chœurs, une nouvelle œuvre de Ralph Vaughan Williams serait donnée pour la première fois. Ruperta, qui méprisait la musique d'église, avait dû voir là une occasion irrésistible de nuire, car elle s'y rendit vêtue d'une toilette sportive plus appropriée à Brighton, avec un chapeau qu'elle avait toujours trouvé particulièrement hideux mais qu'elle conservait à portée de main pour de semblables occasions. Le compositeur dirigeait deux orchestres à cordes disposés comme des *cantores* et *decani*, se faisant face de part et d'autre du jubé, avec entre eux un quatuor à cordes. À l'instant où Vaughan Williams leva sa baguette, avant même que retentissent les premières notes, il arriva quelque chose à Ruperta. Tandis que les mélodies phrygiennes envahissaient la vaste nef, que les cordes doublées enflaient et décroissaient, et que les harmonies en neuf parties investissaient les os et les vaisseaux sanguins des personnes présentes, Ruperta se mit très lentement à léviter, rien de vulgaire, juste une élévation discrète et majestueuse jusqu'à mi-chemin de la voûte, où, les larmes coulant sans interruption sur son visage, elle flotta dans la lumière automnale au-dessus des têtes du public pendant toute la durée du morceau. Lors du dernier et long *diminuendo*, elle retourna calmement sur terre et réintégra son corps, pour ne plus jamais reprendre sa carrière de peste professionnelle. Hunter, qui se rendait vaguement compte qu'il était arrivé quelque chose d'important à Ruperta, se promena avec elle en silence le long de la Severn, et il fallut attendre des heures avant qu'elle ose parler. «Vous ne devez jamais, jamais me pardonner, Hunter», murmura-t-elle. «Je ne saurais exiger le pardon de quiconque. Pour chaque méfait que j'ai commis dans ma vie, je dois trouver un bienfait pour l'équilibrer. Il ne me reste peut-être plus très longtemps.»

En temps ordinaire, il aurait raillé sa théorie de la comptabilité morale. Mais plus tard il jurerait l'avoir vue entourée d'une étrange aura lumineuse qu'il savait ne pas pouvoir nier par des badineries. Doté d'une de ces oreilles anglaises qui ne ratent rien des sonorités en septième bémol, Hunter s'était aussitôt épris de la *Tallis Fantasia*, l'aimerait toujours, mais le changement affectif dont il avait lui-même besoin devrait provenir d'une autre source. Le temps montait tel un fleuve en crue par temps d'orage pour se précipiter en vagues écumantes dans les allées et les régions de son âme, et il ne savait pas s'il pourrait grimper assez haut pour y échapper.

Quand ses peintures prirent un tour particulier, Dally le remarqua immédiatement. Des vacances délibérées apparurent dans ses compositions – un personnage se trouvait d'un côté de la toile et observait, ou désignait, le côté opposé comme s'il y avait quelqu'un d'autre – mais il n'y avait personne à cet endroit. Ou bien deux sujets étaient semblablement engagés, parqués ensemble dans un coin tandis que tout proche, suffisamment pour pouvoir le toucher, s'ouvrait cet espace d'une violente luminosité, comme si un motif essentiel avait été omis. Parfois, dans la partie vide de la composition, même le fond manquait, et c'était l'*imprimatura* brute qui assumait la qualité d'une présence, exigeant d'être observée...

«Qu'y a-t-il?» avait envie de demander tout bas Dally, inquiète pour lui. «Qu'y a-t-il que vous ne montrez pas?»

Il renvoyait d'habitude ceux qui posaient ce genre de questions à l'espace de lumière démesuré dans le *Didon construisant Carthage* de Turner, alors exposé à la National Gallery. «Quand on doit voler, il est toujours conseillé de voler aux meilleurs.»

«Ça ne prend pas, Hunter, désolée.»

«Ou peut-être que maintenant que vous avez des bases assez solides en matière d'Ange de la Mort, vous aurez envie de venir poser pour un de ces espaces vides, si jamais ça devient fastidieux à l'atelier du sieur Arturo. »

« C'est un peu plus effrayant que ça, en fait. » Elle lui raconta le tout dernier épisode à l'atelier de Chelsea. L'autre jour, Naunt lui avait demandé de renoncer à l'habituel drapé A.D.M. et de porter au lieu de ça une simple paire de bottes cavalières. Alors, émergeant d'une arrière-salle, apparut ce que dans la profession on appelait un jeune-homme-bien-monté, lui aussi dévêtu hormis un casque d'infanterie de ligne bleu foncé. « Tu connais la position, Karl », lui ordonna Naunt. Karl se mit à quatre pattes sans broncher et présenta à Dally un postérieur qu'elle ne put s'empêcher de trouver présentable. « Bon, Dahlia, si vous voulez bien vous poster derrière lui, en l'agrippant par les hanches d'une façon plutôt ferme, très carrée — »

« Tu m'as dit qu'elle porterait un godemiché », rappela Karl sur un ton assez haletant.

« Que se passe-t-il, Arturo, si ça ne vous dérange pas de me faire part de vos pensées ? » demanda Dally.

« La tendresse maternelle », expliqua Naunt, « est certainement un des attributs de l'A.D.M., mais c'est loin d'être le seul. L'agression anale, qui n'est pas absente de l'imagination militaire, est une expression également valide de sa puissance, et la soumission qu'elle attend, ainsi qu'une source de réconfort, donne parfois bel et bien du plaisir à l'objet de ses attentions. »

« Je suis donc censée… »

« Ne vous souciez pas de l'élément pénien, je peux l'ajouter plus tard. »

« J'espère bien », marmonna Karl.

« Ces artistes », soupira Hunter quand elle lui raconta. « Bon. Avez-vous, tous les deux, ah-heum… »

« Ça doit être mon éducation américaine puritaine », dit-elle. « Sodomiser des crétins n'a jamais été ma tasse de thé. »

Le hasard voulut que le soir même elle rencontrât en ville son ancien admirateur, l'imprésario américain R. Wilshire Vibe, dont les productions ces dernières années avaient été mieux reçues par le West End que par Broadway.

« Par saint Putiphar, j'ai aperçu cette chevelure depuis l'autre bout de Shaftesbury, j'ai même cru qu'y avait un incendie. Vous allez peut-être pouvoir me rendre une telle *mitsva*, ma petite dame. » Il se trouvait qu'il était à la recherche d'une « jeune Irlandaise typique » pour orner sa dernière création, *Les Ouïgours envahissent Wigan*, or toutes celles qui étaient venues jusqu'ici afin d'«auditionner» pour ce rôle ne convenaient pas vraiment. En outre, il s'agissait de jouer une utilité dans le premier acte, et une des figurantes du grand numéro du troisième acte de *Rousses rusées,* qu'on présentait juste à côté, allait partir, donc si Dally pouvait remonter le Strand suffisamment vite pour enfiler son costume et se maquiller à temps, ma foi elle ferait une remplaçante idéale.

«Ce qu'on appelle deux articles pour le prix d'un», dit-elle.

«Ne commencez pas, hein. Vous n'êtes pas engagée ailleurs, non?»

«Oh, une sorte de reconstitution historique religieuse amateur, mais je dois pouvoir me libérer.»

Après les rôles de figurante, on lui confia bientôt quelques répliques, puis huit mesures d'un duo avec un adolescent, dont la capacité vocale s'étendait sur une demi-octave, largement comprise dans celle de Dally, et avant même de réaliser ce qui lui arrivait, elle était célébrée comme l'une des merveilles du monde selon Shaftesbury Avenue, le Strand, Haymarket et Kings Way, mais également reconnue par les publics faubouriens depuis Camberwell Green jusqu'à Notting Hill Gate, souvent par des gens fort interlopes qui n'hésitaient pas à l'interpeller dans la rue, lui proposer des œufs à l'écossaise et des digestifs, lui tiraient le portrait, lui demandaient de signer des programmes de théâtre, des bribes de journaux à emballer, les crânes joyeusement inclinés de maris. Comprenant que rien de tout cela ne pouvait durer plus d'une saison, presque innocemment étonnée qu'elle puisse observer aussi calmement l'ardeur d'autrui comme depuis l'autre bout d'un espace glacial et lucide, Dally fut conviée à venir passer les week-ends dans les manoirs plus confortables de la campagne anglaise, sans autre exigence que de se montrer à son habitude – comme si son apparence possédait une conscience et qu'on se devait de la laisser suivre ses pulsions –, servie par une domesticité nombreuse, intriguée par les manifestations extravagantes d'avilissement émanant de jeunes hommes dont elle ne saisissait pas toujours les noms, ou bien qu'elle oubliait. Ils la suppliaient de leur donner des articles de sa lingerie intime afin de les coudre à l'intérieur de leurs chapeaux. Ses orteils devenaient des objets d'adoration, pas toujours en privé, on exigeait d'elle qu'elle change ses bas humides ou filés parfois trois ou quatre fois au cours d'une soirée. Les hommes n'étaient pas les seuls à l'aduler. Des femmes, des poétesses folles, des beautés du monde de la gravure, proposaient d'abandonner leur mari, lui tendant des liasses de billets qui, même sur une base horaire, semblaient aberrantes à Dally. On lui offrait des bijoux qui reposaient depuis des siècles dans les coffres de familles distinguées, ainsi que des orchidées rares, des conseils boursiers, des créations de Lalique en opale et saphir, des invitations dans les lointains domaines et principautés de cheiks. Toujours, pas vraiment embusqué, mais l'observant obstinément de derrière un rhododendron himalayen ou une sculpture de glace qui fondait rapidement, toujours vêtu d'une tenue immaculée et coiffé d'un panama tropical, il y avait la silhouette de son prétendant le plus fidèle, Clive Crouchmas, dans le champ gravitationnel duquel Ruperta avait réussi à attirer la fille d'un simple frémissement de sa cigarette.

Après les intrigues ferroviaires turques, Crouchmas était devenu l'un des spécialistes mondiaux dans les arts obscurs de ce qu'on commençait à appeler «l'emprunt quasi perpétuel». C'est lui que les diverses Puissances préféraient consulter – quand elles parvenaient à décrocher un rendez-vous. Les dépenses gouvernementales n'étant pas totalement déconnectées de l'acquisition d'armement, il était également en rapport, et même en rapport intime, avec de fameux marchands de mort comme Basil Zaharov. Le fait est que c'était le célèbre béguin que nourrissait le célèbre magnat de l'armement pour Dahlia Rideout – dû à la couleur de ses cheveux, à laquelle Zaharov était sensible de notoriété commune – qui avait intéressé Clive au début.

«Oui, c'est fort possible», avait déclaré Ruperta en haussant les épaules, «même quand on n'en pince pas pour ce genre-là.»

«Et elle n'est pas…»

«Représentée? Quel que soit le sens que cela peut avoir dans son cas, on peut toujours s'arranger. Ces filles. Chaque fois une autre. C'est comme l'inventaire d'un fleuriste, n'est-ce pas, les prix baissent en fin de journée.»

Clive restait là, la bouche entrouverte, parmi les nappes d'un blanc éclatant, l'argent du lustre parfait et les verres impeccables. Un jour, quand ils étaient petits, Ruperta lui avait proposé une livre en échange d'un de ses soldats de plomb, et alors qu'il le lui tendait elle s'était emparée d'une batte de cricket et avait commencé, non sans solennité, à le bastonner. Il aurait dû pleurer mais il se rappela plus tard n'avoir ressenti que de l'admiration, tout en envisageant d'essayer la chose sur quelqu'un d'autre. Une horrible fillette qu'il finit, avec le temps, par considérer comme la cause de ses rêves les moins avouables.

Bon, c'était encore signé la Principessa en lettres de feu, estima Dally. Les seules femmes que Hunter connaissait étaient-elles donc toutes des entremetteuses? Il s'avéra qu'être une cocotte entretenue n'était pas l'horreur la plus sordide qu'elle eût pu concevoir. Crouchmas lui-même n'était qu'un courant d'air. La plupart du temps, il aimait la regarder se masturber – trop chou, ça oui. Pas de quoi aller trouver la police, franchement. Il jouait aussi franc jeu que possible, respectait ses sentiments, n'essayait pas de l'installer dans un petit meublé lugubre de Finsbury ou ailleurs, pas plus que, lors de leurs entrevues, ça ne se passait dans des chambres d'hôtel miteuses, non, plutôt dans des décors très bath, dans Northumberland Avenue, dans le plein éclat de la grande ville et de tout ce qu'elle offrait – le Metropole, le Victoria, ce genre d'endroits, toujours des fleurs fraîches, du champagne millésimé –, l'opacité souillée de ses affaires courantes, des centaines de petits arrangements équivoques avec des intermédiaires qui ne se rappelaient pas toujours quel nom ils étaient censés utiliser, transmuée en clarté et en grâce, avec Dally dans un luxueux déshabillé et une brume chaude de plaisir solitaire, tandis qu'il l'observait à bonne distance.

Dally rencontra Lew Basnight un week-end lors d'une fête organisée à Bananas, le somptueux manoir que possédaient Lord et Lady Overlunch dans l'Oxfordshire. Elle portait une robe en mousseline d'imprimerie, ce qui était alors du dernier chic chez les esprits bohèmes. Les imprimeurs de Fleet Street s'en servaient pour nettoyer les caractères après chaque tirage quotidien – on récupérait le tissu dans les poubelles et on l'apportait à une couturière douée de Regent Street qu'on connaissait, puis on allait où il fallait, attifée en *Globe* ou en *Standard*, et on passait toute la soirée à se demander si les gens admiraient votre toilette ou s'ils essayaient seulement de la déchiffrer.

Ce soir-là, quelques S.O.T. étaient présents, car ces temps-ci il y en avait partout, comme si quelque chose de fatal se préparait qui rendait leur présence indispensable. Dally s'était récemment fait tirer les cartes du Tarot, Earl's Court, rien de guindé, rien d'extra, le genre de cartomancie qu'une vendeuse peut obtenir moyennant six pence. Aussi, quand Lew lui expliqua quel genre de détective il était, elle comprit au moins cette histoire des vingt-deux Arcanes majeurs.

« Vous êtes un S.O.T. ? »

« Plus maintenant, j'ai ouvert ma propre agence, plutôt comme consultant au cas où cette Icosadyade décide de n'en faire vraiment qu'à sa tête. Toujours quelque chose de nouveau, même si au fil des ans », calcula-t-il, « j'ai passé mon temps à tous les chercher – les plus simples étant les plus difficiles, Lune, Soleil, et cætera, j'ai essayé de les éviter chaque fois que je pouvais. »

Aujourd'hui, d'ailleurs, il avait reposé sous le Soleil, chapeau baissé sur les yeux, roupillant à moitié ou, comme l'auraient dit certains, méditant, du lever du Soleil jusqu'à l'âpre midi. Le Soleil essayait de lui dire quelque chose – « En plus de l'habituel "Hé, c'est moi. C'est moi", bien sûr, ce qui est plus ou moins la règle de nos jours. »

Plus tard, au manoir des Overlunch, ce fut la Lune qui l'avait trouvé, au milieu des invités en queue-de-pie et en robe de chez Vionnet qui déambulaient parmi les tentes de pique-nique, se reflétant dans le miroir d'obsidienne du lac ornemental, l'appelant depuis le ciel, une fois de plus : « C'est moi… C'est moi… » tandis que l'énorme écrevisse sortait lentement de la piscine en claquant des pinces, et que le chien commençait à hurler dans un coin reculé du domaine, et voilà qu'arriva la Lune en personne, forte et radieuse, juste au-dessus d'une épaule dénudée qui passait, dardant ses rayons sur ces privilégiés en goguette, leurs chapiteaux à rayures, leurs lampes éclairant l'intérieur de grottes de glace fantastiques, leurs milices orientales armées de couteaux aux reflets blafards.

Puis, enfin, pure et inimitable, l'Étoile. « C'est moi… »

Dans la pratique divinatoire ordinaire, l'Étoile, le numéro XVII, qui à première vue signifiait l'espoir, pouvait tout aussi bien présager la perte. Elle montrait une jeune femme séduisante, dévêtue, un genou en terre, versant de l'eau depuis deux vases, sa nudité censée suggérer que même démuni on peut toujours espérer. A.E. Waite, suivant Éliphas Lévi, croyait que la carte était liée, dans un sens plus occulte, à l'immortalité de l'âme. Au début, Lew s'intéressa davantage à la figure de la femme nue, ce qu'on comprend aisément même si divers conseillers des S.O.T. essayèrent de l'en dissuader. Il semblait convaincu, tant la vision du concepteur du jeu, Colman Smith, dit « Pixie », était fascinante, qu'il franchirait un soir une courbe dans le paysage et se retrouverait devant la même conjonction de terre et d'eau, l'arbre sur le tertre, l'oiseau dans l'arbre et, pour l'instant indifférente à sa présence, se détachant sur les contreforts et les montagnes derrière elle, cette glorieuse beauté blonde. De vieux habitués du Tarot connaissaient cette forme d'aberration, et l'avaient même qualifiée de « Pixielatée ». « L'occupant actuel de cet Arcane n'a pas besoin d'être une femme », le mit-on plus d'une fois en garde, sans guère de résultats.

Dally le regardait avec insistance, son expression de plus en plus radieuse. Il plissa une paupière d'un air interrogateur. « Quoi ? »

« C'est la dernière carte qu'elle m'a retournée », dit Dally. « À Earl's Court. L'Étoile. »

« Eh bien », Lew inclina le pouce vers le haut et vers l'est, là où un objet très lumineux s'était lentement élevé toute la soirée – «Elle est plutôt chouette, non?». Il s'agissait de l'Étoile du Grand Chien, Sirius, qui régnait sur cette partie de l'été et dont les effets, selon la tradition, étaient loin d'être uniquement positifs.

«Dites-moi», demanda-t-elle, comme s'il s'agissait d'un mal dont tous deux souffraient, «qu'est-ce que c'était? Quand vous les avez enfin retrouvés. Qui était l'Étoile?»

Sa pratique habituelle à ce stade consistait à dire: «Bon, d'accord, j'ai peut-être un peu exagéré au sujet de celle-ci, je n'ai jamais su, exactement.» Mais, bien que Lew eût préféré se rendre sur la terrasse en contrebas près du petit lac pour fumer un cigare, seul, il devait s'occuper de cette jeune femme.

«Vous avez une minute, Miss Rideout?»

Jusqu'ici, elle avait passé un moment plutôt agréable, mais ces fêtes pouvaient vite devenir agaçantes, et voilà qu'elle en avait un exemple. Elle posa sa coupe de champagne, inspira profondément et dit: «Bien sûr.» Le silence vibra sur la terrasse et une demi-mesure vagabonde, venue de l'orchestre de danse, étrangement dissonante, dépara la soirée, puis reprit, cette fois-ci à trois-quatre, bien trop rapide pour être qualifiée de valse ou pour que quiconque hormis un athlète déterminé ou un dément puisse la suivre, et du coup les couples dansèrent à diverses vitesses, s'efforçant d'arriver à un endroit reconnaissable à la fin de chacune des quatre mesures, tout le monde se heurtant aux meubles, aux murs, aux voisins, titubant suite à ces collisions à des angles imprévisibles, sans cesser de glousser.

«Le type qui vous accompagne.»

«Mr Crouchmas.»

«Vous le connaissez depuis longtemps?»

«Qui cela peut-il intéresser?»

«Je ne suis qu'un intermédiaire», dit Lew.

«Pour qui? Les S.O.T.?»

«Non, pas eux, mais je ne peux en dire davantage.»

«Clive et moi avons toujours été très proches», dit Dally, comme si Crouchmas était un simple adolescent du West End.

«Plusieurs personnes s'intéressent de près à ses tractations», dit Lew, «et paieraient une jolie somme pour obtenir une certaine information.»

«Si au moins je savais à quoi ça ressemblait, ce qui n'est pas le cas, vu que je ne lis pas vraiment les pages financières et ne comprends même pas les gros titres, pour être franche.»

«Vous comprenez l'allemand?»

«Pas un mot.»

«Vous le reconnaîtriez si vous en voyiez?»

«Je suppose.»

Dans les recoins obscurs, un paon émit soudain un «Ooohkh (?)» gargarisé puis s'écria «HAI!» d'une voix quasi humaine.

«Frère Crouchmas a établi quelques connexions allemandes au fil des ans», dit Lew. «Ça a commencé avec les garanties ferroviaires turques – il a amassé de l'argent pendant un an ou deux, puis il revendait directement soit les lignes, soit les permis d'exploitation, surtout à d'honorables sociétés allemandes via la Banque d'Allemagne, où le fait est qu'il a eu un compte personnel, et ce jusqu'à ce jour, dès lors bien garni. Quand on lui demande en quoi tout ça est patriotique ou même loyal, il vous répond que le Roi est l'oncle du Kaiser, et que si c'est pas une connexion, ça, il aimerait bien savoir ce que c'est.»

«L'homme n'a pas tort. Mais bon, à titre d'exemple, de quelle jolie somme parlons-nous?»

«Oh, un bel acompte.» Il nota un montant sur une carte de visite et la lui tendit, conscient qu'on les regardait. «Comment se fait-il que je ne vois pas d'épanchement lacrymal, de frémissement nasal, rien du sémaphorisme indigné habituel? De nos jours, la plupart des jeunes femmes —»

«Je ne suis que la petite poule de Clive, non? Que ne ferait une fille de ce genre pour une telle somme?»

Elle aurait dû se reprocher ses activités d'espionnage, se rendre compte au moins qu'elle le «trahissait», mais bizarrement elle ne se formalisait pas plus que ça. On lui fit remarquer à de multiples reprises, par le truchement de Lew Basnight, que ce n'était pas dirigé personnellement contre Crouchmas, qu'il s'agissait davantage de rassembler des informations, le plus possible, vu les changements rapides dans la politique turque. Même si elle avait lu le moindre document, ce qui n'était pas le cas, elle n'aurait su dire dans quelle mesure, ni même si, ça pouvait porter préjudice à Clive.

«Quelqu'un est littéralement fasciné», raconta Hunter d'un ton lugubre, «par les liens simultanés qu'entretient Crouchmas avec l'Angleterre et l'Allemagne. Comme si on venait juste de découvrir un niveau de "réalité" avec lequel les nations, comme l'argent dans la banque, fusionnent de façon indifférenciée – l'exemple évident ici étant l'immense population de morts, militaires et civils, causée par la Grande Guerre que tout le monde s'attend à voir fondre sur nous d'un moment à l'autre. On entend des mathématiciens des deux pays parler de "changements de signe" quand on cherche à distinguer l'Angleterre de l'Allemagne – mais dans le domaine de la douleur et de la destruction, qu'a-t-on à faire de la polarité? »

C'était un bâtiment élevé, plus haut que tous ceux de Londres, plus haut que Saint-Paul, et cependant personne n'avait jamais pu le distinguer avec assez de clarté pour le qualifier de « monument » susceptible d'impressionner le touriste – davantage un prisme d'ombre d'une certaine consistance, se dressant définitivement au-delà de la rue la plus reculée où l'on savait se rendre. La bonne façon d'y entrer, pour tout dire de le visiter, demeurait une question obscure, et n'était en fait connue que d'adeptes en mesure de prouver qu'ils y travaillaient. Le reste de la ville levait les yeux, tordait le cou, et juste au-dessus du fouillis des toits en ardoises, il était là, masquant massivement le ciel et tous les détails citadins qui pouvaient se trouver derrière, une obscurité quasi obsidienne, planant, respirant presque, la descente intégrée à sa structure, non seulement la pluie ou la neige, mais également dans ses entrailles, le transfert vertical d'un produit indiscuté depuis les étages supérieurs jusqu'aux quais de chargement dissimulés sous terre, au moyen de toboggans, d'ascenseurs, de soupapes et de conduits – et bien que ledit produit ne fût pas exactement un fluide, les équations qui présidaient à son mouvement étaient, disait-on, de nature hydrodynamique.

Toute la journée il avait plu. Là-haut, les façades de verre sombre capturaient les formes des nuages orageux qui filaient dans le ciel, comme pour le camoufler, dans l'illusion de mouvement, tel un navire de l'Industrie affrontant la tempête au-dessus de la ville. Des fenêtres inclinées filtraient la lumière violente et enfumée dans des couloirs déserts. Dally pouvait fouiner ici, pièce après pièce, pendant des jours – ouvrir tiroirs et armoires et trouver d'étranges documents d'aspect officiel concernant des arrangements étrangers jamais rendus publics… Une charte royale, signée par le roi Ernest-Auguste, accordant à un affilié de la société fantôme de Crouchmas le droit de percer un tunnel traversant la Manche du Nord, entre le Galloway et l'Ulster, destiné au transport de troupes militaires et à un gazoduc pour l'éclairage. Un échangeur routier, au beau milieu de la péninsule des Balkans, concédé en caractères cyrilliques et arabes tissés dans un magnifique guilloché vert par l'entité plus tout à fait indépendante de la Roumélie orientale. L'acte de vente d'un immense terrain anglais à Buckinghamshire, un peu à l'est de Wolverton et au nord de Bletchley, cédé en apparente per pétuité au souverain d'Obock, non une copie dactylographiée, mais l'acte original, un document impressionnant aussi lourd que de la feuille de plomb et orné d'un cartouche élaboré gravé dans l'acier, dégageant une lueur quasi mystique dans les verts, jaunes et oranges brumeux du fait d'un procédé de mise en couleurs bien trop protégé pour avoir un nom, représentant dans le plus fin détail des palmiers, des boutres, des indigènes récoltant du sel ou chargeant des noix de coco sur des navires marchands, des événements historiques tels que l'occupation en 1889 du fort de Sagallo par l'aventurier cosaque Atchinov et l'archimandrite Paisi (le regard trop franc pour être seulement capricieux), qui s'acheva par le pilonnage par les navires de guerre français et sept innocentes victimes. Des tas de tiroirs en bois qui s'ouvraient sans à-coups, remplis de ces mystères fonciers. Personne ne paraissant se soucier de qui les ouvrait, qui regardait dedans – Dally n'avait pas rencontré de gardes, aucune demande d'identification, pas même de serrures. Là où il y en avait eu autrefois rouillaient désormais des barillets vides, occupés seulement par l'obscure exemption que dispensait la perpétuelle pénombre dans laquelle elle travaillait maintenant, respirant prudemment, s'attendant à être surprise en pleine lecture de documents interdits. Mais personne ne venait jamais ici.

Dehors, le vent se déchaînait furieusement sur des statues pour lesquelles elle aurait pu poser il n'y a pas si longtemps, reproduites ici par centaines en une variation moderne sur la pierre de Portland qui semblait résonner vaguement dans les longues rafales, sonner tout l'après-midi, sans que personne y prête attention. Des créatures figées, des visages de cariatides aux étages supérieurs, des solitudes minérales. Où croiser des yeux humains, tout au moins les lunes vierges qui servaient d'yeux à d'autres de leur sorte, dans ces abîmes dangereux? Ils devaient se contenter de capter les ombres qui filaient parmi les diffractions versatiles de suie montant à l'assaut de ces tours quotidiennement nacrées par les vents, polies au point de refléter les formes des nuages qui s'élevaient là-haut par-dessus les toits sombres et dorés, des nuages affûtés comme des visages, aussi distincts que des applaudissements, et qui fuyaient au-delà des limites de la ville et des vastes prairies glaciales voilées en ce jour de tempête, au-dessus de l'humide infortune des espaces ruraux...

L'ascenseur l'emporta limpidement jusqu'au niveau de la rue. On aurait dit une ascension. Invisible au sein de sa fameuse beauté, elle traversa le hall et retourna dans le vacarme de la ville.

«Il s'agit de cette jeune femme, monsieur?»

«Bon Dieu...» Clive Crouchmas, d'une voix atterrée. «Dieu miséricordieux...»

« Monsieur, nous avons juste besoin d'une signature, comme preuve que nous avons fourni le service pour lequel nous avons été engagés. »

Dally prit un taxi et s'éloigna, les détectives touchèrent leur chapeau et disparurent au coin de la rue, la pluie se remit à tomber. Crouchmas continua de s'abriter dans le hall grandiose de style égyptien. Ceux qui travaillaient ici allaient et venaient, en décochant des coups d'œil. La nuit tombait dans un long bourdonnement, se diffusant sous les nuages bas dans un grand heurt frictionnel de forces électromagnétiques, tandis qu'en dessous rampait une théorie d'omnibus, qui partaient ou arrivaient toutes les cinq minutes. Crouchmas avait oublié son parapluie. Il marcha sous l'averse jusqu'à un établissement miteux près des quais où l'on ne se formalisait pas si vous étiez trempé et où il but pendant un certain temps, échouant au seul endroit de Londres qu'il considérait encore comme son chez-soi, l'établissement de Madame Entrevue, où, bien que certaines activités – mutilation des pauvres, sacrifices rituels –, très fréquentes pourtant dans la sphère économique, eussent pu faire fuir le chaland, on laissait entrer pratiquement tout le monde. La fumée de cigare imprégnait les pièces. Des téléphones sonnaient doucement au bout de couloirs pas toujours visibles.

Comme il avait pu le constater récemment, ses pensées faisaient désormais route vers l'est, comme sur un tapis volant – vers Constantinople. « Je vendrai cette salope à un harem, voilà ce que je vais faire. » Que la chose ne fût plus possible dans la Nouvelle Turquie ne le frappa pas sur le moment.

Madame se montra compatissante, comme à son habitude. « Tu as cru tout ce temps qu'il s'agissait de ton physique ? De ton inépuisable virilité ? Consulte le miroir, Clive, et assume. Tu as une solide réputation de réaliste, alors pourquoi virer maintenant au sentimentalisme ? »

« Mais elle n'était pas comme les autres, j'étais en fait — »

« Ne dis rien – on ne prononce pas ce genre de mots ici. »

Plus tard dans la soirée, il croisa « Doggo » Spokeshave.

« Bon, si Constantinople figure dans tes plans, Crouchmas, il se trouve que les compartiments des Wagons-Lits du vieux Baz Zaharov devraient être libres pour un temps. »

« Tu peux en disposer, n'est-ce pas, Spokeshave ? »

« Je ne pense pas que ça le gênerait, non, Crouchmas. »

« Et où donc se rend B.Z. ? »

« Au Japon, si j'en crois la rumeur. Si ce n'est lui en personne, alors certainement ses hommes. Tout est très bizarre dans son service en ce moment, Crouchmas, tu sais. »

«Mais dis-moi, Spokeshave, les bridés ne devraient-ils pas posséder un véritable arsenal à présent?»

«Oui, mais c'est *eux* qui veulent *lui* vendre quelque chose, n'est-ce pas. Tout le monde fait des mystères là-dessus. L'article n'a même pas un nom sur lequel tous s'accordent, sauf pour la lettre Q qu'on trouve quelque part dedans, me semble-t-il. Un truc qu'ils ont récupéré il y a quelques années et qu'ils mettent maintenant en vente à des conditions fort attrayantes, presque comme si…»

«Comme s'ils n'en avaient pas vraiment besoin, Spokeshave?»

«Comme s'ils en avaient peur.»

«Oh mon Dieu. À qui Baz croit-il pouvoir le vendre?»

«Oh, il y a toujours des arrivistes dans la partie, n'est-ce pas. Allons, Crouchmas, regarde juste par chez toi.»

«Quoi? Les tapis volants?»

«Toutes sortes d'intérêts balkaniques, également, si tu veux mon avis. Surtout si Baz pouvait le revendre pour pas très cher, va-t'en savoir.»

«Eh bien, j'y jetterai sûrement un coup d'œil quand je sortirai d'ici. Et je n'ai rien contre le compartiment n° 7, d'ailleurs. Ça peut toujours servir d'être considéré comme un intime du vieux Baz, non?»

«Je veux, mon neveu.»

«Il se peut que j'aille quelque temps à Constantinople», dit-il d'un ton doucereux. «Encore ces histoires de vieilles garanties ferroviaires ottomanes – c'est sans fin. Même avec le nouveau régime qui les considère comme des dépenses budgétaires à tant le kilomètre, on peut encore se faire de jolies sommes, si on arrive à s'y retrouver dans le labyrinthe des jeunes-turcs. Mais la chose doit être accomplie en personne. Je doute que tu puisses te libérer quelques jours, et m'accompagner.»

«Les répétitions pour le nouveau spectacle ne commencent pas avant un bout de temps», dit-elle. «Laisse-moi voir si c'est possible.»

Après avoir passé un rapide coup de fil, Lew lui donna le feu vert. «Ils disent que tout ce qu'on pourra découvrir là-bas sera d'une "valeur inestimable".»

«Tiens donc? Pas de "Bonne chance, Dally, bien sûr nous vous verserons des indemnités", rien de ce genre?»

«Non, mais si je peux me permettre une remarque personnelle —»

«Allons, détective Basnight.»

«Surveille tes arrières. S'il te plaît. J'ai entendu des choses sur ce Crouchmas. Personne ne lui fait confiance.»

« Certains diraient que c'est un charmant barbon et que je suis une rouée vénale. »

« Allons bon, voilà que tu flirtes à présent. »

Pour s'assurer qu'il le pensait, elle toucha légèrement sa manche. « Je serai prudente, Lew, ne t'inquiète pas. »

Il s'était demandé ces derniers temps si Dally ne serait pas, par hasard, l'Étoile. L'annonce que Lew était libéré de ses obligations envers les S.O.T., si tant est qu'il en eût encore. L'innocence de Dally – rouée ou pas – suffirait-elle même à lui prouver de façon certaine que les Arcanes majeurs qu'il avait si longtemps traqués n'avaient jamais été nécessairement criminels, ni même coupables ? Et que les S.O.T. les avaient crus tels, suite à une profonde et incurable disposition à l'erreur ?

Il se dit que c'était dans ses attributions de l'accompagner jusqu'à Charing Cross. Les quais sentaient la fumée de charbon soufrée et la vapeur. La loco tremblait, musclée, d'un bleu de Prusse sous les lampes électriques. Un ou deux admirateurs béats demandèrent à Dally de signer leurs manchettes. « N'oublie pas de me rapporter des douceurs. »

« Les seules auxquelles j'aurai droit, vu que la vieille D.R. ne va pas là-bas pour s'amuser. » Quand il lui tendit son bagage, elle se pencha et l'embrassa sur la joue. « Bien » – arrangeant son chapeau et se tournant pour monter les marches métalliques –, « à nous deux, Constantinople. »

L'idée qu'avait eue Clive Crouchmas de vendre Dally à un harem était bien jolie, mais la vengeance est pour certains moins douce que le profit, et il s'était vite dit qu'elle pourrait lui servir de façon plus constructive pour soudoyer quelqu'un d'utile. En outre, les puritains qui tenaient désormais les rênes de ce que d'aucuns commençaient à appeler Istanbul étaient bien décidés à se débarrasser du moindre vestige sultanique, et le fait est que Clive dut essuyer une certaine dose d'irrespect dans les bureaux mêmes de l'Agence pour la Dette ottomane de Cağaloğlu, où il avait manigancé quelques-uns de ses complots les plus byzantins d'après ses dires. Pire encore, d'autres – des Allemands, à la non-surprise générale – étaient passés avant lui, ne laissant que des miettes. Devant la perspective de rentrer en Angleterre les mains plus ou moins vides, Clive, accusant Dally de ce contretemps, perdit un moment la tête et crut que la seule façon de sortir de cette impasse serait de la vendre à un marché d'esclaves blanches, par le truchement d'éléments disparates de l'Ancienne Turquie et de leurs coadjuteurs habsbourgeois – ce qui se révéla finalement être la Hongrie.

Bizarrement, sa description de Dally ayant fait état de sa célèbre chevelure rousse – un trait distinctif largement associé avec les compagnons itinérants de Basil Zaharov –, ses futurs ravisseurs Imi et Ernö avaient fini par avoir l'impression, alors qu'ils embarquaient dans l'Orient-Express à Szeged et se dirigeaient, aussi furtifs que des pirates d'opérette, tous deux portant d'étranges Trilby noirs d'Europe centrale, vers le compartiment de Dally, qu'il allait s'agir du kidnapping d'une *femme de Zaharov*, en échange de laquelle les nababs de l'armement international paieraient une coquette somme.

Kit Traverse, pendant ce temps, se trouvait dans un train des Wagons-Lits allant dans la direction inverse, vers Paris, et qui d'après les horaires aurait dû gagner Buda-Pesth à peu près au même moment, sans un certain retard dû aux mystérieuses activités révolutionnaires le long de la ligne, de sorte qu'à la fois son train et celui de Dally arrivèrent en même temps à Szeged. Kit jeta un coup d'œil par la vitre et aperçut alors, de l'autre côté des rails, dans le train juste en face, une jolie rousse qui avait des ennuis. Il lui restait sûrement cinq ou dix minutes pour aller voir ce qui se passait.

« Zaharovette ! »

« Hein ? Qui ça, moi ? »

« Zaharovette ! Cheveux roux ! Regarde ! »

« Faites-moi plaisir, ôtez vos crochets à viande de mes cheveux », dit Dally.

Les deux hommes se regardèrent comme s'ils allaient devoir envisager quelque éventuelle méprise. Il s'ensuivit un moment de réflexion.

« Zaharovette ! » crièrent-ils à nouveau.

« Dites donc, les gars », lança Kit Traverse, tout sourires sur le seuil, « il me semble que vous vous trompez de compartiment, non ? »

« Ça ne peut pas être vous », dit Dally.

Kit découvrit une jeune femme dans une élégante tenue de voyage, la lumière du soleil se déversant par la vitre du wagon derrière elle, enflammant ses cheveux. Il accommoda sa vision jusqu'à ce qu'il soit sûr de ce qu'il voyait. « Ma foi. »

Le Nagant 7,62 mm glissé sous sa ceinture n'avait pas échappé à l'attention d'Imi et d'Ernö, qui entreprirent aussitôt de modifier leur comportement pour suggérer la santé mentale.

« C'est bien le compartiment n° 7 ? »

« Jusqu'ici ça va. »

« Toujours réservé pour Zaharov *úr*, et ses jolies et estimées zaharovettes. Vous venez de Vienne ? »

« Non », dit Dally.

« Les zaharovettes montent toujours à Vienne. »

« Bon eh bien dans ce cas c'est — »

« Imi, Crouchmas *úr* a bien dit zaharovette, non ? »

« C'est ce qu'il a dit. »

« Vous » – Imi se tournant vers Kit – « vous êtes Mr Zaharov ? Crouchmas *úr* nous a dit que vous ne seriez pas là. »

« C'est Clive Crouchmas qui vous envoie ? Quel misérable crapaud », déclara Dally.

« Allons, *Fönök* » – Ernö sur le ton de la confidence, feignant d'attirer Kit d'un côté – « imaginons que nous voulions acheter un sous-marin… »

Rapide comme l'éclair, Imi brandit un F.N. Browning. « *Bocsánat.* »

« Pour commencer, je ne suis pas Basil Zaharov, le célèbre marchand de mort, et cette jeune femme n'est pas une zaharovette mais mon épouse, Euphorbia, et, oui, nous avons l'intention de passer notre lune de miel à Constantinople, le ministère de la Guerre anglais a eu la gentillesse de nous accorder ce compartiment, qui est libre cette semaine puisque Mr Zaharov n'est pas là actuellement, ainsi que vous l'avez déjà remarqué —»

Le contrôleur passa alors sa tête dans le compartiment, et toutes les armes disparurent brusquement. «Madame... messieurs? Nous allons bientôt partir.» Il salua, gratifiant la compagnie d'un regard interrogateur.

«Si ces messieurs veulent bien m'excuser un petit moment» – Dally les repoussant tous dans le couloir, telles des poules.

«Nous serons dans le fumoir à faire une petite partie de *kalabriás*», précisa Ernö. «Nous aimerions résoudre ça avant d'atteindre la Porta Orientalis.»

«Vous vous trompez de personnes», chantonna Kit d'une voix lasse. «Demandez autour de vous – le chef de train, les conducteurs, interrogez qui vous voulez.»

«Si vous les avez soudoyés», fit remarquer Imi, «nous pourrons toujours enchérir.»

«Pas si je suis vraiment Basil Zaharov», dit Kit, qui résista à l'envie de cligner de l'œil avant de s'éloigner dans le couloir. Ce genre d'énigme logique n'aurait abusé personne à Göttingen, mais ici ça pouvait lui faire gagner cinq minutes, or c'est tout ce dont il avait besoin.

Il sauta du train de Dally juste à temps pour voir le sien disparaître au bout des rails en direction de Paris, France. Bien, apparemment il allait devoir rester à – comment s'appelait déjà cet endroit? – Szeged, et ce, un certain temps.

Des années plus tard, ils seraient incapables de s'accorder sur la façon dont ils s'étaient retrouvés sur la ligne du tramway Széchenyi-Tér, s'enfonçant rapidement dans le cœur de la ville. Kit savait que c'était le genre d'histoires que les grands-pères racontaient aux petits-enfants, le plus souvent pour que les grands-mères puissent à leur tour présenter une version plus pratique et moins propice aux broderies... Et donc, ce dont Kit se souvenait, c'était d'une périlleuse évasion tandis que des escouades d'assassins hongrois, remarquables par leur stature et leur goût de la fusillade, ne cessaient de surgir à tout moment au cours de leur fuite – tandis que Dally se rappelait seulement avoir enfilé rapidement une paire de bottes confortables et fourré quelques affaires dans une sacoche qu'elle avait lancée à Kit avant de sauter du train qui déjà quittait la gare, et les voilà partis, main dans la main. Ce n'est qu'en arrivant à Kiskúnfélegyháza une heure plus tard qu'Imi et Ernö s'aperçurent que le jeune couple avait disparu.

Quand ils traversèrent la voie en courant, leurs cœurs battaient fort. De cela, tous deux convinrent.

Kit, par ailleurs, était déjà en cavale. Il avait vécu à Constantinople, comme serveur au bar de l'Hôtel des Deux Continents, non loin de la Grand-Rue du côté européen de la Corne d'Or, à Pera, suffisamment longtemps pour finir par penser qu'il avait enfin trouvé son équilibre. Les gens là-bas parlaient de destin, mais pour Kit c'était une question de tranquillité.

Ça lui avait pris un certain temps, depuis les hauteurs kazakhes jusqu'aux steppes kirghiz et la Dépression caspienne, avec de courts trajets dans de petits steamers le long de la côte anatolienne, la Ville invisible le retenant encore plus fermement dans son champ, tandis qu'il sentait le poids de la révérence, de l'Histoire, l'arête claire et nerveuse de la révolution, contournait le dernier cap et pénétrait dans le Bosphore, avec ses palais, ses petits ports, ses mosquées et son trafic maritime, puis passait au pied de la tour Galata et débarquait enfin à Eminönü.

Pera était une ville frontière achevée, un petit État, un microcosme des deux continents, où tous complotaient, Grecs, Juifs, Syriens, Arméniens, Bulgares, Persans et Allemands. Depuis la marche dramatique de «l'Armée d'indépendance» de Salonique à Constantinople pour réprimer la contre-révolution du Sultan, les choses avaient pas mal bougé, à la fois au bar du Pera Palace et, à un niveau moins exalté, aux Deux Continents. Bien que le Comité de l'Union et du Progrès fût sorti de la clandestinité, les manigances, le trafic de haschisch, les bagarres dans les ruelles et les meurtres continuaient comme d'habitude.

Les ottomanistes, les nationalistes et les pan-islamistes au sein du C.U.P. luttaient pour le pouvoir, tandis que les grévistes, les *komitadji*, les socialistes et des dizaines d'autres factions revendiquaient chacun leur part de la Nouvelle Turquie. Tous finissaient tôt ou tard par descendre aux Deux Continents.

Comme on ne pouvait s'attendre de la part des marchands d'armes à ce qu'ils ignorent ce genre de choses, Kit tomba comme par hasard un soir sur Viktor Mulciber en train de se concocter un cocktail au champagne. La dernière fois qu'il l'avait vu, c'était dans un estaminet d'Ostende cinq ou six ans plus tôt. Il utilisait une pommade différente pour ses cheveux, une pommade encore moins délicate qu'auparavant, si la chose était possible, saturant un nombre incalculable de mètres cubiques avec ses miasmes imitant l'odeur des fleurs. Visiblement, Viktor se souvenait de Kit davantage comme d'un ingénieur que comme d'un mathématicien. « Qu'est-ce qui vous retient ici ? Vous aimez la ville ? Il s'agit d'une fille ? Un garçon de bain grec ? Le haschisch local ? »

« Continuez », dit Kit avec un haussement d'épaules.

« Actuellement, pour les ingénieurs, ça ressemble à un marché à la hausse. Surtout l'aviation. Vous avez des compétences dans ce domaine ? »

« Göttingen. Pas mal traîné dans le labo du Dr Prandtl à l'Institut de Mécanique Appliquée. Tout ça très théorique. »

« N'importe quelle compagnie d'aviation vous remettrait simplement un chèque en blanc, se mettrait à genoux, et supplierait de la façon la plus humiliante possible pour que vous fixiez votre prix. »

Bon, ce type était un commis voyageur, même si ce qu'il essayait de vendre à Kit n'était pas très clair. « Quelqu'un en particulier ? »

« Depuis le meeting aérien l'an dernier à Brescia, l'Italie semble incontournable. Des pilotes comme Calderara et Cobianchi conçoivent leurs propres engins, les fabricants d'automobiles et de cycles s'y mettent aussi. » Il nota une adresse au dos d'une de ses cartes de visite. « Ça se trouve à Turin, un bon endroit pour débuter. »

« Extrêmement gentil de votre part, monsieur. »

« Pas besoin de vous aplatir, mon garçon, y a une prime d'intermédiaire, et c'est bon pour les affaires. »

En temps normal, Kit aurait empoché la carte puis l'aurait perdue, et il aurait continué à vivre sa vie dans la Ville, oscillant entre Europe et Asie, tranquille comme un battement d'ailes, s'il ne s'était produit un incident quelques soirs plus tard. Alors qu'il rentrait chez lui après avoir travaillé aux Deux Continents, il passa devant un *meyhane*, une salle pleine d'ivrognes avec un orchestre gitan qui jouait, quand soudain, dans une explosion de fumée résineuse, un jeune homme sortit en faisant un vol plané et atterrit devant Kit, manquant de le renverser. Après lui vinrent trois autres individus, deux avec un pistolet au poing, un suffisamment costaud pour n'en avoir pas besoin. Kit ignorait qui était qui, mais obéissant à un vieux réflexe lié aux probabilités, réflexe qui par ailleurs lui déplaisait assez, il sortit son Nagant, distrayant le trio suffisamment longtemps pour permettre à sa cible de s'éclipser par un étroit passage voûté. Les deux types armés partirent à sa poursuite – le troisième resta là, à regarder Kit. « Nous savons où tu travailles », dit-il enfin en anglais. « Tu t'es mêlé de la mauvaise dispute. Sois très prudent désormais. »

Le lendemain soir, quelqu'un lui fit les poches. Des brutes sérieusement dérangées commencèrent à surgir devant lui depuis des recoins insoupçonnés. Les *politissas* qui avaient coutume de le fixer en roulant des yeux trouvaient des prétextes pour regarder ailleurs. Un soir, Jusuf, le gérant, le prit à part.

« L'homme dont vous avez cru sauver la vie l'autre soir », dit-il avant de faire un geste éloquent, « c'était un ennemi du C.U.P. Vous en êtes un aussi, maintenant. » Il tendit à Kit une liasse de livres turques et un billet de train pour Buda-Pesth. « Peux pas faire mieux. Ça vous dérangerait de me laisser la recette du cocktail que vous avez inventé ? »

« "L'Amour à l'Ombre de Pera" ? » demanda Kit. « C'est juste de la crème de menthe et de la bière. » Et sans plus tarder il se retrouva à Szeged à jouer une fois de plus en vain les héros. Mais sans Dally, bien sûr.

Ne sachant trop qui leur en voulait ou, dans le cas de Kit, pourquoi, ils continuèrent leur chemin jusqu'à ce qu'ils arrivent en dehors de la ville, devant un petit canal d'irrigation bordé de saules, puis dans un champ de paprikas.

« Où est-ce que vous alliez, de toute façon ? » finit-elle par demander. « À Paris ? En Angleterre ? »

« En Italie », dit Kit. « À Venise. »

Elle se souvint alors de la promesse qu'elle l'avait plus ou moins obligé à faire deux ans plus tôt, mais elle n'osa pas vraiment en reparler. Vu qu'elle ne l'avait pas tout à fait attendu. À quoi avait-elle pensé, en quittant Venise ? Elle devait être folle. Il la regarda comme pour dire — et alors, sans prévenir, voilà qu'il le dit : « Je parie que vous avez oublié. »

Elle feignit de regarder les champs de paprikas d'un rouge pâle en regard de ses cheveux – ou de ses lèvres, d'ailleurs (ce dont se rendit compte alors Kit) – et essaya de repenser à la dernière fois qu'elle s'était sentie aussi peu assurée sur ses jambes. « Bien sûr que je me souviens. »

Ils étaient déjà trop près l'un de l'autre pour ne pas se tourner et se fondre dans un baiser aussi fluide que la solution à une énigme. Là, avant que le silence des champs ne soit interrompu par de bruyantes semaines de moisson, alors que les cosses poivrées vibraient de façon audible dans les chaudes brises des plaines, ils furent les seuls à s'étonner que leurs corps aient pris autant d'avance sur eux, agacés qu'ils étaient par ces esprits qui les avaient tenus si longtemps séparés.

« Si c'est une mauvaise idée, je veux dire, ta robe avec toute cette terre — »

« Oh, c'est génial la terre », déclara-t-elle entre deux baisers, « c'est agréable, ça sent bon... regarde tous ces paprikas, là, ils adorent ça... ça partira au lavage, ne te soucie même pas de... oh, Kit... »

Lequel, entre-temps, pantalon baissé et encore chaussé, l'avait pénétrée, puis pénétrée encore, et encore, le cycle leur appartenant désormais en propre, humide, intense, effréné, s'éloignant follement de ce temps que des amants moins pressés pouvaient connaître, jusqu'à ce que bientôt, un instant assagis, refusant même de se désenclaver, ils reposent dans une sorte de refuge tiède, à l'abri du soleil de midi, dans la lumière et l'ombre entre les rangées de plantes et l'odeur de la terre.

Quand elle se rappela comment parler : « Tu étais où ? En Sibérie ou quoi ? »

« En fait… »

« Tu me le diras plus tard. »

Ils n'étaient pas allés plus loin qu'un petit bosquet d'acacias que déjà ils s'embrassaient, et bientôt baisaient, encore. « Ça doit être tous ces paprikas », supposa Kit.

Puis ils retournèrent à Szeged et louèrent une chambre pour trois kroner et demi au Grand Hôtel Tisza.

« Pour le jeune *újházaspár* anglais », annonça tout fort Miklós, l'employé de la réception, fermant les yeux sur leurs vêtements maculés, avant de leur tendre deux billets, « Compliments de cet hôtel ! Merveilleux spectacle ce soir au Varosi Színház ! L'incomparable Béla Blaskó, notre grand acteur de Lugos, chante et danse dans une nouvelle opérette venue de Vienne ! Si seulement vous aviez été là la semaine dernière pour voir Béla en Roméo » – sortant un journal du coin et l'ouvrant à la page théâtre – « regardez, ils ont dit "ardent… aimant passionnément…" mais – pas besoin de dire ça à vous, hein ? »

« Ma foi », objecta Kit.

« Oh, allons-y », dit Dally, espiègle, « ça sera marrant. »

Il s'avéra que c'était un excellent spectacle, même s'ils ne comprirent pas tout. Ils veillèrent à souper tôt avant l'opérette, au café-restaurant Otthon, au bout de la promenade qui partait du Színház. Au lieu d'un menu, un serveur télépathe du nom de Pityu leur apporta du vin, du pain et des bols remplis d'un mélange miraculeux de poisson, paprika et piments verts.

« Ça ne peut pas être juste une soupe », dit-elle. « Qu'est-ce que ça peut bien être ? »

« *Hálaszlé* », dit Pityu, « ça n'existe qu'ici, à Szeged, trois sortes de poissons, tout juste pêchés dans le fleuve ici. »

« Et vous saviez — »

« Je sais tout », dit-il en riant, « ou peut-être que ce n'est rien, mon anglais est étrange parfois. Mais vos amis Imi et Ernö sont retournés à Buda-Pesth, aussi vous n'avez plus à vous soucier d'eux, au moins. »

«Alors vous devez savoir également que je ne suis pas une zaharovette», dit Dally, en activant ses cils.

«Ma mère, qui vit toujours à Temesvár, dirait que votre destinée est beaucoup plus exigeante que ça.»

L'opérette, qui faisait fureur à Vienne en ce moment, s'appelait *The Burgher King* et mettait en scène le roi d'un pays imaginaire d'Europe centrale qui, se sentant déconnecté de son peuple, décide d'aller au milieu des siens déguisé en membre de la classe moyenne urbaine.

«Pourquoi pas en paysan, Votre Altesse? En bohémien, peut-être en ouvrier?»

«Un certain niveau de confort est indispensable, Schleppingsdorff. Si on passait toute sa journée à travailler et dormir, on n'aurait plus le temps d'observer, encore moins de penser... n'est-ce pas?»

Parmi les chansons à boire et les ballades sentimentales figurait une remarquable valse entraînante qui était rapidement devenue l'hymne du lèche-vitrines viennois:

> Machen wir ein-en Schaufen-sterbum-mel,
> Ü-berwerfen sie irgendwas Fum-mel, auf
> Straßen und Gassen, lass uns nur lauf-en
> Al-les anstarren, aber nichts kauf-en...

Au cours d'une de ces joyeuses promenades le long des boutiques, le monarque camouflé rencontre et tombe amoureux d'une horripilante petite-bourgeoise, Heidi, qui bien sûr se trouve être mariée. Les conseillers du Roi paniquent sous forme d'un trio, chanté *molto agitato*. L'un d'eux, Schleppingsdorff, décide de se déguiser lui aussi et feint de courtiser la soubrette, la meilleure amie de H.L.B., Mitzi. Malheureusement, c'est de Heidi que s'entiche immédiatement Schleppingsdorff, tandis que Mitzi, déjà obsédée par le Burgher King, envisage de répondre aux avances de Schleppingsdorff, dans le but de se rapprocher du B.K. et de s'esquiver à la première entourloupe, à laquelle elle contribue en encourageant Schleppingsdorff à faire sa cour auprès de Heidi. Pendant ce temps, le *basso* comique, le mari, Ditters, court dans tous les sens en essayant de savoir ce que mijote son épouse, et finit par devenir fou. Le tout est très amusant.

Le premier acte se refermait avec le jeune Béla Blaskó, dans le rôle du Burgher King, portant un chapeau en soie incliné à un angle désinvolte et faisant tourner une canne, devant un corps de danseurs et de chanteurs entonnant le fringant:

Quand vous vous sentez abattu,
Allez donc vite arpenter les rues,
Le Danube vous paraîtra moins bleu
Si vous faites ce que je —
Fais, alors allez voir dans l'*ucca*,
Remontez donc les — a-ve-nues,
Vous verrez que la ville bat
Comme un pouls dans vos pieds,
Cherchez une Hongroise qui vous agrée
Une fille légère et sincère,
Allez rôder du côté des gigolos
Trop agités pour faire dodo,
Ce qui vous revient de droit,
C'est une bonne fille de chez nous,
Qui aime qu'on fasse les fous,
Et vous accompagne en croisière
Loin de ce mouron austro-hongrois!

Air qui, pendant le premier entracte, avait plongé une Dally aux yeux écarquillés dans un drôle d'état.

«On peut pas dire que j'aie jamais vu de comédien charmant, j'en ai vu des tonnes, mais ce type est extra, je te le dis – et hongrois, qui plus est!»

Kit en convint. «Mais c'est quoi ce truc de vouloir mordre la nuque de Heidi, à quoi ça rimait tout ça?»

«Quelque chose qu'ils font dans la région? C'est toi qui as suivi des études.» Son regard à la limite de ce qu'on appellerait de l'ingénuité.

Kit lui rendit son regard, en essayant de refouler le sourire nigaud qui était sur le point d'envahir son visage. «Eh bien, difficile à dire, tu sais, mon hongrois est un peu rouillé et tout ça, mais... n'as-tu pas eu l'impression qu'elle, comment dire... aimait ça?»

«Quoi. Se faire mordre la nuque.» En adoptant, elle était sûre d'ignorer pourquoi, un accent d'Anglaise en week-end à la campagne.

«Allons, tiens, et si nous —»

«Kit, non mais qu'est-ce que tu —» Écartant toutefois ses cheveux et tendant son cou dénudé vers lui. Ils se rendirent compte à un moment que le spectacle avait repris, et que le B.K. et ses associés poursuivaient leur intrigue routinière et mélodieuse.

Kit et Dally étaient installés dans une baignoire, et personne ne semblait les regarder. Elle se laissa glisser à genoux et commença à étaler du rouge à lèvres et de la salive partout sur son pantalon. Les doigts de Kit disparurent dans sa chevelure. Leurs palpitations étaient plus rythmiques que la musique. «C'est dingue», murmura Kit.

«Viens», acquiesça-t-elle. Ils retournèrent à leur chambre d'hôtel avec aucun autre obstacle que la livraison par un groom d'un bouquet de glaïeuls et les habituelles fermetures des vêtements pour les ralentir. Pour la première fois, aurait-on dit, Kit prit une minute afin de l'admirer dans toute sa svelte et éclatante nudité. Mais seulement une minute, parce qu'elle s'était jetée sur lui, l'avait porté jusqu'au lit, l'enjambait et commençait à le chevaucher dans un transport brûlant de rires, de jurons, en braillant dans une langue propre à elle que Kit était trop absorbé pour traduire. Elle s'effondra très vite en avant en un long baiser, ses cheveux défaits les ceignant d'un nimbe ardent.

« Ce sont des taches de rousseur ? Pourquoi rougeoient-elles ainsi ? »

« Sûrement les paprikas », murmura-t-elle, et peu après elle s'endormit toute nue et humide dans ses bras.

Le meilleur parti, estimèrent-ils, consistait à éviter la gare de Szeged, à remonter le fleuve en steamer et ce jusqu'à Szolnok, d'attraper là-bas le local pour Buda-Pesth, puis à se rendre en Wagon-Lits via le lac Balaton jusqu'à Pragerhof, où ils pourraient prendre le train Graz-Trieste et rejoindre Venise en deuxième classe.

Ça paraissait assez retors. Mais le lac Balaton leur sembla trop agréable pour ne pas s'y arrêter. Ils descendirent à Siófok et ne tardèrent pas à se prélasser dans l'eau, avec des centaines de familles en vacances.

« Tu parles d'une fuite en avant. »

« On devrait vraiment se déplacer plus vite. »

« Des trains entiers de Turcs hurleurs qui remontent la voie. »

« En agitant des épées et des Mauser, et cætera. »

Ils se regardèrent alors au fond des yeux. Encore. Il ne semblait pas y avoir de limites au temps que durerait tout cela. Le soleil se coucha, les petits voiliers rentrèrent à quai, d'autres baigneurs s'en allèrent, les *fogások* s'approchèrent pour voir ce qui se passait, et leur observation perplexe n'en finissait pas. Quelque part sur la terrasse, un orchestre de danse se mit à jouer. Des lampes s'allumèrent dans les restaurants au bord du fleuve, dans les jardins et les hôtels, et Kit et Dally restèrent jusqu'à la première étoile, puis, comme s'ils se rappelaient tout ce qu'on pouvait désirer, ils rentrèrent retrouver le plafond de leur chambre, là où, en proie à cette exubérante fugue amoureuse, ils comptaient passer le plus clair de leur temps.

« Ils vont essayer de te retrouver, non ? » dit Kit.

« Pas sûr. Ça en arrangerait quelques-uns si on ne me retrouvait jamais, je crois. »

Le soleil derrière la vitre l'éclairait en contre-jour, alors qu'elle déambulait dans la petite pièce, en l'observant attentivement. Ayant reçu trop d'attentions d'origines douteuses, désormais elle prenait garde à ce qu'elle disait aux hommes, tout en attendant plus ou moins nerveusement de Kit qu'il la questionne sur son passé coloré. Il ne semblait pas vouloir en découdre, mais les hommes étaient comme des tempêtes en mer, ils s'abattaient sur vous avant que vous les voyiez venir, et alors vous vous retrouviez engloutie et perplexe. Elle décida de lui dire ce qu'elle pouvait. À qui s'était-elle jamais confiée? On donnait sa confiance aux gens jusqu'à ce qu'ils vous trahissent, mais l'alternative, n'avoir jamais confiance en personne, faisait de vous un autre Clive Crouchmas, et il y en avait bien assez déjà comme ça sur terre. «Kit, que veux-tu savoir exactement sur ce que j'ai fait jusqu'ici?» Venait-elle vraiment de dire cela?

«Dans quelle proportion pourrais-je comprendre?»

«Une bonne partie doit ressortir de la haute finance internationale.»

«Oh. Non, euh, les fonctions d'une variable complexe, rien de ce genre, je crains.»

«Essentiellement des additions et des soustractions, mais ça devient un peu plus —»

«Tu as raison, bien sûr, je m'y perdrais juste...»

«Non, écoute —» Elle redressa le nez et plia les orteils, mentalement, puis se plongea dans son histoire avec Clive Crouchmas. Kit écouta attentivement et ne piqua apparemment pas de crise de jalousie. «Je l'espionnais pour le compte de certaines personnes», conclut-elle, «et il l'a découvert.»

«Il est dangereux, alors, ton vieux beau?»

«Peut-être. Je pourrais rentrer à Londres, je suis censée avoir un petit rôle dans un nouveau spectacle, mais pour l'instant je ne suis pas sûre que ce soit la bonne décision. Il vaut peut-être mieux faire profil bas pendant un temps.»

«Il y a quelque chose qui me tarabuste vraiment —»

Elle s'arrêta net, ses muscles souples soudain tendus, des poils dorés et microscopiques tout le long de ses jambes nues se dressant dans la lumière.

«— c'est: Qu'est-ce qu'on fait pour l'argent en attendant que je trouve du boulot en Italie?»

«Oh. On n'a pas de soucis d'argent. T'inquiète vraiment pas pour ça, mon petit génie.» Mais, et ce n'est que justice, elle lui donna peut-être une minute et demie pour dire quelque chose de désagréable comme «Son argent», ou «Que devais-tu faire en échange?» avant de se diriger résolument sur la pointe des pieds vers l'endroit où il était assis, où, lui prenant les cheveux à pleines poignées, elle attira son visage miséricordieusement silencieux contre sa chatte parfumée.

La lumière n'entrait pas exactement comme elle était censée pénétrer dans les églises – transmise non à travers les images saintes des vitraux, mais par les feuillages réapparus sur les arbres dehors, des trous pratiqués dans l'adobe par l'artillerie fédérale, les ombres fuyantes et aléatoires des oiseaux et des nuages. C'était la Semaine sainte dans la Sierra, encore glaciale la nuit mais tolérable pendant le jour. Parfois, une brise descendue de la montagne passait rapidement. Cette partie de Chihuaha était pour l'instant sans risque. Bien que les *federales* eussent chassé les hommes de Madero à Casas Grandes, ils n'avaient nulle envie d'en découdre à découvert et restaient pour l'instant dans leurs garnisons.

Presque quotidiennement un de ceux qui avaient pris part à la dernière bataille mourait ici. Les blessés gisaient en rangs inégaux sur l'ancien sol carrelé, le prêtre et le médecin passaient parmi eux une fois par jour, des femmes du village venaient quand elles pouvaient – s'il n'y avait pas un enfant à surveiller, un *novio* à réconforter ou à qui dire au revoir, un mort à pleurer dans la famille – et s'efforçaient de nettoyer les plaies et de changer les bandages, même si les pansements stériles de ce côté-ci de la frontière étaient des articles de luxe.

Frank s'éveilla d'un rêve dans lequel il courait, courait sans effort ni douleur à une vitesse que même les chevaux n'atteignent pas, ni poursuivi ni poursuivant, il courait juste pour le simple plaisir de courir, pour la félicité qu'il en tirait, se disait-il. Tant qu'il continuait d'aller ainsi de l'avant, vif, léger, il savait qu'il n'aurait jamais d'ennuis. Devant lui semblait palpiter comme une concentration de lumière, quelque chose évoquant une cité après la tombée de la nuit, et il se demandait ce que ça pouvait être. Au train où il allait, il ne devrait pas tarder à l'atteindre. Mais il se retrouvait tout d'un coup sur le sol d'une l'église froide et délabrée, immobilisé et affamé, parmi les odeurs des blessés et des morts, puis un visage qu'il était sur le point de reconnaître se penchait sur lui, avec dans la bouche, qu'on allumait, puis tendait à Frank, une cigarette mexicaine.

«Je les ai vus t'amener ici.» C'était le chaman indien El Espinero, celui qui lui avait appris à voler.

«Alors *¿qué tal, amigo?*» Frank prit la cigarette et tira dessus aussi fort qu'il put étant donné l'état de ses côtes, dont une au moins devait être cassée.

Le *brujo* hocha la tête et en alluma une autre pour lui-même. «Tu crois que tu rêves, *¿verdad?* Non, en fait, mon village est juste là-haut» – il porta le regard vers la cime des montagnes. «Je suis resté à Durango un certain temps, mais maintenant me voilà ici, en éclaireur pour Don José de la Luz Blanco.» Il procéda à un rapide inventaire des blessures de Frank. «Tu étais avec lui et Madero, au combat.»

«Oui. J'aurais dû être ailleurs.»

«Mais tu vas guérir. Une seule balle.»

«Une de trop. Après je suis tombé du cheval, puis sous l'autre cheval, et cætera.»

«Les chevaux chihuahuas sont les meilleurs au monde, mais ils ne le savent que trop, et un homme à terre ne compte guère à leurs yeux, sauf si c'est un Tarahumara. Ils nous respectent parce que nous courons plus vite.»

«Ce cheval a eu la gentillesse de me traîner jusqu'au fossé d'irrigation…» Frank recracha la fumée dans un rayon de soleil momentané, et le *brujo* la regarda s'estomper avec un intérêt patient.

«Quelqu'un te cherche.»

«Devrais-je me relever d'un bond et filer d'ici ventre à terre?»

El Espinero éclata de rire. «Oui, je le crois. C'est ton autre Estrella.»

«Elle est ici?»

Ouaip et au bras d'un Mexicain d'une incroyable beauté. Pas étonnant. Frank aurait voulu pouvoir se rendormir.

«Je vous présente Rodrigo.»

«*Mucho gusto*», reconnut Frank. Bon, elle n'allait pas voyager seule toute sa vie quand même, en plus d'être, bonté divine, encore plus belle maintenant que, disons, il y a deux ans, voire presque trois, le soleil dans le visage et les cheveux, une assurance dans son attitude, et fini le petit calibre .22 délicat sous la robe comme il faut, maintenant c'était un Colt fonctionnel attaché à une, ne put-il s'empêcher de remarquer, des deux jambes d'une culotte en whipcord.

Le Rodrigo en question regardait Frank avec un certain dédain, sans doute celui qu'éprouve un propriétaire terrien mexicain pour un cow-boy qui s'est laissé piétiner par un ou plusieurs chevaux, et du coup la situation n'était pas dénuée de rivalité. Frank ne pouvait guère lui en tenir rigueur.

«Jolie tenue, et seyante, que celle que tu portes, Estrella, mais où est passé ton coquet trousseau d'antan?»

«Oh lui et moi on s'est séparés en chemin, maintenant c'est la silhouette droite, le bon sens de la couturière, c'est triste mais vrai, on peut pas mettre une vieille bouvière dans un truc étroit, elle essaie de faire ce qu'elle croit être des pas normaux, et ça bousille les coutures que quelqu'un a passé toute la nuit à faire.»

«Et comment vont les affaires?»

«Je suis comme qui dirait diplomate ces temps-ci», désignant nonchalamment Rodrigo de la tête. «Les hommes de Madero semblent avoir pris celui-ci pour un sosie, un ponte fédéral. La vérité, c'est qu'il s'est juste aventuré sur la mauvaise piste. Et maintenant nous marchandons tous.»

«Échange de prisonniers. Et est-ce que ça paie bien?»

«Parfois.» Faisant un effort, il remarqua, pour que Rodrigo ne voie pas son regard. Pensait-elle que ça gênerait Frank si ce n'était pas uniquement professionnel? Et dans quelle mesure? Et cætera.

«Qu'est-ce que tu fumes ces temps-ci?»

«Des vraies. Tiens, garde le paquet.»

Frank se rendormit et quand il revint à lui, tout le monde était parti sauf El Espinero. Stray avait glissé les cigarettes sous la chemise en boule dont il se servait comme oreiller pour qu'elles soient à l'abri, et cette tendre attention lui fit regretter de ne pas avoir été alors éveillé.

Elle revint le lendemain, et il fallut à Frank environ une minute pour identifier son nouveau compagnon, à cause d'une barbe et d'une tignasse que son sombrero avait du mal à contenir. «Ce piètre ersatz de trublion anarchiste prétend qu'il te connaît.»

«Bon sang, mais c'est ce vieux Ewball Oust, ça alors», dit Frank. «Ne me dis pas que —»

«Si, j'l'ai échangé contre Rodrigo, qui s'en retourne en ce moment même vers sa demeure familiale au Texas. Un de plus hors de mes pattes. *Adiós, mi guapo* —» Elle haussa les épaules et prit un faux air triste. «Frank, dis-moi que j'ai une affaire, là.»

«Euh, donne-moi une minute.»

«J'croyais que t'étais blessé ou ce genre, *compinche*, m'a pas l'air plus grave que des cloques aux arpions.» Ewball avait réussi à soustraire une gourde métallique de tequila à l'attention fédérale, et il versa allégrement des *copas* à tout le monde.

Stray examinait Ewball, en secouant la tête et en feignant de soupirer de désarroi. «Je vais peut-être me remettre au trafic d'armes, finalement. »

«Les fantassins comme moi, y en a à la pelle», reconnut gaiement Ewball. «Mais pour ce qui est de la quincaillerie, alors t'es tombée au bon endroit sur cette planète. L'artillerie, juste en apéritif. Les *federales* nous bombardent avec des obusiers, des mitrailleuses, du shrapnel à retardement – le mieux qu'on peut faire, c'est de lancer des bâtons de dynamite et de s'en remettre au Seigneur. »

«Je pourrais me renseigner. On parle de quelle taille, là? »

«Le calibre ne serait pas aussi important que la mobilité, on a besoin de quelque chose de facile à démonter et à trimballer sur des mules, genre t'as entendu parler du canon de montagne Krupp, un truc dans ce goût-là ferait l'affaire. »

Elle prenait des notes. «Hein-hein, quoi d'autre? »

«Du désinfectant», ajouta Frank, un peu fiévreux aujourd'hui, «autant de wagons-citernes que tu pourras en trouver. Mais aussi des analgésiques, de n'importe quel type, laudanum, parégorique, zut alors, tout ce qui comporte de l'opium, ce foutu pays souffre beaucoup trop. »

«Du tabac», ajouta Ewball.

Ils se lancèrent au bout d'un moment dans une discussion sur les anarchistes et leur réputation de grossièreté, par exemple le fait qu'ils balancent des bombes sur des gens auxquels ils n'ont pas été présentés.

«Il y a plein de types qui méritent qu'on les fasse exploser, c'est certain», reconnut Ewball, «mais il faut les traiter de façon professionnelle, agir autrement c'est se comporter comme eux, massacrer des innocents, alors que ce qu'il faut c'est davantage de coupables massacrés. Qui a donné les ordres, qui les a exécutés, les noms exacts et l'endroit où ils sont – et après on s'occupe d'eux. Voilà ce qui serait de l'honnête ouvrage. »

«Pas ce qu'on appelle du nihilisme?» objecta Stray.

«Maligne, hein? Alors que tous les vrais nihilistes travaillent pour les proprios, vu que c'est eux qui croient à que dalle, nos morts ne sont pour eux que des morts, rien qu'une autre cape sanglante qu'ils agitent devant nous, pour qu'on continue de faire ce qu'ils veulent, mais nos morts n'ont jamais cessé de nous appartenir, ils nous hantent tous les jours, tu ne le vois donc pas, et nous devons leur être fidèles, ils ne nous pardonneraient pas si on s'écartait du chemin… »

Frank n'avait jamais vu Ewball comme ça, c'était davantage que des jérémiades d'ivrogne, Ewb était passé par là, peut-être plus longtemps qu'il ne pensait vivre pour le faire, et au fil des ans il avait accumulé, supposa Frank, un nombre considérable de morts qu'il estimerait désormais comme étant *ses* morts. Pas vraiment la même chose que l'intermède de deux secondes de Frank avec Sloat Fresno au Bolsón de Mapimí il y avait cinq, non, six ans. Quel chemin avait parcouru Frank depuis? Deuce Kindred courait toujours quelque part, peut-être encore avec Lake, peut-être, à ce jour, plus.

Frank se réveilla le lendemain soir au beau milieu d'une longue discussion que Ewball avait avec Stray sur la théorie et la praxis anarcho-syndicalistes, et il ressentit une mélancolie étrangement familière qu'il ne réussit pas tout de suite à localiser, jusqu'à ce qu'il voie arriver au bout d'une travée entre les blessés, son petit visage chaudement éclairé par une cigarette au bec, son anthropologue de l'Est préférée, Wren Provenance.

« Savais que j'aurais pas dû forcer sur le laudanum, ce soir », lui dit-il.

Wren portait des bottes de cavalier, un pantalon *campesino*, une chemise d'homme quelques tailles trop grande avec des boutons manquants, et aucun sous-vêtement pour dissimuler au regard nonchalant ses impeccables petits seins, même si Ewball et Frank, s'efforçant de se comporter en gentlemen, tâchaient de ne pas trop la regarder fixement, en tout cas pas trop longtemps et à tour de rôle.

Elle avait été présente à Casas Grandes, le site archéologique situé au bout de la route où avait eu lieu la récente bataille du même nom, sous les auspices semi-officiels de Harvard, pour étudier les ruines mystérieuses qu'on croyait construites par des réfugiés fuyant leur mythique patrie d'Aztlán plus au nord.

« J'croyais que vous deviez sillonner les mers du Sud », dit Frank.

« Pas assez romantique là-bas, je suppose. »

Quand Madero et sa petite armée étaient arrivés, ses collègues masculins, certains en s'excusant par-dessus l'épaule, avaient fui les uns après les autres pour ne pas se prendre de balle.

Stray venait de la détailler, non sans intérêt. « Pourquoi t'es pas partie? » demanda-t-elle.

« Oh, trop occupée sans doute. Beaucoup de bruit, des éclairs brillants, pas pire que du mauvais temps, une autre condition dans laquelle travailler sur le terrain – et puis c'est le travail qui compte, surtout. »

« Surtout. Mais tu fais quoi pour te distraire, si ce n'est pas indiscret? »

« Ce que le jour apporte », dit Wren en haussant les épaules, « ou n'apporte pas. Pour l'instant, en fait, le sommeil émerge comme l'occupation la plus importante. »

« C'est ce qu'on dit qu'il fait, je suppose, qu'il "émerge". Joli bracelet indien que t'as là. »

« Jaspes et turquoises. Un bijou zuñi classique. »

«Hmm. Tu l'as payé combien?»

«C'est un cadeau.»

«Un commis voyageur.»

«Qu'est-ce qui te fait dire ça?»

«Y a des Indiens dans toutes les gares à l'ouest de Denver qui en vendent.»

«Ben ça alors, quel saligaud de baratineur à la noix. Il m'a fait croire qu'il était — je sais pas, spécial.»

«Ils sont tous pareils, chérie. Même le vieux Frank ici.»

«Frank, honte à vous aussi, donc.»

Ces dames s'amusaient bien. Au bout d'un moment, Frank se retrouva en train de fumer sans discontinuer les Buen Tonos de Stray, en essayant de ne pas trop se tortiller de façon voyante. Ses côtes lui faisaient mal et il se dit qu'il devrait éviter de rire trop franchement, même si, vu la tournure que prenaient les choses, ça ne risquait pas d'être un problème.

Un *campesino* arriva, porteur d'un message pour Stray. Elle se leva, prit son portefeuille de commandes et le passa sur son épaule au moyen d'une sangle. «Les affaires s'arrêtent jamais. Ewball, tu ferais mieux de rester dans les parages, les gars de Don Porfirio vont peut-être vouloir te récupérer finalement.»

Quand il crut qu'elle était hors de portée de voix, Ewball dit: «Je crois qu'elle m'aime bien.»

«Ben t'es plutôt pas mal comme gars, mais t'es pas Rodrigo», estima Frank.

«Ça t'embête pas, t'es sûr, *compadre*, je veux dire vu ce qui se passe entre Wren et toi ici —»

«Vous prenez les choses un peu à l'envers», dit Wren, le regard fixe, les yeux pétillants. «Mais merci quand même, Ewball, c'est toujours stimulant pour l'amour-propre d'une jeune fille de découvrir qu'elle sépare deux personnes qui devraient être ensemble, pour qui d'ailleurs, si l'on se fie à tous les principes anthropologiques que nous savons être valides, c'est une violation anormale de la réalité scientifique que de ne pas être ensemble. Dites-moi, Frank, vous êtes stupide, ou aveugle?»

«Si j'ai le choix, eh bien... Laissez-moi réfléchir.»

Ewball agita une bouteille de bière sous le nez de Wren. «La réponse est "stupide". L'a toujours été. Ça te dit une autre *cerveza*, hein, *tetas de muñeca*?»

«Ma foi oui, c'est très attentionné de ta part, *pinga de títere*.»

«Oh-oh», firent en chœur Ewball et Frank.

« Dis, tu te souviens de ces petits cactus ? »

El Espinero était assis dans l'obscurité depuis un bout de temps, il souriait à Frank, et ses yeux reflétaient un peu plus de lumière qu'il n'y en avait. « Excuse-moi d'avoir attendu que tu poses la question. Mais le *hikuli* n'est pas pour tout le monde. »

En avait-il apporté ? Le Lapin de Pâques apporte-t-il des œufs colorés ? En un rien de temps, Frank se retrouva dans une Cité étrange mais familière, un arc extérieur d'entrepôts bas de plafond sur la ligne de crête, descendant vers un réseau de larges boulevards, de canaux et de places dégagées, avec au bout de l'une d'elles, arrivant alors parmi des gens en pèlerinage qui vont et viennent en ville, un apprenti médecin qui semble être Frank lui-même, tel qu'il était autrefois, avant que les Jours brisés s'abattent sur la terre et les gens, porteur d'un petit sac en cuir contenant les Rouleaux sacrés qu'on lui a confiés le matin où il a quitté les cochons fouissant dans la poussière, sa mère chuchotant, tandis qu'elle lui tendait le sac, avant qu'il s'en aille et descende le chemin, se retournant une seule fois, peut-être deux, tandis que ses sœurs déjà actives diminuaient parmi les verts coteaux, entendant bientôt quelqu'un souffler dans un instrument à anche dont la simplicité l'émeut, trouvant un convoi de mules qui monte là-haut vers la Cité, la file des bêtes commençant lentement à sinuer dans les virages escarpés en épingle à cheveux sous le soleil jaune, qui réchauffe et libère l'odeur pure de la coriandre écrasée en balles et des chapelets de piments destinés aux pots d'argile qu'on va disposer sur les longues tables communes dans les sous-sols des temples de la Cité, sous de bas plafonds à grossières solives, pleins d'ombres brunes, qui sentent la paille parfumée au musc récupérée dans les cellules somptueuses des Pécaris sacrés – le convoi de mules escaladant la colline et portant également des tiges de maguey fraîchement cueillies par les *tlachiqueros*, et des peaux luisantes de castors des marais qui lancent de sombres éclats sous les pans de toile, qu'on échangerait contre du velours, de l'or et des brocarts d'argent, des plumes géantes prises sur des perroquets très jaunes, rouges et verts, d'énormes perroquets dont l'envergure assombrit le ciel, chaque plume d'une couleur unique, arrachée loin d'ici à grand risque personnel, dans une précarité de pierre et d'espace venteux, sous les ailes des oiseaux alors qu'ils s'élancent dans l'air en déployant des serres de la taille de lances de cérémonie, en fait les mêmes plumes que celles réunies pour la gloire de ces membres du cercle intérieur de la prêtrise connus sous le nom des Hallucinati, qui aiment déambuler en groupes le soir pour impressionner les visiteurs des quartiers extérieurs, ou qui, comme « Frank » ici, monté des terres basses et d'au-delà, débarquent en ville par troupeaux entiers juste pour contempler les hiérarques et leurs assistantes qui ont passé des heures à se maquiller les yeux, ornant de motifs perroquet leurs orbites, du jaune vif avec des rayures rouges et des croissants verts, leurs cheveux tirés en arrière dévoilant des sourcils enfantins et délicatement convexes, des filles sacrées, avec parmi elles des beautés suffisamment célébrées pour provoquer des débats pendant les pauses coca des convois de mules, car le café n'est pas le seul stimulant qu'on trouve parmi ces caravanes, où tout le monde bouge et parle à grande vitesse et, comme la mysté-rieuse Capitale où ils se rendent, évite de dormir ou même de piquer des roupillons – ils aspirent aux temps de *paseo* après que les facteurs ont pris leur commande, pour sortir à n'importe quelle heure et s'apercevoir qu'il est impossible de dire si c'est même le jour ou la nuit, la Ville étant elle-même entièrement intérieure et personne hormis les astrologues les plus âgés n'ayant le simple droit de voir le ciel. Les cafés sont ouverts à chaque coin de rue, des jeunes femmes cérémonielles se réunissent entre les services, des dizaines à chaque table, les gongs et les cloches des temples joignant leurs timbres et leurs rythmes au brouhaha urbain. «Frank» erre dans tout cela, enchanté par tout, les marchands qui vendent des mangues et des fruits étoilés, des agaves fermentant dans des bols en terre cuite, des *ristras* de piments violet foncé suspendus pour sécher, des graines aromatiques d'un vert nacré écrasées dans d'épais mortiers en pierre, des têtes de mort et des squelettes en sucre brut que les enfants viennent acheter en courant avec des pièces en obsidienne portant des images des célèbres Hallucinati, avant de repartir en croquant les os sucrés et hérissés que la faible lumière traverse ici comme de l'ambre, des étals ornés partout de brochures aux couleurs vives, illustrées, sans qu'on puisse inférer le moindre ordre, de caricatures érotiques et assas-sines, d'héliographies teintes à la main en des violets, safran et noir charbon luminescents, veinées de rouille et d'un vert humide... Il se met à lire, ou non pas exactement lire une de ces histoires... C'est le récit du Voyage au sortir d'Aztlán, et bientôt il est moins en train de lire qu'engagé dans une causette avec un des grands prêtres, il découvre qu'il s'agit d'une ville encore inachevée, un épisode provisoire d'adobe mono-chrome, car cette cité criarde et lumineuse que tous espèrent découvrir un jour, Frank le comprend, est rêvée collectivement par cette commu-nauté en fuite, poursuivie par une terreur non terrestre qu'elle pensait connaître et respecter, et devant elle, quelque part, un signe lui disant qu'elle est vraiment hors d'affaire, qu'elle a trouvé son vrai destin, dans lequel l'aigle va conquérir le serpent, et les intrus, satisfaits après avoir conquis et occupé Aztlán, abandonneront la poursuite et continueront leur propre métamorphose en extraterrestres ailés ou en demi-dieux du mal ou en gringos, tandis que les fuyards se verront épargner la sombre nécessité d'acheter leur sécurité en arrachant les cœurs des vierges sacrificielles au sommet de pyramides, et cætera.

Il accomplit à un moment donné une manœuvre, comme celle que ferait un oiseau décrivant un cercle puis se posant, mais dans un espace mental. Se tenait là dans la lumière une femme ressemblant à Wren, qui lui offrit le même périodique. «Je t'ai apporté une petite lecture inoffensive.» Le texte n'était pas dans un alphabet qu'il connaissait, et il finit par regarder les illustrations, on ne peut plus érotiques et assassines, racontant les aventures d'une jeune femme qu'on faisait venir pour défendre son peuple contre des envahisseurs difformes qui préféraient se battre dans les ombres et n'étaient jamais clairement montrés.

Bientôt, par-dessus son épaule, il remarqua El Espinero qui regardait lui aussi attentivement les images. Finalement : «Tiens, prends-le.»

«Non, il est pour toi. Pour que tu n'oublies pas où tu étais à l'instant.»

«Puisque tu en parles —» Mais une sorte de stupeur temporelle se produisit et le *brujo* avait disparu. Le «magazine» était maintenant un journal de Mexico en noir et blanc remontant à quelques jours, et il n'y était fait aucune mention de Casas Grandes, ni de la bataille qui y avait eu lieu.

Stray était de plus en plus fascinée par Ewball, même si, ainsi qu'elle le lui rappelait chaque fois qu'elle en avait l'occasion, il n'était pas vraiment son genre. Ewball ayant été échangé avec succès contre Rodrigo, dont la famille reconnaissante s'était montrée plus que généreuse quant aux frais de Stray, il n'y avait aucune véritable raison pour qu'il traîne ici alors que d'importantes affaires anarchistes, elle en était sûre, le réclamaient ailleurs. «Oh je ne sais pas», marmonna-t-il, «un peu comme des vacances, je dirais. La Révolution se débrouille très bien toute seule, non.»

Tous deux disparurent un jour, et s'aperçurent alors qu'ils avaient pris ensemble le train de Juárez parmi des démonstrations d'affection publiques. Et, ô surprise, c'était Wren Provenance qui avait décidé de rester ici, et qui, telle une mère avec un petit bébé, alla voir Frank se lever et faire ses premiers pas, elle qui l'accompagna lors de balades qui les conduisaient de plus en plus loin de l'église en ruine, jusqu'à ce que finisse par se produire ce qui était clair pour tout le monde et qu'ils se retrouvent au fond d'un petit arroyo sous les saules et les peupliers en train de baiser avec enthousiasme, tandis que toutes sortes d'animaux les observaient avec intérêt. «Comme ça», se glissant hors de sa culotte et le chevauchant. « Ne prends pas cet air choqué, c'est moi, tu te souviens ? » Chacun les mains dans les cheveux de l'autre, les mains partout, tant qu'à faire, des baisers, et quand avaient-ils embrassé ainsi avec une telle fringale ? Morsures, ongles, paroles insouciantes peut-être, aucun des deux n'en avait le souvenir.

« Mais comment est-ce arrivé ? »

Elle le regarda à sa façon. Et eut envie de dire : « Ne me demande pas, ça ne m'arrive jamais, en fait ça m'arrive de ne plus y penser pendant de longues périodes… » Ce qui bien sûr est la façon dont se déroulerait le monologue des heures plus tard, quand elle serait seule avec ses pensées. Mais pour l'instant elle s'abstint de partager tout ça avec Frank.

« Eh bien », une minute ou deux loin des ruminations, « tant que c'est pas classé comme une bonne action ou quelque chose de ce genre… Frank. » Elle était allongée, son visage contre son torse mais maintenant se redressait, comme pour bien le regarder. Et elle ne pouvait pas, ne voulait pas s'empêcher de sourire. « Je commence à penser que ce Ewball avait raison à ton sujet. T'as pas avalé des prises quotidiennes de stupidité, non ? »

« D'accord. » La réinstallant là où elle était. « D'accord. »

Le bourdonnement rauque emplit la vallée. Tout le monde leva les yeux. Le biplan apparut lentement, comme s'il émergeait de l'étendue vierge et volontaire de l'Histoire. « Allons bon mais c'est quoi ça ? » se demanda Frank. Bien que ce fût la première fois que l'appareil s'aventurait par là, les Tarahumaras semblaient savoir ce que c'était. Peut-être apportait-il quelque chose, à un degré de nuisance jusqu'ici inconnu dans la guerre moderne, laquelle était déjà rarement plaisante. Pendant des années, les villageois distingueraient les événements qui s'étaient produits avant l'arrivée du biplan de ceux qui s'étaient produits après.

El Espinero apporta à Frank une canne, sculptée dans une belle longueur de chêne provenant des hauteurs de la Sierra. « Un gringo appellerait ça un "bâton de marche", mais les Tarahumaras s'en servent comme *bâton de course*, quand nos jambes sont douloureuses et que nous ne pouvons pas courir plus vite qu'un cheval au galop. » Comme d'habitude, Frank ne savait pas avec quel degré de sérieux il était censé prendre la chose. Mais il devait y avoir de la magie noire dans le bâton, ça oui, car plus Frank s'en servait et moins il en avait besoin.

« Ça veut dire quoi ? » demanda Wren.

« La magie indigène te rend nerveuse, hein ? Tu m'en fais une belle, d'anthropologue. »

Quand elle fut sûre qu'il était de nouveau capable de monter à cheval, elle l'agrippa par le devant de sa chemise et lui dit : « Écoute, je vais devoir aller retourner travailler. »

« Retourner à Casas Grandes. »

« J'crois que j'ai repéré un ou deux membres de l'ancienne équipe dans les parages. »

« Je peux t'accompagner ? »

« Je pensais pas que ça t'intéresserait. »

Le site présentait encore les traces d'un départ précipité, bien que, comme l'avait laissé entendre Wren, un ou deux nigauds de Harvard eussent été aperçus en train de fouiner dans le périmètre. En voyant ce spectacle de dégradation boueuse, qui glissait vers l'abandon avant que les premiers Espagnols arrivent, Frank comprit aussitôt que c'était là que l'avait conduit le *hikuli* l'autre soir, là ce qu'El Espinero avait voulu qu'il voie – ce qu'il devait commencer à voir, bien qu'étant tristement endurci contre tout ce qui était extra-littéral, et se rappelait avoir vu, s'il voulait avoir ne serait-ce qu'une chance de sauver son âme.

Ils approchèrent d'une vaste ruine, bâtie selon un angle droit aussi nettement que la chose était possible. « C'était le bâtiment principal », dit-elle.

« D'accord. *Casas Grandes*, ça se comprend. Je dirais quatre arpents et demi, ici, à vue d'œil. »

« Et haut d'au moins trois niveaux lors de sa construction. Certains autres peuvent en comporter jusqu'à cinq ou six. »

« Et c'étaient les mêmes personnes — »

« On peut voir à quel point les murs étaient épais. Ils n'avaient pas l'intention de se faire surprendre deux fois. »

« Mais si c'est eux qui ont échoué dans la vallée du Mexique, alors c'était une escale, et qui n'a pas duré non plus. »

« Personne n'en sait rien. Et pour l'instant je suis également très intéressée par ces colonies mormones qui apparaissent soudain un peu partout dans cette partie de la Sierra Madre. »

« Exactement comme c'était le cas dans le McElmo », dit Frank.

« Un chercheur », supposa-t-elle, « se demanderait au moins pourquoi l'odyssée mormone et la fuite aztèque devraient avoir autant de points communs. » Elle ne parut pas enchantée par cette pensée.

« Peut-être que j'en parlerai à El Espinero. Et qu'en est-il de ces images ? Tu en as trouvé par ici ? »

Elle savait de quelles images il parlait. « Des terres cuites, des outils en pierre, des broyeurs à blé, mais aucun signe des créatures qu'ils dessinaient sur les parois rocheuses dans le Nord – si absentes en fait que c'en est louche. Comme si c'était volontaire. Comme s'ils étaient presque attachés à nier ce qui les poursuit en refusant de les représenter. Du coup, il y en a partout, mais invisibles. »

Pendant un instant, il comprit, comme effleuré par le souffle d'une aile passant devant son visage, que l'histoire de ce terrible continent, et ce jusqu'à l'océan Pacifique et les glaces arctiques, était cette même histoire d'exil et de migrations, l'homme blanc délogeant l'Indien, les sociétés orientales délogeant l'homme blanc, sans parler de leurs incursions à coups de forets et de dynamite dans les profondes coutures des montagnes sacrées, de la terre sacrée.

Wren avait une petite maison à l'extrémité de la ville avec un potager, des *madreselvas* écarlates qui escaladaient les murs et une jolie vue depuis la corniche, les ruines de Casas Grandes étant situées à moins de deux kilomètres en bas de la route. Frank passait ses journées dehors à faire des petits boulots, un peu de charpenterie et de plâtre, surtout des réparations, rendues nécessaires par les combats, et ses nuits au lit avec Wren, goûtant le plus possible les joies de la baise domestique. Il scrutait parfois le visage endormi de Wren, inféodé à des chagrins plus anciens que lui, regrettant de ne pas savoir comment établir un périmètre au sein duquel elle pourrait au moins dormir paisiblement, parce que bon sang quel boucan elle faisait la nuit. Tout ce qu'il avait vraiment su faire, à l'instar de Webb et de Mayva avant lui, c'était d'aller d'une déception à l'autre, en surmontant chacune du mieux qu'il pouvait. Wren avançait sur sa propre route, et il craignait qu'à un certain point elle ne s'aventure un peu trop loin, ne traverse un cañon ou un cours d'eau invisible à tous, et ne se retrouve dans le pays cruel des envahisseurs, les intrus ailés, les serpents qui parlaient, les lézards venimeux qui ne perdaient jamais une bataille. Risquant d'arriver non devant une cité surnaturellement éclairée mais en plein territoire occupé, parmi des vies soumises que seul le mépris déguisait, avec lesquelles elle finirait par ne plus faire qu'un. Il savait que dans son histoire secrète, faite de longs pèlerinages et de luttes, il se contentait d'emprunter un temps la même piste. Comprenant qu'elle voulait le protéger contre l'élément sinistre qui l'attendait au bout, il éprouva un étrange sentiment de gratitude.

Ces appréhensions, fugaces et aussi difficiles à retenir que des rêves, furent confirmées par El Espinero, que Frank accompagnait parfois à Temósachic, où le *brujo* l'emmenait cueillir des herbes dont il oubliait aussitôt les noms à peine les entendait-il, comme si ces dernières se protégeaient contre les futures exactions des gringos, et quand la saison changea, le mari d'Estrella lui apprit à traquer l'antilope à la façon tarahumara, vêtu d'une peau d'antilope, et chaque fois qu'ils avaient l'occasion de se regarder dans le blanc des yeux, Estrella fixait un point situé au-delà de Frank comme s'il était invisible, et il finit par comprendre que c'était le cas.

« Tu es invisible », lui dit El Espinero, « sauf aux yeux de la jeune dame Wren. Elle te verra quoi qu'il arrive. »

« Même si nous — »

« Vous ne serez pas longtemps ensemble. Tu le sais déjà. Mais elle te verra toujours. J'ai lu les épines, c'est ce qu'elles disent. » Ils regardèrent un couple d'énormes pics qui grignotaient systématiquement un arbre.

« Les chercheurs pour qui elle travaille retournent en septembre de l'autre côté », dit Frank, « et après ça, il n'y aura plus de travail de toute l'année. Je ne peux pas voir plus loin. Je devrais la mettre en garde, la protéger contre quelque chose, mais — »

El Espinero sourit. « C'est ta fille ? »

« Comment pourrais-je juste — »

« J'ai également étudié les épines de ta vie, Panchito. Vous empruntez des chemins très différents. Le tien n'est peut-être pas aussi étrange que le sien. »

Frank savait que chaque fois que le *brujo* parlait à un Blanc de « chemins » il pensait sans trop d'aménité au chemin de fer, qu'il détestait comme la plupart des siens parce qu'il détruisait ses terres, et tout ce qui avait poussé et vécu là. Frank respectait ça – qui à un certain stade n'en était pas venu à détester le chemin de fer ? Il pénétrait, disloquait les villes, les troupeaux sauvages et les lignes de partage des eaux, il créait des paniques économiques et des armées d'hommes et de femmes sans travail, des générations de citadins endurcis et lugubres sans le moindre principe qui régnaient avec un pouvoir illimité, il emportait tout sans discrimination, bradait tout, massacrait tout, exilait tout loin de l'amour.

Wren prit le train de Juárez un jour de la fin d'octobre. Frank avait envisagé de l'accompagner à cheval au moins jusqu'à la San Pedro Junction, mais quand le moment arriva il s'aperçut qu'il ne le pouvait pas.

« J'irai saluer les filles de Market Street », dit-elle, et bien que leur baiser durât ce qui parut des heures, il avait si peu à voir avec le temps des horloges qu'elle était déjà à des kilomètres au bout des rails avant que leurs lèvres se touchent seulement.

Après avoir passé quelques semaines fructueuses à Biarritz et Pau avant l'accalmie saisonnière au cours de laquelle les touristes anglais laissaient la place à ceux du Continent, Reef, Yasmina et Cyprian firent la tournée des casinos de la Côte d'Azur, et passèrent par la station thermale anarchiste d'Yz-les-Bains, cachée au pied des Pyrénées parmi des coteaux escarpés où les vignes connaissaient une maturation tardive, leurs pousses protégées des premiers gels par des étais ressemblant à des crucifix enguirlandés. D'entre les colonnes blanches et les passages voûtés émergeaient les brumes d'un gave babillard un peu plus haut dans la vallée, derrière lequel se trouvait le début d'une route secrète et sûre menant en Espagne. Vétérans de la lutte catalane, anciens habitants de Montjuich, haschischins en route pour Tanger, réfugiés venant d'aussi loin que les États-Unis et la Russie, tous faisaient une halte dans cette vénérable oasis sans rien payer, même si ceux qui étaient contre la commercialisation de l'habitat humain étaient souvent en mesure de verser un modeste loyer dans une douzaine de devises, à charge pour Lucien, le concierge, d'en faire bon usage.

En ville, sur une place elliptique, s'offrant sans prévenir aux regards dans le soleil de l'après-midi et les ombres allongées, des douzaines de petits groupes avaient installé leur campement, tels des baigneurs au bord de la mer, avec des gourdes de café, des feux de cuisson, des tapis de couchage, des fleurs en pot, des auvents et des tentes. L'endroit aurait pu rappeler à Reef un camp de mineurs dans les premiers temps d'une mine d'argent, si ce n'est qu'il se dégageait de ces solennels jeunes gens une austérité, une intensité pénultième devant un avenir imprécis, une Idée unique, dont la puissance chassait tout le reste. Il ne s'agissait pas d'or ou d'argent, ici, mais d'autre chose. Reef n'arrivait pas trop à savoir quoi.

Groupés près d'un des foyers de l'ellipse, un chœur répétait une sorte d'anti-Te Deum, plus *desperamus* que *laudamus*, apportant des nouvelles d'une obscurité et d'un froid imminents. Reef crut reconnaître certains visages des tunnels, et Yasmina d'autres datant de l'époque de Chunxton Crescent; Cyprian, après un passage à vide, découvrit avec étonnement ce vieux Ratty McHugh, désormais barbu, coiffé d'une casquette de berger local.

« Ratty ? »

« Par ici on m'appelle "Reg". »

Ce que Cyprian remarqua surtout, en plus des changements physiques, ce fut cette aura, signe d'un réveil intérieur, que Ratty, désormais affranchi du masque rigide de son ancien moi bureaucratique, apprenait encore à contenir. « Je ne suis pas déguisé, non, non, c'est ce que je suis vraiment – la carrière gouvernementale, tout ça c'est fini pour moi, et c'est ta faute, Cyprian. La façon dont tu traitais Theign a été une inspiration pour nombre d'entre nous – de brusques vacances dans tout Whitehall, et dans certains services une désertion massive. À moins de n'avoir travaillé là-bas, tu ne peux pas avoir la plus petite idée de la joie que procure une telle délivrance. C'était comme si je me retrouvais sur des patins à glace, et franchissais simplement un beau matin la porte du Directeur que bizarrement je ne me rappelle pas avoir ouverte. J'ai débarqué en pleine réunion, salut la compagnie, j'ai embrassé la dactylo en sortant et tu sais quoi ? elle m'a rendu mon baiser, elle a arrêté de faire ce qu'elle était en train de faire, et elle m'a suivi. Elle a tout laissé tomber. Sophrosyne Hawkes, une jolie fille – elle est là-bas, dans ce coin. »

« Et cette jeune femme au visage familier à qui elle parle, ne serait-ce pas — »

Ratty se fendit d'un grand sourire. « C'est effectivement Mrs McHugh, ma bourgeoise, qui va être ravie de te revoir. As-tu besoin d'aide pendant que tu t'occupes de dégager tes sourcils de sous ton chapeau ? »

« Oui vraiment, Cyprian », dit Yasmina, « surtout venant de toi. »

« Je ne — »

« Juste de la chance, en fait », dit Ratty, « rien que j'aie prévu ou même mérité. Suis rentré ce soir-là avec Sophrosyne, m'attendant à un bain de sang, mais toutes deux se sont entendues à merveille. Les mystères de la féminité. Nous avons passé toute la nuit à échanger nos secrets les plus profonds – enfin, *presque*, et il s'est avéré que depuis le début, avant même qu'on soit mariés, Jenny était une sorte de crypto-suffragette – chaque fois qu'elle allait "voir sa mère", toutes deux se rendaient en fait à des rallyes ou insultaient grossièrement des ministres du gouvernement ou brisaient des vitrines de magasin, ce genre-là. »

« Pourquoi ne m'en as-tu pas parlé plus tôt ? » avait demandé Ratty.

« Ton poste, cher Reginald. Ça aurait fait tache, vraiment, vu qu'on s'en prenait souvent à Whitehall, non ? »

« La voie est libre maintenant, mon petit oignon confit. Tu peux aller éreinter qui tu veux à ta guise, mais je conseillerais quand même certaines précautions comme celles que prennent les cambrioleurs, un peu de mélasse et de papier brun, afin de ne pas se blesser avec le verre brisé, tu vois... »

« Et ça t'embêterait pas que j'aille également en prison, oh un séjour de rien du tout ? »

« Bien sûr que ça m'embêterait, mon petit biscuit, mais je ferais de mon mieux pour tenir le coup », et ainsi de suite *ad nauseam et libitum*.

Le temps que Jenny sorte de Holloway et arbore la broche d'honneur dessinée par Sylvia Pankhurst pour les vétérans de cet endroit lugubre, Ratty, ayant surpris des rumeurs et étudié des messages qu'il aurait auparavant ignorés ou rejetés comme étant des boniments surnaturels, avait découvert un chemin secret qui devait mener le joyeux ménage jusque dans les terres cachées d'Yz-les-Bains.

« Et donc ces temps-ci tu travailles pour... ? »

Ratty haussa les épaules. « Tu nous vois. Nous travaillons les uns pour les autres, je suppose. Pas de rangs, pas de titres, ni de chaînes de commandement... pas de structure, en fait. »

« Comment vous vous débrouillez ? » voulut savoir Yasmina. « Vous attribuez les tâches ? Vous coordonnez vos efforts, ce genre de choses ? »

« En sachant ce qu'il faut faire. Ce qui en général tombe sous le sens. »

« On croirait de nouveau entendre John McTaggart Ellis McTaggart », marmonna-t-elle.

« La salle de réunion d'une université sans doyen », dit Ratty. « Hmm. Enfin peut-être pas exactement ça. »

« Et quand vous n'avez plus de boulot – quelle quincaillerie utilisez-vous ? » Reef, intrigué.

« On prend ce qu'on trouve », répondit Ratty, « ça va du petit pistolet antique à simple amorce au tout dernier modèle de Hotchkiss. Parle avec Jenny, elle est plus militante que je l'ai jamais été, et encore meilleure au tir que dans sa jeunesse. »

« Et parfois » – l'optimisme dans la voix de Reef évident pour tous – « vous faites aussi... sauter quelque chose ? »

« Pas souvent. Nous avons choisi plutôt un rôle coévolutionnaire, et nous nous contentons de favoriser ce qui est déjà en marche. »

« Rappelez-moi ce dont il s'agit ? »

« Le remplacement de gouvernements par d'autres dispositifs plus pratiques », répondit Ratty, « certains existants, d'autres commençant à émerger, si possible se moquant des frontières. »

« Comme l'I.W.W. », se rappela vaguement Reef, suite à une dispute qu'il avait eue sur la route.

« Et les S.O.T., je suppose », dit Yasmina.

« Les avis divergent quant aux S.O.T. », dit Jennifer Invert McHugh, qui les avait rejoints. « La plupart de ces confréries mystiques finissent par servir les gouvernements qui les accueillent. »

« Tout en prêchant le non-alignement », reconnut Yasmina.

« En ce cas vous avez été… »

« Parmi eux, mais non des leurs. J'espère. »

« Étonnant le nombre d'ex-S.O.T. qu'on rencontre. »

« Le taux élevé de trahison personnelle », supposa Yasmina.

« Diantre. »

« On s'en remet. Mais merci de vous inquiéter. »

« Un héritage, apprend-on, de ces anciennes structures exclusivement masculines. Et qui ont pourri les espoirs anarchistes pendant des années, je peux vous le dire – tant que les femmes n'étaient pas les bienvenues, ça ne pouvait pas marcher. Dans certaines communautés, souvent très célèbres, ce qui paraissait être un consensus naturel et impeccable, un miracle de télépathie sociale, était en fait le résultat d'une autorité masculine unique donnant des ordres en coulisses, avec une volonté confraternelle de s'y soumettre – chacun acceptant de travailler dans le silence et l'invisibilité afin de préserver la fiction anarchiste. Ce n'est qu'au fil des ans, avec la mort du chef, que surgissait la vérité. »

« Et par conséquent… ? »

« Ça n'existait pas. Impossible, pas avec cette sorte de foutaises patriarcales. »

« Mais une fois les femmes dans l'équation… » souffla Yasmina.

« Ça dépend. Si une femme n'est là que sous la coupe sentimentale d'un barbu feignant, c'est aussi efficace que des croquettes dans la cuisine en guise de bombes dans le sous-sol. »

« Mais — »

« Mais si elle est capable d'avoir une pensée critique », dit Sophrosyne, « d'occuper les hommes là où ils seront le plus utiles, même si ces derniers ignorent une fois sur deux où c'est, alors ça peut marcher. »

« Tant que les hommes renoncent à cette illusion du *nous savons ce qui est le mieux* », dit Ratty, « et laissent ça aux éboueurs. »

« Éboueuses », dirent plus ou moins en même temps Jenny, Sophrosyne et Yasmina.

Le lendemain, Reef, Cyprian et Ratty se rendirent sur le terrain de golf anarchiste, à l'occasion d'un tournoi de Golf anarchiste, un sport dont s'était récemment entiché le monde civilisé, dans lequel il n'y avait pas de parcours arrêté – en fait, pas de nombre fixé – de trous, avec également des distances flexibles, certains trous à peine distants d'un coup de putter, d'autres séparés par des centaines et des centaines de mètres, exigeant carte et boussole pour se repérer. Beaucoup de joueurs venaient ici la nuit pour en creuser de nouveaux. Des groupes demandaient souvent : « Ça vous dérange si on joue pas jusqu'au bout ? » puis se contentaient de frapper des balles à n'importe quel moment dans n'importe quelle direction. Les golfeurs se prenaient constamment des balles fusant de tous les coins inattendus. « C'est assez amusant », dit Reef, alors qu'une balle alvéolée sifflait à quelques centimètres de son oreille.

« Il se trouve », avait essayé d'expliquer Ratty, « que nous avons obtenu récemment une carte qui nous préoccupe pas mal. »

« "Obtenu" », dit Cyprian, songeur.

« Certaines personnes vivant à Tanger, qui auraient largement préféré comme je l'ai déjà dit — »

« Ne serait-ce pas… » commença Cyprian.

Ratty retrouva sa balle en plein rough. « Oh, ils sont toujours en vie. Quelque part. Nous l'espérons, en tout cas. » Il considéra les balles qui provenaient de différentes directions. « Un peu comme au billard, non ? Je crois que je vais essayer celle qui est là-bas », désignant un lointain drapeau. « Ça ne vous embête pas de marcher un peu, non ? »

« Et c'est une carte de quoi ? » Reef regardant la feuille de scores en plissant les yeux, feuille qu'il s'était proposé de garder, mais ne savait plus du tout comment remplir depuis au moins trois trous, ou était-ce six ?

« Soi-disant du "Congo belge" » – Ratty regardant sa balle bifurquer vers un tout autre green que celui qu'il avait choisi. « Mais c'est codé, il s'agit en fait de la péninsule des Balkans, de ça nous sommes au moins certains – on a déjà vu ces types de cartes bidimensionnelles, qui sont invariantes, et aussi tacitement familières qu'un visage humain. On les trouve également dans les rêves, comme vous avez pu vous en rendre compte. »

« Donc… avec une forme plus large au nord, et s'effilant au sud… »

« Exact. »

« Ça pourrait être la Bosnie », dit Cyprian.

« Le sud du Texas », dit Reef.

«Au-delà de la simple géographie, il y a la tyrannie tout à fait intolérable exercée sur des gens auxquels la terre appartient vraiment, la terre qui, au fil des générations, a absorbé leur labeur, recueillant les cadavres que produit ce labeur, en même temps que d'obscènes profits, que touchent d'autres individus, très souvent des Blancs.»

«Des Autrichiens», dit Cyprian.

«Plus que probable. Les voies ferrées entrent également en jeu, c'est comme de lire du tibétain ancien ou ce genre…»

Plus tard dans la soirée, des chouettes connues ici sous le nom de «chats-huants» poussèrent des cris partout dans la petite vallée. Vers minuit, on entendit plus clairement la chute d'eau. Les fenêtres s'éteignirent l'une après l'autre dans tout Yz-les-Bains. Dans l'appartement de Coombs De Bottle, la fumée de tabac rendit l'air opaque.

Coombs savait depuis longtemps que ses jours au ministère de la Guerre étaient comptés. À l'instant où il prit conscience des statistiques sur le nombre d'anarchistes victimes de leurs propres bombes, et envisagea d'entrer en contact avec la communauté des dynamiteurs pour leur enseigner la sécurité dans la fabrication des bombes, tout le monde au ministère de la Guerre, à l'exception de Coombs, eut conscience d'un conflit d'intérêts.

«Mais ce sont des anarchistes britanniques», tenta-t-il d'expliquer, «c'est pas comme s'ils étaient italiens ou espagnols, quand même.»

«Habile recours au radicalisme anglais», reconnut plus tard Coombs, «mais ça n'a pas marché, c'est pour dire à quel point ils étaient décidés à me virer.»

S'il s'agissait d'une carte, elle ne ressemblait à aucune qu'ait jamais vue Cyprian. Les noms de lieux étaient remplacés par des centaines de courts messages. La reproduction était monochrome, mais certaines zones étaient hachurées différemment. De petites images, rappelant les dessins humoristiques des journaux, et mettant en scène des situations complexes dont Cyprian sentait l'importance mais qu'il ne comprenait pas. Il ne reconnaissait aucun des repères géographiques ou des routes.

Coombs De Bottle alluma la lampe et inclina la carte à un angle différent vers la lumière. «Vous remarquerez une ligne horizontale en gras, le long de laquelle certains événements désagréables, attribués à "l'Allemagne", sont censés se produire, à moins que quelqu'un ne parvienne à les empêcher. Et ici, vous voyez ces segments courts et noircis —»

«Des mines terrestres», dit Reef.

«Probablement. Oui. Comment le savez-vous?»

«Tous ces petits cercles de travers» – Reef les désignant avec la pointe consumée de son cigare. «Comme ce que les gars de l'artillerie appellent une "ellipse d'incertitude". Il est fort possible que chacun d'eux indique une direction et une portée quant aux dégâts escomptés.»

«C'est pour ça qu'on pense que ces cercles se réfèrent à un gaz toxique.»

Reef émit un sifflement. «Donc ces trucs sont sûrement dirigés sous le vent.»

«D'où vient cette carte?» demanda Yasmina.

«Au final, de Renfrew», dit Ratty, «par le truchement d'un ancien étudiant, qui la tient d'un autre, et ainsi de suite. Encore un de ces plexus transnationaux – le réseau de Renfrew s'étend désormais partout sur la planète, et sur d'autres planètes également, ça m'étonnerait pas.»

«Le problème avec ces armes chimiques», dit Coombs, «c'est qu'on sème les gaz un peu partout puis, bizarrement, on les oublie. Un revers soudain dans une retraite, un repli, et vous voilà exposés comme par hasard à vos propres pétards. Dans le cas précis, ça reste assez vague quant au mode opérationnel. Des mines déclenchées à distance? électriques? actionnées par le passage d'un char ou le poids d'un pied humain? lancées dans les airs comme des fusées, pour exploser en nuages silencieux et invisibles?»

Cyprian examina attentivement la carte avec une lentille Coddington. «Tenez, ici, le segment de droite qui nous intéresse semble être libellé "Ligne critique" – Yasmina, n'est-ce pas du jargon de Riemann?»

Elle regarda. «Sauf que celui-ci est horizontal, et tracé sur une grille de latitude et de longitude, au lieu de valeurs réelles rapportées à des valeurs imaginaires – là où Riemann disait qu'on trouvera tous les zéros de la fonction ζ.»

Cyprian était en train de la dévisager quand elle dit non pas «trouverait» mais «trouvera», et il remarqua la foi crédule qu'exprimait son visage – il n'y avait pas d'autre mot pour cela, non? –, les yeux aussi écarquillés qu'ils le seraient jamais, les lèvres écartées en une moue vulnérable, cet air de sainte représentée en peinture qu'il ne lui connaissait que quand Reef s'occupait d'elle. La fonction *zêta* pouvait à présent lui être aussi lointaine qu'un amoureux oublié. Il ne comprendrait jamais rien à cette mystique, mais elle avait l'extraordinaire capacité d'accaparer l'esprit de Yasmina tout comme son énergie et une bonne partie de sa vie. Elle vit qu'il la regardait, et ses yeux s'étrécirent à nouveau. Mais le mal avait été fait dans son cœur, et pour l'heure il ne voyait pas comment il pourrait jamais vivre sans elle.

Il se remit à étudier la carte. Au bout d'un temps: «Il y a là une étrange notation, en tout petits caractères d'imprimerie. "Ayant échoué à retenir les leçons de cette époque désormais mythique – à savoir qu'on allait devoir payer les plaisirs dans les années à venir, et ce sans cesse, en affrontant des situations comme celle-ci, en négociant avec des pièces abîmées portant des visages impériaux trop usés pour exprimer la moindre émotion subtile – c'est ainsi que le Congo belge s'est enfoncé dans son destin." »

«Qu'est-ce», demanda plaisamment Reef, «queçaveut*dire*?»

«Rappelez-vous, tout sur cette carte représente autre chose», dit Coombs De Bottle. «"Katanga" pourrait être la Grèce. "Allemands" pourrait tout aussi bien désigner les Autrichiens. Et ici» – indiquant le milieu de la carte – «notre centre d'intérêt actuel, cette zone relativement petite, indéfinie dans de précédentes communications —»

«"… ayant récemment subi un changement de statut administratif" », lut Cyprian au moyen de la loupe.

«Novi Pazar?» spécula Ratty.

«Comment ça, Reg?»

Ratty, qui s'aperçut qu'il aimait toujours parler boutique, haussa les épaules d'un air embarrassé. «Un cauchemar persistant, je suppose. Des frictions ont lieu avec la Turquie, disons à propos de la Macédoine, les forces turques doivent alors être retirées de Novi Pazar pour être redéployées au sud, et nous savons qu'au moins trois divisions serbes sont prêtes à marcher sur le Sandjak et à l'occuper. Ce qui ne serait pas vu d'un très bon œil par l'Autriche, laquelle rêve en fait d'une intervention musclée, afin d'obliger l'habituel cartel des Nations à mettre la pression sur —»

«Une guerre européenne générale.»

«Exactement.»

«Eh bien», dit Yasmina, «pourquoi ne pas les laisser avoir leur guerre? Pourquoi un anarchiste qui se respecte se soucierait-il d'un seul de ces gouvernements, avec leur sinistre ragoût incestueux de rois et de césars?»

«L'intérêt personnel», dit Ratty. «Les anarchistes seraient les plus gros perdants, n'est-ce pas. Les groupes industriels, les armées, les marines, les gouvernements, tous continueraient comme avant, sans doute avec une puissance accrue. Mais dans une guerre générale entre nations, la moindre petite victoire que l'anarchisme a réussi à remporter de haute lutte finirait tout bonnement en poussière. Aujourd'hui, même le plus obtus des capitalistes peut voir que l'État-nation centralisé, une idée si prometteuse il y a une génération, a perdu toute crédibilité auprès de la population. L'anarchisme est aujourd'hui une idée qui a fait son chemin dans tous les cœurs, et il finira, sous une forme ou une autre, par recouvrir toute société dotée d'un pouvoir central – à moins que ledit gouvernement soit déjà devenu obsolète, via, disons, certains arrangements familiaux comme la *zadruga* balkanique. Si un pays veut se préserver, quelles autres mesures peut-il prendre, sinon se mobiliser et partir en guerre ? Le pouvoir central n'a jamais été conçu pour la paix. Sa structure est celle d'un état-major, comme dans n'importe quelle armée. L'*idée nationale* elle-même dépend de la guerre. Une guerre européenne générale, avec chaque travailleur en grève considéré comme un traître, les drapeaux menacés, les terres sacrées des patries souillées seraient l'occasion idéale pour balayer l'anarchisme de la carte politique. L'idée nationale renaîtrait. On tremble devant les formes pestilentielles qui émergeraient après, du fond des marais de l'Europe en ruine.

« Je me demande si ce n'est pas de nouveau le fameux "*Interdikt*" de Renfrew et Werfner, se déroulant sur la Péninsule, attendant d'être déclenché. »

« Donc », supposa Reef, « quelqu'un va devoir faire une sortie pour le neutraliser. »

« Le phosgène se décompose violemment si on l'expose à l'eau. Ça pourrait être la façon la plus simple, même si, à défaut de cet expédient, on peut envisager de déclencher son explosion avant qu'il puisse nuire, ce qui risque d'être un peu délicat… »

« Comment pourrait-on la déclencher sans que cela nuise ? » protesta Yasmina. « D'après la carte, sauf si celle-ci est un mauvais rêve, l'*Interdikt* traverse le cœur même de la Thrace. Cette chose est terrible. Terrible. »

Jenny et Sophrosyne la regardèrent attentivement, percevant sans doute derrière sa voix la conversation intérieure qui l'agitait depuis qu'ils s'étaient tous retrouvés. Ratty et Reef se tenaient dans un coin et tiraient sur des cigares, en courtois observateurs. Mais Cyprian avait détecté la même nuance que les femmes, car depuis que Yasmina avait annoncé sa grossesse il prenait soin de noter le moindre de ses changements physiques, repérant chaque gramme pris, et en quel endroit, ses nouvelles expressions, la façon dont sa chevelure captait et renvoyait la lumière, la façon dont elle dormait et ce qu'elle mangeait ou ne mangeait pas, ses passages à vide et ses moments d'énervement, ainsi que des variables plus personnelles qu'il prenait soin de crypter. Il n'avait aucun doute sur les raisons qui la poussaient à accomplir cette mission, et savait pertinemment qui elle pensait sauver.

L'examen attentif et l'inquiétude silencieuse étant une chose, et le conseil désintéressé une autre, il vint toutefois un moment où Cyprian sentit qu'il devait vraiment lui parler. «Es-tu folle?» : ce fut ainsi qu'il aborda le sujet. «Tu ne penses quand même pas sérieusement à accoucher là-bas. C'est primitif. Ça pourrait tout aussi bien être la jungle. Tu devras être à portée d'une assistance médicale compétente...»

Elle n'était pas en colère, elle souriait même comme si elle se demandait pourquoi il avait autant tardé. «Tu vis toujours au siècle précédent, Cyprian. Tous les peuples nomades du monde savent comment accoucher sur la route. Le monde à venir. Nous sommes dedans, en plein. Regarde autour de toi, vieux Cyprian.»

«Oh, je vois, maintenant je vais devoir potasser le métier de sage-femme, c'est ça?»

«Ma foi, ça ne fera pas de mal, ça non.» Il parut si perplexe, pour ne pas dire déconfit, qu'elle éclata de rire et prit son petit menton entre deux doigts, avec la même autorité qu'autrefois. «Bien, nous ne rencontrerons pas de problèmes de ce côté-là, j'espère.»

Juste après son retour de Bosnie, Cyprian s'était juré de ne jamais retourner dans la Péninsule balkanique. Quand il s'autorisa à envisager des compensations – sexuelles, financières, honorifiques – susceptibles de lui faire changer d'avis, il fut troublé de découvrir qu'il n'y avait rien que le monde pût vraisemblablement lui offrir qu'il désirât suffisamment. Il essaya de l'expliquer à Ratty. «Si la Terre était vivante, dotée d'une conscience planétaire, alors la "Péninsule balkanique" pourrait facilement représenter tout ce qui dans cette conscience souhaite le plus sombrement sa propre destruction.»

«Comme dans la phrénologie», supposa Ratty.

«Seule une forme de folie pourrait pousser les gens à l'est, en ce moment, dans la gueule de ce qui est certainement en mouvement là-bas. Je doute que vous ayez besoin de quelqu'un pour intervenir dans une ville de belle taille, comme, euh, disons Paris, où les choix bourgeois sont plus faciles à faire et certainement moins risqués à poursuivre.»

«Allons, allons», dit Ratty, anticipant quelque astuce rhétorique, «tu sais bien que tu es ce qui se rapproche le plus à nos yeux d'un Guide aguerri des Balkans.»

Depuis l'instant, à Salonique, au Mavri Gata, où il découvrit que Vesna, la cousine de Danilo, loin d'être une figure de désarroi et de duperie, était bel et bien réelle, et que tout était par conséquent à nouveau possible, y compris, et pourquoi pas, marcher sur Constantinople et créer un nouveau monde, Cyprian avait commencé à se «détendre dans son destin», pour reprendre son expression. Naguère, il aurait calculé, non sans inquiétude, ce qu'il lui restait de jeunesse, de prestance et de charme, et si ça lui permettrait d'atteindre au moins l'étape suivante du pèlerinage, mais la question n'était plus vraiment là – il le savait maintenant, le savait avec une certitude intérieure –, et de toute façon ça s'arrangerait tout seul. Ceux qui étaient jeunes et désirables devraient continuer comme ils l'avaient toujours fait, mais sans le petit C.L., apparemment.

Toutefois des vœux anti-balkaniques émis dans l'enthousiasme pouvaient fort bien être modifiés, non? «Comment allons-nous nous y rendre?» demanda Cyprian, semblant ne s'intéresser à la chose que d'un point de vue technique.

Ratty hocha la tête et fit signe d'approcher à un individu enjoué, lequel était en train de manger de la bouillabaisse comme s'il venait juste d'entendre parler d'une imminente pénurie de poissons. «Dites bonjour au Pr Sleepcoat, qui va maintenant nous jouer un air intéressant au piano.»

Le Professeur se dirigea vers le Pleyel près de la fenêtre et pianota rapidement une octave sur les touches blanches de *fa* à *fa*. «Z'avez reconnu?»

«Un air entraînant», dit Cyprian, «mais ce n'est pas encore ça.» Le Professeur le rejoua. «Voilà!»

«Exactement – c'est à cause du *si*», tapant dessus deux ou trois fois. «Devrait être bémol. C'était autrefois une note interdite, vous savez. On se prenait des coups sur les doigts si on la jouait. Pire que ça, si c'était au Moyen Âge.»

«C'est donc un vieux mode liturgique.»

«Lydien. Dans les danses et chants traditionnels des villages des Balkans, en fait, bien que les autres modes médiévaux soient correctement présentés, on constate une étrange absence radicale des matériaux lydiens – au cours de nos recherches, nous n'en avons pas trouvé un seul à ce jour. Un peu un mystère pour nous. Comme si c'était encore interdit, voire redouté. L'intervalle entre notre *si*, maladroitement *débémolisé*, et notre *fa* était connu des anciens comme le "diable en musique". Et chaque fois qu'on le joue là-bas, ou simplement le siffle, eh bien soit les gens s'enfuient en criant, soit ils nous agressent physiquement. Que peuvent-ils bien entendre qui soit à ce point inacceptable?»

«Il s'agit donc», supposa Cyprian, «d'aller là-bas et de trouver une réponse à cela.»

«Également d'enquêter sur certaines rumeurs récentes concernant un culte néo-pythagoricien qui considère le lydien avec une horreur particulière. Comme on pouvait s'y attendre, ils ont tendance à privilégier le mode dit phrygien, très répandu dans la région.» Il pianota de nouveau sur le clavier. «De *mi* à *mi* sur les touches blanches. Remarquez la différence. Il se trouve que ça coïncide avec un accord de lyre que certains attribuent à Pythagore, et dont l'origine remonte à Orphée en personne, qui était natif de Thrace, après tout, et finit vénéré comme un dieu.»

«Si l'on tient compte», ajouta Yasmina, «de la similarité, voire de l'identité, entre les enseignements pythagoriciens et orphiques.»

Les sourcils du Professeur se dressèrent. Yasmina estima qu'il n'était que justice de signaler ses liens passés avec les S.O.T.

«Ça serait vraiment chouette» – remplissant un verre de bistrot à ras bord de jurançon blanc local – «d'avoir une ex-néo-pythagoricienne avec nous lors de notre vadrouille. Des aperçus sur ce que les homologues balkaniques des S.O.T. peuvent penser, tout ça.»

«S'ils existent.»

«Oh, mais j'en suis sûr.» Touchant brièvement sa manche.

«Attention : fascination», marmonna Cyprian. Reef et lui étaient depuis longtemps rompus au scénario qui se déroulait chaque fois qu'un tiers rencontrait Yasmina pour la première fois. Et de même que les rapports sociaux, avec le temps, passent du guindé au convivial, de même la fascination initiale, à mesure que la soirée se prolongeait, allait céder progressivement la place à l'intimidation et à la confusion.

«Je serai au bar», dit Reef. Yz-les-Bains était en fait un des rares endroits en Europe où un anarchiste sobre pouvait trouver un décent «crocodile» – un mélange en quantités égales de rhum, d'absinthe, et d'alcool de raisin connu sous le nom de trois-six –, un cocktail anarchiste traditionnel, dont Loïc, le barman, un ancien de la Commune de Paris, prétendait avoir assisté à l'invention.

Et donc l'idée – et peu importait qui en était à l'origine – leur vint de se rendre en Thrace avec un groupe de collecteurs de chants idéalistes, dans les derniers instants du crépuscule européen, non sans risques, accostant la paysannerie locale et l'incitant à chanter ou jouer des airs que leurs grands-parents avaient chantés ou leur avaient joués. Bien que le Pr Sleepcoat parût complètement déconnecté de la politique actuelle, il avait fini au moins par découvrir que, depuis 1900, des quêtes de matériaux musicaux étaient entreprises un peu partout en Europe, et l'on sentait dans son attitude une nuance d'impatience, comme si le temps venait à manquer. «Bartók et Kodály en Hongrie, Canteloube en Auvergne, Vaughan Williams en Angleterre, Eugenie Lineff en Russie,

Hjalmar Thuren dans les îles Féroé, et d'autres encore, partout où c'est concevable grâce aux récents progrès dans l'enregistrement sonore portatif.» Mais il y avait également urgence à l'étranger, et de cela personne dans le métier ne voulait parler, comme si le travail devait être vite bouclé, avant que ce legs chanté soit définitivement perdu.

«Je serai l'escorte, je suppose», dit Reef, «même si ça ne vous ferait pas de mal à tous les deux de vous munir d'un peu de quincaillerie personnelle, histoire de pouvoir couvrir nos arrières – Cyprian, vous vous occuperez de la navigation, et vous, Yasmina, eh bien je suppose que nous pourrions vous trouver quelques tâches dans vos cordes —»

Si elle ne s'était depuis familiarisée avec la conception que se faisait Reef de la taquinerie amicale, Yasmina aurait piqué une véritable crise en entendant de telles paroles. Elle se contenta donc de sourire pour la forme et dit: «En fait, il se trouve que je suis le vrai cœur battant de cette mission.» Ce qui était le cas. Reef comptait comme d'habitude sur ce qu'on aurait pu qualifier, hormis pour son manque d'analyse, d'hostilité de classe, mais qui d'ordinaire avait plus à voir avec la façon dont un pignouf en costard l'avait reluqué ce jour-là. Cyprian était absolument dénué de credo politique – si on ne pouvait changer la chose en quolibet, ça n'avait aucun intérêt. Yasmina était certainement celle qui partageait le plus profondément les croyances anarchistes par ici. Elle ne se faisait aucune illusion sur l'innocence bourgeoise, tout en restant persuadée qu'on pouvait aider l'Histoire à tenir ses promesses, promesses au nombre desquelles figurait la richesse pour tous les opprimés.

C'était là son vieux besoin de transcendance – la quatrième dimension, le problème de Riemann, l'analyse complexe, toutes ces choses s'étaient présentées comme des moyens de fuir un monde dont elle ne pouvait accepter les termes, où elle avait préféré que même le désir érotique fût dépourvu de conséquences, en tout cas aucune qui soit aussi pesante que semblait l'être le désir de se marier et d'avoir des enfants, et cætera, aux yeux des jeunes femmes de l'époque.

Mais les amants ne pouvaient être considérés comme des influences transcendantes, et l'Histoire avait continué selon ses propres horaires implacables. Pourtant ici, à Yz-les-Bains, Yasmina se demandait si elle n'avait pas trouvé quelque répit, l'espoir de passer outre les formes politiques pour accéder à une «unicité planétaire», comme aimait à l'appeler Jenny. «C'est notre propre ère de l'exploration», déclara-t-elle, «dans cette contrée inconnue qui attend au-delà des frontières et des mers du Temps. Nous accomplissons nos périples à la faible lumière du futur, et retournons au jour bourgeois et à son illusion de sécurité collective, afin de rapporter ce que nous avons vu. Que sont nos "rêves uto-piques" sinon des formes défectives de voyage dans le temps ? »

Après une fête d'adieu qui dura toute la nuit, et dont on se souvien-drait comme d'une innocence encore épargnée par la cause et l'effet, ils rentrèrent tôt le matin dans la tempête et marchèrent bras dessus bras dessous sur les pavés glissants des petites rues, passant sous des ponts pour piétons, montant et descendant des séries de marches dans la lumière humide, ayant résolu de prendre quelques heures de sommeil avant de partir pour la Péninsule.

Puis ils prirent le train et les aiguilles furent manœuvrées les unes après les autres, comme un magicien qui oblige des spectateurs à prendre telle ou telle carte sans que ces derniers sachent à quel point ils souhaitent être bernés, et cette fois-ci aucun d'eux ne parvint à goûter l'habituelle sus-pension d'incrédulité du touriste devant un spectacle de magie, car ce n'était plus vraiment un « voyage », mais trois sortes de nécessité.

Et la cause en était moins les paysages qui défilaient derrière les fenêtres de l'Europe hivernale que les parties de jambes en l'air qui se déroulaient quand les rideaux des wagons-lits étaient tirés. Le vieux fan-tasme de l'Orient-Express disponible n'importe quelle nuit en Europe dans un quelconque music-hall.

À la sortie de Zagreb, comme si elle pouvait sentir quelque chose toucher au terme d'un cycle, Yasmina, son superbe cul relevé pour Reef, qui venait juste de la pénétrer, fit signe à Cyprian d'approcher et, sans préliminaires, pour la première fois, prit son pénis, déjà douloureu-sement dressé, dans sa bouche.

« Oh ça alors, Yasmina, franchement ce n'est pas — »

Elle s'interrompit, libérant un instant sa bouche, et le fusilla affec-tueusement du regard. « La grossesse fait faire des choses étranges aux femmes », expliqua-t-elle. « Ne me contrarie pas », puis elle se remit à le sucer et, au grand plaisir de Cyprian, à mordre aussi, doucement au début mais ensuite avec une violence croissante, et très vite il jouit dans l'ébahissement de cette douleur soigneusement calibrée, tandis que Reef, excité par ce spectacle, et pas très loin derrière, hurlait « Youpi ! » comme il avait coutume de le faire. « Oui effectivement », ajouta Cyprian, le souffle court.

« La règle », lui rappela-t-elle quand il parut vouloir aborder la question des rôles et « places » plus tard en approchant de Belgrade, « c'est qu'il n'y a pas de règles. » Et à peu près au même moment, sans le faire exprès, bien sûr, Cyprian croisa le regard de Reef.

« N'allez pas vous monter le bourrichon », dit ce dernier avec une soudaine brusquerie.

« Bon d'accord c'est vrai que votre derrière est séduisant », dit Cyprian d'un air songeur, « d'une façon musculaire et diminutive... »

« Eh merde », dit Reef en secouant la tête, « adieu mon appétit. Je vous laisse réfléchir, je vais dans le wagon fumeurs me payer un cigarillo. »

« Il y aura toujours un joli panatela ici », ne put s'empêcher de faire remarquer Cyprian, « tout prêt pour vous. »

« Ça ? Allons, c'est même pas une Craven A. » Et Reef sortit d'un bon pas, moins agacé qu'il feignait de l'être. Car Yasmina avait raison, bien sûr. Pas de règles. Ils étaient qui ils étaient, un point c'est tout. Depuis quelque temps, désormais, chaque fois que Yasm et lui baisaient à la missionnaire, elle ne manquait pas de passer une main derrière et d'enfoncer un doigt, mince alors, peut-être même deux parfois, bien profond, et ma foi ce n'était pas toujours si désagréable. Pour être franc, il se demandait de temps en temps comment ça serait si c'était Cyprian qui le baisait, histoire de changer. Ben voyons. Pas que ça devait arriver forcément, mais bon... c'était un peu comme au billard, supposait-il, il y avait des coulés, des fauchages et des rétros, mais dans certains cas il fallait également prévoir des carambolages, et des massés, et des billes-surprises à la périphérie du regard qui revenaient vers vous pour choquer à des angles imprévus, rebondissant parfois sur des bandes auxquelles vous n'aviez même jamais pensé, se dirigeant vers des poches que vous n'auriez jamais nommées...

Et le fait est que Reef, malgré son bagout et ses bêtises, s'était vraiment entiché du garçon. Il avait frayé avec des hommes, des *machos* pur jus à qui on ne la faisait pas, et s'entendre avec eux était autrement plus délicat. Susceptibles, sentimentaux à la moindre occasion, musique de *cantina*, histoires d'animaux, méchants prostituant leurs femmes avec des larmes dans les yeux au moment de prendre l'argent, passez un peu de temps avec ce genre de compagnie et soit vous devenez immensément patient, soit vous devenez violent.

Ce qui le surprenait dans le trio qu'ils formaient – ce qu'il n'arrivait en fait pas à comprendre vraiment –, c'était qu'il continuait d'attendre d'éprouver de la jalousie pour quelque chose, ayant lui-même un joli passif de salopard de première pour ce qui était du triolisme ; il n'aurait su dire combien de fois, la nuit, la vision d'une lampe s'éteignant derrière un rideau de fenêtre ou de deux têtes ensemble dans un buggy à un kilomètre de distance lui avait donné des envies de meurtre. Il lui arrivait de se réveiller dans un bastringue avec du vomi partout dans les cheveux

et pas toujours son propre vomi, d'ailleurs. Mais eux trois, c'était différent, la jalousie n'intervenait pas, n'interviendrait jamais. Autrefois, il se
serait dit : Bon d'accord, comment un homme peut-il être jaloux d'une
mauviette comme Cyprian ? Mais à mesure qu'il apprenait à mieux le
connaître, Reef voyait comment celui-ci pouvait se débrouiller tout seul
quand il y était contraint, et ça n'avait rien à voir avec le Webley que Reef
savait qu'il trimballait. Une ou deux fois, alors qu'il ne s'y attendait pas,
il avait vu Cyprian quitter la pose théâtrale de l'hystérique qu'il affichait
d'ordinaire le jour durant pour faire montre d'un froid contrôle de soi
– il se redressait alors et se mettait à respirer délibérément, tandis que
les rôdeurs professionnels dans les ombres autour des casinos, guettant
l'imprudent suffisant, s'éloignaient en marmonnant, que les flâneurs
s'exprimant dans leur argot se taisaient soudain, cessaient de sourire, persuadés que Cyprian avait compris tout ce qu'ils disaient, et n'ayant guère
envie de voir s'il prenait vraiment la chose pour lui.

À Belgrade, ils retrouvèrent le Pr Sleepcoat et son équipe, constituée du
technicien Enrico, des étudiants bénévoles Dora et Germain, et d'un
comptable du nom de Gruntling qui était là sur l'insistance de l'Université
suite à des dépassements de budget lors du dernier voyage – la plupart
étant regroupés dans une colonne intitulée « Divers » dont le Pr Sleepcoat
ne se rappelait plus les détails.

À Sofia, ils descendirent tous sur les quais de la Tsentralna Gara et
découvrirent une ville réimaginée pendant les trente années et quelques,
au cours desquelles les Turcs avaient été chassés, ses ruelles sinueuses,
mosquées et taudis remplacés par un réseau de rues larges et nettes et de
bâtiments publics européanisés à grande échelle. En entrant en ville,
Cyprian contempla avec consternation le boulevard Knyaginya Mariya
Luiza, qui semblait abonder en chiens errants et gros buveurs à différents
stades éthyliques.

« C'était nettement pire avant », lui assura le Professeur. « Arthur
Symons avait surnommé cette artère "la rue la plus horrible d'Europe",
mais c'était il y a des lustres, et nous savons tous combien Arthur est
sensible. »

« Un peu comme l'Omaha », estima Reef.

Le lendemain, Gruntling se rendit à la banque et y resta jusqu'à l'heure
de la fermeture, puis le groupe se dirigea vers le nord, s'enfonçant dans
les collines.

Chaque matin, le comptable prenait un sac de levas en argent, la
monnaie bulgare, et distribuait vingt-cinq pièces à chacun. « Il y a qu'une

livre, là», objecta le Professeur. «D'accord», dit Gruntling en lui tendant les pièces, «voici un kilo. Essayez de ne pas tout dépenser au même endroit.»

«Ça fait cinq dollars», dit Reef. «Je vois pas pourquoi il se plaint.»

La plupart des dépenses se faisaient en petite monnaie, en stotinki en nickel ou en bronze, en général pour les repas à emporter – *kebab-cheta, banichka, palachinki*, bière – et un endroit où pioncer le soir. Pour quelques stotinki, on pouvait également trouver un enfant prêt à tourner la manivelle qui actionnait l'appareil enregistreur au moyen d'un réducteur et d'un volant qui lissait les variations tonales. «Comme de pomper les entrailles d'un orgue d'église au siècle dernier», estima le Pr Sleepcoat. «Sans tous ces petits voyous anonymes, nous n'aurions pas Bach.» Ce qui lui valut un regard de Yasmina qui, en d'autres circonstances, lui aurait demandé d'un ton doucereux quelle quantité de culture occidentale au cours de l'Histoire avait pu dépendre à son avis de ce genre de labeur honteusement sous-payé. Mais ce n'était pas là un débat qu'ils avaient encore le loisir d'avoir.

Un soir, le Professeur était dehors en train de travailler quand, venant de la vallée, il entendit une jeune voix de ténor égrener un chant lointain, qu'il prit au début pour le fameux *kanástánc* des porchers transylvaniens, parvenu jusqu'ici après avoir gravi les lignes de crête puis avoir suivi les lignes de partage des eaux. Mais bientôt une autre jeune voix dans un registre plus élevé, une voix de fille, répondit, et pendant tout le crépuscule les deux voix se répondirent d'un bout à l'autre de la petite vallée, parfois antiphoniques, parfois ensemble, en harmonie. C'étaient des chevriers qui chantaient en dialecte chope sur une mélodie phrygienne qu'il n'avait encore jamais entendue, et savait qu'il n'entendrait jamais plus, pas ainsi en tout cas, pure, imperméable au Temps. Et comme les rares mots qu'il parvenait à distinguer étaient des mots que seuls les jeunes avaient le droit de chanter, il repensa inévitablement à sa jeunesse défunte, écoulée avant qu'il ait eu l'occasion de s'en apercevoir. Si bien qu'il fut capable d'entendre en arrière-fond un sentiment de dépossession intense, comme si la distance séparant les chanteurs était bien plus que la largeur d'une vallée, quelque chose qu'on ne traversait qu'au prix d'une quête au moins aussi métaphysique qu'une chanson, tel ce qu'Orphée avait jadis chanté à Eurydice en Enfer, lançant sa chanson à travers des vapeurs toxiques, à travers des cours d'eau rugissant hélicoïdalement, se répercutant parmi des calcaires incroyablement sculptés pendant d'innombrables générations par le Temps personnifié en démiurge et en serviteur de la Mort — Et le matériel enregistreur, bien sûr, et Enrico, étaient restés à l'auberge. Non qu'un enregistrement fût nécessaire, d'ailleurs, car les deux chanteurs avaient suffisamment repris la chanson, jusqu'au cœur de la nuit, pour qu'elle s'insinue dans les sillons mnésiques du Pr Sleepcoat, juste à côté de ceux dédiés aux peines et aux regrets, et cætera.

Plus tard, le Professeur parut obsédé par Orphée. « Il n'arrivait pas à croire qu'Eurydice fût désireuse de revenir avec lui pour vivre de nouveau à la surface. Il a été obligé de se retourner et de regarder, juste pour s'assurer qu'elle le suivait. »

« Sentiment d'insécurité typiquement masculin », railla Yasmina.

« La cupidité féminine l'emporte à la fin, voilà comment j'ai toujours vu la chose », commenta Gruntling.

« Oh, il est le Seigneur de la Mort, n'oubliez pas, l'argent n'existe pas là-bas. »

« Jeune femme, l'argent est partout. »

La tâche principale de Reef, Cyprian et Yasmina consistait pour l'instant à localiser la ligne *Interdikt*, et à la mettre hors d'état. La campagne grouillait d'indices, d'indications volontairement erronées – n'importe quel mirage évoquant une ligne droite artificielle, scintillant sur le terrain, pouvait les occuper en vain pendant de précieuses heures. Les villageois se montraient assez accueillants jusqu'à ce que Cyprian sorte la carte – ils détournaient alors le regard et se mettaient même à trembler, s'entretenant dans des dialectes devenus soudain abscons. L'usage de termes comme « fortification » et « gaz » ne se révélait guère productif, même auprès de ceux que la gêne n'empêchait pas de discuter. « Ce n'est pas à nous de les chercher », les prévenait-on souvent, « s'ils le veulent, ils vous trouvent. Vaudrait mieux qu'ils vous trouvent pas. » Se tenant à l'écart de ces discussions, les autres habitants détournaient le visage, se signaient compulsivement et faisaient d'autres gestes moins familiers, certains d'ailleurs fort complexes, de longs commentaires manuels, stylisés au fil du temps.

Et puis, un jour, la chance tourna. Ils étaient à Veliko Tărnovo, où le Professeur s'était rendu pour étudier une variante de la danse nuptiale *ruchenitsa*, dont on prétendait qu'elle manifestait des syncopes jusqu'ici jamais enregistrées dans le sous-jacent sept-huit. C'était la mi-février, jour de la Saint-Tryphon, coïncidant avec un élagage rituel des vignes. Tout le monde buvait du *dimyat* et du *misket* maison en barriques, et dansait au son d'un petit orchestre local composé d'un tuba, d'un accordéon, d'un violon et d'une clarinette.

Reef, qui ne ratait jamais une occasion de gambiller, s'était trouvé quelques partenaires séduisantes, qui semblaient avoir formé une file. Yasmina, qui en était à peu près à la moitié de sa grossesse, se contenta de rester sous un auvent et d'observer les allées et venues. Cyprian regardait et ne regardait pas les jeunes villageois qu'il avait un jour qualifiés de désirables, quand il fut soudain abordé par un individu mince au teint hâlé, habillé pour la noce.

«Je vous connais», dit Cyprian.

«Salonique. Il y a deux ans. Vous m'avez sauvé la vie.»

«Ça alors, mais c'est "Gabrovo Falot". Mais dans mon souvenir, j'ai juste essayé de vous trouver un fez qui vous irait bien.»

«Je vous croyais mort.»

«J'ai fait de mon mieux. C'est vous qui venez de vous marier?»

«La sœur cadette de ma femme. Avec un peu de chance, elle pourra travailler pendant la moisson avant qu'ils aient leur premier.» Ses yeux n'avaient cessé de se tourner vers Yasmina. «C'est votre épouse?»

«Pas autant de chance.» Il les présenta.

Falot sourit en regardant le ventre de Yasmina. «C'est pour quand?»

«Mai, je crois.»

«Venez avec nous quand le bébé sera né. Mieux pour vous, pour le bébé, pour le père surtout.»

«Le voici», dit Cyprian avec toutes les apparences de la gaieté.

Reef reçut des félicitations et fut convié à rester avec Falot et sa famille, qui se trouvait posséder une petite roseraie près de K- zanlak, au cœur de la Rozovata Dolina, ou Vallée des Roses. Cyprian, qui avait vécu dans une carte de la Péninsule à l'échelle 1/1 depuis son arrivée, fut aussitôt sur le qui-vive. La vallée s'étendait d'est en ouest, entre la chaîne des Balkans et la Sredna Gora, et on avait autant de chances qu'ailleurs d'y trouver l'*Interdikt*.

Il guetta un moment propice pour aborder la chose avec Falot. «Avez-vous remarqué quoi que ce soit d'étrange là-bas?»

S'étant peut-être déjà fait entre-temps une idée de la profession de Cyprian: «Intéressant que vous posiez la question. On a vu des gens qui ne devraient pas être là. Des Allemands, croit-on.» Il marqua une pause avant de regarder Cyprian dans les yeux. «Avec des engins.»

«Pas des engins agricoles.»

«Certains semblaient électriques. Militaires, également. Des dynamos, de longs câbles noirs qu'ils enterrent dans le sol. Personne ne veut les déterrer pour voir de quoi il s'agit, même si, selon les rumeurs, certains *mutri* locaux sont allés voler ce qu'ils pouvaient avec l'intention de se rendre à Petrich, sur la frontière macédonienne, où on peut vendre à peu près n'importe quoi. Quelque part entre Plovdiv et Petrich, ils ont disparu, ainsi que tout ce qu'ils trimballaient. Jamais revus depuis. Dans la pègre bulgare, ces choses font en général l'objet d'une enquête, et des mesures appropriées sont prises, mais dès le lendemain tout fut abandonné. La première fois qu'on voit ces types avoir peur de quelque chose. »

« Selon vous, ça serait difficile d'aller jeter un coup d'œil, sans que ça se sache ? »

« Je peux vous montrer. »

« Vous n'avez pas peur ? »

« Vous verrez si c'est quelque chose dont il faut avoir peur. »

Sleepcoat avait beau savoir que ça se produirait à un moment ou à un autre du voyage, quand ils lui annoncèrent que l'heure était venue de se débrouiller tout seul, le Professeur fut anéanti. « J'aurais mieux fait de ne pas venir cette fois », grogna-t-il. « C'est comme les chaises musicales. Sauf que la musique s'est arrêtée il y a deux ans. »

« Nous continuerons de guetter les traces de matériau lydien », promit Yasmina.

« Peut-être qu'il n'y en a plus. Peut-être que ça a disparu à jamais. Peut-être que cette faille dans le continuum musical, ce silence, est le premier signe de quelque chose de terrible, dont ce silence structurel n'est qu'une métaphore inoffensive. »

« Vous leur direz à Yz-les-Bains que nous — ? »

« Ça fait partie de mes attributions. Mais vous allez me manquer. »

Même aux yeux des autochtones, habitués aux touristes volubiles venus du Nord et de l'Ouest, le trio paraissait profondément impliqué, donnant l'impression de se comporter non comme il le souhaitait mais comme il le devait, suite à quelques injonctions mystérieuses. Comment savoir – en les apercevant dans une de ces villes à flanc de colline, escaladant, descendant, toujours en file indienne, ne pensant au prochain repas que quand la nécessité s'en faisait vraiment ressentir, le visage protégé par le bord de leur chapeau de paille tressée, traqués par un soleil qui se réverbérait sur les vieux pavés ou le sol brûlant dans des régions imprégnées d'angélisme – mais que faisaient-ils ici à ce stade tardif de l'Histoire ? Alors que tous les autres étaient partis depuis longtemps, s'étaient retirés, avaient retrouvé les âpres certitudes de patries situées plus à l'ouest, se préparaient ou étaient prêts...

La ferme de Falot, d'après ce que put en déduire Reef après un rapide examen qui était devenu chez lui comme une seconde nature, jouissait d'une bonne situation stratégique, sise au fond d'une petite vallée, avec un ruisseau né de la Sredna Gora bordé par d'autres petites fermes, chacune dotée de son chien féroce, non loin une route qui déployait ses lentes courbes, de temps en temps un arbre et son ombre, des oies s'égaillant sur la route ou fuyant quelque péril en sifflant et cacardant, la circulation distincte à des kilomètres de distance, en général des chariots de ferme et des cavaliers, des soldats ou des irréguliers, tous munis d'au moins un fusil, tous connus dans le coin, et salués par leur petit nom.

La ferme grouillait d'enfants, même si, quand Cyprian essayait de les compter, il n'y en avait jamais plus de deux. Leur mère, Zhivka, s'y connaissait en roses et possédait un petit carré à l'arrière de la maison où elle menait des expériences d'hybridation, ayant commencé des années plus tôt en croisant *R. damascena* avec *R. alba* et continué dans cette veine. Elle leur avait donné des noms à toutes, elle leur parlait, et au bout d'un moment, quand la lune et le vent étaient favorables, Cyprian les entendait répondre. «En bulgare, bien sûr, aussi n'ai-je pas tout saisi.»

«Certains propos que tu aimerais rapporter?» marmonna Yasmina, grosse comme une barge et pas très à l'aise ce jour-là.

«Elles parlaient de toi et du bébé, en fait. Apparemment, ce sera une fille.»

«Oui, tiens, voici un joli pot de fleurs bien lourd, juste un moment, surtout ne bouge pas...»

À mesure que son terme approchait, les femmes du voisinage se rapprochaient de Yasmina, Reef allait faire la bringue dans la mesure du possible vu la région, et Cyprian se contentait des églises, des rosiers de près de deux mètres de haut, des interminables couchers de soleil, des nuits bleu acier. Les hommes l'évitaient. Cyprian se demanda si, au cours d'une transe qu'il avait oubliée, il n'aurait pas offensé quelqu'un ici, peut-être mortellement. Non pas – il en était sûr, c'était peut-être la seule chose dont il pouvait être sûr – que la gravité des visages tournés vers lui fût dépourvue de désir. C'était une illusion dont le réconfort lui était interdit dans ce qui parfois s'annonçait comme ses dernières heures, et est-ce que ça valait deux roupies, franchement? Il ne recherchait plus de compagnie érotique. Autre chose, peut-être, mais baiser avec des inconnus n'était plus vraiment à l'ordre du jour.

Le bébé naquit pendant la cueillette des roses, aux petites heures du matin quand les femmes étaient déjà rentrées des champs, elle naquit au milieu de parfums que ne frelatait pas la chaleur du soleil. D'emblée, les yeux de la fillette s'ouvrirent immensément au monde qui l'entourait. Ce que Cyprian avait imaginé terrifiant, au mieux dégoûtant, se révéla en fait irrésistible : Reef et lui de part et d'autre du lit ancien, chacun tenant une main de Yasmina alors qu'elle se redressait pour accueillir les ondes de douleur, malgré les femmes furieuses qui voulaient que ces deux hommes s'en aillent. En Enfer, de préférence.

Le placenta finit en terre sous un jeune rosier. Yasmina appela l'enfant Ljubica. Plus tard dans la journée, elle tendit le bébé aux hommes. «Tenez. Prenez-la un moment. Elle va dormir.» Reef se saisit précautionneusement de l'enfant, se rappelant comment il avait tenu Jesse la première fois, passant d'un pied sur l'autre, puis déambulant soigneusement dans la petite pièce, baissant la tête pour éviter la déclivité du plafond, la tendant bientôt à Cyprian, qui la prit avec prudence, surpris de voir combien sa légèreté seyait à ses mains, le faisant presque décoller du sol – mais éprouvant surtout une familiarité, comme si cela s'était déjà produit un nombre incalculable de fois auparavant. Il n'osa pas l'exprimer de vive voix. Mais il connut là un bref instant de certitude, rapporté d'une obscurité extérieure, comme afin de remplir un espace qu'il n'aurait su délimiter avant cela, avant qu'elle soit vraiment là, la minuscule Ljubica assoupie.

Ses tétons furent aussitôt étrangement sensibles, et il éprouva presque avec désespoir un flot inattendu de sentiments, le désir de la nourrir au sein. Il inspira profondément. «J'ai ceci —» murmura-t-il, «ce…» C'était certain. «Je l'ai connue autrefois – avant – peut-être dans cette autre existence est-ce elle qui a veillé sur moi – et maintenant voilà que l'équilibre est restauré —»

«Oh tu te fais des idées», dit Yasmina, «comme d'habitude.»

Une bonne partie de cet été-là, Reef et Cyprian partirent en quête de l'insaisissable «champ de mines autrichien». Ils traversèrent des plantations de tabac et de tournesols, des étendues de lilas sauvages en fleur, des troupeaux d'oies remontant en cacardant les rues des villages. Des chiens hirsutes déboulaient des pâtures à moutons en aboyant leurs envies de meurtre. Yasmina les accompagnait parfois, mais elle demeurait de plus en plus à la ferme, aidait aux tâches, restait avec Ljubica.

Quand la cueillette des roses s'acheva et que Gabrovo Falot eut de nouveau un peu de temps à lui, fidèle à sa parole il emmena Reef et Cyprian sur un promontoire, érodé par le vent et dominant une plaine sans arbre. À côté d'une petite dépendance se dressait une tour de trente mètres surmontée d'une antenne métallique noire et toroïdale. «Elle n'était pas là avant», dit Falot.

«Je pense que c'est un des derricks de Tesla», dit Reef. «Mon frère travaillait dessus autrefois.»

Dans la cabane de transmission, ils trouvèrent un ou deux opérateurs avec les oreilles quasi collées aux cornets acoustiques, écoutant attentivement ce qui ressemblait d'abord à des parasites atmosphériques. Au bout d'un moment, les visiteurs perçurent de temps à autre des mots prononcés dans diverses langues dont la leur. Cyprian secoua la tête et sourit, sinon d'incrédulité, du moins dans un effort poli pour ne vexer personne.

«Tout va bien», dit un des opérateurs. «Dans le métier, nombreux sont ceux qui pensent que ce sont les voix des morts. Edison et Marconi estiment tous deux que le sans-fil syntonique peut devenir une façon de communiquer avec les âmes des défunts.»

Reef pensa aussitôt à Webb, à la séance de spiritisme en Suisse, et aux remarques joviales qu'il fit à Kit à propos de coups de fil passés aux morts.

Un énorme vacarme mécanique retentit dehors. «Des cyclomoteurs», dit Cyprian, «à en juger par les vibrations. Je vais jeter un coup d'œil.»

Six ou sept motocyclistes, dans des tenues en cuir que les intempéries et le terrain n'avaient rendues que plus élégantes, étaient assis sur leurs quatre-cylindres – il les identifia immédiatement comme étant la brigade de «filature» d'élite de Derrick Theign, la B.R.E.F., qu'il n'avait pas revue depuis la gare de Trieste.

«C'est toi, Latewood?» Derrière une paire de lunettes à verres fumés, Cyprian reconnut Mihály Vámos, un ancien champion de la montée impossible sur le circuit hongrois. Ils avaient passé quelque temps ensemble à Venise – assez, espéra-t-il –, à boire jusque tard dans la nuit, à aider parfois l'autre à ressortir d'un canal, à se tenir sur de petits ponts en fumant au clair de lune, s'efforçant de savoir quoi faire de Theign.

«*Szia, haver*», dit Cyprian. «Belles bécanes que vous conduisez ces temps-ci.»

Vámos sourit. «Rien à voir avec ces petits Puch qu'ils nous ont refilés au début. Un ami magouilleur de Theign, des conditions intéressantes, elles tombaient tout le temps en panne. Ces nouvelles sont des F.N., des modèles expérimentaux – légères, solides, rapides. C'est autre chose.»

«L'usine d'armement belge?»

«Oh, ce sont des armes, ça oui.» Il regarda Cyprian. «Content de voir que tu cherches encore les ennuis. On te doit assurément une fière chandelle.»

«Pour…?»

Vámos éclata de rire. «On n'a pas eu tous les détails sanglants concernant Theign. On a cessé un jour de recevoir des ordres de Venise et depuis on opère en indépendants. Mais il semble que tu nous as à tous rendu service.»

Cyprian lui offrit une cigarette locale, et chacun alluma la sienne. «Mais tu es encore en poste ici? Et si les combats commençaient? Comment pourrais-tu, seul…?»

Vámos désigna le transmetteur Tesla. «Le ministère de la Guerre conserve des stations réceptrices sur la côte du Sussex, et des liens par câbles avec Londres. On te croyait en Angleterre, en sécurité, heureux, à boire du thé quelque part, dans un jardin. Quelle personne sensée aurait envie d'être ici?»

Il ne semblait pas utile de mentionner l'*Interdikt*. Sans donner de noms ni de dates, Cyprian exposa rapidement à Vámos ses récentes mésaventures.

«Oh. Ça.» Vámos ôta ses lunettes et les essuya sur sa chemise, tout en faisant mine d'étudier attentivement le ciel. «Par ici, ils l'appellent la *Zabraneno*. Peu importe qui l'a installée, elle n'appartient plus à personne – les Allemands et les Autrichiens affirment n'en avoir jamais entendu parler, les gens du coin sont terrorisés, les Turcs envoient des sondes tous les mois ou presque, persuadés que c'est comme la Grande Muraille de Chine, un truc destiné à les empêcher d'envahir. Comme toujours, les Anglais sont sceptiques quant à son utilité. Aucun d'entre nous ne sait comment démonter ce machin, alors le mieux qu'on peut faire c'est d'attendre, de patrouiller sur nos deux roues, d'est en ouest, de veiller à ce que personne ne l'amorce accidentellement.»

«Et a-t-elle jamais…?»

Vámos prit une expression inhabituellement solennelle. «Elle se comporte comme si elle était vivante. Elle sait quand quelqu'un arrive et elle prend alors des mesures pour se protéger. Quiconque passe dans un certain rayon. Nous avons appris à la franchir – grand bien nous fasse. Je suppose que tu veux la voir.»

Gabrovo Falot se rappela qu'il avait rendez-vous à Philippopoli avec un représentant en essence de rose, et prit congé après avoir présenté des excuses. Cyprian et Reef grimpèrent chacun derrière un des motocyclistes de la B.R.E.F. et furent transportés dans un grondement sur les contreforts de la Sredna Gora, longeant des arbres envahis par la vigne, une sinistre topiaire de créatures vertes, voûtées et capuchonnées qui ressemblaient presque à des animaux familiers mais qui étaient déformées au point d'être méconnaissables, et paraissaient observer les motards tandis qu'ils filaient, sur le point de rejeter leurs sombres capuches vertes et d'exposer leurs visages…

Et comme tapi à la périphérie… ou plutôt allant et venant assidûment telle une navette sur toute la trame du champ de vision, arpentant le quadrillage sur lequel est déployé tout ce qui est, Cyprian, malmené par les vents, semblable à un insecte parasite en plein labeur interdentaire, assistait à des distorsions, des déplacements, des rotations… Il y avait autre chose là-bas, sur le point de surgir, une chose qui avait toujours été là, mais à laquelle il n'avait pas été réceptif…

« C'est ici qu'on doit descendre », dit Mihály Vámos, « pour avancer à pied, prudemment. »

Formant une file unique, et progressant en zigzag, comme s'ils comptaient leurs pas, ils approchèrent d'une longue structure en béton exposée aux intempéries, étrangement sombre en cet inhabituel frimas estival, une suite d'éléments sinistrement orientés tous de la même façon, comme vers des intrus inconnus qui ne méritaient aucune pitié.

Vámos les précéda dans une sorte de casemate agrandie, bâtie depuis peu mais commençant déjà à rouiller. À l'intérieur, dans les ombres ocre, des communiqués écaillés naguère criants d'urgence étaient encore punaisés à un ancien panneau encadré, même si beaucoup étaient tombés et avaient fini dans les coins. Des tunnels menaient dans une obscurité de pierre vers des bâtiments adjacents non indiqués, situés à des kilomètres de là dans ce qui très clairement s'annonçait comme un vaste barrage fortifié.

Ils trouvèrent dans un débarras des tas de boîtes métalliques, toutes neuves, sans la moindre trace de poussière, chacune étiquetée PHOSGÈNE.

« Ce sont des vraies », dit Vámos. « Le phosgène n'est plus franchement exotique, on en fabrique un peu partout, ce n'est que du chlore et du monoxyde de carbone. Si l'on dispose d'assez de courant électrique, il est facile de produire du chlore à partir d'eau salée, et le monoxyde de carbone peut être récupéré à partir de n'importe quel procédé de combustion. Exposez-les ensemble à la lumière et vous obtenez du phosgène. »

« Né de la lumière », dit Cyprian, comme s'il était sur le point de comprendre quelque chose.

« Il semble que ça ne soit pas une arme à gaz, finalement », dit le *motoro*. « Le "phosgène" est vraiment un code pour la lumière. Nous avons appris que c'est la lumière qui est ici le véritable agent destructeur. Sinon, les créateurs de la *Zabraneno* ont agi dans le plus grand secret, même si les rares travaux théoriques publiés semblent l'avoir été en langue allemande, et remontent aux toutes premières études sur l'éclairage urbain – ils portaient alors une attention toute particulière à l'Éther, utilisaient comme modèle l'onde de choc qui passe dans l'air lors d'une explosion conventionnelle, recherchaient des méthodes similaires pour intensifier localement la pression lumineuse dans l'Éther... Suite aux expériences militaires avec les projecteurs, on savait que la lumière portée à une telle intensité pouvait produire efficacement le désarroi et la peur. L'étape suivante consistait à trouver une façon de la projeter en un rayon d'énergie destructrice.»

«La peur sous une forme létale», dit Cyprian. «Et si toutes ces unités, tout le long de cette ligne, explosaient en même temps...»

«Une grande cascade de cécité et de terreur dévasterait le cœur de la Péninsule balkanique. Ne ressemblant à rien de connu. La photométrie est encore trop primitive pour que quiconque puisse dire quelle quantité de lumière serait déployée, ou avec quelle intensité – quelque part dans les millions de bougies par pouce carré, mais ce ne sont là qu'hypothèses –, l'expression d'une panique militaire, en fait.»

«Dieu», dit Reef.

«Pas sûr.»

Falot avait parlé de câbles noirs. «Mais je ne vois ici aucune source lumineuse.»

Le regard que Vámos lui décocha n'était pas du genre dont Cyprian se souviendrait avec plaisir. «Oui. Étrange, n'est-ce pas?»

Comme ils partaient, Vámos dit: «Est-ce là ce que les tiens t'ont envoyé chercher?»

«Ils n'ont jamais parlé de code», répondit Cyprian, en proie à une calme fureur. «Encore ce foutu code.»

Les *motoros* les laissèrent à un croisement près de Chipka. «*Sok szerencsét*, Latewood», dit Vámos. Fidèle au protocole en vigueur, surtout en Thrace, personne ne se retourna. Le bruit des moteurs s'estompa bientôt et le vent se leva à nouveau.

«On dit quoi à Yasmina?» demanda Reef.

«Qu'on n'a pas réussi à le trouver. On va continuer à faire semblant de chercher encore un temps, mais dans les mauvaises directions. Nous devons la tenir, ainsi que le bébé, à l'écart de tout ça, Reef. Annoncer à un moment que la mission est un échec et rentrer à...»

«Vous ne savez plus trop où vous en étiez dans vos pensées, collègue?» questionna Reef au bout d'un moment.

«Je me demande ce qu'on va dire aux hommes de Ratty. Ils se font une idée tellement erronée, n'est-ce pas.»

« À supposer que ces motards nous aient montré le "vrai truc". »

« Ils sont désormais les gardiens de cette chose. De cette triste et incompréhensible capilotade balkanique. Ils ne veulent pas du boulot, mais ils l'ont quand même. Je n'ai pas envie de les croire, mais je les crois. »

À partir de là, dans les moments où on faisait le moins appel à lui, Cyprian sentait qu'il guettait un vaste grondement de lumière, toxique et impitoyable, qui ferait du ciel une page vierge, exempte même de ses rêves.

Quand ils reprirent la route, Reef fut ravi de voir avec quelle aisance le bébé s'habituait au voyage. Ljubica pleurait pour des raisons identiques à celles de n'importe quel autre bébé, mais guère plus, comme si elle devinait son destin nomade et ne voyait pas l'intérêt de lui opposer de résistance. Dès qu'elle savait tenir un objet, elle s'empressait de le jeter. Même si Reef avait et n'avait pas besoin de ça maintenant, elle lui rappelait son fils Jesse, resté au Colorado.

« Vous vous comportez comme si elle était votre seconde chance », dit Yasmina.

« Y a un mal à ça ? »

« Oui si vous croyez que vous y avez droit. »

Qui a dit que ce n'était pas le cas ? faillit-il dire, mais il se ravisa.

Ils se dirigeaient vers l'est en direction de la mer Noire, avec plus ou moins l'idée de s'installer à Varna, de reprendre la bonne vieille existence balnéaire, de se faire quelques levas en jouant à des jeux tranquilles, malgré le bébé, enfin bref.

« Quelqu'un a dit que le Palais d'Été du roi se trouvait là-bas. »

« Et… »

« C'est encore l'été, non ? Quand le roi est en ville, les pigeons volent bas, tu ne le sais donc pas ? Un vieux proverbe. »

Le sujet de l'*Interdikt* n'avait pas encore été abordé. La naissance de Ljubica avait fait de cette question, en tout cas pour Yasmina, tout sauf une priorité. Le fait qu'aucun des deux jeunes hommes ne l'aborde lui laissait à penser qu'ils devaient être plus ou moins du même avis. Même un psychiatre amateur aurait diagnostiqué une folie à trois post-partum. Le reste du monde se mettait à couvert, les rêves des bourgeois et des ouvriers crépitaient de formes terribles, tous les prophètes s'accordaient pour dire que la tempête approchait – mais où ces gens avaient-ils donc la tête ? Et avec un bébé sur lequel veiller, qui plus est. Irresponsables, voire carrément hébéphréniques, non mais.

Une route en parfait état menait à la mer, mais bizarrement ils n'arrivaient pas à rester dessus. Ils ne cessaient de repartir dans les collines, de s'enfoncer dans la chaîne des Balkans, allant même jusqu'à pousser vers l'ouest, comme s'ils obéissaient aveuglément à une boussole irrémédiablement sensible à l'anomalie.

Vers midi, les branches des pins veinées de traînées d'ombre se tendaient en tremblant vers eux tels les bras des morts innombrables, suppliant moins qu'exigeant, menaçant presque. Les oiseaux n'avaient pas chanté ici depuis des générations, aucun être vivant en fait ne pouvait se rappeler un temps où ils avaient chanté, et ces cieux appartenaient désormais aux rapaces. Le pays était fin prêt à ce qui n'allait pas tarder à s'abattre.

Au-dessus des toits de tuiles rouges de Sliven, après avoir traversé des nuées de papillons intrigués par le statut de Ljubica, qu'elle faisait de son mieux pour leur expliquer, ils arrivèrent devant une étrange arche rocheuse haute de sept à dix mètres, et dès qu'elle l'aperçut, Ljubica devint tout excitée, elle agita les bras et les jambes, et commenta la chose dans sa propre langue.

«Bien sûr», dit Reef, «allons voir de quoi il s'agit.» Il la cala dans son bras et avec Yasmina ils s'approchèrent de la formation. Ljubica leva les yeux tandis qu'ils passaient dessous et se retrouvaient de l'autre côté. Ils revinrent et trouvèrent Cyprian en train de parler et de fumer avec deux jeunes garçons qui se prélassaient dans un coin. «Cette arche sous laquelle vous venez de passer? Ils l'appellent le *Halkata*. L'Anneau.»

Yasmina croyait connaître la voix de Cyprian à présent. «Oh, encore une de ces malédictions locales.» Mais il la regardait intensément, refusant de parler, les yeux brillants. «Cyprian —»

«Si tu marches dessous avec quelqu'un, vous serez tous deux – vous serez tous, apparemment – amoureux à jamais. Peut-être est-ce là ton idée de la malédiction. Pas la mienne.»

«Alors vas-y, c'est ton tour.»

Son sourire évita de justesse la mélancolie. «Et quiconque la franchit seul, d'après mes informateurs ici présents, changera de sexe. Je ne sais pas trop comment j'en sortirais, Yasmina. Peut-être n'ai-je pas besoin de ce micmac.

«La dernière fois que je suis venu ici», continua-t-il plus tard ce soir-là, à Sliven, dans une chambre qu'ils avaient prise pour la nuit dans une vieille maison près d'Ulitsa Rakovsky, «j'ai dû mettre de côté mes pulsions pendant un temps, les attentes sexuelles dans les Balkans étant ma foi assez virulentes. Des détails qu'on avait tout bonnement ignorés à Cambridge ou Vienne exigeaient ici l'attention la plus pressante, et j'ai dû rapidement m'adapter. Imaginez ma surprise quand j'ai découvert que les femmes, qui semblent n'avoir aucun pouvoir, dirigeaient en fait la baraque. Qu'est-ce que ça voulait dire, alors, cette soumission aux deux sexes à la fois ?»

«Oh bon sang.» Et Ljubica éclata de rire aussi. Reef s'était rendu dans un *krâchma* local. Yasmina et Cyprian se regardèrent, en proie à ce vieux – déjà «vieux» – tremblement spéculatif.

Tout là-haut dans la chaîne balkanique, un beau jour, et pour la première fois, défiant les prédateurs célestes, ils entendirent un chant d'oiseau, une sorte de grive bulgare, qui chanta dans des gammes modales, en soignant sa tonalité, et ce pendant souvent plusieurs minutes. Ljubica tendit l'oreille comme si elle captait un message. Tout d'un coup, elle se pencha hors du châle tricoté dans lequel Cyprian la portait et regarda quelque part derrière eux. Ils suivirent son regard jusqu'à un vieux bâtiment, détruit et rebâti plus d'une fois au cours des siècles, perché en haut d'un grand cañon, apparemment impossible à atteindre du fait des rapides de la rivière et des parois escarpées de la roche nue. Au début, ils ne furent pas certains de ce qu'ils voyaient, à cause des rideaux de brume changeants projetés vers le haut par la collision rugissante de l'eau et de la roche.

«Il faut revenir sur nos pas», estima Reef, «grimper là-haut, puis redescendre à flanc de colline.»

«Il me semble deviner un passage», dit Cyprian. Il les conduisit dans un dédale de chemins de chèvres. Ici et là, des marches avaient été taillées dans la roche. Bientôt, audible par-dessus le vacarme bouillonnant en contrebas, ils entendirent un chœur, et ils arrivèrent à un sentier, ménagé dans les broussailles et les débris rocheux, qui montait dans la lumière lentement déclinante vers une arche moussue sous laquelle se tenait une silhouette en bure, les mains tendues, paumes vers le haut, comme présentant une offrande invisible.

Reef sortit un paquet de Byal Sredet qu'il tendit au moine, lequel dressa un doigt puis, levant les sourcils d'un air interrogateur, leva un autre doigt, et prit deux cigarettes, en souriant.

«*Zdrave*», dit Cyprian, «*kakvo ima?*»

Il eut droit à un long regard scrutateur. L'homme parla enfin, avec un fort accent britannique : «Vous êtes ici chez vous.»

Le couvent appartenait à une secte créée par d'anciens bogomiles qui, plutôt que d'embrasser l'Église romaine en 1650 comme la plupart des autres *pavlikeni*, avaient préféré choisir la clandestinité. Au cours des siècles, des éléments nocturnes s'étaient greffés à leur étrange religion, plus anciens, et qui remontaient, disait-on, au demi-dieu thrace Orphée, démembré dans les parages, sur les rives du fleuve Hèbre, qui était de nos jours connu sous le nom de Maritza. L'aspect manichéen n'avait cessé de croître – ceux qui se réfugiaient ici n'ayant d'autre choix que d'être hantés par l'inflexible dualité de toutes choses. Pour un postulant, une partie de la discipline consistait à rester hyper-conscient, à tout moment de la journée, des conditions quasi intolérables de la lutte cosmique qui se jouait entre la lumière et l'obscurité, inexorablement, derrière le monde visible.

Ce soir-là, au cours du dîner, Yasmina étouffa un cri de reconnaissance, en apprenant qu'il était interdit de manger des haricots dans le couvent, un tabou alimentaire pythagoricien qu'elle avait déjà remarqué chez les S.O.T. Elle se renseigna assez vite sur les *akousmata* pythagoriciennes – dont elle ressentit fortement l'origine commune. Elle ne put également s'empêcher de remarquer que l'higoumène, le Père Ponko, avait la Tétractys tatouée sur le crâne.

Ce dernier ne se fit pas prier pour parler de l'Ordre. «À un moment, Orphée, qui n'était pas à l'aise avec les histoires qu'on ne pouvait mettre en chansons, changea d'identité, ou fusionna lentement avec un autre demi-dieu, Zalmoxis, dont certains pensaient en Thrace qu'il était le véritable Dieu. Selon Hérodote, qui tenait la chose des Grecs habitant autour de la mer Noire, Zalmoxis avait été autrefois un esclave de Pythagore lui-même, qui, une fois affranchi, avait accumulé une belle fortune, puis revint ici en Thrace où il enseigna la doctrine pythagoricienne.»

Il y avait une icône de Zalmoxis dans l'église où Yasmina et Reef trouvèrent Cyprian après le service du soir, agenouillé sur les dalles de pierre, devant l'iconostase, la contemplant comme si c'était un écran de cinéma sur lequel défilaient des images et se déroulaient des récits à son intention. Des visages à découvert de Zalmoxis et des saints. Et, si l'on regardait au-delà, la découverte de ce qui gisait derrière la lumière, dans le bois lui-même, et qu'il convenait de libérer…

Yasmina s'agenouilla à côté de lui. Reef resta tout près, avec Ljubica dans ses bras qu'il berçait lentement. Au bout d'un moment, Cyprian sembla revenir à la lumière ordinaire des cierges.

«Te voilà bien fervente», dit-il en souriant.

«Oh, tu me charries.»

Il haussa les épaules. «Je suis surpris, c'est tout.»

«De me trouver dans un lieu saint? Moi, une épouse triviale. As-tu oublié l'église en haut de la Krâstova Gora, quand j'ai su pour la première fois que non seulement mon bébé serait une fille mais exactement quels seraient ses traits? Je me suis agenouillée et j'ai reçu cela, Cyprian, et j'ai prié pour que tu connaisses un jour une illumination semblable.»

Ils se relevèrent et sortirent tous les quatre du narthex, pour retrouver le parfum de myrte dans le crépuscule. «Quand vous partirez d'ici», dit doucement Cyprian, «je ne vous suivrai pas.»

Elle ne perçut pas tout de suite sa quiétude, crut qu'il était en colère, et elle allait demander ce qu'elle avait fait quand il ajouta: «Je dois rester ici, tu sais.»

Bien qu'elle n'osât rien dire, Yasmina savait déjà. Elle avait senti qu'il s'éloignait il y a longtemps, dès leur virée dans les casinos français, comme s'il avait découvert le chemin du retour, non pas un retour à un état connu, plutôt la révélation d'une existence qu'il avait oubliée ou dont il n'avait pas remarqué la présence. Yasmina avait alors compris qu'elle ne pouvait aller avec lui là où il devait aller, et avait laissé grandir au fil des jours, impuissante, la distance entre eux. Malgré leurs espoirs les plus audacieux. S'il avait été incurablement malade, elle aurait au moins accepté et accompli son devoir envers lui, mais cet éloignement progressif, comme si on s'enfonçait dans les marécages du Temps, dans des effluves miasmatiques, puants, des odeurs qui parlaient à la partie la plus ancienne du cerveau, suscitant des souvenirs plus vieux que son incarnation actuelle, avait commencé, même bien avant Ljubica, à lui peser.

«Il se peut», dit Cyprian aussi doucement qu'il le crut nécessaire, «que Dieu n'exige pas toujours de nous que nous errions. Il se peut que parfois il existe une – dirais-tu une "convergence" vers une forme d'immobilité, pas seulement dans l'espace mais également dans le Temps?»

Bien que prononcées doucement, ces paroles touchèrent personnellement Yasmina. Sa qualité d'apatride s'était déployée tel un ciel à l'aube et tout le long du jour, une errance au cours de laquelle elle ne considérerait comme étant sien que le réseau d'esprits compatissants qui s'étaient ménagé des niches sous leurs propres habitats précaires afin de l'accueillir le temps d'une nuit ou deux. Qui ne seraient pas toujours là quand elle aurait besoin d'eux.

De son côté, Reef se disait que Cyprian avait juste découvert une nouvelle façon d'être pénible, et qu'il passerait bientôt à autre chose. «Vous avez donc l'intention de vous faire nonne. Et ils ne vont rien... trancher... rien de ce genre...»

«Ils m'acceptent exactement tel que je suis», dit Cyprian. «C'en est fini de ces fatigantes questions de sexe.»

«Tu es libre», avança Yasmina.

Cyprian était contrit. «Je sais que tu comptais sur moi. Même si c'était juste comme une présence physique, un arbre pour servir de brise-vent. J'ai l'impression de m'être abattu et de vous laisser exposés…»

«Vous savez, vous êtes si diablement intelligent», dit Reef, «que c'est dur de croire à tout ce que vous nous racontez.»

«Encore un vice anglais. Je suis désolé pour ça, aussi.»

«Allons, vous ne pouvez pas rester ici. Mince alors, soyez Bernadette Soubirous si ça vous chante, mais pas ici, c'est tout. Je sais que c'est votre pré carré et tout ça, mais bon sang, regardez autour de vous. Ça va barder, et croyez-moi, mon instinct ne me trompe jamais là-dessus. Rien de télépathique, juste professionnel. Bien trop de Mannlicher dans les parages, merde alors.»

«Oh, il n'y aura pas de guerre.»

Comment l'un d'eux aurait-il pu dire: «Mais tu vois bien qu'il est impossible de défendre cet endroit, aucune zone de retraite, aucune issue?» Cyprian devait savoir ce qu'il advenait des couvents en temps de guerre. Surtout dans ces contrées, où massacres et représailles se succédaient depuis des siècles. Mais c'était la politique des Balkans. Ici, d'autres questions étaient plus importantes.

«Ils ont adapté le $\sigma\chi\eta\mu\alpha$», expliqua Cyprian, «le rite initiatique orthodoxe, à leurs propres croyances anciennes. Dans l'histoire orphique du commencement du monde, la Nuit précède la création de l'Univers, elle est fille du Chaos, les Grecs l'appelaient $N\upsilon\xi$, et les anciens Thraces l'adoraient comme une divinité. Pour qui postule à cet ordre, la Nuit est la fiancée, la bien-aimée, on cherche à devenir autre chose que sa promise, plutôt un genre de sacrifice, une offrande, à la Nuit.»

«Et serons-nous» — Yasmina marquant une pause comme pour laisser le terme «ex-bien-aimée» exister dans le silence — «autorisés là-bas? À ton ordination?»

«Ça peut durer des mois, voire des années. Dans le rite oriental, ils coupent les cheveux de la novice, qu'elle doit alors tisser en une sorte de guirlande, et porter sous son habit, autour de la taille, toute sa vie. Ce qui signifie qu'avant de postuler, je dois d'abord laisser pousser suffisamment mes cheveux — et étant donné mon tour de taille actuel, ça risque de prendre un certain temps.»

«Non mais écoutez-vous», dit Reed.

«Oui, Cyprian, c'est si vain, franchement, tu es censé renoncer à tout ça.»

Il prit à deux mains le bourrelet de graisse en question et l'observa d'un air dubitatif. «Le Père Ponko reconnaît que la question de la longueur des cheveux n'a rien à voir avec la consécration – c'est pour nous donner le temps de réfléchir à l'étape que nous comptons franchir, vu qu'elle n'est pas pour tous.»

«Se faire couper les cheveux n'est rien», annonça l'higoumène un jour aux postulantes réunies, «comparé au Vœu de silence. Parler, pour les femmes, est une forme de respiration. Y renoncer est le plus grand sacrifice qu'une femme puisse faire. Vous entrerez bientôt dans une contrée inconnue de tous et imaginée par très peu – le royaume du silence. Avant de franchir cette frontière fatidique, chacune d'entre vous aura le droit de poser une question, et une seule. Réfléchissez attentivement, mes enfants, et ne gâchez pas cette occasion.»

Quand vint le tour de Cyprian, ce dernier s'agenouilla et dit tout bas: «Qu'est-ce qui naît de la lumière?»

Le Père Ponko le regarda avec une expression de chagrin inhabituelle, comme s'il y avait une réponse qu'il ne devait surtout pas donner, de peur qu'elle ne provoque l'accomplissement de quelque épouvantable prophétie. «Au quatorzième siècle», dit-il avec circonspection, «nos grands ennemis étaient les hésychastes, des contemplatifs qui auraient pu être tout aussi bien des bouddhistes japonais – ils restaient dans leur cellule à contempler littéralement leur nombril, attendant d'être noyés dans une lumière glorieuse dont ils pensaient qu'elle était la même lumière que Pierre, Jacques et Jean avaient vue lors de la Transfiguration du Christ sur le mont Thabor. Peut-être ont-ils posé une question semblable à la tienne, une sorte de koan. Qu'est-ce qui était né de cette lumière-là? Bizarrement, si on examine les récits dans les Évangiles, l'emphase chez ces trois n'est pas due à un excès de lumière mais à une déficience – la Transfiguration s'est produite au mieux dans une étrange pénombre. "Il vint un nuage qui les recouvrit tous", comme le dit Luc. Ces *omphalopsyques* ont peut-être vu une lumière sainte, mais son lien avec la Transfiguration reste douteux.

«C'est maintenant à mon tour de vous poser une question – quand quelque chose naît de la lumière, qu'est-ce que cette lumière nous permet de voir?»

Comme le comprit vite Yasmina, le Père Ponko abordait le récit de la Transfiguration par le biais de l'Ancien Testament. Il ne se faisait aucune illusion quant à la religiosité de Yasmina, mais il était toujours partant pour discuter avec les non-croyants. «Vous connaissez la notion de Shekhinah – Ce qui habite?»

Yasmina acquiesça, ses années chez les S.O.T. lui ayant permis d'explorer, même superficiellement, le cabalisme anglais. «C'est l'aspect féminin de Dieu.» Le regard brillant, elle lui parla du statut transcendantal dont jouissait à Chunxton Crescent la deuxième carte des Arcanes majeurs du Tarot, connue sous le nom de Grande Prêtresse, et des débutantes de Mayfair qui débarquaient là-bas le samedi soir avec des voiles et des coiffes étranges et sans trop savoir à quoi tout ça rimait – «Certains pensaient que c'était lié au mouvement des suffragettes, et parlaient vaguement de "responsabilisation"… D'autres, surtout des hommes, étaient attirés par les implications érotiques d'une déesse judéo-chrétienne, et s'attendaient à des orgies, des flagellations, des accoutrements noirs et luisants et tout ça, alors bien sûr ils rataient l'essentiel, perdus qu'ils étaient dans une sorte de brume masturbatoire.»

«Toujours un risque», reconnut le Père Ponko. «Quand Dieu se voile la face, on dit qu'il "emporte" sa Shekhinah. Car c'est elle qui reflète sa lumière, elle est la Lune de son Soleil. Personne ne peut résister à la lumière pure, encore moins la voir. Sans elle pour le refléter, Dieu est invisible. Elle est absolument essentielle s'il veut jouer un rôle dans ce monde.»

De la chapelle montèrent des voix que l'higoumène avait identifiées comme un *canone* de Cosmas de Jérusalem, datant du huitième siècle. Yasmina se tenait immobile dans la cour, comme si elle attendait que passe un léger vertige, bien qu'elle eût déjà compris que ledit vertige était plus ou moins inhérent à l'endroit, une condition de résidence. Elle reconnut ici que ce que les S.O.T. avaient toujours prétendu incarner n'était rien de plus qu'une esquisse théâtrale. «Puisqu'on en est à parler reflet», se surprit-elle à murmurer.

Le temps présent lui semblait chaque jour moins accessible, à mesure que les postulantes encerclaient Cyprian, l'emmenaient toujours plus loin d'elle, comme emporté par une onde utilisant quelque invisible et impondérable médium… Et Ljubica, qui regardait la vie quotidienne du couvent comme si elle savait exactement ce qui se passait, et qui s'était endormie d'innombrables fois avec son petit poing autour d'un des doigts de Cyprian, devait à présent rechercher d'autres moyens de retourner dans le souvenir qu'elle avait gardé des limbes.

L'higoumène croyait l'avoir déjà vue lors d'une précédente métempsycose. «La planète lunée», dit-il, «l'électron planétaire. Si l'autosimilarité est bel et bien une propriété intégrée de l'univers, alors peut-être le sommeil n'est-il, après tout, qu'une forme de mort – répétée à une fréquence quotidienne et non générationnelle. Et nous allons dans un sens et dans l'autre, ainsi que le soupçonnaient les pythagoriciens, nous entrons dans la mort et en sortons tout en rêvant, mais beaucoup plus lentement...»

Ignorant comment exprimer ses sentiments à Cyprian, Reef préféra faire preuve de sens pratique. «Je pense aller dans l'Ouest, par les montagnes, jusqu'à la côte adriatique. Des sources chaudes, des hôtels de luxe par là-bas que vous conseilleriez?»

«Ça dépend jusqu'où vous avez l'intention d'aller dans le Nord. Je ne suis jamais allé au sud du Monténégro. Oh, ceci vous intéressera peut-être.»

C'était le Webley-Fosbery .38 qui ne l'avait pas quitté depuis la Bosnie.

Reef feignit de l'examiner. «Joli petit engin. Vous êtes sûr que vous voulez pas le garder?»

«Pour quoi faire? Les Fiancées de la Nuit ne trimballent pas de revolver d'ordonnance dans leur trousseau.»

«J'imagine facilement une ou deux circonstances...»

«Mais, Reef» – une main sur son épaule – «c'est ce que vous ne devez pas faire.» Les deux hommes se regardèrent dans les yeux, plus longtemps qu'ils ne se rappelaient l'avoir jamais fait.

Cyprian les accompagna jusqu'au fleuve. Au-dessus d'eux, les nuages avaient commencé à envelopper le couvent et l'église, comme pour leur refuser tout remords. Le matin semblait s'assombrir vers un équivalent balkanique de la Transfiguration.

Elle tendit Ljubica à Cyprian, qui la tint de façon cérémonielle, et l'embrassa bruyamment sur le ventre comme à son habitude, et comme chaque fois elle poussa un petit cri. «Ne te souviens pas de moi», lui conseilla-t-il. «Je veillerai aux réminiscences.» De retour dans les bras de Yasmina, elle le regarda calmement, radieuse, et il sut qu'il n'avait que quelques minutes avant que le regret le force à commettre une erreur. «Soyez prudents. Essayez d'éviter l'Albanie.»

Comme envahie par une vision mythique, Yasmina s'écria: «Je t'en prie – ne te retourne pas.»

«Je n'en avais pas l'intention.»

«Je suis sérieuse. Tu ne dois pas. Je t'en supplie, Cyprian.»

«Sinon il t'entraînera dans les lieux souterrains, tu veux dire. En Amérique.»

«Toujours à plaisanter» – Reef avec un petit rire qui sonnait faux.

Et aucun d'eux ne se retourna, pas même Ljubica.

Et Cyprian fut conduit derrière une grande porte muette.

Pendant des jours, Reef et Yasmina, chacun cadenassé dans un chagrin distinct, furent incapables d'en parler. Reef cessa d'aller écumer d'éventuels bastringues, et quand le soir tombait et qu'une lumière grise se déposait telle une cendre fine, il restait là, le cœur brisé, de préférence à l'intérieur, assis près d'une fenêtre, avec parfois le bébé dans ses bras. Recluse dans son propre vide intime, Yasmina ne trouvait aucun moyen de le distraire.

«Je n'ai pas vu arriver la chose», dit enfin Reef, «mais vous, si, je suppose.»

«Nous n'y sommes pour rien», dit-elle. «On n'a rien fait. On n'aurait rien pu faire.»

«Ne me dites pas "il devait aimer Dieu plus que nous", c'est tout.»

«Non, parce que je ne pense pas que ça soit le cas.» Elle était au bord des larmes.

«Enfin quoi, Dieu ne déboule pas comme ça pour vous mordre le cul, mais si c'est le cas, dites donc —»

«Reef. Cyprian nous aimait. Il nous aime encore.»

Aucun des deux ne voyait désormais l'intérêt de se rendre sur le littoral de la mer Noire. Ils partirent vers l'ouest. Un soir, Reef entra et trouva Yasmina prostrée devant une pile de vêtements abandonnés par Cyprian, les examinant l'un après l'autre. «Je pourrais faire semblant d'être lui», s'écria-t-elle, mais pas très fort pour ne pas réveiller Ljubica, avec trop d'espoir dans la voix pour qu'il sache comment réagir, «je pourrais porter ses chemises, son pantalon, vous les déchireriez, et me prendriez par-derrière et me la mettriez dans la bouche, et vous imagineriez qu'il…»

«Chérie… s'il vous plaît… Ça ne marchera pas…» Bien trop près des larmes lui aussi, si vous voulez tout savoir.

Il la serra contre lui avec une tendresse qu'elle lui connaissait uniquement quand il prenait Ljubica dans ses bras. Je ne suis pas sa fille, protesta-t-elle, mais en son for intérieur, et en se lovant plus avant dans son étreinte.

Ils traversèrent la plaine de Thrace et s'enfoncèrent dans le Rhodope puis dans la chaîne du Pirin, en direction de la Macédoine. Certains jours, la lumière était impitoyable. Une lumière si saturée de couleurs, portée à un tel degré d'intensité qu'on ne pouvait la supporter très long-temps, comme s'il était dangereux de se retrouver dans une contrée baignée d'une semblable lumière, comme si quiconque s'y exposait ris-quait d'être emporté par elle, sinon dans la mort du moins dans une transformation tout aussi grave. Une telle lumière devait être reçue avec circonspection – tout excès aurait épuisé l'âme. Se déplacer dans cette lumière c'était lutter contre le temps, contre le mouvement du jour, le moment arbitrairement assigné où l'obscurité tombait. Reef se demandait parfois si quelqu'un n'avait pas déclenché finalement l'*Interdikt*, et s'il s'agissait là de ses retombées…

À la mi-octobre, après avoir déclaré la guerre à la Turquie, des divi-sions serbes, grecques et bulgares envahirent la Macédoine, et, le 22, les combats entre Serbes et Turcs s'intensifièrent autour de Kumanovo, dans le Nord. Pendant ce temps, les forces bulgares se rendaient au sud vers la frontière turque et Andrinople juste derrière.

Chaque jour offrait donc à Reef, Yasm et Ljubica une gamme de choix réduite, alors qu'ils étaient pris dans les mouvements de troupes vers l'ouest et le sud. Les rumeurs étaient omniprésentes, une tempête d'effrayants on-dit nés dans les rassemblements au coin des rues et près des sources… «C'est ce que nous étions censés empêcher en venant ici», dit Yasmina. «Ça doit vouloir dire qu'on a échoué, et que la mission est finie.»

«Et il s'agit maintenant de sortir de là», conclut Reef. Il se mit à traîner chaque matin aux *mehana*, carrefours et autres lieux de rassem-blement qui pouvaient s'avérer utiles, s'efforçant de collecter des infor-mations afin de découvrir dans quelle direction il serait le plus sûr d'aller. «Le problème, c'est qu'ils arrivent de tous les côtés, les Serbes par le nord, les Grecs par le sud, les Bulgares par l'est. Des Turcs en déroute partout, ça devrait pas durer longtemps, mais bon sang, quel cirque.»

«Donc on continue cap à l'ouest.»

«Pas d'autre choix. On essaie de se faufiler entre les armées. Puis, si on réussit à passer, on verra pour l'Albanie.»

Les combats s'étaient éloignés d'eux obliquement, de Plovdiv à la frontière turque et Andrinople. Ils s'immiscèrent dans le Sud, dans le vide partiel, derrière la deuxième armée d'Ivanov, qui était à droite de la progression générale.

Ils pénétrèrent en Macédoine. Même les corbeaux étaient silencieux maintenant. En traversant Strumica et Valandovo, ils trouvèrent les vergers de grenadiers pleins de réfugiés, et ils s'enfoncèrent alors dans la vallée du Vardar, et le pays vinicole Tikveš, où les vendanges venaient de commencer.

À en croire la rumeur, les Serbes avaient vaincu les Turcs à Kumanovo, mais avaient tardé à profiter de leur avantage. La campagne grouillait de soldats turcs coupés de leur unité ou en fuite, et qui tous avaient l'air profondément malheureux, étaient souvent blessés, certains sur le point de mourir. Monastir était, paraît-il, maintenant un objectif serbe, ce qui signifiait qu'il y aurait des combats également à l'ouest.

Reef récupéra des armes partout où c'était possible, des fusils de chasse, des Mauser et des Mannlicher ainsi que des armes à feu anciennes, certaines portant des inscriptions arabes ou décorées avec des bois d'élan et de l'ivoire de défense de sanglier, des munitions de tous calibres allant du 6,5 au 11 mm, découvertes parfois dans des campements abandonnés, de plus en plus souvent récupérées sur les cadavres, qui s'étaient mis à apparaître en nombre croissant, tels des immigrants dans un pays où ils étaient craints, détestés, impitoyablement exploités.

Alors que le paysage devenait de plus en plus chaotique et meurtrier, le flux des réfugiés enflait. Une autre fuite en avant désespérée, du genre de celle qui, dans les rêves collectifs, les légendes, serait déformée par le souvenir et réimaginée en pèlerinage ou en croisade... La sombre terreur derrière changée en lointain espoir brillant, l'espoir brillant devenant alors mirage populaire, voire, un jour, national. Invisiblement enchâssée dedans, une ancienne obscurité, trop horrible pour qu'on l'affronte, zélée, émergeant déguisée, vigoureuse, néfaste, destructive, inextricable.

« On se bat quelque part devant nous maintenant, alors gaffe où on met les pieds », prévint Reef. Chaque jour les rapprochait de l'horizon de l'inimaginable. L'Europe entière était peut-être en guerre à présent. Personne ne savait.

Ljubica entendit ses premières explosions dans les montagnes au nord-ouest, entre Vélès et Prilep, et même si elle ne dormait pas, elle parut s'éveiller, écarquilla les yeux, et éclata d'un rire « qu'on qualifierait de tonitruant », sa mère s'efforçant de ne pas se vexer, « chez une enfant plus âgée ».

« Elle tient de son papi », dit Reef, « bébé dynamite. C'est dans le sang. »

« Ravie de voir que vous vous amusez bien tous les deux. Pourrait-on essayer de ne pas finir en plein dedans ? »

Une bataille décisive se préparait, et Reef, Yasm et Ljubica se dirigeaient droit dans ses zones arrière. Ils se joignirent aux processions sur les plaines, entre les fossés stagnants, des carrioles poussées et tirées par de jeunes gars, où s'entassaient des meubles qu'on finirait par brûler pour se réchauffer à mesure que les jours fraîchissaient et qu'on montait, des chiens se livrant à d'interminables négociations au sujet de ce qui était gardé et de ce qui était une cible légitime, formant des meutes éphémères pour s'emparer d'un éventuel mouton, s'égaillant dès qu'arrivait le chien de berger. Des canons Krupp tonnaient dans le lointain, des petites vieilles erraient sur les contreforts, les oiseaux de proie patrouillaient constamment les cieux.

Après avoir été battus à Kumanovo, trois corps d'armée turcs avaient fui vers le sud, vers la ville fortifiée de Monastir, un des derniers bastions turcs en Europe, poursuivis par la première armée serbe, qui avait ordre de les exterminer. Tandis que le sixième corps se rendait directement à Monastir, le cinquième et le septième se déployaient dans les montagnes juste au nord pour se battre et essayer de ralentir les forces serbes qui descendaient en passant par Kičevo et Prilep. Il s'ensuivit des combats en montagne, notamment au col de la Babuna, au-dessus de Prilep.

Un matin, aux premières lueurs, ils furent réveillés par un échange de coups de feu comme peu de gens ici en avaient connu et s'y seraient attendus dans cette région arriérée où il fallait sans cesse recharger les armes. Parmi les détonations frénétiques des Mauser contre des Mauser, quelque chose d'inédit sur terre. Des mitrailleuses, l'avenir de la guerre. Des Madsen russes et quelques Rexer monténégrins. C'était la dévastation et la descente finale du projet ottoman, des siècles de Turcs en Europe, les dernières garnisons à tomber l'une après l'autre...

«Qu'est-ce que c'est?» dit-elle tout bas, en serrant le bébé contre elle.

«Oh, juste des abeilles, chérie» – Reef affectant le sourire canaille qui apparemment ne lui ferait jamais défaut. «Des bourdons serbes, oubliez pas de baisser la tête.»

«Oh» – entrant dans son jeu, même si elle n'avait pas trop le choix pour le moment – «c'est tout.» Ljubica tremblait mais était calme, semblant bien décidée à ne pas pleurer.

«Vous avez votre Webley à portée de main, je ne me trompe pas?» essayant de ne pas crier trop fort. Uniquement s'ils se rapprochaient trop, avait-il dit quand il le lui donna. Sinon ils ne craignaient rien. Étaient-ils trop proches cette fois-ci?

Des soldats passèrent devant eux en poussant des cris, de peur ou de guerre, serbes ou turcs, personne n'avait l'intention de s'attarder pour vérifier.

Des obus Howitzer se mirent à tomber tout près. Pas un barrage soutenu, mais un seul suffirait.

«Dès qu'ils auront rectifié leur ligne et leur longueur», dit-elle, «nous devrons peut-être quitter les lieux.»

«Je suppose», dit Reef, «que vous voulez dire leur portée et leur visée, chérie.»

«C'est des termes de cricket», expliqua-t-elle. «J'ai joué quelque temps à Girton, il y a un million d'années. Mon rêve secret a toujours été de jouer pour une équipe de nomades comme I Zingari…»

Ils avaient pris l'habitude d'adopter ce style décontracté quand un danger se faisait sentir. Ljubica était-elle dupe? Voilà qui restait sujet à discussion, mais ça occupait Reef et Yasmina. Tel le terrible bruit de pas d'un ange invisible, les détonations se rapprochaient. Les obus apparurent bientôt, s'élevant et retombant lentement et abruptement dans l'automne monochrome, descendant chaque fois dans un cri âpre et bourdonnant. Finalement, l'un d'eux atterrit si près que tout le bruit létal de la journée fut concentré en une fraction de seconde, et Ljubica changea d'avis et se mit à crier, se retournant vivement dans les bras protecteurs de sa mère et faisant face à ce qui se passait, hurlant, non de peur mais de colère. Figés et comme fascinés, ses parents la regardaient. Il leur fallut une minute avant de comprendre que les tirs des mitrailleuses s'étaient tus. Il y avait encore quelques tirs d'ordonnance, mais ils étaient nettement plus loin.

«T'es vraiment surprenante, toi» – Reef prenant Ljubica et, avec une douceur calculée, embrassant ses yeux ruisselants de larmes. «Fini les bourdons, petite.» Quand le calme fut revenu, il pensa à quelque chose. «Je reviens dans une minute.» Il s'éloigna dans la direction d'où était venu le tir de mitrailleuse. Ljubica plissa le front, agita un bras et émit une sorte de «Ah?» inquisiteur.

«Les besoins de ton père sont simples», expliqua Yasmina, «aussi ça ne m'étonnerait pas si – eh bien oui, regarde, exactement ce que je pensais. Regarde ce que Papa rapporte.»

«Un miracle», dit Reef. «Il est intact.» Il tenait un étrange fusil dont le canon semblait beaucoup plus large que d'habitude, et qui se révéla être un étui perforé destiné à refroidir l'arme. «Les amies, je vous présente la mitrailleuse Madsen. Ça fait un bout de temps que j'en entends causer. Toutes les divisions de cavalerie russes en avaient autrefois, mais elles ont décidé de s'en débarrasser il y a un moment et on en a vu des tas sur le marché par ici, surtout dans le Monténégro, où on les appelle des Rexer. Regardez-moi ça. Cinq cents balles par minute en automatique, et quand le canon est trop chaud —» Il sortit un canon similaire, dévissa le premier, et le remplaça. Il avait également réussi à récupérer quelques chargeurs d'un quart de cercle contenant chacun quarante balles.

«Je suis contente pour vous, bien sûr», dit Yasmina.

«Oh, et ça aussi.» Quelque part dans les champs de cendres, parmi les cadavres, le sang, la fumée de cordite et les fragments d'acier, il avait trouvé un carré de fleurs sauvages, et il tendit alors un petit bouquet à chacune. Ljubica commença aussitôt à manger le sien, et Yasmina se contenta de regarder Reef jusqu'à ce que ses yeux fussent trop humides, puis elle les essuya avec sa manche.

«Merci. On devrait partir.»

Au cours des semaines qui suivirent, il leur arriverait parfois de se demander – même s'ils ne trouveraient jamais le temps de s'arrêter pour en discuter – si la liberté qu'ils avaient ressentie quand Cyprian était avec eux, cette faculté d'agir de façon extraordinaire, était venue du fait de vivre dans un monde sur le point d'embrasser sa fin – la liberté du suicidaire plutôt que celle d'un esprit libre.

L'hiver qui s'installait. La guerre imprévisiblement partout. Ils s'abritaient souvent dans les cabanes de chaume des Sarakatsàni, car c'étaient eux, ces gens sans pays, sans ville natale, sans domicile fixe, les nomades de la Péninsule, qui veillaient sur leur sécurité, leur donnaient de la nourriture, du tabac et un endroit où dormir. Yasmina leur offrit les bocaux de confiture de rose que Zhivka leur avait préparés, miraculeusement intacts, et ils lui passèrent un porte-bébé qui se fixait dans le dos et que Reef et Yasm, qui avaient commencé à appeler Ljubica «la papoose», endossaient à tour de rôle. La petite voyageait ainsi, perchée telle une vigie, attirant l'attention de ses parents sur les cavaliers, les chiens de berger, les gouttes de pluie… la présence obstinée des chevaux et de l'artillerie de campagne, flanquant, poursuivant. Ils franchirent enfin le col de Bukovo et arrivèrent à Ohrid, au bord de son lac clair et ridé par le vent, parmi les toits rouges, les acacias et les ruelles, les clameurs villageoises, d'où étaient absentes les détonations, aussi bienvenues que le silence. Des déserteurs turcs dormaient sur la plage, traînaient dans les mosquées, échangeaient des armes contre des cigarettes.

Il y avait eu quarante mille Turcs à Monastir, entraînés à l'allemande par le légendaire Liman von Sanders, qui comptait envoyer ses créatures meurtrières en Ukraine quand l'heure serait venue de faire la guerre à la Russie. Un titre intimidant, avoir été entraîné dans les arts du massacre collectif par les Allemands. Mais maintenant les Serbes savaient qu'ils pouvaient les battre.

Ils regardèrent, au-delà du lac, les sommets noirs, certains déjà enneigés. Une faille était apparue entre les nuages, par laquelle se déversait la lumière, un torrent de lumière verticale, tranchant dans toutes les nuances imaginables de gris qui composaient le ciel, comme présentant au jour des choix qu'il ne voyait jamais ou alors rarement.

« C'est l'Albanie », dit-elle. Cyprian leur avait dit d'éviter l'Albanie. Tout le monde le leur avait dit. Non que les gens là-bas ne fussent pas chaleureux et accueillants, mais une sorte de révolution avait lieu dans le Nord, dirigée contre les Turcs. Les Grecs avaient envahi le Sud et l'occupaient, et une grande partie des combats était aléatoire, se livrant avec des fusils à longue portée. « Il y a peut-être une route pavée quelque part, mais elle risque de nous mener droit dans le pire des combats. »

« Voyons voir. L'hiver dans les montagnes, sans carte, tout le monde qui tire sur tout le monde. »

« C'est à peu près ça. »

« Et zut, allons-y. »

Avant de se promener au bord du lac, comme s'ils étaient simplement en vacances, ils achetèrent des cartes postales représentant des scènes de guerre, et des timbres imprimés chacun dans deux ou trois langues, sans parler d'alphabets turcs et cyrilliques, et de profils romains. C'étaient souvent des scènes terribles de massacre et de mutilation, reproduites non seulement en noir et blanc mais dans des nuances variées de vert, un vert par ailleurs quasi fluorescent – cratères d'obus, mutilés dans des hôpitaux de campagne, gigantesques canons, aéroplanes volant en formation... Ils les postèrent, avec la certitude et l'espoir qu'aucune n'arriverait, à Yz-les-Bains, Chunxton Crescent, Gabrovo Falot et Zhivka, Frank et Mayva aux États-Unis, Kit Traverse et Auberon Halfcourt, l'hôtel Tarim, Kachgar, le Turkestan chinois.

À la pointe sud du lac, ils descendirent le sentier qui menait à Sveti Naum et pénétrèrent en Albanie. La circulation était incessante dans les deux sens : des réfugiés musulmans chassés de chez eux en Albanie par les envahisseurs grecs, et des soldats turcs fuyant la défaite de Monastir et cherchant à rallier au sud la forteresse de Ioanina, le dernier vestige de l'Empire ottoman en Europe et l'ultime refuge qui leur restait en Épire.

Les gardes frontaliers laissaient passer tout le monde en haussant les épaules. Ils ne savaient plus trop, d'ailleurs, à qui ils devaient faire leur rapport.

Reef, Yasm et Ljubica étaient entrés dans un théâtre de guerre où tout le monde tirait sur tout le monde, pas toujours pour des raisons que les cibles pouvaient comprendre dans le détail, mais apparemment un certain degré d'agacement semblait suffire comme mobile.

Ils furent pris en embuscade en dehors de Pogradeci, sur la route de Korça, par une bande d'irréguliers, une demi-douzaine d'hommes, d'après Reef, même si la distinction entre guérilleros et bandits de grand chemin était devenue pour l'instant sans importance.

«Bouchez donc les oreilles du bébé une minute, vous voulez bien, chérie, on va se livrer à un petit exercice de tir au pigeon.» Reef enclencha un chargeur dans le Madsen et, après avoir installé tout le monde derrière des rochers sur le bord de la route en murmurant quelque chose du genre «il était temps», se mit en mode semi-automatique, mais très vite, alors que l'ennemi se dispersait en jurant, l'appel du levier de chargement devint irrésistible, et Reef passa à cinq cents balles par minute, et, avant qu'il pût hurler quoi que ce soit de trop jovial, la chambre fut vide et le canon même pas encore chaud, et ses agresseurs avaient filé.

«Ce qu'il fait de mieux, bien sûr», murmura Yasmina comme si elle s'adressait à Ljubica.

Un peu plus loin sur la route, ils tombèrent sur un détachement de l'armée grecque, intrigué par la brève échauffourée qu'il avait cru entendre. Depuis le début des hostilités, on trouvait des soldats grecs un peu partout dans le sud de l'Albanie, qu'ils considéraient comme l'Épire, et relevant d'une certaine idée de la Grèce, plus abstraite encore que leurs foyers et leurs familles. Reef, après avoir planqué le Madsen, haussa les épaules et fit de vagues gestes dans la direction où étaient partis les agresseurs, puis il réussit à obtenir un paquet de cigarettes et l'assurance qu'on les déposerait au moins à Korça, alors sous occupation grecque.

Après avoir passé toute la nuit à frissonner sous une tente déchirée, ils se levèrent tôt et reprirent la route dans l'aube glaciale. Après Erseka, ils commencèrent à gravir la chaîne du Grammos, parmi les hêtres nus dans les vents qui se levaient, les cimes enneigées aussi désolées que les Alpes, avec de l'autre côté, ce qu'on appelait les montagnes du Pinde, la Grèce.

Quand le soleil se coucha, ils trouvèrent une dépendance de ferme qui semblait déserte, jusqu'à ce que Reef revienne après avoir ramassé du petit bois et découvre Ljubica assise à côté d'un de ces chiens de berger sauvages et retors qu'en Macédoine on appelait un *šarplaninec*.

Ici, les chiens avaient coutume de mordre avant d'aboyer – Cyprian s'était montré plus qu'insistant là-dessus – mais Ljubica, qui était la sociabilité même, lui causait dans sa langue personnelle, et l'animal, une femelle qui ressemblait vaguement à un ours brun et blond à la gueule assez affable, l'écoutait avec grand intérêt. Quand Reef approcha, toutes deux tournèrent la tête pour le regarder, poliment mais de toute évidence dérangées, la chienne plissant le front et claquant de la langue, ce qui, comme l'avait expliqué autrefois à Reef quelqu'un dans les tunnels, signifiait «Non» en albanais.

«O.K., O.K.» Reef repassa lentement le seuil à reculons.

Il s'écoulerait pas mal d'années avant qu'il découvre que cette chienne s'appelait Ksenija, et qu'elle était la compagne de Pugnax, dont les associés humains, les Casse-Cou, avaient surveillé, discrètement mais attentivement, l'exfiltration de Reef et sa famille hors de la Péninsule balkanique. Ce dogue avait pour mission de protéger tout ce petit monde sans en avoir l'air.

Le lendemain, alors que Reef explorait les alentours pendant que Yasm et Ljubica se promenaient quelque part dans le haut de la vallée, il sentit, venant d'on ne sait où, la fumée d'un feu de camp puis entendit braire des ânes, et, avant qu'il ait pu réagir, trois Albanais lui tombèrent dessus. «Euh, *tungjatjeta*, les amis» – Reef s'efforçant de se rappeler un peu d'albanais de tunnel et décochant son sourire charmeur à toute épreuve.

Les Albanais souriaient également. «Je baise ta mère», le salua le premier.

«Je te baise, puis je baise ta mère», dit le deuxième.

«D'abord je vous tue, toi et ta mère, puis je vous baise tous les deux», dit le troisième.

«Vous qui êtes d'habitude si… accueillants», dit Reef. «Que se passe-t-il?» Il avait un énorme Gasser 11 mm monténégrin glissé sous la ceinture, mais il sentit que le moment n'était pas bienvenu pour en faire usage. Le trio avait de vieux Mannlicher et un Gras, probablement récupérés sur des cadavres grecs. Ils s'entretinrent rapidement avec animation, et Reef comprit plus ou moins qu'ils se disputaient pour savoir qui le tuerait, même si personne n'avait l'air partant, les munitions se faisant rares, surtout pour le Gras, un 11 mm comme son arme, qui était ce qu'ils convoitaient sûrement. Ça se passerait donc entre Mannlicher. Ils farfouillaient dans la boue maintenant en quête de brins de paille pour tirer au sort. La plus proche retraite était un fossé avec un accotement à dix mètres sur la droite, mais Reef aperçut l'éclat d'un canon de fusil, puis deux autres. «Oh, oh», dit-il, «on dirait que je suis cuit. Comment vous dites déjà? *Një rosë vdekuri*, c'est bien ça?»

Gagnant une minute et demie de grâce, qui se révéla suffisante, car alors quelqu'un l'appela par son nom, et bientôt une silhouette maigre sortit de derrière un mur de pierre.

«Ramiz?»

«*Vëlla!* Frère!» Il courut vers Reef et le serra dans ses bras. «C'est l'Américain qui m'a sauvé la vie dans le tunnel suisse!»

Les trois hommes parurent déçus. «Ça veut dire qu'on va pas le descendre?»

«Je te croyais aux États-Unis», dit Reef.

«Ma famille. Comment veux-tu que je parte?»

En fait, ce village était habité par des réfugiés venus de tous les coins du pays, du Nord et du Sud, les cibles de vengeance sanglante ayant découvert qu'il n'était plus possible de rester prisonnier chez soi, et qui avaient décidé que vivre en communauté serait la meilleure façon d'avoir un peu plus de manœuvre tout en respectant le Kanuni Lekë Dukagjinit. Une communauté fondée sur la suspension de la vengeance.

«T'as eu de la chance», dit Ramiz, «les étrangers s'approchent pas autant, d'habitude.»

«On cherchait juste à passer deux nuits tranquilles», dit Reef, qui l'affranchit sur Yasmina et Ljubica.

«Vous êtes fous de venir par ici, bien trop de Grecs en liberté dans ces collines.» Il leur versa de la *rakia*. «*Gëzuar!* Va les chercher toutes les deux! Plein de place ici!»

Reef revint au village avec Yasm et Ljubica alors qu'il commençait à neiger, et pendant quelques jours ils furent bloqués par la neige. Quand ils purent repartir, il avait appris quelques mots de dialecte tosque et savait jouer *Jim Along Jo* à la clarinette, instrument dont tous semblaient posséder au moins un exemplaire, certains hommes se réunissant le soir après le souper pour jouer l'harmonie à trois ou quatre parties et boire de la *rakia*.

Reef et Yasmina avancèrent sous la neige qui tombait, avec une cordiale obstination trop coutumière désormais pour qu'ils la trouvent honorable, le dos très souvent dans le vent, silencieux, penchés sur leurs propres cœurs, au-dessus de la petite existence, surgie tout naturellement au détour du chemin de la vie, qu'ils se devaient de protéger – et pas que de la tempête, car plus tard, s'étant abrités un moment, à Përmeti ou

Gjirokastër, tous deux se rappelèrent avoir senti la présence d'une force consciente et inquisitrice qui n'était pas la tempête, ni l'hiver, ni la promesse d'à peu près la même chose pendant un temps aussi long... mais autre chose, quelque chose de malveillant et de beaucoup plus ancien que le paysage ou toute race l'ayant traversé inconsciemment, quelque chose qui dévorait tout cru tout ce qui passait à portée de sa voracité.

Reef avait été naguère célèbre dans tout le Colorado comme étant le pêcheur le plus malchanceux à l'ouest des Rocheuses, mais en prévision de ce périple il avait emporté un hameçon d'Yz-les-Bains, qu'il entreprit alors de lancer – et bizarrement, contre toute attente, il réussit un jour sur deux ou presque à attraper une sorte de truite des rivières. La neige tombait par intermittence, mais quand elle ne tombait plus, elle se changeait alors en une pluie froide et triste. Par une rare journée de soleil, près d'un village de la vallée de Vjosa, Yasmina et lui s'autorisèrent un moment de détente.

«Je resterais bien toute la vie ici. »

«Pas très nomade comme approche. »

«Mais regardez un peu ça. » Franchement pittoresque, trouva Reef, une douzaine de minarets s'élevant brillamment parmi les arbres, une petite rivière dont on voyait le lit et qui traversait le village, l'éclairage jaune d'un café dans le crépuscule qui pouvait devenir leur point de chute, des odeurs et des murmures, et l'antique certitude que la vie, même ramenée parfois à la condition de proie intelligente, était préférable au fléau des aigles qui commençait à s'abattre sur le pays.

«C'est ça le pire», dit Yasmina. «C'est trop beau. »

«Attendez de voir le Colorado. »

Elle lui décocha un regard, qu'il lui rendit la seconde d'après. Ljubica était dans les bras de Reef, et elle pressa sa joue contre sa poitrine et observa sa mère comme elle le faisait quand elle savait que celle-ci était sur le point de pleurer.

Après avoir traversé Gjirokastër, ils entreprirent la longue traversée des montagnes puis descendirent vers la mer Adriatique – se mêlant en chemin à des Turcs qui se rendaient dans le Sud. Il y avait désormais un cessez-le-feu entre tous les camps sauf la Grèce, qui essayait encore de prendre Ioanina, l'ultime bastion turc au sud. La moitié des soldats de l'armée turque étaient désormais morts, blessés ou prisonniers, et les autres, au désespoir, se dirigeaient vers la forteresse. Reef leur donna ses dernières cigarettes. C'était tout ce qu'il avait. Il en garda une ou deux, peut-être.

Ils franchirent enfin le col de Muzina, et ce fut alors la mer, et les maisons chaulées éparpillées sur les contreforts, en partant du petit port d'Agli Saranta.

En ville, tandis que faisait rage une tempête de pluie qui, ils le savaient, signifiait de la neige en montagne, et que Ljubica dormait, emmitouflée dans une peau de loup, ils eurent l'impression d'être encore en mouvement, portés par un véhicule invisible, le long d'un chemin tortueux et compliqué, avec de temps à autre des escales dans des lieux de réunion semi-publics comme celui-ci, plein de nappes de fumée de tabac froid, de discussions politiques sur d'obscurs sujets – un sentiment d'enfermement bleu fluorescent, avec, visibles depuis la fenêtre, rien que le port et la mer furieuse au-delà.

Ils trouvèrent un pêcheur qui accepta de les emmener à Corfou lors de sa prochaine traversée. Avec le vent du nord qui tombait des montagnes, hérissant le détroit de moutons en plus d'une houle déjà périlleuse, ils traversèrent le bras de mer, le vent sur leur quart bâbord. Reef, pas marin pour un sou, passa son temps à vomir, souvent dans les rafales, parce que soit il s'en fichait soit il ne pouvait pas attendre. Une fois qu'ils furent dans le vent de Pantokratoras, le vent tomba, et une heure après ils étaient enfin en sécurité dans la ville de Corfou, où la première chose qu'ils firent fut d'aller dans l'église Saint-Spiridion, le saint patron de l'île, pour allumer des cierges et exprimer leur gratitude.

Ils allaient demeurer là le reste de l'hiver et jusqu'au printemps et son soleil radieux, avec sur l'esplanade principale une partie de cricket jouée par un XI venu de Lefkas, tout le monde en blanc, l'obscurité et le sang pour lors inimaginables, en tout cas le temps d'un match… Ljubica s'exclamant en démotique de bébé nomade chaque fois que la batte et la balle entraient en contact. À la fin du match, auquel Reef ne comprit pas grand-chose, ignorant même qui avait gagné, l'équipe de Lefkas offrit à chaque joueur de l'équipe adverse un des salamis au piment pour lesquels l'île était célèbre.

Persistant derrière chaque déclaration concrète du monde, les Compatissants entreprirent de renouer avec Yasmina, comme si leur mission n'avait jamais été de découvrir des champs de mines autrichiens secrets, mais d'aider Cyprian à devenir une promise de la Nuit, de donner naissance à Ljubica pendant la cueillette des roses, et de faire en sorte que Reef et Yasmina la mettent en sécurité à Corfou – accomplissant du coup la «vraie» mission, tandis que l'autre, les mines et tout ça, était ce que les Compatissants aimaient appeler une métaphore. Et un jour, alors que Yasmina était assise avec Ljubica à une terrasse de café sur l'Esplanade, voilà que débarqua Auberon Halfcourt, une bouteille de bière au gingembre à la main, en fiacre, comme s'il allait à un rendez-vous… Ce fut sa petite-fille qui l'aperçut en premier, ayant reconnu le cheval, qui comme les autres chevaux ici portait un chapeau de paille avec deux trous pour laisser pointer les oreilles.

Après les avoir embrassées, Halfcourt s'assit.

«Mais qu'est-ce que tu fabriques à Corfou?» Yasmina sous le coup d'une bienheureuse hébétude.

«Je t'attendais.» Il fit glisser vers elle un rectangle de carton verdâtre, tout abîmé.

«Ma carte. Tu l'as donc reçue?»

«Un des Russes qui lisait régulièrement mon courrier depuis mon arrivée à Kachgar a trouvé la chose plus intéressante que tout ce que le gouvernement de Sa Majesté pourrait avoir à dire. Me l'a câblée immédiatement.» Elle avait écrit: *Espère rallier l'Adriatique.*

«Ce qui signifiait soit ici, soit à Durazzo, mais Durazzo étant devenu récemment comme qui dirait un *casus belli*, nous sommes entrés en transe et avons convoqué les anciens pouvoirs intuitifs, n'est-ce pas, et ce fut Corfou.»

«Oh, et ceci» – désignant de la main les arcades parisiennes, le paradis ombragé, bien arrosé – «n'avait rien à voir avec ça.»

Ils burent de l'ouzo dans le crépuscule. Là-haut, dans le vieux fort vénitien, le canon du soir retentit. Des brises agitèrent les cyprès et les oliviers. Les Corfiotes allaient et venaient.

«Autrefois», dit-il, «je croyais que te revoir serait un de ces moments où l'on s'incline devant le destin, avec les conséquences fâcheuses qu'on devine. Ça ne m'a pas empêché de vouloir le faire, malgré tout.» Ils ne s'étaient pas vus depuis le début du siècle. Quels que fussent ses sentiments, ceux de Yasmina étaient moins en conflit qu'en expansion. Son amour pour Ljubica étant aussi impénétrable et indivisible qu'un nombre premier, ses autres passions se devaient d'être réévaluées en conséquence. Quant à Halfcourt: «Je ne suis pas qui j'étais», dit-il. «Là-bas, j'étais le serviteur de la cupidité et de la force. Un majordome. Un pâtissier. Se prenant tout ce temps pour un militaire professionnel. Le seul amour qu'ils m'autorisaient était indiscernable du commerce. Ils me détruisaient et je ne m'en rendais pas compte.»

«Tu as démissionné.»

«Mieux que ça. J'ai déserté.»

«Père!»

«Mieux que ça», continua-t-il avec une sorte d'entrain joyeux et serein, «ils me croient mort. Avec l'aide de mon collègue russe Volodya, je suis également confortablement installé, suite à une transaction de jade – le minerai qui porte ton nom, ma chère – qui sera un jour considérée comme légendaire. Tu peux me regarder comme l'homme qui a fait sauter la banque de Monte-Carlo. Et —»

«Oh. Je savais qu'il y aurait autre chose.» Elle eut alors la certitude qu'il avait une liaison avec une femme.

Comme s'il avait lu dans les pensées de sa fille, le vieux renégat s'exclama: «Ah ça, la voilà qui arrive justement!»

Yasmina se tourna et vit s'approcher sur l'Esplanade, rapetissée par son ombre dans le crépuscule, une petite Asiatique tout de blanc vêtue, qui les saluait de la main.

«Cet Américain qui m'a apporté ta lettre à Kachgar est le même qui nous a présentés. Je suis tombé sur lui l'an dernier à Constantinople, il s'occupait du bar. Et il y avait Umeki. Ah oui, ma petite aubergine japonaise.»

C'était effectivement Umeki Tsurigane, qui avait été dépêchée à l'ambassade du Japon à Constantinople comme «attachée mathématicienne» afin de mener à bien une mystérieuse mission pour le compte d'une société japonaise et qui était entrée en début de soirée dans le bar des Deux Continents, où Kit Traverse était en train d'agiter un shaker à cocktail en argent devant un miroir long comme la pièce.

«Vous étiez censé mourir de honte.»

«Je fais de mon mieux» – Kit posant un verre à alcool fort et un verre à bière devant elle. «Bière-whisky comme d'habitude, mademoiselle?»

«Non! Cocktail au champagne! C'est de rigueur ce soir!»

«Je vais en prendre un avec vous.»

Il envisagea peut-être de l'interroger sur l'arme Q et l'Événement de la Toungouska et le reste, et pendant un premier verre et une ou deux gorgées d'un second ce fut comme le réveil du bon vieux temps, sauf qu'Auberon Halfcourt se pointa alors, en route clandestinement pour la Russie, et «Je ne sais pas ce qui s'est passé», dit-elle à Yasmina, «j'ai été fascinée!» Et sa vie avait radicalement changé.

«Un rêve de vieux gredin», ajouta tendrement Halfcourt. Mais Yasmina vit la façon qu'avait la jeune femme de regarder son père, et diagnostiqua un cas de véritable folie érotique. Ce que ressentait Halfcourt, exactement, était, comme de bien entendu, un mystère total à ses yeux.

Ils trouvèrent Reef dans une taverne, près du port de Garitsa. Ljubica, qui avait maintenant près d'un an et marchait depuis peu, agrippa un pied de tabouret et, avec un sourire en coin vaguement désabusé, regarda son père boire de l'ouzo et dévoiler à quelques Corfiotes les complexités du fan-tan de Leadville.

Yasm présenta Umeki en haussant les sourcils et en faisant discrètement un geste de la main qui évoquait le mouvement d'un hachoir tranchant un pénis, Reef se contentant de sourire comme il le faisait chaque fois qu'une femme séduisante passait à portée de flirt.

« Votre frère, il est – barman – et entremetteur ! » dit Umeki en souriant.

« Je savais que toutes ces maths lui serviraient un jour. Tenez, laissez-moi délester en toute honnêteté ces braves gens de quelques leptas supplémentaires et peut-être aurons-nous de quoi nous payer à dîner. »

Ils prirent place à une longue table et mangèrent des *tsingarelli*, de la polenta, des *yaprakia* et une estouffade de poulet avec du fenouil, du coing et de la *pancetta* qui était, à en croire Nikos, le propriétaire et cuisinier, une recette vénitienne vieille de plusieurs siècles alors que l'île appartenait encore à Venise, et Reef fit boire en douce à sa gamine de petites gorgées de mavrodaphne, ce qui ne la fit pas dormir mais la rendit d'humeur très chahuteuse, et elle tira sur la queue de Hrisoula, la chatte des lieux, ordinairement imperturbable, qui finit par pousser un miaulement de protestation. Un petit orchestre *rembetika* était arrivé avec un chanteur, et bientôt Yasm et Ljubica entreprirent de danser une sorte de *karsilamás* ensemble.

Plus tard dans la soirée, Halfcourt prit Yasmina à part. « Avant que tu m'interroges sur Shambhala… »

« Ce que je n'allais peut-être pas faire. » Ses yeux brillaient.

« Pour moi, Shambhala, tu sais, s'est révélé être non un but mais une absence. Non la découverte d'un lieu mais l'acte de quitter le lieu sans avenir où j'étais. Et ce faisant, je suis arrivé à Constantinople. »

« Et ta ligne-monde a croisé celle de Miss Tsurigane. Et voilà. »

« Et voilà. »

Quand ils décidèrent de se séparer, Stray et Ewball avaient déjà oublié pourquoi ils avaient fui ensemble. Stray croyait se rappeler que c'était lié à l'idée qu'elle se faisait autrefois de la vie d'anarchiste et de cette promesse d'une *plus grande invisibilité*, susceptible de s'étendre, d'après elle, au monde entier. Quand des troubles avaient éclaté dans les gisements de houille du sud du Colorado, elle avait mis sur pied son propre réseau d'assistance médicale, commencé à l'époque de la révolution de Madero, s'assurant progressivement du soutien de tel médecin, tel hôpital syndiqué, tel pharmacien complaisant. Elle avait toujours été douée pour savoir à qui faire confiance et jusqu'où, et utilisait désormais ses talents de négociatrice pour fournir de la nourriture et des médicaments à ceux qui en avaient besoin dans les avant-postes encore imprécis de la révolution au nord de la frontière, et la perspective d'un vaste fonds secret de soutien n'était pas sans un certain attrait pratique.

Ce n'était pas vraiment une expérience religieuse, mais néanmoins, petit à petit, elle avait fini par se rendre à l'évidence : depuis toujours elle avait besoin d'aider les gens. Pas pour la gratification, sûrement pas pour les remerciements. Sa première règle devint : « Ne me remerciez pas. » La seconde étant : « Ne vous attribuez pas le mérite de ce qui tourne bien. » Elle se réveilla un jour avec la certitude que tant qu'une personne ne recherchait pas les éloges, il n'y avait alors quasiment aucune limite au bien qu'elle pouvait faire.

Stray avait pris l'habitude de dénicher les véritables intérêts dissimulés sous ceux qu'on affichait, et de chercher à les concilier. Bien que le conflit d'intérêts fût on ne peut plus clair en pays minier, elle ne comprenait toujours pas pourquoi Ewball voulait à tout prix se rendre là-bas. Aux yeux de ce dernier, le profit et le pouvoir n'étaient pas des objets de désir, même si elle refusait de croire qu'il n'aspirait pas à être une sorte de meneur ou accéder à certaines ressources, quelles qu'elles fussent. Mais les motivations anarchistes de Ewball restaient nébuleuses. Il ne vint jamais à l'idée de Stray qu'il pût tout simplement aimer rechercher les ennuis.

Déçue, mais sans guère d'amertume, elle comprit assez vite que Ewball embrassait également les conceptions anarchistes de l'amour, du mariage, de l'éducation des enfants, et cætera. «Considère-moi comme une ressource pédagogique», lui dit-il. «Foutaises, Ewball, tu sais bien que ça se résume à ta bite», répondit-elle.

Néanmoins, du fait de certaines ambiguïtés affectives qu'on commençait à l'époque tout juste à comprendre, il se mit un matin en tête, après une absence mesurable en années, de passer voir sa famille à Denver, persuadé que Stray avait envie de faire la connaissance de ses parents, ce qui n'était pas le cas, loin de là. Un beau jour de semaine, sous un ciel moutonnant, après s'être annoncés une demi-heure à l'avance en passant un coup de fil, ils se pointèrent devant la maison familiale.

La résidence Oust était encore toute récente, avec son toit à double pignon, sa tour ronde et ses nombreux ornements, et suffisamment spacieuse pour accueillir un nombre indéterminé d'Oust et d'Oust par alliance à n'importe quel moment.

La mère de Ewball, Moline Velma Oust, vint les accueillir en personne. «Ewball *Junior*? Transporte donc ton popotin dans le salon!»

«Je te présente ma mère. Maman, Estrella Briggs.»

«Soyez la bienvenue chez nous, Miss Briggs.» Les Oust habitaient Denver depuis un moment, Leadville ayant connu une mauvaise passe, des terrains et des maisons à vendre un peu partout, et pas le moindre acheteur. «Tu te rappelles la maison qui était en face? Ils ont installé un panneau "À VENDRE", on a pris un chronomètre, moins de cinq minutes sur le marché, partie pour dix mille dollars. Ces temps-ci, faudrait payer quelqu'un pour y vivre.» Moline se serait bien vue jouer les Baby Doe Tabor, la célèbre matrone de Lake County, en habits de deuil devant une entrée de mine, un fusil en travers des genoux, prête à défendre la demeure familiale, et du coup le glorieux passé d'une ville légendaire, jusqu'au bout. Mais son mari, Ewball Senior, ne se voyait guère en Haw Tabor, c'est-à-dire en défunt.

«Je vois que vous admirez notre nouveau piano Steinway, Miss Briggs. Jouez-vous, par hasard?»

«Pas vraiment, juste des accompagnements de chansons.»

«Je suis moi-même une fervente admiratrice des *lieder* de Schubert… Oh, jouez-nous quelque chose, vous voulez!»

Stray pianota quatre mesures d'un air de bastringue intitulé *Je vais me dégoter une Salomé noire* quand Moline se rappela tout d'un coup qu'elle devait s'occuper de la majolique, qu'on époussetait ce jour-là. «Des réfugiés mexicains, vous comprenez, c'est si difficile parfois – oh mon Dieu, ne le prenez pas mal, j'espère que vous n'êtes pas une de ses… comment dire —»

Ayant déjà connu ce genre de situation, Stray connaissait la parade. «Ewball est un amour», dit-elle du tac au tac, «mais il est vrai qu'il lui arrive parfois de ramener chez lui des filles plutôt bizarres.»

Moline parut se détendre et lui adressa un sourire en coin accompagné d'un plissement de paupières. «Pas besoin de vous faire un dessin, en ce cas. Ce garçon n'a aucune notion de l'argent, et certaines jeunes femmes d'obédience syndicaliste ont un instinct pour ça.»

«Mrs Oust», dit calmement Stray, «je n'en ai après l'argent de personne, j'en ai suffisamment, merci. Le fait est que c'est moi qui règle toutes ses ardoises de saloon ces derniers temps, et j'aimerais bien que vous en touchiez deux mots à ce vieux Ewb, vu que ça doit venir de son éducation.»

«Certes.» Filant voir sa majolique, finalement. Mais soit c'était une de ces braves âmes incapables de rester longtemps fâchées, soit elle trouva que Stray offrait un changement assez rafraîchissant, soit elle était aussi étourdie qu'un tamia, car deux minutes plus tard elle revenait avec de la citronnade dans une cruche en verre taillé et des gobelets assortis, en envoyant balader une des servantes: «Tá bien, no te preocupes, m'hija.»

«Toi…!» Un homme d'une cinquantaine d'années avec des bretelles, une liasse d'enveloppes timbrées à la main, était apparu sur le seuil, le visage tout rouge, sur le point d'exploser.

«Salut, Papa.»

La présence de Stray ne détourna pas le vieux Oust de sa colère. «Ewball, bon sang de bonsoir!», dit-il en agitant la liasse.

«Allons, Papa», plaida Moline, «combien de fils écrivent chez eux aussi régulièrement que le nôtre?»

«Justement. Imbécile!» cracha-t-il. En philatéliste passablement obsédé, il était passé de la perplexité à la rage meurtrière devant le comportement de son fils. Apparemment, le jeune Ewball avait utilisé des timbres-poste Pan-American de 1901, commémorant l'Exposition du même nom à Buffalo, dans l'État de New York, où l'anarchiste Czolgosz avait assassiné le président McKinley. Ces timbres portaient des vignettes gravées représentant les moyens de transport les plus récents, trains, bateaux, et cætera, et un certain nombre d'entre eux, d'une valeur faciale d'un *cent*, deux *cents* et quatre *cents*, présentaient par erreur ledit motif tête-bêche. Un millier de Fast Lake Navigation, 158 Fast Express et 206 Automobile, tous inversés, avaient été vendus avant qu'on s'aperçoive de l'erreur, et avant que la demande philatéliste fasse monter en flèche leur prix sur le marché, Ewball, sensible au symbolisme anarchiste, en avait acheté et gardé autant qu'il pouvait afin de timbrer ses lettres.

«N'importe quel abruti sait qu'il faut garder les timbres en parfait état!» hurla Ewball Senior, «non oblitérés, la colle d'origine intacte, bon sang de bonsoir! Sinon la valeur du marché secondaire perd les pédales. Chaque fois que tu as posté une de ces lettres, tu as gâché des centaines, voire des milliers de dollars.»

«C'était voulu, monsieur. L'inversion symbolise la ruine. Voici trois engins, fausses idoles de la religion capitaliste, littéralement mis à bas – plus, bien sûr, une allusion à l'élimination de ce pathétique laquais de Mark Hanna, cet ennemi résolu du progrès humain —»

«J'ai voté pour McKinley, nom d'une pipe!»

«Tant que vous ferez pénitence, les gens auront la sagesse de vous pardonner.»

«Rrrrr!» Oust Senior lança les lettres en l'air, se mit à quatre pattes et chargea Ewball, enfonçant ses dents sans hésiter dans sa cheville. Ewball, grimaçant de douleur, tenta avec l'autre pied de piétiner la tête de son père, et le salon résonna alors de virulentes éructations qui ne siéent point aux oreilles délicates des lecteurs sensibles, encore moins à celles des dames présentes, qui tout en tenant leurs jupes ramassées d'une main s'efforçaient de l'autre de séparer les belligérants, lorsque cet étrange spectacle œdipien fut soudain interrompu par la détonation d'une arme à feu.

Une femme vêtue d'une robe toute simple en henrietta gris foncé, à la fois calme et imposante, armée d'un pistolet de tir Remington, venait d'entrer dans la pièce. De la fumée s'éleva en direction du plafond, d'où pleuvait une fine averse de plâtre que ceignit d'un brillant halo la lumière entrant par la fenêtre. Stray examina le plafond et vit qu'il était déjà abîmé à d'autres endroits. Les Oust, père et fils, avaient cessé la lutte et s'étaient relevés, vaguement contrits, moins à l'égard l'un de l'autre qu'à celui de cette arbitre imposante qui venait d'interrompre leur récréation.

«J'ai bien fait de passer.» Elle glissa l'arme au canon long de vingt-cinq centimètres sous la bande du tablier en mousseline blanche qu'elle portait.

«Comme toujours, Mrs Traverse», dit Maman Oust, «nous vous sommes redevables. Ne vous en faites pas pour le plafond, nous avions de toute façon prévu de le refaire.»

«J'étais à court d'amorces à air comprimé, j'ai dû ressortir mon calibre .22.»

«On ne saurait vous en faire le reproche. Et puisque vous êtes ici, peut-être pourriez-vous vous occuper de notre hôte, Miss Briggs. Elle devrait apprécier la chambre chinoise, qu'en pensez-vous? Estrella, ma chère, si vous avez besoin de quoi que ce soit, Mrs Traverse est une sainte qui fait des miracles, et cette maison serait tout bonnement le chaos sans elle. »

Quand elles furent seules, Mayva lui dit: «On ne s'est vues qu'une fois, à Durango. »

«Reef et moi, on a toujours voulu venir vous voir à Telluride dès que le bébé serait né, mais une chose en entraînant une autre… »

«Ce qui est sûr, c'est que j'ai entendu parler de toi toutes ces années, Estrella. Je me suis toujours dit que Reef finirait avec une de ces jeunettes qui fricotent d'un peu trop près avec l'Abîme… mais te voici, une jeune femme d'une très grande classe. »

«Je suppose qu'il vous manque. »

«Ouaip mais on sait jamais comment ils tournent. Comment va mon petit-fils? »

«Tenez, regardez. » Stray avait des clichés de Jesse qu'elle gardait toujours dans son sac.

«Oh le petit chéri d'amour. Mais c'est qu'il ressemble à Webb. »

«Vous pouvez les garder —»

«Oh non, c'est —»

«J'ai toujours des doubles. »

«Je te remercie infiniment. Mais comment se fait-il qu'il soit déjà aussi grand? »

«Ne m'en parlez pas. »

Elles se trouvaient alors dans la chambre chinoise, et tâtaient diverses tentures ainsi que des dessus-de-lit et des napperons aux motifs «chinois».

«Je suppose que Ewball et Frank ont fait quelques virées ensemble. »

«On est tous restés un temps au Mexique. Frank s'est fait un peu amocher mais rien de grave. »

Mayva leva les yeux, pleine d'espoir. «Je sais que c'est là qu'il était quand il s'est occupé d'un des tueurs engagés par les proprios. Tu sais s'il a pu retrouver l'autre là-bas, aussi? »

«Pas autant que je le sache. En fait, ça s'est passé au cours d'une bataille dans laquelle on s'est retrouvés mêlés. Frank est tombé de cheval. Ça a pris du temps pour le remettre d'aplomb. »

Mayva hocha la tête. «C'est lui le plus patient dans la famille. » Elle regarda Stray dans les yeux. «Je sais qu'on fait tous de notre mieux. »

Stray posa une main sur Mayva. «Quelqu'un réglera son compte à

Deuce Kindred un jour, et pareil pour Mr Vibe, ça ne m'étonnerait pas. Des gens aussi mauvais ont le chic pour s'attirer les ennuis tôt ou tard. »

Mayva prit Stray par le bras et elles descendirent à la cuisine. « Tu peux imaginer combien j'ai été ravie de venir travailler ici, dans la demeure d'un millionnaire. Je les ai tous rencontrés dans le train quand ils ont quitté Leadville. J'ai commencé à jouer avec les petits. J'avais oublié à quel point ça me manquait. Et puis tout d'un coup voilà Moline qui m'ouvre son cœur. Denver lui faisait peur, les vices des grandes villes, les écoles pour les enfants, la cuisine de basse altitude, et elle s'était mis en tête que j'étais du même avis. En fait, ce sont de braves gens, dans leur genre, juste un peu querelleurs de temps en temps. Lui aussi est bien brave, je suppose, pour un crésus. »

Bien trop vite pour qu'elle s'en rende compte, la fille nerveuse aux yeux d'étrangère qu'était Mayva était devenue une tranquille ménagère boulotte travaillant dans une maison prospère qui aurait pu aisément se trouver deux fois plus loin à l'est, à l'abri des étincelles et de la suie des trains qu'apportait le vent, où elle faisait la poussière sur les portraits et les babioles, savait le prix de toutes choses, à quelle heure à la minute près chacun des gamins Oust allait se réveiller (tous sauf un, peut-être, celui avec un destin), et où se trouvait chaque membre de la famille quand il n'était pas dans la maison... Ses yeux autrefois envoûtants désormais enfoncés, tels des animaux des champs se terrant en fin de journée, dans des orbites douces comme des oreillers, des yeux néanmoins vigilants, abritant les mille et un secrets de ces vieux Territoires jamais attribués, et sachant qu'à la minute même où apparaîtraient les premiers gens de l'Est, la vie quotidienne ici serait trahie, une vie âprement gagnée, dans ce purgatoire des faubourgs où s'étaient réfugiés depuis longtemps les nouveaux venus. Les enfants dont elle s'occupait ne virent jamais en elle qu'une douce et zélée matrone, et ne l'imaginèrent jamais en train de faire les quatre cents coups à Leadville...

« On vivait dans une cabane en montagne, à la Noël on a rapporté un petit pin pignon qu'on a décoré, et on a abattu une perdrix des neiges en guise de dinde. La tempête qui faisait rage dehors, de l'électricité bleu vif tout le long du tuyau de poêle. Le petit Reef adorait les coups de tonnerre, il agitait les bras, hurlait "Ah ! Ah !" chaque fois que ça claquait. Plus tard, quand il a entendu les explosions dans les mines, il a froncé les sourcils, comme pour dire : "Où y sont ces éclairs, et elle est où la pluie ?" Un vrai petit amour. »

Mayva sortit des ferrotypies du bébé, Reef en robe de baptême, peut-être avec un chapeau de marin, la panoplie habituelle, car oui c'était un joli bébé, dit sa mère, même si, quand il a eu trois ou quatre ans, Stray ne put s'empêcher de remarquer qu'il avait déjà l'expression qu'il aurait par la suite, cet air de chien battu, un peu de traviole, comme s'il avait déjà tiré ses propres conclusions, même petit.

« Tu crois qu'il reviendra ? » dit Mayva.

La cuisine était peu éclairée et fraîche. L'après-midi connut le calme pendant une minute, pas de père pourchassant le fils, toutes les corvées accomplies, Moline qui faisait la sieste quelque part. Stray prit la vieille femme dans ses bras, et Mayva poussa un grand soupir et, les yeux secs, posa son front sur l'épaule de Stray. Elles restèrent ainsi, sans rien dire, jusqu'à ce qu'on entende une suite de coups et des cris, et là-dessus la journée reprit son cours.

Le Département d'État américain eut beau conseiller vivement à tous les gringos de rapatrier immédiatement leurs fesses de l'autre côté de la frontière, Frank resta à Chihuahua. Pendant qu'il s'ankylosait et veillait à sa vie romantique, pour ne pas dire spirituelle, la révolution de Madero avait gagné du terrain, en particulier au sud de la capitale, où elle ne tarda pas à devenir un fantasme de démocratie libérale concoctée par des professionnels. Les vieux alliés furent ignorés quand ils ne furent pas reniés, dénoncés, ou jetés en taule. À Chihuahua, surtout, les murmures de mécontentement – ou plutôt, de rage – ne cessaient d'enfler chez ceux qui savaient le prix à payer pour avoir mis Francisco Madero dans le Palais présidentiel, et qui voyaient maintenant les rêves pour lesquels ils avaient quitté la Sierra Madre et s'étaient battus être bafoués et tout bonnement trahis. Bientôt des groupes d'individus armés s'amassèrent dans les villes avec des bannières et des panneaux, proclamant tantôt TERRE ET JUSTICE, tantôt TERRE ET INDÉPENDANCE, tantôt simplement TERRE, mais c'était toujours le même mot qui revenait: ¡ *TIERRA!* De petites rébellions éclatèrent, d'ex-maderistas qui reprenaient leurs vieux Mauser, et qui furent bientôt presque trop nombreux pour qu'on pût les compter. Une grande partie s'insurgeaient au nom de l'ex-ministre Emilio Vázquez, et très vite le moindre soulèvement fut automatiquement étiqueté «vázquista», même si Vázquez lui-même avait fui au Texas et faisait désormais davantage figure de mentor.

Ici, à Chihaha, l'ensemble des errants, agents de terrain, combattants de montagne et magonistas jusqu'au-boutistes aux côtés desquels Frank s'était battu à l'époque de Casas Grandes étaient encore pour la plupart dans les parages. Madero était maintenant ailleurs, transformé par son nouveau pouvoir en une version plus raffinée de Porfirio Díaz. Il allait tôt ou tard falloir s'en occuper. La *revolución efectiva* était encore à venir. Vers la fin de l'année, une rumeur venue de Morelos se répandit jusqu'au Nord selon laquelle Emiliano Zapata avait levé une armée et lancé une sérieuse offensive contre le gouvernement. Des anciens *compadres* de Frank partirent aussitôt pour Morelos, mais tous ceux qui aimaient canarder des *federales* pouvaient encore le faire allégrement ici, à Chihuahua.

Frank se rendit bientôt dans le sud du Chihuahua à Jiménez, rattaché à une unité d'irréguliers qui combattaient pour Pascual Orozco, naguère une force essentielle dans la révolution de Madero au sein du Chihuahua, désormais eux aussi en révolte ouverte contre le gouvernement. Frank avait rejoint le mouvement à Casas Grandes, où un ancien magonista du nom de José Inés Salazar levait une petite armée. En février, ils se fondirent avec des troupes menées par l'ancien lieutenant-gouverneur de l'État, Braulio Hernández, qui venait juste de s'emparer de Santa Eulalia, ville célèbre pour ses mines d'argent. Début mars, les forces jointes contrôlaient Ciudad Juárez et menaçaient la ville de Chihuahua. Le gouvernement paniqua et prit la fuite – Pancho Villa, encore fidèle au gouvernement de Madero, essaya d'attaquer la ville mais fut repoussé par Pascual Orozco, qui avait finalement décidé d'agir après des mois d'indécision. Salazar et Hernández nommèrent Orozco commandant en chef de ce qui était désormais une armée de deux mille hommes, et ce dernier se déclara gouverneur de l'État.

Cette armée avait quadruplé en quelques semaines, et de nouvelles insurrections, prétendant au nom d'orozquistas, étaient signalées un peu partout dans le pays. Une marche sur Mexico paraissait imminente. Le ministre de la Guerre de Madero, l'ancien maître d'armes José González Salas, fut nommé pour diriger la campagne contre Orozco. À la mi-mars, il était à Torreón avec six mille soldats, à deux cents kilomètres par voie ferrée des quartiers généraux rebelles de Jiménez, et des escarmouches avaient commencé.

Frank se rappela combien El Espinero avait ri longuement et excessivement en apprenant que Frank se rendait à Jiménez. Frank y était habitué et il savait qu'il convenait d'attendre avant de tirer des conclusions. Il s'avéra que la région autour de Jiménez était célèbre depuis l'époque de Cortés pour ses météorites, y compris celles découvertes à San Gregorio et La Concepción, et une gigantesque, appelée El Chupadero, dont les fragments, pesant en tout peut-être cinquante tonnes, avaient été emportés à la capitale en 1893. Les chasseurs de météorites écumaient cette région en permanence et ne cessaient d'en trouver de nouvelles. C'était comme s'il existait un dieu des météorites qui avait choisi Jiménez comme point de chute. À ses heures perdues, Frank sillonnait à cheval le Bolsón de Mapimí, dans l'espoir d'en découvrir. Il se souvenait de l'énorme cristal de spath d'Islande qu'El Espinero lui avait montré des années plus tôt, cristal qui l'avait conduit jusqu'à Sloat Fresno. C'était peut-être par ici qu'il l'avait vu, peut-être même dans un endroit tout proche, Frank n'avait jamais dessiné de carte et ne s'en souvenait plus aujourd'hui.

Il trouva et ramassa la pierre la plus étrange qu'il lui ait été donné de voir depuis un bon bout de temps, toute noire et grêlée en surface, lisse par endroits et rugueuse à d'autres. Assez petite pour tenir dans une sacoche de selle. Il n'était pas censé réagir à ce genre de chose, mais chaque fois qu'il touchait la pierre, même légèrement, il entendait une sorte de voix.

« Qu'est-ce que tu fais ici ? » semblait-elle dire.

« T'es sacrément loin de chez toi pour me demander ça. »

Un des fronts de l'offensive gouvernementale utilisa la principale voie ferrée mexicaine. « Des conditions idéales pour la *máquina loca* », estima le général Salazar, en recourant au terme technique désignant une locomotive chargée de dynamite et déployée à grande vitesse contre l'ennemi. « Trouvez-moi ce gringo. » Frank, souvent recherché pour ses talents en ingénierie, fut appelé à la tente du Général. « Dr Pancho, si ça ne vous embête pas de vous rendre auprès de Don Emilio Campas, il part pour le Sud avec quelques personnes, et nous risquons d'avoir besoin de vos conseils. »

« *À sus órdenes.* » Frank se mit en quête d'une locomotive à vapeur et trouva une loco de manœuvre qui venait juste d'assembler un train de marchandises pour la ligne Parral. Il la fit venir jusqu'à une voie de garage où attendait déjà son équipe – quelques vétérans de Casas Grandes réunis par leur conception chimique de la politique et qui savaient où disposer les bâtons en fagots et comment dérouler la mèche en vue du meilleur effet –, et l'essentiel du travail fut accompli en une demi-heure.

Ils partirent devant un autre train transportant des troupes et escorté par la cavalerie, huit cents soldats en tout, en direction du sud, vers la frontière à Durango. Le soleil cognait sur les bad-lands désolées. Après avoir parcouru près de cinquante kilomètres, entre Corralitos et Rellano, ils tombèrent sur un convoi blindé grouillant de *federales* se dirigeant vers le nord. Le train derrière Frank s'arrêta, les soldats descendirent, la cavalerie se déploya sur la gauche et sur la droite. Frank freina légèrement tout en regardant derrière lui et vit Salazar brandir son épée puis l'abattre en un grand éclair d'or blanc du désert qu'on entendit presque. « ¡ *Ándale, muchachos !* » s'écria Frank – il chercha quelques allumettes et entreprit d'allumer les mèches. Après avoir enfourné le restant de charbon et de bois de chauffe, il vérifia les jauges tandis que le reste de l'équipe sautait à bas du train.

«Vous venez, Dr Pancho?»

«J'arrive tout de suite», dit Frank. Il mit les gaz à fond et la loco commença à prendre de la vitesse. Il descendit sur le marchepied et était sur le point de sauter quand une étrange pensée lui vint. Était-ce là la «voie» à laquelle avait songé El Espinero, ce petit tronçon de voie ferrée, où le jour était devenu soudain extra-dimensionnel? Le pays changeait, n'était plus l'abstraction muette d'une carte mais devenait vitesse, couloir de vent, odeur de fumée et de charbon, temps dont la substance se contractait de plus en plus, le tout indissociable de la certitude qu'avait Frank que l'important n'était pas de sauter ou non, car il appartenait à ce qui se passait, au cri perçant qui retentit devant lui quand le mécanicien du train fédéral tira sur sa corne d'alerte et que Frank répondit automatiquement en faisant de même, les deux sons se combinant en un puissant et unique accord qui avala l'instant, les *federales* en uniforme marron se jetant hors du train, la petite loco folle au comble de la frénésie, sa valve régulatrice incapable désormais de réguler quoi que ce soit, et soudain, venu de nulle part, un insecte jaillit de l'aveugle vélocité pour s'engouffrer directement dans la narine droite de Frank, le ramenant sur terre. «Merde», dit-il tout bas, et il s'élança, heurta le sol, roula avec une vitesse insensée qui n'était pas la sienne, en priant pour ne pas se briser de nouveau la jambe.

L'explosion fut formidable, des éclats et des débris humains et animaux volèrent partout, la vapeur surchauffée fusa par un million de conduits irréguliers parmi les fragments propulsés, un gigantesque dôme irrégulier de poussière grise, que le sang teignit de rose, s'éleva et enfla, tandis que les survivants aveuglés titubaient en toussant lamentablement. Certains tiraient au hasard, d'autres ne savaient plus où étaient ni ce qu'étaient les leviers de culasse et les détentes. On estima plus tard que soixante *federales* avaient été tués sur le coup, les autres pour le moins démoralisés. Même les vautours furent trop effrayés pour oser s'approcher avant plusieurs jours. Le vingtième bataillon se mutina et abattit deux de ses officiers, on sonna la retraite, et tout le monde décampa aussi vite qu'il put à Torreón. Le général González, blessé et déshonoré, se suicida.

Frank dégota un cheval errant dans le Bolsón, guère plus fringant que lui, et rentra en pleine nuit pour trouver tout le monde dans le camp orozquista soûl ou endormi, ou occupant un rêve de victoire que même Frank dans son épuisement trouva franchement *loco*. Quelques semaines plus tard, trois mille rebelles d'Orozco se rendirent au quartier général de Pancho Villa à Parral pour achever les derniers loyalistes maderistas de la région. Villa, inférieur en nombre, eut l'intelligence de s'éclipser avant que quiconque arrive en ville, mais cela ne les empêcha pas de mettre Parral à sac, de dynamiter les maisons, de piller, de tuer. Frank rata les festivités, ayant découvert au dépôt un wagon de marchandises vide dans lequel il s'installa pour dormir, espérant à moitié qu'à son réveil il se retrouverait dans une nouvelle partie de la République, loin de tout ça.

Quand on apprit que Madero, malgré de profonds doutes, avait choisi Victoriano Huerta pour diriger la nouvelle offensive contre les orozquistas, Frank, qui n'était guère sujet à la peur, devint un peu nerveux, se rappelant sa brève rencontre avec des sbires de Huerta en uniforme sept ou huit ans plus tôt. L'espérance de vie d'un bandit militaire était comparable ici à celle d'un rongeur des champs, mais pourtant ce Huerta ne cessait de réapparaître, comme s'il bénéficiait de l'aide d'une junte de divinités anciennes particulièrement cruelle. Quand les hommes de Huerta atteignirent et occupèrent Torreón, Frank sut que l'insurrection d'Orozco était quasiment condamnée. Tandis que les *federales* s'attardaient à Torreón, certains se remirent à reprendre espoir à Jiménez, mais Torreón était la clé de toute avancée sur la capitale, et sans elle il n'y aurait pas de victoire des rebelles. Huerta avait un canon, et pas Orozco.

Et bien sûr, au fil des semaines qui suivirent, alors que Huerta avançait lentement vers le nord après avoir occupé Torreón, la chance des orozquistas se mit à tourner. Chaque fois que les rebelles engageaient le combat, ils étaient vaincus, les désertions augmentaient, jusqu'à ce que la tactique de la *máquina loca* échoue à Bachimba, sonnant le glas des espoirs d'Orozco. Huerta allait revenir dans la capitale en triomphateur.

Bien avant ce jour, si Frank avait eu seulement un peu de jugeote, il aurait admis que c'était assez, et il serait retourné dans le Nord, laissant le Mexique à son destin. Il ne voyait rien qui le retînt ici – Wren, qu'il était incapable d'oublier malgré les nombreuses distractions brutales à sa disposition, était de l'autre côté, derrière une frontière moins politique que l'œuvre de l'impardonnable cañon qu'avait creusé le Temps dans son flux. Pascual Orozco, même si Frank lui souhaitait du bien, y compris de connaître le miracle mexicain consistant à rester en vie, n'était pas un homme politique pour lequel il était prêt à risquer sa vie. Mais que valait-elle, alors, sa vie ? Pour qui ou pour quoi la mettait-il en jeu ?

Il passa de plus en plus de temps au dépôt de Jiménez, tel un bouvier insouciant, à regarder passer les trains, à fixer les rails. Un jour, il acheta un aller simple pour la capitale, monta dans le train et partit vers le sud. Pas de cris de *adiós compañero*, bonne chance Frank, rien de tel. Quelqu'un d'autre aurait droit à deux rations de haricots par jour, c'est tout.

Dans la capitale, au fond d'un restaurant sombre et excentré situé près de la gare, Frank tomba sur Günther von Quassel, qu'il n'avait pas revu depuis Tampico. Günther buvait dans une grande chope de la bière allemande importée. Frank commanda une bouteille de l'Orizaba locale.

«Ça alors, Günni, mais qu'est-c'tu fiches ici, j'te croyais au Chiapas en train de cultiver du café et tout ça.»

«Je suis ici pour affaires, et je ne peux plus rentrer. Chaque fois que ça barde à Oaxaca, et ces derniers temps c'est souvent, les voies ferrées qui mènent au Chiapas sont coupées. Mon escale d'une nuit s'est inopinément prolongée. Du coup je hante les gares en espérant passer par une faille dans les lois du hasard.»

Frank confia tout bas qu'il s'était rendu dans le Nord.

«Ah. Tu t'es bien amusé, je suppose.»

«Pas récemment. Un orozquista de plus au chômage.»

«Il y a un poste de libre sur le domaine, si ça t'intéresse. Si jamais on arrive à retourner là-bas. Tu serais grassement payé.»

«Une sorte de contremaître dans une plantation, en train de surveiller ces Indiens indisciplinés? Je devrai porter un fouet et tout ça? Pas mon style, Günni.»

Günther éclata de rire et agita sa chope d'avant en arrière, aspergeant de mousse le chapeau de Frank. «Bien sûr, en qualité de Nord-Américain tu dois être *nostalgique de l'ère de l'esclavage*, mais dans le marché hautement compétitif qu'est devenu le café, nous ne pouvons nous permettre de nous attarder dans le passé.» Günther expliqua qu'avant qu'une récolte quitte le *cafetal*, il convenait d'ôter aux «cerises» de café leur enveloppe rouge et pulpeuse, ainsi que leur coque, puis ce qu'on appelait la «peau d'argent», après quoi le grain était enfin exportable. Ces tâches, qui étaient autrefois accomplies manuellement, étaient à présent exécutées par diverses sortes de machines. La plantation von Quassel était en cours de mécanisation, et les machines, y compris les engins stationnaires, les générateurs électriques, les pompes hydrauliques et une flotte réduite mais en pleine expansion de véhicules motorisés, allaient exiger une maintenance régulière.

«Beaucoup de travail pour un guérillero à la ramasse», estima Frank.

«Tu formerais ta propre équipe, *natürlich*. Plus ils en savent, moins tu en fais, tout le monde y gagne.»

« Et les zapatistas, ils ont leur place là-dedans ? »

« Pas vraiment. »

« Mais encore ? Tu ferais mieux de m'affranchir. »

Vu le nombre d'insurrections actuellement en cours dans tout le pays contre le régime de Madero, le Chiapas était pour l'instant un endroit tranquille, d'après Günther, la violence prenant là-bas la forme répandue de la vendetta familiale ou bien de ce que certains appelaient le « banditisme » et d'autres la « redistribution », selon que l'on exerçait ou subissait la chose. Mais depuis un an une sérieuse rébellion grondait non loin de Oaxaca, née d'une dispute entre Che Gómez, le maire et *jefe político* de Juchitán, concernant trois cents kilomètres à l'ouest de la plantation de Günther, et Benito Juárez Maza, le gouverneur de Oaxaca, qui avait essayé l'an dernier de remplacer Gómez en envoyant des troupes fédérales à Juchitán. Le *jefe* résista – durant les affrontements qui suivirent, la relève fédérale fut balayée, et il fallut finalement l'intervention de la cavalerie et de l'artillerie pour reprendre la maîtrise de la ville. Pendant ce temps, l'armée chegomista contrôlait le reste de la région. Madero, qui n'aimait guère le Gouverneur, avait invité Gómez à venir à Mexico, sous sauf-conduit fédéral, pour en discuter. Mais celui-ci avait à peine parcouru quelques kilomètres par voie ferrée dans l'isthme de Tehuantepec qu'il fut intercepté par les hommes de Juárez Maza, arrêté et fusillé.

« Ça n'a nullement mis fin à la rébellion. Les *federales* sont à présent contenus à Juchitán et dans deux ou trois autres villes, tandis que plusieurs milliers d'irréductibles chegomistas tiennent la région, y compris, quand ils le veulent, le chemin de fer. Et c'est pourquoi le Chiapas est pour l'instant coupé du reste du pays. »

Ils mangèrent dans une salle éclairée par une antique verrière en fer forgé aux carreaux usés par les intempéries. De vieux employés municipaux, des journalistes et autres étaient assis dans les alcôves à des petites tables, fumant des cigarettes et buvant des madrileños. La lumière, initialement dorée, ne cessait de décroître régulièrement. La pluie arriva à peu près en même temps que la soupe, et éclaboussa la verrière.

« En général, j'attends que la situation soit critique pour demander de l'aide », dit Günther, « mais la récolte est commencée, je suis convaincu que mon contremaître est un crypto-zapatista, et ça me rend dingue le soir quand j'imagine ce qu'ils manigancent tous là-bas. »

« Il y a un moyen d'entrer sans se faire prendre ? »

« Je connais quelqu'un à qui je peux en causer. »

Après le café et les cigares, quand la pluie eut cessé, ils déambulèrent dans les rues mouillées – parmi les automobilistes lancés à vive allure dans les avenues, les omnibus couleur de boue et les taxis collectifs à dix centavos, les réguliers armés dans des véhicules privés, les troupes de cadets à cheval, les volaillers venus de la vallée du Mexique dirigeant leurs dindes avec des baguettes en roseau au beau milieu de la circulation – et finirent par entrer dans le nouvel et luxueux Hôtel Tezcatlipoca, où la relation de Günther, Adolfo «El Reparador» Ibargüengoitia – un des nombreux entrepreneurs récemment arrivés, manœuvrant «entre les balles», comme ils aimaient à le dire, afin de résoudre les problèmes engendrés par la révolution et la re-révolution –, occupait un *penthouse* avec vue sur le parc de Chapultepec et au-delà. Des hommes nerveux en costume foncé, venus apparemment ici, comme Günther, en quête d'un «réparateur», déambulaient dans un nuage de fumée de tabac. Par contraste, Ibargüengoitia portait un costume blanc fait sur mesure et des chaussures en croco assorties. S'écriant: «*Wie geht's, mein alter Kumpel!*» il serra Günther dans ses bras et les invita à entrer. Une jeune femme se leva mollement tandis qu'une soubrette apportait du champagne dans un seau à glace. Günther et Ibargüengoitia se retirèrent derrière une porte en acajou afin de s'entretenir.

Devant l'une des fenêtres, Frank remarqua un télescope monté sur trépied et dirigé à l'ouest sur le nouveau Monument à l'Indépendance nationale, une grande colonne de granit qui surplombait Reforma, dotée au sommet d'une figure ailée et dorée – manifestement une Victoire, même si tout le monde l'appelait «l'Ange» –, à six mètres environ du sol et à peu près au niveau où se trouvait Frank actuellement. Celui-ci regarda par l'objectif et trouva le champ entièrement occupé par le visage de l'Ange – lequel fixait Frank, avec un visage en or battu, dont l'expression lointaine évoquait plus un masque cérémoniel qu'un visage humain, et pourtant c'était là *un visage qu'il connaissait*. De l'autre œil, Frank voyait l'Ange se dresser dans la lumière du soleil déclinant, vertigineux dans sa masse de bronze et d'or, comme sur le point de s'envoler et de foncer impitoyablement sur lui, tandis qu'un énorme cumulus s'élevait lentement juste derrière. Frank eut l'impression qu'on lui conseillait de se tenir prêt. Le visage doré et inexpressif fixait le sien, intensément, et bien que les lèvres de l'Ange fussent immobiles, il l'entendit s'exprimer dans un espagnol rapide et sonore, déformé par les tonnes de métal, mais les seuls mots qu'il reconnut furent «*máquina loca*» et «*muerte*», et «*tú*».

«¿ *Señor?*» Quand ses yeux s'accommodèrent à nouveau, la personne qui avait parlé s'éloigna. Elle avait dû se tenir accroupie dans un coin, à l'écart de la fenêtre, respirant la fumée de cigarette sans se préoccuper du reste. Il se leva et vit Günther à l'autre bout de la pièce en plein *abrazo* d'adieu avec le Réparateur. «Je peux pas promettre qu'une bande de *sinvergüencistas* locaux ne viendra pas vous rançonner, bien sûr», disait Ibargüengoitia, «mais bon… les temps sont imprévisibles, ¿*verdad?*»

Dans l'ascenseur qui les ramenait au rez-de-chaussée, Günther examina Frank non sans un certain amusement. «Tu as regardé cet Ange», dit-il enfin. «Pas très malin, je trouve.»

Ibargüengoitia s'était arrangé pour les faire entrer au Chiapas en caboteur. Ils devaient partir de Veracruz, rallier Frontera, le Tabasco, et se rendre de là en *diligencia* jusqu'à Villahermosa, Tuxtla Gutiérrez, puis traverser la Sierra jusqu'à la côte Pacifique. Ils arrivèrent au *cafetal* une semaine plus tard, à cheval, vers midi, le contremaître agressant quasiment Günther avec une longue liste de récriminations, et Frank, avant de réaliser ce qu'il lui arrivait, se retrouva devant une étrange machine servant au dépulpage dont le mode d'emploi était en allemand, en compagnie de deux ouvriers du coin qui ne semblaient pas comprendre que Frank n'avait absolument aucune idée de ce qui clochait, et encore moins du moyen pour y remédier.

L'engin stationnaire était en bon état, les arbres, les poulies, les courroies et les pédales étaient usés mais fonctionnaient, les tuyaux du réservoir où les baies de café trempaient dans l'eau n'étaient pas obstrués et la pompe marchait très bien, ça devait donc venir soit du grattoir, soit de la façon dont on l'avait raccordé. Après avoir passé une heure frustrante à démonter et remonter l'ensemble, Frank se pencha sur la machine et lui murmura: «*Tu madre chingada puta*», jeta autour de lui un ou deux regards, puis flanqua à la saloperie un coup de pied passablement sournois. Comme revenant abruptement à elle, la machine frissonna, se mit en branle, et le grattoir cylindrique commença à tourner. Un des Indiens ouvrit la valve du réservoir et les cerises commencèrent à se déverser en un flot vermeil d'à peu près la même texture que des haricots rouges, pour ressortir sous forme de pulpe mélangée aux grains encore protégés par leur enveloppe, prêts pour les prochaines étapes de lavage et de brassage.

Il y avait bien sûr d'autres problèmes avec les machines qui brassaient, séchaient, roulaient, frottaient et vannaient, mais au cours des quinze jours qui suivirent Frank se familiarisa avec les arbres, les embrayages et les divers réglages de ce cauchemar mécanique que Günther continuait à appeler «l'avenir du café», allant même jusqu'à retenir un ou deux termes techniques en allemand. La récolte du café se déroula finalement sans incident, et les gros sacs de toile contenant les grains purent être confiés aux revendeurs.

Dehors, la tempête politique faisait rage, et s'engouffrait de temps en temps par la fenêtre. Parmi les migrants travaillant sur la propriété, nombreux étaient des juchitecos qui tiraient leur inspiration de Zapata ainsi que du martyr Che Gómez. À la fin de l'automne, les Indiens Chamulas qui se battaient pour San Cristobal alors en vaine rébellion contre Tuxtla commencèrent à revenir avec des oreilles en moins – le châtiment infligé à ceux qui avaient perdu la récente bataille de Chiapa de Corzo. Frank en dénicha deux qui étaient disposés à apprendre le métier, et très vite ils s'occupèrent de la plupart des tâches techniques, laissant à Frank plus de temps pour se détendre en ville, même s'il ne savait pas trop ce qu'il advenait quand ils restaient dans l'ombre, car si étranges qu'aient été les Tarahumaras ils auraient pu passer pour des professeurs en métallurgie auprès de certaines tribus du Chiapas. Il y avait là-bas des nains et des géants, et des *brujos* qui prenaient la forme de chats sauvages ou de ragondins ou d'eux-mêmes multipliés par dix. Frank avait assisté à la chose, ou le croyait.

Dans cette partie précise de la côte Pacifique, Tapachula était *la* ville – si vous aviez envie de vous détendre ou de faire la bringue ou les deux en même temps, vous alliez à Tapachula. Frank aimait se rendre dans une *cantina* appelée El Quetzal Dormido, pour y boire du cognac à l'agave de Comitán ou bien la boisson locale, horrible au début puis au bout d'un moment plutôt intéressante, qu'ils appelaient *pox*, et danser avec une fille du nom de Melpómene, ou lui allumer ses cigares. Melpómene avait délaissé les ruines et les lucioles de Palenque, d'abord pour s'installer à Tuxtla Gutiérrez, puis, forte de cet instinct citadin qu'ont certains jeunes pour savoir où l'on peut dépenser de l'argent le plus inconsidérément possible quelle que soit la saison, à Tapachula, où l'on trouvait du cacao, du café, du caoutchouc et des plantations de bananiers, ce qui fait que la ville grouillait toujours de cueilleurs, de secoueurs d'arbres, de pépiniéristes, des vanneurs de haricots, des *guayuleros*, et de conducteurs de centrifugeuse, aucun ne se distinguant par sa modération.

Melpómene parla à Frank des énormes scarabées luisants appelés *cucuji*. Chaque nuit dans la campagne entourant Palenque, illuminant les kilomètres de ruines dissimulées dans la jungle, on en voyait des millions, brillant d'un tel éclat qu'on pouvait lire le journal à la lueur d'un seul, tandis qu'une demi-douzaine parvenaient à éclairer tout un pâté de maisons. «C'est en tout cas ce que m'a dit un jour un *tinterillo*», en souriant derrière la fumée de son Sin Rival. «Je n'ai jamais appris à lire, mais je possède un arbre plein de *cucuji* dans mon jardin. Viens.» Elle le fit sortir par-derrière et emprunta une allée pavée qui donnait sur un sentier. Aussitôt, devant eux, au-dessus de la cime des arbres, brilla une lumière jaune et verdâtre, qui palpitait doucement. «Ils me sentent», dit-elle. Ils arrivèrent alors au pied d'un figuier, occupé par plusieurs milliers de ces gros insectes lumineux qui dégageaient un éclat intense puis s'éteignaient, par intermittence, en parfaite harmonie. Frank s'aperçut que s'il fixait trop longtemps l'arbre, il finissait par perdre toute notion d'échelle et avait l'impression d'être happé par une grande ville, comme Denver ou la capitale mexicaine, la nuit. Des ombres, des profondeurs...

Melpómene lui expliqua comment les Indiennes de Palenque les capturaient et les apprivoisaient, leur donnant des noms auxquels ils apprenaient à répondre, les mettant dans de petites cages dont elles pouvaient se servir la nuit telles des lampes, en disposant parfois dans leurs cheveux sous des voiles transparents. Les nuits étaient peuplées de femmes luminifères, qui se repéraient dans la forêt comme en plein jour.

«Ces bestioles-ci ont-elles des noms?»

«La plupart», avec un regard lui interdisant toute moquerie. «Il y en a même un qui porte ton nom, si ça te dit de le rencontrer. Pancho!»

Un des fragments lumineux se détacha de l'arbre et vola vers la fille, se posant sur son poignet tel un faucon. Quand la rue s'éteignit, Pancho aussi. «*Bueno*», dit-elle tout bas à l'insecte, «ne fais pas attention aux autres. Je veux que tu t'allumes uniquement quand je te le dirai. Maintenant.» Obligeamment, l'insecte s'alluma. «*Ahora, apágate*», et de nouveau Pancho obéit.

Frank regarda Pancho. Pancho le regarda à son tour, mais il était impossible de savoir ce qu'il voyait.

Il n'aurait su dire quand exactement, mais Frank finit par comprendre que ce porteur de lumière était son âme, et que toutes les lucioles dans l'arbre étaient les âmes de tous ceux qui avaient jamais traversé cette vie, même de loin, même le temps d'un infime battement de cœur, et qu'il existait ici un arbre semblable pour chaque personne au Chiapas, et bien qu'il en découlât que la même âme devait vivre sur un certain nombre d'arbres, les âmes finissaient par en composer une seule, de la même façon que la lumière était indivisible. «De la même façon», développa Günther, «que notre Sauveur a pu déclarer à ses disciples d'un air impavide que le pain et le vin étaient indifférenciables de son corps et de son sang. Quoi qu'il en soit, la lumière, chez ces Indiens du Chiapas, occupe une place analogue à la chair chez les peuples chrétiens. C'est un *tissu vivant*. Tout comme le cerveau est l'expression apparente et visible de l'Esprit.»

«Trop allemand pour moi», marmonna Frank.

«Réfléchis – comment se fait-il qu'ils s'allument et s'éteignent tous en même temps?»

«Une bonne vue, d'excellents réflexes?»

«C'est possible. Mais rappelle-toi qu'il existe des tribus là-haut dans ces montagnes qui sont réputées pour envoyer régulièrement des messages à des centaines de kilomètres, *instantanément*. Non à la vitesse finie de la lumière, comprends-moi bien, mais à un intervalle de temps égal à *zéro*.»

«J'croyais que c'était impossible», dit Frank. «Même le télégraphe sans fil prend un peu de temps.»

«La relativité restreinte n'a guère de sens au Chiapas. Peut-être que la télépathie existe vraiment, après tout.»

Peut-être. Frank voulut aborder la question avec Melpómene quand il retourna au Quetzal Dormido, mais elle fut plus rapide.

«Il y aura une petite perturbation ce soir», dit-elle.

«*Caray*, ton *novio* est de retour en ville!»

Elle projeta sa cendre de cigare vers lui. «C'est encore ces mazatecos. Ils sont toute une bande et se préparent à l'instant même à débarquer ici. Ils devraient arriver peu après minuit.»

«Mazatán, c'est à vingt kilomètres d'ici. Comment sais-tu ce qui se passe là-bas "à l'instant même"?»

Elle sourit et se tapota doucement le milieu du front.

Vers minuit, on entendit des beuglements, des explosions et quelques détonations, venant de l'ouest. «*¿Qué es este* bordel?» demanda Frank, un peu ensommeillé, «Oh, pardon, *querida*, je voulais dire *¿Qué el chingar?* bien sûr.»

Melpómene haussa les épaules. Frank regarda par la fenêtre. Des mazatecos sans aucun doute, méditant quelque mauvais coup.

Pour les experts politiques, le ressentiment exprimé régulièrement par Mazatán contre Tapachula était une forme de rébellion «vázquista», même si les gens considéraient davantage la chose comme des joutes entre villages ayant toujours existé au Chiapas et ce bien avant que les Espagnols débarquent. Ces derniers temps, encouragés probablement par le climat de guerre civile, des éléments de Mazatán avaient passé des jours et des nuits à ourdir des plans d'attaque contre Tapachula, afin de vider le contenu des deux banques en ville, et de tuer le *jefe* local. Mais leurs plans ne prenaient jamais en compte les milices de Tapachula, qui les attendaient toujours, les pourchassaient parfois jusqu'à Mazatán, et occupaient la ville pour ajouter à l'humiliation. «Presque comme s'ils savaient à l'avance. Mais qui les prévient? Toi? Et qui te renseigne?» interrogea Frank.

Ce qui lui valut un sourire énigmatique et c'est tout. Mais Günther avait réfléchi à la question.

«C'est comme l'échange téléphonique», déclara-t-il. «Pas même "comme" – *c'est* l'échange téléphonique. Un réseau d'Indiens en communication télépathique. Qui ne semble pas être sensible à la distance. Peu importe la distance à laquelle ils se trouvent, l'unique et vaste organisme demeure intact, cohérent, connecté.»

L'hiver arriva sur le calendrier, mais pas dans la *tierra caliente*. Un phénomène comme un raccourcissement des jours, une défection de la lumière solaire, se produisit dans tous les esprits du *cafetal*. Quelque chose s'approchait. Les Indiens se dévisagèrent bizarrement entre eux et évitèrent le regard des autres.

Un soir où Frank était assis près du figuier de Melpómene, à regarder les *cucuji* faire leur spectacle, il entra en transe, un peu comme on s'assoupit, mais sans *hikuli* cette fois-ci, et se retrouva dans la même version de l'ancien Tenochtitlán où l'avait autrefois conduit le cactus d'El Espinero.

Sa mission était une question de vie et de mort, mais curieusement on lui en avait caché les détails. Il savait qu'il devait se rendre dans une partie de la ville inconnue de la plupart de ses habitants. La première étape consistait à passer sous une arche cérémonielle – qui, il le comprit, serait un jour dissimulée, de même que les Espagnols avaient jadis dissimulé toutes les structures aztèques de Tenochtitlán. L'arche était en calcaire pâle, avec une sculpture triomphale au sommet, une figure sinistre, tout en courbes, tresses, ailes, draperie, debout sur un chariot. Il reconnut le visage d'or de l'Ange de la Quatrième Glorieta de Reforma, mais comprit que c'était là un ange différent. En sa qualité de portail, l'édifice semblait séparer deux parties de la Ville, aussi incommensurables que la vie et la mort. Quand «Frank» passa dessous, l'arche se nimba d'une lueur spectrale et parut croître en hauteur et gagner en consistance.

Il se retrouva dans une partie de la ville où la sauvagerie prédominait et où la pitié était inconnue. Les personnes qu'il croisait, vêtues de tuniques, le fixaient avec une sorte de haine inquisitrice. On entendait des tirs d'artillerie et des détonations, certaines proches, d'autres plus distantes. Les murs étaient éclaboussés de sang. Il y avait dans l'air une odeur de cadavres, d'essence et de chair calcinée. Frank mourait d'envie de fumer une cigarette mais il n'en avait plus. Il se retourna pour regarder l'arche mais celle-ci avait disparu. De temps en temps, un passant jetait un coup d'œil effrayé vers le ciel, poussait un cri ou allait s'abriter en courant, mais quand Frank levait les yeux, il ne voyait rien d'autre qu'une ombre qui venait du nord, annonciatrice d'une tempête, occultant de plus en plus la voûte étoilée. Il savait ce que c'était, mais il ne parvenait plus à mettre un nom dessus.

Il arriva aux abords d'une grande place, qui se perdait dans les ombres alentour, quasiment déserte, sise entre deux bâtiments officiels mais anonymes, aux façades en *tezontle* et *tepetate* volcanique – les deux monuments, malgré leurs dimensions modestes et leur illisibilité émotionnelle, étaient aussi intimidants, et dotés peut-être des mêmes intentions cruelles, que les pyramides pourtant plus anciennes de la vallée. On entendait maintenant des tirs, plus ou moins nourris, et Frank ne voyait pas comment s'en sortir. Aucune des deux structures énigmatiques n'offrait le moindre abri. Il entrevit les sombres heures qu'il allait devoir passer ici, en attendant que les coqs chantent et que le ciel se teinte à nouveau de vagues lueurs, lui révélant alors les silhouettes, sur les toits irréguliers, de tireurs embusqués probablement depuis le début.

Quand il retourna au monde indicatif, Melpómene avait des nouvelles de la capitale concernant le coup d'État de Huerta, et il comprit alors que les deux mystérieux bâtiments dans sa vision avaient été le Palais présidentiel, où Madero s'était réfugié avec les hommes qui lui restaient fidèles, et l'arsenal connu sous le nom de Ciudadela, situé à deux kilomètres à l'ouest, où les rebelles menés par Félix Díaz, le neveu de Porfirio Díaz, s'étaient retranchés. Entre les deux s'étendait le centre-ville, terrain d'affrontements qui feraient des milliers de morts et dureraient dix jours en ce mois de février, qu'on appellerait la Decena Trágica. L'ombre qui planait dans le ciel, depuis des siècles à la poursuite des Aztèques et de leurs descendants, en fuite vers le Sud, ayant enfin achevé sa course au-dessus de la vallée du Mexique, au-dessus de la capitale, partie de l'est et du Zócalo pour s'amasser au-dessus du pénitencier surnommé « *el palacio blanco* », se condensant enfin dans les balles de calibre .38 qui tueraient Madero et Pino Suárez et mettraient Huerta au pouvoir, malgré la lente et terrible lutte, et la foi égarée de la population, avait finalement laissé le serpent l'emporter.

N'ayant aucune envie de s'attarder pour découvrir à combien le nouveau régime avait mis sa tête à prix, Frank monta à Veracruz à bord d'un bateau transportant du café, dissimulé dans la cale sous plusieurs sacs de marchandises. Le temps qu'il arrive à Corpus Christi, il était tellement excité à force de respirer de la poussière de café qu'il était prêt à rentrer à Denver au pas de course. «Reste au Texas», le supplia une danseuse de fandango du nom de Chiquita alors qu'il traversait San Antonio à toute vitesse.

«Chérie en temps normal ça serait avec plaisir puisque le Mexique qui était naguère mon autre patrie *mi otra tierra* comme on dit là-bas m'a fait vraiment réfléchir à San Antonio foyer de l'Alamo berceau de l'indépendance du Texas pas la peine d'entrer dans les détails et de chercher à savoir qui a volé quoi à qui je suis sûr que tu comprendras vu que tôt ou tard quelqu'un dans un saloon abordera la question peut-être juste un regard coulé dans le miroir là derrière mais déjà une promesse d'affaires conclues dans un avenir proche pouvant aller du prix d'une bière à celui d'une de nos deux vies n'est-ce pas...» et là-dessus il franchit le seuil et se trouva déjà à mi-chemin de San Angelo.

À peine arrivé à Denver, il se rendit à la banque pour voir si une partie de l'argent qu'il avait envoyé avait réussi à quitter le Mexique et il eut la surprise de découvrir qu'une coquette somme l'attendait sur son compte. En plus du salaire payé par Günther et d'une ou deux commissions, il y avait les dix dollars par jour que les gens de Madero lui avaient versés en or en 1911 à Chihuahua, avec apparemment un bonus à vous faire tomber de cheval. C'était la première fois qu'il avait conscience d'être payé pour sa stupidité. Y avait-il là le moindre avenir?

Frank se trouvait dans un bar de la Dix-Septième Rue quand, ô surprise, il tomba sur le Dr Willis Turnstone – l'ancien galant éconduit de Lake, sa sœur – qui sortait juste de son boulot de nuit à l'hôpital du coin.

«J'vois que tu t'appuies plus sur une jambe que sur l'autre», dit le médecin au bout d'un moment.

Frank lui raconta ce qui s'était passé. «Tu peux faire quelque chose?»

«Si je ne peux pas, mon collègue, lui, devrait pouvoir. Ces Chinois, ça vous soigne tout en vous plantant des aiguilles en or dans le corps. Vous restez là, pareil à un porc-épic, et juste après vous allez danser le fox-trot toute la nuit.»

«Des aiguilles. Faut que je réfléchisse.»

«Voici notre carte. Je suis juste au bout de la rue, passe un de ces quatre et on y jettera un coup d'œil.»

Après quelques tournées, le Doc dit: «T'as remarqué que j'ai pas une seule fois posé de question sur ta sœur.»

«J'apprécie. Je suppose que tu t'en es remis. J'aimerais pouvoir en dire autant.»

«Remis, et comment! Je suis fiancé au plus parfait des anges. Je ne saurais même pas te la décrire. Oh Frank, elle est adorable en tout point. Mère, muse et maîtresse, les trois en une, tu te rends compte ? Bien sûr que tu peux pas en dire autant. Dis donc, tu m'as l'air un peu à cran, tout d'un coup. »

« Y a pas un crachoir où je pourrais vomir ? »

« Pas possible ici, c'est interdit par le règlement. »

Le bureau de Doc Turnstone était à quelques rues du Mercy Hospital, et situé au troisième étage. « Mort aux simulateurs ! » ricana son associé le Dr Zhao. « Montrez-moi votre langue. Aha. » Il prit les deux poignets de Frank et étudia un moment diverses pulsations. « Depuis combien de temps êtes-vous enceinte ? »

« Comment ça ? »

« Je plaisantais ! »

La porte s'ouvrit et apparut une jeune femme avec un de ces chapeaux en velours foncé qu'on voyait de plus en plus sur toutes les têtes en ville. « Salut, chéri, es-tu — Ahh ! Toi ! »

« Pas moi », gazouilla le Dr Zhao. « Ton fiancé a dû partir en consultation. Oh ! Tu veux parler de ce patient-là ! »

« Salut, Wren. Ça te dérange si je me lève pas tout de suite ? » Toutes ces aiguilles avaient dû avoir un certain effet sur Frank. En temps normal, un homme aurait eu le cœur brisé voire carrément écrabouillé en entendant un de ses anciens béguins appeler un autre homme « chéri », qui plus est un médecin. Mais au lieu de ça, Frank obéit à un étrange réflexe citadin et se dit : Tiens, tiens, Wren et le Doc, me demande comment tout ça va tourner, et cætera.

« Frank, j'espère que tu n'es pas — »

Il avait toujours apprécié cette maladresse bas-bleu chez elle… comme si la jalousie était uniquement du ressort des personnages de roman. En revanche, confronté à ce sentiment dans la réalité, on était franchement démuni… « Dis-moi », fit-il, un peu groggy, « comment vous avez fait pour vous rencontrer, les tourtereaux ? »

« Faut que j'aille préparer quelques herbes chinoises », marmonna le Dr Zhao. « Je laisse la porte ouverte. Pas d'entourloupe ! »

« Je suis rentrée aux États-Unis », dit Wren, « je suis allée à l'hôpital pour passer un examen médical qu'exigeaient les assurances de Harvard, il se trouvait que Willis était de garde, on a pris le même couloir, on s'est regardés, et… »

« ¡ *Epa !* » suggéra Frank. Il avait entendu parler du phénomène mais ne l'avait jamais vu à l'œuvre.

Wren haussa les épaules, comme une victime impuissante du Destin. «Willis est un brave type», dit-elle. «Tu verras. Il connaît également ton amie Estrella. Ils sont embringués dans un truc mystérieux tout là-bas, dans le pays minier.»

Et ça ne manqua pas, elle se mit à parler. Les nantis, maudite soit leur âme s'ils en avaient une, remettaient ça, cette fois-ci dans le sud du Colorado, où c'était du charbon et non de l'or qu'allaient chercher en sous-sol les mineurs au risque de leur vie et de leur santé, des mineurs qui venaient souvent d'Autriche-Hongrie et des Balkans plus que des Cornouailles ou de Finlande. Depuis septembre dernier, le syndicat des mineurs avait lancé une grève contre ce géant du pétrole et de l'acier qu'était la Colorado Rockefeller Company – depuis novembre, la loi martiale avait été décrétée dans le gisement de Trinidad. Les deux camps possédaient des tas de fusils, et la Garde nationale avait des mitraillettes. Les tirs et les escarmouches avaient été presque constants, quand les conditions météo le permettaient – cet hiver-là, les tempêtes furent particulièrement rudes, même pour le Colorado. Les familles expulsées passèrent tout l'hiver dans des tentes en dehors de Ludlow et de Walsenburg. Stray s'y était rendue au début de la grève et avait emménagé là-bas courant décembre, contre l'avis de tous ceux qui se souciaient d'elle.

«Ce qui fait une sacrée quantité de personnes», dit Doc Turnstone.

«Ça t'embêterait de me dire ce qu'elle fabrique là-bas?»

«Il s'est formé une sorte de plexus informel, et des tas de gens s'efforcent d'aider les grévistes à s'en sortir. Nourriture, médicaments, munitions, soins. Rien que des volontaires. Personne ne fait de profit ou ne touche de salaire, et on ne vous remercie même pas.»

«Ça me rappelle le Mexique.»

«T'as eu plus que ta dose de ce côté-là, à ce que je vois.»

«Oh que non. Et en plus vous m'avez réparé la jambe.»

«Il se trouve qu'un petit convoi se rend à Walsenburg, et ils manquent de bras.»

«J'y vais.»

«Un de tes vieux associés sera là-bas aussi. Ewball Oust...»

«Chouette. C'est vraiment ma semaine, non?»

Ils se retrouvèrent, comme prévu, à Pagosa Springs. «Alors comment elle va, cette jambe?» dit Ewball.

«Elle est encore capable de flanquer des coups dès qu'un type du Nord s'approche trop», dit Frank en regardant vaguement dans la direction du pénis de Ewball. «Et comment va ta troisième jambe, ou c'est indiscret de te poser la question?»

Si Ewball avait espéré ne pas aborder le sujet de Stray, il n'en montra rien. «Oh» – feignant d'inspecter un canon avec un défaut sur un des chargements – «une grosse erreur de plus de ma part, je suppose. J'aurais jamais dû me mêler de ce qui me regardait pas.»

«"Ça paraissait une bonne idée à l'époque."»

«Voilà que tu recommences. Mais maintenant elle est toute à toi, collègue.» Ewball tapa vaguement du pied par terre, puis ajouta: «Elle a toujours été à toi.»

«Tu me l'apprends, Ewb.» Mais qui, en dehors de Stray elle-même, le saurait mieux que Ewb ici présent? Quoi qu'il en soit, ça fit réfléchir Frank.

Tout en s'efforçant d'éviter les gardiens de mine, les membres du K.K.K., les flics de la Compagnie et autres vermines du même genre, ils se joignirent au petit convoi, des mules et des chariots qui passaient par le col de Wolf Creek, puis traversèrent la vallée de San Luis. Ils dormirent peu, car il y avait sûrement des cavaliers à leurs trousses, même si la lune décroissait.

«Encore un truc que tu dois savoir», dit Ewball en touillant pensivement le marc dans la cafetière avec son thermomètre volé au Corps des Transmissions dont il aimait se servir pour atteindre la bonne température.

Frank ronchonna. «Qui, encore, bordel?»

«Ta mère. Elle est à Denver, et travaille pour les pro —»

«Ben si c'est pas le pompon.» La réponse attendue aurait été plutôt du style: «J'croyais que la tienne bossait dans le quartier des putes», mais le temps des grasses plaisanteries était passé.

«— et Stray et elle ont eu une chouette et longue conversation, apparemment.»

«T'as emmené Estrella chez tes parents.»

«Elle avait pas envie, j'aurais dû me méfier.»

«T'aurais dû surveiller tes arrières, Ewb, c'est encore cette fièvre bourgeoise qui te joue des tours.»

«Tout ça c'est du passé maintenant. Oui vraiment, vraiment fini. Et y a autre chose concernant Stray... Est-ce que je t'ai dit —»

«Ewb.»

Et presque sans prévenir, le soleil réapparut dans le ciel et le café fut froid après cette longue nuit.

Traverser le bassin de San Luis ne fut pas de tout repos. Au loin, des cavaliers dont les chapeaux, les longs manteaux et les montures se fondaient avec le terrain faisaient de temps à autre une apparition, filant au grand galop sur la plaine sans arbre, chacun se rendant dans une direction légèrement différente, certains portant des vêtements noirs qui se détachaient sur le paysage couleur cendre, ce qui n'était pas très malin car n'importe qui posté sur une éminence finirait tôt ou tard par ne pas résister à considérer ces cavaliers comme des cibles mouvantes. Ce qui serait le sort des plus aventuriers d'entre eux, avides de parier contre le vent, la précision des tireurs et la vélocité des munitions, ou tablant simplement sur le fait que les corniches étaient bien trop éloignées – tout ça pour la fameuse exaltation qu'on éprouve quand on vous tire dessus et qu'on vous rate.

On voyait moins d'allées et venues dans la région qu'autrefois, car les événements prenaient une tournure inquiétante. Et s'il n'était plus possible de se fier au télégraphe, il fallait quand même que les messages arrivent à destination. Et faire en sorte que Winchester, Remington et Savage se retrouvent entre les bonnes mains. Des personnalités, désireuses d'éviter le Denver & Rio Grande où grouillaient les agents de Pinkerton, devaient être escortées sur ces pistes à découvert.

Le soulagement fut général quand ils eurent dépassé Fort Garland et quitté les plaines pour s'aventurer de nouveau dans les hauteurs. Le convoi gravit le Sangre de Cristo puis franchit le col de North La Veta, sous un ciel bas couleur acier, occupé par d'énormes nuages violets filetés de jaune – les Pics espagnols se dressaient devant eux à l'autre bout de la vallée, et les monts enneigés de Culebra s'estompaient au sud. À leurs pieds, bientôt, après un coude de la piste, apparurent les premiers toits de Walsenburg, le sol désormais plus meuble, et au-delà, retranché et désolé, le pays minier.

Scarsdale Vibe faisait un discours devant les membres du comté de Las Animas et du Comté de Huerfano Ensemble contre l'Union des Rebelles Syndiqués (L.A.C.H.E.U.R.S.), qui s'étaient réunis dans le casino d'une station thermale sise non loin de la ligne de partage des montagnes Rocheuses. D'immenses fenêtres révélaient et encadraient un paysage montagneux ressemblant à des cartes postales colorées par une équipe légèrement daltonienne qu'on aurait fait venir de très loin. L'assistance se composait essentiellement de Blancs américains, visiblement aisés – des vacanciers venus de l'Est et même au-delà, bien qu'un observateur croyant reconnaître parmi eux certains visages entrevus dans les bars des grands hôtels de Denver, voire dans la partie mal famée d'Arapahoe, ne se serait guère trompé.

La soirée était avancée, les dames s'étaient retirées depuis longtemps, et avec elles le besoin de recourir aux euphémismes.

«Alors oui bien sûr qu'on se sert d'eux», déclara Scarsdale, déjà très remonté, «on les exploite et on les sodomise, on photographie leur déchéance, on les fout dans des trains et on les balance au fond des mines et des égouts et des abattoirs, on leur refile des tâches inhumaines, on récolte leurs muscles, leur vue et leur santé, et dans notre bonté on leur laisse quelques années de pathétique cueillette. Bien sûr qu'on fait ça. Pourquoi on le ferait pas? Ils sont bons qu'à ça. Quelles chances ont-ils d'arriver à maturité, de s'instruire, d'engendrer des familles, de travailler à l'avancement de la culture ou de la race? Nous prenons ce que nous pouvons tant qu'on le peut. Regardez-les – ils portent la marque de leur absurde destin en pleine face. La partie de chaises musicales est sur le point de s'arrêter, et ce sont eux qui vont se faire surprendre, bêtement, comme des benêts qu'ils sont, pas la moindre jugeote, pas assez en tout cas pour s'éclipser et se mettre à l'abri avant qu'il soit trop tard. Pas sûr de toute façon qu'il y ait encore le moindre abri.

«Nous allons tout racheter» – faisant le grand geste attendu – «tout ce pays. L'argent est roi, la terre sa vassale, et là où rôdait l'anarchiste, où complotait le voleur de chevaux, nous autres pêcheurs d'Américains jetterons nos filets aux mailles parfaites et à l'épreuve des vermines, pour bâtir. Là où les bouseux et les empotés rampaient après leurs rêves pathétiques, les braves villageois des plaines débouleront par nasses entières dans ces collines, propres, industrieux, chrétiens, ils admireront leurs petits bungalows de vacances, se prélasseront dans des palaces de luxe dignes de notre station, qu'ils paieront pour nous avec leurs hypothèques. Quand les cicatrices de ces batailles seront refermées depuis longtemps, et que les terrils auront disparu sous l'herbe à bouquets et les fleurs sauvages, quand l'arrivée des neiges ne sera plus la malédiction de l'année mais sa bénédiction, guettée avidement pour son afflux d'amateurs aisés de loisirs hivernaux, quand les câbles luisants des téléphériques auront conquis chaque paroi rocheuse, et que tout ne sera plus que festival, sport salutaire et troupeaux eugéniquement sélectionnés, qui sera encore là pour se souvenir de la lie jacassière des syndicalistes, des cadavres gelés dont les noms, par ailleurs faux, se seront volatilisés à jamais et sans laisser de trace ? Qui se souciera qu'un jour des hommes se sont battus comme si une journée de huit heures, quelques pièces de plus en fin de semaine comptaient plus que tout, valaient le vent impitoyable sous le toit branlant, les larmes gelées sur le visage d'une femme en proie à une stupeur indienne prématurée, les plaintes des enfants dont les braillements n'étaient jamais satisfaits, dont l'avenir, pour ceux qui survivaient, a toujours consisté à s'échiner pour nous, à faire nos courses et nous nourrir et nous soigner, à surveiller les lointaines clôtures de nos propriétés, à s'interposer entre nous et les intrus ou les curieux ? » Il aurait été bien avisé de jeter un regard à Foley, tapi dans les ombres et tout ouïe. Mais Scarsdale ne chercha pas à croiser le regard de son vieil et fidèle acolyte. Ça lui arrivait d'ailleurs de plus en plus rarement. « L'anarchisme passera, sa race dégénérera, mais l'argent engendrera l'argent, poussera telles des campanules dans les champs, s'étendra, brillera et se consolidera, et abattra tout devant lui. C'est simple. C'est inévitable. Ça a commencé. »

Le lendemain, dans le Mastodonte, son train privé, Scarsdale redescendit degré par degré des royaumes de la théorie pour retrouver les dures réalités hivernales de Trinidad, voir à quoi ça ressemblait sur le terrain, et regarder en face le monstre anticapitaliste. Il se voyait du côté de la pratique, non de la théorie, et il n'avait jamais bronché devant « le monde réel », ainsi qu'il aimait à l'appeler.

En route pour le gisement de Trinidad, Scarsdale arpentait tranquillement le train quand il ouvrit une porte et là, dans le vestibule, se dressait… un Être, bien plus grand que lui, le visage horriblement rongé comme s'il avait brûlé en surface, ses traits pas exactement là où ils auraient dû être. Le genre de présence malveillante qui lui avait déjà causé une peur dont il savait ne pouvoir émerger avec sa volonté intacte. Mais il n'éprouva cette fois-ci que de la curiosité. Il croisa le regard de l'inconnu, leva un index comme s'il allait parler, mais l'homme passait devant lui et s'éloigna dans la travée. « Attendez », Scarsdale, intrigué, « je voulais vous parler, fumer un cigare, socialiser un peu. »

« Pas maintenant, j'ai à faire. » L'accent n'était pas américain, mais le magnat ne le remettait pas. Puis l'apparition disparut, le laissant perplexe devant sa propre absence de peur, incapable d'imaginer que cette visite ne lui était pas destinée, ne visait pas, comme toujours, sa destruction. À qui d'autre pouvait-il en vouloir à ce stade, au stade où en étaient les choses ?

Foley arriva en clignant des yeux, réveillé par quelque chose qu'il était le seul à entendre.

« Il y avait quelqu'un dans le Mastodonte qui n'était pas censé être là », lui dit Scarsdale.

« J'ai passé l'endroit en revue une douzaine de fois », dit Foley.

« Ça n'a pas d'importance, Foley, tout est entre les mains de Jésus, n'est-ce pas ? Ça pourrait se produire n'importe quand, en fait, et pour vous dire la vérité, j'ai hâte de figurer parmi les morts malveillants. »

Foley savait exactement ce que ça signifiait. Sur les champs de bataille après l'engagement, quand le sol était jonché de boulets de canon, il avait tenu compagnie aux milliers de fantômes, tous rongés par le ressentiment, errant ou postés devant les grilles des cimetières, les corps de ferme abandonnés, là où des survivants à moitié fous risquaient sûrement de les voir, sans trop savoir, pour certains, de quel côté de la ligne indistincte ils marchaient… Pas le genre de compagnie que lui aurait choisi. Au début, il voyait dans cette envie d'être l'un d'eux une preuve de naïveté civile. Mais il s'aperçut très vite que Scarsdale les comprenait mieux que lui.

Après avoir livré le matériel à Walsenburg, Frank et Ewball allèrent voir à Trinidad de quoi il retournait. Il y avait des réservistes partout, des jeunes hommes à l'air triste en uniforme sale et déchiré, mal rasés, insomniaques, prenant n'importe quel prétexte pour harceler les grévistes, lesquels étaient grecs et bulgares, serbes et croates, monténégrins et italiens. « En Europe », expliqua Ewball, « ils passent leur temps à s'entre-tuer pour des raisons politiques confuses auxquelles personne n'entend vraiment rien. Mais dès qu'ils mettent le pied ici, t'as même pas le temps de dire "salut" qu'ils oublient toutes ces haines anciennes, aussitôt, et deviennent copains comme cochons, car ils comprennent tout de suite ce qui se passe ici. »

Ils continuaient d'affluer en pays minier, et les propriétaires faisaient courir des histoires, parlaient des tireurs d'élite de la guerre des Balkans, des combattants des montagnes grecs, des Serbes avec un penchant pour la cruauté, de Bulgares enclins à d'innommables pratiques sexuelles, toutes ces races étrangères qui débarquaient ici et pourrissaient la vie des pauvres nantis innocents, qui essayaient juste de se débrouiller comme tout un chacun. Si certains de ces immigrants avaient déjà assisté à des actions militaires là-bas, pourquoi venir ici, jusque dans ces cañons oubliés de Dieu ? Ce n'était pas pour trois dollars par jour – on pouvait gagner plus dans les grandes villes –, ce n'était sûrement pas pour les explosions, les effondrements de galeries et les maladies des poumons, pour le plaisir de vivre moins longtemps en creusant la roche afin qu'un patron puisse prospérer – alors pourquoi venir ici plutôt qu'ailleurs ? La seule explication qui paraissait sensée à Ewball, lequel s'était comporté de plus en plus bizarrement à mesure qu'il approchait de Trinidad, c'était que certains d'entre eux étaient déjà morts, victimes des combats dans les Balkans.

« Pour les morts intranquilles, la géographie ne compte pas, tout n'est qu'affaires en suspens, partout des comptes à arrêter, ces types des Balkans ne connaissent que la vengeance, dans les deux sens, les familles contre les familles, c'est sans fin, et au final on se retrouve avec une population de fantômes balkaniques, abattus par balle quelque part dans les montagnes bulgares ou ailleurs, ils ne savent pas où ils sont, où ils vont, tout ce qu'ils sentent c'est *ce déséquilibre* – quelque chose ne va pas et il faut y remédier. Et puisque les distances ne comptent pas, ils apparaissent partout où ça se bat dans le même esprit, partout où on retrouve ces histoires de tuerie réciproque, ça pourrait être dans n'importe quel coin de Chine dont on n'a jamais entendu parler, et à la fois ça pourrait se passer à quelques rues d'ici, au fin fond des États-Unis. »

« Ewball, mon pote, tu causes comme un aliéné. »

À Trinidad, Frank remarqua un type sous le porche de l'Hôtel colombien, grand, sinistre, hâlé par le soleil et adossé au mur, qui regardait passer les véhicules avec une expression de mépris hautain.

« Pas le genre d'*hombre* avec lequel j'aimerais me frotter le cul », fit remarquer Frank.

« T'en es sûr ? »

«Hé oh, Ewb, c'est quoi cette expression?»

«Ce gentleman n'est autre que Foley Walker, le fidèle acolyte de ton vieil ami Scarsdale Vibe.»

«Ma foi, ça donne à réfléchir.» Frank abaissa le bord de son chapeau et réfléchit. «Ça veut dire que Vibe est en ville, lui aussi?»

«Faut bien que quelqu'un fasse la tournée des grands-ducs, s'assure que les nantis pètent pas un câble. Rockefeller a pas pu venir, mais le vieux Vibe adore ça comme une mouche la merde.»

Ils trouvèrent un saloon un peu plus loin dans la rue et y entrèrent. Ewball semblait la proie d'une impatience presque juvénile. «Alors?» dit-il enfin. «Alors? Tu vas faire ta deuxième encoche ou quoi?»

«Ça fera peut-être trois s'il faut s'occuper de Foley. Il est aussi méchant qu'il en a l'air?»

«Pire. On dit que Foley s'est converti sur le tard, du coup il peut être aussi méchant qu'il veut vu que Jésus arrive et qu'un humain ne peut rien faire de mal que Jésus ne puisse lui pardonner.»

«Mais tu vas rester dans les parages pour me couvrir, exact?»

«Dis donc, Frank, merci d'avoir pensé à moi.»

Ils descendirent au Toltec Hotel. Frank comprit qu'il lui faudrait pousser jusqu'à Ludlow pour retrouver Stray, mais pour l'instant la perspective de pouvoir enfin éliminer Vibe l'emportait sur tout le reste. Ils décidèrent de surveiller les allées et venues du magnat.

Alors qu'ils le filaient, ils crurent apercevoir rapidement la Mère Jones en personne, qu'on mettait dans un train quittant la ville, une scène comique sur le moment vu qu'elle ne cessait de revenir, ayant des amis parmi les ouvriers du rail sur toute la voie ferrée, qui la laissaient monter et descendre à sa guise. Ce que Frank remarqua chez cette dame aux cheveux blancs ce fut cette attitude désinvolte, ce goût de l'entourloupe qu'elle avait dû conserver et entretenir au fil des ans, malgré les nantis et ce que leurs zélateurs appelaient la «vie», comme s'ils avaient jamais su ce que c'était – protégée telle une enfant, l'enfant qu'elle avait été...

Une petite troupe de chiens descendit Main Street à toute vitesse, comme emportés par une tornade miniature. Ces derniers temps, il y avait plus de chiens en ville que quiconque pouvait se le rappeler. Comme si quelqu'un éprouvait le besoin impérieux de les chasser des cañons, où s'annonçaient des ennuis qu'ils n'avaient pas vraiment besoin de côtoyer.

Il y avait toujours des chambres dans ces stations, de taille modeste et au style dépouillé, des chambres d'amis, des antichambres où conclure leurs affaires mortelles, où les membres de leur clique pouvaient aller pour se préparer – des foyers pour artistes n'ayant pas de texte à mémoriser, des chapelles sans Dieu…

Après une surveillance attentive, Ewball décida que le meilleur moment pour s'occuper de Scarsdale serait juste après le déjeuner. «Il mange à l'hôtel, puis il se rend à pied avec Foley au bureau de la Compagnie, où ils passent l'après-midi à mijoter leurs sales coups. Il y a un petit espace entre les bâtiments où je peux me mettre en embuscade.»

«Toi?»

Soulevant ainsi la délicate question de qui allait tirer sur qui. «Ben il est pour toi si l'on s'en tient aux lois de la vengeance», dit Ewball, «enfin, si c'est ce que tu veux.»

«Pourquoi ne le voudrais-je pas?»

La fourberie s'était mise à suinter de Ewball au point de le saturer très vite: «Sais pas. Juste que Vibe risque d'être une cible vraiment facile – le danger viendra plutôt de Foley. Tout dépend de l'énergie que tu souhaites y consacrer.»

«Tu veux t'occuper de Vibe? et me laisser Foley? En ce cas tu as ma bénédiction Ewb, sans rancune, j'me fiche de ce que diront les gens après.»

«Comment ça, Frank?»

«Oh, tu sais, des trucs psychologiques, tout ça.» Frank remarqua que le sourire de Ewball n'avait plus rien, disons, d'affable. «Des comptes à régler, la figure du père, ce genre-là. Des pensées typiques de la côte Est, des conneries bien sûr.»

Ewball réfléchit une minute. «Tu sais quoi» – trouvant une pièce d'argent de vingt-cinq *cents* – «on va tirer à pile ou face, d'accord?»

Deux rangées de devantures se faisant face semblaient se fondre au bas de la route de terre escarpée. Passé les dernières bâtisses, on ne voyait plus rien à la surface de la rue, nul horizon, nulle campagne, aucun ciel d'hiver, juste une lueur intense emplissant le vide, un halo ou une gloire d'où n'importe quoi pouvait émerger, où n'importe quoi pouvait être absorbé, un portail de transfiguration argenté, tel que le verrait (on peut l'imaginer) un tireur déchu.

Frank décida d'emprunter un Peacemaker calibre .44 à Ewball au lieu de s'en remettre à son Smith & Wesson, qui avait besoin d'un nouveau ressort extracteur. Des années auparavant, alors que Reef et lui avaient laissé à Mayva le vieux Colt de confédéré de Webb, Frank avait pensé à emporter les cartouches qu'il contenait encore. Ces dernières avaient voyagé dans divers sacs de selle, poches de manteaux, sacoches et cartouchières, mais Frank n'en avait jamais utilisé, pas même pour Sloat Fresno, se disant qu'elles servaient juste à se souvenir de Webb. Il n'était cependant pas dupe – elles étaient destinées à Deuce, bien sûr. Mais à moins que ce petit reptile revienne sur le lieu du crime, quelles chances y avait-il pour que Frank ait un jour l'occasion de s'en servir?

Scarsdale Vibe ferait l'affaire – faute de mieux, mais inutile d'essayer d'expliquer ça à Ewb, qui n'avait aucune envie de descendre des étranges branches théoriques de la morale anarchiste. Frank se posta dans l'étroite et petite ruelle, entre la boutique d'un photographe et celle d'un grainetier, tandis que Ewball restait sur l'autre trottoir, guettant le ploutocrate qui avait décidé du sort de Webb Traverse dix ans plus tôt.

Ils passèrent si vite devant l'embouchure de la ruelle que Frank faillit les manquer. Il sortit derrière eux et dit: «Vibe.» Les deux hommes se retournèrent, Foley dégaina ce que Frank mit une minute à reconnaître comme étant un de ces Parabellum allemands, et cette minute suffit à l'informer qu'il se passait quelque chose. Ewball traversait la rue d'un pas tranquille, profitant du passage d'un chariot pour ne pas être vu, sa main gauche agrippant le canon de son arme en un geste évoquant presque la prière.

Même dans une ville grouillant d'anarchistes prêts au meurtre qui le haïssaient plus que Rockefeller, Scarsdale n'avait pas jugé utile de s'aventurer armé dans ces rues. De son ton autoritaire habituel, au moment même où il n'aurait pas dû l'adopter, il aboya: «Bon, vous les voyez aussi clairement que moi, Foley. Occupez-vous d'eux.» Là-dessus, d'un mouvement fluide comme s'il s'agissait là d'une corvée de plus, Foley s'écarta en pivotant, braqua le canon du Luger sur le cœur de son employeur et enclencha la première balle. Scarsdale Vibe le regarda, comme simplement curieux. «Seigneur, Foley…»

«Jésus est mon Dieu!» s'écria Foley et il pressa la détente, entreprenant de tirer les huit cartouches alors que la première avait largement réglé son problème. Comme revenu dans quelque ancestrale demeure après un long périple mouvementé, ce qui avait été Scarsdale Vibe s'écroula tête la première dans la rue recouverte de glace et de neige sales, dans l'odeur des chevaux et du crottin, où il ne bougea plus.

Foley contempla un moment le cadavre, tandis que les rares passants décampaient, certains pour aller chercher le marshal, d'autres pour se mettre à l'abri. «Oh et aussi ça», feignit-il de lui dire, son attitude étrangement enjouée.

Frank, ayant compté tous les coups, acquiesça. «Ben, monsieur.»

«J'espère que vous m'en voudrez pas, les gars, mais c'est aujourd'hui jour de paie, et j'étais bien avant vous dans la file d'attente.»

Un escadron de réservistes remontait la rue, et Frank et Ewball, ayant dissimulé leur revolver sous leur manteau, n'eurent guère de mal à se fondre dans la foule nerveuse de Trinidad. Foley attendit, d'humeur légère et patiente, regardant le sang de Scarsdale, presque noir dans la lumière hivernale, former lentement un contour liquide autour de lui.

« Franchement embarrassant », marmonna Ewball. « Comment je vais faire pour garder la tête haute, bordel ? »

« Tu voulais le tuer personnellement », supposa Frank.

« C'est pire que ça. » Il regarda attentivement Frank, comme s'il espérait qu'à ce stade de leur histoire celui-ci ferait preuve d'un talent de télépathe. « Il s'agissait d'un peu plus que de préparer le terrain », dit-il doucement.

« En ce qui me concerne, ça m'a amplement suffi », dit Frank, peu intéressé par les détails.

Stray était à Trinidad depuis un bout de temps quand elle entendit parler de la colonie de Ludlow. Les tentes étaient dressées depuis septembre de l'an dernier, date où avait commencé la grève. Des planchers avaient été ensuite installés, des latrines creusées, et l'on avait tiré une ligne téléphonique jusqu'au bureau du syndicat de Trinidad. Début octobre il y avait eu quelques échanges de tirs entre gardiens de mine et grévistes, puis les deux camps avaient commencé à stocker armes et munitions. L'hiver était arrivé. Les tirs avaient repris.

« Vous êtes sûre que vous ne préféreriez pas être en ville ? » dit Sœur Clementia.

« Laissez-moi me rendre là-bas avec le chariot », dit Stray, « je jetterai juste un coup d'œil. » Juste un. Mais elle savait déjà que sa place était là-bas. À peu près au moment où elle emménagea dans une des tentes, le gouverneur déclara la loi martiale, et bientôt près de mille soldats – infanterie, cavalerie, et réserve –, sous le commandement d'un laquais de la compagnie pétrolière, un certain John Chase qui s'était baptisé lui-même « Général », installèrent leurs camps de base en dehors de Trinidad et de Walsenburg.

Stray découvrit que la colonie possédait environ cent cinquante tentes et que neuf cents personnes y vivaient, surtout des familles, sauf pour les quartiers réservés aux célibataires, comme les Grecs, qui préféraient rester dans leur coin, et parler leur propre langue. Une famille venait juste de partir, et Stray prit la place vacante. Avant même la tombée de la nuit, elle était assise au chevet d'une petite Monténégrine fiévreuse âgée d'à peine trois ans, au nez croûteux, et tentait de lui faire avaler un peu de soupe.

Au matin, avec sa voisine Sabine, elle alla chercher des matelas dans une tente de l'autre côté de l'allée. Stray regarda en direction des hauteurs et vit des armes installées un peu partout.

«Ça me plaît pas», marmonna-t-elle. «Un vrai champ de tir, cet endroit.»

«Personne nous a encore tiré dessus», commenta Sabine, et c'est à peu près à ce moment que quelqu'un le fit.

Ce n'était pas que Stray se fût jamais considérée comme veinarde. Chaque fois qu'elle offrait une belle cible, les balles filaient près d'elle sans qu'aucune la touche, et elle s'habituait à la poussière qui sautait autour en petites giclées, au bruit des munitions sifflant après avoir rebondi. Au début, elle fut si secouée qu'elle lâcha ce qu'elle portait et courut se mettre à couvert. L'hiver s'installant, elle finit par traverser le camp, les bras chargés de pelles pour déblayer la neige, de couvertures, de poules vivantes, voire d'un gallon et demi de café chaud dans un pot en étain posé en équilibre sur sa tête, et ce sans rien renverser. Parfois, elle était presque certaine que les tireurs d'élite postés là-haut jouaient avec elle. Elle devina ceux qui en pinçaient pour elle à leurs tirs imprécis. Et voilà qu'un jour elle croisa vous savez qui?

«Salut, Maman.»

«Comment t'as fait pour venir jusqu'ici?»

«J'ai pris le Colorado & Southern. T'inquiète pas, ça m'a pas coûté un *cent*. Ravi de te voir moi aussi, Maman.»

«Jesse, c'est dingue. Tu n'as rien à faire ici. Willow et Holt ont besoin de toi là-bas.»

«Y a pas tant que ça à faire. Holt, Pascoe, Paloverde et moi on a abattu le plus gros avant même qu'il neige.»

«C'est dangereux ici.»

«Raison de plus pour que quelqu'un surveille tes arrières.»

«Tout comme ton père. Quand vous avez un truc en tête, impossible de vous en faire démordre.» Elle le dévisagea, quelque chose qu'elle faisait de plus en plus à mesure qu'il grandissait, dès qu'elle en avait l'occasion. «Comprends-moi bien, ce n'est pas que tu sois son portrait craché ou je ne sais quoi, en tout cas pas tout le temps, mais de temps en temps...»

Les projecteurs de la Compagnie installés au sommet des tours se mirent à balayer les tentes toute la nuit.

«Maman, ça me rend dingue. Ça m'empêche de dormir.»

«Avant tu détestais le noir.»

«J'étais un gamin.»

Les réservistes faisaient de la lumière une véritable arme. Éclairer l'ennemi avec des projecteurs vous permettait de le voir tout en l'aveuglant et vous donnait un avantage inestimable, à la fois tactique et psychologique. Pendant cet horrible hiver, l'obscurité était recherchée dans les tentes au même titre que la chaleur ou le calme. Elle finit par devenir une forme de compassion aux yeux de nombreux grévistes.

Finalement, un soir, Jesse prit son fusil à répétition et partit en reconnaissance. «Juste pour jeter un coup d'œil», c'est ce qu'il dit à sa mère, laquelle avait souvent utilisé cette réplique, elle aussi, bien sûr. Peu après minuit, Stray, qui avait appris à dormir quels que fussent les bruits, rêva qu'elle entendait le claquement lointain d'une détonation, et se réveilla dans une obscurité bienfaisante. Juste après, Jesse rentra sur la pointe des pieds et se lova précautionneusement près d'elle, dans un silence tacite. Elle lui avait appris à ne jamais se targuer d'un exploit s'il pouvait l'éviter, ce qui ne l'empêcha pas de se pavaner le lendemain avec un grand sourire satisfait sur le visage qui lui rappela Reef quand ce dernier croyait s'en sortir en toute impunité.

Ce fut l'hiver où tout le monde mangea du ragoût de lapin. Le nombre des grévistes se montait à près de vingt mille hommes, femmes et enfants. Le vent occupa le camp de Trinidad, et le froid se fit plus âpre. Il y eut début décembre de terribles tempêtes comme on n'en avait jamais connu. En certains endroits, l'épaisseur de la neige montait jusqu'à un mètre vingt. Les tentes s'effondraient sous le poids. Vers le milieu du mois, les jaunes arrivèrent dans des bétaillères, ils venaient parfois de très loin, comme de Pittsburgh, en Pennsylvanie, mais la plupart étaient originaires du Mexique, escortés par la Garde nationale depuis la frontière. On leur promettait tout, on ne leur expliquait rien.

«Exactement comme du temps de Cripple Creek», firent remarquer ceux qui se rappelaient. À l'époque, dix ans plus tôt, les jaunes étaient des Slaves et des Italiens, certains étaient restés et s'étaient syndiqués, et cette fois-ci c'étaient eux qui faisaient grève.

«Et même si bien sûr il nous incombe de briser la tête de tous ces Mexicains maintenus dans la crasse ignorance et qu'on a fait venir ici pour voler notre travail», prêcha le Révérend Moss Gatlin qui n'était pas du genre à laisser passer une occasion d'en découdre et avait été présent depuis le début de la grève, «nous devons également comprendre combien la tolérance chrétienne est utile à long terme, car grâce à elle nous pouvons parfaire l'éducation du jaune inculte, de même que vous avez appris autrefois à coups de trique, à Cripple Creek et dans les San Juan, qu'un boulot est sacré quelle que soit la façon dont vous l'avez obtenu, même un boulot de jaune, car il comporte l'obligation de résister aux forces du Capital et aux moulins du Mal, par tous les moyens à votre disposition. » Il avait vieilli et se servait désormais d'une canne, se lançant encore dans la mêlée en boitillant, tenant des services réguliers le dimanche devant les tentes tout en faisant des sermons le soir dans les saloons acquis à la cause.

Au cours du mois de janvier, les réservistes se comportèrent comme des brutes, comme si tous savaient ce qui se préparait. Des femmes furent violées, les enfants qui embêtaient les soldats étaient attrapés et battus. Tout mineur surpris à découvert était aussitôt accusé de vagabondage, arrêté, tabassé ou pire. À Trinidad, la cavalerie chargea un groupe de femmes qui défilaient en faveur de la grève. Plusieurs reçurent des coups de sabre, parmi elles certaines étaient encore des gamines. D'autres furent jetées en prison. La miséricorde divine, ou simplement la chance, voulut qu'il n'y eut pas de mort.

Jesse rentra un jour dans la tente en proie à une étrange exaltation, ce qui ne rassura guère sa mère, car ça lui rappela les artistes de la gâchette de son passé quand ceux-ci croyaient avoir trouvé l'ultime défi. « Maman, j'ai vu le Spécial Mort. » Il s'agissait d'un véhicule blindé extrêmement redouté, avec deux mitrailleuses Colt montées à l'avant et à l'arrière, mis au point par l'agence de « détectives » Baldwin-Felts pour pénétrer, contrôler et décimer les foules indisciplinées. L'engin était déjà venu ici, balayant la colonie de ses tirs de mitrailleuses, déchiquetant les tentes en toile et tuant quelques mineurs.

Lors d'une expédition, Jesse et son ami Dunn découvrirent deux soldats de la Garde nationale dans une remise en tôle, penchés sur le moteur du Spécial Mort. Ils étaient grands, blonds et francs et se montrèrent chaleureux, mais ils ne purent dissimuler leur mépris pour les personnes que ce véhicule était censé abattre. Dunn croyait savoir comment berner les adultes, et il avait en général plein de pièces dans les poches pour le prouver. Mais Jesse vit bien qu'ils n'étaient pas dupes et savaient d'où Dunn et lui venaient – un seul coup d'œil à ces visages rouges et ces yeux protubérants lui suffit pour comprendre qu'en cas de grabuge il ne sauverait ni sa vie ni celle de sa mère ou celle de Dunn en essayant de faire appel à ce que ces adultes pourraient ressentir pour des gosses, même pour leurs propres gosses… Feindre d'avoir une conversation amicale avec des cibles potentielles de leur Spécial Mort était une perversion qu'aucun des garçons n'avait jusqu'alors soupçonnée chez des adultes.

Il existait en fait toute une armada de Spécial Mort, des versions améliorées du modèle original, qui n'était guère plus qu'une voiture décapotée avec des plaques en acier sur les flancs. Ce véhicule-ci était réservé aux officiers, mais de temps en temps, afin de vérifier son fonctionnement, les deux mécaniciens avaient le droit de faire quelques kilomètres à découvert et d'exploser un fourré d'acacias.

«Avec un fusil c'est trop personnel», dit un des soldats, «quand on les met en joue un par un, on a le temps de les connaître avant de les descendre, mais ce truc-là — on a à peine relevé le doigt de la détente qu'il a déjà expédié dix ou vingt balles, du coup ça sert à rien de viser soigneusement, on se contente de choisir la zone qu'on veut arroser, on peut même fermer les yeux si on préfère, peu importe, ça fait le travail pour nous. »

Bien qu'ils ne pussent s'empêcher de vanter l'engin sur lequel ils travaillaient, les deux garçons trouvèrent étrange la façon dont les mécaniciens ne cessaient de parler du Spécial Mort comme si c'était une pauvre petite victime à la merci d'une vaste et dangereuse foule. «Même s'ils le cernaient, lui crevaient les pneus, on pourrait encore tenir bon à l'intérieur en attendant des renforts. »

«Ou foncer dans le tas», ajouta l'autre, « et s'en sortir. »

«T'es avec ces gars des tentes, fils?» demanda abruptement son ami.

Toute sa vie les adultes avaient appelé Jesse «fils», et c'était toujours plus ou moins insultant. Un seul homme avait le droit de l'appeler ainsi, mais où diable était-il? Jesse allait devoir faire bien attention à ne pas trop montrer à quel point ça lui déplaisait. «Nan», dit-il sans se forcer, avant que Dunn puisse dire quoi que ce soit. « Je viens de la ville. »

Les soldats regardèrent autour d'eux les terres lugubres et ravagées qui s'étendaient bien trop loin. «La ville? Et de quelle ville il s'agit, fils? De Trinidad?»

«Pueblo. J'suis venu en train, avec mon camarade» — désignant Dunn, qui n'avait pas encore tout à fait refermé son clapet.

«Tiens donc», dit l'autre. «J'ai vécu à Pueblo un temps. Où c'est que vous alliez à l'école?»

«Centrale, évidemment. »

«Vous faites sacrément l'école buissonnière, pas vrai?»

«Je le dirai à personne si vous n'en parlez pas», dit Jesse en haussant les épaules.

Avant de partir, il vola deux cartouches de calibre .30 pour mitrailleuse, une pour lui et une pour sa maman, croyant que tant que ces balles particulières ne pouvaient être tirées, Stray et lui ne risqueraient rien.

Frank était à Aguilar, sur la voie ferrée entre Walsenburg et Trinidad, au 29 Luglio Saloon – en hommage au 29 juillet 1900, quand un anarchiste du nom de Bresci assassina le roi d'Italie Humbert Iᵉʳ –, pour se renseigner sur une mitrailleuse peut-être imaginaire, peut-être une Benet-Mercier encore dans sa caisse d'origine, tombée quelque part d'un wagon de marchandises à Pueblo. La plupart des clients ici étaient italiens, et tout le monde pour l'instant buvait de la grappa et de la bière, discutant de la situation à la mine Empire, qui comme partout ailleurs dans ce pays glacial et en grève était sacrément misérable, pour ne pas dire dangereuse. À l'autre bout de la salle, un bûcheron calabrais ivre gisait inconscient sur les genoux d'une jeune femme mal vêtue mais cependant séduisante, et familière, offrant un tableau qui rappela à plusieurs clients, mais pas à Frank, la fameuse sculpture de la *Pietà*, de Michel-Ange. Remarquant son regard appuyé, la madone du bar lança : «Désolé, Frank, tu devras attendre ton tour, mais bon sang, la soirée commence à peine.»

«On m'a dit que t'étais ici, dans le coin, Stray, j't'avais juste pas reconnue dans cette tenue.»

«Pas très pratique en selle, mais dans cette région ça aide de ressembler à une sœur de Charité.»

«Tu veux dire qu'ils risquent moins de —»

«Oh tu parles, ils vous flinguent dès qu'ils vous voient. Mais cette couleur grise se fond mieux dans la nature, et du coup t'es moins une cible.»

«Je suis venu ici avec Ewball, mais il s'est de nouveau barré.» Frank pensa qu'il valait mieux le lui dire.

Elle se dégagea doucement de sous l'Italien qui cuvait sur ses genoux. «Paie-moi un de ces machins que tu tiens à la main et je te raconterai toute la sordide histoire.»

«Ewb m'a dit un truc à propos de...» Il marqua un temps en se demandant comment formuler la chose.

«Merde, je le savais», dit-elle enfin. «Je lui ai brisé le cœur, pas vrai ? Je me répète tout le temps : "Stray, ma fille, tu devrais faire gaffe" puis je fonce et le fais quand même.» Elle hocha la tête et leva son verre.

«Je l'ai trouvé troublé. Le cœur brisé, ça, je saurais pas dire.»

«Ça t'est jamais arrivé, Frank ?»

«Oh, si, tout le temps. »

«Et comment va ta copine la prof? »

Sans le vouloir vraiment, Frank se lança dans un long discours sur Wren et Doc Turnstone. Stray alluma une cigarette et le regarda en plissant les paupières dans la fumée. «Bon, t'es sûr qu'elle t'a pas brisé… le cœur ou je ne sais quoi. » Pendant un long moment, elle avait cru que Frank était comme Reef mais sans le grain de folie, jusqu'à ce qu'elle comprenne qu'il n'était pas aussi facile à déchiffrer – qu'il descende Sloat Fresno avait été surprenant, tout comme son implication dans la révolution de Madero. Et maintenant voilà qu'il était en pays minier, au beau milieu d'une situation explosive. «Tu comptes rester ici ou rentrer à Denver? » demanda-t-elle.

«J'aurais des raisons de rester ici? »

«Tu veux dire à part la guerre qui va éclater d'une minute à l'autre. »

Ils demeurèrent un moment à se regarder jusqu'à ce qu'elle hoche la tête. «Pas de boulot qui t'attend à Denver, je suppose. »

«Au fait, comment va ma mère? On m'a dit que tu l'avais vue là-bas y a un moment. »

«J'aime vraiment Mayva, Frank. En tout cas pour quelqu'un que je vois qu'une fois tous les dix ans. Tu devrais lui écrire un de ces quatre. »

«Je devrais, »

«T'as jamais vu Jesse non plus, hein. »

«Mauvais oncle en prime », dit Frank en penchant la tête.

«C'est pas ce que je voulais dire, Frank. » Elle inspira, comme avant de s'élancer dans une pièce en feu. «On vit dans les tentes là-bas, si jamais ça te dit de passer nous voir. »

Frank essaya de ne pas bouger tandis qu'une vague lancinante le parcourait. Le visage impassible : «Bon, peut-être que si t'es encore là… »

«Pourquoi on n'y serait plus — ? » Elle s'arrêta alors, la réponse étant assez claire.

«J'croyais que tu savais. Ils ont l'intention de faire le ménage, et avant la fin de la semaine, d'après ce qu'on m'a dit. »

«Alors tu devrais pas tarder à passer nous voir, je suppose. »

Et c'est ainsi qu'il se retrouva à la suivre dans l'ombre de sa silhouette de nonne, la lueur jaune acide des projecteurs, la neige qui fondait et regelait, après avoir pensé à récupérer dans ses sacoches de selle un paquet de cigarettes et une boîte de tabac et autant de cartouches qu'il pouvait en planquer sur sa personne pour le Krag et le Police Special désormais réparé.

Jesse était absent quand ils arrivèrent à la tente, mais Stray ne fut pas inquiète. «Sûrement encore avec ces gars des Balkans qui sont devenus ses potes. C'est leur Pâque ou ce genre. Ils lui ont appris à se débrouiller plutôt bien la nuit. Il craint rien. Tu peux dormir ici près du poêle. S'il vient, en général il fait pas de bruit.» Frank avait vaguement envisagé de rester éveillé assez longtemps pour voir à quoi ressemblait Stray sous cette tenue de nonne d'hôpital, mais il devait être plus fatigué qu'il le croyait. Il dormit jusqu'à ce qu'un coq se déchaîne et que s'épanche l'âpre lumière du jour.

Il venait juste de sortir pour pisser quand il aperçut alors un visage jailli du passé, un type sinistre qui descendait d'un pas preste la colline, en uniforme de milicien, chapeau à bord étroit, cuissardes et chemise de campagne, avec un grand front, de longs yeux sans paupières et une bouche pareille à une fente, un vrai visage de lézard. Pas une once de compassion.

Frank le désigna du menton et demanda à Kosta, qui pissait de l'autre côté de la tranchée: «C'est qui cet enfoiré? Je l'ai déjà vu quelque part.»

«C'est c't'enculé de Linderfelt. Quand ils attaqueront ce soir, ce sera lui en première ligne, qui criera: "Chargez!" Linderfelt est le diable.»

Frank se rappelait maintenant. «Il était à Juárez et dirigeait des mercenaires qui se faisaient appeler "la Légion américaine", le genre zélé, il a essayé d'attaquer la ville avant Madero et plus tard il s'est retrouvé avec sa tête mise à prix pour pillage. Il a dû franchir à nouveau la frontière, et très rapidement. Je croyais que les vautours en avaient fait leur déjeuner depuis longtemps.»

«Il est lieutenant dans la Garde nationale à présent.»

«Sans blague.»

«Les vautours sont pas si bêtes.»

Les tirs avaient commencé dès les premières lueurs, devinrent vite plus nourris puis continuèrent par intermittence toute la journée.

Les réservistes étaient postés sur Water Tank Hill avec deux mitrailleuses. Leurs tireurs étaient disposés en ligne le long d'une corniche. Il y avait à l'est quelques grévistes dans une tranchée de chemin de fer qui soumettaient plus ou moins les soldats de la Garde nationale à un tir d'enfilade, mais la réserve était positionnée en hauteur, et pendant tout le jour ce fut match nul. Chaque camp semblait attendre que le soir tombe.

«Me demande s'ils vont prendre des gants quand le soleil sera couché», dit Frank.

«Ils deviennent autre chose», dit-elle.

Jesse passa en se tortillant sous le bas de la tente avec un fusil Winchester à répétition, le souffle court. «J'ai essayé d'atteindre la tranchée du chemin de fer. J'ai dû ramper tout le temps ou presque. Et puis, plus de munitions. C'est qui ? »

« Je te présente Frank Traverse. C'est le frère de ton père. Il vient d'arriver en ville pour participer aux festivités. » Le gamin alla se prendre un gobelet d'eau et but un moment.

« Elle m'a rebattu les oreilles avec toi, Jesse », dit Frank.

Jesse haussa les épaules, un tantinet artificiellement. « C'est quoi, ça ? On dirait un vieux Krag. »

« Y en avait plusieurs caisses », se rappela Stray, « si je me trompe pas. C'est moi qui les lui ai vendues y a quelques années. »

« Tu vas vite t'y attacher », dit Frank doucement. « Ce qu'il y a de sympa avec le Krag, c'est le bloc levant, un détail super-pratique quand ça s'agite pas mal, tu le fais basculer, tu enfournes n'importe comment tes cartouches dedans et elles s'alignent et s'enclenchent l'une après l'autre par ici, puis remontent de l'autre côté chaque fois que tu actionnes la culasse. Tiens, essaie. »

« Il veut t'en vendre un », dit Stray.

« Mon Winchester me convient très bien, merci », dit Jesse. « Mais pourquoi pas, tant que je gaspille pas les munitions de quelqu'un. » Il prit le Krag et visa entre les rabats de tente un lointain groupe de cavaliers, apparemment en uniforme mais pas des uniformes que Frank connaissait, ajusta sa position en respirant doucement, et feignit de presser la détente — « Bam ! » –, puis il enclencha une nouvelle balle. Frank n'avait pas grand-chose à lui apprendre.

Plus tard, Frank s'occupait des armes à feu et Stray était agenouillée à côté de lui. « Je voulais te dire », dit Frank.

« Oh mais tu l'as dit, t'inquiète pas. »

Il la regarda plus attentivement, juste pour s'assurer de son expression. « Le bon moment pour aborder la chose. »

« Il se passe un truc que je devrais savoir ? » lança Jesse depuis l'autre côté de la tente.

« Dès qu'il fera assez nuit », dit Frank, « juste avant que toutes les lumières s'allument, on file. Direction le nord, vers cette large ravine qui se trouve là-haut. »

« S'enfuir ? » Jesse, l'air furieux.

« Et comment », dit Frank.

« Seuls les lâches fuient. »

« Certains, oui. Parfois ils sont pas assez courageux pour fuir. T'as été là-bas. Combien de lâches sont prêts à affronter ça ? »

« Tu penses — »

«Je pense qu'on peut atteindre cet arroyo. Puis garder nos distances avec Linderfelt.»

«Tu veux bien jeter un œil dehors pour nous?» dit Stray.

Le garçon coula un regard prudent. «Je dirais qu'ils vont allumer les projos dans deux minutes.»

«Ça serait bien d'agir maintenant», dit Frank. «Pas grand-chose d'autre à faire ici.»

«Dunn», se rappela Jesse.

«Où c'est qu'il est?» Stray s'emparant d'un pistolet et de quelques munitions, puis cherchant son chapeau.

«Pile ici», dit Dunn, de derrière le poêle.

Ils sortirent tous les quatre sous les côtés de la tente. Un petit groupe de cavaliers passa au galop, une propulsion de muscles et de cuir, avec des sabots comme des armes regroupées. La horde était peut-être composée de réservistes, d'hommes du Shérif, de membres du Ku Klux Klan ou de n'importe quel groupe de rangers volontaires. Il faisait trop sombre pour avoir une idée précise. Ils portaient des torches. Une épaisse fumée noire montait des flammes. Comme si leur but n'était pas d'éclairer mais de répandre la nuit.

Les tirs étaient incessants maintenant. La fumée de poudre provenant de la position de la Garde nationale s'élevait dans l'air glacial. Ça ne servait pas à grand-chose de savoir où ils étaient, car ils n'allaient pas tarder à débouler, dans une de leurs charges impitoyables, qui ne se produisaient que la nuit et quand ils étaient sûrs de faire des victimes.

Jesse courut et il était presque à couvert quand une forme hirsute surgit sur son chemin. Une main s'empara de son arme et il sentit le museau froid d'un .45 de service contre sa tête. «Où c'est qu'on file comme ça, p'tit métèque?»

«Lâchez-moi», dit Jesse.

«T'es le gosse qui venait à l'atelier.» Le canon de l'arme resta où il était. Jesse chercha une solution pour se sortir de là sans trop de casse, juste une blessure ou un membre brisé, quelque chose que le temps finirait bien par guérir.

«T'as tiré sur nous aujourd'hui, pas vrai, fiston?»

«C'est vous qui avez tiré sur moi», dit Jesse.

Les yeux rougis le fixèrent longuement. L'arme se détourna, et Jesse se tendit dans l'attente de ce qui allait se passer. «Je suis vraiment lessivé, putain. J'ai la dalle. Aucun de nous n'a été payé depuis qu'on est arrivés dans cet endroit de malheur.»

«Je connais ça.»

Ils restèrent ainsi, comme s'ils écoutaient les tirs autour d'eux.

«Vire ton cul d'anar d'ici», dit enfin le soldat, «et si tu sais prier, prie pour que je te voie pas en plein jour.»

«Merci, monsieur», crut bon de répondre Jesse.

«Mon nom est Brice.» Mais Jesse courait déjà bien trop vite pour lui dire le sien.

Ils s'abritèrent avec des centaines d'autres, au moins pendant quelques minutes, dans le large arroyo au nord de la ville, attendant une pause dans les tirs pour aller ailleurs. Mais les miliciens essayaient de s'emparer du pont de fer enjambant l'arroyo, afin d'empêcher toute fuite vers l'ouest. Les projecteurs balayaient la ravine, jetant des ombres noires qu'on pouvait presque sentir, comme une brise, alors qu'elles glissaient. De temps en temps, un des gamins grimpait pour voir ce qui se passait au campement, et on devait crier après lui pour qu'il revienne.

Frank sentit une main sur son épaule et crut au début que c'était celle de Stray. Mais quand il se retourna, il put à peine l'apercevoir, à travers les aiguilles de neige de printemps, abritant Jesse avec son corps. Il n'y avait personne d'autre près de lui. Ça aurait pu tout aussi bien être la main d'un mineur mort, franchissant le rideau mortel pour tenter de toucher quelque chose, n'importe quoi, et il avait fallu que ça tombe sur Frank. C'était peut-être la propre main de Webb. Webb et tout ce qu'il avait essayé de faire de sa vie, toutes ces choses qui lui avaient été prises, tous les chemins sur lesquels s'en étaient allés ses enfants... Frank se réveilla au bout de quelques secondes, s'aperçut qu'il avait bavé sur sa chemise. Ça n'allait pas.

Pour la première fois, Frank remarqua que Stray et Jesse faisaient tous les deux à peu près la même taille. Le jeune garçon dormait debout. Huit cents mètres plus loin, les tentes étaient toutes incendiées, les unes après les autres, par les héros de la Compagnie B de Linderfelt. Une lumière rougeâtre et impure bondissait et se déplaçait dans le ciel et les soldats poussaient des cris de bêtes triomphaux. Des tirs continuaient de déchirer la nuit périlleuse. Parfois ils faisaient mouche, et des grévistes, des enfants et leurs mères, même des soldats et des gardiens de camp, étaient touchés ou luttaient contre les flammes, tombaient au combat. Mais tout cela se déroulait dans une lumière à laquelle l'Histoire resterait aveugle. Les seuls récits seraient ceux des réservistes.

Stray ouvrit les yeux et vit que Frank la dévisageait. Elle lui rendit son regard, tous deux étant trop las pour feindre que ce n'était pas du désir, même ici au beau milieu de l'enfer.

«Quand on aura une minute», commença-t-elle, puis elle parut se perdre dans cette pensée.

Frank sentit que c'était peut-être là leur ultime chance de se toucher. La dernière chose à laquelle il avait besoin de réfléchir pour l'instant. «File avec lui chez ta sœur sans encombre, d'accord?» dit-il enfin. «Tu ne dois te préoccuper que de ça, tout le reste peut attendre.»

«Je pars avec toi, Frank» – la voix de Jesse ralentie par l'épuisement.

«Tu dois suivre ta mère, veiller à ce qu'elle sorte d'ici en un seul morceau.»

«Mais le combat n'est pas fini.»

«Non, c'est vrai. Mais tu as déjà vécu une longue journée de combat, Jesse, et ces dames, leurs bébés et tout ça, eh bien elles ont besoin de quelqu'un qui sache tirer et les couvre jusqu'à ce petit ranch. T'en fais pas pour le combat, tout le monde aura sa part.»

Il savait que la tache livide du visage du garçon était tournée vers lui, et Frank était content de ne pas voir son expression. «Maintenant que je sais comment retrouver l'endroit où habitent ton oncle Holt et ta tante Willow, vu que tu m'as fait le plan et tout, je vous rejoindrai dès que nous en aurons fini ici.»

Ils entendirent tous deux ce «nous», pas celui qu'ils avaient espéré mais cet autre collectif d'ombres, d'épuisés, moins de six mots d'anglais à eux tous, les crosses de fusil traînant dans la poussière, s'éloignant en file indienne vers l'est sur la route, s'enfonçant dans les Black Hills, s'efforçant de rester groupés.

«Nous serons là-haut» – tournant la tête vers les Black Hills – «y a un camp de mobilisation quelque part. Sois prudent, Jesse —» Et le garçon courut se serrer contre lui avec une sauvagerie inattendue, comme s'il pouvait tout embrasser, la nuit sur le point de s'achever, l'arroyo, tout contenir dans ses bras, inchangé, et Frank sentit qu'il se retenait de pleurer, puis qu'il s'obligeait à desserrer son étreinte, reculait, retournait à cette aube terrible. Stray était là, juste derrière lui.

«O.K., Estrella.» Leur adieu ne fut peut-être pas aussi intense ou désespéré, mais ils ne se rappelaient pas avoir jamais échangé de baiser aussi franc, aussi triste.

«Il y a des trains qui vont en permanence dans le Sud», dit-elle, «on va s'en sortir.»

«Dès que je peux —»

«T'inquiète pas pour ça, Frank. Jesse, tu veux bien prendre ce truc?» Et ils partirent, et il n'était même pas sûr de savoir ce que ça leur coûtait de ne pas se retourner.

Cet été-là avait été mémorable pour ses fortes températures. Toute l'Europe croulait sous la chaleur. Les raisins séchaient dans la nuit sur les pieds de vigne. Les balles de foin coupé et moissonné début juin prenaient feu spontanément. Les incendies de forêt traversaient le Continent, passaient les frontières, franchissant en toute impunité les cimes et les fleuves. Les naturistes étaient effrayés à l'idée que l'astre qu'ils adoraient les avait trahis et conspirait à la destruction de la Terre.

Le *Désagrément* avait été informé d'un courant d'air ascendant sans précédent par la taille et l'intensité au-dessus des déserts d'Afrique du Nord. Venues alimenter les vastes ascensions thermiques, les masses d'air quittaient les Alpes, les montagnes de la Lune et les hauteurs des Balkans, et un aéronef, même de la taille du *Désagrément*, n'avait qu'à s'approcher du courant et l'anti-gravité saharienne ferait le reste. Il suffirait en fait de lâcher prise.

La question du financement était bien sûr à l'ordre du jour. Ces temps-ci, les garçons devaient se débrouiller seuls. Le Bureau national avait fini par verser des allocations budgétaires si ridicules que l'équipage du *Désagrément*, après une réunion qui dura cinq minutes y compris le temps de préparer le café, avait décidé de se désaffilier. Et ils n'étaient pas les seuls à avoir pris cette décision. Depuis un bon moment, un peu partout dans le monde, l'Organisation s'était délitée au point de devenir un vague agrégat d'agences indépendantes, n'ayant plus en commun que le nom et l'insigne des « Casse-Cou ». Les Autorités supérieures ne réagissaient plus. C'était à croire que la Direction avait déserté ses bureaux, dont on ignorait par ailleurs l'emplacement, et était partie sans laisser d'adresse. Les garçons avaient désormais toute liberté pour définir leurs propres missions et négocier leurs tarifs, et les sommes qu'ils recevraient leur reviendraient en totalité au lieu d'être reversées pour moitié et plus à la Hiérarchie.

Ces soudaines rentrées d'argent, jointes à de nouveaux moteurs plus légers et d'une puissance en chevaux supérieure, avaient permis au

Désagrément de s'agrandir considérablement. Le carré occupait désormais à lui seul plus d'espace que toute la nacelle de la version précédente du vaisseau, et la cuisine était devenue presque aussi imposante. Miles, en sa qualité d'intendant, avait installé des réfrigérateurs de haute qualité et des poêles dernier modèle fonctionnant à l'hydrogène, et engagé une équipe d'excellents cuisiniers, dont un ancien chef de la célèbre Tour d'Argent à Paris.

La réunion de ce soir avait pour but de décider si le *Désagrément* devait ou non s'engager dans le grand courant d'air ascendant au-dessus du Sahara sans qu'ils aient été payés pour cela. Miles ramena le calme en frappant le gong chinois acheté des années plus tôt à une secte d'assassins actif dans ce pays, lors d'une mission restée secrète mais décisive pendant la révolte des Boxers (cf. *Les Casse-Cou et la Colère du Croc jaune*), et en faisant circuler un chariot de champagne réfrigéré, reservant chacun avec un balthazar de Verzenay 1903.

«Pas "sans garanties", frères aéronautes», protesta Darby, dont la conception du domaine contractuel frôlait désormais l'obsession maladive. «On ne bosse pas pour des prunes. Pas de client, pas de croisière.»

«C'en est donc fini des aventures pour vous, les garçons?» intervint Ksenija, la petite amie de Pugnax, aboyant en macédonien. Pugnax avait rencontré peu de temps auparavant la chienne *šarplaninec*, d'une beauté farouche, et l'avait convaincue de monter à bord du *Désagrément*. Il avait parfois l'impression de l'avoir attendue toute sa vie, qu'elle avait toujours été là, à peine visible, évoluant parmi les paysages qui se déployaient sous le dirigeable, perdue dans les détails des champs striés de haies ou de clôtures minuscules, les toits de chaume ou de tuiles rouges, la fumée des centaines de feux domestiques, les montagnes sombres et escarpées, poursuivant quelque antique menuet avec les troupeaux...

Le vote fut unanime – ils s'aventureraient dans le courant d'air ascendant, et ce à leurs frais. Darby avait apparemment voté contre ses propres principes juridiques.

Personne n'ayant encore mesuré les forces susceptibles d'être en jeu, aucun aéronaute sensé ne se serait aventuré en temps normal à moins de cent cinquante kilomètres du phénomène, mais à peine les garçons eurent-ils appareillé qu'ils commencèrent à sentir des tremblements dans la coque, tremblements qui devinrent bientôt d'euphoriques secousses métalliques, à croire que l'engin accédait à quelque indépendance jusqu'ici inconcevable, alors qu'il dévalait soudain la péninsule des Balkans, de plus en plus rapidement, survolait la Méditerranée et les côtes libyennes, se dirigeant droit vers l'énorme masse verticale.

Ceux qui n'étaient pas de quart regardaient, depuis les hublots du grand salon, l'étrange nuage cylindrique et rouge qui s'élevait lentement, tel un astre sinistre, au-dessus de l'horizon – des sables à tribord en une ascension perpétuelle, lumineuse et désastreuse, vide et silencieuse, se précipitant éperdument vers le haut, une pure escalade aérodynamique, un anti-paradis...

Comme ils pénétraient la masse et étaient emportés, Chick Counterfly repensa à ses premiers jours à bord du *Désagrément*, et à la sinistre remarque de Randolph, quand celui-ci avait expliqué que monter reviendrait à aller vers le nord, et que si l'on grimpait suffisamment haut on parviendrait à la surface d'une autre planète. Ou, comme l'avait exprimé alors le Commandant : « Une autre "surface", mais terrestre celle-ci... bien trop terrestre. »

Le corollaire, Chick l'avait compris il y a longtemps, était que la moindre étoile ou planète que nous voyons dans le ciel n'est que le reflet de notre Terre le long d'une trajectoire spatio-temporelle minkowskienne différente. Par conséquent, voyager vers d'autres mondes c'est voyager vers des versions alternatives de la même Terre. Et si monter revient à aller vers le nord, avec le froid pour variable commune, alors la direction analogue pour le Temps, d'après la seconde loi de la thermodynamique, devrait être du passé vers le futur, au prix d'une entropie croissante.

Chick s'aventura donc sur le poste de commande, dans la chaleur suffocante de la tempête de sable, vêtu d'une tenue subdésertique de protection, et procéda à des relevés thermométriques, mesurant l'altitude à l'aide d'un antique quoique fiable sympiézomètre, récupéré lors du naufrage du premier *Désagrément* après la bataille peu connue de Desconocido, en Californie.

La visibilité s'étant vaguement améliorée, il put constater avec dépit que la colonne de mercure s'était élevée dans l'instrument, ce qui signifiait une augmentation de la pression atmosphérique et du coup une plus basse altitude ! Bien que le vaisseau fût toujours porté par un courant d'air ascendant, comme le signala non sans inquiétude Chick à Randolph, il avait également *entamé sa descente* vers une surface que personne ne pouvait voir. Le commandant de l'aéronef arpentait le pont en s'enfournant la moitié d'un flacon de comprimés menthe-soda. « Des recommandations ? »

« Nous avons toujours les équipements hypops de notre mission en Asie intérieure », se rappela Chick. « Ils pourraient nous permettre au moins d'y voir quelque chose. » Les deux aéronautes revêtirent rapidement l'étrange attirail futuriste composé d'un casque, de lunettes, de réservoirs d'air et de générateurs électriques, et purent ainsi vérifier que le vaisseau était bel et bien sur le point de s'écraser contre des montagnes qui semblaient être des masses d'obsidienne noire, scintillantes de reflets rouges, dont les lignes de crête acérées s'étiraient sur des kilomètres avant de disparaître dans un crépuscule vaporeux. «Délestez le vaisseau!» s'écria Randolph, et Miles et Darby obéirent aussitôt, talonnés par les sinistres lumières rouges, telle de la lave en fusion en plein cataclysme géologique.

Une fois le danger évité, «à un poil près» comme d'habitude, Randolph et Lindsay se rendirent dans la salle des cartes pour voir s'ils pouvaient trouver des plans du terrain, jusqu'ici inconnu d'eux, au-dessus duquel évoluait l'aéronef.

Après un examen détaillé qui se prolongea toute la nuit, le Comité de navigation composé des deux garçons en conclut que le *Désagrément* s'était retrouvé vraisemblablement au-dessus de la Contre-Terre pythagoricienne, naguère postulée par Philolaos de Crotone afin que le nombre de corps célestes se monte à dix, le nombre d'or parfait. «Philolaos croyait qu'un seul côté de notre Terre était habité», expliqua Chick, «et qu'il tournait toujours le dos à l'Autre Terre, qu'il appelait Antichthon, ce qui expliquait que personne ne la voyait jamais. Nous savons maintenant que la vraie raison était l'orbite de la planète, la même que la nôtre mais distante de cent quatre-vingts degrés, de sorte que le Soleil se trouve toujours entre nous.»

«Nous venons de traverser le Soleil?» demanda Darby, d'un ton qui laissait présager un bon quart d'heure de remarques sur le discernement, voire la santé mentale du Commandant.

«Peut-être pas», dit Chick. «Ça donne plutôt l'impression de regarder à travers le Soleil avec un télescope de très haute résolution, si clairement qu'on n'a plus conscience de rien hormis de l'Éther entre nous.»

«Oh, comme des lunettes de Röntgen», ricana Darby, «mais différentes.»

«Antichthon», annonça Miles, tel un conducteur de tram. «L'Autre Terre. Attention à la marche, les gars.»

C'était comme s'ils étaient revenus à l'époque de leur fanfare ambulante d'harmonicas. Ils étaient sur la Contre-Terre, *sur* et *en* elle, mais dans le même temps également sur la Terre qu'ils n'avaient jamais, semblait-il, quittée.

Comme si toutes les cartes et tous les plans étaient devenus soudain illisibles, le petit groupe finit par comprendre que d'une certaine façon, autre que géographique, ils étaient perdus. Échoués par le vaste courant d'air saharien sur une planète qu'ils n'étaient pas sûrs de pouvoir quitter, les garçons pouvaient presque croire, certains jours, qu'ils étaient de nouveau en sécurité chez eux, sur Terre – mais d'autres jours, ils trouvaient une République américaine dont les commandes leur semblaient irrévocablement entre les mains de la malveillance et du crétinisme, au point qu'il leur paraissait impossible, après tout, d'avoir échappé à la gravité de la Contre-Terre. Contraints par leur Protocole fondamental de ne jamais intervenir dans les affaires des «marmottes», ils restaient des témoins impuissants, en proie à une dépression inédite.

Leurs missions contractuelles commencèrent à rapporter moins que des sources indépendantes du ciel – locations immobilières, intérêts sur prêts commerciaux, retours sur investissements à très long terme – et les garçons en venaient à se demander si la grande époque de leurs périples planétaires n'était pas derrière eux quand, un soir, au début de l'automne 1914, ils reçurent la visite d'un mystérieux agent russe du nom de Baklashchan («un pseudo», leur expliqua-t-il, «les plus menaçants étaient déjà pris») qui leur apprit la mystérieuse disparition de leur sympathique Némésis, le capitaine Igor Padzhitnov.

«Il est porté disparu depuis l'été», dit Baklashchan, «et nos propres agents ont épuisé toutes les pistes. Nous nous demandions si quelqu'un d'autre dans la partie n'avait pas de meilleures chances de le retrouver. Surtout étant donné la situation mondiale actuelle.»

«La situation mondiale?» dit Randolph, soucieux. Les garçons échangèrent des regards intrigués.

«Vous… ignorez…», commença Baklashchan avant d'hésiter, comme s'il se rappelait une clause dans ses instructions lui interdisant de partager certaines informations. Il sourit, de l'air de s'excuser, et leur tendit un dossier répertoriant les mouvements les plus récents du vaisseau de Padzhitnov.

Malgré le «Onzième Commandement» qui régnait parmi les aventuriers indépendants de l'époque, les garçons acceptèrent sans hésiter cette nouvelle mission. Le premier versement se fit en or. La somme avait été apportée par un chameau domestique qui se tenait patiemment sous l'ombre du *Désagrément* que projetait une lune presque pleine.

«Et veuillez transmettre nos respects au Tsar et à sa famille», rappela Randolph à l'émissaire. «Nous avons un souvenir ému de leur hospitalité au Palais d'Hiver.»

«Nous devrions bientôt les voir», dit Baklashchan.

Au cours du long voyage qui devait s'ensuivre, au-dessus de presque toute l'Île-Monde, les garçons allaient se rendre compte qu'il se passait effectivement quelque chose de très étrange à la surface. Des détours devenaient de plus en plus souvent nécessaires. Certains pans de ciel semblaient même situés hors de portée. Il se produisait de temps en temps, sans qu'on pût les voir, de grandes explosions d'une intensité sans précédent, qui faisaient gémir et trembler les éléments de structure de l'aéronef. Miles fut confronté à des pénuries inattendues en allant se réapprovisionner. Son fournisseur en vin le plus fiable apporta un jour des nouvelles inquiétantes. «Les livraisons de champagne ont été suspendues *sine die*. Toute la région vinicole est défigurée par des tranchées.»

«Des tranchées», répéta Miles, comme s'il s'agissait d'un terme technique étranger.

Le négociant le regarda longuement, et ajouta peut-être quelque chose mais on ne l'entendait plus distinctement. Miles avait vaguement conscience que ces problèmes étaient liés aux termes du contrat tacite passé depuis longtemps entre les garçons et leur destin – comme si, ayant appris autrefois à voler, et s'étant affranchis de tout lien avec le monde indicatif en dessous, ils avaient acquitté une dispense d'allégeance envers ce monde et tout ce qui se produirait à sa surface. Il commanda donc à la place du vin espagnol, et le *Désagrément* poursuivit sa route, allant et venant d'un endroit à l'autre de cette vaste contre-planète, si étrange et pourtant si familière, tandis que l'insaisissable Padzhitnov conservait toujours une ou deux longueurs d'avance sur eux.

«Autre bizarrerie», annonça Chick un soir lors d'une de leurs concertations hebdomadaires sur l'affaire. «Au fil des ans, les voyages du capitaine Padzhitnov» – tapotant avec une baguette sur la carte qui couvrait toute la cloison avant du carré du *Désagrément* – «ont correspondu de très près aux nôtres. Pas de surprise jusqu'ici. Mais si l'on repense aux mois qui ont précédé sa disparition, nous constatons que partout où nous sommes allés cette année-là» – désignant les endroits l'un après l'autre avec sa baguette – «Côte d'Azur, Rome, Saint-Pétersbourg, Lvov, les Tatras, eh bien, l'ami Padzhy s'y est rendu lui aussi. Et là où nous ne sommes pas encore allés, il semble n'avoir laissé aucune trace.»

«Super!» s'exclama Darby. «Nous nous poursuivons nous-mêmes maintenant.»

«Nous avons toujours su qu'il nous hantait», dit Lindsay en haussant les épaules. «C'est sans doute ce qui se passe à présent aussi.»

«Pas cette fois-ci», déclara Miles, qui se retira dans son silence habituel et ne reprit cette pensée que quelques mois plus tard, un soir, près de la côte de la Cyrénaïque, alors que Chick et lui se trouvaient sur la voûte à fumer une cigarette et regarder la luminosité de la mer. «Les fantômes sont-ils terrifiants parce qu'ils rapportent du futur un composant – au sens vectoriel – de nos propres morts? Sont-ils partiellement, imparfaitement, nos propres moi morts, renvoyés par l'ultime miroir, venus nous hanter?»

Chick, qui considérait que la métaphysique dépassait ses compétences, se contenta comme d'habitude de hocher la tête en sifflant poliment.

Ce n'est que quelques mois plus tard, dans les brumes sinistres au-dessus des Flandres occidentales, que Miles se rappela brusquement son excursion à vélo il y a longtemps avec Ryder Thorn, qui ce jour-là arborait un air tragique de prophète. «Thorn savait que nous reviendrions ici. Qu'il y avait là quelque chose à quoi nous devrions faire attention.» Il scruta, comme si le désir pouvait suffire, l'averse de lumière grise, le sol apparaissant par intermittence telle une mer empoisonnée soudain figée.

«Ces pauvres innocents», s'exclama-t-il d'une voix ténue et atterrée, paraissant soudain guéri de quelque cécité, et pouvoir enfin voir l'horreur présente au sol. «Avant que tout ça commence… ils ont dû être des ados, tout comme nous… Ils savaient qu'ils se tenaient devant un vaste précipice dont nul ne pouvait voir le fond. Mais ils se sont quand même élancés dedans. En poussant des cris et en riant. C'était leur grande "Aventure" à eux. Ils étaient les héros juvéniles d'un Récit-Monde – inconscients et libres, ils se sont précipités dans ces abîmes par dizaines de milliers jusqu'au jour où ils se sont réveillés, ceux qui étaient encore vivants, et au lieu de se retrouver noblement face à une géographie morale et dramatique, ils étaient là à ramper dans une tranchée boueuse grouillante de rats et puant la merde et la mort.»

«Miles», dit Randolph, vaguement inquiet. «Qu'y a-t-il? Que voyez-vous en bas?»

Quelques jours après, alors qu'ils survolaient la France, Miles était de quart dans sa cabine Tesla quand une traînée rouge apparut sans prévenir dans le ciel vaporeux devant eux, et grandit lentement. S'emparant du porte-voix de l'appareil, Miles commença à l'interpeller: «*Neizvestnyi vozdushnyi korabl! neizvestnyi vozdushnyi korabl!*» Ce qui signifiait en russe: «Aéronef inconnu! aéronef inconnu!» Inconnu mais pas de Miles, bien sûr.

Une voix familière répondit: «Vous nous cherchez, jeunes ballonistes?»

C'était le vieux *Bolshai'a Igra* en personne, désormais dix fois plus grand qu'avant. Les armoiries des Romanov ne figuraient plus sur son enveloppe, qui n'était plus qu'une vaste étendue vierge saturée de rouge, et le vaisseau portait maintenant le nom de *Pomne o Golodayushchiki*.

« "N'oubliez pas la famine" », expliqua le capitaine Padzhitnov, dont la fameuse aura athlétique paraissait phosphorescente, comme émanant d'une source moins matérielle que le sang.

« Igor ! » s'exclama, réjoui, Randolph. « *Dobro pozhalovat* », alors que quelque part sur le vaisseau russe, une cloche, modèle réduit de la fameuse Cloche du Tsar à Moscou, offerte à l'équipage par Nicolas II lui-même, se mettait à sonner.

« Ça veut dire "Ramenez-vous !" » dit le Capitaine. « Nous serions honorés de vous avoir tous à déjeuner. »

Il y avait de la soupe au chou et à la betterave, du blé noir cuit comme du porridge, et du pain noir, à partir duquel avait été fermentée une étrange sorte de bière parfumée aux canneberges, et au milieu de la table, là où les garçons avaient d'ordinaire une cruche de citronnade, trônait un énorme broc de vodka provenant de la distillerie du navire.

Tout lien avec l'Okhrana ayant été coupé depuis longtemps, raconta Padzhitnov, le vaisseau et son équipage sillonnaient ces temps-ci l'Europe et l'Asie intérieure, et ne jetaient plus des briques mais livraient de la nourriture et des vêtements, et – depuis une immense épidémie de grippe dont les garçons ignoraient jusqu'ici l'existence – des médicaments, qu'ils parachutaient précautionneusement aux populations dans le besoin.

« Quelqu'un nous a engagés pour vous retrouver », dit Randolph sans détour. « Nos instructions étaient de les prévenir dès que ça serait fait. Mais nous ne les avons pas encore contactés. Devrions-nous le faire ? »

« Si vous leur dites que vous n'arrivez pas à nous trouver, leur devez-vous de l'argent ? »

« Non, on leur a fait biffer toutes les clauses pénales », dit l'Officier juridique Suckling.

« Si ce sont ceux auxquels nous pensons », ricana professionnellement l'Officier des Renseignements de l'aéronef russe, Pavel Sergueievitch, « ils vont envoyer sans tarder des équipes d'assassins. La vengeance est mieux que les roubles. »

« Le nom de Baklashchan ne me dit rien, mais je connais ce genre d'hommes », dit Padzhitnov. « C'est un *podlets* – un rampant. Ils sont des milliers à nous avoir dénoncés, et d'autres milliers suivront. Sous le Tsar, avec l'Okhrana, notre statut était toujours remis en cause… Ces temps-ci, je pense que nous sommes des fugitifs, des ennemis déclarés de ceux qui sont maintenant au pouvoir. »

« Où donc est votre base d'opération, alors ? » demanda Chick.

« Comme il sied à de braves bandits, nous avons une planque dans les montagnes. Le *Shtab* est en Suisse, mais nous ne sommes pas la Croix-Rouge, on n'est pas des saints, c'est financé par le commerce du café et du chocolat, très important à Genève jusqu'en 1916 quand ils ont arrêté et déporté tout le monde, sauf nous. C'est là que nous allons, si vous voulez tout savoir. Nous vous montrerons nos Alpes privées. On dirait une montagne solide, mais à l'intérieur c'est creux, plein de marchandises de contrebande. Vous aimez le chocolat ? Nous vous ferons un bon prix. »

De retour sur le *Désagrément*, les garçons se réunirent dans le carré pour discuter des mesures à prendre.

« Nous avons signé un contrat », rappela Lindsay à tous. « Il est toujours valable. Nous devons soit livrer le capitaine Padzhitnov aux autorités de son pays soit l'escorter en sécurité, et fuir à notre tour la justice. »

« La Russie n'est peut-être plus son pays », fit remarquer Darby. « Peut-être que ce n'est pas la "justice" qu'il fuit. *Vous* n'en savez rien, crétin. »

« Ma certitude n'égale certes pas celle qui prédomine dans l'opinion publique quant à la prédilection affichée par votre mère pour les organes génitaux des animaux de zoo les plus gros et les moins regardants », répondit Lindsay. « Néanmoins — »

« Oooh », murmurèrent les autres.

Darby avait déjà extrait un livre de droit d'une étagère voisine et commencé à le feuilleter. « Bon. Je cite la loi anglaise de 1891 sur la diffamation à l'encontre des femmes — »

« Messieurs », les supplia Randolph. Il désigna les fenêtres, derrière lesquelles on pouvait voir des obus d'artillerie longue portée, encore très récemment objets de mystère, scintiller dans les couleurs du jour déclinant, atteindre l'acmé de leurs trajectoires puis s'immobiliser en plein air pendant un moment avant d'entreprendre leur mortelle plongée vers le sol. Parmi les bruits distants d'explosions répétées, on distinguait aussi le vrombissement strident de l'aviation militaire. Dessous, sur tout le paysage assiégé, les premiers projecteurs s'allumaient.

« Nous n'avons rien signé qui comporte ce genre de choses », rappela Randolph à tous.

Les aéronefs atteignirent Genève en convoi. Le grand fantôme silencieux du mont Blanc se dressait telle une sentinelle derrière la ville. L'équipage de Padzhitnov avait ses quartiers au sud du fleuve dans la partie ancienne de la ville, où certains d'entre eux avaient étudié avant la Révolution. Les garçons élurent finalement domicile dans des suites communiquant entre elles, avec vue sur le lac, à l'ancien Helvetia Royale, un des grands hôtels suisses pour touristes qui, avant la Guerre, grouillaient d'une clientèle européenne et américaine.

Malgré la grippe et les pénuries, la ville était le théâtre animé de toutes sortes de transactions. À chaque coin de rue, on avait de nombreuses chances d'être abordé par quelqu'un qui proposait du charbon, du lait ou des tickets de rationnement. Espions, spéculateurs et escrocs se mêlaient aux réfugiés et aux hospitalisés invalides venus de toutes les nations belligérantes. Depuis 1916, des accords avaient été en effet passés entre la Grande-Bretagne, l'Allemagne et la France, autorisant via la Suisse l'échange et le rapatriement des prisonniers de guerre gravement blessés, tandis que les blessés légers pouvaient être soignés en Suisse. Des trains avaient commencé à apparaître la nuit, traversant le pays souvent à grande vitesse, trimballant phtisiques, commotionnés et imbéciles. Les jeunes villageois se glissaient hors de leur lit, les tavernes se vidaient de leurs clients qui allaient se poster devant les voies pour regarder passer les sombres convois. Chaque fois que des trains s'arrêtaient pour prendre un nouveau contingent de passagers, ou pour se placer sous d'étranges structures vert foncé supportant des cuves sphériques bizarrement pointues contenant de l'eau, des citoyens apparaissaient de nulle part et tendaient aux prisonniers souffrants, dont ils ne sauraient jamais les noms, des fleurs, des bouteilles de schnaps fait maison, du chocolat stocké depuis des années. Soupçonnant que leur pays était en ces temps de guerre le théâtre d'une vaste expérience compassionnelle, ils ressentaient peut-être le désir d'être là, tout simplement, et d'apporter leur modeste contribution.

Partout en Europe, la Grande Tragédie s'accélérait, éclairée par les fusées au phosphore et les explosions d'obus, composée de l'artillerie pour les profonds *ostinati* avec en fond les chorales staccato des tirs de mitrailleuses, dont les faibles échos se frayaient de temps en temps un chemin dans les coulisses avec les odeurs de poudre, de gaz empoisonné et de cadavres en putréfaction. Mais ici, dans la Suisse quotidienne, c'était l'envers de la tapisserie – une version inégale et concrète du grand spectacle qui se déroulait à l'extérieur des frontières. On pouvait imaginer le drame, faire des cauchemars, deviner ce qu'avaient pu faire làbas ceux qui en revenaient. Mais ici, en secret, on s'activait à un autre niveau.

Le *Pomne o Golodayushchiki* ne chômait pas, et le capitaine Padzhitnov fut ravi de pouvoir faire appel au *Désagrément* pour se décharger d'une partie du travail. Au début, il s'agissait surtout de procéder à des livraisons – d'acheminer par air les denrées que les Suisses ne pouvaient plus importer facilement, telles que le sucre, la graisse alimentaire, les pâtes… Les garçons passaient pas mal de temps dans des villes frontières comme Blotzheim, même s'il y avait aussi de nombreux vols intérieurs à faire, pour redistribuer du foin pendant les disettes de foin et du fromage pendant les pénuries de fromage qui, dans les dernières années de la Guerre, devinrent chroniques ici. Au bout d'un moment, les missions s'étendirent au-delà des limites du pays et ils en vinrent à livrer des oranges espagnoles et du blé argentin. Padzhitnov apparut un jour, l'air plus autoritaire que jamais, et annonça : « C'est l'heure de la promotion, jeunes ballonistes ! Fini les livraisons – à partir de maintenant, vous déplacez des personnes ! »

De temps en temps, expliqua le Capitaine, on avait affaire à une *osobaia obstanovka* – une « situation spéciale », son terme militaire préféré – au cours de laquelle un échange d'internés par train aurait été inenvisageable. « Certaines personnes de premier plan, qui ne peuvent être rapatriées sans discrétion. Vous me comprenez. »

Les visages demeurèrent inexpressifs, sauf celui de Miles, qui opina gravement. « S'il nous manquait les cartes et les plans nécessaires », dit-il, « vous pourriez nous les prêter. »

« *Konechno.* Nous déplorons que notre vaisseau ne soit plus adapté aux vitesses exigées par les *situations spéciales.* »

Ils se retrouvèrent bientôt à survoler en pleine nuit les camps de prisonniers dans les Balkans. Ils repassèrent par la Sibérie pour la première fois depuis l'Événement de la Toungouska pour négocier des détenus de la force expéditionnaire nippo-américaine, et aidèrent également à la réinstallation du gouvernement de l'amiral Kolchak d'Omsk. Ils étaient canardés de toutes parts par des canons à longue portée et des pistolets de duel, sans résultat, des tirs souvent impulsifs, par des tireurs n'ayant pas toujours une idée précise de ce qu'ils visaient. C'était une nouvelle expérience pour les garçons, et au bout d'un moment ils apprirent à ne pas s'en offusquer plus que du mauvais temps ou des cartes erronées. Il n'était venu à aucun l'idée, jusqu'à ce que Miles le leur fasse remarquer, que leur engagement dans la Guerre européenne n'avait commencé que lorsqu'ils s'étaient réfugiés en zone neutre.

Un matin à Genève, dans la rue, Padzhitnov, après une longue nuit passée dans les tavernes des quais, croisa Randolph, qui s'était levé tôt en quête d'une brioche et d'une tasse de café. La ville baignait dans une lumière étrangement circonspecte. Les oiseaux étaient réveillés depuis longtemps et vaquaient à leurs occupations, mais très discrètement. Les steamers sur le lac s'abstenaient de faire résonner leurs sirènes. Les trams semblaient évoluer sur des roues pneumatiques. Un silence surnaturel flottait au-dessus des clochers, des montagnes, du monde connu. « Que se passe-t-il ? » demanda Padzhitnov.

« Aujourd'hui ? Rien de spécial. » Randolph sortit de sa poche un calendrier chrétien de la taille d'une brochure dont il se servait pour prendre des notes. « La Saint-Martin, je crois. »

Vers midi, la cloche de la cathédrale Saint-Pierre connue sous le nom de la Clémence se mit à sonner. Peu après, toutes les cloches de la ville se joignirent à elle. En Europe, quelque chose qu'on appelait l'Armistice avait eu lieu.

Une fois les hostilités terminées, les offres de contrat, qui avaient auparavant échappé aux garçons, se mirent à affluer. Le *Désagrément* continua de faire la navette avec la Suisse pour les mêmes missions de soutien et de rapatriement qui l'avaient jusqu'ici occupé, mais il y avait maintenant également les missions civiles, davantage dans la tradition de leurs premières aventures. On pouvait voir à toute heure des espions et des représentants de commerce dans le hall de l'Helvetia Royale, munis de liasses de billets et de propositions d'une largesse inconnue avant 1914.

Un jour, pendant le déjeuner, alors que Darby s'apprêtait à crier « Pas encore de la fondue ! », Pugnax débarqua tranquillement dans le mess avec une mystérieuse lumière dans les yeux, et dans la gueule une grosse enveloppe gaufrée, scellée avec de la cire et portant un sceau doré.

« Qu'est-ce que c'est ? » demanda Randolph.

« Rff rf-rf rff rf-RRF », commenta Pugnax, et les garçons comprirent que ça signifiait : « On di-rait de l'ar-gent ! »

Randolph examina la lettre d'un air songeur. « Une offre de travail, aux États-Unis », dit-il enfin. « Le soleil de la Californie, pas moins. Les avocats qui nous ont envoyé ceci ne précisent pas les noms de leurs clients, et ce que nous devons faire là-bas n'est pas clair, hormis attendre des instructions une fois arrivés à destination. »

« Et, eeyynnhh… combien proposent-ils ? » demanda Darby.

Randolph brandit la feuille pour que tous puissent la voir. La somme, clairement visible, représentait environ deux fois la valeur nette combinée de tout le monde à bord.

« Sûrement quelque chose de criminel », avertit Lindsay.

« Cette offre doit de toute évidence être soumise à l'examen moral et juridique le plus exhaustif », déclara Darby, qui regarda de nouveau la somme en roulant des yeux. « O.K., tout me semble en règle. »

La perspective d'un travail bien rémunéré en Californie – qui jusqu'ici n'avait été pour les garçons qu'une lointaine et mythique destination – battit vite en brèche les scrupules, même les plus passifs comme ceux de Lindsay, lequel en sa qualité de conscience de l'équipage ne put s'empêcher de demander : « Qui va en informer le capitaine Padzhitnov ? »

Tout le monde regarda Randolph. Celui-ci fixa pendant un moment son reflet bulbeux dans le service à thé en argent, et dit enfin : « Bande de rats. »

Les haussements d'épaules et le sourire de Padzhitnov étaient étonnamment dépourvus d'aigreur. « Vous n'avez pas besoin de mon autorisation », dit-il. « Vous avez toujours été libres de partir. »

« Mais on a l'impression de vous abandonner, Igor. De déserter — »

Il eut un geste de la main vaguement impuissant, comme pour inclure toutes les populations attenantes d'âmes à la dérive, orphelins et invalides, sans-abri, malades, affamés, incarcérés, fous, qu'il fallait encore aider à mettre en sécurité.

« La guerre n'est pas terminée. Ne le sera peut-être jamais. Les conséquences risquent d'être infinies. Mon équipage vient de passer quatre ans, un vrai cursus, à apprendre à gérer la famine, la maladie, les villes détruites, tout ce qui doit naître de ce qui s'est passé. Horreur, futilité – mais nous avons beaucoup appris. Vous avez sans doute été éduqués différemment. Vos propres obligations entraînent peut-être des conséquences différentes. »

« Des conséquences américaines. »

« *Nebo-tovarishch* » – une main sur son épaule – « je ne peux – ne préfère pas – imaginer. »

Et c'est ainsi qu'un soir, alors qu'apparaissaient les premières étoiles, le *Désagrément* s'éleva au-dessus des rives du lac de Genève et mit le cap ouest-sud-ouest.

« Nous devrions prendre les vents d'ouest dominants au large du Sénégal », estima Lindsay, qui était Officier météorologique.

« Vous vous souvenez quand nous allions là où le vent nous portait », dit Randolph. « Nous n'avons qu'à éteindre les moteurs et laisser faire. »

« Nos clients », rappela Lindsay à tous, « insistent pour que nous rallions la côte Pacifique le plus tôt possible, les coûts du voyage n'étant couverts contractuellement que jusqu'à une certaine somme, au-dessus de laquelle c'est à nous de prendre les frais en charge. »

« Eehhnnyyhh, quel idiot a pu inscrire une telle clause là-dedans ? » railla Darby.

« Vous », gloussa Lindsay.

Quand ils survolèrent les Rocheuses, ils constatèrent que les particularités du paysage se répétaient dans le ciel. Des courants d'air froid tridimensionnels suivaient le cours des rivières en dessous. Des masses d'air escaladaient les flancs ensoleillés des montagnes aussi abruptement que les courants plus froids descendaient les parois plongées dans l'ombre. Ils étaient pris parfois dans ce cycle, et survolaient les lignes de crête en exécutant de grands cercles verticaux jusqu'à ce que Randolph ordonne qu'on mette en marche les moteurs.

Il fallut alors tenir bon car le vent désirait qu'ils aillent vers le sud, et d'innombrables mètres cubes de combustible furent gaspillés pour contrer le vent du nord jusqu'à ce que Randolph, calculant qu'ils avaient épuisé leurs réserves d'énergie, abandonne le futur immédiat du vaisseau au vent, et ils se laissèrent dériver au-dessus du Río Bravo et dans les ciels du Mexique. Ils continuèrent à progresser ainsi, portés par des vents d'obscur chagrin, leur volonté aussi capricieuse que les éclairs de chaleur la nuit à l'horizon.

Ce fut précisément en cet instant de perplexité spirituelle qu'ils furent sauvés, sans signe avant-coureur, ici, «au sud de la frontière», par la Sororité des Éthéronautes.

Comment leurs trajectoires avaient-elles bien pu se croiser? Par la suite, aucun des garçons ne put se rappeler où la chose s'était produite, au cours de quelle ascension toxique, parmi quel vacarme querelleur devenu désormais routinier, ils avaient rencontré par hasard cette formation volante de filles, vêtues telles des novices religieuses dans des nuances crépusculaires, et qui s'égaillèrent en tourbillonnant devant leur vaisseau dont la masse dissimulait les étoiles, leurs ailes métalliques à la ferveur rythmique, cliquetante, certaines passant suffisamment près pour que les garçons puissent compter les boulons sur les carters d'engrenage, entendre le gémissement rotatif des moteurs auxiliaires fonctionnant au nitronaphtalène, se régaler, rigides, d'éclairs de peau féminine dénudée et sportive. Non que ces ailes, avec leurs milliers de «plumes» elliptiques impeccablement articulées, même dans cette lumière sale et déclinante, aient jamais pu passer pour des ailes d'ange. Les filles sérieuses, chacune vêtue de peau de chevreau noir et de plaques de nickel sous son nécessaire harnachement de vol, portant au front une minuscule lampe électrique lui permettant de voir ses boutons de commande, formèrent des groupes et s'éloignèrent en tourbillonnant dans l'approche de la nuit. Lancèrent-elles alors des regards à l'aéronef poussif et motorisé? des œillades, des minauderies, le vague pressentiment que ce devait être parmi elles, ces sombres et jeunes femmes, que les Casse-Cou étaient destinés à se trouver des épouses, à se marier et à avoir des enfants et devenir grands-parents – précisément parmi cette communauté errante, dont le sombre contrat stipulait qu'elles ne devaient jamais descendre sur Terre, se nichant chaque soir ensemble sur les toits des maisons tel un vol de pinsons en février, ayant appris à goûter, sur les tuiles protectrices, l'intimité des exclus, livrées à la tempête, aux assauts lunaires, une sombre prédation verticale, jamais entièrement rêvée, venue d'autres mondes?

Elles s'appelaient Violette et Primevère, Joie, Flambée et Émeraude, et chacune était arrivée dans cette sororité éthériste par les mystères du désagrément – un train en retard, une lettre d'amour inopportune, un témoin policier sujet aux hallucinations, et cætera. Et voilà qu'elles tombaient sur ces cinq aéronautes, immédiatement fascinés par leur mode de vol. Des ondes puissantes traversaient l'Éther, expliqua Émeraude, il suffisait de les capter et de se laisser porter par elles, tels les pygargues se laissant soulever par les vents marins, ou, comme on dit, les vagues du Pacifique portant les surfeurs d'Hawaï. Les ailes des filles étaient des antennes éthériques qui percevaient dans le médium, de façon quasi microscopique, une suite de variables dont l'indice de saturation lumineuse, la réluctance spectrale et le nombre de Reynolds régularisé par l'Éther. «Ces variables sont alors intégrées dans un dispositif de calcul», dit Émeraude, «qui contrôle les paramètres des ailes, les ajustant "plume" par "plume" afin de maximiser la portance éthérique...»

«Encore faut-il être éthériste», marmonna à part Chick.

«Les vapeurs ne sont pas l'avenir», déclara Émeraude. «Brûler des dinosaures morts et tout ce qu'ils mangeaient n'est pas la réponse, Jeune Vilebrequin.»

Elle entreprit aussitôt de lui enseigner l'éthérodynamique qui leur permettait de voler.

«L'Éther», expliqua Émeraude, «comme l'atmosphère autour d'un aéronef, peut produire une poussée et une attraction sur la Terre alors qu'elle se déplace dans l'espace. On n'a pas cessé de spéculer depuis l'expérience de Michelson-Morley sur la couche limite.»

«Que la surface irrégulière de la planète», entrevit alors Chick, «les montagnes et tout ça, maintient intacte en créant des tourbillons —»

«Et nous savons également que son épaisseur est proportionnelle à la viscosité cinématique, exprimée en mètres carrés par seconde – rendant le Temps inversement proportionnel à la viscosité, et du coup également à l'épaisseur de la couche limite.»

« Mais la viscosité de l'Éther, tout comme sa densité, doit être négligeable. Ce qui signifie une couche limite très fine, accompagnée d'une dilatation considérable du Temps. »

Darby, qui les écoutait, finit par s'éloigner en secouant la tête. « On se croirait avec Sidney et Beatrice Webb, ici. »

« Ainsi que d'une très rapide ascension », reprit Émeraude, « allant de zéro à la vitesse du vent éthéréen prédominant, quelle qu'elle soit. De sorte que pour le rencontrer dans toute sa force, il conviendrait de ne pas s'aventurer trop loin de la surface planétaire. Dans notre cas, pas plus haut que le niveau d'un toit. »

Chick et Émeraude allaient se révéler le couple le plus problématique, ou du moins le plus capricieux. Chick se comportait parfois comme si son cœur était resté dans les précédentes aventures, et que le présent d'Émeraude n'était pas à l'abri de rechutes dans le plus-que-parfait sentimental.

Lindsay Noseworth, diagnostiqué gamomaniaque, allait être le plus sévèrement épris de tous, et ce dès la première apparition oblique et fugace de Primevère. « Primevère Noseworth », l'entendit-on bientôt murmurer sans cesse, « Primevère Noseworth… » Aucune partie du vaisseau et aucun moment de la journée n'échappant à ses confuses songeries. L'équivalent sonore d'un tatouage de marin.

Pour ce qui était de Miles : « Oh, Joie », la gourmanda-t-il affectueusement, « t'es vraiment une cruche dès qu'il s'agit de choses profondes ! » (Les sentiments affichés par Miles, bien qu'enregistrés, n'étaient pas toujours immédiatement compréhensibles.)

Violette, quant à elle, tomba sous le charme d'un Randolph quelque peu égaré (le génie culinaire et les connaissances en herbes de la fille, patiemment exercés, finiraient par le guérir de sa dyspepsie.)

Flambée et Darby formèrent d'emblée un couple ardent, l'ancienne mascotte se retrouvant, pour la première fois, en compagnie d'une femme, moins mutique que *planant étourdiment*, grâce à des ressources aériennes qui semblaient lui être propres. « Ai-je perdu mon sens commun ? » se demanda Flambée, « pour fricoter ainsi sans chaperon avec des gars dans votre genre ? » Son regard n'était pas dépourvu de tendresse, se détachant sur le toit de son logement de la nuit qui s'enfonçait au loin en une fuite qu'on aurait pu croire infinie, la splendeur corrodée du ciel perdant de son éclat alors qu'ils attendaient, mais attendaient quoi ? Darby n'en savait rien. Les poêles furent allumés dans les maisons, et la fumée commença à monter des cheminées, les cris des vendeurs de journaux résonnèrent dans les rues, aussi perçants que des chants. Des arpèges de

cloches, chacune dotée depuis longtemps d'un petit nom doux dans le dialecte local, se firent alors entendre. Des grands cercles d'oiseaux fourbus gîtaient au-dessus des places, grandes et petites, sous la caresse d'une pénultième lueur, disparue l'instant d'après.

Au matin, quand toutes les filles furent à bord, le vent tourna. Comme l'avait encore prédit à trois reprises Lindsay, il ne leur faudrait que quelques minutes d'arc pour parvenir à leur destination californienne.

Ils firent donc route vers le nord-ouest et, une nuit, virent à leurs pieds une étendue incalculable de lumières, qui selon leurs cartes portait le nom de Ville de Notre-Dame, Reine des Anges. «Juste Ciel!» s'exclama Violette. «Où cela se trouve-t-il sur Terre?»

«C'est un peu ça le problème», dit Chick. «La partie "sur Terre"».

Tandis qu'ils survolaient le Continent, les garçons avaient exprimé leur étonnement en voyant que les terres nocturnes qui défilaient sous leurs yeux étaient de plus en plus contaminées par la lumière – du jamais vu de mémoire de Casse-Cou, les lanternes isolées et les lampes au gaz éparses ayant cédé la place à l'éclairage municipal électrique, comme si les groupes avancés de la journée de travail envahissaient progressivement l'arrière-pays désarmé de la nuit. Mais voilà qu'à présent, survolant le sud de la Californie et confrontés à l'incandescence qui émanait des demeures des faubourgs et des places de la ville, des terrains de sport, des salles de cinéma, des dépôts ferroviaires, des usines, des balises aériennes, des rues et des boulevards sur lesquels rampaient constamment les lignes de phares automobiles, ils se sentaient les témoins gênés d'une ultime conquête, d'un triomphe sur la nuit dont personne ne comprenait vraiment la raison.

«Ça doit avoir un rapport avec les heures de travail nocturnes», supposa Randolph, «les horaires étendus, je veux dire, au-delà des heures de lumière du jour.»

«Autant d'emplois supplémentaires», s'enflamma Lindsay, «qui suggèrent l'expansion d'une économie américaine déjà prodigieuse, sûrement une bonne nouvelle pour nous, vu la fraction non négligeable de notre capital investie ici-bas.»

«Ouais, la sueur des marmottes, la misère et les morts précoces», gronda Darby, «c'est ce qui nous permet de voler élégamment jusqu'ici.»

«Vous avez assurément été bien traité, Darby, par un système entrepreneurial dont les vagues dysfonctionnements que vous vous sentez encore obligé de critiquer demeurent, à nos pauvres yeux, d'une opacité miséricordieuse, voire franchement incompréhensibles.»

Darby cligna innocemment des yeux. « Eeyyhh, Noseworth ? »

« Ne dites rien. Je prise tout autant que quiconque le mode subjonctif, mais attendu que le seul usage que vous en faites concerne une grossièreté en deux mots qu'il vaut mieux s'abstenir de répéter — »

« Oh. Et que dites-vous de "Vive le capitalisme" ? En gros la même chose, non ? »

Comme motivé par l'absorption d'une dose fatale de cette lumière incessante, Miles prit la parole, sa voix se brisant presque sous une émotion difficile à cerner. « Lucifer, fils du matin, porteur de lumière… Prince du Mal. »

Lindsay, en sa qualité d'Officier théologique du vaisseau, entreprit d'expliquer comment les premiers Pères de l'Église, dans leur volonté de relier l'Ancien et le Nouveau Testament en autant de points que possible, s'étaient efforcés de mettre en corrélation l'épithète choisie par Isaïe pour le roi de Babylone avec la vision christique, rapportée par Luc, de Satan tombant tel un éclair du ciel. « Compliquée ensuite par l'usage que firent les anciens astronomes du nom de Lucifer pour désigner Vénus quand elle apparaît comme la lumière du matin — »

« C'est de l'étymologie », dit Miles aussi poliment qu'il put. « Mais quant à la rémanence au sein du cœur humain, immunisé contre le temps — »

« Excusez-moi » – Darby faisant mine de lever la main – « *maisdequoic'estyquevouscausez ?* »

Randolph leva les yeux d'une carte, et la compara avec le paysage lumineux défilant en dessous. « Il semble qu'il y ait un terrain d'atterrissage près de Van Nuys qui pourrait faire l'affaire. Messieurs, tous à vos postes ! »

Il s'avéra que le chèque envoyé par les avocats était sans provision et que leur adresse postale, après enquête, n'existait pas. Les garçons se trouvèrent un temps sans emploi dans un coin étrange de la planète, à supposer que ce fût bien là leur planète.

« Encore un coup d'épée dans l'eau », grogna Darby. « Quand est-ce qu'on comprendra ? »

« Vous étiez tous si pressés », répondit Lindsay d'un ton suffisant.

« Je crois que je vais aller me balader aujourd'hui », dit Chick, « faire un peu de tourisme. » Vers midi, alors qu'il s'avançait dans Hollywood d'un pas nonchalant, il s'aperçut soudain qu'il avait faim et alla faire la queue devant un vendeur de hot-dogs du nom de Links où, ô surprise, il rencontra son père, « Dick » Counterfly, qu'il n'avait pas vu depuis environ 1892.

« Saperlipopette ! », s'exclama Counterfly père, « si ça fait pas un sacré bout de chemin depuis Thick Bush, Alabama. »

« Ça fait presque trente ans. »

« J'pensais que tu serais plus grand. »

« Ça a l'air d'aller pour vous, m'sieur. »

« Appelle-moi "Dick", comme tout le monde, même les Chinois. Mince, y z'ont intérêt. Ce deal dans le Mississippi a été le début de nos deux fortunes. Tu vois cette brouette ? »

« On dirait une Packard. »

« Elle est pas chouette ? Viens, on va faire un tour. »

« Dick » habitait dans une demeure de style beaux-arts dans West Adams avec sa troisième épouse, Treacle, qui était du même âge que Chick, voire plus jeune, et qui accorda à celui-ci une attention toute particulière.

« Un autre gin-fizz, Chick ? »

« Merci, j'en ai déjà bu un », dit-il, avant d'ajouter : « Treacle », d'une voix plus basse.

« Tu fais quoi avec tes cils, poussin ? Tu me sembles assez grand pour connaître la musique. »

« Matez-moi ça », fit « Dick » qui les conduisit dans une pièce attenante, peu éclairée, où trônait, dominé par un disque métallique qui tournait rapidement, un énorme engin d'un mètre quatre-vingts de haut avec plein de perforations disposées selon un motif en spirale, éclairé par une lampe à arc, avec une rangée de piles au sélénium occupant tout un pan de mur.

« Dick » s'approcha d'un panneau de commandes et de manomètres vaguement éclairés, et entreprit de faire fonctionner la bécane. « J'ai à proprement parler rien inventé, toutes les pièces étaient déjà en vente sur le marché, mince alors, ce scanner Nipkow on le trouve depuis 1884. J'ai juste voulu voir si tout ça pouvait se combiner ensemble, comme qui dirait. »

Chick examina avec une grande curiosité scientifique l'image scintillante qui apparut sur l'écran à l'autre bout de la salle, et vit ce qui ressemblait à un grand singe avec un chapeau de marin au bord retourné sauter à bas d'un palmier sur un vieil homme – un skipper, à en juger par la casquette qu'il portait.

« Je capte ce truc toutes les semaines à peu près à cette heure-ci », dit « Dick », « même s'il semble parfois venir, eh bien, tu pourrais trouver ça bizarre, mais d'un endroit moins à la surface de la Terre que — »

« Perpendiculaire », suggéra Chick. Il remarqua que Treacle était assise tout près de lui sur le canapé, et qu'elle avait défait plusieurs boutons de sa robe et semblait assez agitée. Au lieu de regarder les points lumineux, qui apparaissaient beaucoup plus vite que l'œil humain ne pouvait les suivre, et clignotaient à différentes intensités l'un après l'autre afin de créer l'illusion du mouvement dans un cadre unique, elle regardait Chick.

Celui-ci attendit la fin de la transmission, dont la signification lui échappa, et prit congé. Treacle enroula sa cravate et l'embrassa sur la bouche. Le lendemain, «Dick» se rendit au terrain aéronautique de Van Nuys avant que sonne la diane, et fit rugir le moteur de sa Packard avec impatience.

«J'aimerais te présenter un ou deux gars.»

Ils roulèrent en direction de l'océan, et environ à mi-chemin dans la baie de Santa Monica ils trouvèrent un ensemble de hangars et de laboratoires en tôle, dominant la plage, en fait un centre de recherche dirigé par deux vieux excentriques, Roswell Bounce et Merle Rideout.

«Salut, Roswell, c'est pour quoi faire ce fusil?»

«Je t'ai pris pour quelqu'un d'autre.»

«Toujours les mêmes gangsters, hein?» fit «Dick», avec une expression peinée.

«T'as dit un jour que si on avait besoin de renfort, tu pouvais nous recommander quelqu'un», dit Merle.

«Et bon sang le moment est plus que venu», dit Roswell.

«Oui. Je connais un détective en ville, c'est un vrai as», dit «Dick», «il saura exactement quoi faire. Même qu'il bosse pour moi. Il garde un œil sur Treacle.»

Chick jeta un regard interrogateur à son père. Il était sur le point de dire que Treacle semblait tout ce qu'il y avait de plus sociable et enjoué, mais crut bon de se raviser.

«Et si, comment dire, on en venait à se tirer dessus?» marmonna Roswell.

«Fais pas attention», dit Merle tout bas, en un aparté de théâtre. «Une vieille forme de paranoïa.»

«Toujours mieux que de se trimballer en croyant qu'on est à l'épreuve des balles.»

«Bon, fusillade ou pas, Lew Basnight est votre homme.» «Dick» sortit une liasse de cartes de visite d'un vieux portefeuille et les passa en revue. «Voici son numéro de téléphone.»

Une fois dans le laboratoire, Chick écarquilla de grands yeux ébahis. C'était le labo dont rêvent tous les garçons! L'endroit *sentait* même le

scientifique – ce mélange familier d'ozone, de gutta-percha, de dissolvants, d'isolants roussis. Les étagères et les paillasses étaient encombrées
de voltampèremètres, de rhéostats, de transformateurs, de lampes à arc
entières et en morceaux, de carbones à moitié utilisés, de brûleurs au
calcium, de cachets de peroxyde de sodium, de magnétos haute tension,
d'alternateurs manufacturés ou bidouillés, de bobines à vibreur, de dis-
joncteurs et d'interrupteurs, d'entraînements par vis sans fin, de prismes
de Nicol, de valves génératrices, de tubes à souffler le verre, de cellules
Thalofide venues des surplus de la Marine, de tubes Aeolight tout neufs
tombés récemment d'un camion, de composants du Blattnerphone
anglais et de tas d'autres bidules que Chick n'avait encore jamais vus.

Merle et Roswell les conduisirent jusqu'au fond du labo puis leur
firent passer des portes fermées à triple tour, donnant dans une petite
pièce occupée par une mystérieuse machine, pour la sécurité de laquelle
ils avaient sacrifié pas mal d'heures de sommeil, car elle était apparemment devenue un objet de convoitise pour une obscure entreprise
criminelle, basée à en croire les deux inventeurs dans les hauteurs de
Hollywood.

« Bon, chaque sujet photographique bouge », expliqua Roswell, « même
s'il est immobile. Il respire, renvoie la lumière, tout ce qu'on veut. Prendre
une photo, c'est comme ce que les profs de maths appellent calculer
la "différentielle" d'une équation de mouvement – figer ce mouvement
dans le très petit espace de temps qu'il faut à l'obturateur pour s'ouvrir
et se fermer. Du coup, on s'est dit : si prendre une photo c'est comme
isoler une première dérivée, alors peut-être qu'on pourrait trouver un
moyen de faire l'inverse, commencer par la photo et *l'intégrer*, récupérer
son inverse originel et le remettre en mouvement... voire le ranimer... »

« On a bossé dessus à nos heures perdues », dit Merle, « mais il a fallu
attendre que le vieux Lee De Forest ajoute cette grille-électrode au tube
de Fleming pour que les choses commencent à prendre tournure. Il nous
a semblé alors assez évident qu'avec un tube à vide de type triode,
une résistance d'entrée et un condensateur à rétroaction, par exemple,
on pouvait bidouiller un circuit et qu'à condition de pas se planter dans
la résistance et la capacitance, on pourrait faire passer un simple voltage
alternatif sur la grille – qu'on appellera "sinus de t" – et obtenir le cosinus
négatif de t en sortie. »

« De sorte qu'en théorie », comprit Chick, « l'entrée peut être l'inté-
grale indéfinie de tout signal passant par la grille. »

« T'as tout pigé », dit Roswell. « Tu devrais faire gaffe à ce petit,
"Dick". Bon, bref, l'électricité et la lumière étant grosso modo la même

chose, juste des étirements différents du spectre, on s'est dit que si on pouvait travailler cet effet d'intégration avec l'électricité, alors on devrait être capables de le faire avec la lumière. T'en penses quoi?»

«Mince alors, vous gênez pas pour moi», s'exclama "Dick" Counterfly.

Un scientifique posé aurait alors recherché des analogies dans le monde de l'optique avec le tube à vide de De Forest, le condensateur à rétroaction, et les autres composants physiques du circuit en question. Mais il fallait tenir compte du cas étonnamment avancé de *paranoïa querulans* qu'était Roswell. On pouvait voir ses oreilles remuer, ce qui était toujours chez lui un signe certain d'activité mentale, mais son esprit, et ça Merle s'en était déjà rendu compte, ne procédait pas de façon linéaire. Il voyait resurgir de façon kaléidoscopique des bribes de vieux brevets, parsemées de vagues souvenirs d'apparitions au tribunal. Des visages d'avocats qu'il avait moins qu'à la bonne, et rêvait encore d'assassiner, même des années plus tard, occupaient ses pensées par vagues informes. Sans parler de l'inspiration susceptible de naître des divers éléments qui ne cessaient d'échouer, plus ou moins légalement, dans le labo. Un des deux inventeurs fous demandait: «Mais qu'est-ce qu'on va bien pouvoir fiche de ça?» Et l'autre haussait les épaules et répondait: «On sait jamais», et le bidule en question finissait sur une étagère ou dans une armoire, puis, à tous les coups, un jour, ils avaient besoin d'un truc capable de changer la lumière infrarouge en électricité, ou de la diviser à un angle particulier de polarisation, et voilà que, planqué sous un tas de matériel accumulé entre-temps, il trouvait l'élément même qu'il fallait.

Merle actionna un petit générateur à moteur fonctionnant à l'essence, disposa deux carbones à angle droit, qu'il écarta alors avec un arc aveuglant et grésillant. Il procéda à quelques réglages de focales. Sur le mur apparut une photo agrandie du centre de L.A., monochromatique et fixe. Merle remua les carbones, tourna quelques boutons, alla chercher dans un coffre-fort mural un cristal rouge et brillant, qu'il posa délicatement dans un boîtier en platinoïde. «De la lorandite – rapportée de Macédoine avant les guerres des Balkans, du pur arsénosulfure de thallium, d'une qualité plus pure que tout ce qu'on trouve aujourd'hui.» Des tubes à vide poussé émirent un rougeoiement sinistre. Un fredonnement monta de deux ou trois sources, pas franchement en harmonie. «... Maintenant regardez bien.» Sans le moindre à-coup, au point que Chick ne vit pas à quel moment, la photo s'anima. Un cheval leva un sabot. Un tramway émergea de l'inertie. Les vêtements des passants se mirent à palpiter dans la brise.

«Si c'est pas le truc le plus dingue que vous ayez jamais vu!» s'écria «Dick» Counterfly, dont l'étonnement semblait croître à proportion de sa familiarité avec l'engin. Au cours de la demi-heure qui suivit, Merle projeta d'autres transparents sur les murs, qui très vite furent recouverts de scènes de la vie américaine, indubitablement en mouvement. L'effet combiné était celui d'une population affairée de la taille d'une petite ville. Dans chaque image, on dansait, on se battait dans des saloons, on buvait, jouait au billard, travaillait de jour, on se prélassait, baisait, déambulait, on mangeait dans des wagons-restaurants, on prenait des tramways, on jouait à la belote, tantôt en noir et blanc, tantôt en couleurs.

Dans les années qui avaient suivi l'invention, confia Merle, il avait fini par comprendre que sa mission consistait à libérer les images pas seulement dans les photographies qu'il prenait, mais dans toutes celles qui passaient entre ses mains, tel le prince qui réveille la Belle au bois dormant en l'embrassant. Les unes après les autres, dans tout le pays, réagissant à son désir, les photos tremblaient, remuaient, commençaient à s'animer, au début lentement puis de plus en plus vite, les piétons quittaient le cadre, les attelages continuaient leur avancée, les chevaux qui les tiraient chiaient dans la rue, des passants qui étaient de dos révélaient leur visage, les rues devenaient obscures et les réverbères s'allumaient, les nuits s'allongeaient, les étoiles tournaient, passaient, se dissolvaient dans l'aube, les festivités en famille finissaient dans l'ivresse et la pagaille, des dignitaires posant pour des portraits clignaient des yeux, rotaient, se mouchaient, se levaient et quittaient l'atelier du photographe, pour reprendre le cours de leur existence comme l'ensemble des autres sujets libérés des photos, bien que de toute évidence ils eussent échappé à la portée de l'objectif, comme si toute l'information nécessaire pour représenter un avenir encore indéfini s'était trouvée là, dans le «cliché» initial, à une finesse d'échelle moléculaire ou atomique dont la limite, si limite il y avait, n'avait pas encore été atteinte. «Mais on pourrait croire qu'à cause de la taille du grain», fit remarquer Roswell, «la résolution ferait défaut tôt ou tard.»

«Ça pourrait être quelque chose qui fait partie de la nature même du Temps», spécula Chick.

«Je suis un peu perdu», sourit Roswell, «avec tous ces vieux électros ici.»

«Il y a un type à bord de mon vaisseau, Miles Blundell, qui a souvent une perception plus profonde de ces choses-là que la plupart d'entre nous. J'aimerais lui causer de votre invention, si ça vous dérange pas.»

«Tant qu'il est pas de mèche avec l'industrie du cinéma», dit Roswell.

«N'oubliez pas de contacter ce Lew Basnight», leur rappela «Dick» alors qu'ils partaient. «Il suffit parfois de passer un coup de fil.»

«Flinguer quelqu'un serait mieux», suggéra Roswell avec un pépiement dans la voix.

En marchant dans le brouillard jusqu'à la Packard, Chick dit à son père: «Heureusement que j'ai jamais eu un cliché de toi – ces types auraient pu me montrer ce que t'as fichu toutes ces années.»

«Pareil pour toi j'en suis sûr, morveux.» Alors qu'ils allaient monter dans l'auto, «Dick», comme si la pensée venait juste de le traverser, dit: «Peut-être que t'aimerais la conduire.»

«Ça me gêne de le dire, mais je sais pas conduire.»

«Si t'as l'intention de rester quelque temps à L.A., j'crois que tu ferais mieux d'apprendre.» Il fit tourner le moteur. «Je vais te montrer si tu veux. Ça devrait pas prendre très longtemps.»

De retour sur le petit aérodrome, ils trouvèrent le *Désagrément* éclairé par d'inhabituelles fréquences lumineuses électriques, qui s'épanouissaient dans la nuit odorante du désert. Des fumets de cuisine montaient de la coquerie. «Dick» posa son front sur le volant pendant un moment. «J'crois que je ferais mieux d'aller retrouver ma Treacle.»

«Ça te dirait de monter à bord et de dîner avec nous, Papa? Ce soir c'est haricots rouges, crevettes et riz, style bayou. Je te présenterai Émeraude – enfin, si elle veut bien me parler à nouveau – et après on pourrait voler, faire une petite virée au-dessus du bassin…»

Bizarrement, après toutes ces années de séparation, le visage de son père n'était pas aussi indéchiffrable que Chick aurait pu s'y attendre. «Bon. J'ai cru que tu me demanderais jamais.»

Les bureaux de Lew à L.A. étaient situés dans ces nouveaux immeubles m'as-tu-vu qui poussaient tout le long de Broadway, avec des ascenseurs et de l'électricité partout, et donnaient sur une vaste cour intérieure protégée par un dôme en verre qui laissait passer des bleus et des ors parfois plus intenses que ceux, plus écrus, qu'on voyait d'ordinaire en ville. La galerie extérieure verdoyait de palmiers nains et de Dieffenbachia, et il y avait trois niveaux de sécurité à franchir, tous dotés de réceptionnistes faussement angéliques. Ces filles travaillaient également aux studios de cinéma de Hollywood en tant que «cascadeuses» chaque fois qu'une scène, de l'avis des personnes qui assuraient le film, risquait de mettre en danger l'actrice vedette susceptible, disons, de se balancer dans le vide en se tenant au rebord d'une fenêtre de gratte-ciel ou de passer plusieurs fois en roadster sur une voie ferrée face à une locomotive lancée à fond. Thetis, Shalimar et Mezzanine, dont les tenues garçonnes et très chics de sténographes dissimulaient des corps conçus pour le plaisir des proches aussi bien que pour la gêne des inconnus, étaient toutes des as du volant, munies d'un permis de port d'arme, avaient le pied aussi assuré que des mules du Grand Canyon, savaient descendre sans trébucher un escalier en talons hauts pour se rendre dans une salle de bal d'hôtel, même si parfois pour s'amuser l'écervelée Mezzanine adorait feindre des chutes de dix mètres en hurlant juste afin d'attirer l'attention de la foule.

En bas de la rue se dressait l'immeuble de la Pacific Electric avec au rez-de-chaussée le récent Coles P.E. Buffet, où Lew aimait prendre son petit déjeuner, quand le petit déjeuner était à l'ordre du jour. Lorsque ce n'était pas le cas, c'était en général après une nuit frénétique et prolongée, Lew s'étant mis à picoler sérieusement à un âge avancé, à peu près au début de la Prohibition.

Il était resté à Londres aussi longtemps qu'il avait pu, mais quand la Guerre fut finie, la Grande-Bretagne, l'Europe – tout ça parut un rêve. Il eut l'impression de sentir l'odeur des steaks depuis l'autre côté de l'Atlantique et tout le long de la ligne Érié, et fut déconcerté en voyant le temps que ça lui avait pris pour se rappeler que Chicago était sa patrie. Que d'errances, franchement. Il rentra pour découvrir que l'agence White City Investigations avait été rachetée par un fonds de l'Est et fournissait maintenant surtout de la «sécurité industrielle», un terme recouvrant le fait de briser les têtes de ceux qui faisaient grève ou peut-être envisageaient juste de le faire. Les agents portaient désormais des uniformes marron à deux tons et des Colt Automatic. Nate Privett avait pris sa retraite et vivait à Lincolnwood. Quiconque voulait le voir devait appeler sa secrétaire particulière et convenir d'un rendez-vous.

Mais Lew ne se débrouillait pas trop mal. L'argent affluait de l'autre côté de l'océan, certains parlaient d'intérêts liés à des jeux de hasard, d'autres évoquaient un trafic d'armes, ou quelques extorsions – la version dépendait de ce qu'on pensait de Lew.

Mais il lui suffit de quelques années à L.A. pour se changer en un vieux briscard au hâle marqué, qui avait vu des choses, pris part à des activités, dans les toilettes des riches, derrière les dunes des villes balnéaires, dans les quartiers miséreux, les plateaux du haut désert, dans les ruelles de Hollywood pleines de luxuriantes plantes exotiques, à côté desquels Chicago faisait office de cour de récréation. Lew se fiait encore à son don grossier de seconde vue, sa précision et sa rapidité avec un pistolet. Il prenait régulièrement sa voiture pour aller s'entraîner à un stand de tir situé près de la plage. De temps en temps, des dames du bassin de L.A. – d'anciennes actrices de cinéma, des agents immobiliers, des filles louches rencontrées au hasard de diverses affaires – étaient disposées, par intérêt, à passer une demi-heure avec lui au lit ou plus souvent debout, dans une piscine mal éclairée, mais rien de ce que son aliéniste le Dr Ghloix appelait des relations à long terme.

Il savait que d'autres collègues de son époque, ceux qui avaient travaillé dans les deux camps jusqu'à ce qu'ils oublient lequel était le leur, et qui avaient fini par devenir, pour certains, les plus vicelards, vivaient désormais en paix sur la côte Ouest, leurs moustaches grises rasées depuis longtemps, et s'enrichissaient en faisant des transactions immobilières à peine plus légales que les braquages de trains dont leurs revenus dépendaient autrefois… Des desperados plus modestes mais naguère très dangereux s'étaient installés dans de petits chalets dans les plaines autour de Pico avec leurs épouses joviales qui aimaient confectionner des tartes, ils étaient employés dans les collines comme consultants pour les usines de l'ombre qui transformaient sans relâche cette époque frénétique en bobines inoffensives. Lew n'avait jamais cru qu'il s'en sortirait, mais c'est ce qu'il se répétait ici tous les jours.

«On dirait une sorte de Nègre», annonça Thetis. «Un de plus.»

«Vous désapprouvez, Mademoiselle Pomidor?»

Elle haussa les épaules. «Ça me dérange pas quand c'est des boot-leggers. Ils savent se comporter comme des gentlemen. Mais ces musiciens de jazz...»

«Si c'est pas au répertoire d'Erno Rapée, elle ne veut rien savoir», commenta Shalimar. «Mezzanine, elle, passe son temps à sortir avec ces gars-là.»

«Quand t'as goûté au Noir», roucoula Mezzanine sur un air de blues, «y a plus de hasard.»

«Mezzanine Perkins!» Les filles feignant l'indignation.

Chester LeStreet portait un costume en laine peignée gris clair, une chemise et une pochette de la même nuance vive de fuchsia, un chapeau Homburg couleur crème glacée, une cravate teinte à la main. Lew, qui avait des trous dans ses chaussettes dès la fin de la semaine, chercha du regard ses sandales et les enfila.

Chester le regarda en souriant par-dessus des lunettes de soleil foncées à la monture en écaille de tortue. «Que je vous explique. Je joue des percus dans l'orchestre du Vertex Club, dans South Central, vous connaissez peut-être?»

«Bien sûr, c'est la boîte de Tony Tsangarakis – l'affaire de l'Étrangleur syncopé, y a deux, trois ans. Comment va le Grec?»

«Toujours pas redevenu normal. Tapez ne serait-ce que sur un billot, et il se met à claquer des dents en rythme.»

«J'ai appris qu'ils avaient fini par clore le dossier.»

«Plus étanche que les grilles de San Quentin, mais voilà de quoi il s'agit. Vous vous souvenez de Miss Jardine Maraca, le canari de l'orchestre?»

«Partageait la même piaule qu'une des victimes, si je ne m'abuse, elle a quitté la ville soi-disant de peur d'y laisser sa peau.»

Chester acquiesça. «Plus de nouvelles depuis – jusqu'à hier soir, en fait. Elle passe un appel longue distance au club depuis un motel dans les hauteurs de Santa Barbara, et sort une histoire dingue comme quoi l'autre fille, Encarnación, est toujours vivante, elle l'a vue, elle l'a pas crié sur les toits, mais maintenant quelqu'un veut sa peau. Tony vous a pas oublié, et il voudrait savoir si vous pouvez voir de quoi il retourne.»

«Vous avez quelque intérêt personnel là-dedans, Mr LeStreet, si ma question n'est pas indiscrète?»

«Je fais juste la commission pour le boss.»

« Vous avez une photo de Miss Maraca ? »

« Tony m'a filé ça. » Le jazzman ouvrit une mallette et tendit à Lew ce qui ressemblait à une photo publicitaire, portant des traces de plis et de punaises, un de ces clichés sur papier glacé de format 20 × 25 comme on en voit dans les vitrines extérieures des petits night-clubs, avec des paillettes collées tout autour. Techniquement elle souriait, mais avec cette rigidité hollywoodienne qui, Lew le savait, cachait la peur d'une puissance extérieure.

« Une jeune femme tout à fait charmante, Mr LeStreet. »

Le musicien ôta ses lunettes de soleil et feignit d'étudier la photo une minute. « Certainement. D'avant mon époque, bien sûr. »

« Peut-être que certains de vos collègues se souviennent d'elle. Je passerai un de ces soirs. Mais d'abord, je crois que je vais me rendre à Santa Barbara. Elle a dit où elle était descendue ? »

« Au Royal Jacaranda, à l'écart de la Coast Highway. »

« Oh oui, ce bon vieux R.J… Bon, merci, et dites au Grec de pas se biler. »

C'était la période juste avant le tremblement de terre, et Santa Barbara renvoyait alors nettement moins de lumière qu'elle n'allait le faire quand s'imposerait la philosophie du stuc souverain. Pour l'instant, l'endroit se prélassait dans l'obscurité d'une végétation luxuriante, avec des raidillons nappés de lierre qui menaient dans des poches infestées de rats sentant le vieil argent californien, un passé impitoyablement renié. À cause du virage abrupt que décrivait la ligne côtière locale qu'on appelait le Rincón, l'océan était situé au sud de la ville et non à l'ouest, de sorte qu'il fallait tourner le dos à tous les autres habitants du sud de la Californie pour voir le coucher de soleil. Cet angle, d'après Scylla, une astrologue amie de Lew, était le pire de tous les aspects possibles, et condamnait la ville à revivre sans cesse les mêmes cycles de cupidité et de trahison qu'à l'époque des tout premiers Barbareños.

Le Royal Jacaranda était en plus piteux état que dans le souvenir de Lew, et aux mains de proprios différents, bien sûr.

Un gamin certainement en vacances cirait laborieusement une planche de surf de trois mètres qui occupait presque tout l'espace du bureau.

« Jardine Maraca. Vous savez quand elle est partie ? »

Le gosse jeta un œil au registre. « Ça devait être avant que j'arrive. »

« Je peux aller jeter un coup d'œil, si ça dérange pas ? »

« Pas de problème. » Et il retourna à sa planche. Une belle longueur de séquoia.

À l'autre bout de la cour, un Mexicain avec un tuyau d'arrosage discutait avec une femme de ménage. La chambre de Jardine n'avait pas encore été faite. On avait dormi sur le lit, mais pas dedans. Lew visita les lieux, espérant, et n'espérant pas, des surprises. La petite penderie ne contenait que deux ou trois épingles à cheveux et une étiquette avec un prix provenant du rayon chapeaux de chez Capwell. Sur l'étagère au-dessus du lavabo de la salle de bains trônait un pot de crème pour le visage – vide. Lew ne vit rien qui sortît de l'ordinaire dans la cuvette ou le réservoir des toilettes. Mais il eut une idée. Il retourna à la réception, lança une nouvelle pièce toute neuve de cinquante *cents* au gamin, et demanda la permission de téléphoner. Il connaissait un dealer de hasch philippin qui était capable de scruter les profondeurs d'une cuvette de W.-C. comme le feraient des aruspices avec une boule de cristal ou une tasse de thé, et d'y découvrir des trucs incroyables, pour la plupart inutiles, mais révélant parfois tellement de secrets supposés à jamais enfouis qu'il était impossible de ce côté-ci du surnaturel de l'expliquer. Les flics, ici et à L.A., respectaient suffisamment le don d'Emilio pour lui octroyer des ristournes sur les pots-de-vin nécessaires à la poursuite de sa carrière agricole sans aucune inquiétude.

Emilio décrocha à la première sonnerie, mais Lew comprit à peine ce qu'il disait à cause du vacarme ambiant. Lew savait que c'était sans doute sa bourgeoise, mais on aurait dit une foule en colère. Aujourd'hui, Emilio et elle s'étaient chamaillés depuis le lever du soleil, aussi fut-il plus que ravi de déserter un temps le domicile. Il se pointa au Royal Jacaranda sur une vieille bicyclette, suivi par un nimbe de fumée de joint.

« J'pensais jamais revoir cet endroit. »

« Oh ? Ne me dis rien, une livraison de dope qui a mal tourné… »

« Non, c'est là où on a passé notre lune de miel. Un endroit maudit, en ce qui me concerne. »

Dès l'instant où il entra dans la pièce, Emilio devint tout bizarre. « Fais-moi plaisir, Lew, prends ce couvre-lit et mets-le sur le miroir, tu veux bien ? » Il trouva une serviette dans la salle de bains et fit de même avec le petit miroir au-dessus du lavabo. « Ils sont parfois comme des puces », marmonna-t-il, en mettant un genou par terre et en soulevant prudemment le couvercle des toilettes, « ils adorent sauter dans tous les sens. Comme ça, ça reste concentré en un endroit… »

Lew préféra ne pas traîner. Il sortit, s'adossa au mur de stuc éclairé par le soleil et fuma une Fatima en regardant les femmes de ménage qui allaient de chambre en chambre dans sa direction. Tout en tendant l'oreille, vu qu'Emilio lui paraissait – eh bien, disons nerveux, ce genre-là.

Emilio apparut bientôt à côté de Lew. « T'as une cigarette régulière ? » Ils restèrent un moment à fumer en écoutant le matin qui ne tenait pas ses promesses. « Tiens », Emilio tendant une adresse à L.A. qu'il avait hâtivement griffonnée sur une carte postale du Royal Jacaranda. « Ça arrêtait pas de revenir. »

« T'en es sûr ? »

« À deux cents pour cent, *caballero*. Me demande pas d'y retourner pour confirmer. Et réfléchis à deux fois toi-même, Lew. »

« Moche, hein ? »

« Moche, très moche… de nombreux cadavres. » Il balança le mégot de cigarette dans une flaque d'eau d'arrosage que le soleil n'avait pas encore évaporée. « Du coup, on apprécie de se disputer avec sa bourgeoise, je te dis que ça. »

« Merci, Emilio. Envoie ta facture. »

« *Tu mamá*. File-moi du liquide, et tout de suite – j'ai envie d'oublier ça le plus vite possible. »

De retour au bureau, Lew trouva Thetis dans tous ses états. « Vous avez reçu des appels d'un cinglé, la voix complètement paniquée, toutes les dix minutes, comme s'il se servait d'un minuteur à œufs. Il doit d'ailleurs rappeler dans » – regardant d'un air dramatique sa montre-bracelet – « environ… deux… »

Le téléphone sonna. Lew donna une petite tape avunculaire sur l'épaule de Thetis et décrocha le combiné.

La voix paniquée était celle de Merle Rideout, qui vivait sur la plage et se disait inventeur. « Je passerais bien vous voir au bureau, mais on me suit, alors faudra que notre rencontre ait l'air accidentelle. Vous connaissez Sycamore Grove, pas loin de North Figueroa ? »

« C'était un coin sympa pour les filles de l'Iowa. »

« Toujours le cas. Content qu'on soit d'accord sur ce point. »

Lew vérifia son petit Beretta calibre .6,35, juste au cas où.

« On dirait qu'il y a du grabuge dans l'air, chef », dit Shalimar. « Vous avez besoin de renfort ? »

« Nan, juste deux petites visites rapides à faire. Mais — » Il recopia l'adresse que lui avait donnée Emilio sur le bloc où elle notait les rendez-vous. « Au cas où j'appelle pas avant la fermeture, peut-être que l'une d'entre vous pourrait faire un saut là-bas en voiture. Avec une mitraillette. »

Merle vivait déjà dans le coin avant la Guerre, et s'aperçut à un moment donné qu'il s'était lentement transformé en agrume hybride sans la moindre valeur commerciale. Peu de temps avant que le conflit éclate en Europe, il était tombé sur Luca Zombini dans la boutique d'un électricien de Santa Monica. Luca travaillait pour un des studios dans une branche appelée «effets spéciaux photographiques», essentiellement des émulsions sur verre et tout ça, et il apprenait tout ce qu'il pouvait sur l'enregistrement sonore.

«Passez donc, on vous mitonnera un petit plat. Erlys sera contente de vous voir, et vous pourrez rencontrer les enfants – sauf Bria, elle est retournée dans l'Est pour poursuivre une carrière dans la finance internationale, sans parler d'un certain nombre de banquiers internationaux.»

Erlys avait les cheveux beaucoup plus courts, remarqua-t-il, apparemment à la mode du jour, avec des boucles qui tombaient doucement sur son front. «Tu n'as quasiment pas changé.»

«Évite de flirter avec moi, sinon je vais devoir hurler pour que mon mari rapplique.»

«Ouille.»

S'efforçant de ne pas considérer Merle comme un obsédé sur le retour qui ne souriait pas autant qu'il l'aurait dû, elle lui raconta ce qu'elle savait de Dally, qui vivait à Londres et écrivait même de temps en temps.

Nunzi arriva peu après dans un roadster qui avait pas mal vécu, et Merle fit la connaissance un par un des autres enfants à mesure qu'ils rentraient de l'école.

«Tu t'es jamais marié, Merle?»

«Zut alors» – en claquant des doigts. «Je savais qu'il y avait un truc que j'étais censé faire.»

Elle contempla ses orteils, tout scintillants dans ses sandales de plage. Des colibris fusaient entre les bougainvillées. «Quand nous —»

«Non, non, non, 'lys, ça aurait mal fini. Tu le sais. La une, les manchettes du soir, des articles indignés pendant des années. T'as décroché le bon lot avec l'autre Machin-Chose, le bon moment au bon endroit. Et puis, ces gosses sont des choux, tous autant qu'ils sont. Cette Nunzi… je commençais à croire que je savais tout ce qu'il y avait à savoir, ben…» Il sourit, enfin.

«Ils me laissent un peu de temps pour moi ces jours-ci», dit-elle. «Je trouve une minute pour me regarder dans la glace, c'est comme de rencontrer quelqu'un que je connais presque. Mais» – il savait ce qu'elle allait dire – «Dahlia me manque vraiment.»

«Ouaip. À moi aussi. Elle a filé quand il fallait, visiblement ça pouvait pas attendre, mais quand même —»

«Je ne sais pas comment te remercier, Merle, elle est devenue si —»

«Oh allons, elle a encore tout juste, quoi, vingt ans et quelques, encore pas mal de temps avant qu'elle devienne une vraie peste, si c'est ce qu'elle cherche.»

«Elle est la vedette de la scène londonienne.» Erlys sortit un album en veloutine avec des articles de revues et de journaux anglais, des programmes de théâtre et des photos promotionnelles.

En hochant la tête, il regarda les images de Miss Dahlia Rideout, surpris qu'elle ait gardé ce nom, plissant les yeux, comme pour un examen approfondi. «Eh bien, prends garde, Olga Nethersole», dit-il à voix basse. «Arrière, Miss Fiske.»

Luca arriva avec un sac de courses.

«Bonsoir, Professeur» – Merle avec un bref sourire de convenance.

«Si j'avais su que vous passiez, je vous aurais laissé préparer le repas», dit Luca.

«Je peux éplucher quelque chose. Émincer?»

«L'essentiel est en train de pousser.»

Ils allèrent dans le jardin derrière la maison, plein de longs poivrons verts à frire, de plants de basilic gros comme des buissons, de courgettes, d'artichauts dont les tiges emplumées s'agitaient dans un vent venu aujourd'hui du désert, d'aubergines brillant d'un éclat ultraviolet dans l'ombre, de tomates ressemblant à des illustrations d'elles-mêmes en quadrichromie. Il y avait un grenadier, un figuier, un citronnier, tous chargés de fruits. Luca prit le tuyau d'arrosage et rafraîchit tout ce petit monde, en se servant du pouce pour arroser en éventail. Ils cueillirent des tomates, des poivrons, de l'origan et des aulx qu'ils rapportèrent dans un panier en osier dans la cuisine, où Merle trouva un couteau et entreprit d'émincer.

«Où est Cici?» demanda Erlys.

«Il a dû se rendre au studio.» Cici jouait le rôle d'un des petits récidivistes, personnages d'une série populaire de comédies en une bobine sur une bande d'évadés de maisons de redressement qui décident de faire le bien, mais sont sans cesse poursuivis par des policiers comiques qui se méprennent sur leurs intentions. Cici jouait le rôle non d'un Italien mais d'un jeune Chinois nommé Dou Ya. Le petit Italien, Pippo, était joué par un Nègre. Et ainsi de suite. Un vague rapport avec la pellicule orthochromatique. Cici avait mis au point un style «chinois» particulier de débit qui rendait fou tout le monde à la maison. «Cici, c'est un film muet, tu n'es pas obligé de —»

«C'est pour me mettre dans la peau du personnage, Papa!»

Cici devint le préféré de Merle, même si au fil des ans celui-ci essaya de maintenir son rythme de visites à un niveau modeste. Il n'avait aucune envie de devenir l'Oncle Merle de qui que ce soit, et ce n'était pas vraiment comme si le temps pressait – bien que ces jours-ci le travail fût devenu davantage une source de dangers que de revenus, ce qui explique pourquoi Roswell et lui décidèrent au final d'engager un détective privé.

N'ayant jamais eu l'impression d'être le citoyen d'un État particulier, Merle avait coutume de fréquenter toutes les kermesses dont il entendait parler. Quelle que fût la région d'où venaient les gens qu'il rencontrait, lui et son camion y étaient passés au moins une fois. Certaines personnes se souvenaient de lui, ou du moins l'affirmaient. Il était chez lui partout.

Il déambulait à présent sous les sycomores, assailli par les odeurs de cuisine, attentif à chaque visage de l'Amérique profonde, endossant tel un vieux cardigan une nostalgie qui n'était pas la sienne mais pouvait néanmoins lui aller. Ils buvaient de la bière de bouleau et du jus d'orange, mangeaient des poivrons farcis qu'ils aimaient appeler des «mangues», des ragoûts de haricots, des macaronis au cheddar, des gâteaux à l'ananas, du pain tout juste sorti du four et qu'on enveloppait dans une serviette à carreaux. Ici, au Bosquet, ils faisaient griller des saucisses de Francfort, des hamburgers, des steaks, et des côtes de bœuf sur des feux de bois, qu'ils badigeonnaient de temps en temps de sauce barbecue, buvaient directement aux barils de bière, jouaient au fer à cheval, criaient après leurs enfants, leurs voisins, personne en particulier, juste pour le plaisir de crier, surtout s'il ne pleuvait pas, or il semblait ne jamais pleuvoir, et ça, ça faisait toute la différence pour eux, pas de tonnerre, pas de cyclones, pas de grêle ou de neige, les toits du sud de la Californie à peine inclinés vu qu'il n'y avait rien à évacuer…

Lew trouva Merle en train de parler salade de pommes de terre avec une bande d'habitants de l'Iowa. «Se lever tôt est essentiel, faut les faire cuire et les laisser mariner dans l'huile, le vinaigre et la moutarde pendant au moins trois ou quatre heures avant même de penser à la mayonnaise et aux épices et tout ça», tandis que d'autres tenaient certains additifs comme le bacon et le céleri pour essentiels, ou trouvaient la crème aigre préférable à la mayonnaise, la discussion était de plus en plus animée, tous ceux qui passaient à portée de voix y allaient de leur petit commentaire, des épouses et des mères par ailleurs coulantes, des vieux de la vieille qui se crêpaient le chignon avec des cuistots de resto-routes qui servaient jusqu'à deux cent cinquante kilos de salade de pommes de terre par jour à des camionneurs qui ne savaient plus ce qu'était la bonne cuisine… Et tous ceux qui avaient leur avis sur la question étaient venus avec leur propre salade de pommes de terre, et chacun ponctuait ses arguments avec une énorme fourchetée de sa recette particulière, enfournée presque de force dans la bouche des héré-tiques de la salade – «Tiens, goûte-moi ça, et dis-moi si ces petites patates à peau rouge font pas toute la différence.» «Les œufs durs ça peut aller tant que tu gardes pas les blancs, juste le jaune, tu l'écrases avec la mayonnaise, non seulement ça rend la chose meilleure mais ça a plus belle allure, et si t'arrives à dégoter des grains de poivre vert…»

Pour quelqu'un d'apparemment calme, Merle prenait vraiment de sacrées précautions. Après toute une série d'instructions rapidement dis-tillées à voix basse, Lew retourna où il s'était garé, se rendit à un parking près du bureau, changea de voiture, retourna à l'autre bout du Bosquet pour prendre Roswell, finit par se garer près d'un arrêt de la Pacific Electric, où ils montèrent dans le tram jusqu'à la plage.

Merle et Roswell essayèrent d'exposer la situation à Lew, mais ça aurait pu tout aussi bien être du chinois vu ce qu'il réussit à comprendre. Il examina l'engin en question d'un air sceptique.

Puis une idée lui traversa l'esprit. «Imaginons que j'aie, disons, un portrait photographique tout ce qu'il y a de plus ordinaire, et que je veuille savoir où se trouve la personne et ce qu'elle fabrique…»

«Facile», dit Merle, «on règle juste l'année, la date et l'heure qui nous intéressent, on accélère, on fait défiler le temps entre le moment où la photo a été prise et le présent, tout ça en quelques secondes.»

«Alors peut-être que vous pouvez m'aider», dit Lew en sortant la photo de Jardine Maraca. «Vous pensez que ça peut marcher avec ça?»

«Laissez-moi l'emporter une seconde dans la chambre noire», dit Roswell, «j'vais faire un transparent et on verra ce que ça donne.»

Ce qu'ils virent fut Jardine, sapée dans un lamé brillant et moulant, qui grimpait dans un Model T, roulait vers l'est le long d'un Sunset Boulevard reconnaissable, sous d'énormes colonnes cannelées avec des éléphants rampants au sommet et autres décors gigantesques et plutôt hallucinatoires tirés du film *Intolérance*, arrivait presque au centre-ville, tournait à gauche dans Figueroa, traversait le fleuve, dépassait le mont Washington et coupait par Highland Park jusqu'à Eagle Rock, puis elle prit encore un ou deux virages que Lew reconnut, et s'arrêta enfin devant un portail métallique dans un mur en pierre d'arroyo, sous un panneau où étaient marqués les mots CAREFREE COURT. À l'intérieur, parmi des palmiers et des eucalyptus, il y avait une dizaine de bungalows dans le style Mission Revival groupés autour d'une piscine avec une fontaine au centre qui lançait des jets d'eau dans un ciel gris et brouillé...

Jardine resta là un moment, comme si elle avait une longue discussion avec elle-même, peut-être à propos d'un choix qu'elle devait faire, et qui se révélait plus délicat qu'elle l'avait cru.

«Et non seulement nous pouvons déployer l'histoire future de ces sujets», dit Roswell, «mais nous pouvons également inverser le processus, et scruter leur passé.»

«Une photographie d'une personne assassinée», intervint Lew, «et vous pourriez savoir qui a commis le crime, le prendre sur le fait?»

«Vous commencez à saisir pourquoi certains intérêts pourraient se sentir menacés. Tous ces vieux mystères du passé, par exemple, disons, l'attentat contre le *Los Angeles Times* – tout ce qu'il y a à faire, c'est de dégoter un cliché de l'angle de la Première et de Broadway où se trouvait l'ancien bâtiment, et remonter jusqu'en septembre 1910 juste avant l'explosion...»

«Ça ira aussi loin que ça?»

Roswell et Merle échangèrent un regard.

«Vous avez essayé?»

«Il faisait nuit.» Merle un peu gêné. «Ça pouvait être n'importe qui.

«Le seul côté peut-être un peu délicat», dit Roswell, «c'est de trouver l'élément constant dans la primitive, que la différentiation a ramené à zéro. D'habitude, pour regarder dans le passé, il faut qu'on ait une valeur négative. Mais à moins de tomber pile dessus, il y a toujours une chance pour que les petites personnes sur la photo choisissent d'autres voies.»

Et c'est alors que Lew repensa à cette histoire de bilocation – quand, il y a longtemps, en Angleterre, il s'était retrouvé de temps en temps devant de tels embranchements. Des détours loin de ce qu'il envisageait encore comme sa vie officielle et programmée. Mais depuis qu'il était revenu aux États-Unis, comme si tout cela n'avait été que des rêves prégnants, ces escapades s'étaient espacées et avaient fini par cesser et, sans personne à qui parler, Lew n'eut d'autre choix que de s'occuper des affaires courantes et d'éviter de passer trop de temps à gamberger. Mais il avait l'impression que ses anciens pouvoirs de bilocation refaisaient surface ici, différemment. «Vous voulez dire» – s'efforçant de contrôler un tremblement dans sa voix, et faisant des gestes plus amples qu'il ne l'aurait souhaité en désignant la photo de Jardine – «que vous pouvez voir quelqu'un vivre une vie complètement différente?»

«Bien sûr, si c'est ce qu'on veut.» Roswell le regardait bizarrement comme s'il était presque agacé. «Mais pourquoi le voudrait-on?»

«Maintenant que vous avez vu l'engin fonctionner», dit Merle, «laissez-nous vous affranchir sur les raisons pour lesquelles nous vous avons contacté. Il s'est passé de drôles de choses par ici ces derniers temps. Des gangsters dans l'allée, qui fument, observent, c'est tout. Des téléphones qui sonnent en pleine nuit mais sans jamais personne au bout de la ligne. Des voitures qui passent devant le labo, des berlines aux vitres fumées, très lentement, parfois avec la même plaque d'immatriculation. Et puis soudain en plein jour quelqu'un exprime en deux ou trois mots sa désapprobation, son agacement, jamais très fort, sans même remuer les lèvres.»

«Alors bien sûr», dit Roswell Bounce, «on n'a pas envie de connaître le même triste sort que Louis Le Prince, qui à la fin des années quatre-vingt avait mis au point son propre système, en gros le même que possède aujourd'hui l'industrie cinématographique, pelloche sur bobines, perforations à pignons, mouvement intermittent, et cætera – un jour, il prend l'express Dijon-Paris et on n'entend plus jamais parler de lui. Sa femme essaie de savoir ce qui s'est passé, tout le monde la boucle, sept ans plus tard il est légalement mort, un ou deux éléments de sa machine finissent dans les musées, certains de ses brevets sont déjà déposés, mais tout le reste a mystérieusement disparu avec l'ami Louis.»

«Et vous pensez que quelqu'un a pu —»

«Oh, désolé, vous croyez que c'est juste encore ma querulans qui fait des siennes? Bon sang de bonsoir, Mr Basnight, vous avez derrière vous une longue carrière de détective privé, vous en avez vu des vertes et des pas mûres, et vous avez dû rencontrer quelques huiles des studios, alors à *votre* avis?»

«Mon avis c'est qu'ils essaieraient d'abord de voler la machine – en gardant à l'esprit que le "vol" tel que le définit cette ville inclut souvent le paiement en liquide, voire peut se monter à une coquette somme.»

«Mais même tout faire disparaître», dit Roswell, «ne leur suffirait pas, si ça se trouve.»

«Qu'est-ce qui vous dit qu'ils ont découvert quoi que ce soit? Avez-vous déposé un brevet? Avez-vous consulté un avocat pour les applications du brevet?»

«Ha! Vous connaissez, vous, un avocat à qui on confierait un nickel tombé de la sébile d'un aveugle ? Alors trouvez-nous aussi une poule qui ait des dents tant que vous y êtes, puis on les emmènera tous les deux en tournée et on se fera une fortune. »

« Je trouve ça un peu risqué, c'est tout. »

« Une idée sur la façon de procéder ? »

« Je peux poster quelques malabars dehors, mais même s'ils sont pas syndiqués comme tous ceux qu'on trouve en ville, au bout d'un temps ça finit par coûter la peau des fesses, alors faudrait envisager également des solutions à long terme. »

« Mais bon sang, y a un stock illimité de salopards là-haut dans ces studios, le moindre coursier est un producteur qui attend son heure, on pourra jamais les tuer tous —»

« Je pensais plutôt à quelque chose de l'ordre d'une protection légale. »

« Si on veut un miracle, on appellera le pape », dit Roswell.

L'après-midi tirait à sa fin quand Lew se rendit à l'adresse que lui avait donnée Emilio. Il se gara à quelques numéros d'un bungalow style chalet avec un poivrier dans le jardin, monta les marches et frappa poliment à la porte d'entrée. Et fut choqué, en tout cas autant qu'il pouvait encore l'être, par le charme malfaisant du visage féminin qui apparut soudain. La quarantaine bien entamée, séduisante, mais aussi, hélas, hagarde. Il aurait peut-être dû tourner les talons et s'en aller, mais au lieu de ça il ôta son chapeau et demanda : « C'est bien la maison qui est à louer ? »

« Pas pour l'instant. Elle devrait l'être selon vous ? »

Lew feignit de consulter son carnet. « Vous devez être… »

« Mrs Deuce Kindred. » La porte-moustiquaire jetait sur son visage une étrange brume rectiligne, qui bizarrement s'étendait à sa voix et qu'il prit, sans raison valable, en y repensant plus tard, pour un signal sexuel, se retrouvant en plein porche avec une sacrée érection – « Me serais-je trompé d'endroit ? » Il vit ses yeux le détailler de haut en bas.

« Facile à vérifier. »

« La maison du mari ? »

« Entrez. » Elle fit un pas en arrière, se tourna, avec une amorce de sourire dont elle refusa presque avec mépris de lui laisser entrevoir les prochains développements, et se dirigea dans la lumière olive du petit vestibule vers la cuisine. Ça allait être sordide, il connaissait bien cette impression. Il avait cru au début que ce devait être lui, son charme de privé, mais il comprit très vite que sur cette côte ça n'avait rien de personnel, ça se produisait souvent, c'est tout. Elle portait ses bas roulés juste au-dessus des genoux, à la garçonne. Elle s'arrêta devant la lumière jaune et sociable qui baignait la cuisine hors de leur portée, et resta dans la pénombre en lui présentant son derrière, la tête penchée, la nuque dégagée sous la coupe au carré. Lew s'avança, saisit le bas de sa jupe et la remonta complètement.

«Bien. Où vont mener ces préliminaires?

«À votre avis?»

«Vous avez peut-être envie de vous mettre à quatre pattes.»

«Essayez seulement, saleté d'animal.»

«Oh, c'est donc ainsi, hein?»

«Si ça vous dérange pas.»

Ça ne le dérangeait pas. Elle n'avait pas l'intention de coopérer, et elle se débattait tout le temps de façon très convaincante, braillant des mots comme «honteux», «brute», «dégoûtant», au moins huit ou dix fois, et quand ils eurent fini, en tout cas quand Lew eut fini, elle se tortilla et dit: «Vous allez pas encore vous rendormir, j'espère.» Elle se releva, alla dans la cuisine et prépara du café. Ils s'assirent dans un coin, et Lew aborda enfin la question de Jardine Maraca et de l'étrange réapparition de sa colocataire Encarnación…

«Vous avez dû entendre parler de ces fêtes débridées», dit Lake, «que font les gens du cinéma sur la plage ou là-haut, dans leurs demeures sur les collines, c'est en permanence dans les pages à scandales.»

«Oh, bien sûr, les orgues sexuelles de Hollywood.»

«Je crois qu'on dit plutôt *orgies*, mais oui c'est ça. Deuce m'y a emmenée une ou deux fois, mais, comme il a pris soin de l'expliquer, le but n'est pas vraiment d'y aller avec sa femme. Il semble qu'Encarnación ait été une habituée de ces choses-là jusqu'à ce que l'Étrangleur syncopé se déchaîne, après quoi elle a disparu.»

«Et je viens d'apprendre qu'elle avait réapparu.»

«Je croyais qu'elle était…»

«Une des victimes, ouais, comme tout le monde. Vous pensez que votre mari sait quelque chose?»

«Le voilà qui se gare dans l'allée, vous n'aurez qu'à lui demander.»

Deuce entra d'un pas pesant, une cigarette collée à la lèvre inférieure, avec ce maintien typique des petits poids coq. Lew devina une sorte de holster d'épaule avec très probablement un Bulldog dedans. «Alors! qu'est-ce que vous fabriquiez tous les deux?» Souriant à Lew au lieu de lui lancer un regard noir. Lew était expert en maris jaloux, et il assistait là à ce qui approchait le plus de la franche indifférence.

«Tu te souviens de ta chère petite Encarnación?» Lake par-dessus son épaule, en sortant de la pièce.

«Chouettes nichons, s'est fait étrangler à Santa Monica», Deuce en farfouillant dans la glacière, «toujours morte à ce que j'en sais.»

«Eh bien, justement...» commença Lew.

«Qui vous a dit de nous déranger?» Deuce décapsulant une bouteille de bière pour souligner le propos.

«La routine, c'est tout. Une longue liste de noms.»

«Vous êtes donc un privé.»

«Toute la journée.»

«Je suis même pas sûr de l'avoir sautée, ces volcans mexicains, c'est trop de boulot, vous trouvez pas?»

«Et donc c'était plutôt quelqu'un que vous voyiez de loin en loin? Une masse de corps se tortillant, ce genre-là?»

«Voilà.»

«Ça vous embêterait de me dire» – Lew indiquant d'un mouvement du menton, qu'il espérait nullement agressif, l'arme à feu sous la veste de Deuce, que ce dernier n'avait pas enlevée, «dans quelle partie vous êtes, Mr Kindred?»

«La sécurité, tout comme vous.» Lew garda ses sourcils aimablement haussés jusqu'à ce que Deuce ajoute: «Je bosse pour Consequential Pictures.»

«Un boulot intéressant, je parie.»

«Ça serait plus agréable s'il n'y avait pas tous ces cinglés d'anars qui essaient de monter des syndicats dès qu'on a le dos tourné.»

«Insupportable, je n'en doute pas.»

«Ils veulent des syndicats à Frisco, on n'en a rien à battre», dit Deuce, «mais depuis que ces fumiers ont fait sauter le *Los Angeles Times*, la chasse est ouverte, et on aimerait qu'elle le reste.»

«Certaines valeurs à maintenir.»

«Vous l'avez dit.»

«La pureté.»

Ça déclencha chez Deuce un plissement d'yeux mécontent. «Vous vous amusez bien, Mr Basnight? Si vous voulez de l'action, allez vous promener la nuit chez ces métèques dynamiteurs. On verra si c'est dans vos cordes.»

«Y en a beaucoup dans le milieu du cinéma, non?»

«J'aime pas trop votre ton, monsieur.»

«Le seul que j'aie. Peut-être que c'est la direction d'acteurs qui vous intéresse vraiment?»

Erreur. Deuce venait juste de sortir son revolver, un petit cinq-coups au barillet plein. La journée avait été longue, mais à voir la rage sur le visage de Deuce elle n'allait peut-être pas s'éterniser, finalement.

« Ouaip et voilà le scénario : il s'est introduit chez moi, monsieur l'agent, il a fait des avances à ma femme, c'était juste de la légitime défense. »

« Allons, allons, Mr Kindred, si j'ai fait quoi que ce soit qui — »

« Mr B. ? Tout va bien ? »

« C'est quoi ce bordel ? » Deuce glissant de son siège jusque sous la table.

C'était Shalimar, et elle avait pensé à emporter la mitraillette.

« Elle tient juste à vérifier que je vais bien », dit Lew, « ça fait un bail qu'elle a tiré sur personne, au moins une semaine. »

« Allons, mon chéri, tu oublies la fusillade d'hier soir à Culver City. »

« Oh mais, ma lapine, elle roulait si vite que tu l'as ratée d'un bon kilomètre. »

« Je crois que je vais vous laisser, hum… » Deuce s'esquivant discrètement sur le patio.

Il était juste passé pour boire une bière et se raser un petit coup, et il repartit très vite, ouvert aux promesses de la soirée. Lake était un peu larguée. Elle mangea un sandwich au saucisson de Bologne en guise de dîner, essaya d'écouter la radio puis alla devant la fenêtre, s'assit et attendit que la lumière ait fini de s'épancher sur le vaste bassin changé au fil des heures en une tiède quiétude lui ressemblant. Elle croyait beaucoup moins aux causes et aux effets, ayant commencé à trouver que ce que la plupart des gens prenaient pour la réalité continue, d'une édition du journal à l'autre, n'avait jamais existé. Souvent, ces jours-ci, elle n'arrivait pas à dire si elle habitait par mégarde un rêve ou venait juste de s'en réveiller pour ne jamais y revenir, peut-être. Elle passait donc les longues et terribles éclaircies des journées dans des songes, et plaçait ses paris au Casino du Rêve Universel pour savoir lequel allait l'envoyer irrémédiablement dans le décor.

Deuce, quand il était à la maison, avait tendance à crier beaucoup. Lake prit au début la chose littéralement, voire personnellement, puis pendant des années elle l'ignora, et finalement se dit que, à sa façon, Deuce devait chercher à se réveiller.

Une nuit, il passa d'un rêve dont il ne se souviendrait jamais au milieu d'un autre qui avait duré toute la nuit, un sombre tourbillon de fumeries d'opium, d'étrangers concupiscents, de filles en sous-vêtements légers, de musiques de jazz pleines de clinquantes quartes chinoises. Quelque chose d'épuisant et de sanglant dont il s'approchait autant qu'il l'osait, puis ce fut comme si c'était évident. Il sut que s'il allait plus loin il serait détruit.

Il envisagea de «se lever» et de trouver une personne susceptible de lui expliquer ce qui se passait. Mais il devait faire attention parce qu'il ne savait pas s'il était encore en train de rêver. Il y avait une femme allongée à côté de lui qui semblait morte. Il était seul avec un cadavre, et il comprit qu'il devait y être pour quelque chose, d'une façon ou d'une autre, même si son rôle se bornait à n'avoir pas su empêcher un événement de se produire. Il y avait du sang partout, encore humide par endroits.

Chaque fois qu'il se forçait à se tourner pour regarder son visage et découvrir s'il la connaissait, il perdait pied. Il entendait des voix, une enquête était en cours, quelque part dans la maison, une pièce circulaire de style hollywoodien, moderne, peut-être de quinze mètres de diamètre, haute de trois ou quatre étages, parquetée, escalier en spirale tout autour de la pièce dans le mur de pierre, aboutissant dans la poussière et les ombres là où aurait dû se trouver le toit sauf qu'à la place il y avait une grande verrière, l'aube diffusant déjà une couleur rose pâle.

Au début, les enquêteurs, de jeunes Californiens consciencieux, voulaient seulement lui poser «quelques questions». Ils ne donnèrent jamais leur nom ni ne dirent pour qui ils travaillaient, ils ne portaient pas d'uniforme ou de badge ou de mandat, mais on ne pouvait mettre en doute leur sincérité. Malgré leur inébranlable courtoisie, Deuce voyait bien qu'ils le considéraient comme coupable – mince alors, lui aussi. Mais, n'ayant pas encore envie de le coffrer, ils prenaient leur temps, suivaient leur propre routine, leur procédure. Sans le dire en autant de mots, ils lui firent savoir que le cadavre à côté duquel il s'était réveillé n'était pas le seul.

«Je suis un officier mandaté», ne cessait-il de leur dire, mais sa langue et ses cordes vocales se figeaient, et quand il cherchait son étoile de shérif il ne pouvait la trouver.

Chaque fois que l'un d'eux lui souriait, il sentait une peur glaciale. Ces hommes dégageaient un éclat sinistre, telles les lampes à arc de fort ampérage dans les studios, tandis que d'un endroit invisible, les dirigeant hors des limites du rêve, coulait peut-être un pouvoir illimité.

L'interrogatoire devint de plus en plus compliqué, et cessa de tourner autour du crime, du châtiment, des regrets que pouvait ressentir Deuce, de la compassion pour les victimes – il était maintenant question de sa volonté de taire le rapport qu'il avait avec ce crime, encore mystérieux. On en était arrivé là. Mais il ne pouvait pas leur demander qui était mort. Et pour autant qu'il le sût, toute la ville était déjà au courant. Et attendait.

Que faisait la police de L.A. ? Il tendait l'oreille, dans l'espoir de plus en plus déçu d'entendre gronder des motos. Un vrai bruit de moteur dans la rue allait tôt ou tard lui apporter cette délivrance, et il pourrait retourner dans les ombres blêmes, sous la garde indifférente du jour.

Lake a souvent rêvé de ce voyage dans le Nord, toujours vers la même cité subarctique et une éternelle pluie glaciale. Une ancienne coutume veut que les jeunes filles de la ville empruntent aux mères leurs bébés, afin de jouer à la naissance et aux parents. Leur propre fertilité est si grande que, parfois, le seul fait de penser à un pénis suffit pour qu'elles tombent enceintes. Elles vivent alors leurs derniers jours d'été en simulant une vie de famille. Les mères ont ainsi un peu de temps libre, et les bébés adorent ça.

Un grand fleuve glacé traverse la ville. Tantôt il gèle, tantôt il se couvre d'icebergs miniatures qui filent à une vitesse terrifiante parmi des vagues souvent hautes comme celles de la mer. La frontière semble ici indistincte entre les mondes situés au-dessus et au-dessous de la surface de l'eau. Un groupe d'explorateurs remonte le fleuve et Lake, se joignant à eux, doit abandonner derrière elle un amant ou un mari, peut-être Deuce, avec une autre femme, pour laquelle il serait prêt à la laisser tomber… Quand vient le jour du retour, il n'est plus possible de repartir par où ils sont arrivés, et doivent faire un détour, qui dure des jours, par un immense marais gelé, et à chaque moment il y a de plus en plus de chances qu'il ne soit plus en ville, qu'il l'ait quittée pour une autre… Elle ne peut se confier à personne, les autres membres du groupe sont indifférents, ils doivent veiller aux détails de l'expédition… doucereusement retranchés dans leurs parkas anti-intempéries, incapables de compassion ou même de reconnaissance humaine, ils l'ignorent… À la fin elle réussit à retourner en ville, et il est toujours là. La rivalité n'était qu'illusion, ils sont amants à vie… Alléluia.

Elle se réveille brièvement. Pluie ou vent, une lumière soudaine, Deuce revenant de ce dont il ne parle jamais, des choses à faire, suppose-t-elle, là-haut dans les collines… L'heure gagne à nouveau en profondeur, l'obscurité et le vent agitent une fois de plus les branches du poivrier dans le jardin alors qu'elle reprend son voyage dans le Nord, la ville grise désormais secouée par une enfant découverte prisonnière sous la glace… Bizarrement, il n'y a pas d'outils ni d'engins pour la briser, la glace doit être vaincue laborieusement avec du sel de roche, acheminé sur place par des chiens de traîneaux… Ça prend toute la journée, puis toute la nuit, l'enfant est bien visible sous la glace qui fond, le visage tourné vers le haut, indistinct et patient, serein, accusateur... Elle est enfin libérée, mais il est peut-être trop tard, car elle est immobile... Des médecins s'occupent d'elle, des vigiles montent la garde devant sa maison... Les églises se remplissent de citadins venus prier.

Lake est arrachée à un égarement muet, intemporel, une sorte de rêve dans le rêve, à jamais inaccessible, et renaît – la ville tumultueuse, la population enjouée, des rais de lumière de la couleur de l'acier chromé qui balaient les rues, une vue rasante depuis un angle élevé, interrompue par une scène dans laquelle l'enfant retrouve ses parents, puis qui reprend pour accompagner un hymne pour chœur et orchestre, tout d'abord en mode mineur mais se changeant bientôt en un refrain en mode majeur, une demi-douzaine de notes parfaites, qui restent avec Lake tandis qu'elle émerge dans le premier badigeon oblique du soleil sur les plaines, l'annonce d'une intention, d'un poids qui va lentement augmenter au-delà du supportable...

Deuce n'était pas rentré de la nuit. Ce qu'elle attendait ou n'attendait pas du jour, il refusait de l'entendre de sa bouche. Autrefois, elle s'était dit qu'ils avaient choisi, ensemble, de résister à toute pénitence venant des mains des autres. De garder pour eux-mêmes et eux seuls ce qui viendrait, le sombre et exceptionnel destin. Au lieu de ça, elle se retrouvait seule avec le genre de rêve récurrent duquel s'attendrait à se réveiller une héroïne de film ayant souffert longuement et se découvrant enfin enceinte.

Un jour ou deux plus tard, Lew se rendit à Carefree Court. La journée touchait à sa fin, la lumière déclinait, l'air était chauffé par le vent de Santa Ana. Les palmiers s'agitaient par à-coups, et les rats perchés dans leurs nids se cramponnaient pour ne pas tomber. Lew traversa un jardin baignant dans le crépuscule, bordé de bungalows aux toits de tuiles, d'arches en stuc, le vert des arbustes virant au foncé dans la lumière en partance. Il entendait des cliquetis de verres entrechoqués et des conversations.

Des bruits de récréation liquide montaient de la piscine – des cris de femmes, des exclamations flûtées lâchées du haut des plongeoirs. Les festivités se déroulaient dans plus d'un bungalow. Lew choisit le plus proche, ne prit pas la peine de sonner, mais, après avoir attendu un moment, entra simplement, et personne ne fit attention à lui.

L'assemblée était au début difficile à déchiffrer, même pour un privé chevronné comme Lew – des dames de la société en tenue de garçonne provenant des sous-sols du grand magasin Hamburger, de vraies garçonnes dans des costumes d'extras – coiffes hébraïques, tenues de danseuses du ventre, pieds nus et sandales – qui venaient de tourner dans une extravagance biblique, de vieux protecteurs loqueteux et mal rasés pareils à des mendiants des rues, des pique-assiette en costume sur mesure avec des lunettes de soleil bien que le soleil se fût couché, des Nègres et des Philippins, des Mexicains et des ploucs, des visages que Lew avait vus dans les fichiers de la police, des visages qui l'avaient peut-être également reconnu, et ils étaient tous là à manger des *enchiladas* et des hot-dogs, à boire du jus d'orange et de la tequila, à fumer des cigarettes à bout en liège, à se parler en criant, arborant tatouages et cicatrices, évoquant tout haut des crimes imaginaires ou projetés mais rarement commis, vilipendant les républicains, vilipendant la police fédérale et locale, vilipendant les grands cartels, et Lew commença à y voir un peu plus clair, car ne s'agissait-il pas là des mêmes qu'il avait passé sa vie à pourchasser, il y a longtemps, eux et leurs cousins des villes et des campagnes ? Dans les broussailles, le long des lits de rivière, dans les allées des abattoirs gelés, tout croûtés du gras et du sang des milliers de bœufs, reconnaissant alors le crime qu'avait été sa propre vie – et au prix de cette illumination, un péché mortel en ce lieu et cette heure, il connut alors un dynamitage en règle.

Il comprit peu à peu qu'ils avaient tous en commun le fait d'avoir survécu à un cataclysme qu'aucun n'évoquait directement – un attentat à la bombe, un massacre éventuellement commandité par le gouvernement des États-Unis… «Non, ce n'était pas Haymarket.»

«Ce n'était pas Ludlow. Ce n'étaient pas les raids de Palmer.»

«C'était et ce n'était pas.» Hilarité générale.

Au centre de la turbulence se tenait un vieux monsieur avec une barbe d'un blanc immaculé et de grands sourcils noueux sous un chapeau à large bord que personne dans la pièce ne lui avait jamais vu ôter. La lumière tombait sur lui d'une façon inhabituelle, comme s'il se trouvait ailleurs et ne faisait que prêter son image à la réunion. Il rappela à Lew la carte du Tarot montrant l'ermite à la lanterne, un vieux sage qui s'était quelquefois dressé près du chemin que prenait la vie de Lew, à le regarder sans bouger, et effrayant tellement Lew qu'il avait fait tout ce qu'il pouvait pour ne pas avoir à le saluer. Il s'agissait en fait de Virgil Maraca, le père de Jardine.

«Parfois», disait Virgil, «j'aime rêver aux temps anciens où la terre était libre, avant qu'elle soit prise en otage par les républicains capitalistes à des fins malveillantes…»

«Quel intérêt, franchement ?» objecta quelqu'un. «Encore des rêveries de vieux radoteur. Ça manque pas par ici. Ce qu'on doit commencer à faire, c'est aller les tuer, un par un, le plus douloureusement possible. »

« Pas de commentaire. Plus facile pour vous à envisager, bien sûr. »

« À commencer par l'attentat du *Times*... vous ne me ferez jamais croire que Gray Otis ne l'a pas organisé en personne, puis payé les McNamara pour qu'ils plongent, et suborné Frère Darrow pour qu'il modifie sa plaidoirie. Ce n'était qu'un complot pour détruire le labeur syndiqué dans la partie sud de cet État. Depuis ce fatidique mois de décembre 1911, l'industrie cinématographique, l'expansion immobilière, le pétrole, les agrumes, toutes les grandes fortunes ici ont été soit fondées soit consolidées sur la base de salaires de misère. »

« Mais vingt employés du journal ont été tués dans cette explosion. »

« Vingt ou deux mille, qu'est-ce que le vieil Otis en avait à faire, tant qu'il obtenait en échange cet éternel paradis des jaunes ? »

Lew gardait un œil attentif mais sociable sur Jardine Maraca, qui déambulait gracieusement parmi les invités, souriait, buvait du champagne californien dans un verre à jus de fruits, et était venue ici pour voir son père dans cette réunion de hors-la-loi... Mais une bizarre impression de déjà-vu le poursuivait, ce fameux sentiment de bilocation, il se demandait s'il se rappelait le moment présent ou, pire, l'anticipait, et du coup ne savait pas s'il devait s'inquiéter non seulement de la possibilité que Jardine Maraca fût morte mais également du fait que *ça n'était pas encore arrivé...* Il se rapprocha. Elle sentait le tabac. Des Caporal un peu sucrées. Intensément, abruptement, elle lui fit penser à Troth, son ex-femme d'il y a si longtemps.

Elle leva les yeux, croisa son regard, presque un air de défi. Comme si, dans cette région tempérée qui ne vieillissait pas, où tout était permis, elle était néanmoins interdite.

« Je suis censé vous retrouver. »

« Pour... » Si elle connaissait le nom, elle n'avait pas envie de le prononcer.

« Tony Tsangarakis. La vieille bande du Vertex Club – ils se font du souci à votre sujet. »

« Vous devez être plus malin que ça. Vous avez parlé à Tony il y a combien de temps ? »

« Pas encore, en fait. Juste à un gentleman nègre du nom de Le-Street — »

« Ah... » Son visage s'était peut-être vidé un court instant de tout espoir. Mais retrouva vite son lustre de photo promotionnelle.

« Chester et Encarnación ont été mariés autrefois, pendant quinze jours. Ça ne fait pas forcément de lui un suspect. Mais il a du mal à passer à une autre partition. Du coup, on ne pense pas nécessairement à lui.»

«Bon, que puis-je faire pour vous?»

«C'est déjà réglé, hélas.»

«Ah bon.»

«Encarnación n'est pas revenue longtemps», dit Jardine, «juste le temps de livrer le nom du coupable. Un petit avorton de flic de studio du nom de Deuce Kindred. La police l'a arrêté pour toute une série d'homicides commis pendant des orgies. Une fille, il y a longtemps, quelqu'un travaillant peut-être pour les studios, a dû le couvrir, en échange d'une obéissance inconditionnelle, mais ça lui vaudra une sentence de mort. Nos héros des forces de l'ordre sont ici aussi véreux qu'ailleurs, mais seulement pour les crimes bénins.»

«Laissez-moi au moins vous aider à quitter la ville.»

Ils convinrent d'une heure et d'un lieu mais Jardine avait d'autres projets. Comme le racontèrent par la suite les journaux, elle se rendit à l'aéroport de Glendale et subtilisa le Curtis J.N. d'un acteur ambulant, volant à basse altitude – des gens réunis sur un champ de foire la virent passer dans le ciel, et on la signala plus tard en train de survoler la voie ferrée en direction de l'est, frôlant avec une audace nonchalante les pylônes électriques, les toits des immeubles, les cheminées, et autres objets dangereux, les évitant chaque fois au dernier moment. Elle disparut au-dessus du désert, créant un silence imposant.

Quand Lew retourna voir Merle à la plage, il lui apporta une photo de Troth, un vieux portrait à la gélatine argentique. Il l'avait conservé dans un manuel d'alchimie, de sorte qu'il était resté en parfait état. Ne sachant comment demander, ni même ce qu'il devait demander.

«Me sens comme un fichu mendiant dans un conte, qui trouve un génie et a droit à trois souhaits, feriez peut-être bien d'oublier tout ce que j'ai dit.»

«Non, non, y a pas de problème. Je vais faire un transparent, on diffusera un peu de lumière dessus, et on verra ce que ça donne. Vous vouliez juste revenir là-bas, en... apparemment 1890, en fait je crois que je me souviens de ce studio à Chicago – on pourrait remonter encore plus loin, ou...»

Merle laissa si délicatement sa phrase en suspens que Lew ne se rendit même pas compte qu'il avait lu dans ses pensées. «Vous avez parlé d'envoyer ces images sur des voies différentes... d'autres possibilités...»

«C'est cette histoire de Recalibrage du Terme Constant, ou R.T.C., ça fait fuir Roswell, chaque fois il file dans le bar clandestin le plus proche, il supporte pas cette partie-là. Nous étudions toujours la question, mais il semble que ça soit lié à la nature de l'argent. Quand je n'étais encore qu'un jeune alchimiste, alors que je passais par What Cheer, Iowa, j'ai rencontré un vieux spagyriste de la vieille école, du nom de Doddling, qui m'a appris à faire pousser l'argent comme un arbre. L'arbre de Diana, qu'il appelait ça, déesse de la Lune, et cætera. Un truc de dingue. On prend de l'argent, on l'amalgame avec du mercure, on y ajoute la bonne dose d'acide nitrique, on attend. Et voilà qu'il lui pousse rapidement des branches, exactement comme un arbre mais en plus rapide, et après un certain temps même des feuilles.»

«Des branches», répéta Lew.

«Sous vos yeux – ou plutôt devant votre lentille, vu que vous devez vous servir d'une loupe. Doddling disait que c'était parce que l'argent est vivant. Lui aussi est confronté à son propre embranchement, un choix à faire, tout comme nous autres.

«N'oubliez pas, ça sera du muet. Vous ne l'entendrez pas.»

Peut-être... mais peut-être pas...

Dans un contexte technique corrompu par des motivations tout sauf élevées, en général mercenaires, afin de «s'élancer contre le vent ennemi» (comme l'ont décrit les premiers récits de voyage dans le temps), il faut qu'intervienne parfois une histoire compatissante de machine à voyager dans le temps, un voyage accompli au nom de l'amour, sans aucun espoir de succès, encore moins de récompense.

Alors, comme si l'effrayant cours du temps avait été franchi d'un bond en un instant atemporel, aussi facilement que si elle avait été aiguillée sur une autre voie... Troth continua à vivre, d'une façon plus tangible que dans le souvenir ou le chagrin, éternellement jeune, alors qu'ils se faisaient encore la cour, avant qu'ils deviennent la proie du temps, en une cascade aussi irrésistible qu'un dégel de printemps, des vues en accéléré de son visage et de son corps, de ses cheveux poussant et devenant des masses blondes et prodigues qui étaient alors épinglées en chignon, puis dénouées, puis de nouveau ramassées derrière la tête, encore et encore, femme sur femme s'installant dans les longues soirées éclairées à la lampe, dans les forteresses matronales du vichy, les fards, redéfinitions, émergences et déguisements, les boutons et les rides et les réalités osseuses, le visage de chaque année s'écrasant sur le suivant en une chute stupéfiante...

«Mais... je ne comprends pas... Vous voulez parler de la fois où le tram a eu un accident, ou de l'hiver quand j'ai eu la fièvre?» S'exprimant calmement, les yeux baissés, comme stupéfaite par tout ce à quoi elle avait échappé, presque trop jeune pour être la femme dont il se souvenait, encore innocente de son immortalité. La lumière semblait s'être concentrée de préférence sur son visage et ses cheveux dorés. Il s'imagina la toucher à travers les rayons de lumière encombrés de particules, une lumière moins optique que temporelle, de tout ce que charriait l'Éther, formant entre eux une barrière cruelle et dépourvue de masse. Elle ne savait peut-être plus qui il était, ce qu'ils avaient vécu ensemble. Était-ce sa voix qu'il avait entendue? Pouvait-elle le voir depuis les brumes mathématiques où elle avait échoué?

Merle leva les yeux du panneau de contrôle, toucha un bord de chapeau imaginaire. «On dirait une de ces merveilles de la science. Mais étant moi aussi passé par ce chemin, j'aimerais en voir plus, oh oui.»

Et à la fin du jour ouvré, quand toutes les sources lumineuses parurent s'être retirées aussi loin qu'elles le pouvaient, étirant les ombres autant qu'elles le voulaient, quand Roswell fut parti faire les bars clandestins, ainsi qu'il en avait l'habitude presque tous les soirs, Merle alluma une fois de plus l'intégroscope et sortit une des photos de Dally qu'il avait gardées, prise alors qu'elle avait environ douze ans, à l'époque de Little Hellkite dans les San Juan, debout près du pipeline dans la neige, souriant non seulement à l'objectif mais éclatant de rire pour une raison que Merle essayait de se rappeler, en vain. Peut-être que, quelque part, suspendue dans l'air invisible, flottait une boule de neige qu'il venait juste de lui lancer.

Bien qu'il se contentât d'habitude de rester dans leur passé ensemble, avant qu'elle parte, il décida ce soir-là de tout ramener jusqu'au jour présent, en un accéléré flou de toute sa vie depuis Telluride, New York, Venise et la Guerre, jusqu'à ce soir même, sauf qu'à Paris c'était le matin, et qu'elle quittait tout juste son appartement pour se rendre à la gare, descendant à une station de banlieue, non loin de laquelle se dressait abruptement dans le ciel l'antenne d'un transmetteur sans fil d'un million de watts, un artefact de la Guerre déjà oublié, dans lequel il crut reconnaître un alternateur Béthenod-Latour, et au pied du pylône un petit studio avec des géraniums aux fenêtres dans lequel Dally buvait du café et mangeait une brioche, installée devant un tableau de bord, tandis qu'un opérateur à la moustache en guidon trouvait les coordonnées de Los Angeles, et soudain Merle fut secoué par une bouffée de certitude, il se leva et traversa le labo, manipula le récepteur radio, dont les tubes se mirent à luire d'un éclat indigo, il trouva la bande et la fréquence, et aussitôt l'image de ses lèvres silencieuses sur le mur connut une fluide synchronisation, et Dally se mit à parler. La voix lointaine d'une femme adulte qui se propageait dans l'Éther de la nuit aussi clairement que si elle était dans la pièce. Il la contempla, secoua lentement la tête, et elle lui rendit son regard, en souriant, s'exprimant sans hâte, comme si d'une certaine façon elle pouvait le voir elle aussi.

CINQ

Rue du Départ

« … il t'aurait demandé ma main », disait Dally, « c'était bien le genre de garçon, mais même si on avait su où tu étais on n'aurait pas pu te joindre… »

Cela aurait été comme de jeter une bouteille à la mer, sauf qu'elle savait que Merle était là-bas. Même en supposant raisonnablement qu'il ne le fût pas, et en tenant compte de la Guerre, de l'océan, du continent nord-américain et d'une portée radio qui semblait s'être étendue chaque fois qu'elle vérifiait. Bizarrement, les rayons dardés au-dessus d'elle lui parvenaient directement, en ligne droite.

René fumait des Gauloises à la chaîne, observant Dally à travers l'écran de fumée. Il la considérait vaguement comme un médium, qui s'adressait aux morts. Il s'agissait d'un usage assez irrégulier de l'équipement, mais pour dire la vérité tout ça était nouveau, l'armée jouait un rôle là-dedans, et le règlement était un peu flottant. Ces transmissions confidentielles – et Miss Rideout ne devait pas s'imaginer qu'elle était la seule à Paris à s'y livrer – offraient l'occasion de faire des présentations, laissaient les composants se heurter et s'annuler partiellement, et permettaient de mieux connaître les attentes de l'autre, calculer les valeurs moyennes, s'adapter, se glisser dans une routine qui facilitait le travail d'équipe, répartissait l'énergie et envoyait fidèlement des signaux.

Quand elle eut fini, Dally s'en alla en agitant maladroitement la main sans se retourner, la tour émettrice se dressant brusquement, comme sa cousine la tour Eiffel considérablement disproportionnée avec son environnement, et ce fut la tête légèrement baissée qu'elle s'en alla prendre le métro. Elle n'avait rien à faire dans le coin hormis lancer des appels à Merle par-delà les distances. Elle se mit à fredonner l'air de Reynaldo Hahn extrait de *Ciboulette* sur la faubourisation des passions, que tout le monde fredonnait cette saison-là : *C'est pas Paris, c'est sa banlieue.*

Quand elle refit surface à Montparnasse, elle sifflotait *J'ai deux amants*, l'air d'une des dernières productions de Sacha Guitry.

« 'jour, Dally », lança une jolie jeune femme en pantalon.

« 'jour, Jarri. »

Un groupe d'Américains s'arrêta pour les regarder.

« Squiouzé moua, mais vouze être la Jarretière ? »

« Oh, oui, avant la... Guerre ? Je dansais autrefois sous ce nom. »

« Mais on dit que elle mourir quand — »

« Et de une façon horrible, on dit... »

La jeune femme renifla. « Du Grand-Guignol. Ils voulaient voir du sang. On a utilisé du... sirop de framboise. Ma vie devenait compliquée... mourir et renaître en quelqu'un d'autre était, eh bien... une véritable *aubaine*. Ils avaient besoin d'un *succès de scandale*, et ça ne me gênait pas. Une jeune beauté détruite avant l'heure, quelque chose dont l'esprit masculin, dans son éternelle adolescence, pouvait se délecter. *Mon Dieu !* » chanta-t-elle, « *que les hommes sont bêtes !* » Et sur la fin Dally se joignit à Jarri, chantant l'harmonie.

La comédie musicale tenait le haut du pavé dans le Paris d'après la Guerre, et Dally ne tarda pas à en fouler, disons, la *banlieue*. Elle avait actuellement un petit rôle dans *Fossettes l'Enflammeuse*, une opérette signée Jean-Raoul Œillade – sur un type, désormais très familier, de séductrice adolescente et turbulente, sorte de *baby vamp* qui boit, fume prend de la cocaïne, et cætera – mise en scène à New York par le célèbre imprésario R. Wilshire Vibe, sous le titre *Dimples*, alors que Dally avait appris à imiter à la perfection la vedette, Solange Saint-Émilion, chantant à tue-tête le premier air de Fossettes :

> Casse-cou ! C'est moi !
> Ce' p'ti j'men fou'-la-là !
> Casse-cou, mari, tes femmes aussi —
> Tous les autres, n'importe quoi !

Dally monta jusqu'à son appartement, situé à deux pas de la rue du Départ, et alla dans la cuisine se préparer du café. Elle venait juste de faire à Merle le récit de sa vie depuis son départ de Telluride, et quel triste spectacle... Elle aurait dû penser à Merle, mais au lieu de ça, pour une raison ou une autre, ce fut à Kit qu'elle pensa alors.

À côté de la fenêtre, sur des étagères, se trouvaient toute une série de bols en terre cuite et des assiettes provenant d'une boutique de Turin, un cadeau de mariage que Kit et elle s'étaient fait. La première fois qu'elle avait posé les yeux dessus, elle avait éprouvé un contentement immédiat. Les bols étaient vernis dans une nuance de vert très enjouée – non, plus que ça, comme si la couleur venait de cristaux pilés, sensibles aux ondes radio, capables de restituer la voix de Kit en train de chanter : « Notre mariage ne sera pas chic... » tandis qu'elle pensait : C'est ce que nous sommes. Nous n'avons pas à nous soucier davantage, puis, à voix haute : « Heureusement que tu sais cuisiner. »

Ils s'étaient mariés en 1915 et étaient allés vivre à Turin, où Kit fut embauché pour mettre au point un bombardier italien. Et ensuite, un ou deux ans plus tard, ce fut la défaite de Caporetto, quand on eût dit que les Autrichiens allaient juste dévaler des montagnes et marcher sur Venise. Et entre-temps ni l'un ni l'autre ne savaient pourquoi ils s'étaient mariés, ou étaient restés mariés, et il n'y avait rien de réconfortant dans le fait que presque tous leurs amis en étaient au même stade affligeant. Ils mirent ça sur le compte de la Guerre, bien sûr, et c'était vrai dans une certaine mesure. Mais... bon, Dally était également devenue un peu folle, et elle fit quelques bêtises. Un jour, elle était à l'usine quand un petit groupe d'hommes en costume noir déboula par une porte en métal, et elle reconnut aussitôt parmi eux Clive Crouchmas.

Comme beaucoup d'autres avant elle, Dally avait du mal – ce qui se comprend, par ailleurs – avec les *complexos*. Et elle savait que les exigences de Clive seraient aussi minimales que pouvait le réclamer une fille. La béatitude conjugale ? Des liaisons avec d'autres hommes ? Pas un problème pour Clive. Certes, il y avait cet épisode gênant, quand il avait essayé autrefois de la vendre comme esclave, mais tous deux sentaient qu'il s'était agi là, sans doute, de son seul moment d'authentique passion aveugle, tout le monde mérite ça au moins une fois, n'est-ce pas, et à la fin de la journée Clive s'en félicita, et Dally fut plutôt amusée.

Non seulement Clive avait vieilli, mais, ayant misé gros à la roulette de la vie, il s'en était tiré avec des gains plus que modestes, pas le plus grand perdant de la nuit mais il était loin d'avoir ramassé ce qu'il estimait lui revenir. Aussi n'avait-elle pas l'intention de lui souhaiter la pire des déconfitures.

Tandis que sa femme se remettait avec quelqu'un qu'elle aurait dû éviter, Kit était soit à l'usine soit dans les airs, et, avant qu'ils s'en rendent compte, la Guerre s'acheva – Dally partit pour Paris, et Kit alla quelque part dans l'ouest de l'Ukraine, sans qu'elle sût quel était l'objet de sa quête. En revanche, elle savait que les combats continuaient là-bas. Il lui envoya des lettres, portant à chaque fois un timbre ou un tampon différent, et donna de temps en temps l'impression de vouloir rentrer, mais elle n'était pas certaine de vouloir qu'il le fasse.

La table de la cuisine n'était pas un endroit où passer ses après-midi.

Elle prit quelques billets sous un des bols verts et ressortit, alors qu'un avion passait à ce moment-là dans le ciel, marmonnant sereinement pour lui-même. Elle n'avait que quelques mètres à faire pour atteindre le boulevard et son café de quartier, l'Hémisphère, où elle avait découvert que si elle se contentait de s'asseoir en terrasse, très vite sa vie, ou du moins des extraits de sa vie, se répétaient sous des formes légèrement différentes, avec exactement les personnes qu'elle avait «besoin» de revoir – comme si le célèbre café était un de ces lieux d'élection dont parlaient les mystiques orientaux. Même s'il était possible que ce fût aussi les autres qui avaient «besoin» de la voir, et ils ne faisaient parfois que passer, tels des spectres, la regardant sans la reconnaître.

À cette époque, une vaste population d'Américains transitait régulièrement par Paris, changeant d'adresse ou mentant sur celle-ci. Certains étaient peut-être des fantômes de la Guerre qui venaient régler des comptes en ville. Mais la plupart étaient de jeunes Américains, épargnés, des gosses ayant de l'argent à dépenser mais aucune idée de ce que cet argent allait ou n'allait pas permettre d'acheter, qui semblaient s'engager maladroitement dans une sombre allée bordée de saules menant à une sorte de Club Europa des blessés, des gazés et des fiévreux, dont les membres avaient été initiés via la guerre, la faim et la grippe espagnole. Fort heureusement, il n'y avait pas de téléphone à l'Hémisphère, le propriétaire considérant l'instrument comme un nouveau fléau, qui allait se répandre partout dans Montparnasse pour y semer la destruction. Où aurait-on pu d'ailleurs laisser une ardoise au barman Octave avec une telle confiance dans son personnage? Dès que les Américains découvrirent qu'il n'y avait pas le téléphone, ils jetèrent leur dévolu un peu plus loin boulevard Raspail, sur des cafés plus réputés, comme le Dôme, la Rotonde, la Coupole et le Select.

Assise devant une tasse de café, Dally pouvait donc gamberger librement sur son passé, assurée d'être interrompue au bon moment dans les méandres houleux de désirs sages et sots, avant que ça devienne trop sordide.

En arrivant à Turin, Kit avait regardé autour de lui et s'était aussitôt senti chez lui. «Non mais, tu te rends compte, pas une seule rue tordue d'aussi loin qu'on peut voir.»

Ça aurait pu être Denver. Les montagnes étaient proches, et il y avait des centrales hydroélectriques partout. «Ça alors, putain de retour à la case départ», dit-il tout bas, «dingue.»

Kit se rendit à l'adresse que Viktor Mulciber lui avait donnée à

Constantinople et fut immédiatement engagé. Il mit alors ses talents vectoristes au service des charges de vent, de la stabilité latérale et longitudinale, et cætera… Il revit un ou deux visages connus du labo du Dr Prandtl à Göttingen, des types qui avaient fui l'Allemagne par peur pacifiste de ce qui se profilait et s'étaient dit que les avions de guerre italiens seraient utilisés uniquement contre l'Autriche, qui de toute façon était responsable de la Guerre. Il fut accueilli par une douche rituelle de bière et l'instruction solennelle suivante : «Tous les profils d'aile que tu rencontreras ressemblent en tout point à des cercles après une transformation de Zhukovsky. Le secret honteux de la conception des surfaces portantes. N'en parle à personne.»

Une petite *squadriglia* de monoplans Blériot était basée non loin, des vétérans de la guerre italo-turque, à bord desquels ils avaient surtout fait des vols de reconnaissance au-dessus de la Cyrénaïque, et qui arboraient fièrement quelques traces d'impacts de balles suite aux tirs de certaines tribus armées. Kit s'entendit bientôt très bien avec l'équipe au sol, qui ne vit pas d'inconvénient à ce qu'il emprunte à l'occasion un des biplans.

Un jour, Dally et lui eurent une conversation d'adultes concernant le temps qu'elle passait avec Clive Crouchmas. Kit avait rencontré cet énergumène et ne l'appréciait guère, même si, n'ayant pas de machine à remonter le temps, il voyait mal comment interdire à Dally son passé. Encore un sacrifice en période de guerre, supposa-t-il.

«Viens voler avec moi, Dal.» Sa voix avait soudain changé, mais comment, elle n'aurait su le dire.

«Tu es fou?»

«Je suis sérieux. Je peux arranger ça facilement – te faire monter sans qu'ils le sachent –, il est temps de toute façon que tu apprennes à voler, si ça se trouve tu vas aimer.» Il eut un regard suppliant qu'elle ne sut pas déchiffrer, une brève mise à nu qu'elle ne comprendrait que lorsqu'il serait trop tard.

«Les Autrichiens tirent sur les avions, Kit.»

«Pas sur nous. Pas sur toi et moi.»

Elle se rappellerait plus tard avoir également ressenti de la peine et de la colère devant sa naïveté sincère et elle se demanda si elle n'aurait pas mieux fait d'opter pour la pitié, bien qu'à long terme la pitié n'eût fait que les ronger, davantage que les accès de fureur et les sempiternelles disputes, qui au moins avaient en eux un peu de vie. Ce jour-là, elle se contenta de hausser les épaules et alla dans une autre pièce pour se faire belle une fois de plus, ayant été «invitée à dîner» par Crouchmas, au Cambio, probablement, pensa-t-elle.

Kit erra quelque temps en ville puis trouva refuge comme d'habitude dans un bar au bord du fleuve, à I Murazzi, près du pont du Pô. Son ami Renzo était déjà là, en train de boire un breuvage au vermouth.

Au sol, Renzo intriguait toujours les gens par son côté flegmatique, voire cliniquement dépressif, il ne disait pas grand-chose, dormait beaucoup – mais en présence de n'importe quel avion il s'animait soudain, devenait rayonnant, et quand les roues quittaient le tarmac, sa personnalité subissait un changement quasi polaire. Il avait volé avec toute une série de *bombardieri*, vite renouvelés, dont très peu avaient tenu plus d'une mission, la plupart réduits à l'état d'épaves nerveuses avant même d'avoir visé la moindre cible. «Crois-moi, c'est pas facile quand on se penche pour chercher quelque chose sur quoi larguer sa bombe – on manque de précision, en plus ça va pas *assez vite* au moment de l'impact, il faut le maximum d'énergie cinétique, *vero?*»

Kit plissa les yeux. «Tu veux parler de —»

«*Una picchiata!*»

«C'est quoi?»

«Un piqué très raide, pas comme quand tu descends en vrille, là tu dois contrôler tout le temps – larguer la bombe aussi près que tu peux de la cible, puis redresser sèchement et décamper avant l'explosion. Tu crois que tu pourrais trouver le moyen de modifier *mia bella* Caproni pour faire ça?»

«Un "piqué"? C'est insensé, Renzo, trop de pression à tous les mauvais endroits, le renfort pourrait lâcher, les gouvernes ne résisteraient pas, les ailes se décrocheraient, le moteur calerait ou exploserait —»

«*Si, certo,* mais à part ça…?»

Kit était déjà en train de faire des esquisses et de griffonner. Renzo lui faisait confiance. Kit l'avait déjà aidé à remplacer ses moteurs Isotta Fraschini par quatre Packard de cent chevaux et avait trouvé le moyen de monter deux autres mitrailleuses Revelli à l'arrière et sous le ventre de l'appareil – un bombardier triplan très large avec une équipe de cinq hommes –, nommé affectueusement *Lucrezia*, d'après l'infâme Borgia.

«*Andiamo*», dit Renzo en se levant brusquement. «Je vais te montrer.»

«Pas dans ce Caproni», rechigna Kit.

«On prendra le S.V.A.»

«Ça doit être une poutre de Warren… Je ne sais pas si ça —»

«*Macchè…*»

Il avait raison, bien sûr. Dès qu'ils furent dans les airs, avec pour seul repère la lumière effrayante au sommet de la Mole Antonelliana, Kit commença à comprendre ce qu'il fabriquait là-haut. «Tu crois qu'on pourrait viser le Cambio?» Ils n'y seraient sûrement plus, mais ça paraissait une cible raisonnable.

«Rien de plus simple.» Renzo prit la direction de la place Carignano. «Accroche-toi, cow-boy!» Et il inclina gaiement le manche alors qu'ils amorçaient un piqué à vous retourner l'estomac.

Ils allèrent bientôt si vite que le temps subit un changement, peut-être s'étaient-ils glissés un court moment dans le Futur, le Futur connu des futuristes italiens, avec des événements se superposant les uns aux autres, la géométrie s'étirant irrationnellement dans toutes les directions, y compris dans deux dimensions supplémentaires alors qu'ils fusaient vers l'Enfer, un Enfer qui ne pourrait jamais contenir la jeune épouse kidnappée de Kit, vers lequel il ne pourrait jamais aller pour la sauver, qui était en fait l'Enfer-du-Futur, établi à partir de ses équations fonctionnelles, évidé de toute émotion et de tout hasard…

Puis Renzo redressa *in extremis* dans une abrupte montée trépidante qui mit à mal l'intégrité de la structure, et ils survolèrent le fleuve comme s'il s'était juste agi d'une vrille ordinaire.

Kit était conquis. Bien sûr. La pure vélocité. L'intégration de la mort dans ce qui ne serait autre chose qu'une attraction foraine.

> Les bombardements
> En pi-qué!
> Mince alors, ce que c'est
> Fendard!
> Regardez-moi ces froussards
> Qui s'égaillent comme des rats,
> Écoutez-les qui crient
> Dès qu'on tire dans le tas,
> Pas vu pas pris,
> On a le choix —
> On s'en va à toute berzingue
> En forçant sur le manche
> De notre sacré zingue
> Quand on bombarde en pi-qué!

«T'as entendu cet avion hier soir?» dit-elle au petit déjeuner.

«Sacré boucan, hein? Comment ton petit ami a réagi – ou plutôt n'a pas réagi?»

Elle lui lança un regard noir. «Non mais, quel salaud tu fais.»

Kit travailla à ses heures perdues pour trouver un moyen d'effectuer un piqué avec un triplan gigantesque, et fit avec Renzo deux ou trois autres *picchiate*, la plus notable en août 1917 pendant une grève d'inspiration bolchevique organisée par les travailleurs des usines d'armement de Turin.

«Pousse-moi un de tes fameux hurlements de cow-boy», suggéra Renzo, et Kit obéit alors qu'ils descendaient en piqué vers une large manifestation. Les grévistes se dispersèrent telles des fourmis dans une fourmilière, pris dans le foyer d'un rayon plus mortel que la lumière du soleil. Kit jeta un coup d'œil à Renzo, et vit qu'ici, approchant la vitesse du son, il était métamorphosé en quelque chose d'autre... un cas de possession. Kit eut alors une illumination née de la vélocité. Tout ça était politique.

La grève à Turin fut écrasée sans pitié, des mineurs furent tués, blessés, enrôlés dans l'Armée, leur sursis d'incorporation annulé. La *picchiata* de Renzo avait été peut-être la première et la plus pure expression dans le nord de l'Italie d'un certain monde qui n'existerait pas pendant encore un ou deux ans. Mais bizarrement, tel un murmure précognitif, une voix rêvée, ce monde s'était déjà immiscé dans le Temps. «T'as vu comment ils se sont dispersés?» dit plus tard Renzo. «Mais pas nous. On est restés un seul élément, concentré, incassable. *Un vettore, si?*»

«Pas si tu n'avais pas redressé. Si on avait touché —»

«Oh.» Renzo remplit son verre. «Tout ça est pour l'autre monde.»

En octobre, ce fut la défaite de Caporetto, que Renzo mit sur le compte des grévistes. «Les incorporer aux brigades a été la pire erreur qu'ait pu faire l'Armée. Répandre leurs mensonges empoisonnés sur la paix.» Il avait cessé de s'habiller en civil. Il portait maintenant tout le temps un uniforme. Les aigles semblaient en être le motif prédominant.

Dally entendit un jour des enfants dans la rue qui l'appelaient. Elle s'approcha de la fenêtre. Une belle femme avec un chapeau d'avant la Guerre tenait par la main une fillette de cinq ans, et à son côté on aurait dit ce voyou de Reef, le frère de Kit, qu'elle avait vu pour la dernière fois à Venise. Et qui se protégeait les yeux du soleil. «C'est Dahlia?»

Ils étaient ici en tant que réfugiés. La plupart des combats avaient lieu dans le Nord-Est, aussi étaient-ils partis dans l'Ouest pour se rendre à Turin, où Reef avait appris que Kit travaillait d'un aviateur rencontré dans un bar.

«Domenico? Mais qu'est-ce qu'il fichait là-bas, j'croyais qu'il serait définitivement cloué au sol à l'heure qu'il est.»

«Il a dit que tu lui avais rendu service un jour, la fois où il avait essayé de pisser par une fenêtre sur un officier d'un grade supérieur —»

«C'était pas la première fois, presque un hobby chez lui, j'sais pas comment il fait en temps normal.»

«Écoute, avant qu'on —»

«Pas de ça», Kit étreignant son frère en un *abrazo* tardif. «Je t'en prie. Reste ici autant que tu en as besoin.»

Reef avait travaillé pour l'armée italienne sur un système de suspension pour câbles aériens complètement irréel qu'on désignait sous le nom de *teleferiche*. «C'est le front de l'Ouest, mais dans l'autre sens – en France, ils continuaient d'essayer de se déborder par le flanc jusqu'à ce qu'il n'y ait plus d'autre choix que d'aller dans la mer. Ici, avec les Autrichiens, on a fait la même chose mais verticalement, chaque armée s'efforçant de s'élever toujours plus haut, et voilà que sans prévenir tout ce beau monde se retrouve assis au sommet de ces *montagnes blanches et très pointues*, à se geler le cul dans le vent, sans nulle part où aller.»

«À part dans le ciel», dit Yasmina.

Les épouses s'entendaient à la perfection, se considérant non avec désir ou suspicion mais néanmoins avec une certaine fascination, comme si, à tout instant, une révélation allait se produire.

«Vous avez étudié en Allemagne ensemble, tous les deux.»

«Il était dans les vecteurs, moi dans la théorie des nombres, on se voyait à peine.» Les deux femmes, qui se regardaient à ce moment-là, esquissèrent un sourire, dans lequel Reef vit comme le début d'une complicité qui mériterait d'être surveillée.

«Mais c'est pour toi qu'il s'est battu en duel.»

«*Presque* battu en duel. Qu'est-ce qu'il a pu te raconter?»

«Il est possible que j'aie exagéré», dit Kit.

«Et c'est toi qu'il a sauvée de cette armée de tueurs hongrois.»

«Pas exactement. Kit, je commence à avoir quelques doutes.»

«Ouaip, faut faire gaffe à ces conneries», acquiesça Reef en mâchouillant une Di Nobili.

Pour marquer le coup, ils allèrent tous dîner au Ristorante del Cambio, qu'on surnommait ici «la vieille dame». Depuis que Renzo et lui avaient feint de bombarder l'endroit, Kit veillait à y manger au moins une fois par semaine. On ne trouvait plus de veau depuis des années, mais malgré les pénuries Alberto fut en mesure de leur servir de l'*agnolotti*, du risotto, un ragoût aux champignons, des *tagliarini*, et comme c'était la saison des truffes, il en apporta également quelques-unes, presque en s'excusant. Tout le monde but beaucoup de nebbiolo. La ville baignait dans une lumière jaune acide, avec des ombres noires et découpées au fond des arcades. Les projecteurs caressaient le ciel.

Un jour, en descendant du Caproni de Renzo, voilà que Kit tomba sur une vieille connaissance, son camarade de classe de Yale, Colfax Vibe qui, bien qu'âgé maintenant d'environ trente-cinq ans et donc officiellement trop vieux, s'était fait une place parmi les aviateurs, comme pour compenser le sursis d'incorporation acheté par son père cinquante ans plus tôt. L'Armée de l'air prévoyait d'envoyer environ cinq cents jeunes aspirants pilotes en Italie pour s'entraîner sur des Caproni, et Colfax était venu ici prospecter le terrain. Hormis un léger grisonnement sur les tempes, il ne montrait aucune trace des années passées.

Colfax monta bientôt une ligue de base-ball à Turin. Kit et lui prirent l'habitude de faire un saut une ou deux fois par semaine chez Carpano pour boire un Punt e Mes. Colfax avait fini par digérer la mort de Scarsdale, assassiné par le fidèle factotum de la famille, Foley Walker, mais il ne voulait pas en parler, pas plus qu'il ne paraissait contrit en présence de Kit.

Face à la décision des Autrichiens de prendre Venise et la Vénétie, les Italiens résistèrent si férocement que Kit se sentit honteux. Il renonça à sa neutralité d'ingénieur et partit en mission, parfois dans l'équipe de Renzo, parfois seul. Pendant un temps, il se laissa séduire par le piqué futuriste, avec son esthétique de sang et d'explosion.

«Tu aurais pu tout aussi bien rester dans le Colorado», dit Dally. «Dans les deux cas, tu continues la tradition familiale.»

«Pardon?» Curieux de voir jusqu'où elle irait.

«Les bombes», dit-elle. «Les bombes dans la famille. Au moins, Reef et ton père les plaçaient là où elles risquaient d'être utiles.»

«Les Autrichiens», crut bon d'expliquer Kit.

«Tes frères d'armes. C'est pas eux qu'il faut bombarder, merde alors, même moi je sais ça.»

«Alors sauve-moi.»

«Quoi?»

«Si je suis un cas aussi désespéré, aide-moi au moins à revenir sur le bon chemin. Dis-moi ce que je dois faire.»

Elle essaya. Plus tard, elle crut y arriver. Mais très vite il remit sur le tapis sa liaison avec Clive Crouchmas, et elle riposta avec quelque chose d'assez bas concernant Yasmina, à partir de là le ton ne fit que monter, et le salut fut la dernière de leurs préoccupations.

Il vola encore une fois, puis rentra chez eux, mais elle était partie. *Je vais à Paris. Je t'écrirai bientôt.* Pas même son nom.

Il s'inquiéta alors pendant des semaines, se rappelant à quel point Dally avait été ébranlée quand on avait appris que le S.S. *Persia* avait été torpillé par un capitaine de sous-marin du nom de Max Valentiner, un loup du Nord descendu dans les champs méditerranéens, et que parmi les victimes se trouvait sa collègue, Eleanor Thornton, qui avait servi de modèle pour la décoration de capot de Rolls-Royce dite «Esprit de l'Extase». Il reçut finalement une carte postale de Paris, avec l'adresse provisoire de Dally, et put de nouveau dormir la nuit.

Traversant une mer récemment dangereuse et imprévisible – non plus à la merci de longitudes inconnues ou de tempêtes soudaines mais à celle de sous-marins, la terreur d'une traversée n'étant plus désormais l'affaire de Dieu mais celle de la Marine allemande –, Reef, Yasmina et Ljubica rentrèrent aux États-Unis en se faisant passer pour des immigrants italiens. À Ellis Island, Reef, pensant que son anglais comme son italien pourraient lui attirer des ennuis s'il parlait, demeura muet suffisamment longtemps pour se voir attribuer un *I* majuscule, pour «Idiot», tracé à la craie sur son dos. Quelques minutes plus tard, un homme en uniforme de douanier – Reef ne put jamais vraiment voir son visage – traversa en courant le vaste brouet sonore des voix avec une éponge humide et effaça le *I*, empêchant ainsi Reef, comme ce dernier l'apprit, d'être renvoyé en Europe, car à l'époque un Idiot était considéré comme susceptible de devenir une charge publique et de coûter de l'argent aux contribuables américains.

«Attendez», dit Reef. «Qui êtes-vous?»

«On m'appelle "l'Oblitérateur".»

Reef finit par se dire qu'il devait son salut à quelque crypto-anarchiste qui s'était engagé dans les services gouvernementaux mais savait encore reconnaître et aider un camarade hors la loi. Non que l'idiotie n'eût pu être une couverture utile, ou fût même franchement hors de propos dans le cas présent. Ils avaient débarqué en pleine peur des Rouges, et se demandèrent très vite à quoi ils avaient bien pu penser.

Ils partirent dans l'Ouest, Reef propulsé par sa vieille confiance dans le vecteur ouest, désireux de trouver un endroit, une ville reculée ayant encore échappé aux rets des capitalistes et des bigots. Dans un dépôt ferroviaire du Montana, pendant une tempête de neige, ils tombèrent par le plus grand des hasards sur Frank, Stray et Jesse, qui avaient eu la même idée qu'eux.

«On peut faire la route ensemble?» demanda Reef.

«Et comment», dirent presque en chœur Frank et Stray. «Bien sûr, faut que je pense à ma réputation», ne put s'empêcher d'ajouter Frank, «si jamais on me voit en votre compagnie et tout ça.»

Jesse, quant à lui, ne parut pas du tout surpris mais sacrément agacé. «Quel effet tu crois que ça fait, de se prendre un tel choc?»

«Je suppose que j'aurais pu te le présenter comme étant ton Oncle Reef», dit Frank. «Mais tu n'as pas été très facile à duper ces derniers temps.»

«Mais comment que je dois l'appeler? "Papa" ça marche pas trop, non?»

Frank, qui avait vraiment envie de serrer contre lui le garçon, laissa un temps sa main sur l'épaule de Jesse. «Tu sais, autrefois je me serais très bien contenté de "Frank", puis tu t'es mis à m'appeler "Papa", et je l'ai pas exactement interdit parce que c'est trop bon d'entendre ça. C'est vrai. Tu t'en rendras peut-être compte un jour. En attendant, t'as qu'à l'appeler "monsieur", jusqu'à ce qu'il soit suffisamment à l'aise pour te dire: "Oh appelle-moi Reef, tout simplement", un truc dans ce genre.»

Et c'est ainsi que les choses se passèrent, d'ailleurs. Reef pourrait un jour transmettre des bribes de sagesse paternelle, comme de tricher aux cartes ou savoir repérer un détective de la Compagnie, et Jesse et lui passeraient de chouettes journées ensemble sur des cours d'eau de la région, même si ni l'un ni l'autre n'étaient d'excellents pêcheurs, à peine capables certains jours de rapporter de quoi contenter les chiens, mais l'Umpqua, notamment, avait le chic pour changer des pêcheurs indifférents en rois de la canne, ce qui permit à Reef et Jesse d'apprendre à garder un silence agréable, et c'était déjà plus que ce que chacun espérait, de son propre aveu.

Yasmina, qui commençait à perdre son accent européen passe-partout, se découvrit un jour de nouveau enceinte, et les deux femmes y virent le signe que rien dans leur vie ensemble ne risquait d'être trop chamboulé par les remords de quiconque. Et s'aperçurent notamment que Reef baignait dans une confusion bien connue. Elles avaient surveillé les frères au jour le jour, attentives aux signes de colère enfouie, comprenant au bout d'un temps qu'ils avaient travaillé à la même fin. Yasmina se prit tout particulièrement d'affection pour Ginger, la fille de Frank et Stray, et pour le bébé Plebecula. Ljubica et Ginger avaient à peu près le même âge, et s'entendaient très bien hormis de-ci de-là les inévitables chamailleries. Les filles passaient des heures et des heures avec le bébé, se contentant parfois simplement de le regarder. Leurs autres regards étaient réservés à Jesse, qui se retrouva soudain avec deux jeunes sœurs en sus. Elles éclataient parfois de rire, et il ne pouvait s'empêcher de penser que c'était de lui qu'elles riaient.

«Mais non», lui assuraient les deux femmes.

«Ljubica veut t'épouser», dit Yasm, «mais ne lui dis pas que je te l'ai appris.»

«Voilà qui laisserait songeur le Shérif», marmonna Jesse, qui bizarrement n'avait pas l'air de savoir quoi faire de ses mains.

«Oh ça passera», dit Yasm. «Mais alors, gaffe.»

«Ton boulot, en fait», ajouta Stray, «consistera à garder un œil ouvert quand elles rentreront toutes avec des fleurs en sentant la gomina, le rhum de baie et tout ça.»

«Que de corvées en perspective», grommela Jesse, ravi.

Ils restèrent un temps dans la forêt de séquoias, et puis pendant un peu plus longtemps encore dans une ville sur la péninsule de Kitsap, tout là-haut dans le dernier coin de la carte de l'Amérique, et après ça serait l'Alaska ou bien la Colombie-Britannique.

Jesse rentra de l'école avec un devoir à faire : «Écrivez un essai sur *ce que ça signifie d'être américain.*»

«Ben, mon colon.» Reef eut la même expression que son père avait avant d'aller poser ses bâtons de dynamite. «Donne voir un peu ce crayon.»

«C'est déjà fini.» Jesse avait écrit :

Ça signifie faire ce qu'on vous dit et prendre ce qu'on vous donne et ne pas faire grève sinon les soldats vous tireront dessus.

«C'est ça qu'ils appellent une "entrée en matière"?»

«C'est mon devoir.»

«Oh.»

Le devoir lui fut rendu avec un A+. «Mr Becker était autrefois à Cœur d'Alene. J'ai dû oublier de le préciser.»

«On devrait fonder notre propre petite république», dit un jour Yasm. «Faire sécession.»

«Oui mais bon», soupira Stray, qui n'était pas du genre à soupirer, «ces trucs-là marchent jamais. Une belle idée tant que la réserve d'opium dure, mais tôt ou tard la bonne vieille vachardise revient. Quelqu'un laisse s'assécher le puits, quelqu'un lance une œillade au mauvais mari —»

«Doux Jésus», dit Yasmina en pressant ses mains sur son sein comme si elle avait des palpitations.

«Non, non, non, on est au-delà de tout ça, j'espère.»

Et là-dessus, un long regard affectueux. Personne n'aurait dit «la mauvaise épouse». Entre-temps, la maternité et le danger politique n'avaient guère entamé le désir de Yasm pour les autres femmes, même si les exigences pratiques de l'époque circonscriraient trop souvent ce désir dans le domaine de la rêverie. Stray, quant à elle, goûterait quelques moments délirants, en général dans des chambres d'hôtel en ville considérablement à l'est d'ici, avec des femmes plus jeunes, rougissantes et tremblantes, qui feignaient d'être désarmées devant la situation.

L'instant s'étirait, comme après une longue sieste quelque part. «On n'est pas sur le point de faire une bêtise?» demandait l'une d'elles au bout d'un moment.

«J'espère bien que si», répondait l'autre.

«'Soir, Dally.»

C'était Policarpe, une ancienne connaissance de Kit, supposa-t-elle, de l'époque de la Belgique.

«J'étais allé faire du lèche-vitrines. T'avais l'air perdue dans tes pensées. J'allais pas te laisser dans cet état.»

Elle lui offrit un cognac. Ils restèrent à regarder le boulevard illuminé. Policarpe travaillait pour un journal socialiste. La mort n'avait pas élu résidence dans ses yeux mais les avait souvent visités.

«On est en enfer, tu sais», dit-il sur le ton de la conversation.

«Tout le monde pense qu'on vient juste d'en sortir», opposa-t-elle.

Un haussement d'épaules. «Le monde s'est achevé en 1914. Comme les morts insouciants, qui ne savent pas qu'ils sont morts, nous ne nous sommes pas rendu compte que nous vivions en enfer depuis ce terrible mois d'août.»

«Mais ça —» désignant d'un geste la ville en pleine ébullition, «comment est-ce que ce —»

«Illusion. Quand la paix et l'abondance paraissent de nouveau aller de soi, au moment le plus langoureux de la reddition maximale, la réalité de la situation ne fera qu'une bouchée de toi. Prestement et sans pitié.»

Il regarda soudain l'autre trottoir, chercha ses lunettes. «J'hallucine, manifestement. J'ai cru pendant un moment apercevoir ton premier mari.»

C'était le cas. Kit était rentré à Paris subitement, après avoir passé quelque temps à Lvov, l'ancienne métropole de Galicie, récemment la capitale de la déjà défunte république d'Ukraine de l'Ouest.

Après le départ de Dally, et celui de Reef et de sa famille, Kit avait servi dans l'armée en tant qu'ingénieur, seul, hormis un interlude avec l'amie de Dally, Fiametta, qui travaillait dans le même hôpital. Puis la Guerre s'était terminée, et il avait alors rencontré une algébriste aux étranges obsessions, du nom de E. Percy Movay, qui ne cessait de parler d'un célèbre groupe de mathématiciens de Lvov, tout là-bas à la frontière reculée du désormais défunt Empire austro-hongrois. Et c'est ainsi que Kit découvrit le Café écossais et le cercle de cinglés qui le fréquentait, où un soir on lui exposa une surprenante implication de l'axiome du choix de Zermelo. Il était possible, en théorie, lui expliqua-t-on sans l'ombre d'un doute, de prendre une sphère de la taille d'un petit pois, de la couper en plusieurs morceaux et de l'assembler de nouveau en une autre sphère de la taille du Soleil.

«Parce que l'une émet de la lumière et l'autre non, selon vous?»

Kit fut pris au dépourvu. «Je ne sais pas.»

Il passa un temps à réfléchir à la question. Zermelo avait enseigné à Göttingen quand Kit était là-bas et, comme Russell, il s'était penché sur l'ensemble de tous les ensembles qui ne s'incluent pas eux-mêmes. Il était également célèbre dans les tavernes pour sa théorie selon laquelle aucune expédition ne pourrait jamais atteindre aucun des Pôles, parce que la quantité de whisky nécessaire était directement proportionnelle à la tangente de la latitude. La latitude polaire étant quatre-vingt-dix degrés, cela signifiait une valeur approchant l'infini – C.Q.F.D. Kit ne fut guère surpris d'apprendre que l'étrange paradoxe soit lié d'une certaine façon à Zermelo.

«Mais nom d'un sous-ensemble, les amis – vous voyez ce que ça implique, n'est-ce pas? Les mystiques indiens et les lamas tibétains et cætera ont toujours eu raison, le monde que nous pensons connaître peut être divisé et assemblé de nouveau en n'importe quel nombre de mondes, chacun aussi réel que "celui-ci".»

Il fallut un certain temps à Kit pour localiser celui qui parlait, et il fut agréablement troublé d'apercevoir, émergeant de derrière une gigantesque chope de bière, le visage du Pr Heino Vanderjuice, étrangement jeune, les cheveux redevenus noirs, avec juste quelques mèches grises, sa légère voussure collégiale remplacée par un port altier et responsable.

«Ben ça alors, si c'est pas Mr Traverse. Vous alliez quitter Göttingen la dernière fois que je vous ai vu.»

«Quel plaisir de vous revoir, monsieur», Kit le serrant contre lui. «Par ici.»

«Loin de Vibe, vous voulez dire.»

«Eh bien, surtout vivant et en forme.»

«Pareil pour moi, mon jeune ami.» Ils prirent une autre tournée, quittèrent le Café écossais, et longèrent l'Université en direction du jardin Kliński. «Avec tous ces morts», déclara le Professeur au bout d'un temps, «on pourrait croire que c'est leur manquer de respect – mais je suis content que Scarsdale Vibe soit désormais des leurs. Même s'il ne mérite pas une si bonne compagnie. Mon seul regret est de ne pas l'avoir descendu moi-même.»

Kit allait allumer une cigarette mais s'interrompit. «Je ne savais pas que vous vouliez le descendre.»

Le Professeur ricana. «J'ai essayé un jour, ça devait être après votre départ pour l'Allemagne. Une forme de rechute dans le mépris passe-partout, après avoir compris avec quelle facilité je m'étais laissé acheter – flatté au point de me prendre pour l'égal de Tesla, mais d'une polarité opposée. En butte au mépris de Vibe, mais pas au mien. Furieux contre moi-même, plus que contre Vibe, je suis allé chercher mon vieux Colt Navy à simple action et j'ai pris l'express du matin pour New York. Avec en tête la vague idée de retourner l'arme contre moi une fois que je m'en serais servi contre lui. Je me suis rendu dans Pearl Street, j'ai trouvé un toit pas loin et je me suis installé là pour le guetter. Mais il s'est passé quelque chose d'étrange. Il ne m'avait fallu que treize marches pour grimper où j'étais, et j'ai vu alors que j'étais non sur un toit mais sur l'échafaud d'un bourreau, comme si bizarrement j'avais déjà accompli mon modeste attentat, été arrêté, jugé et condamné pour ce crime, et attendais maintenant l'ultime châtiment. Et on parle des anomalies du Temps!

«Je semblais être quelque part en dehors de New York, dans un de ces tribunaux de campagne dotés d'un large dôme doré. Une foule s'amassait, une fanfare militaire jouait des marches et des airs, des enfants vendaient de la citronnade, des drapeaux américains, des épis de maïs, des hot-dogs, et cætera. J'étais exposé à tous les regards, mais personne ne semblait prêter vraiment attention à ma personne. Puis le dôme du tribunal a commencé à s'élever, à enfler dans le ciel, et au bout d'un moment j'ai vu qu'il s'agissait en fait de l'enveloppe sphérique d'un gigantesque ballon, qui montait lentement derrière le dôme, où il était resté caché. Là encore, un genre de conjecture petit pois-Soleil, mais différent. Bien sûr, c'étaient les Casse-Cou, pas la première fois qu'ils venaient à mon secours – mais d'habitude ils me sauvaient d'un aléa professionnel, si je me trouvais à tomber d'une falaise ou dans des propulseurs tourbillonnants… Mais ce jour-là ils m'avaient sauvé la vie, sauvé de cette chose bradée et déshonorée qu'allait devenir ma vie. Bien sûr, le jeune Suckling aimait répéter que ce n'était rien – "Eeyynnyyhh, le vieux chnoque nous ressort encore cette histoire – ce six-coups était même pas chargé" –, mais ils m'ont sauvé, néanmoins.»

Les foules du soir envahissaient le jardin sans se presser. Quelque part, un accordéon jouait un *hopak* aux accents de jazz. Des gamins tiraient les tresses des filles puis s'enfuyaient, des couples d'un certain âge restaient dans l'ombre, enlacés. La paix.

«Les garçons sont dans les parages», le Pr Vanderjuice scrutant sereinement le ciel encore chatoyant. «En général, je le sens. Vous ferez peut-être leur connaissance. Un petit tour avec eux. Ils vous emmèneront où vous voudrez.»

D'autres implications de ce que Kit avait commencé à appeler «la situation Zermelo» ne cessaient de se présenter. «Nous croyons que Lemberg, Léopol, Lvov, Lviv et Lwów sont les noms différents d'une même ville», dit un soir E. Percy Movay, «mais il s'agit à chaque fois d'une ville distincte, avec des règles très précises de transition de l'une à l'autre.»

Depuis Touva, depuis en fait qu'il avait entendu ces chants inexplicablement articulés de façon duelle, en ces temps de perplexité, là où d'autres hommes auraient pesté ou se seraient gratté le pénis d'un air absent ou mis sans raison à pleurer, Kit avait découvert qu'il pouvait émettre du fond de sa gorge un unique ton, bas et guttural, et ce aussi longtemps que son souffle le lui permettait. Il avait parfois l'impression que s'il y arrivait à la perfection ça le transporterait «là où il devrait vraiment être», même s'il ne savait pas très clairement où c'était. Après l'avoir fait suffisamment longtemps, il sentit qu'il entrait dans un état distinctement différent.

Un jour, le Pr Vanderjuice disparut. Certains prétendirent l'avoir vu s'éloigner dans le ciel. Kit se rendit au Glowny Dworzec et prit un train en direction de l'ouest, mais très vite il descendit, traversa la voie pour rejoindre le quai d'en face et attendit qu'un autre train passe, dans le sens opposé, et bientôt il ne cessa de prendre des trains se dirigeant vers des destinations dont il était de moins en moins sûr.

C'était comme la convergence d'une fonction complexe. Il connaissait de brèves périodes de lucidité, puis était de nouveau sujet à la faim et aux hallucinations. Il ne savait pas toujours où il était, ni – ce qui se révélait très perturbant pour un ancien Vectoriste – dans quelle direction il allait. Il lui arrivait de s'enfoncer dans le conscient pour découvrir qu'il remontait le Danube, franchissait les Portes de Fer, accoudé au bastingage d'un petit steamer cahotant, en train de contempler les parois rocheuses du défilé de Kazan, emporté dans le rugissement des rapides, tandis que le fleuve, tout écumant de brume, s'élevait pour l'envelopper, tel le manteau protecteur d'un dieu – à d'autres moments il se retrouvait face au lac Baïkal, ou devant une frontière glaciale tout aussi pure et intraitable. L'autre versant de ce «Baïkal», comprit-il, n'était accessible qu'à ceux dotés d'un esprit intrépide. Aller là-bas et en revenir serait comme de survivre à la fin du monde. Depuis un point précis, il était possible de «voir», sur l'autre rive, une ville cristalline et rédemptrice. Il y avait de la musique, mystérieusement audible, tonale mais délibérément fragmentée en dissonances – exigeante, comme si chaque note requérait l'attention. Et de temps en temps, lors de brèves périodes de conscience retrouvée, il ne pensait plus qu'à Dally, se rappelant qu'ils avaient été séparés, mais incapable de se rappeler pourquoi.

Après quelques semaines passées ainsi, il reçut la visite d'une sorte d'ombre suspendue dans l'air vide, comme dans l'encadrement d'une porte invisible, et qui s'approchait de lui si rapidement qu'il savait qu'il ne serait pas toujours en mesure de l'éviter. Finalement, un jour, encore hésitant, il décida de l'aborder – l'effroi fut tel qu'il dut perdre l'équilibre et, saisi tout d'un coup par la gravité, bascula dans l'ouverture étrangement orthogonale en s'exclamant : «Mais qu'est-ce que… ?» Puis, au grand étonnement des personnes présentes, il fut changé en une transparence scintillante, rapetissé en une sorte de cône gracieux et avalé par sa pointe dans une fenêtre minuscule, ou alors simplement située très loin, un cadre de plasma brillant. Kit eut quant à lui l'impression d'avoir conservé la même taille tandis que l'ouverture lumineuse se mettait à croître, puis débordait et l'enveloppait dans des roux et des rouges antiques, des cuivres luisant derrière une brume intérieure, s'assemblant de nouveau jusqu'à ce qu'il se trouve dans une chambre d'hôtel calme, à Paris, avec des tapis d'Asie intérieure sur le plancher, une odeur de tabac et de ganja, un vieil érudit à tarbouche et lunettes en demi-lune penché sur un album de timbres somptueusement relié, ce que les collectionneurs appelaient un «missel», dans lequel Kit vit toute une galerie de timbres-poste neufs, jamais pliés, superbement centrés, avec la colle d'origine provenant d'arbres divers, tous représentant Shambhala, la série complète, le plus ancien datant du traité de Berlin (1878), montrant des scènes de la campagne shambhalaienne, la flore et la faune, les montagnes, des chutes d'eau, des gorges par lesquelles on accédait à ce que les bouddhistes appelaient les terres cachées.

L'homme au tarbouche se retourna enfin et hocha la tête d'une façon étrangement familière. «Lord Overlunch. Ravi de vous rencontrer.»

«Que s'est-il passé?» Kit se sentant étourdi. Il regarda autour de lui, un peu affolé. «J'étais à Lvov —»

«Excusez-moi, mais vous étiez à Shambhala.» Il tendit à Kit la loupe et lui désigna un timbre précis, dont la vignette soigneusement gravée montrait une place de marché avec quelques habitants, des chameaux domestiques et des chevaux, sous un ciel ponctué de nuages aux couleurs sanglantes.

«J'aime les regarder attentivement à la loupe au moins une fois par semaine, et aujourd'hui j'ai remarqué quelque chose de différent dans ce timbre à dix dirhams, et je me suis demandé si quelqu'un, un rival, ne s'était pas introduit ici pendant mon absence pour y substituer une variante. Mais bien sûr j'ai aussitôt découvert ce qui avait changé, le seul visage qui manquait, le vôtre, je le connais bien maintenant, c'est, si je puis me permettre, le visage d'une vieille connaissance…»

«Mais je n'étais pas…»

«Allons, allons. Un jumeau, peut-être.»

Lord Overlunch était en ville pour la vente Ferrary, un événement capital dans l'histoire de la philatélie, pour qui voulait acquérir, ou tout au moins apercevoir, le tre skilling jaune suédois.

«Et pour revoir de vieilles têtes, n'est-ce pas. Depuis le passage de la Dame espagnole, avec sa robe dont on a pu sentir le frôlement et ce visage derrière une mantille noire qu'on a évité de regarder, on n'a de cesse de se demander qui est six pieds sous terre.»

«Et comment ai-je fait pour arriver jusqu'ici?»

«C'est ainsi que les gens réapparaissent ces temps-ci. Les trains ne roulent pas en permanence. Les aiguillages ne sont pas toujours actionnés correctement.» Il regarda sa montre. «Juste Ciel! Je suis en retard. J'aimerais vous inviter ce soir à dîner chez Rosalie. Vous pourrez y rencontrer ma délicieuse amie américaine, Miss Rideout, qui a été la première à découvrir Montparnasse après la Guerre. Une histoire de mari…» – il décocha alors à Kit un sourire indubitablement amical – «si j'ai bien compris. Vous viendrez, n'est-ce pas?»

Des couples dansaient la valse-hésitation en pleine rue, malgré les panneaux qui le leur interdisaient clairement. D'une boîte de nuit montait un air accompagné au *bandoneón*, très en vogue à Montparnasse cette année-là, un tango mélancolique mais entraînant:

Vege-tariano…
Pas de si ni de mais —
Que des noix de coco
Et surtout pas de lait —

Rôti braisé *prohibido*,
Filet de bœuf tabou-tabou,
Pourquoi irais-je m'adon-
Ner à vos plaisirs de fous?

          Jamais raffolé
Du…
Tournedos
Ni particulièrement apprécié
Le bœuf émincé sur toasts — les steaks et
Les côtelettes, ¡a-di-ós! — Vege-

-taria-no…
Jamais en Argentine,
Je n'aurais pu aller «¡O-
lé!» à cause de leur cuisine…
Les gauchos te maudissent —
Mais tu fais mes délices…
Alors je continuerai, oh…
Vegetaria-no!

Imaginons un vecteur, passant par l'invisible, «l'imaginaire», l'inimaginable, qui les transporterait sans risque dans ce Paris d'après guerre
où les taxis, vétérans cabossés de la Marne mythique, ne prennent plus
que des amants et de joyeux ivrognes, où une musique sur laquelle on
ne peut pas défiler est jouée sans interruption toute la nuit, dans des
bars et des bals musettes pour des danseurs qui seront toujours là, avec
des nuits assez sombres pour que les visions puissent s'y épancher, sans
être pourfendues par la lumière chassée des Enfers, et où les problèmes
qu'ils rencontrent sont aussi inoffensifs que des portes ouvertes puis
fermées, trop nombreuses, ou pas assez nombreuses. Un vecteur traversant la nuit et donnant sur un matin de chaussées arrosées, d'oiseaux
chantant partout mais invisibles, d'odeurs de boulangerie, de lumière
verte filtrée, une courette encore dans l'ombre…

«Non mais regardez-les, là, en bas.»
«Toute cette lumière.»
«Tous ces gens qui dansent.»
Les Garçons de 71 tenaient leur convention annuelle à Paris. Tout
l'équipage du *Désagrément* était invité. Les festivités devaient se poursuivre non au sol mais au-dessus de la Ville, dans un vaste mais invisible
raout d'aéronefs.

Leur devise était : « Présents mais invisibles. »

« Les Garçons appellent ça l'idée supranationale », expliqua Penny Black, les yeux écarquillés et humides comme quand elle était petite, récemment promue au grade d'amiral d'une flotte de vaisseaux aériens après que les Bindlestiffs du Bleu avaient été incorporés aux Garçons de 71, « littéralement pour transcender le vieil espace politique, l'espace-carte à deux dimensions, en se hissant dans la troisième. »

« Il existe malheureusement », tint à ajouter Lindsay, « une autre école de pensée qui considère la troisième dimension non comme un boulevard transcendant mais comme un moyen d'acheminer des explosifs. »

« On voit à quel point le mariage l'a changé », fit remarquer Primevère Noseworth.

« Ravie de voir en tout cas que cette bande de bons à rien a finalement retrouvé la raison », dit en souriant Penny. « Flambée, allons, tu veux bien t'occuper de ce vieux Darby, c'est un rapide. »

« Qui, ce lambin ? » Le chatouillant à un endroit fiable entre les côtes. « Il dit que je me déplace trop vite pour lui – jamais à la maison, toujours à chercher les ennuis, et ce qui va avec. Je lui ai dit : "Lis le contrat." »

Elle voulait parler du document par lequel les filles étaient convenues de joindre leur avenir à celui du *Désagrément*, à la seule condition qu'ils opèrent toujours indépendamment. Elles seraient des frégates, les garçons des cuirassés – elles seraient des flibustiers et des pirates, les Garçons le Haut Commandement militaire. Les garçons les suivraient de près, dans l'illusion du pouvoir exécutif, et les filles vireraient à angle droit de la trajectoire officielle du vaisseau pour vivre les aventures, affronter l'Extérieur, en prenant souvent des risques considérables, et reviendraient de leurs missions tels des commandos fatigués à la base domestique.

Sur quoi tout le monde accrocha son insigne, et Miles déboucha des magnums de brut Puisieulx 1920.

Un jour, Violette découvre qu'elle attend un bébé, et alors, en une polyphonie en canon, les autres filles annoncent une par une qu'elles aussi sont enceintes.

Et ils s'envolent. Le vaisseau est désormais aussi vaste qu'une petite ville. Il y a des quartiers, il y a des jardins. Il y a des taudis. Il est si grand que quand les gens sur Terre le voient dans le ciel, ils sont frappés de cécité hystérique sélective et finissent par ne plus le voir du tout.

Ses couloirs vont bientôt grouiller d'enfants de tous âges et de toutes tailles qui courent sur les différents ponts en criant et braillant. Les plus sérieux apprennent à piloter l'aéronef, d'autres, inaptes aux manœuvres aériennes, se contentent d'attendre les escales, comprenant que leur destin est en bas, dans le monde fini.

Le *Désagrément* lui-même voit constamment son ingénierie mise à jour. Suite aux progrès accomplis par la théorie de la relativité, la lumière est incorporée comme source de puissance motrice – pas tout à fait un carburant – et comme médium transporteur – pas tout à fait un véhicule – entretenant plutôt avec le vaisseau une relation très proche de celle qu'a l'océan avec le surfeur sur sa planche – un principe emprunté aux tenues éthériques qui transportent les filles de mission en mission, dont elles ne communiquent pas toujours les détails au Haut Commandement.

De même que les voiles de son destin peuvent être hissées contre l'excès de lumière, de même celles-ci peuvent également capter une obscurité favorable. Ses ascensions se font désormais sans effort. Ce n'est plus une question de gravité – c'est une acceptation du ciel.

Les contrats que l'équipage a signés ces derniers temps, sous l'égide sinistre et obsessionnelle de Darby, sont de plus en plus longs, ils finissent par déborder de la table principale pour se répandre sur les ponts, et les Casse-Cou se rendent parfois dans d'improbables confins. Ils retournent sur Terre – à moins qu'il ne s'agisse de la Contre-Terre – avec une forme d'*engelure mnémonique*, ne conservant que des impressions ébahies d'un vaisseau excédant les trois dimensions habituelles, faisant escale, toujours de façon précaire, à de lointaines stations perdues dans l'espace infini, qui toutes semblent des étapes en vue d'une destination – l'aéronef et le quai emportés tous deux à des vitesses que nul n'ose imaginer, des sources invisibles de gravité se déroulant telles des tempêtes, les initiant à des distances que seuls les astronomes peuvent comprendre – mais, chaque fois, le *Désagrément* est ramené à bon port, dans le giron épanoui d'un hyper-hyperboloïde parfait que seul Miles peut voir dans son entièreté.

Les enfants de Pugnax et Ksenija – il y en aura au moins un dans chaque portée pour embrasser la carrière d'aéro-chien – ont été rejoints par d'autres chiens, ainsi que par des chats, des oiseaux, des poissons, des rongeurs, et des formes de vie moins terrestres. Ne dormant jamais, retentissant comme une fête chômée sans fin, le *Désagrément*, naguère un véhicule d'aéro-pèlerinage, s'est transformé dans sa propre destination, où tous les vœux possibles sont écoutés, sinon exaucés. Si tous les vœux se réalisaient, cela signifierait que, dans la Création connue, le bien accompli à notre insu aurait évolué, et nous serait alors au moins plus accessible. Personne à bord du *Désagrément* n'a encore observé le moindre signe d'une telle chose. Ils savent – Miles en est sûr – que c'est imminent, tel un orage qui approche, invisible. Ils verront bientôt la pression chuter dans les manomètres. Ils sentiront un changement dans le vent. Ils mettront des lunettes à verres fumés quand les cieux s'écarteront devant la gloire de ce qui vient. Ils volent vers la grâce.

Note du traducteur

Cette traduction est pour Denis Roche. Mille mercis à la fée Flore Roumens, au lynx Johan Härnsten, à l'indispensable Emmanuelle Bigot et à l'infatigable Marie-Hélène Le Maire, quatuor sans lequel traduire ne serait qu'un art solitaire et périssable. À Jacques Morel, pour sa vigilance. Merci aussi à David Blair, qui m'a offert un « contre-jour » numérisé. À Brian Evenson, pour son aide. À Mathias, Nicolas, Fabrice, Yves, Gaël et Hof, fidèles Casse-Cou. Enfin, à Robert Sintes, lecteur pugnace.

Table

RÉALISATION : PAO ÉDITIONS DU SEUIL
IMPRESSION : NORMANDIE ROTO IMPRESSION S.A.S À LONRAI (ORNE)
DÉPÔT LÉGAL : SEPTEMBRE 2008. N° 95004 (082620)
IMPRIMÉ EN FRANCE